DELITOS CONTRA EL PATRIMONIO CULTURAL:
ARTÍCULOS 321 A 324 DEL CÓDIGO PENAL

DELITOS CONTRA EL PATRIMONIO CULTURAL:
ARTÍCULOS 321 A 324 DEL CÓDIGO PENAL

CRISTINA GUISASOLA LERMA
Doctora en Derecho

tirant lo blanch
Valencia, 2001

© TIRANT LO BLANCH
EDITA: TIRANT LO BLANCH
C/ Artes Gráficas, 14 - 46010 - Valencia
TELFS.: 96/361 00 48 - 50
FAX: 96/369 41 51
Email:tlb@tirant.com
http://www.tirant.com
Librería virtual: http://www.tirant.es
DEPOSITO LEGAL: V - 2886 - 2001
I.S.B.N.: 84 - 8442 - 375 - 1
IMPRIME: GUADA LITOGRAFIA, S.L. - PMc

A Carlos.
A mis padres.

Nota previa

El presente trabajo se redacta a partir de mi Tesis Doctoral, cuya lectura tuvo lugar el día 15 de julio de 2000 en el Departamento de Derecho Público de la Universitat Jaume I de Castellón. A los miembros del Tribunal que, presidido por el Dr. Enrique Orts Berenguer, estuvo compuesto por los Drs: Vicente Grima Lizandra, Juan Terradillos Basoco, Carlos Suárez González y Josep María Tamarit Sumalla, quiero reiterarles mi agradecimiento por sus consejos, sus observaciones y también sus críticas que han enriquecido sin duda el trabajo que ahora se publica. También deseo agradecer a mis compañeros del Departamento de Derecho Público, y, en particular, del Area de Derecho Penal, el apoyo que me han brindado en todo momento.

Por último, pero no por ello menos importante, deseo expresar mi más sincera gratitud a los Profesores Doctores D. Tomás S. Vives Antón y D. Jose Luis González Cussac por haber asumido la tarea de dirigir mi trabajo de Tesis que sirvió de base para esta obra, así como significar el honor y orgullo de poder contar con dos maestros de tal valía.

Índice

Capítulo I
EVOLUCIÓN HISTÓRICA

Capítulo II
REGLAMENTACIÓN INTERNACIONAL Y DERECHO COMPARADO

Capítulo III
BIEN JURÍDICO Y PRINCIPIO «NE BIS IN IDEM» EN EL MARCO CONSTITUCIONAL

Capítulo IV
LOS DELITOS SOBRE EL PATRIMONIO HISTÓRICO: EL CAPÍTULO II DEL TÍTULO XVI

Abreviaturas

ADPCP	Anuario de Derecho Penal y Ciencias Penales
AP	Actualidad Penal
ARPA	*Archeological Resources Protection Act.*
BIC	Bienes de Interés Cultural
CCAA	Comunidades Autónomas
CGPJ	Consejo General del Poder Judicial
CPC	Cuadernos de Política Criminal
LECrim	Ley de Enjuiciamiento Criminal
LPCV	Ley de Patrimonio Cultural Valenciano
LPHE	Ley 16/1985 de Patrimonio Histórico Español
LRAU	Ley Reguladora de la Actividad Urbanística
LRJAP y PAC	Ley de Régimen Jurídico de las Administraciones Públicas y del Procedimiento Administrativo Común
LS76	Texto Refundido de la Ley sobre Régimen del Suelo y Ordenación Urbana de 1976
R.A.	Repertorio de Jurisprudencia Aranzadi
REDC	Revista Española de Derecho Constitucional
REDA	Revista Española de Derecho Administrativo
RDU	Reglamento de Disciplina Urbanística
RD	Real Decreto
RDUrb.	Revista de Derecho Urbanístico
RFDUCM	Revista de la Facultad de Derecho de la Universidad Complutense de Madrid
RO	Real Orden
STC	Sentencia del Tribunal Constitucional
StGB	Código penal alemán
STS	Sentencia del Tribunal Supremo
TSJ	Tribunal Superior de Justicia
UNESCO	United Nations Educational, Scientific and Cultural Organization

Prólogo

La obra que tenemos la satisfacción de prologar constituye esencialmente la Tesis Doctoral de CRISTINA GUISASOLA LERMA, que defendió con éxito el día 15 de Julio de 2000 en la Facultad de Ciencias Jurídicas y Económicas de la Universitat Jaume I de Castellón. En el seno de esta institución, concretamente en su Departamento de Derecho Público, desarrolló en gran medida este trabajo, primero como Becaria de Investigación de la Generalitat Valenciana y luego como Asociada a Tiempo Completo, si bien lo completó con estancias en L'Université Panthéon-Assas (París II) y en la División de Patrimonio Cultural de la UNESCO en París.

Múltiples y diferentes fueron los motivos, las razones y los objetivos que explican la elección de este tema. En un lugar destacado, y quizás como presupuesto de todos los demás, ha de figurar la sensibilidad de ciudadanos que, como habitantes de una antigua ciudad mediterránea como Valencia —por citar solo un ejemplo, aunque manifiesto—, han visto a lo largo de los últimos años destruir, alterar, dañar y abandonar elementos esenciales de nuestro Patrimonio histórico y cultural, merced a una sólida combinación de codicia, desidia e ignorancia. No obstante, el aumento de una cada vez mayor conciencia ciudadana en la necesidad de custodiar los bienes que integran el patrimonio cultural, constituye sin lugar a dudas la única, aunque todavía débil esperanza en su salvaguarda.

Pero, centrándonos ya en aspectos estrictamente jurídicos, hemos de referirnos como primer motivo para la elección del tema al mandato constitucional contenido en el artículo 46 de la Ley Fundamental, en donde se confiere a los poderes públicos las facultades para garantizar la conservación y para promover el «*enriquecimiento del patrimonio histórico, cultural y artístico de los pueblos de España y de los bienes que lo integran*», y que además prescribe la intervención penal para sancionar los atentados contra este patrimonio. De modo que, el análisis de la naturaleza, fundamento, alcance y eficacia de este precepto constitucional, se erigen en el primer objetivo de esta obra. Lo que a su vez obliga a la autora a profundizar en los muchas veces olvidados vínculos entre Constitución y Derecho Penal. Vínculos que se hacen todavía más patentes en esta materia donde, al encontrarnos con una reciente y novedosa intervención punitiva, que en numerosos casos se superpone a la tradicional tutela administrativa, y por consiguiente condiciona al legislador al uso de técnicas legislativas especiales y al recurso a estructuras típicas complejas, viene a reforzar así la necesidad de cotejar los nuevos tipos penales con los principios constitucionales de legalidad, proporcionalidad y *ne bis in idem*.

Esta labor se aborda en el Capítulo Tercero, junto con el examen del bien jurídico protegido, en el que se trata de configurar como objeto de la protección *el valor cultural*, deslindándolo y confiriéndole autonomía conceptual plena respecto del *valor económico* que estos bienes puedan poseer. Sin lugar a dudas, en la búsqueda y delimitación conceptual de este valor cultural como bien susceptible y necesitado de tutela penal, podemos situar otro de los motivos que a nuestro entender justificaban la opción de este tema. Pero naturalmente esta tarea comporta adentrarse en la categoría del bien jurídico, y muy especialmente en la relativa a los bienes jurídicos colectivos, analizando la pertinencia de extenderlo a la noción de valor cultural. De igual forma, desde el mismo instante que se acepta la coexistencia de ambos intereses, el cultural y el económico, se suscitan de inmediato intrincados problemas concursales, cuya resolución representa otro de los retos y objetivos perseguidos en esta obra.

En todo caso no puede escatimarse un ápice de protagonismo, como razón determinante en la selección de este trabajo, a la novedad de la materia, esto es, a la creación de nuevas figuras penales que, quizás por primera vez en nuestra tradición jurídica, tratan de garantizar el valor cultural más allá de su trascendencia económica y patrimonial. De modo que el análisis exhaustivo de los artículos 321, 322, 323 y 324 introducidos en el nuevo Código Penal de 1995, constituyen el objetivo fundamental desarrollado por la Dra. GUISASOLA LERMA, que acomete con claridad y rigor en el Capítulo Cuarto. Pero antes, y debido precisamente a la inédita configuración legal, se aborda con un esmerado detenimiento el estudio de la evolución histórica y de los sistemas de derecho comparado más influyentes, tratando de hallar criterios ya asentados y contrastados, para así lograr una exégesis más segura y certera de la recién estrenada normativa penal.

Pues bien, no sabemos si todos estos objetivos se alcanzan de una manera que pueda llamarse definitiva. Y tampoco podemos afirmar que el recurso al Derecho Penal vaya a solucionar tan lamentable problema. Es más, ni siquiera estamos en disposición de creer en la utilidad de la pena criminal como medio eficaz en la protección del patrimonio cultural. Pero al menos sí estamos convencidos de que tanto el presente trabajo, como la nueva regulación estudiada, constituyen un progreso inequívoco en la defensa de la cultura. Y, en cualquier caso, la obra de GUISASOLA LERMA está hecha con la honestidad, el rigor y la profundidad necesarias para convertirla en una referencia en la materia, y en una herramienta valiosa para todo aquél que en el futuro se interese en la protección penal del patrimonio histórico, artístico y cultural. Por todo ello, y desde luego por nuestro afecto personal, nos congratulamos en presentar esta obra.

Tomás S. Vives Antón
Catedrático de Derecho Penal
Universitat de Valencia
Magistrado del Tribunal Constitucional

José L. González Cussac
Catedrático de Derecho Penal
Universitat Jaume I de Castellón

Introducción

En el ordenamiento jurídico español el Patrimonio Cultural goza de tutela en el ámbito administrativo y en el ámbito penal. Ahora bien, dicha tutela se ha dispensado tradicionalmente a través de la normativa administrativa —en la actualidad la Ley 16/1985, de 25 de junio de Patrimonio Histórico Español, desarrollada por Real Decreto 111/1986, de 10 de enero, así como la normativa autonómica dictada en la materia— y, de un modo fragmentario en la legislación penal, toda vez que el Patrimonio no recibía protección de manera autónoma, sino que su tutela se encontraba dispersa en diversos espacios sistemáticos del texto punitivo anterior.

El Código Penal de 1995 incorpora, por vez primera en la historia de la codificación penal, un capítulo autónomo en torno a los delitos contra el Patrimonio Histórico, dirigido a sancionar específicamente los atentados más graves contra los bienes culturales. De ese modo se configura un nuevo sistema de tutela penal directa, desde la consideración del Patrimonio Histórico o *Cultural* —adjetivo calificativo cuyo uso preferimos por constituir el eje de la tutela dispensada por nuestro ordenamiento— como objeto de protección autónomo.

Son muchos los **motivos** que me han conducido a la elección de los denominados «*delitos sobre el patrimonio histórico*», previstos en el Capítulo II del Título XVI, Libro II del Código Penal, como tema central de este Tratado. Ahora bien, a tenor de lo expuesto son tres razones, fundamentalmente, las que motivaron la adopción del tema.

En primer lugar, el innegable interés intrínseco que suscita en la actualidad la materia. A este respecto, si bien la conciencia acerca de la necesidad de proteger nuestro Patrimonio Histórico fue extendiéndose en España desde principios del siglo XVIII, es hoy en día cuando se considera como un valor fundamental en nuestro ordenamiento jurídico. La Constitución de 1978 marca un momento trascendental en su tutela, pues la defensa del Patrimonio histórico, cultural y artístico de los pueblos de España pasa a ser una exigencia de nuestra Norma Fundamental, que se concreta en su art. 46 en un mandato de conservación y promoción de nuestro Patrimonio, dirigido a los poderes públicos. Además, la propia norma constitucional viene a exigir, en el apartado segundo del precepto mencionado, la sanción penal frente a los atentados contra este Patrimonio, llamamiento que encuentra respuesta básicamente en nuestro Código Penal, completándose la protección penal del Patrimonio Cultural con la actual Ley Orgánica 12/1995, de 12 de diciembre, de Represión del Contrabando.

En segundo lugar, la profundización en el objeto de estudio se basa fundamentalmente en la necesidad u oportunidad de su tratamiento. La aparición del nuevo Código Penal ha comportado, como ya se ha adelantado, una importantísima modificación respecto a la regulación anterior, por cuanto por vez primera el legislador penal reconoce la singularidad del bien jurídico protegido en los atentados contra los bienes culturales.

Junto a este motivo, también ha contribuido a mi decisión de acometer el presente trabajo de investigación el hecho de que, pese al indudable interés que despierta la materia, no ha gozado, a mi juicio, de la merecida atención por parte de la doctrina científica, siendo escasos los estudios doctrinales en el ámbito penal. Ciertamente, se hace difícil comprender la escasa atención que se le ha dispensado al tema, pese a que los atentados a nuestro Patrimonio pueden observarse, desgraciadamente, con demasiada frecuencia.

Por último, ha contribuido a mi decisión de elegir este tema el hecho de que, en una materia como el Patrimonio Cultural en la que confluyen vías de protección distintas, el Derecho Penal y el Derecho Administrativo Sancionador, se suscitan cuestiones de relevante interés, relativas a la demarcación entre ambos sectores del ordenamiento jurídico, y, por ende, a la distinción entre *infracciones penales e infracciones administrativas*. A su vez, surgen cuestiones de parte general de gran valor instrumental para el análisis de los delitos contra bienes culturales, tales como la perspectiva colectiva del bien jurídico protegido, la presencia de términos normativos, etc...

Resultaba, pues, imprescindible una profunda reflexión sobre el nuevo Capítulo II del Título XVI del Código Penal de 1995, que pondrá de relieve si realmente se ha dado adecuado cumplimiento al mandato constitucional recogido en el artículo 46. Debe advertirse, pues, que en las siguientes páginas no se ha realizado un análisis de los subtipos agravados, la mayoría de ellos ya presentes en el texto punitivo anterior, por cuanto ello provocaría la elaboración de un trabajo de unas dimensiones, cuando menos similares a la de éste, no pareciéndome, a la postre, oportuno por la existencia de trabajos doctrinales que abordan dichas figuras agravadas. De suerte que, éstas serán tratadas con un carácter instrumental, en tanto afecten en concreto a los delitos objeto de nuestro estudio.

Los delitos contra el Patrimonio Cultural serán analizados dentro del marco del Derecho Penal español vigente, aunque también se dedique un capítulo a la regulación de preceptos análogos en el Derecho comparado, limitado a los países de nuestro entorno cultural, en los que estos delitos se regularon con anterioridad. A este respecto, en el estudio de la cuestión en otros ordenamientos, se ha acudido a las fuentes doctrinales y legales de los países correspondientes, tanto en lo referente a su regulación actual como con respecto a la ya derogada.

Dentro de la principal fuente empleada, la legislativa, debemos precisar que, en el presente estudio, haremos referencias puntuales a la tutela monumental conferida, de un lado, por la normativa específica de Patrimonio Histórico, y de otro lado, a la otorgada por la normativa urbanística, en ambos casos tanto la estatal como la autonómica dictada al efecto. Ello trae su razón de ser en que, si bien debemos afirmar el carácter autónomo del Derecho Penal, nos encontramos ante una materia que ha sido regulada tradicionalmente por el Derecho Administrativo, situación que nos conduce al clásico problema de coordinar el ilícito penal con el ilícito administrativo, cuestión a la que trataremos de acercarnos con la pretensión de buscar un equilibrio con la potestad sancionadora de la Administración. En este sentido, es especialmente importante la doctrina del Tribunal Constitucional, la cual extiende las garantías contenidas en el art. 25.1 de la Constitución Española, a los ámbitos penal y administrativo.

Se han analizado asimismo los escasos pronunciamientos jurisprudenciales en la materia, básicamente en relación al Código anterior, por cuanto en la actualidad existe una ausencia de una jurisprudencia clarificadora de los tipos penales, ante la imposibilidad procesal del análisis de estas agresiones por nuestro Tribunal Supremo. La competencia para el enjuiciamiento de los delitos objeto de nuestro estudio la tiene actualmente el Juzgado de lo Penal, tras la reforma de los apartados primero y tercero del art. 14 de la Ley de Enjuiciamiento Criminal por Ley 36/1998, de 10 de noviembre, al no superar aquellos la pena privativa de libertad los cinco años, ni la inhabilitación especial los diez años.

Pues bien, debido al importante papel que el estudio histórico juega en la comprensión del ordenamiento vigente, el presente trabajo se inicia con un breve **repaso histórico** de la diferente normativa que, desde sus orígenes, fechados en el siglo XVIII, hasta el momento actual, ha versado sobre la protección del Patrimonio Histórico Español, no pretendiéndose con ello realizar un estudio exhaustivo y detallado, sino exponer únicamente las líneas maestras de dicha evolución legislativa. Analizaremos las causas de desatención hacia nuestro legado colectivo, ya no sólo por parte del ordenamiento jurídico-penal sino también por el resto del ordenamiento jurídico, destacando cuáles han sido las posibles deficiencias normativas, en aras a lograr una mejor comprensión de la situación actual.

En el Capítulo Segundo, se efectuará un análisis, por un lado, de la **reglamentación internacional** acerca de los bienes culturales, y, por otro lado, del **Derecho comparado.**

La necesidad de tutela de los bienes culturales resulta innegable no sólo a nivel nacional, sino que también constituye una realidad y una preocupación en el ámbito de la comunidad internacional, encontrando sus orígenes en los numerosos expolios y efectos devastadores sufridos por las obras de arte durante siglos, a causa principalmente de las guerras. Los diferentes actos emanados de las organizaciones internacionales, adoptaran la forma de Convenciones y Recomendaciones, los cuales constituyen una base de inspiración de las legislaciones nacionales, estableciendo principios y normas que deben respetar los Estados Miembros. Sobre este particular, nos detendremos en las Convenciones del Consejo de Europa y las diferentes Convenciones y Recomendaciones adoptadas o auspiciadas por la UNESCO. Por último, abordaremos la acción comunitaria en favor de la protección de los bienes culturales, ejercida mediante actuaciones puntuales asignadas a objetos específicos, centrando su preocupación básicamente en dos ámbitos: la circulación de bienes culturales en el ámbito comunitario y el tráfico ilícito de éstos.

En este Capítulo, se analizarán asimismo, como ya dijimos, diferentes modelos de protección del Patrimonio Cultural en el Derecho comparado, examinando las distintas posibilidades de disciplinar dicha materia desde el punto de vista de la técnica legislativa. Con este propósito me detendré fundamentalmente en dos países del área mediterránea tan próximos a España como son Francia e Italia, los cuales aportan una caracterización común, basando la regulación del Patrimonio Cultural en *leyes especiales* dictadas al efecto, y, de forma excepcional en sus Códigos Penales. Finalmente haremos mención, más brevemente, del ordenamiento alemán —en el que concurre la protección conferida por el StGB, con leyes de protección de los monumentos históricos, en cada uno de los *Länder*—, así como de la sistemática que siguen en la protección del Patrimonio Cultural los países anglosajones, concretamente en Estados Unidos, y en el Derecho inglés, a través de su *statutory law*.

En el Capítulo Tercero se afronta la tarea de averiguar cuál es el **bien jurídico protegido** en los delitos objeto de nuestro estudio, así como su naturaleza. En el marco del análisis de una figura delictiva de la parte especial del Derecho Penal se hace, pues, absolutamente necesaria la determinación del bien jurídico, básicamente porque éste conforma la piedra angular de la teoría jurídica del delito, así como la primera justificación del castigo penal. Y más aun si cabe, en el caso que nos ocupa, habida cuenta de que nos encontramos ante un bien jurídico de dimensión *social o colectiva*, cuya protección resulta novedosa en nuestro ordenamiento jurídico-penal.

En aras a determinar la intervención del Derecho Penal en la protección de estos nuevos intereses colectivos, acudiremos a las teorías *constitucionalistas* en la búsqueda de criterios que efectivamente limiten al Estado a la hora de seleccionar los bienes a proteger. He considerado, pues, conveniente abordar las relaciones entre la Ley penal y la Constitución, como factor determinante para la correcta concreción ulterior del objeto de protección en los delitos que nos ocupan. A este respecto, a raíz del mandato constituyente dirigido al legislador democrático, mandato de protección penal del «*patrimonio histórico, cultural y artístico* de los pueblos de España», mi objetivo se dirigirá a determinar el alcance y consecuencias jurídicas del art. 46, precepto incluido entre los «principios rectores de la política social y económica», y que contiene el mandato de tutela al que nos hemos referido.

Asimismo, la incorporación a la tutela penal de los denominados «*interessi diffusi*», además de comportar consecuencias en torno a la titularidad y disponibilidad del bien jurídico, suscitará el debate sobre la necesidad de articular disciplinas extrapenales con una intervención punitiva en ámbitos que no habían recibido la suficiente atención por parte del Derecho Penal, y cuya regulación tradicional venía de manos del Derecho Administrativo. Sobre este particular, resultará preceptivo determinar si el ilícito penal y el ilícito administrativo tienen o no la misma naturaleza, cuestión ligada irremediablemente a la relativa a si el *bien jurídico* tutelado en los diferentes órdenes normativos es único o es distinto en cada uno de ellos.

Finalmente, en este Capítulo no podemos obviar el problema que se plantea por la técnica empleada por el legislador de 1995 en la esfera de los intereses colectivos, con continuos usos de conceptos indeterminados o pendientes de valoración, así como, por la conexión a la materia, nos referiremos siquiera brevemente a las cuestiones de prejudicialidad en el ámbito de las relaciones del Derecho Penal con el Derecho Administrativo Sancionador.

El último Capítulo se destina al examen de los diversos tipos penales que conforman los **«delitos sobre el Patrimonio Histórico»**, previstos en los **artículos 321 a 324** del Código Penal.

Por lo que respecta al primero de los tipos, recogido en el **artículo 321**, son dos las modalidades de la conducta típica, definidas con los términos «derribar» o «alterar gravemente». A este respecto, mayores dificultades interpretativas suscitará la segunda modalidad delictiva, puesto que el Código exige que la *alteración* sea "grave", elemento valorativo que, en principio, parece será determinado por la práctica judicial, con base en los documentos o informes que se presenten por las partes, pero que, punitivamente, se equipara al derribo.

En lo que concierne al objeto material sobre el que recae la conducta, el «edificio singularmente protegido por su interés histórico, artístico, cultural o monumental", se plantearán dos cuestiones básicas: de un lado, la determinación del término «edificio» y su delimitación con el resto de bienes inmuebles, y de otro lado, la exigencia por el legislador de la "singular protección" en los edificios derribados o alterados gravemente, analizando a este respecto si la expresión presupone un reconocimiento expreso por parte de la autoridad competente de que los edificios poseen un interés digno de protección.

A continuación, siguiendo el análisis del tipo objetivo del delito, corresponderá averiguar quiénes pueden ser *sujetos activos* del delito, atendiendo a si se requiere o no la concurrencia de una cualidad personal para la realización del injusto.

Asimismo, plantearé las dudas doctrinales acerca de la posibilidad de que el injusto precise de elemento subjetivo, o, por el contrario, pueda el acontecimiento externo ser contrario a derecho, aun si no se realiza con las finalidades indicadas. La solución que se adopte condicionará la admisibilidad de la comisión imprudente del tipo del 321.

Abordaremos a continuación el posible juego de las causas de justificación, habiendo determinado previamente si las actuaciones de derribo de un edificio protegido, contando con una autorización administrativa, constituyen causas de justificación o son motivo de atipicidad de ese comportamiento.

Corresponderá pasar entonces a estudiar por separado, en el ámbito de la *culpabilidad*, la forma dolosa del delito, la cuestión relativa a la posibilidad de incriminar o no el tipo del art. 321 a título de imprudencia, y los supuestos de inculpabilidad, esto es, *error* —a este respecto, la presencia de términos normativos en el tipo del art. 321 plantea problemas a la hora de determinar si el error que pueda recaer sobre dichos términos es de tipo o de prohibición— e *inexigibilidad*.

Por último, las cuestiones que restarán por tratar se agruparán en dos apartados diferenciados. De un lado, nos referiremos a la *penalidad* prevista para el delito que nos ocupa, así como a la previsión por el legislador de la posibilidad de que el órgano jurisdiccional adopte, a cargo del autor de los hechos, *medidas de restauración del orden jurídico conculcado*, medidas previstas asimismo en el tipo del art. 323. De otro lado, se abordarán los *problemas concursales* que puede suscitar el art. 321 en relación con otros delitos, haciendo una especial referencia a la posibilidad de apreciar un delito continuado en el precepto citado.

Siguiendo con el análisis de los tipos que conforman los delitos contra el Patrimonio Histórico, el **artículo 322** da un tratamiento diferenciado a la responsabilidad penal en que puede incurrir la *autoridad o el funcionario público* en sus actuaciones en el ámbito del Patrimonio. La gran novedad del precepto se sitúa en relación a la conducta típica, consistente, en el apartado 1º del art. 322, en «*informar* favorablemente proyectos de derribo o alteración de edificios singularmente protegidos», lo que, en principio, parece responder al deseo del legislador de elevar conductas, que materialmente son de participación en la prevaricación, a la categoría de autores; ello originará que la doctrina científica se encuentre dividida a la hora de determinar cuándo se entiende consumado el delito.

El art. 322 se conforma, pues, como un delito especial propio, lo que condicionará el círculo de los posibles autores del delito, y presentará las dificultades propias de estos delitos en sede de participación, cuestiones que serán abordadas, partiendo de las teorías «objetivo-formales» en la delimitación de la autoría y la participación.

Una vez determinado si pueden o no apreciarse causas de justificación, se estudiarán los problemas más importantes que suscita la *culpabilidad* en este tipo penal. A este respecto, partiendo de que nos encontramos ante un tipo eminentemente doloso, trataremos de dilucidar si sólo se admite el dolo directo o cabe la posibilidad de incluir el dolo eventual, cuestión que se plantea asimismo en la prevaricación genérica, para, a continuación analizar los supuestos de inculpabilidad, esto es, el *error* y la *inexigibilidad*. Al igual que en el precepto anterior, finalizaremos haciendo referencia a las cuestiones concursales que puedan suscitarse.

Finalmente, el **artículo 323** regula un tipo específico de *daños* por la índole del objeto material, de suerte que planteará las dificultades tradicionales en los delitos de daños, relativas tanto a la tradicional ausencia de una definición legal del mismo, así como por el carácter multívoco del término.

Caen bajo el ámbito de aplicación de este precepto los daños causados en un *archivo, registro, museo, biblioteca, centro docente, gabinete científico o institución análoga*, así como en *yacimientos arqueológicos*, realizando finalmente el texto legal una referencia general a los *bienes de valor histórico, artístico, científico, cultural o monumental*. Actualmente siguen manteniéndose posturas encontradas respecto a si debe entenderse el «valor histórico, artístico, científico, cultural o monumental» de los bienes dañados como un elemento pendiente de valoración en el ámbito penal o si se identifica únicamente con los así declarados administrativamente, cuestión ésta que será abordada detenidamente, para adoptar finalmente, a la vista de lo expuesto, una postura sobre este particular.

En este precepto se castigan únicamente los comportamientos dolosos, suscitándose la cuestión relativa a si es preciso un elemento subjetivo de injusto, o si basta con la existencia de un *dolo de consecuencias necesarias*.

Los supuestos de daños por imprudencia grave, previstos en el **artículo 324** del Código Penal serán abordados en último lugar. En relación a este precepto, entre otras cuestiones que serán expuestas en su momento, se plantea la relativa a su *ámbito de aplicación*, por cuanto, en principio, parece ir destinado a incriminar únicamente los daños previstos en el art. 323.

Finalmente, se ha incluido en este trabajo un *índice normativo* —que contiene las disposiciones en materia de Patrimonio Cultural en el ordenamiento jurídico-español, en el ámbito autonómico, así como en los principales sistemas de Derecho comparado— y un *índice jurisprudencial* en el que se efectúa una exposición de la jurisprudencia ordinaria y la emanada del Tribunal Constitucional, así como de las sentencias citadas en el ámbito del Derecho comparado.

Por último, se incluye la *bibliografía* consultada para la realización del presente trabajo. Esta procede de diversas bibliotecas y centros de documentación nacionales y extranjeros, a cuyos responsables debo manifestar mi agradecimiento por la colaboración prestada. En concreto, se ha hecho uso del Centro de Documentación de la Universitat Jaume I, así como de su sistema de préstamo interbibliotecario para acceder a materiales albergados en otros fondos bibliotecarios españoles y extranjeros. Asimismo, se acudió a la biblioteca del Departamento de Derecho Penal de la Universidad de Valencia, así como al Centro de Documentación del Ministerio de Educación y Cultura, para consultar sus bases de datos, publicaciones periódicas, monografías y documentos.

Por lo que se refiere a las fuentes del Derecho comparado, éstas fueron recopiladas fundamentalmente en la biblioteca de L'Université Panthéon-Assas (Paris II), así como en la División de Patrimonio Cultural de la UNESCO, en París, estancia subvencionada por la Conselleria de Cultura, Educació i Ciència de la Generalitat Valenciana. Además, se tuvo acceso a la legislación en materia de Patrimonio Cultural en los ordenamientos jurídicos del área del *Common Law*, gracias a la colaboración prestada por la British Library, en Londres, así como por el Dr. Luis Sala, Director del Centro para la Administración de Justicia de la Universidad Internacional de la Florida, en Miami, al que extiendo mi expreso agradecimiento.

CAPÍTULO I

EVOLUCIÓN HISTÓRICA

I. INTRODUCCIÓN

Las características de la evolución normativa en relación a la tutela del Patrimonio Histórico-Artístico podrían resumirse, de acuerdo con la opinión coincidente de la doctrina científica, en dos puntos básicos:

– En primer lugar, una *falta de lógica interna* que cohesione la protección del Patrimonio Histórico desde los diversos sectores de nuestro ordenamiento jurídico[1]. Nos encontramos con una *normativa heterogénea*, tanto en su contenido como en su rango, cuyo único eje coincidente es la finalidad conectada a la Historia y al Arte, y que, además, se va promulgando sucesivamente «a tenor de impulsos coyunturales»[2], cuando el deterioro del Patrimonio es cada vez más evidente y notorio.

– En segundo lugar, la *ineficacia* de dichas normas[3], tal como revela el grado de deterioro mencionado en que se encontraba nuestro Patrimonio Histórico a la entrada en vigor de la Constitución Española de 1978.

A este respecto, en el ámbito jurídico-penal, debemos subrayar la *insuficiente normativa* relativa a la protección del Patrimonio Cultural, insuficiencia ligada a un inmovilismo legislativo, producto de la *desatención* hacia dicha materia, motivada fundamentalmente en la *ideología liberal* inspiradora de nuestro sistema penal, lo cual indica que la regulación jurídica de aquél en España refleja con total exactitud la concepción del modelo de Estado que impera en cada momento. Mas reitero que esa tutela «insuficiente e inadecuada» no son atributos exclusivos de la normativa penal, si consideramos el tardío comienzo de la protección del Patrimonio Histórico en el resto del ordenamiento jurídico, comienzo fechado en el siglo XVIII, momento en el cual nos detendremos posteriormente.

En suma, esa falta de interés del Estado, así como del Derecho en general, por nuestro Patrimonio Cultural demuestra, transcribiendo las palabras de GONZÁLEZ GONZÁLEZ, tanto «una visión alicorta del mundo, como una

---

[1] De esa opinión, ALONSO IBAÑEZ, M.R.: *El Patrimonio Histórico. Destino público y valor cultural*. Madrid, 1992, p. 30 y ss.

[2] Con esas palabras, GARCÍA ESCUDERO, P. y PENDAS GARCÍA, B.: *El Nuevo Régimen Jurídico del Patrimonio Histórico Español*. Madrid, 1986, p. 25.

[3] ALONSO IBAÑEZ, M.R.: *ob. y loc. cit.*

paupérrima valoración de la cultura»[4]. No resulta, pues, posible, en coincidencia con dicho autor, un verdadero desarrollo y progreso de una sociedad sin una
conciencia real de su propia cultura, tanto a nivel formativo, como de fomento,
y por supuesto de control, ámbito reservado al Derecho Administrativo y en
última instancia al Derecho Penal.

II. ANTECEDENTES HISTÓRICOS EN EL PERIODO ANTERIOR A LA CODIFICACIÓN

1. La protección jurídica de los valores artísticos ya la encontramos, si bien
de una manera *indirecta,* en el **Derecho romano del alto imperio**[5], en donde,
no obstante su carácter esencialmente privado, aparecen ciertas limitaciones al
derecho de propiedad en relación a consideraciones estéticas o artísticas,
aunque ello en virtud del fin superior de preservar los signos de prosperidad y
poder en Roma. Así, desde el senadoconsulto Hosidiano a las constituciones de
Septimio Severo, Caracalla y Severo Alejandro se suceden una serie de normas
que prohiben la disposición de elementos *ornamentales* externos de los inmuebles.
Concretamente, el S. C. Hosidiano trató en el año 44 d.C. de poner freno a estas
actividades mediante la previsión de la nulidad de las enajenaciones de nobles
edificios para su inmediato derribo y posterior venta de los elementos ornamentales, e imponía una multa únicamente al comprador consistente en el doble del
precio convenido por los contratantes en la operación, lo que mostraba una
chocante desigualdad frente al vendedor. En cuanto a cual pudo ser la vía
litigiosa adecuada, de acuerdo con MURGA GENER[6] no sería extraño que la
acción fuera una acción penal popular, abierta en la legitimación a cualquier
ciudadano[7].

Sin embargo, siendo creciente la preocupación por el problema de la
degradación ornamental de los edificios y la desaparición de su riqueza
arquitectónica, en el siglo II el S.C. Aciliano continúa con las limitaciones

---

[4] GONZÁLEZ GONZÁLEZ, J.: «Protección penal del Patrimonio Histórico Español: Aproximación a la situación actual y proyecto de reforma», en *Cuadernos de Política Criminal,* mayo-
agosto, 1994, p. 485 y ss.

[5] Para una exposición detallada de la tutela monumental en dicho momento histórico, *vid.*
MURGA GENER, J.L.: *Protección a la estética en la legislación urbanística del Alto Imperio.*
Sevilla, 1976.

[6] MURGA GENER, J.L: ob. cit. p. 25.

[7] Véase a este respecto, MOMSEN, T.: *Derecho penal romano.* Bogotá-Colombia, 1991.

impuestas a la disponibilidad dominical, extendiendo la prohibición a las disposiciones mortis-causa, cayendo bajo la misma nulidad y pena económica todos los legados dispuestos sobre un material artístico y suntuario sujeto a especial protección legal.

Estos expolios no fueron llevados a cabo únicamente por los ciudadanos, sino que incluso los gobernadores de las provincias son penados severamente por las leyes imperiales, precisamente por su mayor obligación, en razón del cargo, de protección de la belleza urbana.

Ya en el siglo III, a través de la constitución de Severo Alejandro, se produce un avance pues, frente al *ius abutendi* del *dominus*, se señala expresamente en la ley que tampoco el dueño puede proceder al derribo y a la venta de los materiales despojados de la estructura externa de los mencionados inmuebles.

En definitiva, este conjunto de disposiciones, si bien trataban de frenar el tráfico de dichos elementos ornamentales, denotaban, a mi juicio, una preocupación principal en evitar el empobrecimiento del «ambiente *estético-triunfal* de la urbe», como expresión de su dominación política, más que realmente procurar la protección de los valores ornamentales por sí mismos[8] o como tales.

En cuanto a los delitos de daños en particular, si bien éstos son considerados de relativa incorporación moderna al ordenamiento penal, encontramos como en La Ley de las Doce Tablas se establecían ciertas conductas que implicaban un peligro y daño público, como el «*incendium*» o el «*sacrilegium*», las cuales constituían «*crimina*», siendo conminadas con penas graves.

Finalmente, en el último período del Derecho Romano, se reservaba la vía penal para los daños que recaían sobre objetos de naturaleza especial («*res publicae*», «*res religiosae*») y que se elevaban a *crimina extraordinaria*[9]. En cambio, por lo que respecta a los bienes privados únicamente recibían la tutela jurídica brindada por las acciones civiles.

2. Dando un salto en el tiempo, tampoco en nuestro **Derecho medieval**[10] existían normas que tuviesen como objeto específico la tutela de valores histórico-artísticos, si no es, al igual que en el Derecho Romano, de una manera

---

8   Según MURGA GENER, «el ascendiente de la ideología helenística antigua, recibida en tiempos republicanos y potenciada en tiempos imperiales, fue probablemente la que determinó la valoración preeminente de la ornamentación externa y de las fachadas». MURGA GENER, J.L.: ob. y loc. cit.

9   JORGE BARREIRO, A.: «El delito de daños en el Código penal español», en *Anuario de Derecho Penal y Ciencias Penales*, enero-abril, 1983, p. 507 y ss.

10   GAMBARA, L.: *Derecho penal en la antigüedad y en la Edad Media*. Barcelona, sin fecha.

indirecta, ya que son dictadas realmente con otras finalidades diferentes cual la seguridad y defensa de villas y ciudades, si bien dejan sentir su influencia sobre los mencionados valores, presentes en las edificaciones. Así, tanto en las Leyes de las *Partidas* como en algunos *Fueros*, se hace referencia a la conservación de construcciones públicas, tales como murallas y obras defensivas de las ciudades, más que por sus valores artísticos, con el principal objetivo de asegurar la utilidad estratégica y militar de dichas construcciones[11]. A su vez, debido al auge de la especulación y venta de material artístico procedente de inmuebles antiguos, las ciudades se llenaban de inservibles ruinas, destruyéndose la belleza ornamental de las ciudades y deteriorándose su aspecto público y externo.

En suma, la protección va ligada en su fundamento a la preservación de otros valores distintos a los artísticos.

3. Es en el **Derecho ilustrado español** cuando encontramos el punto de partida de una normativa que asume de manera *específica y directamente* la tutela de los valores *histórico-artísticos*[12].

En el siglo XVIII se evidencia la preocupación pública por la protección de dichos valores, debiendo así destacarse durante este siglo dos momentos de singular relevancia, aunque no en el ámbito penal: *por un lado*, la creación por Real Cédula de 17 de junio de 1738 de la Academia de la Historia, más tarde denominada de San Fernando en honor del rey fundador, a la que pronto se le atribuye de manera exclusiva y durante largo período de tiempo la tutela de los valores históricos y artísticos[13]; *por otro lado*, tal y como ya he mencionado, es

---

[11]   Sirva de ejemplo el Título XXXII de la Tercera Partida en el que se afirma como «no se deben hacer casa ni edificios cerca de los muros de las villas y castillos», ni «hacer casas ni torres ni otros edificios cerca de las Iglesias».

[12]   Una ilustrativa exposición sobre este momento histórico puede encontrarse en TOMÁS y VALIENTE, F: *El Derecho penal de la monarquía absoluta (siglos XVI-XVII-XVIII)* Madrid, 1992.

[13]   En 1777 ya se le atribuyen funciones relacionadas con la defensa de los valores artísticos y es en 1803 a través de la Real Cédula de 6 de junio, cuando se le confiere, tal como señalaba su Majestad el Rey Carlos IV en el Preámbulo de la norma, el reconocimiento y la conservación de los «monumentos antiguos» (denominación tradicional en nuestro derecho), así como la «inspección general de las antigüedades que se descubran en todo el Reino». De este modo la Academia de la Historia inicia su andadura en defensa del Patrimonio Histórico-Artístico, en solitario primero, en colaboración después con diversos órganos de la Administración del Estado, ostentando actualmente el carácter de institución consultiva de dicha Administración en la tutela del Patrimonio Histórico (art. 3.2 de la actual Ley de Patrimonio Histórico Español de 25 de junio de 1985).
       Sobre la Academia de la Historia, ver los estudios realizados por CAVEDA: *Memorias para la historia de la Real Academia de San Fernando y de las Bellas Artes de España,* Madrid 1867.

a través de la política ilustrada del siglo XVIII cuando se concreta la preocupación pública por la protección del Patrimonio, presente ya durante la política de mecenazgo artístico que caracteriza a nuestra Corona. Es en este período, gracias al empeño ilustrado, cuando los soberanos de la casa de Borbón comienzan a dictar una serie de disposiciones cuyo objeto era precisamente la protección de los monumentos antiguos[14]. Merecen destacarse en este sentido, la *Real Orden de 16 de octubre de 1779* —la cual prohibía la exportación de pinturas y objetos artísticos de autores fallecidos, de manuscritos, pinturas o libros antiguos de autores españoles, sin expresa Real Orden de autorización— así como una *Real Cédula de 6 de junio de 1803*, bajo Carlos IV, encomendando a la Academia de Historia recoger y conservar los *monumentos antiguos* que se descubran en el Reino, con objeto de impedir su destrucción.

A pesar de la importancia de estas disposiciones, por lo novedoso que supuso en ese momento, las críticas a la política protectora de ese momento lanzadas por la doctrina[15] se basan principalmente en varias cuestiones:

a) En primer lugar, se podía entrever, más que una preocupación centrada en la cultura como valor de progreso[16], un trasfondo racionalista que se plasmaba en la ordenación arquitectónica del momento.

b) En segundo lugar, se critica la *dispersión normativa* y el carácter *fragmentario* de dicha regulación.

c) Por último, se considera que, la encomienda de la tutela a instituciones no incardinadas en la Administración del Estado configura realmente «una Administración honoraria, confiada a administradores no profesionales en las labores de conservación y protección de estos bienes»[17].

Posteriormente la necesidad de tutela del Patrimonio se vio acrecentada por el entorno de la época, el cual no acompañaba precisamente a su conservación[18]:

---

[14] Para un estudio detallado de la tutela monumental en el siglo XIX, *vid.* ALEGRE ÁVILA, J.M. *Evolución y régimen jurídico del Patrimonio Histórico.* T. I, Madrid, 1994, p. 41 y ss.

[15] Entre otros, ALEGRE ÁVILA, J.M.: ob. cit. p. 42; asimismo, GARCÍA-ESCUDERO, P. y PENDAS GARCÍA, B.: *El Nuevo Régimen Jurídico del Patrimonio Histórico Español,* ob. cit. p. 25 y ss.

[16] En este sentido, GONZÁLEZ GONZÁLEZ J.: «Protección penal del Patrimonio Histórico Español: Aproximación a la situación actual y proyectos de reforma», ob. cit., p. 486 y ss; BARRERO RODRÍGUEZ, C.: *La ordenación jurídica del Patrimonio Histórico,* Madrid, 1990, p. 32 y ss.

[17] Así, ALEGRE ÁVILA, J.M. *Evolución y régimen jurídico...,* ob. cit. p. 41.

[18] De igual opinión, ÁLVAREZ ÁLVAREZ, J.L.: *Estudios sobre el Patrimonio Histórico Español.* Madrid, 1989, p. 42.

téngase en cuenta los destrozos y barbaries cometidos durante la *invasión napoleónica*, los cuales repercuten en las edificaciones y tesoros de arte, así como la *política desamortizadora*, la cual supuso el abandono de muchos edificios históricos o artísticos —con un contenido generalmente portador de dichos valores— al ser expulsadas las Instituciones religiosas que estaban a su cargo[19].

III. LA CODIFICACIÓN PENAL. BREVE ALUSIÓN A LA INCIDENCIA DE LA CONSTITUCIÓN ESPAÑOLA DE 1978. REFERENCIA A LOS PROYECTOS O ANTEPROYECTOS DE CÓDIGO PENAL MÁS RELEVANTES Y A LA REGULACIÓN ACTUAL

1. Introducción

La falta de atención que muestra el Derecho Penal hacia el Patrimonio Histórico encuentra su razón de ser, tal y como ya mencioné, en la *ideología liberal* inspiradora de nuestros Códigos Penales, concretamente en el individualismo característico de la mentalidad liberal con que se redactaron los Códigos del siglo XIX. De ese modo, la legislación penal, en perfecta concordancia con el liberalismo, no sólo no ha contemplado nunca realmente una auténtica protección sistemática y coherente de una «propiedad comunitaria» o colectiva, sino que además, la protección de la propiedad privada resultaba excesiva[20] en comparación con la dedicada a otros bienes jurídicos, lo que se reflejaba en la dureza excesiva de las penas con que se conminaban los ataques a dicha

---

[19] El Decreto de 11 de octubre de 1835 sobre supresión de las comunidades religiosas y la entrega de sus bienes para la venta, tuvo un efecto muy pernicioso para el patrimonio arquitectónico español, de suerte que esta cuestión será retomada más adelante (*vid. infra* Capítulo Cuarto, II, 1).

[20] Para QUINTERO OLIVARES ésta era una de las «constantes legislativas» que caracterizaban la protección de la propiedad en nuestros Códigos legales, resaltando en primer término la mentalidad «burguesa liberal» que dominó a los legisladores del pasado siglo y que se tradujo en la importancia que se dio a la protección de la propiedad y los intereses individuales. *Vid.* QUINTERO OLIVARES, G.: «La política penal para la propiedad y el orden económico ante el futuro Código español» en *Estudios penales y criminológicos* III. Santiago de Compostela, 1979, p. 187 y ss.

propiedad. En definitiva, una concepción ilimitada de lo dominical encontraba su reflejo en la regulación normativa de la propiedad[21].

La subordinación de la protección del Patrimonio Histórico con respecto a la propiedad privada encuentra sentido si consideramos el cambio experimentado en la sociedad española decimonónica tras el sexenio revolucionario. Es con la Restauración, en 1875, cuando al asumir la burguesía conservadora el protagonismo de la vida social española y tras la irrupción del «*homo economicus*» la propiedad privada se convierte en instrumento político de primer orden, resultando la protección del Patrimonio Histórico subordinada a aquella[22]. Esta realidad cabe apreciarla, en general, en toda la legislación del siglo XIX, así como en la actuación administrativa[23], la cual se centra en los bienes de titularidad pública, encontrando ante la propiedad privada una total inaccesibilidad. El propietario privado no ve, pues, limitadas las facultades propias de su derecho con base en las cualidades monumentales del bien de su propiedad, siéndoles encomendada a ellos mismos la tutela de los valores presentes en dichos bienes[24].

Asimismo, resulta destacable la ausencia de una ley reguladora de la protección de los bienes históricos y artísticos, estando constituido el *corpus* normativo de este siglo por una serie de *disposiciones*[25], dictadas para resolver

---

[21] Situación semejante a la de otros países, como por ejemplo en Italia, donde ALIBRANDI y FERRI ponen de manifiesto la dificultad con la que contaba la legislación del siglo XIX para imponer limitaciones a los bienes de propiedad privada de interés histórico-artístico, dados los principios liberales imperantes. En la misma línea GRISOLIA resaltaba la contradicción existente entre la necesidad de preservación de los valores artísticos e históricos y el individualismo jurídico propio de ese período que hacía imposible la misma. ALIBRANDI, T., FERRI, P.: *I beni culturali e ambientali*, Milano, 1985, p. 5; GRISOLIA, M.: *La tutela delle cose d'arte*. Roma, 1952.

[22] GONZÁLEZ GONZÁLEZ, J.: «Protección penal del Patrimonio Histórico Español...», ob. cit., p. 488 y ss.

[23] Durante este período histórico se establece un orden jurídico de protección de los valores históricos y artísticos cuya aplicación se encomienda a órganos especializados en la materia, la Academia de Bellas Artes y las Comisiones Provinciales de Monumentos (Comisiones de Patrimonio), creadas a mediados de siglo (Reales Ordenes de 2 de abril y 13 de junio de 1844) a partir del modelo de la Ley francesa de 1830, conocida como Ley Guizot, y que constituyen un típico exponente de la Administración honoraria de la que ya hice mención.

[24] Al lento proceso de penetración en la propiedad privada se refiere BARRERO RODRÍGUEZ, C: *La ordenación jurídica del Patrimonio Histórico*, ob. cit., p. 39 y ss.

[25] Dada la diferenciación que se establece entre los bienes a proteger, las mencionadas *disposiciones* podrían agruparse en torno a tres *clases*:
– Primero, las relativas a los *bienes de la Iglesia*, las cuales interfieren en las facultades de uso y disposición por parte de la Iglesia, en virtud de la excepcional riqueza artística acumulada por ésta a lo largo de la historia, como garantía de la preservación de los bienes culturales.

las concretas cuestiones que iban sucediéndose, las cuales diferencian el estatuto jurídico de dichos bienes, dependiendo de la cualidad de su titular: es el carácter «público» de los inmuebles el presupuesto de hecho que legitimaba la intervención de los órganos encargados de la custodia de tales valores. Al igual que en el ordenamiento penal, el propietario privado no ve interferidas sus facultades con respecto a su derecho con base en consideraciones artísticas o históricas.

Sin embargo, ello es susceptible de matización, ya que algunas disposiciones de la época parecen desvirtuar tal afirmación, siendo digna de destacar —por constituir la primera disposición que en nuestro ordenamiento jurídico consagra una intervención directa en la propiedad privada por razones histórico-artísticas— la *Real Orden de 1 de octubre de 1850*, haciendo extensible a toda obra de arte la necesidad de consulta de cualquier intervención a la Academia de San Fernando, incluidas las de particulares *«que se pretendieran realizar en templos, plazas o parajes públicos»*. Intervención que, sin embargo, va a quedar reducida, con respecto a los edificios de propiedad particular, únicamente a los que estén *abiertos al público*, en virtud de otra Real Orden[26] dictada poco después como aclaratoria de la anterior, la cual desvirtúa su alcance.

Por tanto, es el carácter *público* de los bienes, con independencia de la razón por la que gocen de dicho carácter, el presupuesto de hecho que legitimaba la intervención de los órganos encargados de la custodia de los valores monumentales del bien.

A continuación se realizará un recorrido por la **codificación penal** española con el objetivo de analizar cual fue la protección dispensada en los diversos Códigos Penales al Patrimonio Histórico Español. Dicho repaso, tal y como dijimos, no constituirá un examen exhaustivo de dicha regulación normativa, sino que tratará de mostrar la línea que han seguido los sucesivos sistemas punitivos, destacando anticipadamente la casi[27] exclusiva atención a los actos

---

- El segundo grupo de disposiciones afectan a los *bienes de titularidad pública*, ámbito con respecto al cual el siglo XIX nos ofrece la normativa más completa; dentro de ésta destacan las relativas a protección de los valores *artísticos* en las nuevas construcciones, introduciendo técnicas de intervención en la protección del tesoro cultural sobre las que se asienta la regulación del siglo actual.
- En tercer lugar la normativa relativa a la protección de los *bienes de propiedad privada*.

[26]   Real Orden de 23 de junio de 1851.

[27]   Salvo la disposición común agravatoria para los delitos contra la propiedad, introducida por Real Decreto 691/1963, de 28 de marzo, que aprobó el Texto Revisado de 1963, y los tipos agravados de robo y hurto introducidos por la Ley de Reforma Parcial y Urgente del Código Penal de 25 de junio de 1983.

de *destrucción y menoscabo* del Patrimonio Histórico o Cultural, centrando básicamente la protección conferida por la codificación española en el establecimiento de tipos agravados de daños[28].

Por último, subrayaremos el cambio que supuso la consagración en el art. 46 de la Constitución Española de la necesaria protección del «patrimonio histórico, artístico y cultural», así como sus repercusiones en la regulación de la materia en el nuevo Código Penal de 1995.

2. Código Penal de 1822

El Código Penal de 1822, primer texto de la codificación española, surgido durante el período constitucional 1820-23, tuvo sin embargo una duración efímera tras la anulación por Fernando VII en 1823 de todas las leyes del anterior período constitucional, volviendo a regir la Novísima Recopilación, la cual, en lo no previsto por ella, remitía a los Fueros en uso y, en último lugar, a las Partidas.

El texto punitivo de 1822 sistematizó su contenido acudiendo a un Título Preliminar, una Parte Primera relativa a los *Delitos contra la sociedad*, y una Parte Segunda relativa a los delitos contra los particulares[29].

Pues bien, en el Título III de dicha Parte Primera, el Capítulo VII regulaba los *daños en bienes o efectos pertenecientes al Estado o al común de los pueblos*[30]. Concretamente, en el art. 343 la conducta típica consistía en *incendiar* voluntariamente *bibliotecas, archivos, o cualquier otro edificio público* perteneciente al Estado o al común de alguna provincia o pueblo, siendo la pena a imponer la de trabajos perpetuos. Mientras que el art. 344 incriminaba a los que voluntariamente *destruyeren o inutilizaren* utilizando los medios enumerados alguna de las cosas comprendidas en el artículo precedente.

---

28 En la legislación penal de los países de nuestro entorno cultural ésta es también la tónica seguida, basándose la regulación de los «bienes culturales» en su tutela frente a las agresiones consistentes en daños o destrucciones de dichos bienes, tipos delictivos que serán analizados en el Capítulo siguiente.

29 Sobre este Código puede verse: ANTÓN ONECA, J.: «Historia del Código penal de 1822», en *ADPCP*, Tomo XVIII, 1965. GARCÍA GOYENA, F.: *Código criminal español según las leyes y prácticas vigentes, comentado y comparado con el Código penal de 1822, el francés y el inglés*. Tomo I. Madrid, 1843.

30 El texto de los Códigos penales de 1822, 1848, 1850, 1870, 1928 y 1932 se ha consultado en LÓPEZ BARJA DE QUIROGA, J., RODRÍGUEZ RAMOS, L., RUIZ DE GORDEJUELA LÓPEZ, L.: *Códigos penales españoles. Recopilación y concordancias*. Madrid, 1988.

Pero es el art. 347 el que recogía un tipo penal que marcará la pauta con respecto a los siguientes textos codificadores en cuanto a la protección del Patrimonio Histórico. Así, la conducta típica podía consistir en *derribar, destruir, mutilar o inutilizar* voluntariamente «cualquier otro *monumento público de utilidad u ornato y decoración* de los pueblos» realizando a continuación una ejemplificación de éstos, acorde con la definición contenida en la Novísima Recopilación. Concretamente el texto legal hacía referencia a «*estatuas, pinturas, columnas, láminas, lápidas, inscripciones u otras piezas de las bellas* artes, o algún libro manuscrito, diseño, plano *u otro documento custodiado en biblioteca o archivo público*, o alguna máquina, instrumento, alhaja u *otra cosa depositada en gabinete público, científico o literario*».

De acuerdo con la descripción típica, podríamos encontrar ya en el Código de 1822 el antecedente histórico del art. 561 del Código anterior al actual («*los que destruyeren o deterioraren pinturas, estatuas u otros monumentos públicos*») si bien castigándose en aquél con más dureza, concretamente con la pena de un mes a tres años de *reclusión y multa* equivalente al tres tanto del valor del daño causado. Sin embargo vemos como todavía no se hace mención a las cosas de *interés o valor histórico o cultural*, como objeto material de la protección penal.

3. *Proyectos de 1830, 1831 y 1834*

Ninguno de estos Proyectos[31] introducen cambios significativos en la materia; así, en primer lugar, respecto del Proyecto de Código criminal de 1830, podemos señalar que básicamente reproduce el tipo previsto en el Código Penal de 1822 relativo al *derribo o inutilización* de monumentos destinados al ornato público, si bien con dos diferencias: por un lado, se reducen las modalidades de conductas típicas, suprimiendo la tipificación de la destrucción y mutilación, y por otro, también se simplifica la enumeración respecto de los objetos sobre los que recaen la acción de derribar o inutilizar, haciéndose únicamente referencia a «*alguna estatua, columna asiento u otro monumento o artefacto destinado al ornato público*». Sin embargo, este Proyecto suprime el tipo referido al incendio de bibliotecas, archivos, o cualquier otro edificio público perteneciente al Estado o al común de alguna provincia o pueblo, así como el relativo a su destrucción o inutilización. Por su parte, los Proyectos de 1831 y 1834 mante-

---

[31]   *Vid.* CASABO RUIZ, J.R.: *El Proyecto de Código criminal de 1830,* Murcia, 1978; del mismo, *El Proyecto de Código criminal de 1831.* Murcia, 1978, y *El Proyecto de Código criminal de 1834.* Murcia, 1978.

nían la tipificación de los daños en los monumentos públicos y de ornato pero no introducían cambios relevantes en la materia.

No fructificando ninguno de estos proyectos, no es hasta mediados de siglo cuando volvemos a disponer de un Código estable. Por tanto, hasta la aprobación del Código de 1848 volvió a regir, tal y como hemos indicado anteriormente, el Derecho del Antiguo Régimen, si bien interpretado, completado y corregido por el arbitrio judicial.

4. *Código Penal de 1848*

En la década «moderada» en que vio la luz el Código de 1848 debe destacarse la transformación del régimen señorial que regía la propiedad de la tierra hacia un planteamiento más burgués y moderno, con una nueva propiedad amparada por la Guardia Civil que, creada en 1844, debía proteger a las personas y a las propiedades[32].

El Código Penal de 1848, considerado base de todos los posteriores, y, a la postre, teniendo a PACHECO[33] como uno de sus más influyentes colaboradores[34], destaca por su trascendencia posterior. Concretamente, en cuanto a la tipificación de las conductas atentatorias contra bienes culturales, ésta prácticamente perdura hasta nuestros días.

Así, el mencionado Código, en su art. 200 incriminaba a los que «*destruyeren o deterioraren pinturas, estatuas u otro monumento público de utilidad u ornato*» con prisión correccional que iba de siete meses a tres años. Básicamente reproduce el tipo anterior del Código de 1822, si bien suprimiendo, como ya hacía el Proyecto de 1831, la extensa numeración de bienes que realizaba dicho Código. Las diferencias con el Código de 1822 las encontramos, por un lado, en su *ubicación*, ya que se incluía en el capítulo dedicado a los *desórdenes públicos* y no en el relativo a los daños, como en el Código antecitado.

---

[32] *Vid.* LÓPEZ BARJA DE QUIROGA y otros: *Códigos penales españoles*, ob. cit. p. 189.
[33] Sin embargo, PACHECO, frente al aluvión de conductas vandálicas sobre estatuas y monumentos, apostaba por la necesaria prevención y educación de los pueblos antes de llegar a la aplicación de las leyes penales. PACHECO, H. *El Código penal concordado y comentado*, 4ª ed., tomo II, Madrid, 1870, p. 235 y ss.
[34] Además, entre los principales comentaristas, cabe citar a DE VIZMANOS, T. M. y ÁLVAREZ MARTÍNEZ, C.: *Comentarios al Código penal.* Tomo I. Madrid, 1848; DE CASTRO OROZCO, J. y ORTIZ DE ZUÑIGA, M.: *Código penal explicado para la común inteligencia y fácil aplicación de sus disposiciones.* Tomo I. Granada, 1848.

Además, el mencionado artículo 200 resulta concordante con el 257 del Código Penal francés de 1832[35] en cuanto a su *objeto material*, toda vez que no sólo comprende las obras de arte sino también todos los *monumentos públicos*, ya que todos ellos contribuyen —tal como exigía el Código francés— o bien al ornato o a la utilidad de los pueblos.

Entre los autores decimonónicos, PACHECO estimaba corta la extensión de la prisión correcional habida cuenta de la amplia escala en que este delito podía cometerse, señalando que «entre el hecho de degradar una estatua de cualquier escultor adocenado y el de destruir otra de Montañés, de Benvenuto Cellini, de Álvarez; entre desgarrar un lienzo de feria, o borrar un cuadro de Velázquez o de Murillo, no parece que hay mayor distancia que de los siete meses a los tres años, términos extremos de la prisión correccional. Si bien —continuaba añadiendo— la pena de este artículo no debió ser nunca mayor, pero sí menor que lo que él mismo establece»[36].

Asimismo, el precepto citado del texto punitivo de 1848 planteó dificultades en cuanto a su delimitación con respecto a la correlativa *falta*, problema que se resolvió a través del decreto de 22 de septiembre de 1848, el cual, en su artículo 5, estableció la diferenciación atendiendo a la cuantía del daño causado.

Dentro del Capítulo relativo a los *daños* se tipifican los cometidos en «*archivo o registro*», castigados con prisión menor en el artículo 464.5[37], y en el 466 el incendio o destrucción de papeles o documentos cuyo valor fuere estimable, sancionándose con arreglo a las disposiciones de dicho Capítulo. A su vez, en el artículo 456.2º, dentro del capítulo dedicado a los incendios y otros estragos, encontramos el delito de incendios cometido «*en archivo general del Estado*», equiparándolo por su ubicación al incendio en un arsenal, astillero, almacén de

---

[35]   VIADA Y VILASECA transcribe así las palabras del ponente de la comisión de Códigos en el cuerpo legislativo francés con respecto a dicho artículo 257: «Los monumentos públicos de utilidad u ornato están bajo la salvaguardia de todos los ciudadanos; son el embellecimiento de nuestras ciudades; recuerdan la grandeza de los pueblos que nos han precedido, el genio de sus artistas y la magnificencia de sus soberanos; pertenecen a los siglos futuros como al tiempo presente, constituyen la propiedad de todas las edades... Por eso debe desplegar la ley toda su severidad contra las sacrílegas manos que osaren mutilar, deteriorar o destruir esas bellas creaciones del genio, protegiendo igualmente los preciosos vestigios de la antigüedad y los monumentos de los tiempos modernos, e impidiendo esos actos de vandalismo y de devastación que por tanto tiempo asolaron nuestras comarcas». VIADA y VILASECA, S.: *Código penal reformado de 1870. Concordado y comentado.* Barcelona 1874, p. 391.

[36]   PACHECO, J.: ob y loc. cit.

[37]   Antecedente legislativo del 558.5 del Código anterior al actual, si bien en éste, tal y como veremos, el legislador amplia notablemente el objeto sobre el que recaen los daños típicos.

pólvora o parque de artillería. Muestra de la dureza excesiva de las penas era el castigo con la pena de cadena perpetua a la de muerte.

El Código Penal de 1848 fue inmediatamente reformado, publicándose una nueva edición oficial en un Decreto de 30 de junio de 1850, el cual sin embargo mantenía la misma regulación con respecto a los delitos de daños a los que hemos hecho referencia. De modo que, la reforma de 1850 no supuso cambio alguno en la materia objeto de nuestro estudio.

5. Código Penal de 1870

La reforma penal de 1870 va a obedecer básicamente a la necesidad de acomodar en el orden penal los principios básicos de la Constitución de 1869[38].

Sin embargo, no experimentan prácticamente ninguna variación los tipos legales relativos a los monumentos, con respecto a los regulados en el Código de 1844, quizás debido a la premura de los trabajos legislativos y parlamentarios, así como a la principal preocupación por las cuestiones de carácter político[39] suscitadas a raíz de la citada Constitución de 1869.

La única variación sufrida en la materia que nos ocupa es en relación a las penas; así, todavía ubicado en el Capítulo relativo a los desórdenes públicos, el tipo delictivo recogido en el artículo 276 es idéntico al regulado en el Código anterior, incriminándose la *destrucción o deterioro de pinturas, estatuas u otro monumento público de utilidad u ornato*, que, sin embargo, pasa a castigarse con la pena de arresto mayor en grado medio a prisión correccional en su grado mínimo[40]. Penalidad que, si bien es mayor que la señalada para los daños, cuando éstos no excedieren de 2500 pesetas, es menor en los casos en que sean mayores que esta suma, contradicción que pudo y debió evitarse[41].

---

[38] Para una visión general de este Código, ANTÓN ONECA, J.: «El Código penal de 1870», en *Anuario de Derecho Penal y Ciencias Penales*, T. XXIII, 1970, p. 229 y ss; NUÑEZ BARBERO, R.: *La reforma penal de 1870*, Salamanca, 1969. GROIZARD y GÓMEZ DE LA SERNA, A.: *El Código penal de 1870, concordado y comentado*. Tomo III. Burgos, 1874.

[39] De esta opinión, ANTÓN ONECA, J.: «El Código penal de 1870», ob. cit. p. 236.

[40] Si en el Código de 1848 se contaban las penas contra la libertad por años o por meses, los legisladores del Código de 1870 añadieron a los años y meses de cada pena o grado la famosa coletilla «y un día».

[41] En este sentido se pronunció GROIZARD y GÓMEZ DE LA SERNA, A.: *El Código penal de 1870...*, ob. cit., p. 513.

Por *monumento público,* de acuerdo con VIADA Y VILASECA[42], sólo se consideran aquellos que hayan sido construidos o levantados *por la autoridad pública o con su autorización.*

La disposición de este artículo no será aplicable a la destrucción o deterioro cometidos en puentes, caminos, paseos u otros objetos de uso público o comunal, puesto que tales hechos se regulan dentro de los *daños específicos* en el nº 6 del artículo 576.

También reciben la misma consideración los *daños en archivo o registro*[43], los cuales pasan a castigarse con prisión correccional en sus grados mínimo a medio (art. 576 nº 5). La ley no especifica si el archivo o registro debe ser público o privado, por lo que, en principio, los daños tipificados podían recaer en ambos. Mientras GROIZARD entendía se referían exclusivamente a los públicos, VIADA hacía extensible el concepto a los privados cuando señalaba que «el archivo o registro puede ser particular como público, pues que la ley no establece entre unos y otros distinción alguna»[44].

Sigue idéntica, respecto al Código de 1848, la tipificación del incendio o destrucción de papeles o documentos de valor estimable (art. 578).

Y, por último, se castigaban como reos de **falta**, con multa del duplo al cuádruplo del valor del daño causado, a los que *apedrearen o mancharen estatuas o pinturas* o causaren *un daño* cualquiera en las calles, parques, jardines o paseos, en el alumbrado o en *objetos de ornato o pública utilidad o recreo,* aún cuando pertenecieren a particulares, *»si el hecho no estuviese comprendido por su gravedad en el libro 2º de este Código».* Precisamente para apreciar esa gravedad se acude, al igual que con el Código de 1848, al Decreto de 22 de

---

[42]   VIADA y VILASECA, S.: *Código penal reformado de 1870,* ob. y loc. cit.

[43]   Si bien se continuaba limitando la agravación a los daños cometidos en archivo o registro, no obstante ya GROIZARD apuntaba la ampliación del precepto cuando señalaba: «Se han citado los Archivos y Registros como tipos de edificios donde se custodian objetos de utilidad pública que hay que tutelar... y por la índole de objetos que contienen y el fin al que están destinados debe considerarse ampliada a las Bibliotecas públicas, museos, colecciones científicas o artísticas expuestas al público, la protección concedida a los archivos y registros». GROIZARD y GÓMEZ DE LA SERNA, A: *Código penal de 1870, VIII,* Salamanca, 1899, p. 254.

[44]   GROIZARD, *Código penal de 1870...,* ob. y loc. cit. VIADA, *Código penal reformado de 1870,* ob. cit., p. 913.

septiembre de 1848, el cual establecía la diferenciación atendiendo a la cuantía del daño causado[45].

Debe destacarse finalmente como, entre los Decretos que regulaban el «Patrimonio Artístico Nacional», se establecían prohibiciones relativas a los bienes integrantes de éste, remitiéndose al ordenamiento penal para su sanción; sirva como ejemplo el R.D. de 1 marzo de 1912 el cual en su artículo 3º prohibía, incluso a los propietarios, el deterioro intencionado de las antigüedades, imponiéndose las sanciones que se establecían «en relación con el Código penal». A su vez, el R.D. de 9 de enero de 1923 prohibía la enajenación sin autorización del Ministerio de Justicia de obras históricas, artísticas y arqueológicas pertenecientes a entidades religiosas, y donde la sanción se establecía «sin perjuicio de las canónicas en que sus infractores incurran y, en su caso, de las *penales* de orden común aplicables a cada infracción».

6. *Código Penal de 1928*

Este nuevo y singular Código Penal, dictado durante el régimen dictatorial implantado en España desde 1923, fue aprobado por Real Decreto-ley de 8 de septiembre de 1928. Las innovaciones más relevantes en la materia objeto de estudio las encontramos, por una parte, en que por vez primera se hace referencia expresa a las «*cosas de valor histórico, cultural o artístico*», y por otra parte, en cuanto a la ubicación de los tipos referentes al Patrimonio Cultural, ya no en el Capítulo relativo a los desórdenes públicos, sino dentro de los *delitos contra la propiedad* del Título XIV, en una doble vertiente, entre los *daños*, y como agravante en los *hurtos*.

Por lo que se refiere a los daños, este Código aporta, frente a la ausencia conceptual seguida tradicionalmente en la historia de la codificación española, una definición legal de lo que debe entenderse por «*daños penalmente relevantes*». Concretamente, el artículo 750 del CP de 1928 establece que «son responsables criminalmente por *daños* los que, sin estar comprendidos en otros capítulos de este libro o del siguiente y sin ánimo de obtener para sí o para otros un lucro inmediato, destruyan, deterioren o causen cualquier perjuicio a otro en sus propiedades rústicas o urbanas, animales u objetos que le pertenezcan».

---

[45]   Concretamente se estimaba como *delito* si el deterioro excedía de cinco duros (cincuenta pesetas en fecha del Código de 1870) y como *falta* si no excedía de esa cantidad.

Y es dentro de este mismo Capítulo relativo a los daños, donde se incrimina, en su art. 756 [46], con la pena de seis meses a tres años de prisión y multa en toda su extensión al arbitrio del Tribunal[47], si el hecho no estuviera sancionado con castigo más grave en otro artículo de este Código, al que a sabiendas, *destruyere o deteriorare* objetos pertenecientes a museos o colecciones oficiales artísticas o históricas, o edificios declarados monumentos nacionales o amparados a causa de su mérito por alguna disposición legal, o cualquier otro objeto ajeno o propio de relevante interés para el Arte, la Historia o la Cultura.

De acuerdo con la descripción legal, la acción típica puede consistir en «destruir o deteriorar», conducta coincidente con la descrita en el Código anterior. Sin embargo se aprecian básicamente dos diferencias: de un lado, en cuanto al *sujeto activo*, éste puede ser incluso el dueño del objeto («...o cualquier otro objeto propio o ajeno...»); de otro lado, amplia considerablemente el *objeto material* del tipo, aproximándose a lo que constituirá, en términos generales, la regulación actual de los delitos sobre el patrimonio histórico. Así, el citado objeto material se integraba, tanto por el patrimonio mueble e inmueble protegido oficialmente, refiriéndose a «objetos pertenecientes a museos o colecciones *oficiales* artísticas o históricas[48], o edificios declarados *monumentos nacionales o amparados a causa de su mérito por alguna disposición legal*», incluyendo a su vez cualquier objeto de «relevante interés para el Arte, la Historia o la Cultura[49]».

Por lo que se refiere a la culpabilidad se castigan únicamente los comportamientos *dolosos,* el específico propósito de dañar las cosas que se saben ostentan tales cualidades.

El artículo 751.6 continuaba incriminando, dentro de los daños específicos, los *daños en archivos o registros*, castigándose con pena de reclusión de seis meses a tres años si los daños no pasaren de 25.000 pesetas; en caso contrario la pena se elevaba de tres a ocho años de reclusión.

Con respecto al *hurto*, el art. 705 preveía entre las agravatorias, concretamente en su nº 3, el supuesto de que recayese sobre «*objetos artísticos o históricos existentes en monumentos, museos o edificios públicos*». De acuerdo con la

---

[46]   De acuerdo con QUINTANO RIPOLLÉS «la única disposición digna de encomio en nuestra legislación penal, protectora de las artes». QUINTANO RIPOLLÉS, A.: *Comentarios al Código penal*, Madrid, 1966; p. 1055.

[47]   Llama la atención la similitud de penalidad con el actual Código penal de 1995.

[48]   Protección conferida también por el StGB en su § 304.

[49]   Términos que empleará el legislador constituyente de 1978 en su artículo 46 para cualificar el Patrimonio.

descripción típica, para que la conducta pudiera subsumirse en el tipo se requería que el objeto sustraído se encontrara necesariamente situado en algún monumento, museo o en un edificio público

Anulado el Código Penal de 1928, al advenimiento de la República, por decreto de 15 de abril de 1931, entra de nuevo en vigor el Código de 1870.

Es con la **Constitución republicana de 1931** cuando se reconocen como derechos constitucionales los relativos a la cultura, asignándole un concepto autónomo, ya que las Constituciones anteriores la consideraban como integrada junto con la educación en la idea de Instrucción Pública[50]. A través de su art. 45[51] adquiere, pues, por primera vez la materia rango constitucional[52].

7. Código Penal de 1932

El 5 de noviembre de 1932 se promulga un nuevo Código, de estructura análoga al de 1870, y donde las modificaciones introducidas venían impuestas por la nueva Constitución. Sin embargo, en la materia objeto de nuestro estudio no encontramos la necesaria adaptación de la regulación penal a las exigencias constitucionales.

Desaparece la agravación del hurto, conservándose las de los daños, mas reproduciendo prácticamente la fórmula empleada en los Códigos de 1848 y 1870 respecto de los tipos contenidos en los desórdenes públicos[53].

La novedad más importante consiste en la introducción de la figura del delito de *daños en cosa propia de interés general*[54], desapareciendo así, tal como señala

---

[50]   SERRÁN PAGÁN, F.: *Cultura española y Autonomías*, Madrid, 1980, p. 29 y ss.

[51]   Art. 45: «*Toda la riqueza artística e histórica del país, sea quien fuere su dueño, constituye el tesoro cultural de la Nación y estará bajo la salvaguardia del Estado, que podrá prohibir su exportación y enajenación y decretar las expropiaciones legales que estimase oportunas para su defensa. El Estado organizará un registro de la riqueza artística e histórica, asegurará su celosa custodia y atenderá su perfecta conservación*».

[52]   Sobre estas bases constitucionales se asentó la Ley de Patrimonio Artístico Nacional de 13 mayo de 1933 que estuvo vigente en España, aunque con algunas modificaciones, hasta la promulgación de la nueva Ley del Patrimonio Histórico Español de 1985.

[53]   Concretamente, el art. 551 nº 5 y 6 contemplaban los daños específicos *en archivo o registro* y en *puentes, caminos, paseos u otros objetos de uso público o comunal*; a su vez, el art. 554 incriminaba la *destrucción o deterioro de pinturas, estatuas u otros monumentos públicos de utilidad u ornato.*

[54]   Si bien encuentra su inspiración en el artículo 755 del Código de 1928: «*El culpable de un daño en bienes ajenos no se eximirá de las penas impuestas en este Capítulo, aunque para cometer este delito lo haya causado también en bienes de su pertenencia*».

JORGE BARREIRO[55], el elemento «ajenidad», característico de los delitos contra el patrimonio[56]. Es por ello un precepto inconcebible en el contexto de 1870, donde todavía primaba el absolutismo patrimonial frente al concepto social de propiedad.

Antes de la reforma de 1944 deben destacarse el Anteproyecto de Código Penal de 1938 de F.E.T. y de las J.O.N.S. y el Proyecto de Código Penal de 1939[57], consecuencia del nuevo régimen y, de vocación provisional, mientras se preparaba una reforma más profunda. Estos mantenían una estructura muy similar al de 1932, manteniéndose la tipificación de los daños en archivos o registros, la destrucción o deterioro de pinturas, estatuas o otros monumentos públicos de utilidad u ornato, así como los daños en cosa propia de utilidad social.

8. Código Penal de 1944

Por Decreto de 23 de diciembre de 1944 se aprobó el Texto refundido de Código Penal, promulgado mediante su publicación[58] en el B.O.E. el 13 de enero de 1945. Consecuencia de los sucesos políticos sufrió, como veremos a continuación, numerosas modificaciones.

Continúa incriminándose *la destrucción o deterioro de pinturas, estatuas u otros monumentos públicos de utilidad u ornato* (art. 561), si bien la excesiva benignidad de las penas, *arresto mayor*, muestra claramente la falta de aprecio por los valores estéticos. Ese sentimiento de indignación se trasluce de las palabras de QUINTANO RIPOLLÉS: «Pensar que la destrucción de «Las Meninas» de Velázquez pudiera purgarse con dos meses y un día de arresto, es algo que raya en el más incalificable de los beocismos y que reclama una inmediata revisión, ya que las mutilaciones en obras de arte, por fanatismo, erostratismo, o simplemente por capricho vandálico, no son tan inverosímiles

---

[55] JORGE BARREIRO, A.: «El delito de daños en el Código penal español», en *ADPCP*, ob. cit. p. 505 y ss.

[56] Art. 555: «*El que intencionadamente y por cualquier medio, destruyere, inutilizare o dañare una cosa propia de utilidad social o de cualquier otro modo la sustrajere al cumplimiento de los deberes legales impuestos en servicio de la economía nacional, será castigado con las penas de arresto mayor y multa del tanto al triplo del valor de la cosa o del daño producido*».

[57] El texto de ambos puede encontrarse respectivamente en CASABO RUIZ, J.R.: *El Anteproyecto de Código penal de 1938 de F.E.T. y de las J.O.N.S.;* del mismo: *El Proyecto de Código penal de 1939*, Murcia, 1978.

[58] Promulgación y publicación son dos conceptos que se funden en esta época por estar vigente la antigua redacción del art. 1 p. 2 del Código Civil que señalaba: «*se entiende hecha la promulgación el día que termine la inserción de la Ley en la Gaceta*».

como podría parecer»[59]. Coincidiendo con el citado autor, hubiera sido preferible la inclusión de estos daños entre los *cualificados* del art. 558 [60] castigados con presidio mayor «por no ser menor la entidad del bien protegido que el de los árboles de una carretera o las farolas de un paseo público».

Se regulan los *daños en cosa propia*, delitos que ya tuvieron su arranque en 1932, y que centran el bien jurídico no ya en la propiedad sino en la utilidad o función social que conlleva la cosa. Lógicamente, sujeto activo era el propietario de la cosa con fines sociales.

En cuanto a la doble variante de la *conducta típica*, se estimaba más adecuada la primera de ellas relativa a la destrucción, inutilización o daño de cosa propia de utilidad social, que la segunda referente a «la sustracción de la cosa propia al cumplimiento de los deberes legales impuestos», la cual más que un daño, y de acuerdo con QUINTANO[61], podía tratarse de un delito de ocultación fraudulenta de bienes del art. 319 o una desobediencia cualificada del 238, concretando que, si no se trataba de eludir deberes legales hacia el Estado, pero se perseguía con su acción u omisión un móvil lucrativo —señalando, como ejemplo, la ganancia de una prima de seguro— no existiría delito de daño, para dejar paso a la estafa.

La acción típica podía llevarse a cabo por cualquier medio de acuerdo con el precepto, si bien encuentra una limitación impuesta por el art. 556 en el supuesto de que el bien se incendie, debiendo aplicarse el precepto mencionado. Finalmente la exigencia de que el sujeto actúe *intencionadamente* impedía su comisión culposa[62].

Nada se dice, en cambio, acerca de la protección del Patrimonio Histórico o Artístico en relación al robo y al hurto.

9. *El Decreto de 28 de marzo de 1963, aprobando «el texto revisado de 1963»*

La revisión del Código Penal en 1963, quizá teniendo en cuenta las críticas suscitadas por el texto anterior, introduce ciertas modificaciones en la regula-

---

[59] QUINTANO RIPOLLÉS, A.: *Comentarios al Código penal,* Madrid, 1966, p. 1054.
[60] En el nº 5 continúan castigándose los daños en Archivo o Registro.
[61] QUINTANO RIPOLLÉS, J.L.: ob. cit., p. 1.056 y ss.
[62] ORTS BERENGUER, E. (junto a COBO DEL ROSAL, M., VIVES ANTÓN, T.S., BOIX REIG, J., CARBONELL MATEU, J.C.): *Derecho penal. Parte Especial.* Valencia, 1990, p. 1009.

ción, no sin embargo exentas de objeciones, enfocadas fundamentalmente a la técnica legislativa empleada.

Con respecto a las cualificaciones de los daños, se amplia la contenida en el nº 5 del 558, la cual desde 1848 se circunscribía a los *daños en archivo o registro*, añadiéndose a estos lugares, los daños en *museo, biblioteca, gabinete científico, institución análoga* o en el *Patrimonio Histórico-Artístico Nacional*.

Se reprocha sin embargo a esta reforma el excesivo casuismo presente en la citada enumeración, la cual además provoca ciertas dudas de interpretación sobre si los museos, bibliotecas, etc…, han de ser tan sólo los *públicos* o si también se refiere el precepto a los *privados*, aunque no estén abiertos al público. En este punto la doctrina se encuentra dividida: si bien RODRÍGUEZ DEVESA parece se decanta por limitarlo únicamente a los públicos por la mención de «Institución Análoga», ya que, v.gr., una biblioteca privada entiende no puede considerarse como «una institución», por su parte DÍAZ VALCARCER entiende la referencia en el texto legal tanto a los públicos como a los privados, «mediante un prudente empleo de la interpretación analógica autorizada por el precepto»[63]. Esta discrepancia recordemos ya se dio entre los comentaristas GROIZARD y VIADA, acerca de los archivos y registros, por lo que hubiera resultado lógico se hubiera resuelto en esta reforma de 1963[64].

En cuanto a la referencia al Patrimonio Histórico-Artístico Nacional, de acuerdo con QUINTANO RIPOLLÉS, ésta no puede ser entendida en su sentido estricto, ya que, si bien una de las secciones de dicho Patrimonio es la del Tesoro Artístico, entre sus bienes también se encuentran algunos «extraños a lo cultural»[65].

Subsiste el art. 561 que incriminaba a los que *destruyeren o deterioraren pinturas, estatuas u otros monumentos públicos, de utilidad u ornato*, si bien después de la revisión de 1963 se adiciona la pena de multa a la de arresto mayor[66].

---

[63] Así, pone como ejemplo los supuestos de pinacotecas particulares, archivos históricos familiares, que pueden tener un notable valor artístico o cultural, de suerte que, de la misma forma que soportan determinadas cargas también deben recibir adecuada protección penal. DÍAZ VALCARCER, L.: *La Revisión del Código penal y otras Leyes Penales*. Decretos de 24 de enero y 28 de marzo de 1963. Barcelona, 1974, p. 297-8.

[64] La cuestión veremos como parece más clara a partir de la promulgación de la Constitución de 1978.

[65] QUINTANO RIPOLLÉS, J.L.: *Tratado de la Parte Especial del Derecho Penal. Tomo III-Daños*, Madrid, 1977, p. 556 y ss.

[66] Art. 561: «*A los que destruyeren o deterioraren pinturas, estatuas u otros monumentos públicos de utilidad u ornato, se les aplicará la pena de arresto mayor y multa de 10.000 a 100.000 pesetas*».

Finalmente se introduce el artículo 563 bis a), precepto que contiene *una disposición común agravatoria* para todo el Título XIII, en la cual se establece que los hechos punibles comprendidos en el presente Título serán castigados con la pena respectivamente señalada a los mismos, impuesta en el grado máximo, o con la inmediatamente superior en grado, al arbitrio del Tribunal, según las circunstancias y gravedad del hecho, las condiciones del culpable y el propósito que éste llevare, siempre que las cosas objeto del delito *fueran de relevante interés histórico, artístico o cultural.*

Critica unánimemente la doctrina la ubicación sistemática de este precepto, ya que si bien hace referencia al castigo de los hechos comprendidos en el Título XIII, delitos contra la propiedad, se encuentra incluido en el Capítulo relativo a los daños. A este respecto, un importante sector doctrinal[67] consideraba que este precepto era de exclusiva aplicación a los delitos comprendidos en el Capítulo de los daños; en función de una *interpretación histórica,* BAJO FERNÁNDEZ[68] entendía que el principio de legalidad no impedía sostener que el artículo 563 bis a) debía reducirse al delito de daños, precisamente porque la Ley de Bases de 23 de diciembre de 1961 se remitía exclusivamente a dicho delito[69]. Más aún, tal como señaló acertadamente VIVES ANTÓN «las exigencias dimanantes de dicho principio obligarían, tal vez, a entender que, en tanto el desarrollo de la Ley de Bases traspasó los límites de la autorización contenidos en ella, incurrió en una infracción del principio de legalidad que determinaría la falta de validez de ese exceso»[70].

Sin embargo otros autores[71] consideraron que, atendiendo al *tenor literal* del precepto, éste no dejaba lugar a dudas en cuanto su extensión a todo el Título,

---

[67]   VIVES ANTÓN, T.S. y ORTS BERENGUER, E. (junto a BOIX REIG, J, CARBONELL MATEU, J.C., GONZÁLEZ CUSSAC, J. L.): *Derecho penal. Parte Especial.* Valencia, 1993, p. 806 y 1020, respectivamente; BAJO FERNÁNDEZ, M.: *Manual de Derecho Penal (Parte Especial) (Delitos patrimoniales y económicos),* 2ª ed., Centro de Estudios Ramón Areces, S.A., Madrid 1993; VAELLO ESQUERDO, E.: «*La defensa del patrimonio histórico-artístico y el Derecho penal,*» en Derecho y Proceso, Murcia, 1980, p. 702 y 703; QUINTANO RIPOLLÉS, A: «Tratado de la Parte Especial...», cit. p. 520 y ss.

[68]   BAJO FERNÁNDEZ, M.: *Manual de Derecho Penal* ...ob. y loc. cit.

[69]   Concretamente la Base 15 del art. 1 de la Ley de 23 de diciembre de 1961 remitía la disposición del 563 bis a) exclusivamente al delito de daños, y no a todos los delitos contra la propiedad y el patrimonio.

[70]   VIVES ANTÓN, T.S.: *Derecho penal. Parte Especial.* Valencia, 1993, p. 806.

[71]   RODRÍGUEZ DEVESA, J.: *Derecho penal español. Parte Especial.* Madrid, 1983, p. 356 y ss. SORIANO SORIANO, J.R.: *Las agravantes específicas comunes al robo y al hurto.* Valencia, 1993, p. 188 y ss. PÉREZ ALONSO, E.J.: *La tutela civil y penal del Patrimonio histórico, artístico y cultural.* Madrid, 1995, p. 279 y ss.

de acuerdo con la opinión patrocinada por RODRÍGUEZ DEVESA, aunque ello conllevaba un excesivo endurecimiento de las penas. Esta vocación de generalidad fue también apreciada en el Tribunal Supremo, que aplicó la agravante del 63 bis a) a otros delitos patrimoniales distintos de los daños[72].

El problema, de acuerdo con VIVES ANTÓN, pierde importancia a partir de la Reforma del Código penal de 1983, ya que, al configurar agravaciones específicas en relación con los delitos de robo (506.7) y hurto (516.2)[73], se redujo el ámbito de aplicación de esta disposición común quedando desplazada en virtud del principio de especialidad[74].

También resultaba controvertida la determinación del «*relevante interés histórico, artístico y cultural*» que exigía el precepto con respecto a las cosas objeto del delito perseguido, problemática que continúa hasta nuestros días sin resolverse, así como dividiendo a la doctrina penal, y que analizaremos con más detenimiento en el estudio de la regulación actual de la materia en el Código Penal de 1995. Unicamente debemos citar, entre los defensores de un concepto valorativo, a QUINTERO OLIVARES y HUERTA TOCILDO, los cuales entienden es un elemento sujeto a la valoración de los Tribunales, alegando que, de estimarse necesaria la previa declaración administrativa, quedarían fuera del

---

[72] *Vid.* STS de 18 de junio de 1979 (Ponente Sr. DÍAZ PALOS) la cual, confirmando una resolución de la Audiencia Provincial de Córdoba, estimó de aplicación la agravación contenida en el 563 bis a) en el incendio del famoso retablo de la Iglesia de la Merced, así como valiosos cuadros, vidrieras, ya apreciada por la Sala de la Instancia.

[73] Sobre la reforma de los delitos patrimoniales: MUÑOZ CONDE, F.: «La reforma de los delitos contra el patrimonio», en *Documentación Jurídica 37/40* (Monográfico dedicado a la Propuesta de Anteproyecto de Nuevo Código penal), vol. I. Madrid, 1983, p. 667 y ss. RUIZ VADILLO, E.: «La punición de los delitos de robo con fuerza en las cosas, hurto y estafa en la reforma parcial del Código penal de 25 de junio de 1983. Las circunstancias de agravación específicas», en *Estudios Penales y Criminológicos, n° 7*. Universidad de Santiago de Compostela, 1984, p. 323 y ss.

[74] VIVES ANTÓN, T.S.: *Derecho penal. Parte Especial*. En el mismo sentido, RODRÍGUEZ RAMOS, L.: *Compendio de Derecho penal. Parte especial*. Madrid, 1987, p. 266. PÉREZ ALONSO, E.J.: *La tutela civil y penal...*, cit. p. 284. GONZÁLEZ RUS, J.J.: *Manual de Derecho Penal. Parte Especial. II. Delitos contra la propiedad* (Dir. por COBO DEL ROSAL) Madrid, 1992, p. 18. BAJO FERNÁNDEZ, M.: *Manual de Derecho Penal. P.E.*, ob. cit. 1993; p. 49. El criterio de especialidad, postulado por los autores citados, parece ser también acogido por la Sala Segunda del Tribunal Supremo en su sentencia de 12 de noviembre de 1991, al mantener que «la aplicación del artículo 506.7 del Código penal excluye la del artículo 563 bis a) que requiere que las cosas objeto del delito perseguido sean de relevante interés histórico, artístico o cultural, grado valorativo que no exige la agravación ahora en examen, además de que por su carácter específico debe primar sobre el artículo 563 bis a) del Código penal».

precepto algunos objetos, valiosos desde los intereses señalados[75]. Precisamente, el Tribunal Supremo relaciona el carácter «*relevante*» con el de *reconocimiento público*, sin referirse para nada a si el retablo estaba o no inventariado o catalogado[76]. Este punto volverá a ser tratado en las posteriores regulaciones porque, sin lugar a dudas, constituye una cuestión de la máxima trascendencia, al afectar a la relevancia penal de la conducta.

10. El patrimonio histórico, cultural y artístico en la Constitución de 1978

La Constitución Española de 1978 marca un momento fundamental en la tutela de nuestro Patrimonio Cultural e inaugura un proceso de reforma que afectará a todos los sectores del ordenamiento jurídico. Concretamente, en el ámbito que nos ocupa, supone la consagración entre los «principios rectores de la política social y económica» de la conservación, el enriquecimiento y la defensa del Patrimonio Histórico, Cultural y Artístico (art. 46), y, en particular, la previsión expresa de un mandato al legislador de tutelarlo penalmente. Y es que, en efecto, resulta coherente con nuestro Estado social y democrático la plasmación, a partir del compromiso constitucional, de las reivindicaciones de tutela a promover desde el Derecho.

Lo cierto es que se amplia el catálogo de derechos reconocidos en el constitucionalismo tradicional, toda vez que, frente a las libertades clásicas se encuentran los derechos de carácter socio-cultural»[77]. Sin embargo debe reconocerse que la protección del Patrimonio Cultural es de aparición tardía en el constitucionalismo, cuyo único precedente lo encontramos en el ya mencionado art. 45 de la Constitución de 1931. El legislador constituyente de 1978 pudo también tener presentes otras Constituciones de Derecho comparado anteriores a ella, destacando, a mi juicio, entre las más relevantes, la Constitución italiana de 1947[78], la *Grundgesetz* de Bonn de 1949[79], la Constitución portuguesa de 1976[80] o la Constitución de Grecia de 1975[81].

---

[75] QUINTERO OLIVARES, G.: «El Hurto», en *Comentarios a la legislación penal,* tomo V, v. 2. Madrid, 1985, p. 1152-53; HUERTA TOCILDO, S.: «Los delitos patrimoniales en el PCP de 1980», en *CPC, nº 13* de 1981, p. 483 y 484. En ese sentido, GONZÁLEZ RUS, J.J.: *Manual de Derecho Penal...,* ob y loc. cit.

[76] Concretamente hablaba «del famoso retablo», «valiosas imágenes», «objeto de visitas por los turistas»..., STS de 18 de junio de 1979, cit. *supra* nota 72.

[77] GARCÍA-ESCUDERO, P.; PENDAS GARCÍA, B.: *El nuevo régimen jurídico...,* ob. cit., p. 43

[78] Constitución de Italia de 1947, art. 9: «La República... tutelará el paisaje y el patrimonio histórico artístico de la Nación».

Sin embargo, el art. 46 del texto constitucional español de 1978 no supone un precepto aislado sino que se integra en lo que viene conociéndose como *Constitución Cultural*[82], conformada por un conjunto de preceptos que hacen referencia a la cultura[83]. Incluso ya en el Preámbulo se reconocen los derechos culturales, concretamente cuando se proclama la voluntad de «proteger a todos los españoles y pueblos de España en el ejercicio de los derechos humanos, *sus culturas y tradiciones*, lenguas e instituciones» y «promover el progreso de la *cultura* y de la economía para asegurar a todos una digna calidad de vida».

El nuevo texto constitucional resuelve un tema de trascendental importancia, cual es el del reparto de competencias entre el Estado[84] y las Comunidades Autónomas en materia de Patrimonio Cultural. Así el art. 149.1.28 de la Norma Suprema otorga competencia exclusiva al Estado para «la defensa del patrimonio cultural, artístico y monumental español contra la exportación y la expoliación; museos, bibliotecas y archivos de titularidad estatal, sin perjuicio de su gestión por parte de las Comunidades Autónomas», ocupándose el artículo precedente de las competencias[85] que pueden asumir éstas. A este respecto,

---

[79]   La *Grundgesetz* de Bonn de 1949, en su art. 74.5 encomienda a la legislación concurrente de la Federación y los Länder: «La defensa del patrimonio cultural alemán contra la emigración al extranjero».

[80]   Art. 66. 2.c) de la Constitución portuguesa de 1976: «Corresponde al Estado... proteger paisajes y lugares, de tal modo que se garantice la conservación de la Naturaleza y la preservación de valores culturales de interés artístico e histórico»; y en su art. 78: «Del Patrimonio Cultural: El Estado tendrá la obligación de preservar, defender y aprovechar el patrimonio cultural del pueblo portugués».

[81]   El art. 24 de la Constitución de Grecia señala que: «Constituye obligación del Estado la protección del ambiente natural y cultural... Quedan bajo la protección del Estado los monumentos, así como los lugares históricos y sus elementos. La Ley fijará las medidas restrictivas de la propiedad que sean necesarias para la realización de esta protección, así como las modalidades y la naturaleza de la indemnización a los propietarios afectados».

[82]   En este sentido, GARCÍA ESCUDERO, P. y PENDAS GARCÍA, B.: ob. cit. p. 62 y ss; ÁLVAREZ ÁLVAREZ, J.L.: *Estudios sobre el Patrimonio Histórico Español y la Ley de 25 de junio de 1985*. Madrid, 1989, p. 52 y ss; SALINERO ALONSO, C.: *La protección del Patrimonio Histórico en el Código penal de 1995*. Barcelona, 1997, p. 28 y ss.

[83]   Específicamente, los artículos 3.3, 9.2, 44.1, 48, 143.1, 148.1 y 149.2.

[84]   Sobre los criterios doctrinales de distribución competencial entre el Estado y las Comunidades Autónomas en la tutela del Patrimonio Histórico, véase ABAD LICERAS, J. M.: «La distribución de competencias entre el Estado y las Comunidades Autónomas en materia de patrimonio cultural histórico-artístico: soluciones doctrinales» en *Revista Española de Derecho Constitucional*, nº 55, enero-abril 1999, p. 133; asimismo, PÉREZ DE ARMIÑÁN y DE LA SERNA, A.: *Las competencias del Estado sobre el Patrimonio Histórico Español en la Constitución de 1978*. Madrid, 1997.

[85]   El apartado 15 del art. 148.1 señala que las CCAA podrán asumir competencias sobre «museos, bibliotecas y conservatorios de música de interés de la Comunidad Autónoma», a

además, las materias no atribuidas expresamente al Estado, de acuerdo con la cláusula residual contenida en el n° 3 del art. 149, podrán corresponder a las CCAA en virtud de sus respectivos Estatutos[86], si bien la competencia sobre las materias que no hayan sido asumidas por los Estatutos de Autonomía corresponderá al Estado, cuyas normas prevalecerán en caso de conflicto sobre las de las Comunidades Autónomas en todo lo que no esté atribuido a la exclusiva competencia de éstas»[87].

Pues bien, partiendo de que la cultura constituye una competencia *concurrente*[88] entre el Estado y las comunidades, podemos afirmar la competencia prevalente de cada Comunidad Autónoma para dictar medidas legislativas sobre el Patrimonio Histórico de su ámbito territorial —salvo las excepcionales señaladas en materia de expolio y exportación— si así lo ha previsto su Estatuto, de forma que la legislación estatal tendrá un mero alcance supletorio[89] del autonómico.

---

las que deben sumarse las previstas en el apartado 16 sobre el «patrimonio monumental de interés de la Comunidad Autónoma».

[86] *Vid.* la clasificación que realiza ALEGRE ÁVILA respecto a la traslación en los diferentes Estatutos de Autonomía del esquema recogido en el art. 148.1.16° de la Constitución. ALEGRE ÁVILA, J.M.: *Evolución y régimen jurídico del Patrimonio Histórico. T. II.* Madrid, 1994, p. 754 y ss; otro análisis del tema se realiza por ALONSO IBAÑEZ, M°. R.: *El Patrimonio Histórico…*, cit. p. 42 y ss.

[87] Acerca de la distribución constitucional de competencias resulta trascendental la Sentencia del Tribunal Constitucional 17/1991, de 31 de enero, dictada en el recurso de inconstitucionalidad interpuesto por determinadas Comunidades Autónomas contra la Ley 16/1985 de 25 de junio, del Patrimonio Histórico Español. Dicha sentencia mantiene la existencia de una competencia *concurrente* entre el Estado y las CCAA, que se concreta, en cuanto al *Estado*, en la competencia en relación a los bienes de titularidad estatal (entre los que cabe incluir los pertenecientes al Patrimonio Nacional) así como en la competencia exclusiva en la defensa frente a la exportación y el expolio, y en cuanto a «las *Comunidades Autónomas* en lo restante, según sus respectivos Estatutos», concluyéndose con el rechazo de la declaración de inconstitucionalidad de la Ley 16/1985 pretendida por los recurrentes, si bien con las matizaciones que se realizarán más adelante.

[88] Véase la propuesta que realiza BENSUSAN MARTÍN, siguiendo las técnicas del Derecho comparado, de un concepto de competencias *concurrentes* frente a otro de competencias *compartidas.* Así, define las competencias concurrentes como aquellas en las que los dos entes a quienes se atribuyen pueden legislar indistintamente sobre una misma materia y con potestades de igual calidad, pero de modo que cuando uno de ellos lo hace impide el posterior ejercicio por el otro, o que uno de los dos lo haga hasta tanto lo haga el otro, mientras que en la competencia legislativa *compartida* la actuación de las entidades no es sustitutiva sino complementaria. BENSUSAN MARTÍN, M.P.: *La protección urbanística de los bienes inmuebles históricos.* Granada, 1996, p. 129 y ss.

[89] En defecto de una normativa autonómica de carácter general aplicable respecto de los bienes culturales de una Comunidad Autónoma.

La Norma fundamental guarda sin embargo silencio respecto de las competencias *municipales* sobre el Patrimonio Cultural, señalando únicamente en su art. 137 que los Municipios gozan de autonomía para la gestión de sus intereses. Es por ello que debe acudirse a la Ley Básica de Régimen Local de 2 de abril de 1985 y a la Ley de Patrimonio Histórico Español de 25 de junio del mismo año para conocer las funciones municipales sobre dicho Patrimonio. Así, el art. 7 de la última ley mencionada establece la obligación genérica de los Ayuntamientos de conservar y custodiar el Patrimonio Histórico Español, adoptando las medidas necesarias para evitar su deterioro, pérdida o destrucción, notificando a la Administración competente cualquier amenaza, daño o perturbación de la función social de los bienes que integran nuestro Patrimonio colectivo.

En otro orden de cosas, merece también destacarse el art. 33.2 de la Constitución de 1978, el cual —si bien no hace mención directa a la cultura— delimita el contenido de la propiedad privada a través de su función social, como superación del concepto liberal de propiedad, jugando un papel muy importante en la funcionalización en interés de la colectividad del disfrute y utilización de la propiedad privada sobre los bienes artísticos e históricos[90].

En último lugar, considero debe resaltarse la interacción existente entre el artículo 46 y los art. 44 y 45 que le preceden, núcleo integrado entre los «Principios rectores de la política social y económica». Tras reconocerse en el art. 44[91], el derecho de todos al acceso a la cultura, se pasa a regular, para asegurar una digna calidad de vida, la defensa del entorno en que el hombre se mueve, constituido por el Patrimonio Natural —concretamente el art. 45 se refiere al medio ambiente[92]— y el Patrimonio Cultural[93], los cuales aparecen tratados conjuntamente en la Convención de la UNESCO de 1972 sobre la «Protección del Patrimonio Mundial, Natural y Cultural», a la que nos referire-

---

[90]   PÉREZ LUÑO, A.: «Patrimonio histórico, artístico y cultural», en *Comentarios a las leyes políticas. Constitución española de 1978.* Tomo IV, arts. 39-45, p. 302.

[91]   El artículo 44 dispone:
       «*1. Los poderes públicos promoverán y tutelarán el acceso a la cultura, a la que todos tienen derecho.*
       2. Los poderes públicos promoverán la ciencia y la investigación científica y técnica en beneficio del interés general.»

[92]   El tenor literal del artículo 45 es el siguiente:
       «1. Todos tienen derecho a disfrutar de un medio ambiente adecuado para el desarrollo de la persona, así como el deber de conservarlo.
       2. Los poderes públicos velarán por la utilización racional de todos los recursos naturales, con el fin de proteger y mejorar la calidad de vida y defender y restaurar el medio ambiente, apoyándose en la indispensable solidaridad colectiva».

[93]   Sobre la relación entre ambos, ver ÁLVAREZ ÁLVAREZ, J.L.: *Sociedad, Estado y Patrimonio Cultural.* Madrid, 1992, p. 109.

mos en el Capítulo siguiente. Los párrafos finales de ambos preceptos conllevan un mandato sancionador, si bien la fórmula empleada en la protección del medio ambiente, aunque semejante a la del art. 46, resulta sin embargo preferible, en cuanto prevé «sanciones penales *o, en su caso, administrativas*» para quienes atenten contra el mismo, si bien dicha afirmación requiere ser matizada, pues, a mi juicio, debiera haberse invertido el orden de las referencias, desde la consideración del Derecho Penal como «*ultima ratio*», cuestión a la que volveremos más adelante.

11. *Reforma urgente y parcial del Código Penal de 25 de junio de 1983*

Si bien la legislación administrativa cumplió las previsiones constitucionales con la aprobación de la Ley 16/1985, de 25 de junio, sobre el Patrimonio Histórico y del Real Decreto 111/1986, de 10 de enero, que desarrolla parcialmente la Ley citada, no ocurría lo mismo con el ordenamiento penal, si atendemos a lo ineficaz y heterogéneo del texto vigente al promulgarse la Constitución, incluida la tímida reforma en 1983 en los arts. 506.7 y 516.2. QUINTERO OLIVARES resaltaba como «...la protección del patrimonio artístico español, prometida en la Constitución requiere una normativa más amplia que esta circunstancia agravatoria introducida por la Ley de Reforma Urgente y Parcial»[94].

Efectivamente, promulgada la Constitución de 1978, la necesaria reforma del Código Penal se llevó a cabo a través de la Ley Orgánica 8/1983, de 25 de junio, de Reforma Urgente y Parcial del Código penal, una vez el *Proyecto de Código penal* de 1980 no vio la luz tras su paralización parlamentaria. Tras el expreso mandato del legislador constituyente de la tutela penal frente a los atentados contra el patrimonio histórico, artístico o cultural, éste no recibe una protección diferenciada, coherente con el mandato mencionado, sino que como única respuesta se introduce la tutela al Patrimonio Cultural a través de los subtipos agravados de *hurto* (516.2) y *robo con fuerza en las cosas* (506.7), concretamente cuando la conducta típica recaía sobre «cosas de valor histórico, cultural o artístico», dependiendo de otro bien jurídico como es el patrimonio. A este respecto, vuelve a discutirse si por cosas de «*valor histórico, cultural o artístico*» han de entenderse las que contempla la normativa administrativa[95] o

---

[94] QUINTERO OLIVARES, G.: «El hurto», en *Comentarios a la legislación penal,* T. V., vol. 2°, Madrid, 1985, p. 1153.

[95] BAJO FERNÁNDEZ, M.: *Manual de Derecho Penal (Parte Especial)...,* ob. y loc. cit.

si, por el contrario, pueden considerarse como tales las que, inventariadas o no, reúnen las condiciones materiales[96].

Sin embargo, la agravación no se extiende a las estafas y apropiaciones indebidas, cuando éstos son cauces habituales a través de los cuales se producen expoliaciones de nuestro Patrimonio Cultural[97]. Carencia que podría salvarse para el delito de estafa, de acuerdo con un sector doctrinal[98], aplicando la circunstancia específica n° 1 del art. 529 C.P. referida a la defraudación de «bienes de reconocida utilidad social». Sin embargo, otro sector de la doctrina estima que ello supone forzar en extremo este concepto, por lo que cuando el Código anterior se refería a la «reconocida utilidad social» sólo podía predicarse, de acuerdo con VIVES ANTÓN «de aquellos bienes que, como las viviendas, sin ser en todo caso de primera necesidad, sean prácticamente estimadas como tales», concluyendo que «en tal concepto no pueden, pues, incluirse los objetos de relevante interés histórico, cultural o artístico»[99]. En el caso de la apropiación indebida sólo cabría la posibilidad de aplicar lo dispuesto en el art. 563 bis a) al que ya hemos referencia con anterioridad.

Finalmente, cerraba la protección del Patrimonio Cultural la Ley 7/1982, de 13 de julio, modificatoria de la legislación en materia de contrabando, castigando la exportación sin autorización de obras u objetos de interés histórico o artístico, siempre que el valor de los géneros superase el millón de pesetas.

12. *Proyectos de Código Penal*

El ya aludido *Proyecto de 1980*, continúa con la dispersión sistemática ya existente[100], frente a la conveniencia, de acuerdo con el texto constitucional, de

---

[96] MUÑOZ CONDE, F.: *Derecho penal. Parte Especial*, ob. cit., QUINTERO OLIVARES: «El hurto…», ob. y loc. cit.; GONZÁLEZ RUS:, J.J.: «Puntos de partida de la protección penal del patrimonio histórico, cultural y artístico», *ADPCP* enero-abril, 1995, p. 45.

[97] RUIZ VADILLO, E.: «La punición de los delitos de robo con fuerza en las cosas, hurto y estafa en la reforma parcial de Código Penal de 1983. Las circunstancias de agravación específicas», en *Estudios Penales y Criminológicos*, n° VII, Universidad de Santiago de Compostela, 1984, p. 323 y ss.

[98] *Vid.* PÉREZ ALONSO, E.J.: *La tutela civil y penal del Patrimonio histórico, cultural o artístico*, ob. cit. 1996, p. 423; BAJO FERNÁNDEZ, M.: «Estafa de cosas de primera necesidad«, en *Comentarios a la legislación penal*, T. IV, Vol. 2 (*La reforma del Código penal de 1983*), 1985, p. 1220.

[99] VIVES ANTÓN, T. S.: *Derecho penal. Parte Especial*, ob. cit., p. 919.

[100] Se mantiene la tipificación de los atentados contra los bienes artísticos, históricos y culturales contenida en el texto hoy derogado, salvo la elevación en la cuantía de los daños

agrupar las agresiones contra el Patrimonio Histórico, tomando como base el criterio del bien jurídico protegido. Concretamente se preveía una figura agravada en los delitos de hurto cuando éste recaía «sobre cosas que por su valor histórico, artístico o cultural hayan de considerarse como integrantes del patrimonio de la nación» (art. 233.1). Como novedad más significativa debe ponerse de manifiesto la inclusión de los llamados «*delitos contra la ordenación urbanística*» (en el Título VIII relativo a los Delitos contra el orden económico) sancionándose a los responsables de la construcción de edificios sin licencia «si el edificio se levantase en suelo no urbanizable perteneciente a zonas protegidas por destinarse a espacios verdes o *por sus valores paisajísticos, históricos o culturales*». Como se puede comprobar, la respuesta del Proyecto de 1980 continuaba resultando insuficiente y fragmentaria[101].

En cuanto a la *Propuesta de Anteproyecto de Código penal de 1983*, su regulación es prácticamente la misma. Como única novedad, debe señalarse cómo los daños cualificados vuelven a ampliarse a los causados en «*archivo, registro, museo, biblioteca, gabinete científico, institución análoga o bienes del patrimonio histórico, artístico, cultural o monumental*», suprimiéndose el tipo contenido en el artículo 561, relativo a la destrucción de pinturas, estatuas u otros monumentos públicos.

Por lo que se refiere al *Proyecto de Código penal de 1992*, las novedades dignas de destacar en la materia que nos ocupa son las siguientes:

a) Dentro de los delitos contra el orden socioeconómico se incluye en capítulo propio, el delito de «sustracción de cosa propia a su utilidad social o *cultural*».

b) Los daños por imprudencia grave se castigan únicamente los superiores a 50.000 pesetas cuando se produzcan en archivo, registro, museo, biblioteca, institución análoga y en bienes de interés histórico, artístico, científico o monumental (277).

c) Se prevé una agravación por el carácter cultural de las cosas objeto de malversación (413.2), así como una agravación específica para el delito de estafa[102] y de apropiación indebida.

---

y la modificación en las penas. Se mantienen el tipo del hoy derogado 561 (art. 276 del Proyecto) así como el 579 (670 del Proyecto). También continúan los daños cualificados, si bien se restringen los supuestos a los daños en Archivo o registro.

101   En este sentido: PÉREZ LUÑO, A.: «Patrimonio histórico, artístico y cultural», ob. cit. p. 309.

102   Art. 413.2.: «Se impondrá la pena de prisión de cuatro a ocho años y la de inhabilitación absoluta por tiempo de diez a veinte años si la *malversación* revistiere especial gravedad si

d) El Título XIII, con antecedentes en los Proyectos de 1980 y 1983, cuya rúbrica era «De los delitos relativos a la ordenación del territorio y a la protección de los recursos naturales y de la vida silvestre»[103], sancionaba, entre los delitos que afectaban a la ordenación del territorio, el llevar a cabo *construcciones no autorizadas* en suelo no urbanizable o *lugares* que tuvieran legal o administrativamente reconocido su *valor paisajístico, artístico, histórico o cultural*, o por los mismos motivos hayan sido considerados de «especial protección».

Asimismo se incrimina, dentro de los delitos contra la ordenación del territorio, el *derribo o alteración de edificios singularmente protegidos*[104], pudiendo los tribunales, motivadamente ordenar la reconstrucción de la obra.

Por último, el art. 311 preveía un tipo de prevaricación específica, sancionando a los funcionarios facultativos que, a sabiendas, hubieran informado favorablemente proyectos de edificación o de *derribo*, o la concesión de licencias «notoriamente contrarios» a las normas urbanísticas vigentes, y los miembros del organismo otorgante que hubieran votado su concesión, a sabiendas de su ilegalidad[105].

---

las cosas malversadas hubieren sido declaradas de valor histórico o artístico, o si se tratare de efectos destinados a aliviar alguna calamidad pública».

Art. 254: »1. El delito de *estafa* será castigado con las penas de prisión de uno a seis años y multa de seis a doce meses: ... *5° Cuando recayere sobre bienes que integren el patrimonio artístico, histórico o cultural*.».

[103] Entre las enmiendas presentadas al Proyecto de Ley Orgánica de Código penal, la nº 1.125 firmada por el Grupo Popular es de modificación en cuanto a la rúbrica del Título XIII por entender redundante hablar de «ordenación de territorio», de «recursos naturales» y de «vida silvestre», pudiendo incluirse en un concepto genérico de «medio ambiente», referido de acuerdo con el art. 45 de la Constitución a todos los recursos naturales, abarcando tanto el medio natural como el cultural, defendido en uno de los Capítulos del Código.

[104] A su vez, la enmienda 1.127 del citado Grupo es de modificación creando un tipo delictivo autónomo (310 bis a), pero todavía incluido entre los delitos contra la ordenación del territorio, relativo al derribo o alteración de *bienes inmuebles* declarados de interés histórico-artístico, cultural o monumental, adecuando así el objeto material a las previsiones de la Ley de Patrimonio Histórico de 1985 de su Título «De los bienes inmuebles». Los bienes muebles de interés histórico-artístico, de acuerdo con la enmienda, ya se encuentran protegidos en la Ley de Contrabando de 1982, no afectada por este Proyecto. A su vez, solicitan la modificación del art. 310 del Proyecto, defendiendo en la enmienda la imposición de la pena superior en grado cuando, se realizare cualquier actividad de urbanización o construcción contraria a las normas urbanísticas si el espacio objeto de actuación estuviere sometido a especial protección por su valor ambiental o *histórico-artístico-cultural*. Sin embargo, se mantiene finalmente el texto del Proyecto.

[105] También sobre este precepto formulan una enmienda, esta vez de supresión, por entender que, si sus conductas son reprochables como constitutivas de delitos relativos a los

La redacción del Proyecto recibe críticas desde diversos sectores. Así, de acuerdo con el *Informe del Pleno del Consejo General del Poder Judicial sobre el Anteproyecto del Código penal* (Ponente: Tomás S. Vives Antón), la redacción del Proyecto se consideraba indefendible, ya que, entre otros motivos, y, por lo que se refiere a los delitos contra la ordenación urbanística, de acuerdo con la descripción típica sujeto activo podía ser cualquiera, debiendo acotarse el círculo de sujetos activos al ámbito de los empresarios o profesionales, toda vez que la esfera de las conductas punibles resultaba desmesurada[106].

En cuanto al bien jurídico protegido —de acuerdo con el *Informe que emite el Consejo General de la Abogacía Española* sobre el Anteproyecto de Código penal de 1992[107]— aquél no resulta claramente definido, pues, efectivamente, no se concibe todavía el patrimonio histórico, cultural o artístico como bien jurídico independiente, tal y como la Constitución lo prevé en un precepto autónomo (art. 46). Desde el Informe se critica la equiparación de las actuaciones sobre el suelo no urbanizable y sobre lugares de valor histórico, artístico, etc..., atendiendo a la diferente gravedad de las conductas.

Finalmente, en cuanto al *Anteproyecto de Código penal de 1994*, decir que resulta continuista con respecto al Proyecto de 1992, persistiendo en la indeseable dispersión tipológica:

Se mantienen las agravaciones específicas en los delitos de hurto, estafa, apropiación indebida y malversación, si bien, y de acuerdo con GONZÁLEZ GONZÁLEZ[108], no se mantiene una coherencia terminológica entre los distintos tipos; así, mientras que en el hurto, apropiación indebida y daños se contempla la protección del patrimonio científico, no ocurre así en la estafa o en la malversación.

---

funcionarios (en concreto, de prevaricación) no era preciso «inventar» otras figuras que generarían agravios comparativos en cuanto a que los funcionarios y autoridades de la Administración urbanística no tenían por qué sufrir amenaza penal superior a los funcionarios y autoridades de otros sectores de la Administración. Sin embargo, estas prevaricaciones específicas descritas en el Proyecto llegan a ver a la luz en el Código penal de 1995, si bien diferenciándose en tipos autónomos las relativas a los proyectos de edificación con respecto a los de derribo.

[106] De ese modo, siguiendo con el Informe, podría ser autor del delito el particular que por sus propios medios se construyera en suelo no urbanizable «una chabola de segunda residencia» o el que instala sin autorización un chiringuito playero de cierta permanencia.

[107] Informe del Consejo General de la Abogacía Española sobre el Anteproyecto de Código penal de 1992, en *Cuadernos de Política Criminal*, nº 49, 1993, p. 9 y ss.

[108] GONZÁLEZ GONZÁLEZ, J.: «Protección penal del Patrimonio Histórico Español: Aproximación a la situación actual y proyecto de reforma ...», ob. cit., 1994, p. 516.

A su vez, en la tipificación de los daños, se incorpora la referencia al *valor monumental*, así como la protección al *patrimonio arqueológico*, protección que resulta encomiable, máxime si echamos un vistazo a las legislaciones de nuestro entorno cultural[109] que dedican una atención especial a este ámbito del Patrimonio, bien en sus respectivos Códigos penales, bien en leyes especiales.

Se mantiene el tipo relativo a la *sustracción de cosa propia a su utilidad social o cultural*, así como los tipos considerados, a mi juicio incorrectamente, de forma global como «delitos de ordenación del territorio»: así el art. 305.1 del Anteproyecto castigaba «la construcción no autorizada en suelos destinados a viales, zonas verdes o *lugares que tengan legal o administrativamente reconocido su valor paisajístico, artístico, histórico o cultural o que por los mismos motivos hayan sido considerados de especial protección»*, incluyendo en su número 2 «*el derribo o alteración grave de edificios singularmente protegidos por su interés histórico, artístico, cultural o monumental»*.

13. Regulación actual

Con fecha de 23 de noviembre de 1995 fue promulgada la **Ley Orgánica 10/95 del Código Penal** con plena vigencia a partir del 24 de mayo de 1996. El nuevo Código Penal de 1995 incorpora por vez primera en la historia de la codificación penal, en su Título XVI dedicado a los delitos sobre la ordenación del territorio y la protección del patrimonio histórico y del medio ambiente, un Capítulo, el II[110] de dicho Título, el cual reza «**De los delitos sobre el patrimonio histórico**», dirigido a proteger específicamente los atentados contra el Patrimonio Histórico Español, configurándose así un nuevo sistema de tutela penal directa, desde la consideración del citado Patrimonio como bien jurídico autónomo. Nuestro trabajo se centrará fundamentalmente en este nuevo Capítulo del Código penal de 1995, que otorga por primera vez una protección autónoma a nuestro Patrimonio Cultural, y donde analizaremos si realmente se da adecuado cumplimiento al mandato constitucional recogido en el artículo 46.

---

[109]　Véase *infra* el Capítulo II del presente trabajo.

[110]　Los preceptos que integran este Capítulo se introdujeron en el trámite del Senado a través de la incorporación de la enmienda 373 del Grupo Parlamentario Socialista que los reagrupó en un Capítulo independiente bajo la rúbrica «*De los delitos sobre el Patrimonio Histórico*». Ver DELGADO-IRRIBAREN: *Ley Orgánica del Código penal. Trabajos parlamentarios.* Madrid, 1996.

Sin embargo, pese a la creación del citado Capítulo, los denominados «*delitos sobre el Patrimonio histórico*» conviven con subtipos agravados ya existentes en el Código precedente, contenidos en el marco de los delitos contra otros bienes jurídicos, en razón del carácter cultural de su objeto material. Y, finalmente, fuera del Código penal, completa la protección penal del patrimonio cultural, *por un lado* la **Ley Orgánica 12/1995, de 12 de diciembre, de Represión del Contrabando**, la cual tipifica expresamente la salida de territorio español de bienes integrantes del Patrimonio histórico español, sin la autorización administrativa necesaria, de valor igual o superior a los tres millones de pesetas (artículo 2º.1.e Ley 12/1995) o aún si el valor es inferior en caso de que los hechos se realicen a través de una organización (art. 2, 3 b), y *por otro lado*, la circunstancia agravante prevista en el Código penal militar en las figuras delictivas que tienen por objeto la protección de los bienes culturales en caso de conflicto armado (art. 77.7).

En suma, la regulación jurídico-penal será de aplicación ante los atentados más graves e intolerables contra el Patrimonio Histórico[111], interviniendo la legislación administrativa en las agresiones más livianas contra dicho Patrimonio, legislación recogida concretamente en la Ley de 25 de junio de 1985 sobre Patrimonio Histórico Español (Título IX: infracciones administrativas y sus sanciones) —desarrollada por los RD 111/1986, de 10 de enero (a su vez, modificado por el RD de 21 de enero de 1994) y 1680/1991 de 15 de noviembre— así como en la normativa autonómica sobre la materia.

---

[111] Cuestión que se abordará con detenimiento en su momento oportuno.

CAPÍTULO II

REGLAMENTACIÓN INTERNACIONAL Y DERECHO COMPARADO

I. LA PROTECCIÓN DE LOS BIENES CULTURALES EN EL ÁMBITO INTERNACIONAL

1. Introducción

La necesidad de tutela de los bienes culturales, en el ámbito de la comunidad internacional, encuentra sus orígenes en los numerosos expolios y efectos devastadores sufridos por las obras de arte durante siglos, a causa principalmente de las guerras.

De acuerdo con el Derecho internacional consuetudinario de guerra, la violencia bélica era libremente ejercida, dentro de unos límites muy genéricos. Los tesoros de arte atraían el espíritu de conquista del ejército invasor, por lo que las ocupaciones del territorio del Estado enemigo llevaban consigo terribles consecuencias: la apropiación de su patrimonio histórico y artístico, sin que dichos expolios recibiesen la consideración de ilícitos internacionales[1].

Habrá que esperar el transcurso de la II Guerra Mundial, para que, bajo la base del repudio hacia el derecho de expoliación, se afirme la idea de respeto a la integridad del patrimonio artístico y cultural de los pueblos; concretamente, el Tratado de Paz de París de 10 de febrero de 1947 reguló la materia inspirándose en el principio de reintegración de los Patrimonios Culturales nacionales[2].

Los diferentes actos emanados de las organizaciones internacionales, adoptaran la forma de Convenciones y Recomendaciones[3]; de ese modo, las Conven-

---

[1]   GRISOLIA señalaba que el derecho del vencedor sobre las obras de arte del vencido era reconocido especialmente en el Renacimiento, citando concretamente las confiscaciones en la ciudad conquistada de gran cantidad de manuscritos, estatuas, tapicerías, pinturas, etc. efectuadas por Carlos VIII y Luis XII durante sus guerras en Italia. GRISOLIA, M.: *La tutela delle cose d'arte*, ob. cit., p. 130.

[2]   Una referencia genérica a la tutela internacional de los bienes culturales la encontramos en ALIBRANDI, T.; FERRI, P.: *Il diritto dei beni culturali. La protezione del patrimonio storico-artistico*. 5ª ed. Milano, 1997. En concreto, sobre justicia criminal en dicha materia, CHERI BASSIOUNI, M.: «Reflections on criminal jurisdiction in international protection of cultura property», in *Syracuse Jnl. of Int. Law and Commerce, vol. 10, n° 2*, p. 218-32

[3]   Designados genéricamente como «instrumentos internacionales», no poseen todos el mismo valor jurídico en Derecho español, ya que mientras las Recomendaciones y las Resoluciones no son jurídicamente vinculantes —salvo que los destinatarios se comprometan a cumplirla, adquiriendo entonces carácter obligatorio— sin embargo, los Convenios Internacionales

ciones del Consejo de Europa y las diferentes Convenciones y Recomendaciones adoptadas o auspiciadas por la UNESCO constituyen una base consensual y de inspiración de las legislaciones nacionales, estableciendo principios y normas que deben respetar los Estados miembros[4].

La incidencia de dichos instrumentos en el Estado español se reconoce en nuestra Carta Magna, concretamente en una disposición contenida en el art. 10.2 cuando señala que «las normas relativas a los derechos fundamentales y a las libertades que la Constitución reconoce se interpretarán de conformidad con la Declaración Universal de Derechos Humanos y los *tratados y acuerdos internacionales* sobre las mismas materias, ratificados por España» (la cursiva es añadida). Tal y como ya comentamos, los artículos 44, 45 y 46 que forman parte de la llamada *Constitución Cultural,* se encuentran dentro del Título I relativo a los deberes y derechos fundamentales, por lo que los mencionados preceptos deberán ser interpretados de acuerdo con los criterios adoptados en esos acuerdos internacionales.

A su vez, la Ley 13/1985 de Patrimonio Histórico Español 25 de junio, en su Preámbulo y en su Disposición Adicional 7ª, se refiere a los Organismos Internacionales de los que España es miembro. Concretamente, en lo que respecta al Preámbulo (parr. 3 *in medio*) se resalta «…la creciente preocupación sobre esta materia por parte de la comunidad internacional y de sus organismos representativos, la cual ha generado nuevos criterios para la protección y enriquecimiento de los bienes históricos y culturales, que se han traducido en Convenciones y Recomendaciones, que España ha suscrito y observa…». Consecuentemente, la Disposición Adicional Séptima de la citada Ley de 1985 señala que «sin perjuicio de lo dispuesto en la presente Ley, las Administraciones a quienes corresponda su aplicación quedarán también sujetas a los Acuerdos Internacionales válidamente celebrados por España. La actividad de tales Administraciones estará asimismo encaminada al cumplimiento de las resoluciones y recomendaciones que, para la protección del Patrimonio Histórico, adopten los Organismos Internacionales de los que España sea miembro».

---

suscritos por los Estados sí son jurídicamente vinculantes, y los aceptados o ratificados por nuestro país constituyen normas de derecho interno, de acuerdo con nuestra Constitución (art. 96.1). DÍEZ DE VELASCO VALLEJO, M.: *Las Organizaciones Internacionales.* Madrid, 1995, p. 124 y ss.

[4]   Si bien existe la obligación de dichos Estados a someter los textos correspondientes de las Recomendaciones o Convenciones a sus autoridades competentes, ello no entraña necesariamente que se vean obligadas a la ratificación de las Convenciones o las Recomendaciones íntegramente aceptadas.

2. El papel de la UNESCO en la tutela de los bienes culturales

Los efectos devastadores producidos tras la 2ª Guerra Mundial intentan ser paliados o disminuidos en el ámbito cultural con la creación —en virtud del Convenio de Londres de 16 de noviembre de 1945— de la Organización de las Naciones Unidas para la Educación, la Ciencia y la Cultura **(UNESCO)**, organismo especializado de la Organización de Naciones Unidas. Las declaraciones contenidas en el Preámbulo de su Carta Fundacional establecen el propósito de «contribuir a la paz y a la seguridad estrechando, mediante la educación, la ciencia y la cultura, la colaboración entre las Naciones...», para lo cual se le asigna la función, entre otras, de «velar por la conservación y protección del patrimonio universal de libros, obras de arte y monumentos de interés histórico o científico y recomendando a las naciones interesadas la conclusión de las convenciones internacionales que sean necesarias para tal fin».

Varios instrumentos jurídicos fueron adoptados bajo los auspicios de la UNESCO en el ámbito del Patrimonio Cultural. En cuanto a las Convenciones, por orden cronológico, nos detendremos en la *Convención de la Haya de 1954 para la protección de bienes culturales en caso de conflicto armado*, la cual será el objeto del primer análisis; a continuación, en materia de tráfico ilícito, abordaremos algunos aspectos puntuales de la *Convención concerniente a las medidas a adoptar para prohibir e impedir la importación, la exportación y el traslado de propiedades ilícitas de bienes culturales*. Por último, realizaremos una breve referencia a la *Recomendación sobre conservación de bienes culturales que la ejecución de obras públicas o privadas pueda poner en peligro*, así como a la *Convención concerniente a la Protección del Patrimonio Mundial, Cultural y Natural*.

2.1. Protección de los bienes culturales en caso de conflicto armado

En el ámbito del Derecho Internacional Convencional, la exigencia de asegurar la protección de los bienes culturales frente a la violencia bélica se plasma en la **Convención de la Haya de 14 de mayo de 1954 para la protección de los bienes culturales en caso de conflicto armado**[5], cuya

---

[5]   Convención aprobada en París el 14 de mayo de 1954 y que entró en vigor el 7 de agosto de 1956, siendo ratificada por España mediante Instrumento de 7 de julio de 1960 (BOE, nº 282, de 24 de noviembre de 1960).

adopción se inscribe así dentro del movimiento de reacción de la comunidad internacional, después del segundo conflicto mundial[6]. La mencionada protección se ve complementada con el reglamento de aplicación del citado Convenio del cual forma parte integrante, y por su Protocolo, formando un verdadero Código de protección de bienes culturales en caso de conflicto armado. A su vez, las disposiciones de la Convención son complementadas por los Protocolos de 8 de junio de 1977[7], adicionales a los Convenios de Ginebra de 1949.

Antes de abordar los aspectos de la Convención relativos a la protección de carácter penal de los bienes culturales, nos parece útil describir brevemente su ámbito de aplicación así como su objeto de protección.

En cuanto al **ámbito de aplicación**, la presente Convención —con independencia de las disposiciones que entrarán en vigor en tiempo de paz— se aplicará, tanto en caso de *guerra declarada o de cualquier otro conflicto* armado que pueda surgir entre *dos o más de las Altas Partes Contratantes,* aun cuando alguna de ellas no reconozca dicho estado de guerra, así como en todos los casos de ocupación de todo o parte del territorio de una Alta Parte Contratante, aun cuando dicha ocupación no encuentre ninguna resistencia militar[8] (art. 18).

Deteniéndonos en los bienes que conforman el **objeto de protección** de la misma, éstos reciben la denominación unitaria de «*bienes culturales*»[9], dividiéndose, bajo un concepto descriptivo, en tres grupos los bienes que merecen dicha consideración, cualesquiera sea su origen y propietario, recibiendo por tanto

---

[6]   Tal como señala el Preámbulo de la Convención, sirven de inspiración a ésta los principios relativos a la protección de bienes culturales en caso de conflicto armado proclamados en la II Convención de la Haya relativa a leyes y usos de la guerra terrestre de 29 de julio de 1889, así como la IV Convención de 18 de octubre de 1907, las cuales contemplan el principio de respeto a los edificios consagrados a las artes, así como a los monumentos históricos; por último el *Pacto Roerich,* tratado para las protección de instituciones científicas y artísticas y monumentos históricos, firmado en Washington el 15 de abril de 1935 por los miembros de la Unión Panamericana, cuyas reglas fundamentales fueron recogidas por la Convención de 1954.

[7]   Concretamente en el art. 53 del Protocolo I (relativo a conflictos armados internacionales), y art. 16 del Protocolo II (conflictos armados no internacionales), bajo la rúbrica común de «*protección de los bienes culturales y de los lugares de culto*».

[8]   En caso de *conflicto armado que no tenga carácter internacional,* y que haya surgido en el territorio de una de las Altas Partes Contratantes, cada una de las partes en conflicto estará obligada a aplicar, como mínimo las disposiciones de esta Convención relativas al «respeto» de los bienes culturales.

[9]   De acuerdo con NAHLIK, el término» «*cultural property*» se introduce en este momento por vez primera en el ámbito internacional. NAHLIK, S.E.: «On some deficiencies of the Hague Convention of 1954 on the protection of cultual property in the event of armed conflict», en *Annuaire de L'A A A* n° 100.

también protección los de propiedad particular normalmente no expuestos al público:

a) Así, pertenecen al primer grupo, los *bienes*, tanto *muebles* como *inmuebles*, que tengan «*gran importancia*» para el Patrimonio Cultural de los pueblos. A continuación, se enumeran una serie de bienes que gozan de dicha condición, enumeración meramente ejemplificativa, de acuerdo con la locución empleada «*tales como*», por lo que también recibirán dicha consideración «otros objetos de interés histórico, artístico o arqueológico». Sin embargo, alguna voz doctrinal[10] critica el silencio con respecto a los bienes de interés etnográfico, interés sí protegido en las siguientes Convenciones y Recomendaciones.

b) En segundo lugar, se incluyen los *edificios* cuyo destino principal sea la *conservación o exposición de los bienes muebles* definidos en el apartado a) del mismo artículo, realizando al igual que en el caso anterior una mera enumeración descriptiva de ellos, de acuerdo con la misma expresión utilizada; también se refiere la Convención a los *refugios destinados a proteger en caso de conflicto armado los bienes culturales muebles* definidos en el citado apartado.

c) Por último, los denominados «*centros documentales*» que comprenden un número considerable de bienes culturales definidos en los apartados a) y b), tanto muebles como inmuebles, también conformarán el objeto de protección.

Entrando ya en la tutela que reciben dichos bienes culturales, debe indicarse previamente que existen dos *niveles de protección*: una protección *general* para los bienes culturales mencionados y una protección de carácter *especial* reservada para los sitios inscritos en el Registro internacional[11].

La ***protección general*** básicamente consiste en el compromiso por las Altas Partes Contratantes de respeto y salvaguardia de los bienes culturales. Por lo que se refiere a la s*alvaguardia*, ésta consiste, de acuerdo con el art. 3, en la adopción, únicamente en tiempo de paz y en el propio territorio, de las medidas apropiadas contra los efectos previsibles de un conflicto armado.

---

[10] BOYLAN, P.J.: *Review of the Convention for the Protection of Cultural Property in the Event of Armed Conflict (The Hague Convention of 1954)* 1993, p. 51.

[11] Dicha distinción tiene su origen en la disparidad de opiniones manifestada en la Conferencia Intergubernamental convocada para la elaboración de la Convención, en cuanto a la extensión del ámbito de los bienes que debían recibir protección, existiendo dos tendencias, una que apostaba por la amplitud del concepto, comprendiendo el mayor número de bienes, y otra restrictiva, donde los Estados preferían una selección de determinados bienes de especial importancia. La solución a tal conflicto de intereses fue la distinción entre las clases de protecciones.

En cuanto al compromiso de *respeto,* éste implica, en primer término, la abstención en la utilización de los citados bienes así como de sus proximidades inmediatas, tanto en el propio territorio como en el de la parte adversa, para fines que pudieran exponer dichos bienes a su destrucción o deterioro. La única *excepción* a su cumplimiento se dará en el caso de que, de acuerdo con el art. 4 p. 2, una *«necesidad militar»* lo impida de manera *«imperativa».* Dicha excepción plantea una serie de dificultades: por un lado, a la hora de determinar quien está facultado para estimar cuando existe la aludida «necesidad militar»[12], debido, tanto a la definición del propio concepto de *«necesidad»* como a las circunstancias de su uso que, en muchos casos, acaban convirtiendo dicha necesidad en mera *«conveniencia»*[13], lo que ocurre a su vez en la apreciación de la *«imperatividad»* en su cumplimiento; por otro lado, la existencia de esta excepción al compromiso de respeto es, en principio, una de las razones para la previsión, como veremos posteriormente, de una protección especial para determinados bienes.

Continuando con el compromiso de respeto, éste supone además la obligación de *prohibir, impedir o hacer cesar, en caso necesario, cualquier acto de robo, pillaje, ocultación o apropiación de bienes culturales, así como todos los actos de vandalismo* respecto de dichos bienes. Consecuentemente con estas obligaciones, la Convención de la Haya de 1954 prevé que las Altas Partes se comprometan a adoptar, dentro de sus sistemas de Derecho Penal, las medidas necesarias para castigar con *sanciones penales* a las personas, cualquiera que sea su nacionalidad, que hubieran cometido u ordenado que se cometiera una infracción de la presente Convención (art. 28)[14]. Sobre dicha tutela de carácter penal y su concreción en nuestro derecho español nos detendremos en breve, después de hacer una breve referencia a la mencionada *«protección especial»*[15].

---

[12] De esa opinión, BOYLAN, P.J.: *Review of the Convention...,* ob. cit., p. 54 y ss. A su vez, NAHLIK entiende, que como en todo caso donde no existe criterio establecido, se trata de un problema de interpretación. NAHLIK, S.E.: «On some deficiencies...», ob. y loc. cit.

[13] Así lo anticipaba el General Eisenhower en una declaración a las fuerzas aliadas el 29 de diciembre de 1943. Cfr. MERRYMAN, J.: «Two ways of thinking about cultural property», in *American Journal of International Law,* 1986, Vol. 80.

[14] Como ejemplo, en Croacia, aunque la protección de los bienes culturales se rige por leyes especiales —como la Ley sobre Protección de Monumentos Culturales, la Ley de Museos, la Ley sobre Protección de Archivos y otras más relativas a áreas que guardan relación con la protección de bienes culturales— el art. 28 de su Código Penal tipifica como delitos los actos que impliquen un deterioro, la destrucción o el pillaje de los tesoros culturales durante la guerra. En *Informaciones sobre la aplicación de la Convención para la protección de los bienes culturales en caso de conflicto armado,* editado por la UNESCO, 1995, p. 25.

[15] Una referencia al concepto y aplicación de la «especial protección» la encontramos en BOYLAN, P.J.: *Review of the Convention of Cultural Property ... ,* ob. cit. p. 76 y ss.

De acuerdo con el art. 8 de la Convención, son objeto de dicha ***protección especial***[16], un número restringido de refugios destinados a preservar los bienes culturales muebles en caso de conflicto armado, centros monumentales, y otros bienes culturales inmuebles «de importancia muy grande»[17], siempre que reúnan las siguientes condiciones:

a) que se encuentren a suficiente distancia de un gran centro industrial o cualquier objetivo militar importante considerado como punto sensible[18], por ejemplo, un aeródromo, una estación de radio, un establecimiento destinado a trabajos de defensa nacional, un puerto o una estación ferroviaria de cierta importancia o una gran línea de comunicaciones,

b) que no sean utilizados para fines militares[19].

La protección especial consiste en la garantía de «*inmunidad*» de los bienes sujetos a ella., entendida —de acuerdo con el art. 9 de la Convención— como abstención de cualquier acto de hostilidad respecto a ellos[20], así como de la utilización de dichos bienes y sus proximidades inmediatas con fines militares. Sin embargo, si bien una de las razones de la previsión de una protección especial para determinados bienes se basaba, en principio, en la posibilidad de incumplimiento de la protección general en base a la existencia de un supuesto excepcional, vemos como también la inmunidad queda relativizada, de acuerdo con el art. 11.2 de la Convención, ya que ésta podrá ser suspendida en casos excepcionales de «*necesidad militar ineludible*». Como se puede apreciar, nos encontramos nuevamente con el problema de la indeterminación, en este caso

---

[16]   Protección que conllevará su inscripción en el «Registro Internacional de Bienes Culturales bajo Protección Especial», existente en la UNESCO.

[17]   Obsérvese una vez más la indeterminación de la expresión empleada.

[18]   Se admite la posibilidad de colocar bajo protección especial algunos de los bienes mencionados aun cuando estén situados cerca de algún objetivo militar importante, en el supuesto de que la Alta Parte Contratante que lo pida se comprometa a no hacer uso ninguno del objetivo en cuestión en caso de conflicto armado, y especialmente, si se tratase de un puerto, de una estación ferroviaria o de un aeródromo, se comprometa a desviar del mismo todo el tráfico, desviación que debe prepararse en tiempo de paz (art. 8.5).

[19]   De acuerdo con el art. 8.4 de la Convención no se considerará como utilización para fines militares la custodia por guardias armados, especialmente habilitados para ello, de alguno de los bienes enumerados, ni tampoco la presencia cerca de ese bien cultural de fuerzas de la policía normalmente encargadas de asegurar el orden público.
En el caso particular de los centros monumentales sí se entenderá que están siendo utilizados para fines militares cuando se empleen para el transporte de personal o material militares, aunque sólo se trate de simple tránsito, así como cuando se realicen dentro de dicho centro actividades directamente relacionadas con operaciones militares, acantonamiento de tropas o producción de material de guerra (art. 8.3).

[20]   Salvo lo establecido en el n° .5 del art. 8 ya mencionado.

de la «*ineludibilidad*» de la necesidad militar, sólo que, a diferencia de la excepción prevista en la parte general, en este caso sí especifica exactamente quien debe determinar dicha necesidad[21].

Pero la Convención también hace referencia, tal y como hemos adelantado anteriormente, a una protección de carácter *penal* de los bienes culturales en caso de conflicto armado, al comprometerse los Estados a castigar, en sus respectivos derechos internos, con sanciones penales y disciplinarias las infracciones de la Convención[22], obligación que prácticamente reproduce la prevista en los Convenios de Ginebra de 1949[23]. Asimismo, el *Protocolo I Adicional* a dichos Convenios determina que supuestos constituyen una infracción grave, calificando, además, de *crimen de guerra*[24] el hecho de dirigir un ataque a monumentos históricos, obras de arte o lugares de culto claramente reconocidos como parte del patrimonio cultural o espiritual de los pueblos y a los que se haya conferido protección especial en virtud de acuerdos especiales celebrados, por ejemplo, dentro del marco de una organización internacional competente, causando como consecuencia extensas *destrucciones* de los mismos. Ahora bien, deben cumplirse dos *condiciones*: en primer lugar, que se pruebe no se hayan utilizado para fines militares y, en segundo lugar, que no estén situados en inmediata proximidad de objetivos militares.

La acción típica consiste, pues, en atacar y consecuentemente destruir los bienes culturales que constituyen el patrimonio cultural o espiritual de los pueblos, y a los que se les ha conferido protección especial, bien en virtud de la Convención de la Haya, bien porque la tengan, tal y como señala el texto «*en virtud de otros acuerdos especiales celebrados en el marco de una organización internacional competente*». Se llegó incluso a proponer que los actos de hostilidad contra los bienes culturales fueran igualmente calificados de «*crímenes de guerra*» en la propia Convención de la Haya o en un instrumento adicional, tal cual un Protocolo. A propósito de ello se reconoció que habían dos aspectos a

---

[21]   La necesidad no podrá ser determinada mas que por el jefe de una formación igual o superior en importancia a una división, notificándose a la Parte adversaria lo más pronto posible. (art. 11.3).

[22]   NAFZIGUER, J.A.R.: «International Penal Aspects of Protecting cultural Property», en *The International Lawyer*, vol. 19, 1985. Una de las críticas que recibe esta Convención se centra en el tema de las sanciones penales, ya que en el proyecto inicial un capítulo entero era dedicado a estas sanciones, quedando reducido en la redacción final al precepto mencionado, el 28, como consecuencia de las presiones de los países anglosajones.

[23]   Arts. 49 I, 50 II, 129 III y 146 IV.

[24]   Sobre los crímenes de guerra, *vid.* DÍEZ DE VELASCO, M.: *Instituciones de Derecho Internacional Público*, Madrid, 1994, p. 766 y ss.

tomar en consideración con respecto a las sanciones: de una parte la responsabilidad del Estado por violación de la Convención de la Haya, y de otra parte, la responsabilidad penal individual, bien ante un tribunal internacional, bien ante un tribunal nacional[25].

Centrándonos en el compromiso asumido en la Convención de la Haya, veamos como se concreta esa obligación de sancionar las infracciones a dicha Convención en el seno del Derecho Penal español:

Por lo que respecta al *Código penal militar*[26], decir que se tipifican los «*delitos contra las leyes y usos de la guerra*» (arts. 69 a 78 del Título II del Libro II). Nos encontramos ante delitos *especiales* donde sujeto activo únicamente puede serlo el militar que lleve a cabo las conductas descritas a continuación.

En cuanto al primero de los tipos delictivos la acción típica consiste en *destruir o deteriorar* los bienes enumerados a modo ejemplificativo en el art. 77.7, y en general «todos aquellos que formen parte del patrimonio histórico», tal y como indica la cláusula de cierre, «*sin que lo exijan las necesidades de la guerra*», la única excepción a su cumplimiento que contemplaba la Convención. De acuerdo con la descripción típica contenida en el párrafo segundo del mismo artículo, se castiga también *cualquier acto de pillaje o apropiación* de los mencionados bienes, así como *todo acto de vandalismo* sobre ellos; finalmente se sanciona la requisa de los bienes situados en territorio que se encuentre bajo ocupación militar.

La pena a imponer en estos supuestos será de dos a ocho años de prisión y, tal y como puede observarse, supone la plasmación de la obligación de respeto hacia los bienes culturales contemplada en la Convención de la Haya, sin seguir el criterio más limitado del Protocolo en su definición de «*crimen de guerra*» con respecto a los bienes culturales[27].

---

[25] Así lo recoge, CLEMMENT, destacando que uno de los puntos débiles de la Convención es la ausencia de sanciones internacionales, si bien el propósito de reforzamiento actual de la aplicación del texto de la Convención se ve confortado por los trabajos que, en el seno de Naciones Unidas, condujeron a la creación de un tribunal internacional para los crímenes de guerra cometidos en Yugoslavia, competente para juzgar los atentados hacia el Patrimonio Cultural en violación de la Convención de la Haya y los Protocolos de la Convención de Génova. CLEMMENT, E.: «Le reexamen de la Convention de la Haye de 1954 pour la protection des biens culturels en cas de conflit arme», en *International Legal Issues Arising under the Nations Decade of International Law*, 1995, p. 133-150.

[26] Promulgado por Ley Orgánica 13/1985, de 9 de diciembre.

[27] Ello podría explicarse atendiendo a que la ratificación de España de dicho Protocolo tiene lugar mediante Instrumento de 21 de abril de 1989 (B.O.E. nº 177, de 26 de julio) con posterioridad a la promulgación del Código penal Militar.

Por último, el art. 78, empleando una fórmula genérica y residual, sanciona al militar que *lleve a cabo o bien diere orden de cometer, cualesquiera otros actos contrarios a las prescripciones de los Convenios Internacionales ratificados por España «... relativos a la protección de bienes culturales en caso de conflicto armado»*.

Con respecto a la regulación prevista en el **Código penal español de 1995,** se asume el compromiso de sancionar las infracciones de la Convención de la Haya, dentro del Capítulo III del Título XXIV del L. II, relativo a los *«delitos contra las personas y bienes protegidos en caso de conflicto armado»*. La principal novedad es que se trata de delitos comunes, donde sujeto activo puede ser cualquiera que realice las conductas típicas, con ocasión de un conflicto armado, a diferencia del tradicional sistema jurídico-penal, que únicamente sancionaba al militar que llevara a cabo dichas actuaciones. Por lo demás, el art. 613 p. 1ª sigue el criterio más restrictivo a la hora de definir *«crimen de guerra»* en relación a bienes culturales, sancionando los ataques u actos hostiles contra los bienes culturales ya mencionados en el Protocolo, con pena de prisión de cuatro a seis años. El nº 2 de dicho artículo prevé una agravación especifica si el objeto material sobre el que recae la conducta es un bien cultural de *«especial protección»*, contemplada en el Convenio de la Haya, o en los supuestos de *«extrema gravedad»* imponiéndose la pena superior en grado.

2.2. Tráfico ilícito

Siguiendo con las Convenciones relativas a la protección de los bienes culturales, en la lucha contra el tráfico ilícito de obras de arte, debe destacarse la **Convención sobre las medidas que deben adoptarse para prohibir e impedir la importación, la exportación y la transferencia de propiedad ilícitas de bienes culturales**[28]. La Convención no prohibe automáticamente la transferencia de propiedad, la importación o la exportación de bienes cultura-les[29] —de acuerdo con la consideración en su Preámbulo de la importancia del

---

[28]   Aprobada en la decimosexta reunión de la Conferencia General de la UNESCO en París el 14 de noviembre de 1970, desarrolla los principios y normas estipulados en la Recomendación sobre el mismo tema, aprobada por la Conferencia General en 1964. La Convención fue ratificada por España por Instrumento de 13 de diciembre de 1985 (BOE nº 31 de 5 de febrero de 1986).

[29]   La Convención define ampliamente el *«patrimonio cultural* «como aquellos objetos, designa-dos por cada Estado «de importancia», ya no sólo para la historia, el arte o la arqueología, sino también de acuerdo con intereses científicos, enumerando a continuación diversas categorías a las que deben pertenecer, describiendo así el objeto de protección (art. 1). De

intercambio de bienes culturales entre las naciones con fines científicos, culturales y educativos— sino que supone un instrumento de lucha contra el tráfico ilícito internacional de bienes culturales, uno de las más importantes preocupaciones en el ámbito internacional. Concretamente se define el tráfico ilícito como toda exportación, importación o transferencia de propiedad efectuada contra las reglas adoptadas por cada Estado miembro. Por tanto, podemos observar como la reglamentación internacional remite a las leyes nacionales para definir el tráfico ilícito.

La Convención contempla dos clases de previsiones: unas relacionadas con la cooperación internacional y que exigen una colaboración entre los Estados, y otras de carácter nacional, medidas éstas últimas en las que nos centraremos a continuación[30].

Así, entre los Considerandos del Preámbulo se señala que, todo Estado debe proteger su Patrimonio, constituido por los bienes culturales existentes en su territorio, contra los peligros de robos, excavaciones clandestinas y exportaciones ilícitas, constituyendo la importación, exportación y transferencia de propiedad ilícitas, algunas de las principales causas del empobrecimiento del Patrimonio Cultural de los países de origen.

Es por ello que, de acuerdo con el párrafo segundo del art. 2 de la Convención, los Estados Partes se comprometen[31] a combatir esas prácticas con los medios

---

acuerdo con el contenido indeterminado de la locución «de importancia» será cada Estado, conforme a la Convención, el que deberá precisar en sus respectivas legislaciones que entiende por bien de interés histórico, artístico o arqueológico, si bien, de acuerdo con el art. 4, «los Estados Partes en la presente Convención reconocen que para los efectos de la misma, forman parte del patrimonio cultural de cada Estado los bienes que pertenezcan a las categorías enumeradas a continuación:
– bienes culturales debidos al genio individual o colectivo de nacionales de Estados de que se trate y bienes culturales importantes para ese mismo Estado y que hayan sido creados en su territorio por nacionales de otros países o por apátridas que residan en él;
– bienes culturales hallados en el territorio nacional;
– bienes culturales adquiridos por misiones arqueológicas, etnológicas o de ciencias naturales con el consentimiento de las autoridades competentes del país de origen de esos bienes;
– bienes culturales que hayan sido objeto de intercambios libremente consentidos;
– bienes culturales recibidos a título gratuito o adquiridos legalmente con el consentimiento de las autoridades competentes del país de origen de esos bienes».

30   Un comentario sobre esta clase de medidas en FRAOUA, R.: *Convention concernant les mesures à prendre pour interdire et empêcher l'importation, l'exportation et le transfert de propriété illicites des biens culturels. (Paris, 1970). Commentaire et aperçu de quelques mesures nationales d'exécution.* UNESCO, 1986.

31   La Convención es un acuerdo multilateral de aplicación indirecta, en el sentido de que su puesta en marcha depende de que los Estados parte adopten los actos legislativos que permitan su concreción.

de que dispongan; así, entre otras obligaciones repartidas a lo largo de la Convención, se responsabilizan de, en primer término, contribuir a la preparación de los proyectos de los textos legislativos y reglamentarios que permitan la protección del Patrimonio Cultural y de un modo especial la represión de las importaciones, exportaciones y transferencias de propiedad ilícitas de los bienes culturales importantes (art. 5.a); en segundo término, imponer **sanciones penales** o administrativas a toda persona responsable de haber infringido las prohibiciones relativas, de un lado, a la salida de su territorio de los bienes culturales no acompañados del certificado de exportación que deberá acompañar a estos bienes regularmente exportados, tal y como prevé la Convención (art. 6 a y b.) y, de otro lado, a la importación de bienes culturales *robados* en un museo, un monumento público, civil o religioso, o una institución similar, situados en el territorio de otro Estado parte en la Convención (art. 7 b.i).

En suma, si bien esta Convención supone un avance frente a la de la Haya, se aprecian a su vez ciertas deficiencias. En particular, debe señalarse, con respecto al ap. 7 b.i arriba mencionado, como éste limita de forma apreciable los actos que originan el tráfico ilícito internacional al referirse únicamente a los supuestos de robo, quedando excluidos del ámbito de protección, por ejemplo, las importaciones de bienes culturales procedentes de excavaciones clandestinas, consideradas en el Preámbulo de la Convención como uno de los peligros más graves para el Patrimonio Cultural y ante las cuales el Estado debe actuar urgentemente; a su vez, se limita el objeto de protección, al dejar fuera los robos de bienes culturales pertenecientes a personas físicas o jurídicas no citadas en el artículo[32].

2.3. Protección de bienes culturales puestos en peligro por obras públicas o privadas

La *Recomendación sobre la conservación de los bienes culturales que la ejecución de obras públicas o privadas pueda poner en peligro*[33] reconoce la indispensable armonización entre la preservación del Patrimonio Cultural con el avance de la tecnología socio-económica. A tal fin se estima como urgente el

---

[32] FUENTES CAMACHO, V.: *El tráfico ilícito internacional de bienes culturales.* Madrid, 1993, p. 255. Sin embargo, alguna voz doctrinal, en contra de lo acabado de señalar, sí la considera lo suficientemente completa en base a las medidas que ésta adopta, si bien matiza dicha opinión, al señalar que su eficacia dependerá de del grado de aceptación por parte de los Estados. En ese sentido, CORRAL SALVADOR, C.: «Incidencia de la legislación internacional en la Ley de Patrimonio Histórico Español», en *Revista General de Legislación y Jurisprudencia, nº 5, nov. 1985,* p. 795.

[33] Aprobada por la Conferencia General de la UNESCO en París el 19 de noviembre de 1968.

establecimiento de un inventario de los bienes culturales más relevantes, en aras a hacer posible la evaluación anticipada de las repercusiones que cualquier decisión de iniciar obras de gran envergadura en dichos lugares pudiera ocasionarles, haciendo posible así tomar las medidas necesarias para su salvaguardia.

La Conferencia General, considerando que los monumentos, testimonios y vestigios del pasado, así como muchas construcciones recientes de importancia artística, histórica o científica están cada vez más amenazados por los trabajos públicos o privados que resultan del desenvolvimiento de la industria y la urbanización, recomienda a los Estados miembros la adopción de medidas legislativas o de otro carácter, necesarias para poner en práctica los principios formulados en la presente Recomendación. Concretamente, se sugiere a los Estados la creación de las disposiciones necesarias «para que las infracciones por acción u omisión de las disposiciones encaminadas a conservar o salvar los bienes culturales puestos en peligro por obras públicas o privadas sean severamente castigadas por sus códigos penales, que deberían prever penas de multa o de prisión o de ambas cosas».

Además, la Recomendación señala que podrán aplicarse las siguientes medidas:

«a) Cuando sea posible, restauración del lugar o del monumento a expensas de los responsables de los daños causados.

b) En caso de hallazgo arqueológico fortuito, indemnización por daños y perjuicios al Estado cuando hayan sido deteriorados, destruidos o abandonados bienes culturales inmuebles; confiscación cuando se hayan ocultado bienes muebles».

2.4. Convención del Patrimonio Mundial, Cultural y Natural

Por último, debemos mencionar la **Convención de 1972 sobre la Protección del Patrimonio Mundial, Cultural y Natural**[34], la cual concede una *protección genérica* conjunta de los recursos naturales y culturales en términos prácticamente equivalentes, y en la que únicamente destacaremos la definición que da de «patrimonio cultural», compuesto por *monumentos, conjuntos y lugares*[35], así como, en cuanto a la protección a nivel nacional, la previsión

---

[34] Aprobada en París el 23 de noviembre de 1972 y, ratificada por España mediante Instrumento de Aceptación de 18 de marzo de 1982 (BOE de 1 de julio de 1982).

[35] Será en el capítulo relativo al análisis de los tipos delictivos relativos al Patrimonio Histórico en el Código penal español cuando nos detendremos en el análisis de estos bienes.

expresa por la Convención de la necesidad de que los Estados adopten las medidas jurídicas necesarias para la protección de su patrimonio colectivo.

3. El Consejo de Europa y la defensa del Patrimonio

Es a partir de 1963 cuando el **Consejo de Europa**, a través de su Asamblea parlamentaria, toma la iniciativa de promover una cooperación europea intergubernamental para la salvaguarda del Patrimonio Cultural inmobiliario, la cual, como veremos más adelante, desembocará en la elaboración de una serie de instrumentos jurídicos en forma de Convenciones, Recomendaciones y Resoluciones sobre dicho Patrimonio.

La Asamblea apelaba por la puesta en marcha de una Carta Europea enunciando los principios generales de salvaguarda del patrimonio arquitectónico y, a la luz de esta Carta, la elaboración de una Convención europea. Un importante movimiento de reflexión se siguió durante los años 70 bajo los auspicios de esta Organización, el cual debió conducir a la adopción por el Comité de Ministros, en septiembre de 1975, de la «**Carta Europea de Patrimonio Arquitectónico**»[36], marcando así una momento importante en el ámbito del patrimonio edificado europeo, ya que además de constituir un documento de referencia básica en la tutela de dicho Patrimonio, incide en la necesidad de integrar su tutela con los problemas derivados de la ordenación del territorio.

Pues bien, comenzando por los instrumentos jurídicos emanados del Consejo de Europa, a raíz de la adopción de la Carta, y en relación al Patrimonio Cultural, destacaremos los siguientes:

Como consecuencia inmediata del Congreso de Amsterdam, a través de la **Recomendación de la Asamblea Parlamentaria del Consejo de Europa, relativa a la conservación del Patrimonio Arquitectónico europeo**[37], se sigue profundizando en la necesidad de realizar un esfuerzo común europeo en dicha conservación, invitando a los estados miembros a tomar medidas más eficaces para poner en práctica los principios de la Carta. En ese sentido, entre las tareas comunes, destacaremos, entre otras, la catalogación de edificios de interés, a ser posible con criterios semejantes, la necesidad de evitar demoliciones o transformaciones de dichos edificios catalogados o que se puedan suspender obras de construcción o demolición de los mismos, etc…

---

[36] Cuyos principios se reafirman solemnemente en la *Declaración* final del Congreso sobre Patrimonio Arquitectónico, celebrado en Amsterdam del 21 al 25 de octubre de ese mismo año.

[37] Recomendación 880 (1979) de la Asamblea Parlamentaria del Consejo de Europa, relativa a la conservación del Patrimonio Arquitectónico europeo.

En segundo lugar, debe hacerse referencia a **la Convención Europea sobre infracciones en materia de bienes culturales** firmada en Delfos el 23 de junio de 1985[38], la cual, si bien no ha sido firmada por España, tiene particular relevancia al señalar que las ofensas a los bienes culturales deben ser sancionadas penalmente en la propia legislación nacional, debido a la gravedad de las acciones u omisiones que atentan contra el Patrimonio Cultural.

El Apéndice III, contiene la tipología de agresiones al Patrimonio Cultural penalmente relevantes, divididas en dos secciones: mientras en la primera se contienen las conductas que son consideradas directamente por la Convención como relevantes en el ámbito jurídico-penal, la segunda describe conductas que pueden ser consideradas como ofensas al Patrimonio Cultural, en cuanto el Estado particular así lo declare expresamente. En concreto, las infracciones penales se han reducido al *hurto, apropiaciones con violencia o amenazas y la receptación u ocultación de bienes culturales previamente robados*[39], marginando supuestos como por ejemplo la exportación de bienes inexportables o sin autorización administrativa.

Sin embargo, la Convención señala que todo Estado Contratante puede declarar que considera también como infracciones relativas a los bienes culturales, las acciones u omisiones que se enumeran en el párrafo siguiente del mismo Anexo III. A este respecto, en el citado Anexo se introduce una descripción minuciosa y extensa de todas las conductas de agresiones[40] entre las que destacaremos, aparte de las ya mencionadas, la *destrucción o degradación voluntaria de bienes culturales*, o también actos que consistan en la apropiación ilícita de un bien cultural, como supuestos *de malversación o estafa*[41].

Es sin embargo la **Convención para la salvaguarda del patrimonio arquitectural de Europa**, firmada en Granada el 3 de octubre de 1985[42] la que

---

[38]   *Vid.* el comentario a esta Convención por RICCCIO «La Convenzione Europea sulla tutela del patrimonio culturale», en *Rivista italiana di diritto e procedura penale,* F. 1, 1987.

[39]   Las infracciones penales descritas constituyen el presupuesto de devolución de los correspondientes bienes.

[40]   Según algún enfoque, la finalidad de tal detallada descripción es dar una autónoma objetividad jurídica al Patrimonio Cultural, previendo una tutela penal unitaria y orgánica. MANTOVANI: «La disciplina penale», en *La tutela penale del patrimonio artistico. Atti del sesto simposio di studi di Diritto e Procedura penali*, Milano, 1977, p. 71 y ss.

[41]   Si bien, debe hacerse mención de la escasa firma o adhesión a este Convenio. Concretamente, a fecha 22/12/95 se encontraba firmada únicamente por Chipre (25/10/85, fecha de aceptación), Grecia (23/6/85), Italia (30/7/85), Liechtenstein (23/6/85), Portugal (23/6/85) y Turquía (26/9/85).

[42]   Ratificada por España el 27/4/89.

marca la consagración jurídica en el plano internacional de 20 años de cooperación europea en materia de patrimonio arquitectónico[43], pudiendo afirmarse que resume la doctrina del Consejo de Europa en esta materia a mediados de los 80.

El documento comienza definiendo el «*patrimonio arquitectural*», constituido por tres categorías de elementos, las mismas que contemplaba la Convención de la UNESCO de 1972: los monumentos, los conjuntos históricos y los sitios o lugares, si bien da su propia definición de ellos. Cualquiera que sean los bienes protegidos, la Convención se refiere a una serie de criterios para su identificación: concretamente deben poseer un *interés histórico, artístico, científico, social o técnico*.

En cuanto a los procedimientos legales de protección, los Estados Parte se comprometen a poner en marcha un régimen legal de protección del patrimonio arquitectural, regido por el principio general de la «*no desfiguración, degradación o demolición de los bienes protegidos*», previendo en el cuadro jurídico en el cual se aplique, un mecanismo de autorización previo por la autoridad competente para los diversos tipos de trabajo que afecten al citado patrimonio, afectando así a los proyectos de modificación, demolición o construcción nueva de edificios, que puedan atentar a un conjunto arquitectural o a un sitio. De ese modo se asegura un control de los trabajos sobre bienes protegidos, prohibiendo así las desfiguraciones, degradaciones o demoliciones deliberadas, contrarias a las medidas de protección. Las medidas susceptibles de ser adoptadas, en caso de incumplimiento de lo expuesto, pueden señalar al Derecho Penal o al Derecho Administrativo.

Por lo que respecta al patrimonio arqueológico, haremos referencia a la Convención firmada en La Valeta en 1992, **Convención europea para la protección del patrimonio arqueológico**[44], la cual reemplaza la Convención inicial de 1969[45], insertando así disposiciones que completan alguna de las

---

[43] Vid. la Publicación por el Consejo de Europa de un informe explicativo de la presente Convención sobre la salvaguarda del patrimonio arquitectural europeo. *La sauvegarde du patrimoine architectural de l'Europe. Rapport explicatif de la Convention nº 121 ouverte à la signature le 3 octobre 1985*. Edicions du Conseil de l'Europe, 1994.

[44] Al igual que en la anterior Convención, el Consejo de Europa ha editado un informe explicativo de la Convención con un comentario sobre los artículos de la Convención revisada. *Protection du patrimoine archéologique. Rapport explicatif de la Convention révisée ouverte à la signature le 16 janvier 1992*. Conseil de l'Europe, 1993.

[45] Convenio europeo para la salvaguarda del patrimonio arqueológico, firmado en Londres el 6 de mayo de 1969.

lagunas puestas en evidencia durante los veintidós años de experiencia, dando así al texto mayor amplitud y coherencia.

El Preámbulo subraya los problemas a los cuales se enfrenta actualmente el patrimonio arqueológico en zonas geográficas expuestas a grandes proyectos urbanísticos, por ello ya en su articulado la Convención señala la necesidad de que los Estados instituyan un sistema jurídico de protección de sus patrimonios arqueológicos[46]. Concretamente, en materia de excavaciones se demanda a cada Estado reglamentar estas actividades tanto en suelos públicos como privados. Y es que, en efecto, desde que el patrimonio arqueológico es expuesto comienza ya a degradarse, por ello muchos conservadores consideran como «vandalismo» una excavación que no tenga previstos los medios de conservación necesarios. A su vez, la Convención establece la obligación de las partes de someter a los usuarios de detectores de metales a licencia, ya que su uso inmoderado supone una pérdida substancial del patrimonio arqueológico[47].

Por último la Convención obliga a los Estados Parte a prevenir la «*circulation illicite*» de los elementos del patrimonio arqueológico, como es el caso del comercio de objetos provenientes de excavaciones ilícitas o ilegalmente realizadas en excavaciones oficiales o autorizadas[48].

Finalmente, debemos referirnos, siquiera brevemente, a la **Recomendación del Comité de Ministros a los Estados miembros** relativa a **la protección del patrimonio cultural contra los actos ilícitos**[49], de acuerdo con la cual, debe entenderse por «*acto ilícito*» todo comportamiento contrario a las órdenes o a las prohibiciones de derecho, se trate de actos intencionales o no intencionales, en particular, los actos reprimidos penalmente que tienden a proteger el Patrimonio Cultural. Para definir el grado de probabilidad de cada uno de los actos ilícitos, la Recomendación señala diversos factores de influencia, entre los que se encuentran, el ámbito concreto al que pertenece el bien cultural, y, en el

---

[46] En cuanto a los problemas conceptuales derivados del patrimonio arqueológico, vid. PROTT, L.: *The definition of the archaelogical heritage. Conference on Archaelogical Property: Current Trends in its Legal Protection.* Athens, 1992.

[47] La ley francesa de 18 de diciembre de 1989, a la cual nos referiremos *infra* en el siguiente epígrafe, exige una autorización previa a la utilización de los detectores de metales, cuando son utilizados para la búsqueda de vestigios prehistóricos o arqueológicos, tanto muebles como inmuebles.

[48] Ya la Convención de 1969 hacía referencia a las obligaciones de prohibir y reprimir las excavaciones clandestinas.

[49] *Recommendation n° R (96) 6 du Comité des Ministres aux Etats membres relative á la protection du patrimoine culturel contre les actes illicites* (adoptée par le Comité des Ministres le 19 juin 1996, lors de la 569ª réunion des Délegués des Ministres).

caso de que el ataque recaiga sobre edificios, la naturaleza de éste (v. g. museo, catedral, etc) así como la protección recayente sobre él, las condiciones de utilización del edificio, o el valor del elemento patrimonial desde el punto de vista histórico, cultural o social.

4. La acción comunitaria en el ámbito del Patrimonio Cultural

No existe una mención explícita a la cultura en el Tratado de 25 de marzo de 1957[50] el cual instituye la Comunidad Económica Europea, por lo que se entiende que hay una ausencia de una competencia cultural explícita de la Comunidad en el Tratado de Roma.

La acción comunitaria en el sector cultural se inicia a partir de 1974[51], situándose concretamente su origen en una resolución del Parlamento europeo sobre la salvaguarda del Patrimonio Cultural[52]. Sin embargo, las acciones en favor de la protección de los bienes culturales no forman un todo homogéneo; se trata de intervenciones puntuales asignadas a objetos específicos y que se ejercen de manera subsidiaria y complementaria a las acciones nacionales o internacionales, como las del Consejo de Europa o de la UNESCO, invitando además las instituciones comunitarias a los Estados miembros que aún no lo hayan hecho a ratificar estas Convenciones. Posteriormente, el Tratado sobre la Unión Europea o «Tratado de Maastrich», firmado el 7 de febrero de 1992 y que entró en vigor el 1 de enero de 1993, no hace sino codificar la acción comunitaria en el ámbito cultural iniciada en 1974.

Lo cierto es que, a pesar de que la materia penal no ha sido transferida por los Estados miembros a la Unión Europea, esto es, pese a que la Comunidad carece de un poder punitivo propio —ya que sus órganos no gozan de potestad legislativa penal ni pueden imponer sanciones penales— actualmente el Derecho comunitario europeo posee singular importancia[53]. En primer lugar, el principio de *primacía* convierte en inaplicables las disposiciones nacionales

---

[50]   Modificado en 1965, 1970, 1972, 1975, 1976, 1980 y en 1987 por la adopción del Acta Unica Europea.

[51]   Vid. DEROUT, A.: *La protection des biens culturels en droit communautaire*, 1993.

[52]   *Résolution du 13/05/1974 pour la sauvegarde du patrimoine culturel européen*. JO C62 du 30/05/1974 page 5 paragraphe 15.

[53]   Una visión genérica de la influencia del Derecho comunitario sobre el nacional puede encontrarse en COBO DEL ROSAL, M./VIVES ANTÓN, T.S.: *Derecho Penal. Parte General*, ob. cit., pp. 159-160, notas 19 y 20.

contrarias al Derecho comunitario y veta la aprobación de otras semejantes en el futuro[54]. Simultáneamente, la *eficacia directa* del Derecho comunitario acontece, no sólo en el caso de los Tratados constitutivos, sino que también es enunciada expresamente en el caso de los reglamentos[55] y admitida en cuanto a las directivas que, aún no incorporadas en el plazo previsto al derecho interno, sean claras, precisas y no dejen margen de apreciación. En este último caso, el efecto de la directiva se denomina «vertical», en el sentido de que no podría fundamentar la imposición de una sanción, pero sí cabría la «invocabilidad» de la norma comunitaria frente al Estado[56].

Pues bien, como ya adelantamos, nos detendremos en los ámbitos donde la Comunidad centra su preocupación: la circulación de bienes culturales en el ámbito comunitario y el tráfico ilícito de éstos.

Con el objetivo de alcanzar una futura unidad política, el Tratado de Roma prevé el establecimiento en primera instancia de un mercado común basado en la libre circulación de mercancías (art. 30 y 34 del Tratado de la CEE) y eliminación de fronteras físicas y aduaneras entre los Estados miembros. Sin embargo, el artículo 36 del Tratado de Roma establece una excepción a la libre circulación de mercancías en virtud de la protección de los «*tesoros nacionales*», dejando un amplio margen a las autoridades nacionales competentes para decidir o estimar si el bien cultural a que se refiere posee la relevancia suficiente para ser calificado o no como susceptible de protección. La Comunidad muestra de ese modo su voluntad de preservar la identidad de cada Estado miembro, reconociendo la soberanía nacional sobre lo que ella estima como necesario de su propia salvaguarda. Así el art. 36 prevé que: «Las disposiciones de los artículos 30 a 34, ambos inclusive, no serán obstáculo para las prohibiciones o restricciones a la importación, exportación o tránsito justificadas por razones de... protección del patrimonio artístico, histórico o arqueológico nacional...». Se puede observar, pues, el carácter subsidiario de las acciones comunitarias al que hice referencia[57], en el sentido de privilegiar las competencias de los Estados miembros frente a las de la Comunidad.

---

[54]   V. TERRADILLOS BASOCO, J.: «Política y Derecho Penal en Europa», en *Revista Penal*, n° 3, 1999, p. 61 y ss.

[55]   Art. 189 del Tratado Constitutivo de la Comunidad Europea (TCE).

[56]   Sobre la cuestión en general, así como sobre el papel que las normas del Derecho comunitario pueden jugar como fuentes indirectas en el seno de la materia penal, v. MARQUES I BANQUE, M.: «La aplicación del Derecho comunitario en la interpretación de los tipos penales. Especial referencia al delito ecológico», en *Revista de Ciencias Penales*, vol. 1, n° 2, 1998.

[57]   DEROUT, A.: *La protection des biens culturels...*, ob. cit. p. 29.

El Acta Unica Europea, que entró en vigor el 1 de julio de 1987, formalizó el proyecto de apertura del mercado interior que debía estar realizado a 31 de diciembre de 1992. La supresión de las fronteras interiores en el territorio de la Comunidad, de los controles aduaneros el 1 de enero de 1993[58] hacía más difícil el control de la circulación de los bienes culturales. Es por ello que, la Comunidad adoptó, a título de medidas compensatorias, dos textos destinados a asegurar la protección de los patrimonios nacionales después del 1 de enero[59]:

En primer término, el **Reglamento de 9 de diciembre de 1992 sobre exportación de bienes culturales**, que entró en vigor el 30 de marzo de 1993, el cual establece que la exportación de bienes culturales incluidos en el anexo, fuera del territorio aduanero de la Comunidad, estará sometida a una autorización concedida por el Estado donde se encuentre el bien en cuestión después del 1 de enero de 1993[60].

Y en segundo lugar, se adoptó la **Directiva de 15 de marzo de 1993 relativa a la restitución de bienes culturales** que hayan salido ilícitamente del territorio de un Estado miembro, instituyendo así un sistema de restitución de tesoros nacionales que circulan ilegalmente entre los Estados de la Comunidad[61]. La Directiva señala en su artículo 15, que ésta no impide las posibles acciones civiles o penales que puedan emprenderse, conforme al derecho nacional de los Estados miembros.

En cuanto a la adaptación de la Directiva a los países comunitarios tradicionalmente exportadores de bienes culturales, debemos hacer una referencia a nuestro derecho interno, concretamente al R.D. 1631/1992, de 29 de diciembre sobre restricciones a la circulación de ciertos bienes y mercancías (art. 1. 1), el cual, si bien es una norma desarrollo de la Ley de Patrimonio Histórico Español de 1985, se circunscribe al ámbito comunitario con el fin de prevenir la exportación ilegal de los bienes que integran nuestro patrimonio histórico. Tal y como señala FUENTES CAMACHO[62], al ser anterior a la adopción de la Directiva comunitaria, parece que con ello se pretende que ya quedase regulado el tema de la exportación de bienes hacia otros países comunitarios, para cuando ésta fuese adoptada.

---

[58] El Acta Unica Europea formalizó el proyecto de apertura del mercado interior.
[59] Sobre las disposiciones comunitarias restrictivas de la circulación internacional de bienes culturales, vid. FUENTES CAMACHO, V.: *El tráfico ilícito internacional de bienes culturales,* ob. cit. p. 278 y ss.
[60] Diario Oficial de las Comunidades Europeas, de 31 de diciembre de 1992, n° L395.
[61] Diario Oficial de las Comunidades Europeas, n° L74, de 27 de marzo de 1993.
[62] FUENTES CAMACHO, V.: ob. cit. p. 288.

En suma, a tenor de lo expuesto, hemos podido observar como las disposiciones comunitarias no responden a una protección global de los bienes culturales, sino una protección subsidiaria y complementaria, contribuyendo cada Estado miembro a la protección de sus tesoros nacionales con un control armonizado de la exportación a fronteras exteriores y adecuados mecanismos de restitución.

II. SISTEMAS DE DERECHO COMPARADO

1. Planteamiento

Puestos de acuerdo en la necesidad de la sanción penal con respecto a las conductas atentatorias contra el Patrimonio Cultural, y únicamente teniendo en cuenta los límites a los que se encuentra sujeto el poder punitivo, el legislador debe tomar la decisión sobre la técnica legal a la que acudir para la más completa y eficaz protección de aquél.

A este respecto, los Estados se hallan ante la siguiente alternativa a la hora de proteger penalmente sus respectivos Patrimonios Culturales: o bien acudir a una **legislación especial**, de base generalmente administrativa y penal, opción por la que se decantan un número importante de países de nuestro entorno; o bien, en segundo lugar, acudir a la tipificación en el **Código Penal**, a través de una regulación unificada y orgánica, otorgando así una tutela *directa* y específica de los bienes culturales como tales, modelo por el que se ha decantado nuestro legislador; o por último, adoptar un sistema de tutela *indirecta*, de modo fragmentario y disperso donde el Patrimonio Histórico o Cultural no recibe protección como bien jurídico autónomo, sino que aparece cobijado en diversos espacios sistemáticos del Código Penal, estructurándose generalmente a través de agravaciones de figuras delictivas comunes como daños, incendios, hurtos o robos, tal como se regulaba en nuestro Código precedente.

Vamos, pues, a exponer algunos de los distintos modelos de protección del Patrimonio Cultural en el **Derecho comparado**, describiendo y analizando así las diferentes posibilidades de disciplinar dicha materia desde el punto de vista de la técnica legislativa. Nos detendremos fundamentalmente en dos países del área mediterránea tan próximos a España como son **Francia e Italia**, los cuales aportan una caracterización común, y destacan por la importancia y el lugar significativo en que sitúan el problema de la protección de su Patrimonio Cultural, así como por las importantes aportaciones que realizan a la materia.

Finalmente destacaremos la tutela conferida a los bienes culturales, tanto por el **ordenamiento alemán**, así como por los **países anglosajones**, concretamente en el ámbito de los Estados Unidos de América, y en el Derecho inglés.

En suma, la exposición y examen de las diversas legislaciones se abordará, mostrando las diferentes tendencias y problemas que se suscitan en los diversos sistemas jurídicos, de manera que suponga un paso previo para así, realizar posteriores comparaciones ya en el ámbito de la legislación española, y estudiar el posible traspaso de las soluciones vertidas por los ordenamientos extranjeros a problemas similares que surjan en nuestro ordenamiento. De ahí la importancia del estudio de la legislación y doctrina extranjeras, como instrumento de valor para el avance de la dogmática, así como de crítica y perfeccionamiento de nuestro ordenamiento jurídico-penal.

2. Protección del patrimonio cultural en Derecho francés

La característica más evidente del sistema de protección penal del patrimonio cultural francés es su complejidad normativa, combinando una tutela indirecta de los bienes culturales a través del **Código Penal** —concretamente, agravando el delito de daños cuando recaen sobre la clase de bienes mencionada— con la aprobación de **leyes especiales** que contienen preceptos penales sancionadores de las agresiones efectuadas contra dichos bienes de valor cultural.

Debido a que la mayoría de las leyes especiales actualmente vigentes tienen su origen a principios de siglo, hemos creído conveniente exponer una visión generalizada de la cuestión, realizando unas breves consideraciones históricas de gran importancia para los posteriores desarrollos legislativos.

2.1. Breve evolución histórica

La intervención del Estado en la protección y conservación de obras artísticas, aparece por primera vez en Francia en la **época revolucionaria**. Hasta entonces, los monumentos y los objetos de arte tenían en sus propietarios a sus protectores naturales, considerando no había ninguna razón con fuerza suficiente para provocar una intervención oficial[63].

---

[63] Sobre la evolución histórica en la protección de los monumentos históricos, vid. POULANGEON, P.: *Le delit de degradation de monuments d'après la jurisprudence*. Thèse, Lyon, 1936.

A partir de 1789, el Gobierno revolucionario tuvo que luchar contra un vandalismo estúpido y ciego, que bajo el pretexto de hacer desaparecer todo lo que pudiera recordar un pasado detestado, saqueaba y mutilaba a placer. Igualmente y sobre todo, tuvo que proteger el inmenso tesoro artístico de la realeza, de la nobleza y del clero, realizando la «nacionalización» de éste, que, convertido en un patrimonio colectivo, se debía transmitir intacto a las generaciones futuras.

Esta doble preocupación llevará al legislador a dictar disposiciones de orden represivo y de orden conservador, constituyendo las primeras de las que directamente procede el artículo 257 del Código penal francés de 1810.

El 13 de abril de 1793, en respuesta a las violencias cometidas contra las obras de arte durante el período revolucionario, la Asamblea decreta que a los que se demuestre que han mutilado o destrozado obras maestras de las esculturas del jardín de las Tullerias y otros lugares públicos dependientes de la República, se les castigará con 2 años de reclusión. Este texto breve y de un rigor totalmente republicano parecía insuficiente y, a pesar de que el decreto estipulaba «en las Tullerias y otros lugares públicos dependientes de la República», en un informe que se presentó el 6 de Junio de 1793 a la Convención, se solicitó que extendiera el decreto del 13 de Abril a todas las propiedades nacionales. Dicho proyecto de decreto fue aprobado aquel mismo día.

Pero, no hay que olvidar que, al lado de estos decretos puramente represivos y destinados a poner un plazo al vandalismo, existen gran cantidad de decretos concernientes a la conservación pacífica de los monumentos y de los objetos de arte, y que son los primeros gérmenes de las leyes de 31 de diciembre de 1913 sobre la protección de los monumentos históricos y de 2 de mayo de 1930 sobre los parajes naturales, sobre las que tendremos ocasión de volver.

Algunos años más tarde, el legislador de 1810 se inspira en estas disposiciones para redactar el **artículo 257 del Código Penal.** Dicho artículo rezaba del siguiente modo:

«Todo aquél que haya destruido, derribado, mutilado o degradado monumentos, estatuas u otros objetos destinados a la utilidad pública, y que sean erigidos por la autoridad pública, o con su autorización, será castigado con pena de prisión de un mes a dos años, y multa de 100 a 500 francos»[64].

---

[64]   Art. 257: «*Quiconque aura détruit, abattu, mutilé ou dégradé des monuments, statues et autres objets destinés à l'utilité publique, et élevés par l'autorité publique, ou avec son autorisation, sera puni d'un emprisonnement d'un mois à deux ans, et d'une amende de 100 à 500 francs*».

El citado articulo 257 figuraba en el Código Penal bajo la rúbrica «Degradación de monumentos», constituyendo los primeros bienes sobre los que el legislador aseguraba su protección los «monumentos y las estatuas», esto es, las obras artísticas de primer orden. En definitiva, lo que la ley quiso proteger eran los monumentos de arte; lo que quiso reprimir eran los actos de vandalismo.

La jurisprudencia francesa se mostró bastante prolija en señalar las condiciones de aplicación de este precepto. Así, una sentencia del Tribunal correccional de Roanne [65] analiza con precisión los elementos de delito del artículo 257:

1. Que una cosa haya sido destruida, derribada, rota o degradada[66].

2. Que se trate de un objeto destinado a la utilización o decoración pública.

3. Que este objeto haya sido erigido por la autoridad pública o con su autorización.

4. Que el autor de la destrucción haya obrado con una intención culpable.

Debe insistirse acerca del carácter *oficial* de la protección que defiende. Es, en efecto, el carácter público de un monumento o de un objeto degradado o destruido, lo que va a permitir distinguir el delito del artículo 257, de las destrucciones o daños previstos por otras disposiciones penales, en particular los artículos 434 y siguientes y el artículo 479 párrafo 1 del Código Penal de 1810.

En lo que concierne a la simple tentativa de destruir o de degradar, aunque se haya malogrado su efecto por cincunstancias independientes de la voluntad de su autor, ésta no se castigaba pues la tentativa de un delito no podía ser incriminada a falta de una disposición expresa, disposición que no existía en este caso (art. 3 del Código penal).

El delito previsto por al artículo 257 estaba penado con prisión de un mes a dos años y multa de 100 a 500 francos. Se trataba de penas correccionales variando entre un máximo y un mínimo fijos.

Dicho artículo tenía, por tanto, como fin exclusivo el dictar severas sanciones contra todas las mutilaciones y degradaciones voluntarias de obras de arte y reprimir bajo todas su formas el vandalismo destructor que saqueaba simplemente por el placer de destruir.

Desgraciadamente, el vandalismo destructor, la forma más tosca y la más elemental del vandalismo, retrocede, por un movimiento inverso de formas de

---

[65] Trib. cor. Roanne, 19 janvier 1923; Gaz. Palais, 1923-1-452

[66] Modalidades de conducta que son reproducidas, si bien con alguna simplificación, en el Código penal actual, y por tanto analizaremos posteriormente.

vandalismo más evolucionadas y más perfeccionadas, delante de las cuales el artículo 257 se encuentra impotente.

Así en primer lugar, existía lo que se llamó «vandalismo constructor» («*vandalisme constructeur*» *ou* «*vandalisme de l'aménagement*») donde las mejoras eran, de todas, más temibles que las mismas destrucciones. Otra de las modalidades era el vandalismo exportador («*vandalisme exportateur*») que se explica por la pasión enfermiza que tenían los coleccionistas extranjeros por algunos edificios, y que les impulsaba a transportar piedra a piedra al otro lado del Atlántico monumentos enteros. Se daba por último lo que se conocía como «vandalismo por ocultación» («*vandalisme par occultation*») que hacía surgir junto a los monumentos artísticos, construcciones nuevas o vallas publicitarias que tapaban la vista o deformaban la perspectiva, olvidando que los edificios de arte no completan su destinación mas que con la condición de poder ser vistos.

Ante los daños temibles que constituyen esas «formas modernas» de vandalismo y, ante la carencia de la normativa vigente que entonces sólo atañía a la destrucción material, surgen las **leyes sobre los monumentos históricos** y sobre **la protección del paisaje.** Sea por el motivo que fuese, lo cierto es que el articulo 257, sobrepasado por los hechos, jugó en la protección de las riquezas artísticas sólo un papel relativo, y no mas que de forma episódica, cuando las pasiones políticas se desencadenaban o cuando se destrozaba un monumento o una estatua[67].

2.2. Leyes especiales protectoras del patrimonio cultural francés

Posteriormente a 1810, han sido numerosos los textos legislativos dirigidos a la protección de *los monumentos históricos*[68]. Así, se promulgan unas leyes especiales que prevén sanciones penales y administrativas frente a los atentados al Patrimonio Cultural. Me detendré únicamente en esta legislación, pues, nuestra intención no es la de dar aquí una enumeración detallada y completa de

---

[67]   Es en virtud del artículo 257 por el que Charles Paul fue condenado, habiendo sido declarado culpable de haber deteriorado el 11 de noviembre de 1933 el monumento elevado a la memoria de Briand. Igualmente, Gerard Leretour, habiendo mutilado, sólo dos días después, la estatua de Deroulede, fue sancionado con las penas del artículo 257. Por último, bajo las sanciones de este texto cayeron los vándalos que enlucieron de minio la estatua de Juana de Arco situada en la plaza de Puvis-de-Chavannes de Lyon.

[68]   Expresión tradicional en Derecho francés que se entiende comprende, tanto lo que la ley define como monumento histórico en sentido estricto, como lo que se designa impropiamente como toda clase de obra de arte de interés histórico, se trate de un mueble como de un inmueble.

los diferentes textos de ley que, desde la promulgación del Código Penal de 1810 hasta nuestros días conciernan más o menos directamente al Patrimonio Cultural, sino más bien citar aquellos que nos parezcan como los más interesantes y capaces de ilustrar este estudio[69].

No insistiremos sobre la llamada «Ley del sacrilegio» que, promulgada el 20 de abril de 1825 y derogada el 11 de octubre de 1830, establecía en su artículo 14: «En los casos previstos por el artículo 257 del Código penal, si los monumentos, estatuas u otros objetos destruidos, derribados, mutilados o degradados, eran consagrados a la religión del Estado, el culpable será castigado con prisión de 6 meses a 2 años y multa de 200 a 2000 francos».

Esta ley de duración efímera no tiene mas que un interés histórico, siendo el artículo 257 del Código Penal el derecho común aplicable a las mutilaciones de documentos.

Por otro lado, una ley de 1887, hoy en día derogada, supuso la primera intervención del legislador impidiendo la destrucción o la alteración, si bien no preveía ninguna sanción criminal. Las lagunas de la ley eran también manifiestas. Únicamente las obras de interés «nacional» podían ser protegidas; la protección de los inmuebles de propiedad privada sólo era posible en virtud del consentimiento del propietario, limitándose la protección de los objetos muebles a los de titularidad de las personas jurídicas públicas[70]. A este respecto, BRICHET[71] entendió, recogiendo una opinión generalizada, que dicha ley fue meritoria al afirmar, aunque con timidez, principios que serían desarrollados más adelante.

A principios de siglo, la *ley de 9 de diciembre de 1906* prohibía el transporte fuera de Francia de objetos culturales clasificados y preveía una serie de sanciones penales en relación con los trabajos de restauración, reparación o mantenimiento de inmuebles u objetos muebles clasificados, cuando no hubieran sido autorizados por la administración, o los mismos se hubieran realizado en contra de la autorización otorgada. A su vez se establecían como infracciones, la enajenación irregular o la exportación de objetos de arte, en línea con la ley de 1887.

---

[69]   Vid. al respecto BRICHET, R.: *Le regime des monuments historiques en France*. Librairies Techniques-Libraire de la Cour de Cassation, Paris 1952.

[70]   Es la Ley de 19 de Julio de 1909 la que otorgó la posibilidad de clasificar y, en consecuencia, sujetar a protección, los objetos de propiedad particular con el consentimiento de su propietario. La clasificación suponía la prohibición de su exportación.

[71]   BRICHET: ob. y loc. cit.

A) *Protección de los monumentos históricos*

Es la **Ley de 31 de diciembre de 1913, sobre monumentos históricos**[72] la que, tras diversas modificaciones posteriores, constituye la protección esencial, hasta la actualidad, de la materia cultural. Ley sobre los «monumentos históricos», cuyo ámbito de aplicación abarcará, tanto aquellos *inmuebles* cuya conservación presente, desde el punto de vista de la historia o del arte, un interés público, y que además sean clasificados[73] como monumentos históricos en su totalidad o en parte por decisión ministerial, como los bienes *muebles* (en sentido estricto o inmuebles por destinación) cuya conservación presente, a su vez desde el punto de vista del arte, la historia, la ciencia o la técnica un interés público que les permite ser clasificadas por decisión ministerial.

Coexistiendo con la tipificación prevista en el Código Penal, en el Capítulo V de la Ley citada se preven sanciones penales[74] en los siguientes supuestos: ejecución de *trabajos no autorizados* o *no conformes con las prescripciones de la autorización* acordada por la Administración, concretamente cuando se infringen las disposiciones relativas a modificaciones sin aviso previo de un inmueble o mueble clasificado o de un inmueble inscrito en el inventario suplementario; enajenación de inmuebles u objetos muebles sin la notificación preceptiva; falta de presentación de estos últimos ante requerimiento de personas acreditadas; la transferencia, cesión y modificación sin previo aviso de bienes muebles inscritos en el inventario a la lista de objetos muebles clasificados; los efectos de una proposición de clasificación de un inmueble y de la notificación de una demanda de expropiación; y, por último, la realización de construcciones nuevas o servidumbres adosadas a inmueble clasificado.

El *objeto material* será un inmueble u objeto mueble que haya sido objeto de decisión administrativa de protección (clasificación o inscripción). A este respecto, resalta la doctrina francesa[75] como esta decisión de la Administración,

---

[72] Esta ley es modificada y complementada en lo referente al régimen sancionatorio, por la ley de 25 de febrero de 1943.

[73] Tanto la protección de los monumentos históricos como de los monumentos naturales y los paisajes, pueden revestir dos formas jurídicas que, por orden decreciente de rigor son, de una parte le «*classement*» y de otra «*l'inscription sur la liste des monuments protéges*».

[74] Arts. 29 y 39. Como veremos más adelante, las sanciones para los supuestos de destrucción, degradación o deterioración de inmuebles clasificados, inicialmente previstas o reguladas por la ley de 1913, pasan a integrarse en el Código Penal en 1980 y es en el estudio de la regulación penal donde nos detendremos en ellas.

[75] Entre otros, DELMAS-MARTY: «Construction et protection de l'esthétique: problemes de droit pénal», en *Droit et Ville*, n° 2, 1976.

tomada según procedimiento perteneciente al derecho administrativo, condiciona la existencia de la sanción penal.

En consecuencia, debe entenderse que el legislador no se contenta con una simple falta material de inobservancia de una reglamentación sino que será necesario que el sujeto activo haya tenido conocimiento de la decisión administrativa de clasificar o inscribir el bien.

Se permite la posibilidad de ejercitar la acción en daños e intereses contra aquellos que hayan ordenado los trabajos ejecutados o las medidas adoptadas en violación de los preceptos anteriormente mencionados. Sin embargo, la doctrina mayoritaria[76] entiende que esta medida se revela de una utilización difícil y de un efecto ilusorio.

También reciben protección los *inmuebles situados en la proximidad de los inmuebles históricos*[77], protección otorgada por la ley de 1913 tras la concienciación de la necesidad de proteger el *entorno* de los monumentos, y donde, ante las numerosas dificultades de aplicación jurídica y práctica que suscitaban las sanciones previstas por el texto legal, pareció más sencillo referirse a las disposiciones penales previstas en determinados preceptos del Código de Urbanismo, mejor adaptadas y más cómodas de poner en marcha cuando se infringen las condiciones previstas por la Ley de 1913, en lo referente a trabajos efectuados en dicho campo de visibilidad[78]. Como podemos comprobar, la protección del patrimonio cultural francés basa su regulación en una amalgama de textos legales, unas veces superpuestos y otras ligados unos con otros.

Las modalidades de conducta típica, recayentes sobre los bienes mencionados, se basan en la realización, sin autorización previa[79], de alguna construcción

---

[76] JEGOUZO, Y. y VV.AA.: «*Urbanisme*». Dalloz, 1995.

[77] Se considera para la aplicación de dicha ley, como situado dentro el campo de visibilidad de un inmueble clasificado o propuesto para su clasificación, todo inmueble edificado o no, visible desde el primero o visible al tiempo que éste y, situado desde un perímetro que no exceda, en principio, 500 metros (art. 1º de la Ley).

[78] El artículo 30bis de la ley de 1913 dispone que las infracciones a los artículos 13bis y 13ter de dicha ley son castigadas con penas contempladas según el artículo 480-4 del Código de Urbanismo.

[79] El permiso de construir hace las veces de la autorización prevista si ha recibido el visto bueno del arquitecto departamental de los monumentos históricos. Sin embargo, cuando no concierne a los trabajos para los cuales se necesite el permiso de construir o de demolición, la solicitud de autorización se dirige al prefecto, si bien es el ministro quien resuelve. Los autores de la solicitud están obligados a conformarse con las prescripciones que le son impuestas para la protección del inmueble clasificado o inscrito, ya sea en el primer caso por

nueva, o la demolición, tala, transformación o modificación de tal naturaleza que pueda afectar el aspecto de un inmueble situado dentro el campo de visibilidad de un edificio clasificado o inscrito.

En suma, podemos afirmar que el artículo 30 bis se refiere a dos tipos de infracciones: la ejecución de trabajos[80] no autorizados, es decir, por falta de la autorización previa necesaria, y la ejecución de trabajos no conformes a las prescripciones de la autorización concedida.

Finalmente, de acuerdo con el texto legal, las infracciones a los artículos 13 bis y 13 ter de la ley de 1913 deben ser constatadas[81] y perseguidas de acuerdo con las reglas fijadas en los artículos 480-1 a 480-9 del Código del Urbanismo.

Vistos los artículos anteriores, podemos comprobar como, si bien se sancionan conductas que suponen un perjuicio para el patrimonio cultural francés, realmente estamos ante actos de mera desobediencia administrativa, lo que debería llevar a plantearse, principalmente en base al principio de mínima intervención penal, el que la mayoría de estos supuestos pasaran a constituir ilícitos administrativos. El excesivo intervencionismo por parte de la Administración, en cuanto sus actos son la base fundamental de la intervención penal, así como el excesivo casuísmo, que provoca frecuentemente la existencia de lagunas penales, da lugar a una legislación provocadora de confusionismo y que dificulta la labor del intérprete, lo que hace necesaria una profunda reforma[82].

Para determinar los posibles **sujetos activos** de las infracciones relacionadas, debemos remitirnos al Código de Urbanismo, en cuyo art. 480-4 se prevé la aplicación de las penas a los usuarios del suelo, los beneficiarios de los trabajos,

---

el arquitecto departamental de los monumentos históricos, como en el segundo caso por el prefecto o el ministro de asuntos culturales.

[80] DELMAS MARTY utiliza esta expresión distinguiéndola de la «construcción», pues aquella comprende, junto a la construcción propiamente dicha, todo acto de demolición, desplazamiento y no importa que transformación, modificación, incluso si se trata de reparación o restauración. DELMAS-MARTY, M.: «Construction et protection de l'esthétique: problemes de droit pénal», cit., p. 98 y ss.

[81] Por los agentes comisionados a este efecto por el ministro encargado de Monumentos Históricos y de Sitios (art. 480-1).

[82] Además, la legislación francesa de protección de monumentos históricos es poco disuasiva y las persecuciones judiciales son escasas. Con estas palabras lo expresa REAU: «Por una condena como la del alcalde de Pont-Saint-Esprit, Gilbert Baumet, condenado a 75.000 francos de multa y tres meses de prisión condicional por haber destruido sin autorización un hotel particular declarado de interés artístico, ¿cuantos delitos inmobiliarios quedan impunes?». REAU, L.: *Histoire du vandalisme. Les Monuments détruits de l'art français.* Paris, 1959.

los arquitectos, los empresarios (contratistas) u otras personas responsables de la ejecución de dichos trabajos.

En la práctica, la represión penal se dirige contra dos categorías bien distintas de sujetos[83]: los *beneficiarios* de los trabajos, propietarios o no, y las personas responsables de su *ejecución*. Cada una de estas categorías es ampliamente entendida por la jurisprudencia.

a) Por lo que se refiere a la cualidad de **beneficiario**, la *Cour de cassation* adoptó una concepción extensiva de las categorías previstas por el Código: para ella se considera como beneficiario de los trabajos al propietario de la obra, incluso cuando éste no lo disfruta directamente[84]. También puede ser considerado como beneficiario de los trabajos el nuevo inquilino que se aproveche de la obra irregularmente edificada por el precedente arrendatario[85].

En el caso donde el propietario sea una persona jurídica, la responsabilidad penal pasa a sus dirigentes[86]. Las personas jurídicas no son por ellas mismas penalmente responsables de las construcciones irregulares, a falta de una disposición legal insertada en el Código de Urbanismo previendo la responsabilidad de estos sujetos de derecho. Una cláusula de este tipo es, en efecto, necesaria para que entre en funcionamiento esta nueva forma de responsabilidad, instituida por el artículo 121.2 del nuevo Código penal francés.

b) En cuanto a las personas **responsables de la ejecución** de la obra, dicha responsabilidad debe repartirse entre:

1. Los que *dirigen* los trabajos: no solamente le *maître de l'ouvrage*[87], sino igualmente el síndico de una copropiedad por los trabajos efectuados sobre un

---

[83]   Sobre el tema en cuestión vid. ROUJOU DE BOUBEE, G.: *Le droit pénal de la construction et de l'urbanisme*. 1988; p. 90 y ss.

[84]   Cass. Crim. 27 oct. 1981, *Rev.dr.immob.* 1982.150: trabajos efectuados por el inquilino con la autorización del arrendador.

[85]   Crim. 11 juin 1974, Bull. crim. n° 215.

[86]   La jurisprudencia francesa, tradicionalmente hostil a la responsabilidad penal de las personas jurídicas, condena a diferentes personas físicas representando a la persona jurídica que se había beneficiado de los trabajos.
Numerosas decisiones en ese sentido, sancionando al presidente-director general (Crim. 19 mars 1957, Bull. crim. n° 275); o al gerente (Crim. 18 janv.1983, *Rev. dr. immob.* 1983. 278; Crim. 20 janv. 1987, *Rev. dr. immob.*1987. 300).

[87]   Vid. las funciones de dicha figura en la Loi n° 85-704 du 12 juillet 1985 relative à la «*maîtrise d'ouvrage*», donde señala en los párrafos 1° y 2° de su artículo 2 que: «*Le maître de l'ouvrage est la personne morale,mentionnée a l'article premier, pour laquelle l'ouvrage est construit. Responsable pricipal de l'ouvrage, il remplit dans ce rôle une fonction d'intérêt général dont il ne peut se démettre.*

inmueble por él administrado o regido. La jurisprudencia no ha dudado en reconocer igualmente la responsabilidad penal del dirigente, nacida de la inobservancia de prescripciones que correspondían, de hecho, a sus encargados, incluso en ausencia de indicación expresa del texto de incriminación. Así, se castigaría al jefe de obras que sin realizar directamente el trabajo, pero sí siguiéndolo, no puede ignorar las consecuencias en su calidad de profesional de la construcción[88], o al director de una sociedad civil inmobiliaria de promoción que no ignoraba las operaciones realizadas[89]. La cuestión de la responsabilidad penal de los dirigentes de los trabajos ejecutados dio lugar, pues, a vivas controversias doctrinales[90].

2. El que *ejecuta los trabajos*: el arquitecto, *le maitre d'oeuvre*, el contratista o empresario.

Estas categorías plantean a veces problemas interpretativos; en el caso de trabajos efectuados por personas jurídicas, al igual que en el supuesto anterior, si sus órganos dirigentes pueden ser personalmente perseguidos, se condenará directamente a éstos conforme a las disposiciones 121-2 del nuevo Código Penal.

Il lui appartient, après s'être assuré de la faisabilité et de l'opportunité de l'opération envisagée, d'en déterminer la localisation, d'en définir le programme, d'en arrêter l'enveloppe financière prévisionelle, d'en assurer la financière, de choisir le processus selon lequel l'ouvrage sera réalisé et de conclure, avec les maîtres d'oeuvre et entrepreneurs qu'il choisit, les contrats ayant por objet les études et l'éxécution des travaux.»

[88] Crim. 27 oct. 1987, Charpentier, nº 86-96, 229.

[89] Crim. 15 juill. 1981, D. 1982. IR 76.

[90] Algunos autores, entre los que se encuentran DELMAS MARTY, DESPORTES y LE GUNEHEC, sostenían que se trataba de una hipótesis, si bien criticable, de *responsabilidad de hecho de otro*. DESPORTES y LE GUNEHE entienden que la responsabilidad penal del dirigente parece en efecto constituir responsabilidad por hecho de otro, pues permite declarar al dirigente penalmente responsable de los actos materialmente cometidos por otra persona, en este caso un encargado. DELMAS MARTY tilda la expresión responsabilidad «por hecho de otro», de ambigua pues entiende hay escisión entre los elementos constitutivos del delito: el elemento material es realizado por otro pero hay falta personal del condenado pues tenía obligación de velar la ejecución, por sus empleados, de ciertas prescripciones. En definitiva lo que se le reprocha al dirigente es no haber tomado las medidas necesarias para impedir la comisión de la infracción por el empleado. DELMAS-MARTY, M.: «Construction et protection ...», ob. cit. p. 104 y ss. DESPORTES, F.; LE GUNEHEC, F.: *Le noveau droit pénal. T. 1. Droit pénal géneral*. Paris, 1996; p. 432 y ss.
La doctrina mayoritaria no ve mas que una aplicación legítima, aunque sutil, de las reglas normales de responsabilidad penal, calificando al dirigente como *autor indirecto o autor mediato*.

Por otro lado, la misma persona puede acumular las dos cualidades de beneficiario y de responsable de los trabajos[91], y de otra parte las diligencias pueden ser instruidas cumulativamente contra el beneficiario y el ejecutor[92].

En cuanto a las **sanciones** previstas para las infracciones descritas, se castiga con las penas previstas en el art. 480-4 del Código de Urbanismo: *multa comprendida entre 8.000 F.* y un montante que no puede exceder, en el caso de construcción de superficie, de una suma igual a 40.000 F. por m² de superficie construida, demolida o convertida en inutilizable, y en los otros casos, de un montante de 2 millones de F. En caso de reincidencia, y únicamente para las infracciones castigadas como delito, el juez puede pronunciar una pena de *prisión de uno a seis meses.*

Asimismo, se permite al tribunal ordenar la publicación, a cargo del delincuente, de todo o parte del fallo condenatorio en dos periódicos regionales o locales así como su visualización en los lugares determinados por él. Además, el tribunal puede acompañar la condena penal con la adopción de medidas de restitución (480-5) consistentes en, o bien la *reconstitución al estado inicial* de los lugares a costa de los infractores, de conformidad con las prescripciones formuladas por el ministro encargado de los monumentos históricos, o bien su reestablecimiento al estado anterior.

Por ultimo, se prevé la posibilidad de interrupción de los trabajos, la cual puede ser ordenada bien por requerimiento del ministerio público, bien incluso de oficio, por el juez de instrucción encargado o que lleva las diligencias o por el tribunal correccional. En caso de continuación de los trabajos, no obstante la decisión judicial o la orden de la autoridad de interrupción, se sancionará a los sujetos responsables con multa de 500.000 F. y prisión de 3 meses, o una de las dos penas solamente.

B) La protección de los «monumentos naturales» y los «sitios»

Desde 1906 el legislador tomó conciencia de proteger los conjuntos urbanos y paisajes; pero es a través de la **ley de 2 de mayo de 1930**, inspirándose fuertemente en la ley de 1913, cuando procedió a regularse la *protección de los conjuntos naturales y los emplazamientos de carácter artístico, histórico, científico, legendario o pintoresco («sites»)*[93], texto fundamental todavía en vigor.

---

[91] Crim, 15 mars 1983, *Rev. dr. immob* 1983, 392.
[92] Puede verse un ejemplo en Crim. 30 oct. 1983, préc: responsabilidad del *maitre d'ouvre* y del *maitre d'ouvrage.*
[93] A este respecto, vid. ROBERT, J.H.: «Sites et paysages» en *Revue science criminel*, 1993.

La Ley de 2 de mayo de 1930 contiene dos incriminaciones distintas contra los profanadores de estos lugares.

En primer lugar, se castiga a *«cualquiera que intencionadamente haya destruido, modificado o degradado un monumento»*, siendo la pena la del artículo 257 del Código Penal (un mes a dos años de prisión y 500 a 30.000 F de multa) a la que sustituirá la del artículo 322-2 del nuevo Código penal (L. 16 déc. 1992, art. 283) constituyendo ahora la pena de tres años de prisión y multa de 300.000 F.[94]. La posibilidad de condena civil a daños e intereses es igualmente prevista, pero ha caído prácticamente en desuso en razón de su ineficacia, como ya comentamos con anterioridad.

En segundo lugar, los trabajos efectuados, bien de demolición o de modificación, sin la autorización administrativa necesaria, en sitios clasificados o pendientes de clasificación, son castigados, según las disposiciones previstas por el Código de Urbanismo (L. 480.4), a multa de 2.000 a 500.000 F., a la cual se añade en el supuesto de reincidencia prisión de 1 a 6 meses.

A su vez, la ejecución de trabajos en un *site* inscrito constituye una infracción castigada con multa de 60.000 F. Esta pena es igualmente aplicable en caso de enajenación de un sitio clasificado o pendiente de clasificación, sin cumplir con la obligación de poner en conocimiento del adquirente la condición del sitio o monumento natural o sin notificar la enajenación al ministro de asuntos culturales. También se aplica la misma pena en el supuesto de establecimiento de una servidumbre convencional, sin acuerdo previo del ministro de asuntos culturales.

Los delitos así definidos se distinguen por la exigencia de una forma de culpabilidad dolosa. Es por ello que la ley de 2 de mayo de 1930 exige que el propietario haya recibido «personalmente» notificación de las decisiones de protección de los sitios.

Sin embargo, al igual que en la ley de 1913, la doctrina francesa[95] señala un nuevo defecto del conjunto delictivo y es su amplia coincidencia con las infracciones administrativas, junto con la ausencia de claros criterios político-criminales. A este respecto, debe afirmarse la necesidad de coordinación de las sanciones penales y administrativas, fijando los criterios diferenciadores más

---

[94]   Vid. un supuesto de degradación de sitio clasificado en Cass. crim. 9 août 1993, D. 1993, Ghilini René y otros.

[95]   Por todos, DELMAS MARTY: «Construction et protection de l'esthétique», ob. cit. p. 318 y ss; G. ROUJOU DE BOUBÉE: *Le droit pénal de la construction et de l'urbanisme*, ob. cit. p. 187 ss.

allá del genérico y obvio que reserva las infracciones más graves para el ámbito penal, y de la también patente necesidad de conseguir una verdadera diversificación de los injustos evitando los solapamientos. Para ello hay que tener siempre presente el papel secundario y auxiliar del Derecho Penal en este ámbito[96].

Asimismo, la doctrina señala los problemas derivados del hecho de que el juez penal haya de interpretar leyes, reglamentos, y sobre todo actos de naturaleza jurídico-administrativa. La aplicación real de los preceptos, como ya dijimos anteriormente es más bien escasa[97].

C) La regulación jurídica del patrimonio arqueológico

La legislación protectora del patrimonio arqueológico estaba constituida básicamente por la **Ley de 27 de septiembre de 1941** reguladora de las excavaciones arqueológicas, así como por la **Ley 61-1262, de 24 de noviembre de 1961**, referente a los restos arqueológicos marítimos.

La **Ley de 1 de diciembre de 1989**[98] relativa a los *bienes culturales marítimos*, modifica la ley de 27 de septiembre de 1941 reguladora de las excavaciones arqueológicas. El reforzamiento[99] de la protección del patrimonio submarino arqueológico se aseguró a través de una serie de disposiciones penales que se aplican a un conjunto muy heterogéneo de bienes.

En cuanto a su ámbito de aplicación, el legislador creó una nueva categoría de bienes objeto de protección, los *bienes culturales marítimos*[100]. A este respecto, la Asamblea parlamentaria del Consejo de Europa adopta el 4 de

---

[96]   Tal y como señala el eminente penalista STEFANI: «Es normal que el legislador recurra al derecho penal para asegurar la observación de las prescripciones formuladas en un ámbito determinado, pero él no debe hacerlo mas que en casos de necesidad evidente, y no como un medio básico, dispensando a los otros; el recurso a las sanciones penales es una *ultima ratio*». STEFANI, G. et LEVASSEUR, G.: *Droit pénal général*, précis Dalloz, 1978 (p. 33).

[97]   Este punto es tratado por DISTACH: «Le juge pénal et les actes administratifs d'urbanisme» *en L'actualité juridique - Droit administratif*, 20 octobre 1995.

[98]   *Loi n° 89-874 du 1° décembre 1989 relative aux biens culturels maritimes.*

[99]   Pues la destrucción, mutilación o degradación voluntaria de restos marítimos de interés arqueológico o artístico ya era castigado en el CP en su artículo 257-1 con prisión de un mes a dos años y multa de 500 a 30.000 F.

[100] Definidos en su artículo 1: «Constituyen bienes culturales marítimos los yacimientos, ruinas, vestigios o en genera todo bien que, presentando un interés prehistórico, arqueológico o histórico, estén situados en dominio público marítimo o en el fondo del mar en zona contigua».

Octubre de 1978 una recomendación relativa al patrimonio cultural subacuático[101] que reagrupa no solamente las ruinas o restos («*épaves*») sino también los vestigios fijos, por lo que Francia, al modificar su legislación, se ajustó a esta Recomendación.

La ley de 1 de diciembre de 1989 completa la regulación del objeto material, determinando su necesaria situación geográfica[102]: deben estar situados «en el dominio público marítimo[103] o en el fondo del mar en su zona contigua[104]». En definitiva, la localización de los bienes culturales constituye el criterio fundamental para determinar la legislación aplicable a un descubrimiento[105].

Con esta Ley, por tanto, se refuerza la protección del patrimonio arqueológico submarino, al prever nuevas incriminaciones, ya que la tipificación del Código Penal sólo protegía los atentados contra los restos y no reprimía las excavaciones clandestinas.

Las nuevas incriminaciones consisten en infracciones a ciertas disposiciones de la propia ley:

a) Así, en primer lugar, se sanciona el *no respeto de las obligaciones en el supuesto de descubrimiento de un bien cultural marítimo.*

---

[101] Recommandation n° 848 du 4 Octobre 1978.

[102] Según el artículo 303 de la Convención de Naciones Unidas sobre el derecho de la mar (*Convention du 10 décembre* 1982) la protección del patrimonio arqueológico submarino debe extenderse a la mar territorial y a la zona contigua; el Consejo de Europa preconiza una protección hasta el límite de la zona económica de 200.000 millas.

[103] De acuerdo con MANNHEIM comprende el suelo y el subsuelo de las aguas territoriales, las orillas de la mar, los estanques salados que comunican con la mar, los puertos y los terrenos que fueron sustraidos artificalmente, bajo reserva de disposiciones contrarias de actos de concesión. MANNHEIM-AYACHE, A.: «La protection pénale du patrimoine archéologique sous-marin», en *Revue juridique de l'environment*. 1990, p. 355

[104] El artículo 24 de la Convención de Génova de 29 de abril de 1958 sobre el mar territorial y el artículo 33 de la Convención de Naciones Unidas definen la *zona contigua*. Se trata de la extensión que prolonga las aguas territoriales hasta 24 millas de las costas. Los bienes situados al fondo del mar, dentro de esta zona, son protegidos.

[105] De acuerdo con MANNHEIM, podríamos atenernos al esquema siguiente:
– Bienes culturales marítimos situados en el dominio público o al fondo del mar en la zona contigua: aplicación de la ley 1 de diciembre de 1989.
– Objetos flotando en la superficie del mar territorial: aplicación de la ley de 24 de noviembre de 1961 y decreto de 26 de diciembre de 1961 sobre restos marinos.
– Bienes culturales subacuáticos, inmersos al fondo de los ríos o lagos: aplicación de la ley de 27 de septiembre de 1941 sobre excavaciones arqueológicas territoriales. MANNHEIM-AYACHE, A.: «La protection pénale...» ob. cit. p. 144.

De la obligación de conservación «in situ» del bien cultural marítimo se deriva la prohibición de desplazamiento[106]: «*Quiconque aura procédé à un déplacement des biens culturels maritimes, en infraction à l'article 3, alinéas, sea puni d'une amende de 1000 F à 50.000 F.*» (art. 15).

Tras el descubrimiento del bien cultural marítimo, existe también la obligación de declararlo ante la autoridad administrativa en las 48 horas después del descubrimiento o de la llegada al primer puerto. Aunque, de acuerdo con la ley, dicha obligación corresponde a «cualquier persona que descubra el bien cultural marítimo», existe alguna voz doctrinal[107] que opina corresponde, en particular, al descubridor de los restos mobiliarios-inmobiliarios, al propietario del terreno donde se descubren, y al que recibió la custodia de los objetos encontrados.

Su incumplimiento es sancionado con multa de 500 a 15.000 francos. La misma pena se aplica en caso de falsa declaración en cuanto al lugar o a la composición del yacimiento sobre el cual el objeto ha sido declarado.

Por otro lado, las excavaciones clandestinas, la no declaración de restos en una excavación autorizada, el proseguimiento de trabajos después de retirada la autorización o las investigaciones emprendidas después de un descubrimiento fortuito son castigadas con multa de 1.000 a 50.000 FF. Este delito es más grave ya que, tal como señala la doctrina, en particular GOSSELIN-RIGAMBERT[108], supone una intención culpable que no existe a menudo en el caso de ausencia de declaración de un descubrimiento fortuito.

Por último, la reventa de objetos hallados así ilegalmente, es decir, incumplidas las obligaciones anteriores es merecedora de 1 mes a 2 años de prisión y/o multa de 500 a 30000 FF (artículo 22). Debe realizarse dolosamente («*sciemment*») y son castigados tanto el vendedor como el comprador en la lucha contra el tráfico de antigüedades.

El montante de la multa puede ser doblado con respecto al precio de venta del bien. Además, el juez podría ordenar la publicación en prensa de esa

---

[106] La doctrina, en particular MANNEHEIM (ob. y loc. cit), señala el riesgo de ineficacia de esta sanción en razón de las dificultades que suscitaría la aplicación de esta disposición. El problema deriva de que, en materia de restos, coexisten dos legislaciones: la resultante de la ley de 1961 aplicable a los restos de derecho común y la resultante de la ley de 1 de diciembre de 1989 aplicable a los restos considerados bienes culturales marítimos y donde, el no respeto de la prohibición de desplazamiento de los restos constituye delito. En la práctica, la distinción entre las dos categorías resulta difícil de operar.

[107] GOSSELIN-RIGAMBERT, C.: *Le régime juridique de l'archéologie française*. Thése doctorel. Paris, 1993.

[108] GOSSELIN-RIGAMBERT, C.: *Ibidem*.

decisión, a costa del condenado, sin que el coste máximo de lo publicado pueda exceder del de la multa[109].

He dejado para el último lugar el caso específico de los **detectores de metales**. Las excavaciones clandestinas eran realizadas a menudo al azar y por medio de instrumentos diversos, más o menos agresivos para los yacimientos, pero la aparición de nuevos aparatos capaces de descubrir los depósitos metálicos, sin necesidad de entregarse a largas e infructuosas investigaciones, fue nefasta para la conservación de sitios y de vestigios.

Su utilización adquirió tal importancia que la Asamblea parlamentaria del Consejo de Europa dirigió a sus Estados miembros una recomendación de 1 de julio 1981 demandándoles tomar en el plazo más breve posible unas medidas tendentes a instituir un permiso de utilización de detectores de metales[110].

En Francia, a partir de una ley de **18 de diciembre de 1989**, completada por un decreto de 19 de agosto de 1991, aún dejando libre la venta de detectores de metales, exige una autorización[111] previa cuando éstos son utilizados para la búsqueda de vestigios prehistóricos o arqueológicos tanto inmuebles como muebles.

En este ámbito las infracciones[112] son castigadas con las penas correspondientes a las contravenciones de 5a. clase; el montante de la multa es de 10000 F como máximo, que puede ser duplicado en caso de reincidencia (art. 131-13 N.C.P.) Puede añadirse una pena privativa o restrictiva de derechos (art. 131-14), siendo la más frecuentemente aplicada la de confiscación de la cosa que sirvió o fue destinada para cometer la infracción.

En cuanto a los sujetos activos, el Tribunal correccional de Digne, el 3 de marzo de 1994[113], acusó no solamente a dos sujetos perseguidos por infracción a la legislación concerniente a excavaciones, al contravenir la regulación del uso

---

[109] En los debates parlamentarios la Asamblea Nacional había propuesto otra pena complementaria, la confiscación del bien, medida particularmente adaptada al tráfico de bienes culturales marítimos. El Senado no adoptó esta enmienda al entender que la confiscación era inútil pues, en el curso de la instrucción, el juez podía decidir el embargo o incautación del bien.

[110] GAILLARD DE SEMAINVILLE, H.; GOSSELIN, C.: «Détecteur de métaux. Le patrimoine archéologique en péril», *Archéologia* 7 fév. 1984 p. 28 et suiv.

[111] Autorización expedida por el gobernador de la región donde el solicitante debe precisar en su petición, su competencia, su experiencia, los objetivos que persigue. Si va a trabajar sobre propiedad ajena, hará falta la autorización del propietario.

[112] Vid. Cass. crim. 19 avril 1989 (Pourvui c. Paris, 13ch., 16 mars 1988).

[113] Trib. cor. Digne, 3 mars 1994 Commune de Montsalier, G. Leconte, ph. Heïlbronn, Ministèr de la Culture.

del detector de metales, sino también a un periodista que, a través de sus escritos en la prensa, incitó a la comisión de la infracción y que fue condenado como cómplice; en concreto fue acusado «*d'incitation à degradation volontaire d'un monument ou objet d'utilité publique*».

La reglamentación de 1989 terminó, pues, con las dificultades para perseguir a los que utilizaban detectores de metal ya que antes sólo se incriminaba la excavación que supusiera una degradación o una destrucción.

Finalmente, debemos mencionar la Ley sobre **circulación de bienes culturales**, **ley n. 92-1477 de 31 de diciembre de 1992** relativa a productos sometidos a ciertas restricciones de circulación.

En ella se castiga con dos años de prisión y multa de 3 millones de FF exportar o haber «intentado» exportar (la tentativa se castiga igual que la ejecución):

a) definitivamente un bien cultural considerado como «tesoro nacional»[114].

b) temporalmente un tesoro nacional, sin haber obtenido autorización por la autoridad administrativa, y únicamente a los fines de restauración, peritaje, participación en una manifestación cultural o de depósito en una colección pública.

c) temporal o definitivamente bienes culturales que no sean tesoros nacionales de interés histórico, artístico o arqueológico, sin haber obtenido el certificado expedido por la autoridad administrativa.

2.3. Las sanciones integradas en el Código Penal

Tal y como se ha podido observar, la represión de las conductas atentatorias contra el patrimonio cultural francés está repartida en una diversidad de textos.

En cuanto a la regulación de esta materia dentro del Código Penal, hay que esperar a una **ley de 15 de julio de 1980**[115] para que sean integradas en el

---

[114] El artículo 4 de la ley señala que son así considerados:
  – Los bienes pertenecientes a colecciones públicas.
  – Los bienes clasificados en aplicación de la ley de 1913 sobre monumentos históricos y la ley de 1979 sobre los archivos.
  – Así como cualquier otro bien que representen un interés mayor porcentaje para el patrimonio nacional desde el punto de vista histórico, del arte o de la arqueología.

[115] *Loi n. 85-532 du 15 juillet 1980 relative à la protection des collections publiques contre les actes de malveillance.*

Código precedente algunas disposiciones particulares que existían en la legislación antigua de monumentos históricos y de excavaciones arqueológicas.

Dicha Ley recupera y completa el artículo 257 del Código Penal anterior, prolongándolo a través de dos artículos el 257-1 y el 257-2, consagrando así la protección penal del patrimonio cultural mueble.

Concretamente el **articulo 257-1**[116] creó un delito específico reprimiendo la *destrucción o el deterioro* de un cierto número de *bienes culturales* y donde se integran las disposiciones del artículo 32 de la ley de 31 de diciembre de 1913, el cual reprimía las violencias cometidas contra los monumentos u objetos clasificados. Este régimen represivo se extiende a los monumentos u objetos inscritos del artículo 21 de la ley de 27 de septiembre de 1941, que reprimía los daños causados a las excavaciones arqueológicas —y a los previstos en el artículo 4 de la ley de 24 de noviembre de 1961, los restos arqueológicos marítimos que representaban un interés arqueológico, histórico artístico.

La Ley de 15 de julio de 1980, contribuye a eliminar, en parte, ciertas disparidades organizando un sistema represivo y procedimental específico para estos bienes culturales. Sin embargo, esta integración de textos anteriores en el Código Penal fue incompleta al no incluir ciertas disposiciones legislativas, si bien la protección penal quedaba asegurada por otros textos legales.

---

[116] Art. 257-1 (L. n° 80-532 du 15 juill. 1980): Será castigado con las penas previstas en el artículo 257 cualquiera que haya, intencionadamente,:
– bien destruido, abatido, mutilado o degradado un inmueble o un objeto mueble *classé* o inscrito;
– o bien destruido, mutilado, degradado o deteriorado descubrimientos arqueológicos llevados a cabo en el curso de excavaciones o fortuitamente, o un terreno que contenga restos arqueológicos;
– o bien destruido, mutilado o degradado un resto marítimo que presente un interés arqueológico, histórico o artístico;
– o bien atentado contra la integridad de un objeto o documento conservado o depositado en museos, bibliotecas y archivos pertenecientes a persona publica o encargada de un servicio público o reconocido de utilidad pública.
Las penas del artículo 257 son aplicables, a pesar de que se de la circunstancia de que los objetos o documentos vistos en las líneas precedentes no se encontraran en el momento en que se atentara a su integridad en el lugar donde ellos se encuentran situados habitualmente. Estas son igualmente aplicadas cuando el atentado se llevó a cabo contra la integridad de un objeto o documento presentado en una exposición de carácter histórico, cultural o artístico, organizada por una persona pública o encargada de un servicio público o reconocido de utilidad pública, cualquiera que sea el propietario de ese objeto o documento.

Estos bienes que no figuran en las disposiciones integradas al 257-1 son los «monumentos naturales y sitios de carácter artístico, histórico, científico, legendario y pintoresco» cuya protección está asegurada por la Ley de 2 de mayo de 1930 (modificada por la ley de 28 de diciembre de 1967). Son protegidos contra toda destrucción o degradación a través del articulo 22 de dicha Ley que castiga a «todo aquel que hubiera intencionadamente destruido, mutilado o degradado un monumento natural, o un lugar clasificado o inscrito». Las penas son las previstas por el artículo 257 del Código Penal[117].

Pero, ciertamente, lo que es una realidad, es que la Ley de 15 de julio de 1980, codificó un cierto número de disposiciones represivas, antes dispersas en los textos protectores del Patrimonio Cultural, y rehabilitó la protección penal de los bienes culturales mobiliarios.

2.4. Regulación en el nuevo Código penal francés

El 1 de marzo de 1994 entra en vigor el **nuevo Código penal francés**[118]. Dicho texto punitivo no crea un delito especial, pero sí subtipos agravados en virtud de la cualidad arqueológica, histórica o artística del bien destruido o deteriorado.

La primera redacción del artículo 322-2 no fue del todo satisfactoria y se realiza una modificación el 3 de agosto de 1995 (Loi nº 95-877)[119].

---

[117] Una decisión del Tribunal de alta instancia de Digne de 19 de noviembre de 1987 ilustra la aplicación de esta legislación donde los jueces constataron que la extracción de fósiles había sido hecha sobre un terreno clasificado como reserva natural, aplicándose el articulo 22 de la ley de 1930, que reprimía con penas del 257 del Código Penal a quien intencionadamente degradara un lugar clasificado.

[118] Loi nº 92-683 du 22 juillet 1992, modificada por L. 93-913 du 19 juillet 1993.

[119] **Art. 322-2**: «La infracción descrita en el primer párrafo del artículo 322-1 se castiga con tres años de prisión y multa de 300.000 FF., y la descrita en el segundo párrafo del mismo artículo con 50.000 FF de multa, cuando el bien destruido, degradado o deteriorado sea:
1º (...)
2º (...)
3º (Loi nº 95-877 du 3 août 1995) «un inmueble o un objeto mueble catalogado o inscrito, un descubrimiento arqueológico realizado en el curso de excavaciones o fortuitamente, un terreno que contenga restos arqueológicos o un objeto conservado o depositado en museos, bibliotecas o archivos pertenecientes a una persona pública, encargada de un servicio público o reconocido de utilidad pública»;
4º Un objeto presentado en una exposición de carácter histórico, cultural o científico, organizado por una persona pública, encargada de un servicio público o reconocido de utilidad pública.

A) *Conducta típica: modalidades*

Son definidas en el artículo 322-1 y consisten, tanto en la destrucción, degradación o deterioración del bien, como en el hecho de trazar inscripciones, signos o dibujos, si bien tendrán que recaer en alguno de los bienes mencionados en los n° 3° y 4° del siguiente artículo (322-2).

Estamos por tanto ante un **delito de resultado,** que se consuma desde el momento en que se realizan cualquiera de las modalidades mencionadas. En cuanto a las formas imperfectas de ejecución es posible la *tentativa* y se castiga con idénticas penas que la consumación, según el artículo 322-4 del C.P.[120].

a) La *«destruction, dégradation et détérioration»*

El Código Penal precedente regulaba en artículos diferentes, por un lado, las destrucciones, degradaciones y daños concernientes a los objetos muebles o inmuebles ajenos (art. 434 y ss.) y por otro lado, los mismos atentados cuando se dirigían contra objetos de interés público (art. 257 y ss).

El nuevo Código Penal ha reagrupado en los artículos 321-1 y siguientes las destrucciones, degradaciones y deterioraciones que conllevan atentados a bienes ordinarios o a bienes culturales, cualidad esta última que supondrá la agravación de la responsabilidad criminal.

La actual redacción no modifica el significado de la represión pero simplifica las manifestaciones de la conducta, pues el artículo 322-2 no hace mas que referencia a la destrucción, degradación o la deterioración. Han desaparecido los términos *«abattage»* y *«mutilation»*[121]. Esta concisión es preferible, pues *«l'abattage»* es sinónimo de destrucción y la *«mutilation»* se confunde con deterioración o degradación, siendo un término bastante equívoco al ser menos grave que una destrucción parcial pero más que una degradación.

(L. n° 95-877 du 3 août 1995) «En el caso previsto en el 3° número del presente artículo, constituye igualmente infracción si su autor es el propietario del bien destruido, degradado o deteriorado.»

120 Art. 322-4: «La tentativa de las infracciones previstas en la presente sección será castigada con las mismas penas».

121 El artículo 257-1 del CP anterior castigaba la destrucción, el derribo, la mutilación o la degradación de un bien clasificado o inscrito y la destrucción, mutilación degradación o deterioración de un descubrimiento arqueológico.

Ni el antiguo ni el nuevo Código Penal mencionan el simple desplazamiento, cuando, tal como señala la doctrina[122], el emplazamiento exacto de los vestigios es esencial para los arqueólogos.

Las modalidades de conducta previstas por el artículo 322-1 parecen estar ordenadas en un orden de importancia decreciente, correspondiendo al juez determinar la gravedad mayor o menor del hecho y asignarle la sanción correspondiente, dentro de los límites evidentemente autorizados por la ley.

Precisando estas diferentes modalidades de conducta, la **destrucción** es el primer comportamiento previsto y, de hecho, el atentado más grave que se puede cometer contra la propiedad, aunque la destrucción pueda ser total o parcial, implicando la idea de demolición.

Sin embargo, la **degradación**, que en el Código anterior cerraba la enumeración y daba nombre a la rúbrica del artículo que regulaba dichas conductas, es de los actos más extendidos y relacionado con los actos de vandalismo, haciendo referencia al hecho de reducir o desgastar las cualidades inherentes de las cosas.

Para calificar la deterioración o la degradación de un objeto cultural, de acuerdo con alguna voz doctrinal[123], no se hará necesario, como para un bien ordinario, hacer referencia al uso. Se tomará en consideración, tal como señala SAUJOT[124], por ejemplo, la depreciación del valor artístico, la destrucción de la estratigrafía, la imposibilidad o la dificultad de fechar el vestigio, etc..., debiendo aportarse dicha prueba de deterioración del monumento mismo y a menudo del terreno arqueológico donde él esté emplazado, si nos referimos a vestigios arqueológicos.

Como se puede comprobar, los términos empleados por el artículo 322-1 guardan cierta similitud entre sí y se hace difícil delimitar cuando estamos en un caso u otro.

Ahora bien, cuando el daño sobre el objeto material sea leve, dicha conducta no constituye delito sino una contravención de la 5ª clase (C.P. art. 635-1).

---

[122] SAUJOT, C.: «L'article 322-2 du Code pénal: une protection renforcée du patrimoine culturel?» en *Juris-Classeur, Droit Pénal* Avril 1996. GOSSELIN-RIGAMBERT, C.: «Le régime juridique...»; ob. cit. p. 387.

[123] Así, VITU, A. «Destructions, degradations et deteriorations ne presentant pas de danger pour les personnes: art. 322-1 a 322-4», *Juris. Classeur Pénal*, nº 32 à 36, 1993.

[124] SAUJOT, C.: «L'article 322-2 du Code pénal...»; ob. y loc. cit.

b) El hecho de trazar inscripciones, signos o dibujos sin autorización (artículo 322-1)

La práctica cada vez más extendida de lo que se conoce como «*tags*»[125] (*des inscriptions, tracés de signes ou dessins sur les immeubles*) es particularmente grave cuando se realiza sobre objetos culturales, ya sea pinturas, estatuas, o inmuebles u objetos muebles clasificados o inscritos.

El legislador se muestra relativamente severo pues califica como delito correcional los daños leves causados a los bienes culturales por los *graffiti*, castigándolos con 50.000 F de multa[126], mientras que un atentado leve por otro procedimiento no es mas que una contravención de 5ª clase. Esta transformación de contravenciones en delitos constituye un movimiento de agravación bastante marginal en la legislación francesa, contrario al fenómeno de *correctionnalisation légale*, bastante frecuente en la reforma del Código Penal[127]. En este caso supone la transformación en delitos de los «*tags*», que contituían anteriormente contravenciones (art. 322-2, al. 2., 322-2 y 322-3 CP recuperando las disposiciones del antiguo art. R. 38, 2° y 3°).

B) Objeto material

El nuevo Código penal francés retoma la enumeración que recogía el anterior Código en su artículo 257-1, siendo los bienes protegidos los siguientes:

En primer lugar, *los inmuebles u objetos muebles,* tanto los *clasificados* como los *inscritos*, cuya protección ya dijimos se recogía por vez primera en la ley de 1913 sobre monumentos históricos[128].

En segundo término, los descubrimientos arqueológicos realizados en el curso de excavaciones o fortuitamente, distinción que para la mayoría de la doctrina[129] no aporta nada al ámbito o dominio protegido, pues la locución «*découverte archéologique*» engloba las dos hipótesis.

---

[125] Ver sobre esta materia, FONTANAUD, D., «La question du tag en droit pénal» en *Droit pénal* 1992, chron. 36

[126] BOULOC, B.: «Noveau code pénal», en *Revue Science Criminel*, juill-sept, 1993; p. 491

[127] De esta opinión, DESPORTES, F.; LE GUNEHEC, F.: *Le nouveau droit pénal, T. 1 Droit pénal général*. 2ª ed. 1996

[128] Véase MERLE, R.; VITU, A.: *Traité de droit criminel. Droit pénal spécial*. Cujas, Paris, 1992; p. 2041 y ss.

[129] Entre otros, GOSSELIN-RIGAMBERT: «La protection pénale...»; ob. cit p. 386; SAUJOT, C.: «L'article 322-2...»; ob. cit.

En la 1ª redacción del artículo 322-2 no se hacía mención a los terrenos contenedores de vestigios arqueológicos[130]. Es una ley de 3 de agosto de 1995 la que añade junto a los descubrimientos arqueológicos los «*terrains contenant des vestiges archéologiques*[131]», fórmula que incluye, como ya hemos dicho, tanto el suelo que ya ha sido objeto de investigaciones como aquél que todavía no ha sido explotado, pero cuya riqueza en vestigios se supone[132].

Esta extensión, según NEGRI[133], consagra implícitamente la protección de los yacimientos arqueológicos, puesto que el carácter arqueológico de un terreno habrá sido reconocido por cualquier procedimiento, bien por prospecciones, investigaciones documentales u otro método de análisis arqueológico precedente a la excavación.

El sentido del adjetivo «*archéologic*» relativo a los vestigios señala la doctrina que no debe ser limitado, según su uso gramatical a «*ce qui concerne les civilisations antiques*» ni a los periodos prehistóricos y protohistóricos. La noción de arqueología ha evolucionado mucho y hoy en día se interesa también por la «arqueología industrial», al tomar conciencia de la necesidad de recuperar la memoria industrial[134].

---

[130] La Ley de 27 de septiembre de 1941 mencionaba los terrenos de excavaciones «terrains de fouilles»; la fórmula del artículo 257-1 del CP precedente era más extensiva pues hacía referencia a terrenos conteniendo vestigios arqueológicos, los cuales incluían los suelos que aún no habían sido objeto de investigaciones.

[131] Vid. Cass. crim. R, 13 avr. 1994 (Pourvoi c/CA Colmar, 30 juin 1993); Cass. crim. 28 nov. 1989 (Pourvoi n° 89-80.440).

[132] Siguiendo la ejemplificación de SAUJOT (ob. y loc. cit), se admiten las siguientes posibilidades:
– se puede tratar de un sitio en curso de excavaciones o ya excavado que conserve aún visibles estructuras funerarias u otras.
– son igualmente protegidos los terrenos aun no explotados pero cuya riqueza es conocida a través de sondeos, fotografías aéreas, prospecciones magnéticas u otros procedimientos científicos.
Pueden haber sido catalogados en los inventarios pero no ser conocidas mas que por los especialistas y su explotación es voluntariamente retardada bien por falta de créditos, bien por constituir reservas para generaciones futuras de buscadores que dispondrán de nuevos medios de estudio.
La *Cour de cassation* no exige, para que exista delito, que hayan delimitaciones del sitio. Algunos yacimientos enterrados son completamente ignorados, incluso por los especialistas, y sólo aparecen a raíz de los trabajos que se efectúen en el suelo. SAUJOT, C.: «L'article 322-2...», ob. y loc. cit.

[133] NEGRI, V.: *Protection pénale du patrimoine archéologique*, 1992; p. 17 y ss

[134] Un sitio minero explotado desde el siglo XV al XIX se consideró como lugar de excavaciones arqueológicas (Cass. crim, 28 nov. 1989). Tal como señala SAUJOT (ob. y loc. cit.) la arqueología comenzó ayer.

En tercer lugar, se protege todo *objeto conservado o depositado en museos, bibliotecas o archivos perteneciente a persona pública, encargada de un servicio público o reconocido de utilidad pública*. De ese modo, reciben protección las colecciones públicas que encierran obras de gran valor que no estén clasificadas ni inscritas.

Sin embargo, critica la doctrina[135] la restricción de la protección únicamente en virtud del carácter público del propietario del objeto o persona encargada de un servicio público. A su vez, se subraya[136] lo lamentable que resulta el hecho de que el texto actual haya omitido precisar[137] que la protección legal se aplique incluso si los objetos no se encuentran, en el momento en que se realice el atentado contra ellos, en el lugar donde son habitualmente están situados; tal precisión, que sí se contempla en el CP anterior, permitiría castigar los atentados cometidos en el transcurso de su transporte, en el taller de un restaurador o incluso en un laboratorio encargado de precisar su autenticidad o su datación, por ejemplo.

Pero la novedad más importante, es que la protección se aplica a todos los bienes, cualquiera que sea su propietario, que se presenten en una *exposición de carácter histórico, cultural o artístico, organizada por una institución pública, encargada de un servicio público o reconocida de utilidad pública* (n° 4, 322-2); de ese modo entran en el campo de aplicación del precepto los bienes prestados por una propietario privado a una exposición temporal pública[138], aunque este mismo bien ya no recibirá protección si se encuentra en el domicilio de su propietario o de un particular.

En cuanto a que la exposición debe ser organizada por institución pública, un sector de la doctrina considera inadecuada esta limitación. Si una asociación o incluso un particular organiza una exposición cultural, el precepto no podría aplicarse, a reserva de reconocer que la organización de la exposición suponga o dependa de la ejecución de un servicio público a la cultura. Así, para GOSSELIN-RIGAMBERT sería preferible a esta compleja interpretación no precisar ninguna exigencia en cuanto a la cualificación jurídica de la persona

---

[135] RASSAT, M.L.: «*Les infractions contre les biens et les personnes dans le noveau Code pénal*». Paris, 1995; p. 204 y ss

[136] Véase VITU, A.: «Destructions, degradations et deteriorations ne presentant pas de danger pour les personnes...», ob. cit.

[137] Lo que sí hacía el antiguo artículo 257-1.

[138] MICHAUD, J.: *La protection des biens culturels*. Travaux de l'Association Henri Capitant. Tome XL Paris, 1989, p. 490 y ss.

organizadora, puesto que, el objeto de arte no conoce de estas sutiles diferencias[139].

C) Sujeto activo

En lo que atañe al *sujeto activo*, en primer lugar debemos hacer una precisión formal: el nuevo Código Penal ya no emplea la fórmula «*quiconque aura... sera puni*». En adelante castiga el hecho mismo de la destrucción, degradación o deterioro, siendo el estilo mucho más impersonal.

En segundo lugar, para proteger más eficazmente el Patrimonio Cultural que «pertenece a todos», la Ley de 3 de agosto de 1995 añadió al artículo 322-2 un último inciso, previendo, en el caso del nº 3º del presente artículo la posibilidad de perseguir al *propietario* del bien que lo haya destruido, degradado o deteriorado[140]. Sin embargo, no se benefician de esta protección reforzada los objetos descritos en el nº 4 del artículo 322-2, aquellos presentados en exposiciones de carácter histórico, cultural o científico organizada por persona pública, encargada de un servicio público.

Una de las novedades importantes es que las *personas jurídicas* pueden ser declaradas responsables de cada una de estas infracciones.

Hasta la entrada en vigor de la reforma, el 1 de marzo de 1994, las personas jurídicas no incurrían mas que en una responsabilidad civil y en ciertos casos disciplinaria o administrativa, pero ellas no podían ser declaradas penalmente responsables de una infracción[141].

Precedido de un intenso debate doctrinal[142], el principio de responsabilidad penal de las personas jurídicas es proclamado por el artículo 121-2 del nuevo

---

[139]   C. GOSSELIN-RIGAMBERT, C.: *Le régime juridique de l'archeologie française*, ob. cit.

[140]   (L. nº 95-877 du 3 août 1995) «*Dans le cas prévu par le 3º du présent article, l'infraction est 'egalement constituée si son auteur est le propiétaire du bien détruit, dégradé ou détérioré*»

[141]   Como indicaba la Cour de cassation en una fórmula frecuentemente utilizada por ella, «*l'amende est une peine et toute peine est personnelle, sauf les exceptions prévues par la loi; elle ne peut donc être prononcée contre un être moral, lequel ne peut encourir qu'une responsabilité civile*» (Crim. 8 mars 1883, D.P. 1884, 1, p. 428; 27 dév.1968, B. nº 69)

[142]   Los argumentos doctrinales que justificaban la irresponsabilidad de las personas jurídicas se basaban en primer lugar en que la persona jurídica era una ficción jurídica incapaz de voluntad personal, condición de responsabilidad penal. En segundo lugar que la existencia de un objeto social no podía consistir en ningún caso en la comisión de una infracción. Por último, entendían que la responsabilidad de las personas jurídicas suponía un atentado al principio de personalidad de las penas, al castigar indistintamente a todos los miembros del grupo, comprendiendo aquellos que no habían querido cometer la infracción.

Código Penal[143], inmediatamente después del principio de responsabilidad individual previsto en el artículo 121-1.

Sin embargo, tal como expresamente señala el precepto, el legislador no ha contemplado que la responsabilidad penal de las personas jurídicas es general y concierne al conjunto de las infracciones, sino que se ha recogido un principio de *especialidad,* al disponer que las personas jurídicas son responsables penalmente «en *los casos previstos por la ley o el reglamento».* Esta precisión significa esencialmente que dicha responsabilidad debe ser especialmente prevista por el texto que define y reprime la infracción. En nuestro caso particular, el artículo 322-17 prevé expresamente la posibilidad de la responsabilidad de las personas jurídicas para las infracciones de destrucciones, degradaciones y deterioraciones[144].

Dos condiciones son previstas para imputar una infracción a una persona jurídica: debe haber sido cometida por un órgano o un representante de la persona física, mas por cuenta de la persona jurídica, no por su propia cuenta y por interés particular.

Debe pues resaltarse la incidencia de la responsabilidad de las personas jurídicas sobre las físicas, pues el legislador proclama el principio de que la

---

Sin embargo, desde el final del siglo XIX y en el transcurso del siglo XX, cada uno de estos argumentos van siendo abandonados por una parte cada vez mayor de la doctrina: con respecto al primer argumento, siendo la teoría de la ficción jurídica abandonada en derecho civil no había por qué conservarla en Derecho Penal; una persona jurídica puede efectivamente tener, desde un punto de vista jurídico, una voluntad propia, distinta de la voluntad individual de cada uno de sus miembros. Con respecto al segundo argumento, se entiende que resulta evidente que la comisión de una infracción no puede entrar en el objeto «declarado» de una persona jurídica, pero sí su actividad puede dar lugar a la comisión de infracciones. Por último, se sostiene que, la condena de una persona jurídica, distinta de la eventual condena de sus miembros, no constituye un retorno a la responsabilidad penal colectiva. Sobre esta cuestión puede verse DESPORTES, F.; LE GUNEHEC, F.: *Le noveau droit pénal. Tome I. Droit pénal général.* 1996, p. 432 y ss

[143] El artículo 121-2 en su párrafo 1º reza del siguiente modo: *«Les personnes morales, à l'exclusion de l'Etat, sont responsables pénalement, selon les distinctions des articles 121-4 à 121-7 et dans les cas prévus par la loi ou le règlement, des infractions commises, pour leur compte, par leurs organes ou répresentants».*

[144] Con ocasión de la discusión de la Ley de adaptación de 16 de diciembre de 1992, el Parlamento previó la responsabilidad penal de las personas jurídicas para un cierto número de infracciones que figuraban en otros códigos o leyes especiales. Sin embargo, en numerosas e importantes materias, como es en nuestro caso la regulación de las infracciones penales en el Patrimonio Cultural regulado en diversas leyes especiales, la cuestión de la responsabilidad de las personas jurídicas no ha sido todavía completamente resuelta por el legislador y la coherencia del conjunto de la legislación penal sobre este punto no será asegurada mas que de una manera progresiva.

responsabilidad de las personas jurídicas se debe acumular con la de las físicas[145]. La responsabilidad de las personas jurídicas presupone la mayoría de las veces la responsabilidad preexistente de una persona física que ha cometido la infracción «por cuenta del grupo». Es normalmente imposible que una persona jurídica sea condenada si una persona física no ha sido igualmente susceptible de serlo.

Por último señalaremos que el nuevo artículo 121-6 del Código penal francés prevé el tratamiento idéntico en términos de penalidad del *cómplice* con el autor del delito. Sin embargo las circunstancias agravantes recayentes sobre el autor principal no agravan la pena del cómplice, ya que éste sólo podrá ver agravada su responsabilidad por las circunstancias que le sean personales.

Debe hacerse mención también de un caso de agravación previsto por el artículo siguiente, el 322-3; dicha hipótesis de agravación consiste en que la infracción sea cometida por varias personas, en calidad de autor o cómplice, cómplice cuya conducta puede consistir en provocar la infracción, ayudar y asistir al autor[146]. La infracción será castigada con cinco años de prisión y 500.000 F. de multa.

D) Culpabilidad

Los artículos 257 y 257-1 del Code Penal anterior precisaban que la destruc-ción o la deterioración debían ser dolosas («*intentionnelle*»).

Los artículos 322-1 y 322-1 del nuevo Código Penal no integran esta precisión, sin embargo no hay duda de que el legislador no ha querido incriminar sino las destrucciones *dolosas* (*volontaires*). Y ello por dos razones: en primer lugar, la doctrina[147] entiende que, si en la sección siguiente del capítulo, en el cuadro de las destrucciones por un procedimiento peligroso, la ley incrimina expresamente las destrucciones dolosas y las imprudentes, sería

---

[145] La regla de acumulación entre la responsabilidad de las personas jurídicas y las físicas es expresamente contenida en la 3º línea del artículo 121-2 que dispone: «*la responsabilité pénale des personnes morales n'exclut pas celle des personnes physiques auteurs ou complices des mêmes faits*». Estas son, evidentemente, las que tengan la cualidad de órgano o representante de la persona jurídica pero igualmente toda otra persona que actuara según sus instrucciones o todo coautor.

[146] Véase VITU, A.: «Destructions, degradations et deteriorations ne presentant pas de danger pour les personnes», ob. cit.

[147] Entre otros, RASSAT, M.L.: «*Les infractions contre les biens et les personnes dans le noveau Code pénal*». Paris, 1995; p. 201 y ss.

una paradoja decir que en el ámbito de las destrucciones por un procedimiento no peligroso él hace exactamente lo mismo sin decir nada al respecto. Pero es que, en segundo lugar, por referencia al artículo 121-3 —que afirma: «No hay delito sin la intención de cometerlo. De todos modos, cuando la ley así lo prevea, habrá delito en caso de imprudencia, negligencia o de *mise en danger délibéré*»[148]— todos los crímenes y delitos son, en principio, dolosos; tan sólo el Código admite la posibilidad de castigo de la imprudencia en los supuestos expresamente previstos. Se opta, por tanto, al igual que en el nuevo Código penal español, por un sistema *numerus clausus* en la incriminación de la imprudencia.

Por tanto, ante falta de mención expresa, entendemos que nos encontramos ante delitos eminentemente dolosos[149] y donde los móviles que conducen a cometer la infracción son indiferentes para los tribunales.

Ahora bien, debe traerse a colación un precepto previsto en la ley de monumentos históricos, por su relación con la regulación contenida en el Código Penal. Este precepto es el artículo 34 de la ley de 1913 de monumentos históricos que castiga el hecho de *dejar destruir, derribar, mutilar, degradar o sustraer* ya sea un inmueble, ya sea un objeto mobiliario clasificado, cuando el sujeto activo es su *conservador o guardador*, y a consecuencia de *negligencia grave*. Se castiga con pena de prisión de tres meses y multa de 25.000 F. o una de las dos penas solamente. La multa prevista se duplican en caso de reincidencia[150].

---

[148]   Dos categorías de culpa *non-intentionnelles* deben ser distinguidas:
— la culpa de *imprudence ou de négligence*, que corresponde a lo que el derecho penal clásico francés llama tradicionalmente «*faute pénal ordinaire*» (culpa penal ordinaria) por oposición al dolo.
— la *mise en danger délibérée*, innovación introducida por el Código penal actual, que consagra la noción de «dolo eventual», en la frontera entre el dolo y la culpa ordinaria y definida por el nuevo Código penal como «*le manquement délibéré à une obligation de sécurité ou de prudence imposée par la loi ou les règlements*».
Vid., D'HAUTEVILLE, A.: *Réflexions sur le nouveau Code pénal*. Paris, 1995; p. 31 y ss. DESPORTES, F.; LE GUHENEC, F.: *Le noveau droit pénal…*, ob. cit. p. 351 y ss.

[149]   En estos supuestos la intención se caracteriza, por ejemplo, cuando el acusado, lleva a cabo la conducta típica, habiendo sido advertido de una medida de clasificación o de inscripción o, tras haber recibido notificación personal de la riqueza del terreno conteniendo restos históricos de gran valor (ver Cass. crim. 13 avr. 1994; D. pénal 1994, comm. n° 177, note VERON, sancionándose a quien había sido «personalmente advertido del interés primordial de un sitio de Koenigshoffen, el cual encerraba una aldea galo-romana, que debía permitir localizar un palacio real merovingio que había dado su nombre al programa de construction-la Cour de Roi»).

[150]   Art. 34: «*Tout conservateur ou gardien qui, par suite de négligence grave, aura laissé détruire, abattre, mutiler, dégrader ou soustraire soit un immeuble, soit un objet mobilier classé, sera*

E) Penalidad

Las infracciones reprimidas por los artículos 322 y ss. del nuevo Código Penal son delitos de la competencia de los tribunales correccionales.

Conviene señalar el importante cambio introducido en el sistema de represión que comporta una sensible agravación de las penas[151], denunciando algún autor[152] el carácter irrisorio de las penas, en razón de la gravedad que pueden suponer las agresiones contra el Patrimonio Cultural, por su carácter normalmente irreversible.

En el nuevo Código penal francés, la infracción sobre el Patrimonio Cultural constituye una figura agravada del tipo de destrucción voluntaria de bien ajeno, que el artículo 322-2 castiga con tres años de prisión y 300.000 F de multa[153] si el procedimiento utilizado no es peligroso para las personas[154] y, que el artículo 322-6 castiga con diez años y multa de 1.000.000 de francos si el procedimiento utilizado es una sustancia explosiva, un incendio o cualquier otro medio susceptible de causar un peligro para las personas, sin hablar de las penas previstas por los artículos 322-7 a 322-10 según la gravedad de los atentados corporales eventualmente sufridos por las víctimas. Si únicamente se trata de inscripciones o dibujos sobre los bienes protegidos la pena será, como ya se adelantó, de 50.000 F. de multa.

Las penas puede ser agravadas, tal y como mencioné, cuando la infracción es cometida por varias personas en calidad de autor o cómplice.

Asimismo, a las penas principales se les pueden añadir otras complementarias, enumeradas en la sección IV (art. 322-15 a 322-17), y entre las que se encuentran la inhabilitación de derechos civiles (ver artículo 131-26) así como la inhabilitación de función pública y de ejercicio de la profesión.

---

puni d'un emprisonnement de trois mois et d'une amende de 25.000 F ou de l'une de ces deux peines seulement»

[151] Así, en el Código penal precedente, el delito constituía una infracción distinta que el artículo 257-1 castigaba con prisión de un mes a dos años y multa de 500 a 30.000 F.

[152] RASSAT, M.L.: Les infractions contre les biens...», ob. cit., p. 204

[153] Teniendo presente que la pena que se prevé legalmente es tan sólo el tope máximo imponible, pudiendo el juez recorrer libremente toda la escala de la pena prevista, en función de las circunstancias concurrentes en el caso y que sólo a él le corresponde valorar, pues se han eliminado igualmente las llamadas circunstancias atenuantes en el nuevo Código Penal. PRADEL, J.: Droit pénal général. Cujas 1995.

[154] Cass. crim. R., 13 avr. 1994.

3. El patrimonio cultural italiano y su protección penal

Una adecuada tutela penal del patrimonio cultural italiano responde a una **doble exigencia**: de un lado, la **Constitución de la República italiana** de 1947 impone al Estado la obligación de tutelar «*il patrimonio storico e artistico della Nazione*»[155]; de otro lado, la **exigencia del hecho en sí mismo**, impuesta por los innumerables tesoros de arte existentes en ese país y por el alarmante y creciente deterioro de éste, bajo las mas diversas formas agresivas, teniendo entre sus causas principales la especulación en la construcción así como la disfunción de la Administración pública, que se concreta en un escaso uso de los instrumentos jurídicos preventivos y represivos ya existentes[156].

Así pues, de la previsión constitucional debían derivarse toda una serie de consecuencias administrativas, penales y procesales[157] que condujeran a una actualización y mejora de la legislación protectora, teniendo presente la función subsidiaria de la tutela penal, castigando únicamente los perjuicios más graves que contra el Patrimonio italiano pudieran cometerse mediante las correspondientes tipicidades y sus penas. Nos encontramos ante un bien constitucionalmente garantizado, el «*patrimonio storico e artistico della Nazione*», que obliga a una adecuación de la legislación ordinaria penal y administrativa.

A la luz del dictado constitucional analizaremos los modos de articular dicha tutela penal, ante la alternativa ya mencionada de un sistema de tutela **directa**, cuyo ámbito abarca los bienes culturales, prescindiendo de su pertenencia, pública o privada, o de un sistema de tutela **indirecta**, donde prevalecerá el interés individual, el régimen privatístico del bien cultural[158].

Veamos en primer término como el *proceso histórico* de tutela jurídica de las «*cose d'arte*» va desde una protección, reflejo mediato de la defensa de otros intereses colectivos conexos (religiosos, estéticos, de magnificencia urbanística), pasando por un régimen meramente privatístico, hasta llegar a una más moderna tutela directa de dichos bienes.

---

[155] Artículo 9: «*La Reppublica promuove lo sviluppo della cultura e la ricerca scientifica e tecnica. Tutela il paesaggio e il patrimonio storico e artistico della Nazione*».

[156] Véase MANTOVANI, F.: «La disciplina penale», en *La tutela penale del patrimonio artistico. Atti del sesto simposio di studi di Diritto e Procedura penali*, Milano, 1977, p. 49 y ss. Vid. también este mismo trabajo publicado bajo el título: «Linamenti della tutela penale del patrimonio artistico», en *Rivista italiana di Diritto e Procedura Penale*, Milano, 1976.

[157] Acerca de éstas: NUVOLONE, P.: «Introduzione», en *La tutela penale del patrimonio artistico. Atti del sesto simposio di studi di diritto e procedura penali*. Milano, 1977, p. 21 y ss.

[158] MANTOVANI, F.: «La disciplina penale...», cit. p. 50 y ss.

3.1. Evolución histórico-legislativa

En Roma, si bien inicialmente las «bellas artes» no eran tenidas en cuenta excesivamente, pronto las obras de arte sustraídas a los pueblos vecinos y transportadas a Roma fueron consideradas el testimonio más vivo y concreto de la victoria conseguida, constituyendo un patrimonio espiritual perteneciente a la colectividad y consiguientemente necesitado de conservación y tutela[159], subrayándose la idea de la «*proprietà pubblica delle cose d'arte*» referida, tanto a la que constituía botín de guerra, como a las estatuas y monumentos erigidos en honor de personajes ilustres[160].

Para referirse al origen de la protección pública en Italia de su patrimonio artístico, histórico y arqueológico, hace falta acudir a los **Estados preunitarios.**

Tras un primer período, durante el bajo medievo, caracterizado por una disciplina, débil en los medios de actuación e incierta en los fines específicos de tutela de los bienes culturales, encontramos las raíces de la legislación actual en la época de los estados preunitarios[161]. Concretamente, durante el siglo XV, época del Renacimiento, es en Roma donde se encuentra la primera y más significativa intervención para impedir la destrucción y dispersión de la riqueza del arte y de los vestigios arqueológicos; los pontífices romanos comienzan a dictar una serie de disposiciones, concretamente a partir de las bulas de Pío II y Sixto IV[162], conformando un *corpus* normativo de gran influencia en la

---

[159]   Para una exposición de los precedentes legislativos en la tutela de los objetos de antigüedad y arte, véase: GRISOLIA, M: *La tutela delle cose d'arte*. Roma, 1952, p. 19 y ss; ROTILI, B.: *La tutela penale delle cose di interesse artistico e storico*. Napoli, 1978, p. 5 y ss.

[160]   Particulares prohibiciones fueron establecidas con un importante senadoconsulto, emanado en el año V del Imperio de Adriano, en el cual se afirmaba que en el caso de que fuesen demolidos edificios con la finalidad de vender los objetos de arte en ellos recavados, la venta era nula y el adquirente quedaba sujeto al pago de una multa equivalente al doble de valor del objeto adquirido. Otras disposiciones de tutela urbanística habían sido introducidas con la «*Lex municipalis*» de C. Giulio Cesare, la «*Lex Genitivae Juliae*» y la «*Lex Malacitana*» según las cuales «*nessuno poteva levare un terro, né disfare una casa, né variarne la construzione senza il consenso dei magistrati e la garanzia che ne assicurasse la construzione*». Sin embargo, las leyes no frenaron la destrucción de un gran número de inmuebles relevantes desde el punto de vista artístico.

[161]   Para un estudio de la legislación preunitaria italiana, SPERONI, M.: *La tutela dei beni culturali negli Stati italiani preunitari, I. L'età delle riforme*. Milano, 1988. Un perfil histórico general de la legislación italiana, en GRISOLIA, M.: *La tutela delle cose d'arte*. Roma, 1952; ALIBRANDI, T.; FERRI, P.: *Il diritto dei beni culturali. La protezione del patrimonio storico-artistico*. Milano, 1997, p. 11 y ss.

[162]   Bula de Pío II, de 28 de abril de 1462, *Cum almam nostram urbem*, y bula de Sixto IV, de 1474, *Cum provida.*

legislación de otros Estados como Nápoles, la Toscana o Parma, con anterioridad a la unificación, configurándose así un «**modelo pontificio**», caracterizado por sus pretensiones de generalidad[163] en la protección de los bienes históricos y artísticos. Los orígenes de la legislación pontifícia los encontramos, pues, en la **Bula de Pío II de 1462**, la cual, bajo pena de multa y decomiso, prohibía la demolición, destrucción o daño, sin licencia del romano pontífice, de los edificios antiguos públicos o sus restos[164] existentes en el subsuelo de Roma y en su ámbito territorial, aún cuando se hallaren en fondos de propiedad privada, y en la **Bula de Sixto IV de 1474,** dirigida a impedir la expoliación de los mármoles y demás ornamentos de las iglesias[165].

Será en el Seiscientos cuando la legislación protectora de los bienes culturales, a través de una serie de Edictos, va adquiriendo sus rasgos fundamentales, rasgos que se prolongarán en la legislación del Setecientos. Destaca el **Edicto del cardenal Sforza**, de 29 de enero de 1646, el cual, en los casos de extracciones de estatuas, figuras, medallas, inscripciones en mármol y demás objetos similares antiguos y modernos, conminaba al responsable de los actos, además de la sanción de 500 ducados de oro, a una pena corporal a su arbitrio[166]. Edictos de tutela ampliados en número durante el siglo XVII, bajo el pontificado de Clemente XI, destacando entre ellos los de **Spinola**, el primero de 30 de septiembre de 1704, con una doble finalidad: la promoción del prestigio internacional de Roma y la conservación de las reliquias del pasado, en cuanto testimonio de utilidad para la documentación de la historia sacra y profana; y el de 18 de abril de 1717 que introduce la obligación de obtener licencia para los comerciantes de antigüedades y obras de arte.

Digno de especial mención es también el **Edicto de 5 de enero de 1750 del cardenal Valenti Gonzaga**, el cual constituye la «summa» de la legislación del Setecientos en la tutela de estos bienes en el Estado pontificio, dando así

---

[163] Contrapunto del llamado «modelo veneciano», el cual aporta un entendimiento diferente en la tutela de los bienes culturales, no pretendiendo abarcar el entero campo de tutela de los bienes culturales, sino dirigido a resolver problemas concretos, de acuerdo además con unos modernos métodos de tutela.

[164] Era práctica harto frecuente la destrucción de monumentos antiguos para utilizarlos como material en nuevas construcciones.

[165] La acción de tutela jurídica de las cosas de arte iniciada con Pío II prosigue a través de una serie de bulas y edictos, numerosos aunque muchos de ellos inaplicables, encontrando la razón de dicha inaplicación en la indeterminación misma de la esfera de tutela y en el excesivo rigor de algunas de sus prohibiciones.

[166] La indeterminación parcial de la sanción constituye una característica que reencontramos en sucesivas disposiciones legislativas, ya que el principio de legalidad se afirma, en el ordenamiento democrático, sólo en época relativamente reciente.

coherencia a las múltiples intervenciones papales producidas en esta época. Así, los rasgos más destacados de esta profusa legislación pueden resumirse en dos cuestiones principales:

En primer lugar, los bienes tutelados son, tanto los *inmuebles*, donde se incluyen no sólo los edificios monumentales sino otros inmuebles de interés histórico o arqueológico, como los *bienes muebles*, procediéndose a una amplia enumeración de éstos (mosaicos, sepulcros, inscripciones antiguas, medallas, monedas...), protegiéndose *con independencia de su titularidad*, vinculando los edictos a toda persona, eclesiástica o secular.

En segundo lugar, la tutela se articulaba, no con base en prohibiciones absolutas en las actuaciones llevadas sobre los bienes protegidos, sino mediante el *previo control* de aquellos actos, a través de la oportuna licencia.

Obligación de obtener licencia, aplicable en dos de las cuestiones que más preocuparon a la legislación pontifícia: con respecto a *la circulación y comercio de antigüedades y de objetos de arte* de Roma, con el fin de evitar las exportaciones incontroladas, se establece la necesidad de obtener la licencia previa para poder sacar dichas obras artísticas; por lo que se refiere a *los descubrimientos y hallazgos arqueológicos*, objeto de exquisita atención por la legislación pontifícia debido al alto valor alcanzado por el mercado de antigüedades en la Roma del Setecientos, se disciplinan las excavaciones efectuadas por particulares, tanto en fundos privados como en terrenos públicos, en virtud de la necesaria licencia.

Finalmente el **Edicto del cardenal Pacca** de 7 de abril de 1820, mostró el máximo logro de la legislación pontificia en tema de tutela artística. Desde el punto de vista que nos interesa, resulta relevante resaltar que, con este edicto, las sanciones de las precedentes manifestaciones pontificias fueron suavizadas (la galera, por ejemplo, fue prevista con duración de un año sólo en el caso de que fuese degradado un monumento público) y la legislación pontificia, también en parte, dejó de tener el carácter fuertemente represivo que le había caracterizado en los años precedentes[167]. Este sistema pontifício de protección de los bienes culturales sirvió, tal y como ya dijimos, de modelo para la tutela en otros Estados con anterioridad a la Unificación.

Una vez se lleva a cabo la **unificación en Italia**, se verifica un singular fenómeno en el campo de la tutela de las antigüedades y objetos de arte ya que, debe esperarse hasta el nuevo siglo para que se apruebe una ley que disciplinase la materia en el plano nacional. El nuevo Estado unitario no parecía preocupado por llevar a cabo una protección de los bienes históricos y artísticos, que,

---

[167] ROTILI, B: *La tutela penale delle cose...* ob. cit. p. 11 y ss.

necesariamente pasaba por una intervención pública, limitadora de la iniciativa individual y de la propiedad privada[168]. El concepto de propiedad privada fue el principal obstáculo para la emanación de una ley que, para ser eficaz, habría debido inevitablemente limitar la esfera de goce el patrimonio privado.

En ausencia de una ley orgánica de tutela del patrimonio artístico continuaron aplicándose las leyes de los Estados italianos preunitarios, creando situaciones injustas por los diversos criterios judiciales seguidos en las diversas regiones. Además, dicha confusión legislativa agravó inevitablemente el estado del patrimonio artístico, favoreciendo la consumación de gravísimos ilícitos.

La primera iniciativa legislativa en la protección de las antigüedades y objetos de arte se da con la presentación al Senado de un proyecto de ley en 1872 por el Ministro Correnti. Este proyecto no llegó a buen fin, al igual que otros que se presentaron sucesivamente por otros ministros, al encontrar una tenaz oposición parlamentaria que invocaba, contra la intervención del Estado los sagrados principios de libertad e inviolabilidad de los derechos de los propietarios.

Finalmente, en 1902 el proyecto del Ministro Gallo puede obtener el voto favorable del Senado y a continuación de la Cámara llevando a buen término la **ley 12 junio 1902, n. 185**, que constituye la primera ley nacional unificadora de la materia.

Sin embargo, apenas publicada esta ley, ya demostró graves deficiencias en su contenido, destacando entre éstas la referida al control y disciplina en la exportación, que resultaba prohibida únicamente para las obras de sumo valor y que estuvieran *inscritas* en el catálogo cuya institución era prevista por la ley.

Todo ello dio lugar a una nueva iniciativa legislativa: en 1906 se constituye una Comisión ministerial con el encargo de elaborar un nuevo texto que conforma posteriormente la **ley 20 junio 1909, n. 364**. En esta ley, que supone un gran progreso con respecto a la precedente, se encuentran ya algunos de los enunciados fundamentales que conforman la normativa actualmente vigente: así, se abandona el peligroso criterio de la necesidad de la previa inscripción del bien en un catálogo oficial, declarándose sujetos a la ley los inmuebles y muebles que tuvieran interés histórico, artístico o arqueológico (art. 1); a su vez, la exportación recibe una disciplina unitaria quedando así prohibida cuando

---

[168] La ideología liberal consideraba con desaire toda intervención pública directa que de cualquier modo invalidase la intangibilidad de la propiedad, la cual encuentra categórico reconocimiento en el Statuto Albertino, art. 29: «*Tutte le proprietà, senza alcuna eccezione, sono inviolabili*». ALIBRANDI, T.; FERRI, P.: *Il diritto dei beni culturali...* ob. y loc. cit.

provoque un daño grave para la historia, el arte y la arqueología; y, finalmente, se establece la prohibición de demoler, trasladar, modificar o restaurar sin la autorización del Ministerio de Cultura.

Posteriormente fueron dictadas numerosas disposiciones[169], hasta llegar a la todavía vigente en lo básico, la **Ley de 1 de junio 1939, n. 1089** sobre «*tutela delle cose di interesse artistico o storico*», la cual perfecciona diversos aspectos de la ley anterior, pasando a conformar, junto con la regulación prevista en el *Codice penale*, la legislación fundamental en la materia, la cual pasaremos a analizar de inmediato.

Pero la función pública de tutela del Patrimonio Cultural llega a su máxima dignidad legislativa con la introducción en la **Constitución republicana** de su artículo 9º, dirigido a la protección de dicho Patrimonio. A pesar de ello, entiende la doctrina italiana que la previsión constitucional de la protección del Patrimonio Artístico nacional no ha tenido su adecuado desarrollo[170].

La diferencia básica entre la normativa española de protección del Patrimonio Cultural y la normativa italiana sobre dicha materia estriba en la diferente técnica legislativa empleada, al igual que ocurría con la legislación francesa; la tipificación de las conductas atentatorias contra el patrimonio cultural italiano se encuentra básicamente ubicada en legislación especial, con la excepción del art. 733 del *Codice penale*.

En la regulación prevista en el texto penal, veremos más adelante como el legislador italiano únicamente tipifica los daños al patrimonio artístico nacional, olvidando al resto de agresiones que sufren habitualmente los bienes culturales. Resulta evidente la insuficiencia de la tipificación de estos ilícitos, de naturaleza contravencional, caracterizados por el «dañamiento al patrimonio arqueológico, histórico o artístico nacional» (art. 733) o por la «destrucción o desfiguración de bellezas naturales» (art. 734)[171].

Para evitar estos supuestos de atipicidad, tenemos que acudir a las **leyes especiales,** en las cuales el sistema italiano basa la regulación del Patrimonio Cultural, y en la que encontramos una serie de preceptos penales.

---

[169] R.D. 31 diciembre 1923, n. 1889 para la compilación del catálogo de monumentos y obras de interés histórico, artístico y arqueológico; Reglamento 26 de agosto 1927, n. 1917 para la custodia, conservación del material artístico, arqueológico, bibliográfico y científico; R.D.L. 15 abril 1937, n. 623 convertido en L. 7 junio 1937, n. 1015, sobre tasas de exportación de antigüedades y objetos de arte.

[170] Así, NUVULONE, P.: «Introduzione», en *La tutela penale del patrimonio artistico. Atti…* ob. cit. p. 22 y ss

[171] MANTOVANI, F: «La disciplina penale»… ob. y loc. cit.

La materia cultural en el Derecho italiano está regulada básicamente en la **Ley n° 1089 de 1 de junio de 1939** —integrada y modificada por Ley de 21 de diciembre de 1961 n° 1552, Ley de 14 de marzo de 1968 n° 292, y Ley de 1 de marzo de 1975 n° 44— la cual, por lo que respecta al ámbito penal, supuso que hechos que anteriormente eran considerados *delitti* se transformaran en *contravvenzioni* con el fin de una mayor eficacia y persecución, **Ley de 20 de noviembre de 1971 n° 1.072**, la cual introduce el delito de falsificación de obras de arte, Ley de 18 de abril de 1975 n° 110, así como por el D-L n° 657 de 14 de diciembre de 1974 convertido en Ley n° 4 de 29 de enero de 1975 constitutiva del Ministerio de Bienes Culturales y ambientales, y por la **Ley de 29 de junio de 1939 n° 1497** —integrada por la Ley de 28 de febrero de 1985 n° 47 y de 8 de agosto de 1985 n° 431 por lo que se refiere a las bellezas naturales.

En este contexto se inserta la problemática de la doble tipicidad entre la normativa *codicistica* y la normativa especial. Es el caso, tal y como veremos más detenidamente, del artículo 67.1 de la Ley n° 1089/39 en tema de apoderamiento y de la norma contenida en el artículo 647 C.P.; o también entre las previsiones contenidas en los artículos 11 y 12.1 de la citada Ley y lo dispuesto en el art. 733 del C.P.[172]

3.2. Tutela de las cosas de interés artístico o histórico según la Ley de 1 junio de 1939 n. 1089

A) Consideraciones previas

En una primera visión genérica hay que destacar que la característica más evidente de la disciplina sobre Patrimonio Cultural es su **complejidad normativa**, lo que provoca cierto confusionismo por su variedad y relaciones, así como problemas de coordinación, y consecuentemente, al no abrazar todas las posibles manifestaciones socialmente dañosas en la materia, conlleva el riesgo de notables lagunas en dicha regulación[173]. Y es que el sector de la tutela del patrimonio artístico se presenta particularmente significativo para verificar la actual tensión entre la exigencia de taxatividad, exactitud o precisión, y la tendencia a una creciente **«inflación penal».** El abuso de la sanción penal

---

[172] Problema planteado por MOCCIA: «Riflessioni sulla tutela penale de beni culturali», en *Rivista italiana di Diritto e Procedura Penale*, fas. 4 ottobre-dicembre, 1993.

[173] Entre otros, MOCCIA, S.: «Riflessioni sulla tutela penale dei beni culturali», in *Rivista italiana di diritto e procedura penale*, 1993, p. 1295 y ss.

constituye de por sí un relevante factor de incerteza y es síntoma de una incapacidad técnica y política[174].

Ello hace que algunos autores entiendan como inadecuada la sede fundamentalmente *extracodicistica*, tanto desde el plano estrictamente sistemático como de una mayor eficacia en la función preventiva general[175].

A su vez nos encontramos ante una materia que, al estar regulada tanto por el ordenamiento jurídico-administrativo como por el ordenamiento jurídico-penal, se originan las consiguientes discusiones acerca del ámbito correspondiente a cada uno de ellos.

Así, la mayoría de la doctrina italiana[176] entiende que gran parte de las disposiciones penales sancionan realmente, al igual que en la legislación francesa, meros actos de desobediencia administrativa, actos de inobservancia de una disposición negativa de la autoridad administrativa, o al menos con una estrecha vinculación al contenido de la disciplina administrativa (ej. *appartenanza allo Stato delle cose rinvenute oggetto del furto*: art. 43 de la L. 1089). Consecuentemente, de acuerdo con MOCCIA, ello no contribuye ciertamente a conferir legitimidad y eficiencia a la disciplina de la materia, siendo síntoma evidente de la carencia de autonomía estructural que exige una tutela penal de los bienes culturales, coherentemente inspirada en los principios constitucionales.

Es por ello que la acción de control del Derecho Penal, para resultar eficaz, debe insertarse en un contexto de intervención coordinada, en un sistema escalatorio de sanciones en vía progresiva, abandonándose la estructura del peligro abstracto, basado sobre el esquema de la autorización final al ordenamiento administrativo, para prever finalmente la sanción penal en las violaciones más graves.

Finalmente, debe resaltarse la dureza del régimen sancionatorio de la normativa vigente. Ejemplos de ello, tal y como será expuesto, son, la norma penal en blanco del art. 70 de la L. n. 1089/39, así como la norma contenida en el art. 66 en tema de *esportazione abusiva* que equipara la tentativa a la

---

[174] PALAZZO, F.C.: «La nozione di cosa d'arte in rapporto al principio di determinatezza della fattispecie penale», en *La tutela penale del patrimonio artistico. Atti del sesto simposio di studi di Diritto e Procedura penali*, Milano, 1977, p. 229 y ss.

[175] MOCCIA, S.: «Riflessioni…», ob. cit. p. 1297; MANTOVANI, F.: La disciplina penale… ob. cit. p. 50 y ss.

[176] PIOLETTI: «Patrimonio artistico e storico nazionale» en *Enciclopedia del Diritto XXIII*, 1982. MOCCIA, S.: «Riflessioni sulla tutela…», ob. cit. p. 1295 y ss; NUVOLONE, P.: «Linea fondamentali della tutela penale dei beni culturali mobili», in *L'Indice Penale*, 1977; PALAZZO, F.C.: ob. cit. p. 229 y ss.

consumación, pero sobre todo la irrazonable equiparación, desde el punto de vista sancionatorio en la L. n. 1089/1939 entre hipótesis de daño e hipótesis de peligro presunto[177].

B) Bien jurídico categorial

En cuanto al bien jurídico categorial poca luz ofrece la normativa de la ley fundamental en la materia. Así, la Ley nº 1089/39 se limita a dar un listado de bienes que, en función de su interés específico —artístico, histórico, arqueológico, etnográfico— son sometidos a un régimen jurídico especial[178].

La doctrina italiana es, en lo sucesivo, unánime al considerar que las referencias específicas a categorías de cosas particulares no agotan el género de los bienes tutelados, el cual está constituido por todas las cosas que presenten un interés específico, debiendo entenderse el listado expreso como meramente ejemplificativo[179]. Se trata de un conjunto de bienes los cuales presentan como noción central la de presentar un *interés cultural*, en el sentido de aptitud de los objetos a satisfacer exigencia de civilidad[180]. Es con base en el «interés»

---

[177] MOCCIA, S.: ob. cit. p. 1295 y ss; MANTOVANI, F: «La disciplina penal…», ob. cit. p. 50 y ss.

[178] Art. 1 y 2 de la ley 1089: Quedan sujetas a la presente ley las cosas, inmuebles y muebles que presenten un interés artístico, histórico, arqueológico o etnográfico, comprendiendo:
a) las cosas que interesan la paleontología, la prehistoria y la civilización primitiva;
b) los objetos de interés numismático;
c) los manuscritos, los autógrafos, las cartas, los documentos notables, los incunables (es decir, libros impresos ante del año 1550, libros, impresos y grabados *aventi carattere di rarità e di pregio*;
d) las ciudades, los parques, los jardines de interés artístico e histórico;
e) los bienes inmuebles, en general, reconocidos de interés particularmente importante por su historia política, militar, literaria, del arte y de la cultura en general;
f) las colecciones o series de objetos que, por tradición, forma o particulares características ambientales, revistan como conjunto un excepcional interés artístico o histórico (en el caso de notificación).
No formarán parte del patrimonio las obras de autores vivos o cuya ejecución no se remonte más de cincuenta años.

[179] De esta opinión MOCCIA: «Riflessioni sulla…», ob. cit. p. 1302 y ss; asimismo ALIBRANDI, T.; FERRI, P.: *I beni culturali…* ob. cit. p. 244-245.

[180] La noción de «**bien cultural**» tiene unos orígenes relativamente recientes.Sustituye a las antiguas categorías «*cose d'arte*» y «*bellezze naturali*» reglados por las leyes 1 junio 1939, nº 1089 y 29 de junio 1939, nº 1497, todas ellas que permanecen en vigor, y comprende, a su vez, el patrimonio archivístico y les «*biens libraires*». El término «bien cultural», aunque ya utilizado en el cuadro internacional en la Convención para la protección de los bienes culturales en caso de conflicto armado (1954) y en varios actos de la UNESCO, en la legislación nacional es la «*Commission Franceschini*» —Comisión instituida por ley 26 abril

específico como va impuesta la tutela penal, privilegiando la función ligada a los objetos.

La *función cultural* podría ser también entendida como una especificación de la función social; sin embargo, de acuerdo con MOCCIA, parecería limitado considerar la función cultural derivada del art. 9 de la Constitución italiana como simple especificación de la función social de la propiedad, por lo que parece más adecuado, de acuerdo con la sistemática de la norma (la obligación de promover y elevar la Cultura se encuentra entre los *«principi fondamentali»*) conferirle un alcance autónomo y más amplio.

C) *El ilícito de daños de antigüedades y objetos de arte («danneggiamento di cose d'antichità e d'arte») previsto en la ley especial*

El artículo 59 de la Ley n. 1039 de 1939 constituye una de las más importantes normas penales que tienen por objeto la tutela del patrimonio histórico y artístico italiano.

En cuanto al sistema técnico legislativo adoptado, veremos como integra diversas disposiciones de ley, que contienen formulaciones de comportamientos penalmente relevantes bastante diferentes entre ellos, mientras la sanción penal es idéntica y es fijada por el propio artículo 59. Ello comporta, como se puede comprender, problemas de coordinación entre las disposiciones legislativas y una notable dificultad de interpretación, especialmente en cuanto a la individualización de los tipos penales[181]. Hay que señalar que, tal y como dijimos al principio, al igual que otras disposiciones de esta ley, se sanciona

---

1964, n° 310, y encargada de investigar la situación del patrimonio histórico, artístico, arqueológico, archivístico y paisajístico— quien adopta por primer vez en un documento oficial la noción de bien cultural como testimonio material dotado de un valor de civilidad (*«il bene che costituisca testimonianza materiale avente valore di civiltà»*), nueva terminología oficializada a nivel legislativo por el D.L. 14 diciembre 1974, n° 657, convertido en Ley 29 de enero 1975 n° 5, que instituye el Ministerio para los Bienes Culturales y el Medio Ambiente. Es, sin embargo, a Massimo Severo GIANNINI a quien se le debe la construcción dogmática de la teoría de «los bienes culturales», a partir de entonces obligado punto de referencia de toda exposición sobre el tema. GIANNINI M.S.,: «I beni culturali», in *Riv. trim. dir. pubbl.* 1976, I, 31. Ver además sobre el tema CANTUCCI, «Beni culturali e ambientali», in *Nss. D.I., Appendice,* 1980, p. 722 y ss. ALIBRANDI, T.; FERRI, P.: «I beni culturali..», ob. cit. Actualmente dicho concepto cobra una dimensión más dinámica, en vez de testimonio, como instrumento de civilización.

[181]   ROTILI, B.: *La tutela penale delle cose di interesse artistico e storico.* Napoli, 1978, p. 40 y ss.

penalmente no sólo comportamientos de daños al *patrimonio* sino también conductas que sustancialmente se concretan en *meros actos de desobediencia administrativa*[182] y que integran ilícitos independientemente de la causación del daño. No parece conforme al principio de elemental equidad castigar con la misma sanción tipos de peligro presunto con las demoliciones previstas en el artículo 11[183].

Antes de entrar a analizar las diversas hipótesis que contempla el art. 59 es oportuno resaltar que **sujeto activo** puede ser cualquiera (*«chiunque transgredisce…»*) por lo que podría ser no sólo el propietario del bien sino también el poseedor o el simple detentador del mismo.

Asimismo debemos indicar que, con la reforma de 1975[184] el citado art. 59 ha sido sustancialmente modificado no sólo respecto a la sanción, la cual ha sido notablemente agravada, sino también con respecto a la naturaleza jurídica del ilícito que pasa de configurarse como delito a hacerlo como contravención.

El artículo 59 sanciona con penas de arresto de seis meses a un año y *ammenda*[185] de 750.000 a 37.500.000 L.[186] la conculcación o transgresión de las disposiciones contenidas en los arts. 11, 12, 13, 18, 19, 20 y 21 de la ley, la mayor parte de ellas ligadas a la inobservancia de órdenes administrativas[187].

Analizaremos en particular cada una de las infracciones:

---

[182] En este sentido, FLORA, G.: «La tutela penale preventiva del patrimonio artistico nella Lege 1° giugno 1939, n. 1089», en *La tutela penale del patrimonio artistico. Atti del sesto simposio di studi di diritto e procedura penali*. Milano, 1977 p. 197 y ss.; ROTILI, B.: *La tutela penale delle cose…* ob. cit. p. 40 y ss.

[183] De esta opinión, MANTOVANI, F.: «La disciplina penale», en *Atti del sesto…* ob. cit. p. .76 y ss.

[184] Legge 1 marzo 1975, n. 44.

[185] Pena pecuniaria dispuesta como pena principal para las contravenciones, distinta de la *multa*, que se aplica como pena principal para los *delitti*. Para un estudio detallado de las consecuencias jurídicas del *reato*: PADOVANI, T.: *Diritto penale*. Milano, 1995, p. 391; SANTANIELLO, G.; MARUOTTI, L.: *Manuale di Diritto penale. Parte Generale*. Milano, 1990, p. 813 y ss; ANTOLISEI, F.: *Manuale di Diritto penale. Parte Generale*, Milano, 1994.

[186] Además de las sanciones penales, el artículo 59 prevee una de naturaleza administrativa consistente en prescribir a cargo del transgresor la *«riduzione in pristino della cosa»*, es decir la devolución de la cosa a su estado original. Sólo cuando esta sanción no sea aplicable en el caso en concreto (por ejemplo, si la cosa ha sido destruida) corresponderá a cargo del transgresor retribuir al Estado una suma equivalente al valor de la cosa perdida o a la disminución del valor sufrida por la misma por efecto de la transgresión.

[187] Art. 59 p. 1: *Chiunque trasgredisce le disposizioni contenute negli articoli 11, 12, 13, 18, 19, 20 y 21 della presente legge e punito con l'arresto da sei mesi ad un anno e con l'ammenda da L.750.000 a L.750.000 a L.37.500.000.*

a) En primer lugar, el artículo **11** establece la *prohibición de demoler, trasladar, modificar o restaurar sin la debida autorización los bienes a que se refieren los art. 1 y 2 de la Ley pertenecientes a provincias, pueblos, entes y los institutos legalmente reconocidos[188]*, los cuales constituyen el objeto del ilícito. A su vez, *tampoco podrán ser destinados estos bienes a usos incompatibles con su caracteres históricos o artísticos* o que supongan perjuicio para su conservación o integridad[189]. Prohibiciones, que en el siguiente artículo se hacen *extensibles a los bienes de propiedad privada* (art. 12 p. 1°) que hayan sido objeto de objeto de declaración («*notifica*»).

Con respecto a estos bienes existe el deber de poner en conocimiento de la Administración el traslado de los bienes muebles por cambio de residencia, pudiendo prescribirse las medidas que se estimen necesarias para evitar posibles daños a los bienes[190]; sin embargo, para los bienes pertenecientes a los entes o institutos legalmente reconocidos (no para los de propiedad privada) subsistirá la obligación del mantenimiento en el lugar de destino[191].

De acuerdo con lo expuesto, la **acción típica** consiste pues en la demolición, traslado, modificación o restauración de los bienes a que se refiere el precepto. Por *demolizione* debe entenderse tanto el derribo[192], como, sobre todo para los

---

[188] Vid. el comentario a la Sentencia del Tribunal de Pavía de 29 de marzo de 1979 realizado por M. BARBUTO, en *Giurisprudenza italiana*, 1980, II, p. 133 y ss.

[189] A juicio de FLORA la incompatibilidad no va tanto referida a una utilización que constituya peligro para la conservación e integridad de la cosa, sino a un arriesgado empleo (impiego) para el goce público del bien. FLORA, G.: «La tutela penale preventiva», en *La tutela penale del patrimonio artistico. Atti del sesto...* ob. y loc. cit.

[190] Para ROTILI la autoridad administrativa no sólo tiene el poder sino el deber de prescribir las medidas para evitar daños en el transporte del bien, por lo que, a su juicio, podría incurrir en responsabilidad al omitir imponer todas las prescripciones necesarias para la tutela del bien, tratándose de un tipo de peligro, que se perfecciona en el mismo momento de la conducta omisiva del Soprintendente, sin que ocurra la verificación del daño. Si este ocurre influirá en la entidad de la pena a aplicar en concreto. ROTILI, B.: *La tutela penale delle cose di interesse...* ob. cit. p. 53.

[191] Por ejemplo incurrirá en esta contravención el representante de un ente público que, después de haber procedido a la reparación mural de un edificio de valor histórico y para la ejecución de la cual un objeto de arte haya sido apartado, contrariamente a las indicaciones de la Autoridad no devuelva éste a su lugar primitivo (se piensa en una estatua o una pintura).

[192] ROTILI entiende por *demolizione* la sustancial destrucción de un bien, la cual puede verificarse no sólo con un comportamiento activo sino también omitiendo el proceder a la necesaria obra de manutención y dejando que la cosa se deteriore. ROTILI, B.: *La tutela penale...* ob. cit. p. 44. Sin embargo, para BAJNO la demolición no puede equivaler en ningún caso a mera destrucción sino exclusivamente a abatimiento o descomposición del objeto. BAJNO, R.: «Disapplicazione dell'atto amministrativo o disapplicazione della norma penale?»,

inmuebles, la descomposición, total o parcial, de modo que el bien pierda su identidad[193]; la autorización generalmente se concede cuando ya la cosa ha perdido todo interés histórico o artístico. La *rimozione* supone el desplazamiento de una cosa móvil de un lugar a otro, lo cual en muchos casos conlleva una pérdida de valor y consiguientemente un daño; la autoridad competente acertará la oportunidad de su traslado teniendo en cuenta las reales condiciones del bien[194].

La *modificazione* es otra de las hipótesis donde se hace perder a la cosa alguna de sus características originarias, concretándose en una alteración de la naturaleza y cualidad del bien, encontrando frecuentemente su explicación, tal y como se viene observando en la idea de modernizar o adaptar a nuevas exigencias los muebles e inmuebles sujetos a la ley[195].

Finalmente «*il restauro*»[196] consiste en una actividad de conservación de la cosa, con el fin de su mejora, conducida según una particular técnica especialista. Todas estas actuaciones deberán llevarse a cabo, obviamente, sin la autorización preceptiva.

b) Continuando con las infracciones penales ligadas a inobservancia de órdenes administrativas, el **art. 13** de la ley 1.089 dispone que la *separación o desprendimiento de frescos, escudos, grafitos, inscripciones, capillas u otros ornamentos de edificios,* expuestos o no al vista pública, deberá obtener a su vez *autorización administrativa,* aún en el caso de que el bien no haya obtenido la previa declaración formal de su interés.

La *ratio* de la norma debe reconocerse, siguiendo a CANTUCCI[197], bien en la exigencia de conservar los ornamentos de los edificios «*come pertinenze artistiche*

---

en *La tutela penale del patrimonio artistico. Atti del sesto simposio di studi di diritto e procedura penali*. Milano, 1977; p. 171-179.

[193] Vid. PALMA, *Beni di interesse pubblico e contenuto della proprieta*, Napoli 1971, p. 547.

[194] Así, por ejemplo, cuando por las particulares condiciones ambientales corra el peligro de ser destruido por un incendio o por ejemplo, de ser presa de un hurto.

[195] Señala ROTILI como ejemplo de modificaciones dañosas más frecuentes el empequeñecimiento o engrandecimiento de una pintura en aras de una diversa sistematización, la apertura de una nueva ventana en un edificio monumental, la supresión de un almenaje en un palacio monumental etc. ROTILI, B.: *La tutela penale...* ob. cit. p. 45 y ss.

[196] Resulta oportuno recordar la regulación fijada en un importante documento, la «Carta del Restauro 1972» la cual constituye un complejo de normas a tener presente y a observar para la mejor conservación del patrimonio histórico y artístico italiano. Con la Circular de 6 de abril de 1972 del Ministerio de la P.I., la Carta del Restauro es ejecutiva para todo el territorio nacional.

[197] CANTUCCI, *Le cose di interesse artistico e storico nella giurisprudenza e nella dottrina*, Napoli, 1968.

dell'immobile e componenti dell'intelligenza storica e artistica del bene», bien
«*nella tutela del diritti di uso e godimento della collettività sulle cose esposte alla
pubblica vista»*.

La ley enumera una serie de objetos sobre los que se prohibe su separación,
la cual es indicativa de que constituyen «ornamentos del edificio», tal y como
finaliza textualmente dicha enumeración. El **objeto material** sobre el que recae
la protección serán pues aquellos adornos («*abbellimento»*) pertenecientes a
una categoría ornamental, poseedores de un interés histórico-artístico y a los
que se les ha sujetado a tutela, independientemente de su pertenencia a una
institución o a particulares, prescindiendo de la declaración de su interés[198]
(«*indipendentemente dalla notifica dell'interesse»*).

El ilícito contravencional en cuestión puede, aunque no necesariamente,
concurrir con el de hurto en el supuesto de que la separación se opere con la
finalidad de apoderarse del bien; sin embargo, las dos violaciones son del todo
autónomas e independientes tal que el castigo o absolución de una no comporta
necesariamente análoga decisión en la otra [199].

c) A continuación, según lo dispuesto en los **art. 18 y 59 de la ley especial**,
se sancionará a cualquier propietario, poseedor o detentador de cosa mueble o
inmueble de interés artístico, histórico o arqueológico, que *omita someter* a la
superintendencia, para obtener la preceptiva aprobación administrativa[200], los
proyectos de obra de cualquier género que quieran ser seguidos. Tanto si se
incumple dicha obligación, como si se ejecuta la obra no autorizada[201], la
Administración podrá ordenar la suspensión de las obras[202] de cualquier
género, distintas, de acuerdo con PIOLETTI[203], de la demolición, modificación
o restauración, ya expresamente prevista en el art. 11 de la ley.

---

[198]   ROTILI no comparte esta tesis pues entiende que la finalidad de la ley es salvaguardar los
bienes que presenten al menos el interés del art. 1 de la ley. ROTILI, B.: *La tutela penale delle
cose di interesse ...* ob. cit. p. 54.

[199]   De esta opinión, ALIBRANDI, T.; FERRI, P.: *Il diritto dei beni culturali...* ob. cit. p 363;
ROTILI, B.: *La tutela penale...* ob. cit. p. 55

[200]   En el caso de bienes de propiedad privada ésta será exigida cuando haya precedido la
oportuna declaración oficial de su interés.

[201]   En caso de absoluta urgencia podrán ser continuados los trabajos provisionales indispensables para evitar daños notables a la obra. Sucede muy a menudo que la intervención en el bien
reviste un carácter de urgencia tal, que no permite la prolongación de un proyecto de
restauración en el tiempo técnico. Sólo en este caso se puede intervenir urgentemente,
esencialmente para obras provisionales (art. 19).

[202]   Art. 20 p. 1: «*Il soprintendente può ordinare la sospensione dei lavori iniziati contra il disposto
degli artt.18 e 19»*.

[203]   PIOLETTI, G.: «*Patrimonio artistico e storico nazionale»*, ob. cit. p. 400 y ss.

Estamos ante un ilícito penal *propio*[204] o especial, toda vez que sólo puede ser cometido por una determinada categoría de personas, el propietario, poseedor o el que detente la cosa mueble o inmueble sobre la que existe el proyecto de obra, aunque quepa la participación de extraños al *reato* propio, bajo la condición de partícipes, como puede ser el director de la obra, siempre que, obviamente, subsistan todos los requisitos objetivos y subjetivos requeridos[205].

El ilícito se **consuma** con la falta de presentación del proyecto, independientemente de verificarse un evento dañoso. Ahora bien, para que la obra sea legítimamente realizada no basta con la mera presentación del proyecto a la autoridad administrativa sino que requiere su preceptiva aprobación.

d) Por último, el **artículo 21** se refiere a la inobservancia de las prescripciones ministeriales relativas a las distancias, medidas y demás normas dirigidas a evitar la puesta en peligro de la integridad de los bienes inmuebles sujetos a las disposiciones de la ley 1089. Se criminaliza la inobservancia de prescripciones ministeriales a la tutela del «ambiente monumental». Se trata, por tanto de acuerdo con ROTILI de una norma en blanco que requiere para su aplicación la emisión de un concreto acto de la Autoridad administrativa. Generalmente el contenido de las prescripciones de tutela que el Ministro puede adoptar suelen concretarse en la imposición de limitaciones a la actividad edificatoria, que mire a evitar el surgimiento de peligro para la integridad del monumento[206], prescripciones independientes de los reglamentos o la regulación edificatoria. Ciertamente resulta sumamente criticable la criminalización de dichos supuestos, cuando, en la mayoría de legislaciones, se trata de infracciones de carácter administrativo.

En una visión de conjunto del art. 59, la mayoría de la doctrina italiana[207] considera que en el ámbito de estas disposiciones se realiza u opera una

---

[204] Sobre la distinción entre *reati comuni e reati propi*, ver SANTANIELLO, G.: *Manuale di diritto penale. Parte generale*. Milano, 1990; p. 135; PADOVANI, T.: *Diritto penale.*. Milano, 1995; p. 115. ANTOLISEI, F.: *Manuale di diritto penale. Parte Generale,* Milano, 1994; p. 157.

[205] En este sentido, ROTILI, B.: *La tutela penale...* ob. cit. p. 56 y ss

[206] Como ejemplos característicos, podríamos tomar la instalación de un gran establecimiento industrial de materias químicas en proximidad a un monumento, o el daño a la perspectiva, o al ambiente. ROTILI, B.: ob. cit. p. 64.

[207] Entre otros, MOCCIA, S.: «Riflessioni sulla tutela...» ob. cit. p. 1294 y ss; MANTOVANI, F.: «La disciplina penale»... ob. cit.; p. 50 y ss; FLORA, G: «La tutela penale preventiva...» ob.y loc. cit. Por contra PIOLETTI considera que la figura de daños prevista en la legislación especial no debe entenderse sea un ilícito penal de peligro, reconociéndole la naturaleza de hipótesis propia de *danneggiamento di cose d'antichità e d'arte*. PIOLETTI, G.: «Patrimonio artistico e storico nazionale», cit. p. 400 y ss.

anticipación de la tutela penal hasta tomar la forma de **peligro presunto**[208]. Sin embargo, de forma acertada, MANTOVANI —dentro de la clasificación que realiza de las agresiones al Patrimonio Cultural— incluye entre las agresiones llamadas de *danneggiamento*, y concretamente entre aquellas que suponen una *tutela penal directa,* es decir, cuyo objeto de protección es la cosa de arte como valor en sí, el supuesto de la *demolición,* sin previa autorización del Ministerio de bienes pertenecientes a la provincia... o bien de cosa privada propia del sujeto agente y notificada, castigados en base a los artículos 11-12 y 59 de la Ley de 1939.

Por contra, el citado autor considera que dicha Ley prevé otra serie de tipos penales *de función preventiva* que anticipan la intervención penal (concretamente las referidas al traslado, restauración, modificación y separación de frescos... realizadas sin autorización; la falta de comunicación a la autoridad competente del traslado del bien...) donde en algunos casos la transgresión de las normas no supone necesariamente un daño para la cosa de arte, sino incluso un mejoramiento real del bien (por ej. el supuesto de falta de comunicación del transporte de la cosa de arte donde el particular puede utilizar una cautela más eficaz de la que quizás podría prescribir la autoridad administrativa competente). Es por ello que se considera que, en estos casos nos encontramos ante ilícitos de peligro presunto[209].

Lo que no se alcanza a entender, de acuerdo con ROTILI, es que la mayor parte de estos ilícitos tenga prevista una sanción idéntica que la demolición prevista en el art. 11 de la ley, parificando, en contra del principio de proporcionalidad, el peligro (presunto) al daño real. A su vez, causa perplejidad la severidad en las sanciones de conductas que son en definitiva actos de mera desobediencia de prescripciones administrativas.

Tampoco es comprensible como el art. 59 en su redacción originaria, consideraba la mera puesta en peligro del bien como delito, castigado con pena de multa, y ahora, tras la modificación de 1975, siendo el ilícito penal degradado a contravención, la somete a sanción más grave.

La doctrina italiana, con base en lo expuesto, se plantea el problema de una eventual *despenalización de la tutela penal preventiva del patrimonio artístico,* en

---

[208] Hecha excepción de la hipótesis de uso incompatible con su carácter histórico o artístico o que suponga perjuicio para la conservación o integridad de la cosa que, de acuerdo con FLORA, parece un ilícito penal de peligro concreto. FLORA. G.: «La tutela penale preventiva...» ob. y loc. cit.

[209] Sobre peligro presunto, vid. PADOVANI, T.: *Diritto penale,* ob. cit. p. 169.

la alternativa de proceder, bien a una despenalización total o al menos parcial, o bien de mantener la actual disciplina penal preventiva.

a) *A favor del mantenimiento* de un sistema de tutela penal preventiva se hace hincapié en que la obra de arte constituye una singularidad, de suerte que, de no existir dicha tutela preventiva, la intervención penal se produciría sólo cuando la obra ya está perdida o irremediablemente dañada[210].

b) Del otro lado, son numerosos y sólidos los argumentos *a favor del abandono del sistema de tutela penal preventiva.* Entre ellos destaca en primer término la necesidad de evitar una excesiva proliferación de los tipos penales, limitándose a los hechos más graves, con la consecuente transformación en ilícitos administrativos de muchas infracciones de importancia secundaria. Asimismo, una parte de la doctrina penalista señala las dudas de constitucionalidad que pueden suscitar los tipos que anticipan la penalidad de acuerdo con el principio de necesaria ofensividad del hecho. FLORA afirma que, de poder concluir confiriendo un peso decisivo a los argumentos que se aducen en favor de la despenalización, o de la no penalización de la protección penal preventiva del Patrimonio Cultural, ésta podría ser suficientemente asegurada también en el límite señalado de la tentativa del deseable delito de daños[211].

Finalmente, debemos subrayar que la falta de autorización forma parte de la tipicidad misma, con anterioridad a que pueda tener relevancia de cara a la antijuridicidad, y el error sobre la misma podría constituir un error sobre un elemento esencial integrante de la infracción penal —error de tipo— que excluiría el dolo y originaría en su caso responsabilidad a título de culpa.

D) *El delito de enajenación de antigüedades y objetos de arte («alienazione abusiva»)*

El delito de enajenación en contra de lo dispuesto en la ley (*alienazione abusiva delle cose d'antichità e d'arte*) es sancionado en los **art. 62 y 63** de la Ley nº 1089, comprendiendo varios tipos penales, los cuales tienen en común la *finalidad* de proteger la «*circolazione delle cose d'arte*» y de evitar la dispersión y el empobrecimiento del patrimonio artístico o histórico nacional a través de actos de enajenación contrarios a la norma de tutela.

---

[210] Por otro lado se afirma la falta de tutela preventiva en la tutela de posibles agresiones de parte de los llamados «visitadores», sin llegar al extremo rigor del *Theft Act* inglés que prevé la pena detentiva hasta cinco años por el traslado de un objeto de una exposición o colección pública.

[211] FLORA, G.: «La tutela penale preventiva...», ob. y loc. cit. p. 197.

El art. **62** señala que los representantes de las provincias, los municipios y de los entes e institutos legalmente reconocidos que, en violación de las disposiciones de la Ley, **enajenen objetos de antigüedad y de arte**, serán castigados con reclusión de hasta un año y multa de 1.500.000 a 75.000.000 L[212].

Sujeto activo podrá ser la persona física que tenga la representación de los entes anteriormente citados

En cuanto a la conducta típica, por «*alienazioni*» debe entenderse todo acto traslativo de la propiedad de la cosa de antigüedad o de arte, tal como la venta (o la permuta) y la donación. Para fijar exactamente el alcance de la norma concluye la doctrina que no se integran en el tipo del art. 62 la constitución de prenda o hipoteca por parte de las entidades citadas, pues con tales actos no existe traslación de propiedad[213].

En lo referente a la consumación del delito la mayoría doctrinal entiende que éste se consuma con la estipulación del negocio, no siendo requerido el traslado de la posesión[214] de la cosa al adquirente[215]. Es admisible la tentativa, de acuerdo con PIOLETTI, con la finalización de los trabajos preordenados a la enajenación.

La siguiente disposición, el artículo **63** de la ley 1.089, hace referencia a tres hipótesis delictuosas, las cuales son castigadas con idéntica pena, reclusión hasta un año y multa 1.500.000 a 75.000.000 L.

La primera se refiere al propietario, tenedor por cualquier título o heredero (en el caso de transmisión *mortis causa* de la cosa) que **omita poner en conocimiento de la Administración todo acto a título oneroso o gratuito que transmita en todo o en parte la propiedad o la detentación de los bienes que hayan sido objeto de declaración de interés histórico-artístico (notifica).** (Art. 30 y 63 de la ley 1.089)[216].

---

[212] Art. 62: «*I rappresentanti delle Province, dei Comuni, degli enti e instituti legalmente riconosciuti che, in violazione delle disposizione della presente legge, alienino cose d'antichità e d'arte, sono puniti con la reclusione fino ad un anno e la multa da lire 1.500.000 a lire 75.000.000*"

[213] En tal sentido, ROTILI, B.: *La tutela penale delle cose...* ob. cit. p. 126 y ss; FLORA, G.: *La tutela penale del patrimonio...* ob. cit. 201 y ss; PIOLETTI, G.: *Patrimonio storico...* ob. cit. p. 114 y ss.

[214] Opinión sustentada por PIOLETTI, G.: ob. cit. p. 400 y ss.

[215] De opinión contraria, CANTUCCI entiende que por el contrario la trasferencia de la posesión de la cosa se requiere para su consumación. CANTUCCI, M.: *Le cose di interesse artistico e storico...* ob. cit., p. 154.

[216] Art. 63: «*Chiunque ometta la denuncia prevista dall'articolo 30 e chiunque contravvenga alla disposizione contenuta nel secondo comma dell'articolo 32 è punito con la reclusione fino ad un anno e la multa da L. 1.500.000 a L.75.000.000*».

El interés tutelado es el de garantizar el conocimiento por parte del Ministerio de la actualidad de la propiedad o tenencia de la cosa de antigüedad o de arte de los particulares, que forman parte del patrimonio cultural nacional.

El tipo es de carácter omisivo y tiene naturaleza permanente consistente en la omisión de denuncia del propietario.

Con base en la segunda hipótesis se castiga con la misma pena que en el supuesto anterior al sujeto que, pendiente el término para el ejercicio del derecho de prelación por parte del Estado, **efectúa la entrega o transmite la cosa objeto de un contrato de transmisión** (art. 32 y 63).

El interés lesionado en estos supuestos es el del Estado a la adquisición de la cosa.

Esta segunda hipótesis delictiva, limitada a las enajenaciones a título oneroso, es una conducta activa consistente en la entrega de la cosa pendiente el término para el ejercicio del derecho de prelación. A este respecto, CANTUCCI[217] justifica que el delito de *alienazione* abusiva se consuma con la transmisión de la posesión de la cosa; sin embargo, este artículo se refiere exclusivamente a las enajenaciones a título oneroso.

En cuanto a la sanción mencionada de reclusión y multa, entiende FLORA que puede estar justificada en el primer tipo descrito y en el que veremos a continuación, ya que son comportamientos que suponen una gravedad suficiente para conllevar dicha penalidad, si bien no puede decirse lo mismo en relación a la segunda hipótesis, entendiendo que la entrega de la cosa no perjudica en modo alguno el ejercicio del derecho de *prelazione*, de acuerdo con el art. 61 de la ley de 1939.

Finalmente son castigados, siempre el mismo sujeto y con idéntica pena, si **enajena** una colección o serie de objetos de propiedad privada, declarados de interés histórico o artístico en el sentido del art. 5 de la ley, contra la prohibición impuesta por el Ministro, cuando de ello derive un **daño** para la conservación o su goce público.

El interés lesionado, de acuerdo con PIOLETTI, es el de la conservación del público goce del conjunto de los bienes a los que la ley presta particular vigilia.

---

[217] CANTUCCI, M.: ob. y loc. cit.

E) Ilícitos relacionados con el descubrimiento de objetos de arte

El **art. 68** de la ley 1089 sanciona con idéntica pena la transgresión de diversas disposiciones que formulan diferentes conductas penalmente relevantes, al igual que ocurría en el art. 59; concretamente sanciona la conculcación de las disposiciones contenidas en los art. 45, 47 y 48 de la Ley 1.089.

a) Por un lado, se tipifica la *«ricerca archeologica abusiva»:* Así, el art. 68[218], en relación con su art. 45, prevé que *cualquiera que efectúe una investigación arqueológica sin la concesión o la autorización previstas en la ley* será castigado con arresto de hasta un año y *ammenda* de 300.000 a 3.000.000 L.

Nos encontramos ante un ilícito común, ya que sujeto activo puede ser cualquier persona física que por sí, o como representante de un ente público o privado, realice la conducta descrita (art. 45). Dicha conducta típica consiste en llevar a cabo una investigación arqueológica o, en general, cualquier trabajo para el hallazgo de objetos de antigüedad o de arte, sin la autorización del Ministro en cualquier parte del territorio de la República.

El ilícito es de peligro presunto al pretenderse evitar la realización de excavaciones arqueológicas de modo incontrolado[219] y que los bienes a que hace mención el art. 1 sean investigados con técnicas inadecuadas.

Para la consumación del delito es suficiente con que se haya iniciado abusivamente la obra de *ricerca*, no siendo por tanto necesario el hallazgo del bien.

Cuando la investigación arqueológica se lleve a cabo *sobre un inmueble propio*, sin la preceptiva autorización ministerial (art. 47), se castiga con la misma pena prevista para la efectuada sobre inmueble de otro, lo cual suscita las críticas de algún autor como BARESI[220].

En cuanto a la culpabilidad, el ilícito es doloso, no pudiendo preverse una actividad de *ricerca* o cualquier trabajo para encontrar antigüedades u objetos de arte que no sea intencional.

---

[218] Art. 68: «Sin perjuicio de lo dispuesto en el artículo precedente, quien transgreda las disposiciones de los artículos 45, 47 e 48 será castigado con arresto de hasta un año y multa de 300.000 a 3.000.000 de liras. Cuando la transgresión produzca un daño, en todo o en parte, irreparable, se aplicará la disposición del artículo 59».

[219] La Convención Europea para la protección del patrimonio arqueológico firmada en Londres el 6 de mayo de 1969 señala en su Preámbulo que toda excavación clandestina, en cuanto causa de irremediable pérdida, debe ser impedida.

[220] BARESI, M.: «Impossessamento di cose d'antichità e d'arte», en *La tutela penale...* p. 185.

Finalmente debe significarse que la investigación o los trabajos pueden realizarse en cualquier parte del territorio del Estado y para configurar el ilícito no es necesario que la investigación sea realizada en zona ya clasificada como de importancia arqueológica.

b) Los otros tipos penales contemplados en los **art. 45 y 47** de la Ley se basan en que, concedida la autorización sobre inmueble propio sobre bien ajeno, se contravengan las prescripciones impartidas para la ejecución de la obra.

Sujeto activo será la persona a la que ha sido concedida la autorización o concesión para realizar los trabajos de investigación, siendo suficiente la existencia de *culpa* para integrar el elemento psicológico de estas contravenciones.

c) Por último el art. **68** de la Ley 1089, en relación con el **art. 48**, castiga con idéntica pena la *omisión de denunciar de forma inmediata a la autoridad competente el descubrimiento fortuito de un bien mueble o inmueble de los descritos en el artículo 1,* obligación de denuncia que corre a cargo, bien de quien había efectuado el descubrimiento fortuito, o bien a cargo del poseedor del bien fortuitamente descubierto, pudiendo ser ambos sujetos activos.

ROTILI[221] resalta la diferencia entre el descubrimiento fortuito, donde el bien sale a la luz de forma inesperada, del descubrimiento de la cosa de arte a través de *«ricerce od opere»* donde se conocía la existencia de la cosa o era previsible dicha existencia.

La transgresión a la obligación de denuncia puede asumir dos formas: la omisión o el retardo, pues en ambos casos se impide intervenir inmediatamente para la urgente obra de protección. Sin embargo, tal como señala GRISOLIA[222] la inmediatez se establece en relación con cada caso particular, pues muchas veces se ignora la importancia del descubrimiento. En definitiva, el ilícito, de naturaleza contravencional, es omisivo y de naturaleza permanente

Cuestión difícil de probar en la práctica es, cuando la omisión de denuncia integra el ilícito contravencional previsto en el art. 68 y, cuando supone una manifestación de voluntad de apoderarse del bien descubierto.

En cuanto al objeto material, el bien debe pertenecer a la categoría indicada del art. 1 de la Ley y, por tanto, debe poseer la nota de valor consistente en su «interés cultural». Además debe ser descubierta fortuitamente, tanto por causas

---

[221] ROTILI, B.: *La tutela penale delle cose di interesse artistico e storico...*, ob. cit. p. 177 y ss.
[222] GRISOLIA: *La tutela delle cose d'arte*, ob. cit., p. 470 y ss.

naturales como a raíz de trabajos realizados con otra finalidad distinta, como labores agrícolas o trabajos edificatorios.

En el ámbito de la culpabilidad, podrá castigarse también a título de culpa[223]. PIOLETTI sustenta que, largo margen ha de ser reconocido al *error incolpevole*, especialmente en los descubrimientos fortuitos que acontecen en localidades en las cuales la difusión del objeto arqueológico sea generalizada, pero la perceptibilidad de la nota de su relevante valor requiera en el caso concreto un conocimiento altamente especializado[224].

De lo expuesto se deduce que nos encontramos en el art. 68 también ante ilícitos contravencionales de peligro presunto, queriendo evitarse de ese modo que de la falta de una inmediata intervención por la autoridad competente pueda derivarse cualquier daño en el bien descubierto. Sin embargo, si de las transgresiones a las disposiciones de los art. 45, 47 y 48 se produce efectivamente un **daño,** del todo o en parte irreparable, el art. 68 señala en su párrafo 2° que se aplicará «*la disposizione dell'articolo 59*", dividiéndose la doctrina en la interpretación de este reenvío; así, para ALIBRANDI-FERRI[225] cuando la transgresión produzca el daño se aplicará la sanción penal más grave prevista en el art. 59 de la Ley, mientras que otras voces doctrinales, entre ellos ROTILI y PIOLETTI[226] entienden que, cuando el párr. 2 del art. 68 reclama la aplicación de la «disposición» del art. 59 se refiere a la sanción civil prevista por éste en su párrafo 3° consistente en el pago por parte del transgresor de una suma equivalente al valor del bien o a la disminución de su valor por efecto de la transgresión.

F) *Apoderamiento de antigüedades y objetos de arte*

Continuando con los *reati* previstos en el Capítulo VIII de la Ley de 1 junio 1939 haremos mención del **apoderamiento de cosas de antigüedad y de arte** (*delitto di impossessamento delle cose d'antichità e d'arte*) regulado en el art. **67** de la citada norma y, según el cual, *el que se apodere de cosa de antigüedad y arte,*

---

[223]   PIOLETTI, G: *Patrimonio storico...*, ob. cit. p. 400 y ss.

[224]   Puesto que para la punición de las contravenciones, en principio, basta la simple culpa, el error tiene una importancia menor respecto a los delitos: el error obre un elemento esencial excluye la responsabilidad para un ilícito contravencional, sólo cuando sea *incolpevole*, mientras la responsabilidad subsiste cuando sea culposo. SANTANIELLO, G.; MARUOTTI, L.: *Manuale di Diritto penale. Parte generale*, Milano, 1990; p. 374 y ss.

[225]   ALIBRANDI, T.; FERRI, P.: *Il diritto dei beni culturali...* ob. cit. p. 689

[226]   ROTILI, B.: *La tutela penale delle cose...* ob. cit. p. 145; PIOLETTI, G.: «Patrimonio artistico e storico...», ob. cit. p. 402.

descubierta fortuitamente o bien como consecuencia de algún rastreo/investigación o trabajo será castigado con la pena del artículo 624 del *Codice penale* referido al hurto. En su párrafo segundo continúa diciendo que *cuando el delito sea cometido por aquellos a los cuales se les haya realizado concesión o autorización para la investigación*[227], será aplicable la disposición del art. 625 del *Codice* referente a las figuras agravadas del hurto.

Esta norma, que no se contemplaba en la Ley anterior de 1909, fue introducida por el legislador con el objetivo de integrar y reforzar el sistema protector del patrimonio histórico y artístico que, en base a la precedente experiencia, había demostrado ser insuficiente, teniendo en cuenta las numerosas sustracciones ilícitas de objetos de arte.

Adentrándonos en la naturaleza del delito, la jurisprudencia ha resaltado que en el art. 67 la ley prevé una particular hipótesis criminal que tiene en común con el delito de hurto del *Codice penale* el acto del apoderamiento, *pero no* el de la sustracción al detentador, tratándose de cosas que, antes de su hallazgo, no eran detentadas por nadie[228] y pasaban, *ipso iure*, al patrimonio indisponible del Estado, después de que hubieran sido halladas generalmente en el subsuelo[229].

Por tanto, el apoderamiento de un objeto de arte o una antigüedad hallados por un descubridor ocasional o por aquellos que fueron autorizados a realizar una investigación u obra de cualquier género entra en las previsiones del art. 67 de la Ley de 1939 y no en la hipótesis prevista en los art. 624 y 625 del *Codice penale*, el cual sólo debe ser reclamado a efectos de la aplicación de la pena[230].

---

[227]   Art. 67 L. 1089: «*Chiunque s'impossessa di cose d'antichità e d'arte, rinvenute fortuitamente, ovvero in seguito a ricerche od opere in genere, è punito ai sensi dell'art. 624 del codice penale. Quando il reato sia commesso da coloro ai quali venne fatta la concessione o data l'autorizzazione di cui agli art. 45 e 47, sono applicabili le disposizioni dell'art. 625 del codice penale*».
Art. 624 del codice penale (*Furto*): «Quien se apodere de cosa mueble de otro, sustrayéndola a quien la detenta, con el fin de sacarle provecho para sí o para otro, será castigado con la reclusión de hasta tres años y con la multa de 60.000 a 1.000.000 L.»

[228]   La Corte de Casación precisa que: «La posesión de objetos de interés artístico, histórico o arqueológico debe considerar ilegítima, a menos que el detentor demuestre haberla adquirido legítimamente, ya que estos objetos son de propiedad del Estado desde su descubrimiento, y ya que su apoderamiento, bien provenga de una excavación, o bien de un descubrimiento fortuito, es previsto por la L.1° giugno 1939, n. 1089 como delito, castigado con la misma pena que para el hurto». *Cass, 17 dicembre 1982, Waldner, in Riv. Pen. , 1984.*

[229]   Vid., sin embargo, sobre la indiferencia del lugar del hallazgo, que no debe ser necesariamente en el subsuelo. Cass. pen. Sez. III, 27 marzo 1980.

[230]   Vid. Cassazione penale, V Sezione, 15 febbraio 1992 que vuelve a confirmar una jurisprudencia distante en el tiempo según la cual el apoderamiento de antigüedades y objetos de arte realizado en las condiciones mencionadas entra en las previsiones del art. 67 de la ley de 1939

Entramos pues en primer lugar a analizar los elementos típicos genéricos referidos al apoderamiento de antigüedades u objetos de arte:

En cuanto al **sujeto activo** la doctrina se encuentra dividida en la consideración de si se considera un *reato comune* o un *reato proprio*:

De acuerdo con el tenor literal de la norma, sujeto activo puede ser en principio cualquiera («*chiunque*»). Sin embargo, cierto sector de la doctrina[231] deduce que la ley especial ha querido limitar la tutela sólo al momento en el cual el objeto sale a la luz, ya que respecto de otros objetos, éstos ya están suficientemente protegidos con las incriminaciones de carácter general que tutelan la propiedad, la posesión y también la simple *detenzione*. Entienden, por tanto, que al fin de establecer si el delito puede ser cometido por cualquier persona o sólo por algunos sujetos en particular, que se encuentren en una situación singular, será necesario examinar la disposición normativa en su totalidad y no ceñirse a la expresión literal de la ley que inicia la norma incriminadora. Concluye ROTILI entendiendo que se está ante un delito propio al referirse el legislador exclusivamente al momento del hallazgo del bien por el descubridor.

Opinión contraria sustenta PIOLETTI[232] el cual sostiene que el legislador ha querido indicar claramente que el delito en cuestión puede incluso llevarse a cabo sobre cosa hallada por otro. El participio «*chiunque si impossessi di cose... rinvenute*» y no «*cose...che abbia rinvenuto*» lo avala.

De igual modo, alguna resolución jurisprudencial[233], para configurar el ilícito penal de *impossessamento di cose d'antichità e d'arte* del art. 67, estima innecesario que la cosa haya sido descubierta por el autor del apoderamiento, puesto que el ilícito subsiste también si el descubrimiento aparece por obra de un tercero.

En cuanto a la **conducta típica,** consistente en el apoderamiento de antigüedades y objetos de arte, debe operar en presencia de circunstancias que representan el contexto en el cual se desenvuelve. Así, la acción de apoderamien-

---

y no en la hipótesis del 624, sólo reclamado a efectos de pena. V. *Cass. , 17 febbraio 1971, Russo, in Giust. Pen, 1972, II, 425; Id., 6 maggio 1969, Spagnuolo, ivi, 1970, II, 582.*

[231]   Vid. FRANCHINA, «Considerazioni sulle configurazioni delittuose previste nell'art. 67 della legge 1° giugno 1939, n. 1089, con particolare riguardo alla configurabilità del tentativo», in *Giur,sic, 1963,* 535. Asimismo ROTILI, B.: *La tutela penale delle cose di interesse artistico...,* ob. cit. p. 158 y ss.

[232]   PIOLETTI, G.: «Patrimonio artistico...», ob. cit. p. 105 y ss.

[233]   Cass. , 30 settembre 1985, Pichiarallo, in Riv. Pen. , 1986, 984.

to presupone que el descubrimiento de la cosa haya sido fortuito[234] o provenga seguidamente de una investigación u obra de cualquier género; estos elementos constituyen *presupuestos alternativos de la conducta*[235], esto es, «antecedentes» de ésta, siendo por tanto preexistentes a la conducta.

El delito se **consuma** en el momento en que el sujeto activo consigue la «disponibilidad de la cosa con la intención de tenerla para él («*animus rem sibi habendi*»); disponibilidad que puede coincidir con la misma aprehensión material del bien por parte del descubridor.

Por lo que se refiere a la admisibilidad del hurto **tentado** la doctrina italiana como en otras tantas cuestiones, se halla dividida. De acuerdo con ROTILI, en el caso de que se proceda a la investigación con la finalidad de apoderarse de todos los objetos que se hallen, «será suficiente el cumplimiento de los actos idóneos y objetivamente unívocos en relación a tal voluntad para que subsistan todos los extremos de la tentativa punible, incluso antes e independientemente del descubrimiento, a menos que sea inexistente el objeto del delito»[236]. Por ello, el autor entiende que cuando en el lugar donde sea efectuada la investigación no exista posibilidad de encontrar objetos de arte, subsistirá un delito imposible por inexistencia del objeto; en el caso opuesto, si existe la posibilidad de que éstos aparezcan (por ejemplo, una investigación en zona arqueológica) será reconocible la tentativa punible, aunque la cosa no haya sido materialmente sacada a la luz.

A ello se alega acertadamente desde otras posiciones doctrinales[237] que, sólo podrá hablarse de tentativa cuando nos encontremos en presencia del efectivo descubrimiento o hallazgo, cuando el objeto en examen revista la particular cualificación que hace saltar las normas de tutela. La *ricerca abusiva*, rastreo, inspección, indagación, registro de antigüedades y objetos de arte responde sólo del ilícito contravencional que integra su propia conducta, pues no puede

---

[234] El descubrimiento es fortuito cuando aparece de manera inesperada y no debido a investigación intencional. Es oportuno señalar que la ley amplia la noción de *ritrovamento fortuito* mediante la eliminación de la necesaria conexión o ligazón con las excavaciones arqueológicas; así, tendrán cabida, por ejemplo el descubrimiento de material prehistórico en una caverna, la escultura descubierta en la jamba de una puerta cívica o el descubrimiento de moneda antigua en el interior de un diván. ROTILI, B.: *La tutela penale...* ob. cit. p. 160 y ss.

[235] De esa opinión: PIOLETTI, G.: «Patrimonio artistico...», ob. cit. p. 404 y ss; ALIBRANDI, T.; FERRI, P.: *Il diritto dei beni culturali...* ob. cit. p. 680 y ss; ROTILI, B.: *La tutela penale...* ob. cit. p. 160 y ss.

[236] ROTILI, B.: ob. y loc. cit.

[237] BARESI, M.: «Impossessamento di cose d'antichità e d'arte», en *Atti...* p. 182 y ss; PIOLETTI, G.: *Patrimonio artistico...*, p. 508 y ss.

entenderse que dichos actos comporten una posibilidad de ofensa del interés protegido en el art. 67 y que, por tanto, antes del eventual descubrimiento no es posible la tentativa del delito de apoderamiento. Dicho acto de apoderamiento de antigüedades y objetos de arte presupone que antes hayan sido descubiertos; antes de ese momento no se puede configurar la tentativa.

La Corte de Casación en 1992 confirma la jurisprudencia precedente según la cual el delito de hurto de antigüedades y cosa de arte en la forma tentada ocurre sólo en el supuesto en que ya haya sobrevenido el hallazgo del bien en cuestión y el sujeto vaya pronto a apoderarse de él; cuando tan sólo excava con la esperanza de encontrar una cosa de interés cultural tutelada en la Ley de 1939 no constituye tentativa del *reati* del art. 67, sino solamente del de *ricerca abusiva* previsto en el art. 45; por tanto no es posible la tentativa antes del material descubrimiento de la cosa[238].

En cuanto al elemento subjetivo, el sujeto activo debe actuar con **dolo**, con consciencia y voluntad de apoderarse de la cosa sabiendo que ésta última presentaba un interés histórico, artístico, arqueológico y etnográfico. Sin embargo, el dolo no subsistirá cuando el agente haya erróneamente creído que el objeto no tenía ningún valor, tratándose de error sobre un elemento esencial para la existencia del delito (art. 47 del *Codice penale*).

Por último, quien, con el fin de procurarse para sí o para un tercero un aprovechamiento o ventaja, adquiera, reciba u oculte la cosa, o bien si media para hacerla adquirir, recibir u ocultar, cometerá, tal y como ponen de manifiesto ALIBRANDI y FERRI, el delito de receptación castigado en el artículo 648 C.P.[239].

Por lo que respecta al tipo penal previsto en el párrafo segundo del artículo 67 le será de aplicación lo expresado en el comentario al párrafo anterior, salvo una precisión: el **sujeto activo** de este tipo puede ser «cualquiera a quien se le haya hecho la concesión o la autorización prevista en los art. 45 y 47», siendo aplicable para este delito la disposición del art. 625 del *Codice Penale*, relativo al hurto agravado.

---

[238] Vid. Cassazione penale, V Sezione, 15 febbraio 1992; Cass. 30 settembre 1985, Pichiarallo, in Riv. Pen. , 1986, 984.

[239] La Suprema Corte ha precisado en numerosas ocasiones que se presume de proveniencia delictuosa la posesión de bienes de interés artístico, histórico o arqueológico proveniente de excavaciones posteriores a la entrada en vigor de la ley de 1939, cuando el detentor no demuestra haberla adquirido legítimamente, debiendo así la posesión de la misma acompañarse del debido documento (*verbale di ripartizione a norma del regolamento 30 gennaio 1913 n. 363, in doppio originale, di cui uno è dato all'assegnatario*) con el cual el Estado

La *ratio* de la agravación prevista por la cualidad del agente reside en la violación de un deber particular, derivado de la relación existente con la Administración pública y en el abuso de circunstancias que facilitan la comisión del delito.

Ahora bien, existe discusión doctrinal acerca de la referencia que hace la ley cuando señala para estos supuestos la aplicabilidad de «la disposición» del 625. De acuerdo con ROTILI, el legislador ha querido precisar que, para la hipótesis delictuosa del párrafo 2º del art. 67 de la ley 1.089, se aplicará el art. 625 del *Codice penale* (hurto agravado) cuando concurran, en el caso concreto, las circunstancias previstas por esta norma; siendo determinada la sanción en base al número y especie de las agravantes[240].

Sin embargo, para PIOLETTI, debe entenderse que el reenvío del art. 67 2º se efectúa a toda la disposición del art. 625 y que en todo caso al infiel investigador le será aplicable la sanción de la primera parte de este precepto ya que la figura base del apoderamiento de objeto de arte es agravado por la cualidad del agente, mientras que verificándose una o más circunstancias entre las descritas en el art. 625, será irrigable la sanción del último párrafo[241], coincidiendo con este autor en que para el legislador, la cualidad de investigador autorizado es ya un elemento circunstancial.

Finalmente en cuanto a la relación entre el delito de apoderamiento de antigüedades y objetos de arte y el de omisión de denuncia de cosa fortuitamente descubierta, la doctrina manifestada al respecto se encuentra dividida sobre la posibilidad de *concurso* entre ambos. ROTILI entiende que el ilícito de omisión de denuncia debe ser absorbido por la más grave transgresión de apoderamiento, por lo que no habría concurso entre ambos[242]. Sin embargo, PIOLETTI considera que, no siendo el delito del art. 67 ni especial ni progresivo respecto a la contravención del art. 68, dada la diversidad de intereses tutelados y dada la inexistencia de una expresa disposición de ley que establezca la absorción del tipo penal más leve en el más grave, sino al contrario al haber una indicación

---

cede en propiedad el objeto al descubridor privado como premio. *Cass. 29 ottobre 1973., in Cass. pen. Mass. ann. , 1975, m. 378; Cass. , 5 ottobre 1984, Ponti, in Cass. Pen. , 1986, 488.; Cass. , Sez.III, 8 gennaio 1980.* Cass. penale, III Sezione, 4 febbraio 1993.
Sin embargo para la doctrina parece excesivamente rigurosa esta exigencia puesto que la falta de tal documento puede deberse a circunstancias diversas (sustracción, destrucción por un conflicto bélico o de otro hecho, por extravío…) y no siempre por un hecho ilícito. ROTILI, B: *La tutela penale...*, ob. cit. p. 163.

[240]   ROTILI, B.: ob. cit. p. 168.
[241]   PIOLETTI, G.: ob. cit. p. 405 y ss.
[242]   ROTILI, B.: ob. cit. p. 186.

normativa de sentido contrario, en cuanto el párrafo primero del art. 68 introduce la sanción con un «sin perjuicio de cuanto está dispuesto en el artículo precedente» que es el relativo al hurto, responderá del delito del art. 67 en concurso con la contravención de su precedente conducta.

G) *El delito de contrabando* («*delitto di esportazione abusiva*»)

El **artículo 66** de la Ley italiana de 1 de junio de 1939 tipifica la denominada «*esportazione abusiva*», en terminología de nuestro Derecho, el **delito de contrabando**.

El fenómeno de la exportación clandestina de obras de arte constituye una de las causas principales del considerable empobrecimiento que ha sufrido en el tiempo el patrimonio histórico, artístico e arqueológico. Estamos ante un grave fenómeno que, no sólo daña enormemente los intereses económicos del Estado, entre ellos por ejemplo el turismo, sino esencialmente la cultura y el arte, al determinar el desmembramiento y la dispersión de las obras[243].

El art. **66** de la citada ley castiga con la pena de reclusión de 1 a 4 años y multa de 300.000 a 4.500.000 L. la exportación, incluso en grado de tentativa, de los bienes a los que se refiere la Ley 1089 en los siguientes supuestos:

a) Cuando la cosa no sea presentada en la aduana.

---

[243] La consciencia de tal valor y la alarmante constatación del progresivo empobrecimiento del patrimonio cultural condujo al legislador a reformar la precedente normativa y a emanar nuevas disposiciones; así en 1975 no sólo agravó la sanción penal en el caso del delito de contrabando (la multa es llevada hasta 4.500.000 e introdujo la reclusión de 1 a 4 años) sino que introdujo notables limitaciones y prohibiciones a la exportación legal de las antigüedades y objetos de arte.
Manifestaciones de esta nueva dirección legislativa son:
a) El veto general de exportación de las cosas indicadas en el artículo 1 de la ley en el caso de que su exportación constituya un «*semplice danno*» al patrimonio artístico e histórico (la ley abbrogata preveía la posibilidad del veto sólo en el caso de «*ingente danno*»).
b) La posibilidad por parte del Estado de adquirir el bien que se intente exportar dentro de los 90 días de la denuncia hecha al exportador, cuando la cosa presente un *interesse* para el patrimonio histórico y artístico (para la disciplina abolida el «*ius praelationis*» podía únicamente ejercitarse en un tiempo de 60 días y sólo cuando el objeto presentase un *importante interesse* per il patrimonio artístico e histórico).
c) La necesidad, como indispensable presupuesto para la exportación, de la que la cosa sea preventivamente inventariada.
Puede verse acerca de estas modificaciones legislativas MAZZA: «Opere d'arte», en *Enciclopedia del Diritto XXX*, 1980; ROTILI, B.: *La tutela...* ob. cit. p. 140 y ss.

b) Cuando la cosa sea presentada con declaración falsa o dolosamente equívoca o venga confundida con otros objetos a fin de sustraerla de la licencia de exportación o del pago de la correspondiente tasa[244].

En cuanto a la **naturaleza jurídica** del delito hay que hacer referencia a dos puntos:

En primer lugar, se ha visto que la Ley sanciona determinada conducta en cuanto peligrosa y sintomática de una voluntad criminal, independientemente de la realización del evento, constituido por la exportación al exterior de la antigüedad u objeto de arte. El peligro es por tanto equiparado al daño para evitar que determinados bienes sean sometidos a situaciones de peligro por desposeimientos[245]. Exactamente, la *esportazione abusiva* es calificada como un delito de **consumación anticipada** haciendo referencia ROTILI a «aquellos delitos cuya consumación se dará del cumplimiento del mínimo que, en otros casos, sería necesario y suficiente para integrar la tentativa. Si se da este mínimo, el delito está consumado»[246].

Además el art. 66 en su párrafo 1º castiga con la misma pena prevista para el reato consumado «*l'esportazione, anche soltanto tentata*»[247].

En segundo lugar, la conexión del delito de *esportazione abusiva* con la elusión del pago de derechos aduaneros origina la discusión sobre su naturaleza jurídica tributaria o extratributaria[248], discusión que ha perdido bastante

---

[244] Art 66 p. 1.: «*E punita con la reclusione da uno a quattro anni e con la multa da L.300.000 a L.4.500.000 l'esportazione, anche soltanto tentata, delle cose previste dalla presente legge e successive modificazioni:*
a) quando la cosa non sia presentata alla dogana;
b) quando la cosa sia presentata con dichiarazione falsa o dolosamente equivoca, ovvero venga nascota o frammista ad altri oggetti per sottrarla alla licenza di esportazione e al pagamento della tassa relativa».

[245] Para ROTILI el delito en examen, incluso en la forma de tentativa, revela en el sujeto agente la misma peligrosidad y la misma intención fraudulenta. ROTILI, B.: *La tutela penale...* ob. cit. p. 148 y ss.

[246] ROTILI, B.: ob. cit. p. 148. De opinión coincidente: AZZALI, G.: « Profili in tema di esportazione di opere d'arte», en *Indice Pénal*, 1977; p. 27 y ss; TESTORI, A.: «Esportazione abusiva di cose di interesse storico e artistico», en *Giurisprudenza italiana*, 1981, II, p. 13 y ss.

[247] Sobre este punto, MAZZA, L.: «Opere d'arte», en *Enciclopedia del Diritto XXX*, 1980; p. 277. AZZALI, G.: «Profili in tema di esportazione...», ob. cit. p. 35 y ss.

[248] En el primer sentido, G.I. Trib. Firenze, 29 gennaio 1972, para la cual la *esportazione abusiva* es un delito de naturaleza duanal que ofende, además del interés artístico-cultural, también el interés tributario del Estado. En el segundo sentido, TESTORI: «Esportazione abusiva...», ob. cit. p. 13, ROTILI, B.: *La tutela penale...* ob. cit. p. 199.

interés a partir de que el D.L. nº 288 de 5 de julio de 1972, convertido en ley de 8 de agosto de 1972, suprimiera la tasa por exportación cuando el bien va destinado a un país de la Comunidad Económica Europea. Consecuentemente la exportación ilícita de cosas de interés histórico-artístico no tiene por tanto naturaleza fiscal, es un delito extra-tributario que menoscaba el interés cultural a cuya tutela se dirige la prohibición de exportación[249].

La descripción del tipo penal supone la necesaria concurrencia del *interés histórico, artístico, arqueológico o etnográfico* definido en el art. 1 de la Ley, lo que significa que estaremos en presencia de aquel delito, no sólo cuando se trate de bienes cuya exportación constituya un menoscabo o daño para el patrimonio nacional (supuesto en el cual la exportación resulta prohibida a tenor del art. 35 de la Ley), sino en general cuando sea identificable el interés a que se refiere la Ley 1089[250]. Parece evidente, pues, que el **objeto** del delito de *esportazione abusiva* podrá estar constituido, tanto por las antigüedades y objetos de arte cuya exportación resulta prohibida con carácter absoluto —pues, tal y como hemos dicho, dicha exportación supone un daño para el patrimonio cultural nacio- nal— como por aquellos bienes cuya exportación es prohibida si no va acompa- ñada de la licencia otorgada por la autoridad administrativa a tal efecto[251].

La exportación abusiva es un delito **doloso**, debiendo pues el agente actuar con consciencia y voluntad de realizar el evento dañoso o peligroso previsto en la norma incriminadora.

De acuerdo con ROTILI y PIVA el dolo requerido en la letra b) del art. 66 es un *dolo specifico*[252], donde el legislador requiere que el sujeto activo haya procedido por un fin particular, cuya realización no es, sin embargo, necesaria para la existencia del delito; en este caso particular, se requiere que el compor- tamiento fraudulento del exportador vaya dirigido a sustraer la cosa a la licencia y al pago de la tasa.

Por último, en cuanto a la **sanción**, tal y como expusimos, la esportazione abusiva, aún en la forma de tentativa, se castiga con la reclusión de 1 a 4 años y con multa de 300.000 L. a 4.500.000 L. A su vez, el legislador también

---

[249]   También de esta opinión, AZZALI: ob. y loc. cit.
[250]   ALIBRANDI, T.; FERRI, F.: *I beni culturali...* ob. cit. p. 683.
[251]   ROTILI, B.: ob. cit. p. 140 y ss.
[252]   La distinción entre *dolo generico e specifico* es acogida por la doctrina dominante; así, ANTOLISEI, F.: *Manuale di Diritto penale. Parte Generale.* Milano, 1994; p. 328 y ss. SANTANIELLO, G.; MARUOTTI, L.: *Manuale di Diritto penale. Parte Generale.* Milano, 1990; p. 307 y ss. PADOVANI, T.: *Diritto penale.* Milano, 1995, p. 258 y ss; MANTOVANI, F.: *Diritto penale.* Padova, 1992, p. 330 y ss.

contempla la **confiscación** de la cosa objeto de exportación fraudulenta o de intento de exportación. Sin embargo, de acuerdo con el párrafo 3° del art. 66, tratándose de bienes de propiedad de entes o institutos legalmente reconocidos, podrá disponerse la entrega de aquellos al ente o instituto que era propietario de los mismos.

Existe cierta doctrina jurisprudencial[253], a propósito de la mencionada confiscación según la cual ésta no procede cuando el objeto exportado indebidamente pertenezca a persona extraña al delito[254]. Posteriormente, la propia jurisprudencia matiza su posición al considerar que la confiscación debe ser dispuesta cuando se acredite judicialmente el contrabando a cargo del detentador de la mercancía secuestrada o bien cuando la extraneidad del mismo al delito obedezca a causas meramente subjetivas, las cuales no interrumpen la relación de la cosa con su ilegítima introducción en el Estado. Sin embargo no se admite la confiscación cuando haya tenido lugar una adquisición de buena fe por un tercero o bien haya sido discutida o excluida la falta de pago de los derechos como consecuencia de la exportación[255].

Sin embargo, cuando la cosa no haya podido ser recuperada (o haya sido efectivamente exportada) el art. 64 de la Ley 1089 señala que el transgresor viene obligado a abonar al Estado una suma equivalente al valor de aquél, suma que determinada por la Administración, será fijada definitivamente por la comisión prevista en el art. 59 de la misma Ley si el afectado no acepta aquella determinación. La mayoría doctrinal entiende esta sanción pecuniaria como sanción administrativa[256] impuesta por la contravención de un deber que dimana de una relación de supremacía general, resultando procedente no sólo cuando el bien exportado haya sido previamente objeto de la declaración a que

---

253 Vid., Cass. de 18 de noviembre de 1959.

254 Esta doctrina es objeto de críticas teniendo presente la legislación en materia de exportación (art. 301 del D.P.R. de 23 de enero de 1973, n. 43) que dispone, en todo caso, la confiscación de las cosas que sirvieron o fueron destinadas a la comisión del delito (no en cambio de aquellas que constituyeron el objeto, producto o provecho del delito) y por tanto, habrá confiscación también cuando la cosa pertenezca a persona extraña al delito. Ver ALIBRANDI, T.; FERRI, P.: *I beni culturali...* ob. cit. p. 682 y ss; MAZZA, L.: «Opere d'arte...», ob. cit. p. 6. ROTILI, B.: *La tutela penale delle cose...* ob. cit. p. 150 y ss.

255 Cassazione penale, III Sezione, 8 enero 1980; Cassazione penale, Sez. III, 27 de marzo de 1980; Cassazione penale, Sez. III, 26 de marzo de 1983.

256 Así, ALIBRANDI, T.; FERRI, G.: ob. cit. p. 683; ROTILI, B.: ob. cit. p. 150 y ss; MAZZA, L.: ob. cit. p. 277. Sin embargo no convence la tesis de PIVA, de acuerdo con la cual, la suma a pagar constituye una sanción propiamente penal, ya que de ser así, el legislador no podría haber atribuido a la autoridad administrativa el poder de incidir sobre la destinación a dar a la suma misma. PIVA, G.: «Cose d'arte», in *Enciclopedia del diritto* XI, p. 117 y ss.

se refiere el art. 3 de la ley 1.089 sino en todos los supuestos en que se exija la oportuna **licencia** de exportación[257].

H) Tipo subsidiario

Finalmente, el **artículo 70** formula un ilícito subsidiario con respecto a los más graves delitos previstos en la ley y al mismo tiempo residual respecto a la tutela específica de órdenes administrativas ya examinadas, disponiendo que, «*salvo que no sea prevista una pena más grave*, quien transgreda una orden del Ministro para los Bienes Culturales y Ambientales[258], en conformidad con la presente ley será castigado con la pena del art. 650 del *Codice penale*»[259] («*Inosservanza dei provvedimenti dell'Autorità*») esto es, con arresto de hasta tres meses o con ammenda de 80.000 L.

Se trata de una norma penal en blanco, cuyo reenvío al art. 650 del *Codice penale* se efectúa únicamente *quoad poenam*.

I) Contravenciones despenalizadas

La Ley 24 de diciembre de 1975 n. 706 reduce a meros ilícitos administrativos numerosas hipótesis contravencionales, considerados hasta entonces ilícitos penales previstos en la ley de tutela del patrimonio artístico e histórico. Aunque en principio puede parecer una contradicción, tal y como señala ROTILI, en cuanto la Ley n. 74 de 1975 agrava el sistema sancionador, elevando el montante de penas pecuniarias e introduciendo pena detentiva para poner un freno «*al fenómeno de los hurtos y de otras ilegalidades que van empobreciendo en medida tan grave el patrimonio artístico*»[260], realmente quizá sea más coherente la consideración como ilícitos administrativos de los ilícitos previstos en los art. 58, 60 y 69 de la ley n. 1089 de 1939.

---

[257] En todo caso, esta sanción del art. 64 es independiente de la concurrencia del delito previsto en el art. 66, tal y como reconoció la Sentencia de Casación de 3 de mayo de 1974, nº 1235.

[258] Se trataría, por ejemplo, de supuestos de órdenes relativas a la imposición al particular de la providencia necesaria para asegurar la conservación e impedir el deterioramiento de la cosa notificada o de obligar al propietario privado de bienes inmuebles de excepcional interés, declarados en el sentido de los art. 2 y 3, o de colecciones o series del art. 5, a admitir visitas de finalidad cultural etc...

[259] Art. 70: «*Salvo che non sia prevista una pena più grave, chiunque trasgredisce ad un ordine, dato dal ministro per l'educazione nazionale, in conformitá della presente legge, è punito con le pene di cui all'art. 650 del codice penale*».

[260] ROTILI, B.: *La tutela penale...*, ob. cit. p. 231 y ss.

Comenzamos por el **art. 58**[261] en cuyo párrafo 1º sanciona el incumplimiento por parte de los representantes de las entidades señaladas en el art. 4 de la ley de su obligación de presentar la lista descriptiva de las cosas muebles e inmuebles de interés histórico, artístico, arqueológico o etnográfico descrita en el art. 1 perteneciente a las entidades o instituciones que representan[262]. Se trata de una contravención omisiva, de naturaleza permanente, no habiendo un término de realización o cumplimiento para la redacción del Inventario. El incumplimiento descrito tiene como consecuencia la dispersión de gran parte del patrimonio italiano y por ello resulta sancionado con pena pecuniaria de multa de 300.000 a 3.000.000 L., sin perjuicio de la posibilidad de ordenar la formación de estos elencos con cargo al patrimonio de las personas que hayan incurrido en el citado incumplimiento.

En segundo lugar, el **art. 60** («*affissione abusiva di manifesti*») castiga a cualquiera que, en contra de lo dispuesto en el art. 22 de la ley, proceda a la *colocación de manifiestos, carteles, pinturas, inscripciones y cualquier otro medio de publicidad*, que dañe el aspecto, la decoración o el goce público de los inmuebles indicados en los art. 1, 2 y 3 de la Ley, con la pena de 50.000 a 1.000.000 L. Con independencia de la sanción penal la Administración podrá ordenar la retirada de los medios de publicidad indicados, corriendo por cuenta del agresor los gastos que ello suponga[263].

Finalmente el **art. 69** castiga la transgresión de la disposición del art. 51, la cual prohibe sacar calcos de los originales de los bienes indicados en el art. 1 de propiedad del Estado o de otro ente o instituto público, pudiendo el Ministro de

---

[261] Art. 58: «Los representantes del las provincias, de los municipios, de los entes e institutos legalmente reconocidos, que dentro del plazo prescrito por el ministro non presenten sin motivo justificado la lista a la que se refiere el art. 4 o presenten una inexacta, serán castigados con multa de 300.000 a 3.000.000 L., sin perjuicio de la mayor pena prevista en el código penal».

[262] Véase una aplicación del art. 58 en la Sentencia del Tribunal de Turín de 26 de noviembre de 1976, comentada por A. TESTORI (en *Rivista italiana di Diritto e Procedura Penale*, 1977, p. 1588 y ss.) sobre la violación por parte del responsable de un instituto religioso de la obligación de comunicar al Ministerio el bien de interés histórico y artístico adquirido en virtud de un legado hereditario.

[263] Art. 60: «*Chiunque, contro il divieto del soprintendente, proceda al collocamento o all'affissione di manifesti, di cartelli, pitture, iscrizioni e altri mezzi di pubblicità, è punito con l'ammenda da lire 50.000 a lire 1.000.000.*
Indipendentemente dall'azione penale, il soprintendente può disporre la rimozione d'ufficio dei sopraindicati mezzi di pubblicità chiedendo all'uopo, ove occora, l'ausilio della forza pubblica.
Le spese sono a carico del trasgressore.»

Educación, oído el Consejo Nacional de Educación, Ciencia y Arte, autorizar la realización del calco, si lo permiten las condiciones del original. El referido art. 69 castiga la conducta descrita con *ammenda* hasta 300.000 L[264].

3.3. El delito de falsificación de obras de arte (Ley 20 noviembre 1971, n. 1062)

Una vez realizada una visión de la *tutela delle cose di interesse artistico e storico* en la ley de 1939, pasamos a comentar el delito de falsificación de obras de arte, introducido en el ordenamiento italiano a partir de la **Ley de 20 de noviembre de 1971, n° 1062**[265]. Hasta ese momento la tutela penal sobre dicha materia era bastante limitada, ya que la única normativa que podía ser aplicable eran los artículos del Codice penale referentes a la estafa («*truffa*»), a la falsedad en escritura privada y el art. 171, let. a), de la ley 22-4-1941, n. 633, en tema de derecho de autor[266].

El primero de los tipos legales previstos en la Ley de 1971 sanciona a «quien, con intención de obtener un beneficio, falsifica, altera o reproduce[267], una obra pictórica, escultórica o gráfica o un objeto de antigüedad o de interés histórico

---

[264] Art. 51: «*E vietato di trarre calchi dagli originali di cose indicate nell'art. 1 di proprietà dello Stato o di altro ente o istituto pubblico.Il ministro per l'educazione sentito il consiglio nazionale dell'educazione, delle scienze e delle arti puo autorizzare l'esecuzione di calchi, qualora le condizioni dell'originale lo consentano*».
Art. 69: «*Chiunque contravviene alle disposizioni di cui l'articolo 51 è punito con l'ammenda fino a L.3.000.000*".

[265] Sobre dicha Ley, vid. LANZI, A.: «La tutela del patrimonio artistico attraverso la repressione delle falsificazioni delle opere d'arte», en *La tutela penale del patrimonio artistico. Atti del sesto simposio di diritto e procedura penali*. Milano, 1977 p. 217; PASELLA, R.: «Brevi appunti sulla Legge 20 novembre 1971, n. 1062 contenente norme penali sulla contrafazione o alterazione di opere d'arte», en *La tutela penale...* p. 251; VENTURATI, P: «Il falso d'arte», en *La tutela penale...* p. 283.; ALIBRANDI, T.; FERRI, P.: *Il diritto dei beni culturali ...* ob. cit., p. 691; ROTILI, B.: *La tutela penale ...* ob. cit. p. 195.

[266] Otros tipos delictivos como el regulado en el art. 473 del Código penal italiano referente a los supuestos de falsificación de signos distintivos de las obras de ingenio («*contraffazione, alterazione o uso di segni distintivi di opere dell'ingegno*») son de difícil aplicación en estos supuestos, tal como señala LANZI, debido a la exigencia de determinadas condiciones. LANZI, A.: «La tutela del patrimonio artistico...», ob. cit. p. 217 y ss.

[267] Sobre este punto, definiendo las modalidades de conducta, ROTILI: ob. cit. p. 198 y PALLESA, R., «Brevi appunti sulla legge del 20 novembre 1971 n. 1062 contenente norme penali sulla contraffazione o alterazione di opere d'arte», in *La tutela penale del patrimonio artístico*, cit. p. 251 y ss.

o arqueológico, con pena de tres meses a cuatro años de reclusión y multa de 100.000 a 3.000.000 L»[268].

Si desde el punto de vista objetivo es suficiente para integrar o completar el ilícito la ejecución de la falsedad, el delito es perfecto sólo cuando la falsificación haya sido efectuada por el agente con la *finalidad de recabar un provecho o ganancia ilícita*. Es necesario, por tanto, no sólo la consciencia y voluntad de efectuar la falsedad sino también la intención (dolo especifico) de conseguir una ventaja de carácter ilícito de la conducta realizada[269].

En cuanto al **objeto material** sobre el cual puede recaer la falsificación se observa que el legislador concede un amplio margen, no introduciendo ninguna limitación con respecto a las obras de autores vivos, a diferencia de la Ley de 1939.

En idéntica pena incurrirán, de acuerdo con el otro tipo previsto en el párrafo segundo del **art. 3** de la mencionada ley, quienes, sin haber tenido participación en la alteración, falsificación o reproducción indicadas, sitúen en el comercio o detenten con la intención de comerciar, o introduzcan con esta finalidad en el territorio del Estado, o de cualquier modo pongan en circulación, como auténticos, ejemplares falsificados, alterados o reproducidos de obras pictóricas, escultóricas, gráficas o de objetos de antigüedad o de interés histórico o arqueológico[270].

Porre in commercio no equivale a vender, de forma que el delito bajo el perfil objetivo, se perfecciona en el momento en que la cosa es ofrecida u ofertada para la adquisición de un tercero, por ejemplo, desde el momento que el objeto está expuesto como auténtico en un escaparate. No configura, por tanto, dicho tipo delictivo la introducción del objeto en el territorio del Estado por un aficionado privado pero sin la intención de comerciar.

Por *mettere in circolazione* se entiende el transferir por cualquier motivo el objeto, con o sin fin lucrativo, de la esfera de custodia de un sujeto a la de otro,

---

[268] Art. 3 párrafo 1°: «*Chiunque, al fine di trarne profitto, contraffà, altera o riproduce un'opera di pittura, scultura o grafica, o un oggetto di anchità o di interesse storico o archeologico è punito con la reclusione da tre mesi fino a quattro anni e con la multa da lire centomila fino a lire tre milioni*».

[269] ROTILI (*La tutela penale...*, cit. p. 195) realiza un detallado examen del delito en cuestión.

[270] Art. 3 parraf. 2°: «*Alla stessa pena soggiace chi, anche senza aver concorso nella contraffazione, alterazione o riproduzione, pone in commercio, o detiene per farne commercio, o introduce a questo fine nel territorio dello Stato, o comunque pone in circolazione, come autentici, esemplari contraffatti alterati o riprodotti di opere di pittura, scultura grafica o di oggetti di antichità, o di oggetti di interesse storico od archeologico*.

de modo que éste no pueda disponer de ella. Así, se pone en circulación un bien, no sólo cuando lo venda, sino también cuando lo de en préstamo, en depósito, en donación etc...

El delito se **consuma** en el momento y en el lugar en el cual se detente o se introduzca en el territorio del Estado para el comercio, o bien se ponga en circulación algún bien de los indicados, o bien se realice el primer acto de puesta en circulación (aunque no se haya vendido, por ejemplo).

En cuanto al *elemento subjetivo* se requiere que el agente haya actuado con conciencia y voluntad, conociendo que el bien había sido falsificado. No concurre sin embargo, a diferencia del primer tipo del apartado 1º, un dolo específico[271]. El tipo en examen difiere del anterior, además de por el elemento subjetivo, por el hecho de que el primero tiene por objeto la falsificación de la obra de arte, mientras que el segundo tiene por objeto una actividad sucesiva que se reduce a situar en el comercio la obra previamente falsificada.

A tenor del **art. 4** de la Ley de 1971, «se impondrá la citada pena de reclusión y multa:

1) a quienes conociendo la falsedad, *autentifiquen* los objetos falsificados, alterados o reproducidos a que se refiere el art. 3,

2) así como a quienes, mediante otro tipo de declaraciones, peritajes, publicaciones, aposiciones de timbre o etiquetas o de cualquier otro modo, *acrediten o contribuyan a acreditar,* con conocimiento de la falsedad, como auténticas las obras y objetos falsificados, alterados o reproducidos indicados en el citado art. 3»[272].

De acuerdo con ROTILI nos encontramos ante supuestos de falsedad ideológica, ya que la falsificación atiende a la veracidad de la declaración. Sin embargo, desde el punto de vista práctico, ninguna consecuencia se deriva de la naturaleza de la falsedad pues el legislador ha parificado, al fin de la imposición de la pena, las hipótesis de falsificación, alteración o reproducción de obra de arte a que se refiere el art. 4.

---

[271] ROTILI, B.: *La tutela penale...* ob. cit. p. 200 y ss.

[272] Art. 4: «*Alle stesse pene soggiace anche:*
1) chiunque, conoscendone la falsità, autentica opeere ed oggetti, indicati nell'art. 3, contraffatti, alterati o riprodotti;
2) chiunque mediante altre dichiarazioni, perizie, pubblicazioni, apposizioni di timbri o etichette o con qualsiasi altro mezzo accreditata o contribuisce ad accreditare, conoscendone la falsità come autentici opere od oggetti, indicati nell'art. 3, contraffatti, alterati o riprodotti».

La primera de las conductas descritas consistente en *declarar como auténtica la obra u objeto falsificado, alterado o reproducido,* puede asumir forma escrita u oral.

Sujeto activo puede ser cualquiera; lógicamente si la autentificación proviene de persona experta y competente con particulares conocimientos técnicos sobre la materia la conducta será más grave, por su mayor credibilidad, siendo castigado más severamente.

Con base en el segundo párrafo del art. 4 también constituye delito el *acreditar o contribuir a acreditar* como auténtica cosa falsificada, alterada o reproducida. El legislador se refiere con ello a la actividad dirigida a convencer a un tercero de que una determinada obra falsa es, en realidad, genuina. No se requiere, sin embargo, que el sujeto pasivo sea convencido de la autenticidad del bien.

En ambos tipos legales, en cuanto al elemento subjetivo, es necesario que el agente realice el hecho con consciencia y voluntad, es decir, sabiendo que el bien autentificado, acreditado… etc… es falso. Destaca ROTILI la dificultad en la verificación del elemento subjetivo, siendo práctica habitual por parte del agente poder invocar la buena fe en la formulación del juicio en orden a la autenticidad o paternidad de una obra de arte.

Se ha observado a su vez que, en algunos casos se recurre, a fin de sustraerse a la condena penal a un descargo de responsabilidad (*«discarico di responsabilità»*) entre los diversos sujetos con la consecuencia de que la sanción penal no pueda operarse con respecto a ninguno; así por ejemplo, el caso en el cual el comerciante que ha vendido el cuadro, luego verificado como falso, declara haberlo adquirido de buena fe de otro comerciante; este último, a su vez, alegando la propia buena fe demanda a otro comerciante que le ha vendido y así hasta que se llega al primer comerciante el cual, las más de las veces es *«defunto»*[273].

El delito se consuma al poner en marcha la actividad antijurídica prevista en la norma, no siendo necesaria la consecución de una ventaja o provecho o beneficio, ni que la conducta vaya encaminada a lograr un beneficio ilícito; sin embargo, habitualmente la falsificación de obra de arte o del objeto de interés histórico o arqueológico no es el fin en sí mismo, pero constituye una actividad preordenada al logro de un beneficio, constituido por la venta del bien a un precio superior al de su valor real.

---

[273] LANZI, A.: *La tutela del patrimonio…*, ob. cit. p. 217; ROTILI, B.: ob. cit. p. 204.

No puede ponerse en duda que, en las relaciones de compra-venta comerciales que tienen por objeto bienes de antigüedad y de arte, la falsificación de éstos, en las formas indicadas en los arts. 3 y 4, constituyen ciertamente un engaño suficiente para integrar el delito de estafa («*truffa*»), cuando el sujeto activo induciendo en error al adquirente, haya realizado un injusto provecho (*truffa consumata*) o haya tratado de procurárselo (*truffa tentata*). Ninguna duda subsiste, por tanto para subsistir la posibilidad del **concurso** de los mencionados delitos[274].

La pena prevista para todos los tipos recogidos en la Ley nº 1062 es la de reclusión de 3 meses a 4 años y multa de 100.000 a 3.000.000 L. La indicada pena se incrementará hasta un tercio de producirse los hechos tipificados como delito en el ejercicio de una actividad comercial[275].

Se contempla una causa especial de *exclusión de la punibilidad* en el art. 8; así, las sanciones penales antes citadas no serán de aplicación a quienes reproduzcan, detenten, pongan en venta o de cualquier otro modo difundan copias pictóricas, escultóricas o gráficas, o bien copias o imitaciones de objetos de antigüedad o de interés histórico o arqueológico *expresamente declarados no auténticos*, mediante anotación escrita sobre la obra u objeto, o cuando lo anterior no sea posible por la naturaleza o dimensiones de la copia o imitación, mediante la oportuna declaración en el acto de la exposición o de la venta.

Tal y como se desprende del tenor de la ley, la finalidad de la disposición es la de evitar que toda actividad de estudio o de reproducción no maliciosa, que no ponga en peligro o arriesgue los intereses a tutelar, pueda caer bajo la sanción penal.

Sin embargo, se plantean algunas objeciones doctrinales: así, en primer lugar, si la *ratio* de la norma es la que acabamos de mencionar, no se entiende por qué se limita al caso en el cual se procede a la exposición o a la venta de la cosa no auténtica, y no también cuando se detenta simplemente todavía el

---

[274] De esta opinión: VENTURATI, P.: Il falso d'arte... ob. cit. p. 285 y ss; ROTILI, B.: ob. cit. p. 204 y ss.

[275] La sentencia condenatoria irá acompañada de la suspensión de la autorización para el ejercicio de la actividad comercial correspondiente, así como, en el caso de reincidencia del art. 99,2 nº 1 y 2 del CP, de la revocación de la inscripción en la especial sección del registro de ejercientes del comercio.
Asimismo la sentencia condenatoria será publicada en tres diarios de difusión nacional, ordenándose la confiscación de los ejemplares falsificados, alterados o reproducidos, salvo que se trate de cosas pertenecientes a personas extrañas al delito. Los objetos confiscados serán ofrecidos en pública subasta (art. 6 y 7).

objeto no expuesto o vendido pero con la intención de declararlo en un momento sucesivo; en segundo lugar, por qué va ligada exclusivamente la aplicabilidad del precepto a una actividad meramente formal, como es «*l'annotazione scritta di non autenticità*» sobre la obra u objeto y no de la declaración del sujeto agente, de cualquier modo manifestada, de la falsedad de la obra[276] (salvo el supuesto excepcional por la naturaleza de la obra).

Por último, tampoco se aplican las indicadas penas a las restauraciones artísticas que no hayan procedido de una manera determinante a la reconstrucción de la obra original.

A modo de conclusión, debe ponerse de manifiesto como, de acuerdo con la común opinión doctrinal, la característica fundamental del delito de falsificación de obras de arte estriba en penalizar los hechos realizados con intención de fraude o estafa[277]. Sin embargo, es una Ley que, pese al entusiasmo con que fue recibida al insertarse en un contexto normativo carente en la materia, dando así respuesta al mandato constitucional ha sido escasamente aplicada[278].

3.4. El delito específico de «danneggiamento» previsto en el Codice penale

A) Consideraciones previas

Además de la tipificación penal de la materia en las leyes especiales comentadas, el Código Penal italiano contempla la protección de los bienes de interés histórico, artístico, arqueológico e, incluso, natural o ambiental en dos preceptos, los artículos **733** («*danneaggiamento al patrimonio archeologico, storico o artistico nazionale*») —el cual conforma nuestro objeto de estudio inmediato— y 734 («*distruzione o deturpamento di bellezze naturali*») enmarcándose este último en la protección de las «*bellezze naturali*» contempladas en la ley de 29 de junio de 1939. Previsión en el Código que resulta de la insuficiencia de la ley especial en la salvaguardia de la integridad «*delle cose d'antichità e d'arte*». Tal

---

[276]   De modo que, en otros términos, de la formulación de la norma se desprende que, si el autor de la falsificación, antes de proceder a la venta de un cuadro a un tercero, declara con anotación escrita «*sul retro de la opera*» que esta última es falsa estará exento de pena; sin embargo, si tal declaración es realizada oralmente no será invocable la eximente. De acuerdo con ROTILI ello lleva a conclusiones absurdas. ROTILI, B.: *La tutela penale...* ob. cit. p. 208.

[277]   ALIBRANDI, T.; FERRI, G.: *I beni culturali* ..., ob. cit. p. 693. PETRONE P.: La tutela penale..., ob. cit. p. 261.

[278]   LANZI, A.: *La tutela del patrimonio* ..., ob. cit. p. 218 y ss.

y como se ha expuesto, la Ley de 1 de junio de 1939 introduce un conjunto de normas, en algunos aspectos bastante eficaces, al fin de salvaguardar la integridad del patrimonio histórico e artístico nacional; sin embargo, no puede decirse que haya alcanzado plenamente su finalidad, cuando se considera que una notable categoría de bienes —en particular, aquellos de propiedad privada no sujetos a vínculo— permanecen sustancialmente fuera de toda tutela frente a determinadas agresiones harto frecuentes.

A la luz del dictado constitucional (art. 9), que recordamos impone la obligación al Estado de tutelar «*il patrimonio storico e artistico della Nazione*», sin otra especificación, tal omisión resulta grave e inadmisible[279].

B) El delito específico de «daños» previsto en el art. 733 CP

La protección penal de los bienes culturales se encuentra en el *codice penale* en su art. 733 bajo la rúbrica «*Danneggiamento al patrimonio archeologico, storico o artistico nazionale*»[280].

En primer lugar nos referiremos al **bien jurídico protegido** en este delito:

La mayoría de la doctrina penal italiana es partidaria de *la tesis constitucionalista del bien jurídico*[281], con base en la función de tutela del Derecho Penal frente a las agresiones a los derechos constitucionalmente reconocidos. De ahí la importancia del reconocimiento constitucional de la obligación de *salvaguardia del patrimonio culturale della Nazione* en su art. 9. El legislador tiene ante sí un bien jurídico previsto constitucionalmente y entra a articular su tutela, tanto en la legislación especial como en el *codice penale*.

La técnica o forma de tipificación escogida es la *contravención*. En materia contravencional el Código prevé la institución de la condonación («*l'oblazione*»)[282] consistente en la renuncia del Estado a su pretensión punitiva, previo pago de

---

[279]   Posteriormente estudiaremos la coordinación entre la protección penal prevista en el *codice penale*, en su artículo 733 y en la ley especial de 1939, concretamente en su artículo 59 y si existe un concurso o no entre dichos preceptos.

[280]   Art. 733 CP: «Cualquiera que destruya, deteriore o de cualquier modo dañe un monumento u otra cosa propia siendo notorio su relevante valor será castigado, si del hecho deriva un daño o perjuicio al patrimonio arqueológico, histórico o artístico nacional, con arresto de hasta un año o con multa no inferior a cuatro millones de liras.

Puede ser ordenada la confiscación de la cosa deteriorada o de cualquier modo dañada».

[281]   Vid. MANTOVANI, F.: *Diritto Penale*, Padua, 1988, p. 25. ANTOLISEI, F.: *Manuale di Diritto Penale*, Milán, 1991, p. 7.

[282]   ALBAMONTE: *Il condono edilizio*. Roma, 1985, p. 104.

una suma de dinero por el contraventor, ejercitable a través del proceso penal[283]. Es por ello que, con respecto a las contravenciones, la doctrina argumenta que, más que un único bien jurídico protegido, en ellas existe un bien jurídico inmediato, relacionable con un interés de la Administración, y un bien jurídico mediato que variará en cada figura. En el ámbito que nos ocupa, en virtud de la técnica de tipificación, la contravencional, de acuerdo con la tesis mantenida, el **bien jurídico** protegido de manera *inmediata* sería el interés de la Administración en la conservación del patrimonio arqueológico, histórico o artístico nacional; *mediatamente* se protegería el patrimonio cultural de la Nación, el bien jurídico consagrado constitucionalmente.

En cuanto a la **conducta típica** consiste en destruir, deteriorar o *de cualquier otra forma dañar* el bien. De la lectura del precepto se desprende que la acción de «dañar» tiene un significado más amplio que las otras acciones descritas, comprendiendo cualquier conducta que disminuya la utilidad o el valor de la cosa. Basándose en ello ROTILI entiende que deben comprenderse tanto los daños directos, es decir, cuando se destruye, deteriora o de cualquier otra forma se daña el bien en su materialidad, sino también los daños indirectos, cuando sin haber contacto el bien sufre igualmente un daño, poniendo por ejemplo el supuesto de construcción de un edificio de grandes dimensiones en inmediata cercanía de un importante monumento, estimando que en muchos casos tan relevante es el bien en sí como el ambiente o entorno que le rodea[284]. De todo ello se deduce que la noción de «*danneggiamento*» debe asumir un significado más extenso del habitual.

---

[283] Art. 162: «En las contravenciones, para las cuales la ley establezca la sola pena de la multa, se admite que el contraventor pague, antes de la apertura del debate anterior al decreto de condena, una suma correspondiente a la tercera parte del máximo de la pena establecida en la ley para la contravención cometida, además de las costas del procedimiento. El pago extingue el delito».
Art. 162 bis: «En las contravenciones, para las cuales la ley establezca la pena alternativa del arresto o del la multa, se admite que el contraventor pague, antes de la apertura del debate anterior al decreto de condena, una suma correspondiente a la mitad del máximo del la multa...
El magistrado tiene la facultad de rechazar la solicitud, teniendo presente la gravedad del hecho».
[284] En el ámbito de la ley n. 1089 la tutela penal del ambiente se subordina a una serie de presupuestos: a) que el bien de interés histórico o artístico sea de propiedad de entes públicos o si pertenece a privados esté declarado como tal oficialmente (*vincolato*); b) que el ministro haya emitido una orden de conservación imponiendo una zona de respeto (art. 21).

También del tenor literal se desprende que la conducta puede ser tanto *activa* como *omisiva* («de cualquier forma» dañe)[285].

Aunque ya algo se ha comentado, pasemos a analizar con más detenimiento cual es el **objeto material de protección**:

El objeto de tutela penal lo constituyen los monumentos y los bienes de singular valor, con las matizaciones efectuadas anteriormente, que formen parte del patrimonio arqueológico, histórico o artístico nacional.

Para integrar el tipo penal, cierto sector doctrinal entiende deberá acudirse a los art. 1 y 2 de la Ley 1089 de 1 de junio de 1939. Sin embargo, otras voces autorizadas[286] señalan que la noción de patrimonio así formulada resulta muy limitada y, por tanto, no puede ser acogida como referencia exacta de los bienes que lo integran. Como se deduce de los trabajos preparatorios, la finalidad del legislador era la de prestar una eficaz tutela, no ya a un número más o menos limitado de objetos de arte sino a todo el complejo de bienes que se definen por presentar un valor histórico, artístico, arqueológico. Evidencia ROTILI que, excluir de la noción de Patrimonio una antigüedad o un objeto de arte que pertenezca al Estado o a cualquier otro ente público significa vaciar de contenido la norma, siendo notorio que gran parte de los objetos indicados, tal y como ya comentamos, son de propiedad del mencionado ente[287].

Por tanto, la relación contenida en los artículos de la citada Ley tendrán un carácter indicativo, si bien, ciertamente, los objetos a que hacen referencia estarán incluidos en el concepto de «patrimonio artístico, histórico o arqueológico»; resulta dudoso sin embargo si se excluye de protección en este precepto a las obras de autores vivos o aquellas cuyo origen no vaya más allá de los 50 años. Además, es de resaltar que se protege, no cualquier cosa que tenga algún tipo de interés artístico, histórico y arqueológico, sino que es necesario que el bien sea de «*relevante valor*» y que dicha cualidad sea conocida por el sujeto agente; requisito de «notable valor» referido tanto a la cosa *per se*, como al valor

---

[285] NUVOLONE entiende la conducta del 733 puede llevarse a cabo «omitiendo voluntariamente los cuidados o reparaciones necesarios para el mantenimiento de la cosa…». ROTILI va más allá y amplia excesivamente su aplicación a los supuestos de omisión negligente de las labores de mantenimiento del bien, lo que resulta incongruente con el elemento subjetivo. NUVOLONE: «Linea fondamentali della tutela penale dei beni culurali mobili», in *L'Indice penale*, 1977, p. 1193.

[286] GIANNINI,: «*Beni culturali nell'ordinamento italiano*», 1976, p. 3; MANSI, A: *La tutela dei beni culturali*, 1993, p. 37; ROTILI: ob. cit. p. 95.

[287] Aunque para tal razonamiento, como se ha visto, el término «propio» usado por el legislador no puede ser entendido en un significado técnico-jurídico que determine automáticamente la exclusión, como sujeto activo del delito, de los representantes del ente público.

derivado de las circunstancias de tiempo o de lugar, esto es, una considerable relevancia bajo el perfil histórico, artístico o arqueológico[288].

Por lo que respecta al **sujeto activo** será, de acuerdo con el precepto, «cualquiera que dañe... un monumento u otra cosa *propia.*»

La **doctrina** coincide mayoritariamente en que se trata de un tipo *especial*, en virtud de la relación existente entre el sujeto y la cosa objeto de protección, relación reconducible al título de pertenencia a través del cual se disfruta la cosa, ya que a pesar de que el 733 se refiera a «cualquiera» que dañe el objeto mencionado, sin embargo se exige que recaiga en cosa «*propia*»[289]. A este respecto, cierto sector doctrinal considera que sólo puede ser sujeto activo el propietario del bien[290].

A su vez, la jurisprudencia de la Corte de Casación, si bien coincide en considerar que sólo podrá ser sujeto activo el propietario del bien, reconduciendo la responsabilidad de cualquier otra persona al delito de daños genéricos[291], sin embargo está dividida en cuanto a la admisión de la responsabilidad del representante de persona jurídica propietaria del bien. Así, la sentencia de 24 de

---

[288] Concretamente, en cuanto al patrimonio arqueológico, debe considerarse, no sólo el objeto aislado descubierto en el transcurso de las excavaciones sino también la zona arqueológica en la que, sobre la base de trazados visibles (ej. arcillas aflorantes) o de una búsqueda científica aparecerán con toda probabilidad elementos o datos útiles para el conocimiento histórico de una época o un pueblo resulta.

De cuanto se ha dicho, se deriva que en el supuesto de un sujeto que utilice un terreno de valor arqueológico de su propiedad, o del que tenga de todos modos disponibilidad, con la intención de erigirse una edificación, será de aplicación el 733 en el caso de que sea acertado el «relevante valor «de tal suelo. ROTILI, B: ob. cit. p. 96 y ss.

[289] En sentido contrario, DI GIOVINE sostenía que el art. 733 contemplaba dos hipótesis distintas: un tipo común (daños a monumento) y un tipo especial (daños de cosa mueble propia). DI GIOVINE, G.: «Appunti sulla tutela degli immobili di interesse artistico o storico», nota a sentenza del Pretore di Montichiari del 12 giugno 1969, in *Riv. giur. edil.* 1971, 1, p. 697 y ss. Sin embargo esa tesis, de acuerdo con ROTILI no puede ser acogida; es cierto que la norma exige que el daño recaiga sobre «un monumento u **otra cosa propia**» por lo que debe interpretarse como que también el monumento debe ser «propio» del sujeto activo; esta debía ser la intención del legislador al añadir el adjetivo «*altra*». ROTILI: *La tutela penale...* ob. cit. p. 90 y ss.

[290] GRISOLIA, M.: *La tutela delle cose d'arte...* , ob. cit. p. 430 y ss; CRESPI-STELLA-ZUCCALA: *Comentario breve al codice penale.* Padua, 1992, p. 1240; DI AMATO, A.: *Diritto penale dell'impresa*, Milano, 1992, p. 368; PIVA, G.: «Cose d'arte»... , ob. cit., p. 117 y ss; NUVOLONE, P: Introduzione. La tutela penale del patrimonio artistico..., ob. cit. p. 1184; PIOLETTI, G.: «Patrimonio artistico...» ob. cit. p. 116 y ss.

[291] Cass. , sez. III, 15 ottobre 1980, Anfiero, en *Cass. pen. 1982*, p. 245 y ss; Cass. sez. II, 17 febbraio 1987, Lunari, *Cass. pen. 1988*, p. 964.

noviembre de 1992[292] la rechaza; sin embargo, las sentencias II 86/175141 y III 91/187801, entienden, por contra, que será considerada propia «toda cosa de la que un sujeto tenga disponibilidad concreta; y por eso también el bien propiedad de una sociedad de la que el agente sea administrador».

Las consecuencias prácticas derivadas del mantenimiento de la posición que entiende sólo puede cometer el delito el propietario son importantes pues, como hemos comentado resulta problemático el supuesto de, por ejemplo, los *representantes de personas jurídicas*, en cuanto simples poseedores de bienes pertenecientes a entes públicos, y de otra parte éstos últimos, en cuanto privados de capacidad penal, no podrán ser sujetos activos del tipo («*societas delinquere non potest*»)[293]. De ahí que la norma en ella misma, de seguir esta interpretación, sólo tutelaría una pequeña parte del patrimonio nacional, el perteneciente a persona física y exclusivamente el caso en que el autor del daños sea el propietario del bien, mientras que dejaría fuera de tutela al bien de propiedad de persona jurídica y, por ende, de las entidades eclesiásticas las cuales, como es sabido, son poseedoras de la mayor parte del patrimonio artístico e histórico.

Es por ello que la norma debe ser interpretada de modo que alcance la finalidad para la que fue promulgada, teniendo también en cuenta los principios constitucionales (La República... tutela el patrimonio artístico de la Nación) lo que evidencia el claro empeño del Estado en salvaguardar y valorar el patrimonio artístico nacional. La Norma Suprema debe, por tanto, constituir para el intérprete un principio en el que inspirarse y tener presente en la aplicación práctica de la ley ordinaria.

Tras la afirmación realizada se plantea la duda de si, al término «propio» debe dársele un significado más amplio, de suerte que sea considerada como «*propia*» la cosa que pueda ser utilizada o disfrutada por quien en la práctica la disponga, sea o no titular de un derecho de propiedad. Si entendemos que el hecho penalmente relevante es la *disponibilidad concreta* del bien, de ese modo podría ser sujeto activo del delito el que disponga la cosa, ya sea por un título

---

[292]   En Il Foro Italiano (II), 1993, p. 93 (resuelve sobre el caso de la plaza de la Signoria en Florencia).

[293]   La discusión doctrinal no resulta pacífica en este punto: mientras que para un sector, entre los que se encuentran CRESPI-STELLA-ZUCALLA y DI AMATO, sujeto activo del delito sólo puede ser el propietario de la cosa de que se trate, para MANTOVANI puede serlo también el representante de una sociedad comercial, mientras que para ROTILI las cosas pertenecientes a entes públicos deben reconocerse como propias de todos los componentes de la colectividad p. 94. CRESPI-STELLA-ZUCALLA: ob. cit. p. 1240; DI AMATO, A.: ob. cit. p. 368; MANTOVANI: «La disciplina penale», in *La tutela penale del patrimonio artistico*... ob. cit. p. 49 y ss; ROTILI, B.: *La tutela penale*..., ob. cit. p. 92.

de propiedad o de posesión[294]. A su vez, también podría ser autor del delito, en base a lo afirmado, el representante legal de una persona jurídica.

En cuanto al **elemento subjetivo**, es necesario el «conocimiento por parte del sujeto agente del relevante valor[295] de la cosa», lo que supone el rechazo de la comisión imprudente por la existencia de dicho elemento subjetivo, a pesar de que, al tratarse de contravenciones, resulta indiferente, en términos generales, que la comisión sea dolosa o imprudente[296].

En otro orden de cosas, la doctrina científica italiana se plantea si el «daño o perjuicio («nocumento») al patrimonio arqueológico, histórico o artístico» constituye o no una **condición objetiva de punibilidad:**

Se sostiene comúnmente por la doctrina que, si bien la conducta típica consiste en destruir, deteriorar o de cualquier modo dañar un monumento o cualquier otra cosa propia, para que ésta sea punible debe derivarse del hecho ilícito un daño al patrimonio arqueológico, histórico o artístico nacional.

Si este hecho no se verifica, entiende MANZINI[297] que, no será punible en base al art. 733, si bien, no quedará falto de protección, si al propietario se le ha notificado el interés relevante, ya que podrá aplicársele el artículo 59 de la ley especial, el cual no exige la verificación de la condición mencionada, la cual constituye una condición objetiva de punibilidad[298] de acuerdo con el art. 44 del *Codice penale*.

Otras voces doctrinales, a mi juicio de forma acertada, tildan de pleonástica la disposición en examen; cuando se destruye o de cualquier forma se daña un monumento u otro bien propio de relevante valor, el patrimonio arqueológico, histórico o artístico nacional inevitablemente recibe un *nocumento* (daño o perjuicio), da lugar automáticamente al daño al Patrimonio, tal que ninguna ulterior precisión sea necesaria para la punición del contraventor. Ni siquiera exige el precepto que el daño sea grave o relevante, únicamente que se haya llevado a cabo[299].

---

[294] ROTILI: ob. cit. p. 90 y ss.

[295] La cosa debe poseer «objetivamente» el relevante valor requerido por el legislador.

[296] PADOVANI, T.: «Tutela di beni e tutela de di funzioni nella scelta fra delitto, contravvenzione e illecito amministrativo», en *Cassazione penale*, 1987, p. 670 y ss.

[297] MANZINI, V.: *Tratado di Diritto Penale italiano*, Milán 1964, p. 1075 y ss.

[298] Otras voces doctrinales opinan que el daño o perjuicio al patrimonio nacional no es una condición objetiva de punibilidad sino que del evento dañoso depende la existencia del tipo delictivo. SABATINI, G *Le contravvenzione nel codice penale vigente,* Milano, 1961 p. 459.

[299] También de esta opinión, ROTILI, B.: ob. cit. p. 105 y ss.

De acuerdo con SANTANIELLO y MARUOTTI[300] se entiende que se está ante una figura contravencional de resultado de lesión configurado en dos actos, por lo que se erradica con este precepto el argumento doctrinal que diferenciaba las contravenciones siempre como delitos de peligro. Vemos por tanto que son contravenciones que se separan en varios aspectos de su tradicional configuración.

La conducta dañosa se castiga con el arresto hasta un año o *ammenda* no inferior a 800.000 L. Además de la pena pecuniaria o detentiva el juez puede ordenar la confiscación de la cosa dañada.

La última cuestión a tratar, con la que cerraremos el estudio de la normativa italiana protectora del patrimonio cultural, son los problemas de *coordinación* entre el **art. 733** del *Codice penale* y la protección derivada del **art. 59** de la **Ley 1.089** estudiado al comienzo.

Es evidente que cuando la acción ilícita haya producido un daño en cosa de arte *non vincolata* es decir, que no haya recibido declaración oficial, se aplicará la contravención del art. 733, concurriendo los demás presupuestos[301]. Pero cuando sea dañada una cosa sometida a declaración oficial (*notifica*), y el autor sea el propietario de la cosa, ¿será aplicable la ley especial o el artículo 733 del Códice penale?:

Observando la formulación literal de ambas regulaciones, la única posibilidad de concurso se reduce al supuesto residual de demolición de un bien cultural.

La doctrina científica italiana se encuentra dividida en este punto.

Según algunos autores[302] existe realmente un concurso aparente de normas, debiéndose aplicar exclusivamente el art. 59 de la ley especial, el cual, además de conminar con una sanción más grave, constituye una norma *especial* contenida en una ley que ha entrado en vigor en época sucesiva. Por ello entienden que, cuando se haya llevado a cabo una intervención no autorizada sobre un inmueble a cuyo propietario se le haya notificado su particular interés histórico o artístico, la ley 1089 será ley especial respecto del 733, especialidad

---

[300] SANTANIELLO/MARUOTTI: *Manuale di Diritto penale...* ob. cit. p. 119.

[301] El artículo 59 es invocable, como se comentó, sólo para los bienes públicos y para los privados *vincolati*.

[302] Vid. MANZINI: ob. y loc. cit.; PIOLETTI: «Patrimonio artistico...» p. 118; NUVOLONE: *Tratado di Diritto penale italiano*, Turín, 1986, p. 1188

que radica en que al propietario del bien se le haya comunicado su valor cultural[303].

Una posición singular adopta MANSI al considerar la norma del 733 de difícil e hipotética aplicación, no pudiendo considerarse como norma actual y vigente de tutela del patrimonio cultural, tras ser derogada tácitamente por la Ley 1089, al representar ésta un compendio unitario y completo de las diversas normas de tutela[304].

Opinión opuesta mantiene otro sector doctrinal, los cuales entienden que no es posible considerar una relación de género a especie, al existir entre ambos sustanciales diferencias en cuanto a la propia conducta, a los presupuestos, el objeto, así como en la específica función protectora atribuida por el legislador, lo que conduce a afirmar la *autonomía* de la norma del *codice penale*. Así, mientras la ley especial tutela sólo limitadas categorías de bienes, otorgando la tutela al bien singular, el *codice penale* tutela el patrimonio cultural globalmente y se refiere al bien singular como componente de una generalidad de bienes de singularidad colectiva (*danneggiamento al patrimonio archeologico, storico o artistico nazionale*). Existe diversidad de conductas: el **artículo 59** sanciona aquellos comportamientos sobre el cosa notificada (demolición, remoción, modificación o restauración, destino a usos no compatibles con su interés histórico, artístico) realizados sin autorización, independientemente de la verificación de un daño, asumiendo relevancia penal sólo y en cuanto llevados a cabo sin la preventiva autorización[305]; el **artículo 733** castiga la conducta del agente realmente perjudicial independientemente de la presencia de la disposición administrativa.

Con base en ello hay autores que sin embargo entienden puede existir un concurso formal de ambas contravenciones[306] si considerásemos que la contravención de la ley especial es también de *danneaggiamento;* sin embargo no puede, de acuerdo con BAJNO, reconocerse ningún concurso de delitos entre el art. 733 del *codice penale* y los art. 11 y 59 de la ley especial, ya que estamos ante hechos diversos en una especie de progresión criminal. La contravención

---

[303] Opinión coincidente en la jurisprudencia de la Corte de Casación: Cass. 6 aprile 1976, en Giustizia penale, (II), 1977 n° 10.686; Cass. 10 aprile 1979, en *la Giustizia penale* 1980, p. 635 y ss.

[304] MANSI, A.: *La tutela dei beni culturali*, Milan 1993, p. 409 y ss. En la jurisprudencia, Cass. 12 junio de 1969.

[305] Al igual que en Francia se castigan meros actos de desobediencia administrativa elevados a la categoría de ilícito penal.

[306] CRESPI/STELLA/ZUCCALA: *Comentario breve al codice penal...* , ob. cit., p. 1405.

prevista en el *codice* será aplicable cuando exista un perjuicio efectivamente verificado[307]. Si no se verifica un daño podría, de concurrir el resto de presupuestos, aplicarse el art. 59 de la ley especial. La discusión, como puede observarse, sigue abierta.

En suma, existen en el ordenamiento italiano una serie de leyes sobre la cuestión, frecuentemente no coordinadas entre sí y que presentan dificultades interpretativas así como de sistematización, las cuales repercuten en su aplicación. De «*lege ferenda*» sería conveniente una revisión del sistema de protección analizado, revisión acorde con el espíritu del artículo 9 de la Constitución italiana.

4. La tutela de los bienes culturales en el derecho alemán

En el ordenamiento jurídico alemán, la protección conferida a los monumentos culturales por el Código penal (*StGB*) concurre[308] con la otorgada por leyes de protección de monumentos históricos (*Denkmalschutzgesetze*) en cada uno de los Estados alemanes (*Länder*)[309]. Comenzaremos su estudio con las mencionadas leyes de tutela de los monumentos, deteniéndonos únicamente en aquellas que contengan disposiciones de carácter penal frente a los referidos bienes, para pasar posteriormente al análisis de la regulación de dicha materia en el Código penal alemán.

---

[307] De igual opinión BAJNO, R.: «Dissaplicazione dell'atto amministrativo», en *Atti...*, cit. p. 174.

[308] A tenor del art. 74 de la Ley Fundamental alemana, entre las distintas materias objeto de legislación concurrente de la Federación y los Länder, se encuentran el Derecho Penal (74.1) y la protección del patrimonio cultural alemán contra la exportación y el expolio (74. 5); sin embargo, en estos ámbitos la facultad legislativa corresponde a los Länder «en la medida en que la Federación no haya hecho uso de sus competencias» (art. 72.1 GG). En el caso de que los Länder hayan normado ya una de estas materias, como es el caso del Land de Niedersachen, el de Sachsen y el de Sachsen-Anhalt, que contienen preceptos penales relativos a la destrucción de bienes culturales, tal regulación perderá su vigencia en la medida en que quede afectada por la legislación federal. Derogación, pues, que funciona de modo automático, ya que a partir del momento en que la Federación hace uso de las facultades legislativas que le están atribuidas, decae la correspondiente competencia de los Länder. Sobre la distribución de las competencias legislativas, vid. VOGEL, J.J. BENDA, MAIHOFER-HESSE-HEYDE en: *Manual de Derecho Constitucional* (trad. de LÓPEZ PINA, A.), Madrid, 1996; p. 637 y ss. Señalar a su vez que la relación entre el Derecho Penal federal y el regional viene regulada en el art. 1 II, 2-4 EGStGB, preceptos que determinan detalladamente el ámbito de los arts. 72 II y 74 nº 1 GG.

[309] Con carácter general, WEBER: *Zum Verhältnis von Bundes —und Landesrecht auf dem Gebiet des Straf— und bu(geldrechtlichen Denkmalschutzes,* TRÖNDLE-Festschrift S. 337.

4.1. Legislación especial

A) Orígenes de la tutela

En primer término se realizarán unas breves consideraciones históricas con el fin de exponer de forma somera cual es el origen y evolución de la legislación mencionada.

Desde la época romana, pasando por la Edad Media, el Renacimiento y la Edad Barroca, ya existían algunas prescripciones cuyo fin era la preservación de los monumentos históricos, si bien la conservación de éstos, en su acepción jurídica, es fruto del Romanticismo y el Historicismo.

Durante el siglo XIX, podemos observar como cada Estado adopta una actitud diferente en el tratamiento de los monumentos históricos[310]; así, por ejemplo, Baviera publica en 1808 algunos decretos relativos a la conservación de los descubrimientos arqueológicos; en Bade las primeras órdenes de la autoridad contienen restricciones de demolición de monumentos de carácter histórico. En 1830 se dio un hecho influyente en la normativa alemana sobre la materia con la adopción en Francia de su célebre «*Loi relative à la conservation des monuments historiques et objets d'art ayant un intérêt historique ou artistique*», fuente de inspiración del aparato jurídico de un número de Estados alemanes, situándose la primera reacción a esta creación francesa en Prusia, con una orden de la autoridad contra la demolición de murallas de las ciudades.

Ya en el siglo XX (1901) es de destacar como en Baviera se hace por primera vez referencia a los *entornos* de los monumentos históricos y a los *lugares* como objeto de protección, pero es la Ley de 1902, concerniente a la protección de monumentos históricos en Hesse, la que se considera como la primera ley moderna en la materia en Alemania. Sin embargo, no será hasta el año 1919 cuando la protección de los monumentos históricos adquiere una base consti-tucional; así la nueva Constitución alemana de 1919, conocida por «Constitu-ción de Weimar», ya contempla, en su artículo 150 la protección de las obras de arte.

Un momento decisivo se sitúa tras la II Guerra mundial, la cual no sólo provocó la destrucción de un número importante de monumentos históricos, sino que también modificó profundamente toda la situación geo-política. Así, desaparecieron por completo Estados como Prusia; otros sin embargo fueron

---

[310] Para un repaso histórico de la legislación de monumentos históricos en Alemania, vid. WÖRNER, H. J., en *Monuments historiques, nº 166*, 1989, p. 5 y ss.

fundados, como Baja Sajonia, y otros transformados como el de Hesse. Sin embargo gran parte de estos nuevos Estados no disponían de leyes de protección de sus monumentos, si bien una excepción importante supone el Land de Bade, cuya Ley, severa con respecto a la legislación actual, fue la base de la ley actual de protección de monumentos históricos de Bade-Wurtemberg.

Este esbozo histórico demuestra que, si bien los objetivos son para todos los mismos, el desarrollo formal de la legislación de protección de monumentos históricos es diferente en cada uno de los Estados alemanes. Este desarrollo histórico se reflejó en la Ley Fundamental de Bonn de 1949 (*Grundgesetz*) que confirió a los Estados toda soberanía en materia cultural, de suerte que, entre 1971 y 1980 todos los *Länder* se dotan de leyes protectoras de monumentos históricos.

B) Leyes protectoras del patrimonio cultural alemán

A pesar de sus formulaciones diversas, se puede afirmar que todas parten del mismo principio: postulan la garantía de la propiedad privada, pero asegurando que su uso deba, al mismo tiempo, servir al bien público, tal y como lo expresa la Constitución alemana en su art. 14 relativo a la «obligación social de la propiedad privada». Ello significa que los Estados reconocen la carga que se impone al propietario del monumento histórico de respetar las obligaciones legales de protección de dichos monumentos.

Antes de abordar dicha legislación, debe advertirse que, de un Land a otro diverge la descripción jurídica de lo que se considera como monumento histórico: o bien su consideración como tales deriva de su inserción en unas listas constitutivas[311], las cuales dan mayor claridad en sentido jurídico, pero en la práctica difíciles de completar, o bien, con base en criterios valorativos, se tutelan los «objetos cuya conservación por razones científicas, artísticas o históricas resulte de interés público[312]», definición dependiente de la interpretación que de ella se haga, y conducente por tanto a una mayor flexibilidad en su contenido y extensión.

---

[311] A su vez existen dos categorías de monumentos históricos, el monumento histórico «general» (inscrito en un listado) y, en ciertos Estados, una segunda categoría, el monumento histórico de un «valor especial» (declarado de interés cultural en el registro de dichos monumentos).

[312] De acuerdo con esta expresión, para asegurar su protección y conservación no basta con que el objeto goce de «interés» desde el punto de vista de la ciencia, el arte o la historia, sino que es indispensable que exista un «interés público» en su conservación.

Entrando ya en el análisis de la legislación protectora de monumentos históricos de los Länder[313], reitero que únicamente vamos a referirnos a las leyes que contienen disposiciones de carácter penal.

a) Protección de monumentos en el Land de Baja Sajonia (*Niedersachen*)[314]

En la Parte Octava de dicha Ley, relativa a los «Hechos punibles e ilícitos administrativos», el parágrafo 34 se refiere a la **destrucción de un monumento cultural**.

De acuerdo con la descripción típica, «quien, sin la necesaria autorización del § 10 y sin darse los presupuestos del § 7[315], *destruya* un monumento cultural o una parte esencial del mismo, será castigado con pena privativa de libertad de hasta dos años o con multa penal»[316].

La posible *autorización* por parte de la autoridad protectora de monumentos, a la cual se refiere el precepto, será necesaria, de acuerdo con el §10 en los siguientes supuestos:

1. Cuando se pretenda destruir, modificar, reparar o restaurar un monumento cultural.

2. Cuando se retire de su emplazamiento un edificio o en general un inmueble de carácter monumental o se les coloque algún tipo de publicidad.

3. Cuando se modifique el uso del monumento arquitectónico.

4. Cuando se quiera erigir o modificar en el entorno del monumento arquitectónico instalaciones que influyan en su aspecto.

---

[313] El texto de las leyes protectoras de monumentos ha sido editado por *Schriftenreihe Des Deutschen Nationalkomitees für Denkmalschutz*, Bonn, 1997.

[314] *Niedersächsiisches Denkmalschutzgesetz, vom 30. Mai 1978 (GVBI. S. 517), zuletzt geändert 28. Mai 1996 (GVBI. S. 242).*

[315] El § 7 se refiere a los límites en la obligación de conservación señalando, en primer lugar, que no se pueden exigir medidas de conservación a quien, aun estando obligado a ello, no tenga medios económicos para realizarlo; por otro lado señala que debe autorizarse una intervención en un monumento cultural, siempre y cuando esa intervención sea de interés público en base a razones de interés para la investigación o de otro tipo que exija esta intervención.

[316] § 34 *Zerstörung eines Kulturdenkmals*
*Wer ohne die nach §10 erforderliche Genehmigung und ohne Vorliegen der Voraussetzungen des § 7 ein Kulturdenkmal oder einen wesentlichen Teil eines Kulturdenkmals zerstört, wird mit Freiheitsstrafe bis zu zwei Jahren oder mit Geldstrafe bestraft».

Para la *consumación* del delito es necesario «destruir» un monumento cultural o una parte esencial del mismo, sin la autorización necesaria para ello, pudiendo integrarse por ello este tipo penal dentro de los delitos de resultado.

En cuanto al *sujeto activo*, éste puede ser cualquiera («*Wer... zerstört...*»).

Por lo que se refiere a la *culpabilidad*, estamos ante un tipo doloso. Según el art. 1 II EGStGB, la Parte General del StGB rige también para el Derecho regional, resultando por ello aplicable el § 15 StGB que sólo considera punibles los hechos imprudentes en la medida que así lo declare expresamente la ley. Al no preverse en este tipo delictivo la destrucción imprudente, se entiende que se trata de un delito doloso[317].

Por último, el párrafo 2° contempla la posibilidad de que los restos del monumento cultural que haya sido destruido del modo descrito por el párrafo 1°, puedan ser confiscados («*eingezogen*»).

b) Ley de protección de los monumentos culturales en el Land de Sajonia (*Sachsen*)[318]

Dos variantes presenta el precepto relativo a los *hechos punibles:* de un lado, se castiga a quien *destruya* un monumento cultural o una parte esencial del mismo sin la necesaria autorización del § 12 ap. 1 n° 5[319], y de otro, a quien, realice *excavaciones*, sin la necesaria autorización del § 14 ap. 2[320], con el *fin de descubrir monumentos culturales*. En ambos supuestos la pena consistirá en la privación de libertad de hasta dos años o multa penal»[321].

La primera de las citadas modalidades, la consistente en *destruir* un monumento cultural, puede ser calificada como un delito de «daños», y es práctica-

---

[317] JESCHECK, H.H.: *Tratado de Derecho Penal. Parte General* (Traducción de Manzanares Samaniego, J.L.), 4ª ed. Granada, 1993; p. 100 y ss.

[318] Vom 3. März 1993 (GVBI, S.229), geändert 4. Juli 1994 (GVBI, S.1261).

[319] Dicho artículo determina que un monumento cultural sólo puede ser destruido o apartado de ubicación con la autorización de la Administración competente para la protección de monumentos.

[320] El § 14 p. 2 dispone que, las excavaciones que tengan por objeto descubrir monumentos culturales, necesitan autorización por parte de la Administración superior del Land competente para la protección de monumentos.

[321] § 35 Straftaten Wer ohne die nach *§ 12 Abs. 1 Nr. 5* erforderliche *Genehmigung ein Kulturdenkmal oder einen wesentlichen Teil eines Kulturdenkmals zerstört, oder. ohne die nach § 14 Abs. 2 erforderliche Genehmigung Grabungen mit dem Ziel, Kulturdenkmale zu entdekken, durchführt, wird mit Freiheitsstrafe bis zu zwei Jahren oder Geldstrafen bestraft.*

mente idéntica a la conducta tipificada en el Land anterior. Sin embargo difiere en cuanto a las formas de culpabilidad, ya que en el presente caso es posible la comisión *imprudente* del hecho típico, por estar expresamente penada en el apartado 2° del precepto descrito, siendo castigada con una pena inferior de privación de libertad de hasta 1 año o con multa penal[322].

Finalmente, al igual que en el Land de *Niedersachen*, se prevé que los restos del monumento cultural destruido sin la autorización necesaria, podrán ser confiscados.

En cuanto a la segunda de las modalidades, el injusto viene caracterizado, no sólo por la actuación externa de realizar excavaciones sin la debida autorización, sino por la presencia de un *elemento subjetivo del tipo*, cual es la finalidad de descubrir con dicha actuación bienes culturales, por lo que, en consecuencia, podemos afirmar que se encuentra dentro del grupo de los *delitos de intención*, toda vez que el autor persigue un resultado, si bien para su punición éste no necesita ser alcanzado[323].

c) Ley protectora de monumentos en el Land de Sajonia-Anhalt (*Sachsen-Anhalt*)[324]

El § 21 se refiere a la **destrucción de bienes culturales.** De acuerdo con el texto legal, «quien *dolosamente destruya* un monumento cultural o una parte esencial del mismo, sin el necesario permiso del § 14 ap. 1 y 2[325], o *dañe* sus

---

[322] § 35(2)*Die fahrlässige Begehung einer Tat nach Absatz 1 wird mit Freiheitsstrafe bis zu einem Jahr oder Geldstrafe bestraft.*

[323] Sobre las clases de tipos penales con elementos subjetivos, vid. JESCHECK, H.H.: *Tratado de Derecho Penal. Parte General*, ob. cit., p. 286 y ss.

[324] Vom 21. Oktober 1991 (GVBI. S. 368, ver. 1992, S.310), zuletzt geändert durch Gesetz vom 13. April 1995 (GVBI. S. 508).

[325] § 14 (1) Es necesaria autorización de la Administración competente para la protección de monumentos, cuando se quiere:
– modificar, restaurar o rehabilitar un monumento cultural;
– modificar la utilización del monumento;
– modificar el aspecto del monumento, construyendo, retirando o añadiendo partes de instalaciones en el entorno del monumento cultural, o retirar el monumento de su ubicación;
– retirar o destruir el monumento cultural.
Los trabajos arquitectónicos con los que se supone se pueden descubrir objetos culturales, necesitan de autorización por parte de la Administración inferior para la protección de monumentos, y deberá anunciarse con antelación. Si la Administración no lo deniega en cuatro semanas la autorización será otorgada. Ahora bien, si las medidas infringen la ley se denegará o retirará la autorización.

cualidades monumentales, será castigado con pena privativa de libertad de hasta dos años o con multa penal» [326]. En este precepto se regula, pues, un delito de *daños específico contra los monumentos culturales.*

Se castigan únicamente comportamientos *dolosos*, si bien llama la atención el hecho de que se introduzca expresamente el elemento del tipo «dolosamente», suprimido en la Parte Especial del StGB por devenir superfluo al constituir la exigencia de dolo la regla general y la punibilidad de la imprudencia la excepción, que sí ha de preverse expresamente en cada caso por la ley[327].

Por último, de igual modo que en los Länder aludidos, se establece expresamente que los monumentos culturales o restos de ellos, que debido a los comportamientos punibles descritos sean deteriorados o destruidos, podrán ser confiscados, sin perjuicio de los derechos de terceros.

Para finalizar con la regulación sobre la materia en el Derecho penal regional[328], considero debe ponerse de manifiesto que, en el resto de los Länder no citados se castigan las intervenciones no autorizadas sobre los monumentos como meros ilícitos administrativos; así, por ejemplo, el Land de *Hamburg* califica de ilícito administrativo, siempre que la actuación no entre dentro del 304 del StGB, las modificaciones que se realicen en los monumentos o en el entorno protegido sin las autorizaciones pertinentes.

En zonas de excavaciones todos los trabajos que puedan poner en peligro los monumentos necesitan de la autorización por la Administración inferior para la protección de monumentos.

[326]   § 21 *Zerstörung eines Kulturdenkmals*
    Wer vorsätzlich ohne die nach § 14 Abs. 1 und 2 erforderliche Genehmigung ein Kulturdenkmal oder einen wesentlichen Teil eines Kulturdenkmals sertört oder in seiner Denkmaleigenschaft wesentlich beeinträchtigt, wird mit einer Freiheitsstrafe bis zu zwei Jahren oder mit einer Geldstrafe bestraft.

[327]   JESCHECK, H.H.: *Tratado de D. Penal...*, ob. cit. p. 263 y 423.

[328]   Para una visión general de las leyes especiales de los Länder sobre monumentos históricos, vid. KELLER: *Der strafrechtliche Schutz von Baudenkmälern unter Bërucksichtigunng der Bu(geldtatbestände in den Landesdenkmalgesetzen,* Diss. Würzburg 1987; BROENNER, W.: «Deutsche Denkmalschutzgesetze». *Schriftenreihe des Deutschen Nationalkomitées fuer Denkmalschutz. 18.*Bonn 1982; DRIESSEN, K.: «Systematischer Vergleich der Denkmalschutzgesetze in der Bundesrepublik», en *Deutsche Kunst und Denjmalpflege.* 1974, p. 72; EBERL, W.: «Die Denkmalschutzgesetze der Laender» en *Der Landkreis,* 1975; GEBESSLER, A./EBERL, W.: *Schutz und Pflege von Baudenkmaelern in der Bundesrepublik Deutschland. Ein Handbuch.* Stuttgart, 1980, p. 237-256.

4.2. La cuestión en el Código penal alemán (*StGB*)

A) *Delito específico de daños contra bienes especialmente protegidos (§ 304 StGB)*

El Capítulo 26 del Código Penal («Sachbeschädigung») incluye siete preceptos relativos a los daños[329]. A este respecto, si bien en el § 303 se castigan los
daños genéricos, en el § 304 se contiene un tipo de daños contra intereses de
carácter colectivo[330]. Así, de acuerdo con él, «quienes *dañen* o *destruyan* una
serie de objetos culturales y de utilidad pública como monumentos funerarios,
monumentos públicos, monumentos naturales, *objetos de interés artístico,
científico o industrial* que sean expuestos en colecciones o mostrados al público,
u otros objetos que sean de *utilidad pública u ornato* serán castigados con pena
privativa de libertad de hasta tres años o multa penal»[331].

En punto al **bien jurídico protegido**, existe acuerdo en la doctrina alemana
manifestada al respecto en que, al ser un delito autónomo, distinto del delito del
artículo 303, no se está protegiendo la propiedad, sino los intereses de la
generalidad en la conservación de bienes culturales u otros de utilidad pública[332]. De ahí, que el objeto no necesite caracterizarse por su «ajenidad» sino que
puede pertenecer al autor del delito o incluso puede carecer de dueño. Por tanto,
de ese carácter colectivo del bien jurídico protegido se deriva la posibilidad de
que también pueda ser **sujeto activo** del delito el propietario del objeto,

---

[329] Sobre los daños, con carácter general, BEHM, U.: *Sacbeschädigung und Verunstaltung. Zur
Notwendigkeit einer Abgrenzung bei der Auslegung des Paragraphes 303. I Stgb.* Berlin, 1986;
GEERDS: *Sachbeschädigungen,* 1983; SALEWSKI: *Zur Soziologie und Strafwürdigkeit der
Sachbeschädigung,* 1935 (StrAbk. Heft 360).

[330] Vid. MOLKETIN/WEI ENBORN BÄUME - taugliche Objekte einer gemeinschädlichen
Sachbeschädigung im Sinne von § 304 Abs. 1 StGB? UPR (= Umwelt und Planungsrecht)
1988, 426; MORITZ PICKSHAUS, P.: *Kunstzerstörer,* 1980.

[331] § 304: «*Wer rechtswidrig Gegenstände der Verehrung einer mi Staat bestehenden
Religionsgesellschaft oder Sachen, die dem Gottesdienst gewidmet sind, oder Grabmäler,
öffentliche Denkmäler, Naturdenkmäler, Gegenstände der Kunst, der Wissenschaft oder des
Gewerbes, welche in öffentlichen Sammlungen aufbewahrt werden oder öffentlich aufgestellt
sind, oder Gegenstände, welche zum öffentlichen Nutzen oder zur Verschönerung öffentlicher
Wege, Plätze oderAnlagen dienen, beschädig oder zerstört, wird mit Freiheitsstrafe bis zu drei
Jahren oder mit Geldstrafe bestraft*».

[332] En ese sentido, WOLFF: *Leipziger Kommentar,* Siebenter *Band,* Berlin-New York, 1988, p. 9
y ss; STREE, W., en SCHÖNKE-SCHRÖDER, H.: *Strafgesetzbuch. Kommentar 25 Auflage.*
München, 1997; p. 2084; LACKNER, K.: *Strafgesetzbuch mit Erfaulerungen Kommentar. 22
Aufl.* München, 1997, p. 1299; TRÖNDLE, H.: *Kom. Strafgesetzbuch und Nebengesetze,*
München, 1997, p. 1535.

precisamente por la imposibilidad de libre disposición sobre el bien, de acuerdo con la naturaleza colectiva del objeto material. A este respecto, la doctrina alemana es coincidente al reconocer que el consentimiento del titular del bien para que un tercero dañe dicho bien no tiene ninguna eficacia justificante[333].

En cuanto a la **conducta típica**, ésta debe consistir en **dañar** *(beschädigen)* o **destruir** *(zerstören)*[334], por lo que coincide con la del § 303, si bien en el tipo penal que estudiamos debe ser perjudicada la «especial finalidad» del objeto[335]. Así, una conducta puede recaer sobre un objeto susceptible de ser objeto material del § 304, y sin embargo si no se perjudica la especial finalidad de dicho objeto, realizará el tipo penal del §303 y no el del §304. Ello es acorde con un concepto *normativo* de daño típico[336], entendido, de acuerdo con la doctrina alemana, como perjuicio de la capacidad para ser usado de acuerdo con su finalidad, y asimilable por tanto al «perjuicio en la función o en la finalidad» del objeto, necesario para integrar los daños típicos del § 304. Así, en opinión de LACKNER[337] sólo se considerará daño, la modificación de la forma externa en monumentos u obras de arte cuando su función tenga relación con la modificación del aspecto exterior.

Al tratarse de un delito de resultado, la *tentativa* será punible, tal y como prevé expresamente el párrafo 2° del § 304, la cual puede castigarse con menos pena que el delito consumado, de acuerdo con el §23 II.

Por lo que se refiere al **objeto material** del daño grave, de acuerdo con el texto legal, puede estar constituido por los siguientes bienes:

1. *Objetos de veneración* de una comunidad religiosa del Estado, así como también otros *objetos consagrados al culto divino*, incluso bienes inmuebles

---

[333]   De esa opinión, STREE, W.: ob. y loc. cit.; LACKNER, K.: ob. y loc. cit.; WOLFF: ob. y loc. cit.

[334]   Desde la doctrina hay autores que tratan de delimitar los *daños* de las *destrucciones*; en este sentido, destacaremos como para TRÖNDLE la destrucción es una subespecie del daño, al constituir un daño tan grave que supone la anulación completa de su capacidad de uso; en la misma línea WOLFF entiende que la destrucción supone convertir el objeto en absolutamente inutilizable para su concreto destino. A ésto se objeta, por ARTZ-WEBER que muchas veces tal distinción tiene dificultades en la práctica. DREHER-TRÖNDLE, *Komm. Strafgesetzbuch und Nebengesetze*, 1997; WOLFF: *Leipziger Kommentar*, cit.

[335]   WOLFF, ob. cit.

[336]   SUAY HERNÁNDEZ realiza una revisión en lengua española de los conceptos y teorías del daño típico en la doctrina y jurisprudencia alemana, teorías a las que nos referiremos en el análisis de los tipos legales de nuestro Código Penal. Cfr. SUAY HERNÁNDEZ, C.: *Los elementos básicos de los delitos y faltas de daños*. Barcelona, 1991, p. 43 y ss.

[337]   LACKNER: *Strafgesetzbuch...*, ob. y loc. cit.

como iglesias y capillas. También se protegen los *monumentos fúnebres,* símbolos parte integrante de las tumbas en recuerdo de los difuntos[338].

2. El segundo grupo protegido son los *monumentos públicos.*

De las diferentes definiciones que aporta la doctrina alemana[339] al respecto, puede extraerse la siguiente idea de lo que debe entenderse por *monumento público:* todos aquellos símbolos en recuerdo o en memoria de personas, hechos o situaciones, cuyo significado científico, histórico o cultural, hace que su conservación se halle entre los intereses de la colectividad. Pueden ser edificios, construcciones, pinturas, etc.. conservados por alguna de las razones comentadas, incluso monumentos megalíticos[340] u objetos en recuerdo de un fragmento de una cultura antigua. También podría ser considerados como tales restos de monumentos, incluso sus ruinas.

Sin embargo, en aras de una mayor concreción, las leyes de monumentos de los Länder aportan condiciones o requisitos influyentes para su constitución; así por ejemplo supone una ayuda a la hora de interpretar la cualidad de monumento su inscripción en el Libro de Monumentos[341]. En cuanto a la cualidad de «públicos» debe entenderse su accesibilidad a ellos de manera directa[342].

3. También forman parte del objeto de protección § 304 los *monumentos naturales,* los cuales deben entenderse en el sentido del § 17.1 de la Ley de Monumentos Naturales (*BNatSchG*), definidos como, aquellas particulares creaciones de la naturaleza necesitadas de protección en base a razones científicas, histórico-naturales o a su escasez, singularidad o belleza.

El entorno también será protegido en el caso de que su vinculación legal se incluya como necesario para la protección del monumento natural. Los monumentos naturales, además, deberán ser mencionados en planes adjuntos de cuidado del paisaje (Oldenburg NJW 88, 924).

---

[338] Así, *BGH/Tribunal Supremo 20 286*: grupo de crucifixión, citado por SCHÖNKE, A. SHRÖDER, H.: *Strafgesetzbuch…*, ob. y loc. cit.

[339] En ese sentido, LACKNER, K.: ob. y loc. cit.; TRÖNDLE, H.: ob. y loc. cit.; SCHÖNKE, A. SCHRÖDER, H.: ob. y loc. cit.

[340] RG GA Bd. 51 49.

[341] Los *monumentos nacionales* requieren su inscripción en el mencionado Libro de Monumentos.

[342] De acuerdo con SCHÖNKE-SCHRÖDER (ob. y loc. cit.) no necesitan estar situados en caminos, plazas o calles, sino que es suficiente que sea posible una entrada para la colectividad.

4. Son protegidos expresamente los *objetos de interés artístico, científico o industrial* los cuales se encuentren en *colecciones accesibles* para la colectividad o sean *expuestos en un lugar público.*

Es decisiva, pues, de acuerdo con lo expuesto, la «accesibilidad» de la colectividad a la colección (no se habla, por tanto, de su la propiedad) como por ejemplo lo sería el acceso a dichos bienes en bibliotecas estatales o universitarias[343]. No se considera sin embargo relevante que la entrada sea bajo determinadas condiciones; ahora bien, si está restringida a un círculo de personas, por ejemplo en bibliotecas limitadas a determinados usuarios[344], estos supuestos no parecen tener cabida en la expresión «colecciones abiertas».

5. Por último, se encuentran amparados en sede del § 304 los *objetos de utilidad pública.* Un objeto será considerado de *uso público* cuando, de acuerdo con su finalidad, redunda en provecho de la generalidad, en cuanto se le han asignado funciones de interés general.

El empleo para uso público se sobreentiende cuando la generalidad de personas tiene la posibilidad de obtener una utilidad *directa* en su disponibilidad o consumo[345]. Sin embargo en algunos casos se extiende el objeto material a aquellos que de forma «indirecta» sirvan a la generalidad[346]. Ahora bien, de acuerdo con STREE, no se puede mantener este criterio pues sería ampliar excesivamente el objeto de protección. Ciertamente, de acuerdo con la opinión mayoritaria, el tipo penal se limita a los objetos que aporten un *uso inmediato o directo a la generalidad*; ello ocurre cuando los usuarios puedan extraer una utilidad del objeto mismo, de sus productos o de sus efectos[347] sin la mediación de un tercero. Es insignificante que el objeto sea accesible directamente a la colectividad, basta con que sus efectos o productos redunden en la generalidad.

En cuanto al **aspecto subjetivo**, es necesario el *dolo.* El autor debe conocer la finalidad de la cosa, debe conocer que el objeto posee la concreta cualidad a que se refiere el §304[348]. Sin embargo, de acuerdo con TRÖNDLE, bastará con

---

[343] *BGH 10 285.*

[344] La mayoría de autores citan como ejemplo paradigmático las bibliotecas jurídicas (*Gerichtsbibliothek*).

[345] Sin embargo, tal y como señala STREE (ob. cit.), en el caso de bienes inmuebles, el cierre pasajero o provisional no es relevante.

[346] Así, RG 5 319, 31 146.

[347] Por *efectos* del objeto se entienden aquellos que proceden directamente del objeto y redunden en beneficio de la colectividad.

[348] En tal sentido se manifestó mayoritariamente la doctrina: TRÖNDLE: ob. y loc. cit., STREE, en SCHÖNKE-SCHRÖDER: ob. y loc. cit., LACKNER: ob. y loc. cit.

el «dolo condicionado» (*dolus eventualis*). Por su parte, el error del propietario que piensa que, por serlo, tiene disponibilidad sobre la cosa, constituirá un error de prohibición[349].

En punto a la medida de la pena, consistente en pena privativa de libertad hasta tres años o multa penal, puede tomarse en consideración la dimensión del daño o la reparabilidad o no del objeto en cuestión.

Por lo que se refiere a los problemas **concursales**, en la medida en que nos hallamos ante un delito de daños cualificados en razón del objeto sobre el que recaen, éste resultará de aplicación preferente, en virtud del principio de *especialidad*, frente al § 303 relativo a los daños genéricos, si bien, de no resultar perjudicada la «especial finalidad» del objeto, podría entrar en juego el § 303.

Por último, en cuanto a la relación de los preceptos del StGB con las leyes de monumentos de los Länder, de acuerdo con TRÖNDLE, prevalecen los parágrafos 303 y 304 del StGB sobre las normas penales de las leyes de los Länder, siempre y cuando éstos sancionen las mismas conductas típicas[350].

B) Hurto de objetos de significado cultural (§ 243.1.5)

El nº 5 del § 243.1 ofrece protección penal en los supuestos de *hurtos de objetos de significado cultural y accesibles a la colectividad* [351].

Señala este precepto que, en *casos especialmente graves*, será penado el hurto con pena privativa de libertad de 3 meses hasta 10 años. Se trata por tanto de subtipos agravados, los cuales matizan el contenido de injusto de la conducta típica. De acuerdo con el precepto, en su nº 5 se considera como supuesto de especial gravedad el apoderamiento de un objeto de significado especial para el

---

[349] NJW 74 1293

[350] JESCHECK hace referencia a la relación entre el Derecho penal federal y el de los *Länder* señalando como la Federación y los *Länder* coinciden en que el Derecho penal debe ser, en principio Derecho federal, y sólo algunas especiales circunstancias regionales justifican la creación de un derecho penal regional, pues de lo contrario se lesionaría el principio de igualdad ante la ley (BGH 4, 396) JESCHECK, H.H.: *Tratado de Derecho Penal. Parte General*, ob. cit., p. 100 y ss.

[351] Sobre el tema: WÜTENBERG, T.: *Kunstfälschung und Kunstdiebtahl*, Universitas, 1967; WERR, C.: *Illegaler Erwerb, Besitz und Handel von Kunstwerken (Eine kriminologisch-kriminalistische Studie über den Kunstdiebstahl i.w. S und Konsequenzen für die Strafrechtsplege)*, Verlag Max Schmidt-Römhild, Lübeck, 1978; BLEI, H.: «Die Regelbeispieletechnik der schweren Fälle und §§243, 244 StGB», en *Fetschrift für Ernst Heinitz*, Berlín 1972.

arte, la historia o para el desarrollo técnico, y que se encuentre en una colección accesible a la generalidad o sea expuesto públicamente[352].

De ello se deriva, no sólo una protección a la propiedad, sino también al interés general en la conservación de los valores culturales[353]. Es por ello que, a juicio de KINDHÄUSER[354], el fundamento del contenido de injusto agravado se encuentra, por un lado, en el irremplazable valor de los respectivos bienes culturales para la colectividad, y por otro, en el hecho de la relativa indefensión derivada de su mencionada accesibilidad.

En cuanto al **objeto material** lo conforman los *objetos con significado para la ciencia, el arte o la historia o para el desarrollo técnico.*

La expresión *«con significado para»* las disciplinas mencionadas, como elemento pendiente de valoración, es interpretado por la doctrina científica[355] entendiendo que su pérdida represente un apreciable menoscabo para dichas disciplinas, bien con carácter genérico o en un ámbito concreto de la disciplina y, tanto si el objeto tiene importante significado en estas esferas por sí mismo, como si forma parte esencial de una colección, aumentando ésta por ello de forma considerable su valor. Por ejemplo, será de *«significado para el arte»*, de acuerdo con TRÖNDLE, no sólo cuando se trate de obras de auténtico rango, sino también si tienen valor documental para el desarrollo artístico. En cuanto al *«significado para el desarrollo técnico»* se refiere, no sólo a la evolución o desarrollo producido[356], sino también que tenga un valor significativo para el desarrollo venidero.

---

[352]   Así, a tenor de este artículo:
    § 243: *Besonders schwerer Fall des Diebstahls*
    In besonders schweren Fällen wird der Diebstahl mit Freiheitsstrafe von drei Monaten bis zu zehn Jahren bestraft. Ein besonders schwerer Fall liegt in der Regel vor, wenn der Täter eine Sache von Bedeutung für Wissenschaft, Kunst oder Geschichte oder für die technische Entwicklung stiehlt, die sich in einer allgemein zugänglichen Sammlung befindet oder öffentlich ausgestellt ist.

[353]   ESER en SCHÖNKE-SCHRÖDER: ob. cit., p. 1724 y ss.

[354]   KINDHÄUSER, en *Nomos Kommentar zum Strafgesetzbuch. Band 2. Besonderer Teil.* 1995, p. 17

[355]   Así, LACKNER, K.: ob. cit., p. 1068-9; TRÖNDLE, H.: ob. cit. 1265. De opinión distinta ESER entiende que los conceptos utilizados son imprecisos y faltos de claridad. ESER, ob. y loc. cit.

[356]   KINDHÄUSER cita como ejemplo un supuesto de un Salón del Automóvil en el que se expongan modelos representativos (*«Oldtime»*) de valor significativo para el desarrollo técnico. KINDHÄUSER: ob. y loc. cit. De esa manera los objetos industriales son sólo protegidos cuando tienen significado para el desarrollo técnico o científico.

Sin embargo en la mayoría de ocasiones resulta difícil delimitar la pertenencia a un ámbito concreto, si bien la cuestión no será relevante si se pueden reconducir a un mismo papel de contribución a la cultura.

Pero además será necesario que la cosa se encuentre *en una colección accesible a la generalidad o que sea expuesta públicamente*.

El subtipo agravado sólo se aplicará cuando los mencionados objetos se hallen en una situación de desprotección relativa, en razón de su fácil accesibilidad. El que gracias a esa fácil accesibilidad aumente el riesgo del hurto, será castigado con una amenaza penal agravada.

«Accesible a la generalidad» es, de acuerdo con la doctrina[357], la colección que puede ser visitada por un indeterminado número de personas[358], aunque su admisión dependa del pago de una entrada o de un permiso cuando éste sea regularmente concedido, y no reservada la admisión únicamente a un determinado círculo de personas[359]. Sin embargo, sí se aplicará la agravante del n° 5 cuando sólo tenga acceso a la colección un determinado colectivo de personas, en el supuesto de que este colectivo sea de una magnitud considerable, por ejemplo en una biblioteca de Universidad[360]. Y además de mostrarse en lugar de acceso público, la colección debe ser presentadas «a la vista».

La colección podrá ser pública o privada, si bien no gozan de la protección del §243.1.5 las colecciones privadas que no se encuentren abiertas a la colectividad, así como tampoco aquellas existencias guardadas o cerradas en museos o bibliotecas. Sin embargo, si estos objetos se hacen accesibles al público, por ejemplo, por préstamo de un particular a un museo, o por variación por turnos de las pinturas en una sala de exposición, en estos supuestos podría aplicarse el subtipo agravado del n° 5 del artículo 243[361].

«Expuesta públicamente» se interpreta por la doctrina entendiendo que, no sólo debe encontrarse en lugar público sino que debe ser expuesta en un lugar

---

[357] En ese sentido, ESER: ob. y loc. cit.; KINDHÄUSER: ob. y loc. cit.

[358] De acuerdo con TRÖNDLE (ob. y loc. cit.) tendrá cabida en el n° 5 del § 243.1 el hurto de un objeto de los mencionados *supra* cuando éste, en un caso concreto, no es accesible a la generalidad, por ejemplo por encontrarse en el almacén de una galería.

[359] Como por ejemplo, al igual que en el delito de daños del §304, los libros de la biblioteca de un Juzgado a los que sólo tengan acceso personas autorizadas para ello (ver, *Tribunal Supremo BGH 10 285*).

[360] En este sentido, SAMSON, E. en RUDOLPH, H.H.; SAMSON, E.; HORN, E.; GÜNTER, H.L., *Systematischer Kommentar zum Strafgesetzbuch. Band II. Besonderer Teil (§§ 80-358) 1997, p. 31 y ss.*

[361] En esta dirección, ESER: ob. y loc. cit.

para poder ser visitada, tanto si los objetos pertenecen a una exposición como si son piezas sueltas expuestas en lugares públicos (un ayuntamiento, un parque...)[362].

En cuanto a la pena, en caso de agravación, será siempre única, pena privativa de libertad de tres meses a diez años.

Finalmente, de acuerdo con el párrafo 2º del § 243, los casos agravados *se excluyen* cuando el hecho típico se refiere a un *objeto de valor insignificante*[363]. El hecho de que la ley no fije la cuantía a partir de la cual se excluirá la agravación, podría conducir a que su concreción se efectuará por los Tribunales atendiendo a las circunstancias económicas del momento en que se tratase, si bien para el supuesto particular de hurtos de objetos de valor cultural, de acuerdo con la doctrina[364] no sólo deberá tenerse en cuenta un puro valor de mercado, sino que se determinará atendiendo a las valoraciones sociales imperantes en el momento de aplicación del precepto.

5. La cuestión en el derecho anglosajón

En último lugar, abordaremos el estudio de la tutela del Patrimonio Cultural en un marco jurídico distinto al vigente en los países del llamado «*sistema continental*»[365] —al cual pertenecen los ordenamientos ya analizados— concretamente en el ámbito del *Common Law*[366], en el cual se integran los países anglosajones, como ahora veremos, si bien con limitaciones e influencias entre ellos.

Como ya advirtiéramos, nos limitaremos a ofrecer una exposición descriptiva del estado de la cuestión, del cual podremos entresacar algunos aspectos

---

[362] De esa opinión, RUB, W.: *Leipziger Kommentar*, Fünfter Band, Berlin-New York, 1989, p. 80 y ss; TRÖNDLER: ob. y loc. cit.

[363] § 243 p. 2. *In den Fällen des Absatzes 1 Nº 1 bis 6 ist ein besonders schwerer Fall ausgeschlossen, wenn sich die Tat auf eine Geringwertige Sache bezieht*

[364] En ese sentido, ESER: ob. y loc. cit.

[365] ITURRALDE distingue entre la expresión «sistema jurídico» y la preferible, de acuerdo con el autor, de «tradición jurídica». ITURRALDE SESMA, V.: *El precedente en el Common Law*. Madrid, 1995; p. 14 y ss.

[366] Expresión con diversas acepciones, bien referida al Derecho Angloamericano en su totalidad —esto es, el de Estados Unidos, Gran Bretaña y otros países, como Canadá— y utilizada en contraposición a la expresión «*civil law*», o bien también puede dársele otra acepción en referencia al elemento casuístico del Derecho angloamericano (*case law*) constituido por los precedentes judiciales. En ese sentido, la técnica de la codificación, a la que está adherida el sistema continental, es el elemento básicamente empleado para su distinción del *Common Law*.

puntuales que seguro colaborarán a una mejor comprensión de nuestro derecho interno.

5.1. La cuestión en el Derecho norteamericano

A) Consideraciones previas

Los Estados Unidos de América pertenecen a la tradición jurídica del *Common law*[367], a pesar de haber imprimido a su derecho caracteres propios y particulares, los cuales han contribuido a enriquecer los contenidos tradicionales del mencionado sistema jurídico.

En el Derecho de los Estados Unidos, si bien el concepto genérico de *precedente*[368] es el mismo que en el Derecho inglés, posee mayor flexibilidad[369], en parte debido al gran número de precedentes existentes, tanto federales como de los 50 Estados. Y así, al lado de las decisiones judiciales, la legislación juega un importante papel como fuente del Derecho norteamericano. El llamado *Statute Law*[370] ha ido proliferando con el transcurso de los años, constituyendo un derecho de origen legislativo que prevalece, en caso de conflicto, frente al derecho judicial[371].

---

[367] Excepto el Estado de Louisiana donde rige el *Civil Law*, así como otros Estados (California, Florida, Texas, Arizona y Nuevo México) donde esta tradición jurídica tiene gran influencia.

[368] Una posible definición de *precedente judicial* sería la que contempla, a este respecto, MARÍN CASTAÑ: «un juicio o decisión de un Tribunal de Justicia, citado como Autoridad para decidir un caso similar de la misma manera, o bien de acuerdo con el mismo principio, o por analogía. Las normas del *Common Law* y de la *Equity* están contenidas en los precedentes establecidos por los Tribunales, lo cual significa que éstos han tenido que llegar previamente a extraer el principio conforme al cual han sido resueltos los casos». MARÍN CASTAN, Mº L.: «Consideraciones sobre el Derecho inglés como prototipo del sistema de Common Law y sus diferencias respecto de los sistemas romano-germánicos», en *Revista General de Legislación y Jurisprudencia,* 1984. Véase, asimismo, a este respecto, JOWITT, E. y WALSH, C.: Voz *Precedent,* en *Jowitt´s Dictionary of English Law*, 2ª ed. Sweet and Maxwell, London, 1977, p. 1405-6.

[369] ITURRALDE SESMA, V.: *El precedente en el Common Law*..., ob. cit. p. 137.

[370] Formado por la Constitución americana —la cual, a diferencia de otras Constituciones, no hace referencia expresa al Patrimonio Cultural— así como por las leyes promulgadas por el Parlamento y resto de órganos administrativos.

[371] Sobre la relación entre el *Statute Law* en el Derecho estadounidense y el precedente, vid. ITURRALDE SESMA, V.: ob. cit. p. 192 y ss.

La mencionada proliferación de leyes dio lugar a un importante movimiento codificador[372]. El *United State Code*, al que nos referiremos posteriormente, publica las leyes generales de los Estados Unidos. Concretamente, en su Título XVIII se sistematiza y codifica la legislación sobre los delitos que corresponden a la jurisdicción federal.

Centrándonos ya en la materia objeto de nuestro estudio comenzaré señalando como los Estados Unidos han sido algo tardíos en sus esfuerzos por preservar monumentos y objetos de interés artístico, histórico, literario y antropológico[373]. A comienzos de siglo se comienza a reconocer la importancia de la preservación del Patrimonio Cultural, aprobándose una serie de leyes, tanto a nivel federal como estatal, con este fin, fruto de la concienciación de los peligros a los que los tesoros culturales se hallaban expuestos, resultando destruidos muchos de ellos sin consideración alguna de sus relevantes valores. Realizaré a continuación una breve mención de estas leyes, para posteriormente, en el siguiente punto, detenerme en cada una de ellas.

Pues bien, es en 1906 cuando comienza ya a reconocerse la importancia de ciertas estructuras históricas, aprobándose por el Congreso la *Antiquities Act*[374], la cual, aunque con un ámbito de aplicación limitado, marcó el inicio de un movimiento de salvaguarda de monumentos y sitios históricos en los Estados Unidos.

Precisamente, debido a ese creciente interés en la protección del Patrimonio Cultural y a que la Ley de Antigüedades tenía una finalidad limitada, el Congreso comienza a adoptar una serie de leyes suplementarias[375] que proporcionan un ímpetu al mencionado programa de tutela, destacando entre ellas la ***Archaelogical Resources Protection Act***[376] en 1979. A su vez, con la intención de frenar el incremento de robos y tráfico ilícito de obras de artes que acompañó

---

[372]   La independencia americana proclamada en 1776 conllevó la idea de un derecho propio para América, y con ella la de codificación, iniciándose un amplio movimiento legislativo. Entre 1776 y 1790 se publicaron las constituciones de los diversos estados y en 1787 la de los Estados Unidos. Sin embargo dicho movimiento fue frenado por la necesidad de adecuarlo al sistema del Common Law.

[373]   Tal y como un Tribunal declaró, los Estados Unidos han tenido «*a short cultural memory*». Autocephalus Greek. Orthodox Church v. Goldberg & Feldman Fine Arts, Inc., 917 F.2d 278, 297 (7th Cir.1990).

[374]   Ch. 3060, § 2, 34 Stat. 225 (1906), codificada en el *United States Code* (16 U.S.C. §§ 431-33m (1988).

[375]   Así, se aprobaron también la *Historic Sites, Buildings and Antiquities Act* (1935) y la *National Historic Preservation Act* (1966).

[376]   Pub. L.Nº 96-95, § 2, 93 Stat.721 1979, codificada en el U.S. Code 16 U.S.C. §§ 470aa-70mm (1988).

al crecimiento del mercado de arte internacional y americano durante los años 80 se promulga la **National Stolen Act**. También el Congreso decidió que se garantizase la protección de los tesoros hundidos en naufragios al entender que los principios del derecho de almirantazgo no eran suficientes para su preservación y así adoptó en 1987 la **Abandoned Shipwreck Act**[377] para la protección de dichos tesoros abandonados.

Por último, con el objetivo de asegurar el reconocimiento y tutela del Patrimonio Cultural de los indígenas americanos (*Native American*) se aprueba en 1991 la **Native American Graves Protection and Repatriation Act**[378].

En este fugaz repaso a la legislación federal en la materia, debo mencionar que los Estados Unidos también han asumido un limitado rol en la protección de tesoros internacionales, ejecutando, cumpliendo o poniendo en práctica la **Convention on Cultural Property**[379], convertida en derecho interno en 1983.

Este movimiento de preservación fue extendiéndose gradualmente hacia los propios **Estados,** algunos de los cuales aprobaron legislación similar a la mencionada en un intento de preservar los especiales elementos que componen su Patrimonio Cultural; así por ejemplo, en el Estado de Arizona se aprobó en 1927 la *Arizona State Antiquities Act*, similar a la federal de 1906, para proteger ciertos lugares en suelo estatal, proceso que se repitió en 1981 con una enmienda a la mencionada Ley, la cual tipificaba determinados atentados al Patrimonio Cultural como delitos graves (*felonies*), basada en la ley federal de 1979.

Comencemos pues a revisar las leyes aprobadas en la materia, así como las importantes decisiones jurisprudenciales, tanto de carácter federal como estatal[380], dictadas a tal efecto[381].

---

[377] Pub. L.Nº 100-298, § 2, 102 Stat. 432 (1988) (codificada en el 43 U.S.Code §§ 2101-06 (1988)).

[378] Pub. L. Nº 101-601, § 2, 104 Stat. 3048 (1990), codificada en el 25 U.S.Code §§ 3001-13 (Supp. III 1991).

[379] Pub. L. Nº 97-446, § 302, 96 Stat. 2351 (1983) (codificada en el 19 U.S. Code §§ 2061-13) (1988).

[380] Así, el Tribunal Superior en New York (*New York Court of Appeals*) recientemente reconoció que los tesoros internacionales eran parte de su Patrimonio Cultural y por ello merecían ser adecuadamente protegidos. Solomon R. Guggebheim Found, 569 N.E. 3d at 430-431.

[381] Sobre la materia deben subrayarse dos recientes estudios sobre el tema: GERSTENBLITH, P.: «Identity and Cultural Property: The Protection of Cultural Property in the United States», en *Boston University Law Review*, vol. 75, nº 3, may 1995; PHELAN, M.: «Synopsis of the Laws Protecting Our Cultural Heritage», *in New England Law Review, vol. 28, 1993*.

B) *Protección de monumentos y lugares históricos: la respuesta legislativa y judicial*

Aunque durante el siglo XIX se inicia un tímido movimiento en los Estados Unidos en aras a salvar determinados tesoros históricos, fue realmente a principios del siglo XX cuando se vislumbra una inquietud real por la defensa de los monumentos y lugares históricos.

Los saqueos arqueológicos y su posterior comercio constituían un lucrativo y floreciente negocio en los Estados Unidos, correlativamente con un creciente mercado internacional de objetos pertenecientes a los americanos nativos[382] (o Indians, en la ley de 1979). Arqueólogos de un gran número de Estados estiman que, al menos el 50% de lugares arqueológicos son destruidos, siendo las principales actividades amenazadoras de dichos recursos, de un lado, las relacionadas con la construcción —optándose en muchos casos por ignorar la presencia de dichos tesoros arqueológicos, por temor a los inevitables retrasos que se producirían en dichos proyectos con las labores de estudio de los arqueólogos— así como, de otro lado, las actividades de individuos conocidos como «saqueadores comerciales» (*pothunters)*, término referido a aquellos sujetos dedicados a saquear lugares arqueológicos con el fin de obtener ganancias en el mercado ilegal de antigüedades. Finalmente también las actuaciones vandálicas, o incluso las actividades de los «*treasure hunters*», definidos como «inocentes» coleccionistas los cuales, tras encontrar objetos arqueológicos en la superficie, continúan con las excavaciones con el fin de localizar más restos, consiguiendo con dichas acciones destruir información contextual irreemplazable, base de muchas deducciones de los arqueólogos. A este respecto la «*necesidad de preservar información arqueológica* «puede ser, en principio, el bien jurídico protegido en estos delitos.

La ya mencionada **Antiquities Act de 1906**[383] constituyó la primera protección de los bienes arqueológicos, la cual, en el § 433 sancionaba a quienes *destruyeran* o *dañaran* ruinas históricas o prehistóricas, o monumentos u objetos de antigüedad, así como a quienes *llevaran a cabo excavaciones* o se

---

[382]   Los objetos de los americanos nativos se consideran recursos o bienes arqueológicos, de un valor inmenso puesto que su estudio por los arqueólogos ofrece información relativa a la vida humana anterior y en algunos casos muestran como vivían los nativos de Norte América.

[383]   Ch. 3060, 34 Stat. 225 (codificada en el 16 U.S Code §§ 431-433m) (1988). Esta ley fue aprobada en respuesta a los actos vandálicos contra las ruinas de la Casa Grande en Arizona, así como para la preservación de Mount Vernon en Virginia. Ver PHELAN, M.: «Synopsis of the Laws Protecting... ob. cit. p. 67; GERSTENBLITH, P.: «Identity and Cultural Property...» ob. cit. p. 579.

apropiaran de los mencionados bienes en tierras pertenecientes o controladas por el gobierno federal, sin el permiso[384] del departamento de dicho gobierno con jurisdicción sobre las tierras, con multas de no más de $500 o prisión de no más de 90 días, o ambas según decisión del tribunal[385].

Estas penas se consideraban[386] totalmente ineficaces e insuficientes para luchar contra los saqueos, principalmente porque las ganancias obtenidas por los «pothunters» en el tráfico internacional de arte eran infinitamente mayores que las multas impuestas, estimándose los $500 como «un gasto menor del negocio»[387].

Junto al carácter irrisorio de las penas, la más seria deficiencia de la *Antiquities Act* y por la que recibió serias objeciones, tenía su base en la indefinición de su *objeto material* refiriéndose la Ley a «ruinas», «monumentos «u «*cualquier objeto de antigüedad*». En consecuencia, muchos de los procesos no finalizaron con éxito; concretamente podemos citar el conocido caso *United States v. Díaz* [388] en el cual un individuo fue condenado por un Tribunal Federal de Distrito bajo la *Antiquities Act* por apropiarse de objetos de antigüedad de territorio del gobierno. Sin embargo, el Tribunal de Apelación revocó la condena, basándose en la falta de definición o vaguedad de la ley («*unconstitutionally vague*») al referirse a los términos «ruina», «monumento» u «objeto de antigüedad» constituyentes de su objeto material. Se argumentó como, de acuerdo con la ley, una persona media puede razonablemente no saber que bienes constituyen *objetos de antigüedad*, negando así al hombre medio la oportunidad razonable de saber lo que está prohibido[389].

---

[384] Bajo la Antiquities Act, los permisos eran requeridos para excavar en propiedad federal. Estos permisos eran únicamente expedidos a instituciones respetables para fines científicos o históricos.

[385] § 433: «*Any person who shall appropiate, excavate, injure, or destroy any historic or prehistoric ruin or monument, or any object of antiquity, situated on lands owned or controlled by the Government of the United Stated, without the permission of the Secretary of the Department of the Government having jurisdiction over the lands on which said antiquities are situated, shall, upon conviction, be fined in a sum of not more than $500 o prion during a period not major than 90 days, or both, according the decision of the court*».

[386] ADES, S.: «The Archaelogical Resources Protection Act: a new application in the private property context», en *Catholic University Law Review, vol.44, 1995, p. 600.*

[387] Lógicamente estas cantidades serían apropiadas en el momento inmediato a la aprobación de la ley, pero no en los años sucesivos más recientes.

[388] 499 F. 2d 113 (9th Cir. 1974).

[389] El acusado se había apropiado de unas máscaras encontradas en una cueva de la Reserva India de San Carlos, las cuales fueron identificadas como realizadas entre 1969 y 1970 y usadas posteriormente por los Indios Apaches en sus ceremonias religiosas, después de las cuales eran depositadas en sitios remotos para reserva por razones religiosas. Durante las

Este problema de la indeterminación del objeto es transpolable a otros ordenamientos, donde la vaguedad de ciertos términos jurídicos hace peligrar el principio de seguridad jurídica.

Otros pleitos sí se resolvieron con éxito, pero, tal como señalamos, con penas irrisorias. Así, en *United States v. Smyer*[390], el Tribunal Federal de Apelación (10 th. Circ.) sostuvo una condena por violación de la *Antiquites Act* con base en la realización por el acusado de excavaciones en una ruina prehistórica y un lugar arqueológico inhabitado desde el 1000-1250 A.D. Los acusados alegaron la vaguedad de la Antiquities Act y, por ende su inconstitucionalidad, citando a *Díaz* como autoridad. El Tribunal señaló que *Díaz* se refería a objetos de creación más reciente, pero que, sin embargo, una persona de inteligencia media debía conocer la ilegalidad del hecho de realizar excavaciones en sepulturas prehistóricas indias y apropiarse posteriormente de los objetos encontrados, que en este caso tenían una antigüedad de entre 800-900 años. Finalmente el Tribunal dictaminó que la *Antiquities Act*, aplicada en el procedimiento seguido contra los acusados, no era «inconstitucionalmente vaga», y por tanto permitió el procesamiento bajo sus previsiones[391].

Estas decisiones jurisprudenciales marcaron el escenario para la aprobación de la ***Archaelogical Resources Protection Act*** en **1979**[392], promulgada tras el reconocimiento por el Congreso, tanto de las amenazas a las que se encontraba sometido el Patrimonio Cultural, así como de la inadecuada legislación en la materia.

La *Archaelogical Resources Protection Act* (en adelante, ARPA) amplia la *Antiquities Act* de 1906[393], y tiene como propósito asegurar la defensa de los recursos y lugares arqueológicos situados en territorio público[394] o indiano,

---

pruebas, de acuerdo con un profesor de antropología un «objeto de antigüedad» puede incluir algo que fuera realizado en fecha de «antes de ayer» si está relacionado con tradiciones largas sociales o religiosas. Sin embargo el Tribunal de Apelación estaba en desacuerdo con ello, por entender que la persona debe ser capaz de saber con razonable certeza los objetos que no podían ser tomados, ya que entienden que por «antigüedad» no sólo debe referirse a la edad del objeto sino al uso que de él se hizo, materias que el Tribunal entiende no son del común conocimiento.

390 596 F. 2d 939 (10 th. Cir.), 444 U.S. 843 (1979).
391 Véase un comentario sobre dicha sentencia en PHELAN, M.: «Synopsis of the Laws...» ob. y loc. cit.
392 Pub. L. Nº. 96-95, 93 Stat. 721 (1979) (codificada en 16 U.S Code §§ 470ee-470mm).
393 Aunque la ley de 1906 nunca fue formalmente anulada, fue ampliamente reemplazado por ARPA.
394 Desde la doctrina se reclama el mismo esquema protector para los lugares arqueológicos situados en tierras privadas.

precisamente por entender que las leyes federales existentes hasta el momento no ofrecían una adecuada protección, en orden a evitar la pérdida y destrucción de recursos arqueológicos resultante de excavaciones incontroladas y posteriores saqueos[395]. De todos modos, haciendo un paréntesis, debemos subrayar que no debe restarse importancia a la *prevención* de estas conductas, defendida por GERSTENBLITH[396], el cual señala la conveniencia acerca de que se exija expresamente en la ley que, en el supuesto de un descubrimiento accidental de un lugar arqueológico, sea la propia agencia estatal notificada de ello, y de ese modo cese cualquier actividad que pueda afectar al lugar en cuestión, especialmente en relación a las actividades constructoras, con la antelación suficiente para permitir la investigación del lugar.

El § 470ee de la Ley sanciona penalmente a cualquier persona[397] que *intencionadamente* viole alguna de las prohibiciones establecidas en la misma sección de la ley, o *aconseje, procure, solicite o emplee* a otra persona para que viole cualquiera de las prohibiciones mencionadas. De acuerdo con dichas prohibiciones nacen diversos tipos delictivos:

a) En el primero de ellos la conducta típica puede consistir en llevar a cabo *excavaciones, trasladar, dañar o de otro modo alterar o desfigurar* cualquier *recurso arqueológico* situado en suelo público o indiano[398], a menos que esta actividad se autorice con permiso expedido bajo esta ley[399].

Estamos ante un delito de resultado donde cabe el castigo de la *tentativa*, contemplado en el texto de una manera expresa, y siendo equiparada en su punición al delito consumado.

Junto al autor real se incluyen expresamente como responsables del delito a los inductores, de acuerdo con el art. 470ee.

b) Ligado con el anterior, el siguiente tipo penal se refiere al *tráfico de objetos arqueológicos obtenidos ilegalmente.*

De acuerdo con el 470ee (b), se tipifica «la venta, compra, intercambio, transporte, recepción u ofrecimiento para la venta, compra o intercambio de cualquier recurso arqueológico obtenido ilegalmente, concretamente cuando el

---

[395]   16 U.S. Code 470aa.
[396]   GERSTENBLITH, P.: « Identity and Cultural Property…» ob. y loc. cit.
[397]   Incluso podrían considerarse como sujetos activos los museos, universidades o cualquier otra clase de institución que lleve a cabo la conducta típica.
[398]   Desde la doctrina se reclama también la protección en tierras privadas.
[399]   470ee. (a) «*No person may excavate, remove, damage, or otherwise alter or deface any archaelogical resource located on public lands unless such activity is pursuant to a permit issued or the exeption contained under this title*».

objeto procediera de excavaciones de tierras públicas o indianas en violación de las disposiciones o permisos previstos por esta ley o por cualquier otra ley federal, estatal o local»[400].

En cuanto a su *naturaleza*, nos encontramos ante un delito de referencia, al requerirse como presupuesto la previa realización de un delito o falta, de cuyos efectos se aprovecha el agente. Sin embargo, se critica desde la doctrina el hecho de que no se tipifique la *posesión* de objetos arqueológicos obtenidos ilegalmente. De *lege ferenda* se propone que el Congreso incremente la protección de los recursos arqueológicos, tipificando también la posesión de dichos objetos obtenidos de manera ilegal; sin embargo, tal y como opina NORTHEY[401], probablemente fue declinado por el Congreso debido a la presión de museos y coleccionistas privados.

En cuanto al *sujeto activo*, el delito puede llevarse a cabo por «cualquier persona», incluyendo, de acuerdo con la propia ley, no sólo a la persona individual sino también instituciones o asociaciones privadas o públicas.

Con respecto al *objeto material*, la *Archeological Resources Protection Act* es más explícita en su contenido que la *Antiquities Act*. Como ya comentamos, el Congreso aprobó esta nueva ley porque su predecesora contenía términos indefinidos y vagos. Así, a diferencia de la Ley de 1906 que no definía los términos «ruina» u «objeto de antigüedad», ARPA define expresamente el recurso arqueológico, objeto material protegido por esta ley. Un «*archaelogical resource*» es, de acuerdo con la definición legal «cualquier ruina o resto material de vidas humanas anteriores o actividades que son de interés arqueológico y con al menos cien años de antigüedad»[402].

La diferencia más obvia con la ley de 1906 la constituye el criterio de la antigüedad referido a las ruinas, las cuales para ser consideradas como tales deben tener, al menos, 100 años de antigüedad. Sin embargo, en muchos casos la intención de evitar los problemas que derivan de la vaguedad, llevan a excluir muchos objetos que son efectivamente restos materiales de gran interés arqueológico y que, por tener un tiempo de vida de menor duración a los cien años, no recibirán la protección necesaria.

---

[400] 470ee. (b) «*No person may sell, purchase, exchange, transport, receive, or offer to sell, purchase or exchange any archaelogical resource if such resource was excavated or removed from public lands or Indians lands in violation of any prohibition, provision or permit of Federal, State or local law*».

[401] NORTHEY, L.: «The Archaelogical Resources Protection Act of 1979: Protecting Prehistory For The Future», en *Harvard Environmental Law Review*, Vol.6, 1982, p. 61 y ss.

[402] 16 U.S Code § 470bb (1).

Además ARPA incluye una lista, meramente ejemplificativa determinante del ámbito de aplicación de la ley[403], la cual si bien ciertamente reduce la incerteza, también puede llevar a confusión a los ciudadanos que piensen que no violan la ley cuando alteran o perturban recursos no incluidos en la lista[404].

Respecto a la culpabilidad, estas conductas serán sancionadas únicamente cuando fueran realizadas «dolosamente» («*any person who knowingly violates...*»); de otro modo serían responsables penalmente multitud de museos e instituciones que adquieren objetos provenientes de tierras públicas o indianas, debido a la dificultad que entraña determinar el origen de cada pieza.

Tal y como ponen de manifiesto NORTHEY y DE MEO[405], se trata de un crimen con intención general o dolo genérico *(a general intent crime[406])*, entendiendo por «*knowingly*» que el elemento intelectual del dolo debe abarcar únicamente las acciones del sujeto, y no todos los elementos del delito, a diferencia de la denominada «intención específica» (*specific intent crime*), expresión equiparable al «dolo específico» y que la dogmática más reciente considera como «elementos subjetivos del injusto[407].

Desde alguna postura se defiende la incriminación de la comisión imprudente, la cual resultaría justificada en determinadas personas que sustentan una posición especial de deber, y que debido a los especiales conocimientos que poseen por su profesión, tienen la obligación de comprobar el origen de los objetos adquiridos.

Finalmente, en cuanto a las penas, ARPA prevé que, en el caso de una primera violación se impondrán penas correspondientes a delitos menos graves (*misdemeanors penalties)*, concretamente multa de hasta $10.000 o prisión inferior a un año, o ambas, cuando el valor de los objetos arqueológicos dañados

---

[403] Dichas disposiciones deben incluir, pero no estar limitadas a: herramientas o utensilios, ollas, pinturas en las rocas, esculturas, sepulcros...

[404] Tal y como ocurrió en uno de los primeros procesos penales bajo ARPA donde el procesado Case Shumway fue acusado de excavar y dañar las ruinas Turkey Penn, en un acantilado sito en San Juan County, en Uta, el cual databa del 200-400 A.D. al 1250 A.D. La evidencia demostró que Shumway excavó «*into a midden*» (muladar). El juez, ante la pregunta del jurado de si un «midden» era o no recurso arqueológico, respondió que no lo era por no estar en el listado del ARPA, por lo que el jurado estimó no se había violado el ARPA. En NORTHEY, L.: ob. cit. p. 77.

[405] NORTHEY, L.: ob. y loc. cit.; DE MEO, A.: «More effective protection for Native American Cultural Property trough regulation of export», en *American Indian Law Review*, Vol. 19, 1994, p. 39.

[406] Sobre las distintas expresiones en que el término «*intention*» aparece, vid. FLETCHER, G. P.: *Rethinking Criminal Law*, Boston, Toronto, 1978, p. 452 y ss.

[407] HENDLER, E.: *Derecho penal y procesal de los Estados Unidos;* Argentina, 1996, p. 54 y ss.

o destruidos[408] sea inferior a $5.000[409], y cuando el valor de los objetos dañados o destruidos supere los $50.000 se impondrán penas de delitos graves (*felonies penalties*): multa de $20.000 o dos años de prisión, o ambas. Aboga GERSTENBLITH[410] que quizá sería más adecuado al principio de proporcionalidad que la multa fuera X veces el valor de mercado del objeto destruido.

En el supuesto de una segunda o subsiguiente violación, la pena máxima será de $100.000 de multa o 5 años de prisión, o ambas.

Por último, también a nivel **estatal** se aprobaron leyes protectoras de los recursos arqueológicos frente a las destrucciones o daños provenientes de excavaciones ilegales o vandalismo; más de 50 Estados aprobaron dichas leyes y al menos 43 prohibieron realizar excavaciones, dañar o trasladar objetos arqueológicos en suelo estatal, excepto cuando existiera una autorización oficial[411]. Sin embargo las regulaciones estatales han tenido, en general, escaso poder disuasorio en las actividades ilegales de los cazadores de tesoros y vándalos, inefectividad deriva de una penalidad insuficiente y una ejecución limitada. Las violaciones son meramente delitos menos graves («*misdemeanors*») y las multas son mínimas; así por ejemplo en Delaware las multas son de $100 o 30 días en prisión o ambas, o en Hawai $1000 más el valor de lo perdido o dañado[412].

C) *Protección del patrimonio subacuático*

El mar es capaz de preservar objetos de antigüedad y ofrecer a la sociedad conocimiento de civilizaciones antiguas. Sin embargo no es hasta fechas muy recientes cuando cobra interés la protección del patrimonio sumergido, basada hasta entonces únicamente en una jurisdicción estatal limitada y, en decisiones de tribunales federales. Es a raíz de los avances tecnológicos cuando surge una mayor preocupación por el tema, debido a la menor dificultad de acceso a los barcos naufragados.

Tanto la autoridad federal como los Estados promulgan una legislación, en sus papeles de fiduciarios del interés público, con el propósito de asegurar la protección del interés histórico o arqueológico de estos objetos naufragados.

---

[408]   Valor que deberá determinarse atendiendo al comercial o arqueológico y al coste de la restauración o reparación, generalmente coincidentes.

[409]   16 U.S Code § 470ee (d).

[410]   GERSTENBLITH, P.: «Identity and Cultural Property...» ob. cit., p. 582 y ss.

[411]   Datos extraídos de NORTHEY, L.: ob. cit., p. 61 y ss.

[412]   Del. Code Ann. Tit. 7, § 5306 (1974); Hawaii Rev. Stat § 6E-11 (1976).

Para eliminar la confusión acerca de la responsabilidad sobre el patrimonio histórico subacuático, el Congreso promulgó la *Abandoned* **Shipwreck Act of 1987** para proteger los tesoros arqueológicos naufragados en aguas estatales. Se solventa así el conflicto entre las leyes estatales reguladoras y la jurisdicción federal marítima, al transferir el derecho de protección de dicho patrimonio al Estado en cuyas aguas se localice los restos del naufragio. La *Abandoned Shipwreck Act of 1987* refuerza las leyes estatales al declarar al Estado como propietario de los objetos de interés histórico y arqueológico encontrados en su territorio.

Es por ello que algunos Estados han promulgado recientemente legislación conforme a la *Abandoned Shipwreck Act* para así reconocer su papel en la preservación de tesoros hundidos. Dichas leyes estatales preven sanciones penales por realizar exploraciones o excavaciones, lógicamente sin el permiso[413] oficial concedido, que provoquen *daños o destrucciones* de tesoros arqueológicos hundidos. Así, por ejemplo, en California[414] dichas acciones se castigan con penas de prisión de hasta seis meses, multa de hasta $5.000, o ambas. Generalmente estas infracciones constituyen delitos menos graves: así, en Colorado[415], se tipifica como «*misdemeanor*» la apropiación, excavación o destrucción dolosas de un objeto protegido en tierra pública; también en Indiana[416] se considera delito menos grave la alteración dolosa de un bien histórico. Incluso, algunos Estados imponen penas más onerosas por violación de la Ley de Tesoros Sumergidos que por lo que hace a los lugares históricos o arqueológicos en tierra; así, en Massachussetts[417], la violación de la *Abandoned Shipwreck Act* se considera delito menos grave («*misdemeanor*»), castigándose con prisión de 6 meses, multa de hasta $1000, o ambos, así como la confiscación de cualquier objeto tomado, mientras que la violación de la Ley respecto de sitios históricos y arqueológicos conlleva una multa de un máximo de $500.

Desde la doctrina sin embargo se aboga por una equivalencia en el tratamiento de los tesoros arqueológicos, independientemente de su situación en la tierra o si se encuentra sumergido.

---

[413] Por ejemplo, en California el permiso puede ser denegado si la comisión determina que el solicitante no está cualificado para conducir propiamente excavaciones de salvamento.

[414] Cal. Pub. Res. Code § 6314 (a) (West Supp. 1995).

[415] Colo. Rev. Stat. § 24-80-409 (1988).

[416] Ind. Cod. § 14-3-3.4-7 (1983).

[417] Mass. Gen. Laws Ann. Ch. 91, § 63 (West Supp. 1995).

D) Patrimonio Cultural «Native American»[418]

El reciente interés por la protección de los objetos procedentes del patrimonio nativo americano puede encontrar su origen en la creciente popularidad e incremento del valor monetario de dicho arte en el mercado internacional. Su Patrimonio Cultural, compuesto por objetos creados con fines culturales y religiosos, así como por restos humanos de sus antepasados, representa su identidad cultural, su religión, su historia y su evocación de eventos memorables como pueblos y tribus soberanos, por lo que la preservación de estos bienes es esencial para la futura pervivencia de la cultura nativa americana.

La ley promulgada para proteger dichos tesoros culturales, es la **Native American Graves Protection and Repatriation Act of 1991**[419] la cual regula la disposición, el tráfico y, de forma significativa, la repatriación de los objetos que formen parte del patrimonio nativo americano, y que se encuentren en posesión de un museo o una agencia federal[420].

Dicha ley prevé sanciones criminales por *tráfico ilícito* de dicho Patrimonio Cultural. Concretamente «cualquiera que, intencionalmente venda, compre, utilice en su provecho o beneficio, o transporte para vender o sacarle beneficio, restos de los antepasados o cualquier bien cultural nativo americano, será castigado con pena máxima de multa de $100.000 o de prisión de no más de un año, o ambas, y en el supuesto de una segunda o subsiguientes violaciones, 5 años de prisión, multas de hasta $250.000»[421].

La influencia de la *Native American Graves Protection and Repatriation Act* en algunas *leyes estatales* resulta realmente sólo aparente en algunos casos. Mien-

---

[418] Existen diferentes y variadas definiciones de esta categoría protegida. Por poner un ejemplo, en Connecticut se definen como: «las gentes que ocuparon el estado antes del asentamiento europeo, y sus descendientes históricos, Indians definidos como los residentes del estado y todos los miembros de otras tribus reconocidas por los Estados Unidos o por Canadá o sus provincias como residentes de ese estado». Conn. Gen. Stat. Ann. § 10-381 (1) (West Supp. 1994).

[419] 18 U.S. Code §§ 1170 (Supp. II 1990).

[420] Y es que la mejor protección de dichos objetos culturales se proporciona con el logro de su mantenimiento en tierras indias y una vez apartados, en segundo término su protección se basa en su repatriación.

[421] Sec. 1170. *Illegal trafficking in Native American human remains and cultural items:*
Whoever knowingly sells, purchases, uses for profit, or transports for sale or profit any Native American cultural items obtained in violation of the Native American Grave Protection and Reaptriation Act shall be fined in accordance with this title, imprisoned not more than one year, or both, and in the case of a second or subsequent violation, be fined in accordance with this title, imprisoned not more than 5 years, or both.

tras unas leyes confieren una protección limitada, otras sin embargo contienen una protección más amplia. En este momento, aproximadamente 20 Estados han promulgado leyes que sirven de primer mecanismo para dicha protección, criminalizando la posesión, exposición o reproducción, venta, transferencia de restos humanos, y exigiendo la restitución de éstos. Incluso algunos Estados consideran el traslado de restos humanos de una sepultura o las molestias en los entornos de los cementerios como un delito grave (*«felony»*): así, en Arizona[422] la posesión dolosa, venta o transferencia de restos humanos obtenidos en violación de la ley o en Idaho[423] el traslado de restos humanos con la intención de su venta. En otros Estados, como por ejemplo en Massachusets[424], se tipifica la destrucción o la desfiguración intencionales de una estructura religiosa o lugares en memoria de determinadas personas, castigándose con multa de hasta $2000 o tres veces el valor de la propiedad destruida, cualesquiera sea su grandiosidad, o prisión de hasta 2 años y $\frac{1}{2}$, o ambas; y si el daño o la pérdida excede los $5.000 el sujeto será castigado con multa de hasta tres veces el valor de la propiedad dañada, o prisión de hasta cinco años o ambas.

Lo cierto es que, si bien la finalidad de esta legislación protectora es remediar tratamientos desigualdades sufridos en el pasado por los americanos nativos, algunas voces doctrinales[425] reclaman igual tratamiento para todos los restos humanos y lugares religiosos y sagrados, de manera que cualquier grupo cultural tenga el derecho de reclamar dichos restos de acuerdo con sus tradiciones, religiones[426]; de esa manera se pretendería garantizar la protección de los lugares arqueológicos sin preferencia de su valor religioso o secular, eliminando la necesidad de determinar la exigencia de una determinada práctica religiosa o creencias de un concreto grupo.

---

[422]   Ariz. Rev. Stat. Ann. §§ 41-865 (1992).

[423]   Idaho Code (1987) §§ 18-7028.

[424]   Mass. Gen. Laws Ann. Ch. 266, §127ª (West Supp. 1995).

[425]   GERSTENBLITH, P.: « Identity and Cultural Property...» ob. cit. p. 622.

[426]   En España existe un tipo penal relativo a la profanación de sepulturas (art. 526) en el cual, de acuerdo con CARBONELL MATEU, se está atacando los sentimientos religiosos y aún los cívicos y culturales, como la memoria de los muertos, castigándose con pena menos grave. VIVES ANTÓN, T.S., BOIX REIG, J., ORTS BERENGUER, E., CARBONELL MATEU, J.C., y GONZÁLEZ CUSSAC, J.L.: *Derecho penal. Parte especial.* Valencia 2ª ed. 1999, p. 766

E) Robo de objetos de arte y tráfico ilícito

Desde mediados de los años ochenta hasta la recesión de 1991, el mercado de arte internacional y americano experimenta un incremento notable de su actividad («*art boom*») así como del valor de las obras de arte, lo cual conllevó inevitablemente el ascenso de los robos y comercio ilícito[427] de dichos bienes.

De acuerdo con la **National Stolen Act**[428] se tipifican, en primer lugar, los «*Theft* of *major artwork*», castigándose penalmente a cualquier persona que robe un objeto perteneciente al Patrimonio Cultural[429] («*object of cultural heritage*») o lo obtenga fraudulentamente de la custodia, cuidado o control de un museo. El segundo de los tipos podríamos afirmar que es una especie de delito de malversación[430] cuando la persona que tiene encomendada la custodia de los objetos culturales se apropia de ellos.

El *objeto material* es el mismo en ambos casos, el objeto perteneciente al Patrimonio Cultural, siendo la propia Ley la que da su sentido en el texto, de acuerdo con criterios de antigüedad y principalmente de valor económico; así, será objeto perteneciente al Patrimonio Cultural en este ámbito, tanto el objeto de más de cien años de antigüedad y un valor mayor de $5.000, como el objeto de más de $100.000.

Para ambos tipos se prevé pena de multa, prisión por no más de diez años, o ambas.

Por otro lado también se incrimina[431] el *tráfico de objetos robados u obtenidos fraudulentamente*[432]. De ese modo, la ley tipifica como delito grave *(felony)* la

---

[427]   Sobre el robo de objetos de arte y, en general, sobre la corrupción en el mundo del arte y las antigüedades, DEL PIANO, A. J.: «The Fine Art of Forguery, Theft, and Fraud», en *Criminal Justice, 1993*.

[428]   18 U.S. Code.

[429]   DEL PIANO (ob. y loc. cit.) comenta, a este respecto, un caso de robo donde dos sujetos disfrazados de policías entraron en el Boston's Isabella Stewart Gardner Museum, ataron a los guardias de seguridad, y se apropiaron de obras maestras de la pintura valoradas en 200 millones de dólares (Los Angeles Times, Nov. 24 1991).

[430]   Ya apuntamos como, también en España, pero fuera del capítulo relativo a los delitos contra el patrimonio histórico, el Código penal de 1995 prevé una agravación específica de la malversación cuando ésta recae sobre cosas que hubieran sido declaradas de interés histórico o artístico (art. 432 nº 2 CP).

[431]   18 U.S Code §§ 2314-5.

[432]   Vid. BORODKIN, L.: «The economics of antiquities lloting and a proposed legal alternative», en *Columbia Law Review*, vol.95, 1995, p. 377 y ss.; DE MEO, A.: «More effective protection for Native American Cultural Property ...» ob. cit. p. 32.; PHELAN, M.: «Synopsis of the Laws ...» ob. cit., p. 96.

disposición, recepción o compra-venta de objetos culturales robados u obtenidos fraudulentamente, en comercio interno entre Estados o en el exterior, siempre que exista conocimiento por parte del sujeto de la procedencia ilegal del objeto, esto es, un «*specific scienter*», un específico conocimiento tanto de las actividades prohibidas como del status de la propiedad como robada[433].

La pena será de multa de no más de $10.000, 10 años de prisión, o ambas.

Así, en *United States v. McClain*[434] los acusados fueron condenados, bajo la National Stolen Property Act (NSPA), por recibir y vender objetos pre-Colombianos robados, exportados ilegalmente de México. La decisión tomada en *McClain* es importante pues concluye que, para que el objeto se considere «robado» cuando es importado a los United States, y, consecuentemente, incriminado por la *National Stolen Property Act*, debe existir, por parte del país extranjero, declaración de que el objeto cultural en cuestión es propiedad nacional.

Para completar la protección del comercio de obras de artes procedentes del robo, el Congreso aprueba la **Convention on Cultural Property Implementation Act**[435] en 1983, convirtiendo en derecho interno la Convención de la UNESCO ratificada por los United States en 1972. Y es que durante esas fechas, miembros del Congreso se advirtieron de que la demanda existente sobre los objetos culturales conllevó la irremediable destrucción de sitios y objetos arqueológicos, privando así a dichos países de sus Patrimonio Cultural y de un importante conocimiento de su pasado. Finalmente el Congreso reconoció que los Estados Unidos habían sido el principal mercado de artículos de interés arqueológico y etnográfico y objetos de arte y que el descubrimiento de objetos robados o ilegalmente exportados forzaba la relación con los países de origen.

La *Convention on Cultural Property Implementation Act* prohibe la importación de objetos ilegalmente exportados o robados, por ello se establecen restricciones en los supuestos en que una nación participante en la Convención, cuyo Patrimonio Cultural se encuentra en peligro por saqueo de sus propiedades, solicite la importación de material arqueológico[436] o etnográfico en los

---

[433] En *United States v. Hollinshead* se establece la relevancia del conocimiento del previo robo. *United States v. Hollinshead*, 495 F. 2d 988 1154 (9th Cir. 1974).

[434] Vid. *McClain,* 593 F.2d, 671 (5th Cir, 1977).

[435] 19 U.S.C. §§ 2601-2613 (1988). Para una discusión de CPIA y los problemas que se plantean, DE MEO, A.: ob. cit. p. 30; PHELAN, M.: ob. cit. p. 98.

[436] Por «*material arqueológico*» la ley se refiere a un objeto de significado cultural que tiene al menos 250 años de antigüedad y que resulta normalmente descubierto como resultado de

Estados Unidos, requiriéndose así un certificado que confirme que dicha exportación no viola las leyes nacionales.

Por último, mencionar como, durante el movimiento de protección medioambiental desarrollado durante los años 60, muchos de las leyes protectoras del medio ambiente promulgadas al efecto, contenían medidas que, a su vez, aumentaron la protección del Patrimonio Cultural. Así por ejemplo, la *National Environmental Policy Act* (1969) requiere que en los estudios de impacto necesarios cuando se llevan a cabo determinados proyectos, éstos deben tomar en consideración, no sólo la preservación del patrimonio natural y ecológico, sino también los recursos históricos, culturales y arqueológicos.

Concluyendo, se ha podido comprobar como el tratamiento actual del Patrimonio Cultural en los Estados Unidos varía considerablemente dependiendo de una serie de factores: *donde* se encuentre los bienes pertenecientes a dicho patrimonio, que *tipo* de propiedad sea, y de que *grupo cultural* proceden dichos bienes. Variaciones, que de acuerdo con GERSTENBLITH[437] tienen su origen en una serie de conflictos sin resolver relativos a la conexión entre la identidad cultural del grupo político dominante y la variedad de grupos culturales representados. Por ello, desde la doctrina[438] se estima que sería loable una política-criminal en materia de Patrimonio Cultural, reorientada al logro de una uniformidad de su tratamiento, tanto a nivel federal como entre los propios Estados.

5.2. La cuestión en el Derecho inglés

A) Introducción

El ámbito de aplicación de este Derecho, como es sabido, se limita a la esfera de *Inglaterra y al país de Gales;* por tanto, no debe confundirse con el *Derecho Británico* compuesto por el Derecho inglés y el Derecho Irlandés, los cuales también pertenecen a la tradición del *Common Law*, mientras que el *Derecho escocés* es de origen romano y se considera un sistema mixto. Veremos pues las

---

una excavación científica, clandestina o accidental o explotación en tierra o bajo el agua. Por «*objeto de interés etnológico*» se refiere a todo objeto producto de una sociedad tribal o no industrial y que es significativa para el Patrimonio Cultural por sus características distintivas, rareza o su contribución al conocimiento de los orígenes, desarrollo o historia de esa gente.

[437] GERSTENBLITH, P.: «Identity and Cultural Property…» ob. y loc. cit.

[438] GERSTENBLITH, P.: ob. y loc. cit.

líneas generales de la regulación de la protección del Patrimonio Cultural en el Derecho inglés, haciendo una breve referencia al Derecho Británico, en general, y al Derecho Escocés, en la medida en que sus respectivos ordenamientos discurren por caminos básicamente coincidentes.

Pues bien, la recepción del Derecho Romano en los sistemas jurídicos de base continental a principios de la Edad Moderna no alcanzó a Inglaterra, la cual también se mostró indiferente al fenómeno de la Codificación europea de fines del XVIII y principios del XIX, básicamente porque por aquel entonces ya estaba consolidado prácticamente el sistema del *Common Law*.

En Inglaterra siguen ligados al *precedente,* por ello las decisiones judiciales, de acuerdo con la doctrina inglesa, son vinculantes en casos del mismo tipo. No existe codificación, pero sí unos *Statutes,* entendidos como una especie de codificación parcial. Por tanto, si bien el Derecho inglés es esencialmente jurisprudencial («*judge-made-law*»), también el «*Statute Law*» o Derecho legislado (leyes aprobadas por el Parlamento, conocidas como «*Acts of parliament*», junto con disposiciones administrativas de rango inferior a la ley), se erige en fuente de este Derecho[439]. Concretamente, en el campo del Derecho público se ha producido últimamente un aumento considerable de la legislación, promulgándose leyes como medio más efectivo del ejercicio del control social. Es por ello que el sistema resulta una mezcla del *common y statutory law*[440].

B) Acts of parliament

Actualmente son tres las leyes aprobadas por el Parlamento concernientes a la protección del Patrimonio Cultural, leyes con un ámbito de aplicación geográfico que difiere de unas a otras. Estas leyes son las siguientes: *Ancien Monuments and Archaelogical Areas Act 1979,* cuyo ámbito de aplicación se circunscribe a Gran Bretaña (Inglaterra, Gales y Escocia); la *Planning (Listed Buildings and Conservation Areas) Act 1990,* en relación a los edificios declara-

---

[439] Si bien, de acuerdo con MARÍN, las disposiciones promulgadas por el legislador sólo llegan a asimilarse de manera plena por el sistema jurídico inglés cuando se ha procedido a su interpretación y reelaboración por los Tribunales de Justicia. MARÍN CASTAN, Mº L.: «Consideraciones sobre el Derecho inglés como prototipo del sistema de Common Law y sus diferencias respecto de los sistemas romano-germánicos», ob. cit., p. 139 y ss.

[440] ITURRALDE SESMA señala la relación entre las dos fuentes del derecho, afirmando que, cuando el derecho de origen legislativo entra en contradicción con el precedente prevalece el primero, así como, si bien el precedente puede ser modificado por una ley, ésta no puede ser sustituida nunca por el precedente. ITURRALDE SESMA, V.: *El precedente en el Common Law* ... ob. cit. p. 18 y ss.

dos de interés histórico-artístico (catalogados) y los situados en zonas preservadas, ley aplicable únicamente en Inglaterra y Gales. Finalmente la *Protection of Wrecks Act 1973* la cual se aplica en todo el Reino Unido (Inglaterra, Gales, Escocia e Irlanda del Norte).

Sin embargo este marco legislativo designado para proteger lo que se denomina por algún autor como *«historic built environment»*, recibe críticas desde alguna voz doctrinal[441] al considerarlo como fragmentario, inconsistente e incompleto, señalando concretamente las discrepancias entre el grado de protección otorgado a los edificios declarados de interés histórico-artístico *(listed buildings)* bajo las previsiones de la *Planning Act* 1990, y la conferida bajo la *1979 Act* a los monumentos históricos catalogados.

Analizaremos brevemente cuales son las *criminal offences* en cada una de estas leyes.

a) Ancien Monuments and Archaelogical Areas Act 1979

La primera ley concerniente a la protección de monumentos individuales fue la *Act for the Better Protection of Ancien Monuments* en 1882, donde los valores artísticos e históricos eran los objetivos de la tutela[442]. Tras las *Ancien Monuments Protection Acts* de 1900, 1910, 1931 y 1953, la legislación de monumentos históricos se consolidó y actualizó en la *Ancien Monuments and Archaelogical Areas Act* de 1979 la cual, en la actualidad, encarna las leyes relativas a los monumentos.

Son varios los tipos legales[443] previstos en ella:

1. En primer lugar, se incrimina el *ejecutar* o *permitir que sean ejecutados sin la autorización necesaria* trabajos[444] que afecten a los denominados *«scheduled*

---

[441]   JEWKES, P.: «Protecting the historic built environment, en *Journal of Planning & Environmental Law»*, 1993, p. 417.

[442]   Sobre las leyes anteriores a la actual, vid. «La tutela del patrimonio culturale e del paesaggio in alcuni ordinamenti stranieri (Ricerche effettuate per incarico della commissione d'indagine dall'Istituto per la Scienza dell' Amministrazione Pubblica)», en *Per la Salvezza dei beni culturali in Italia, vol.2*, p. 839 y ss.

[443]   Sobre las *criminal offenses* previstas en la 1979 Act, vid. PUGH-SMITH and SAMUELS, *Archaelogy in law*, 1ª ed. 1996, p. 52-57.

[444]   De acuerdo con la S. 2 de la ley estos trabajos pueden referirse tanto a aquellos que acaban en una demolición o destrucción o cualquier otra clase de daño en un monumento que aparezca en el listado citado, como aquellos otros realizados con el propósito de trasladar o reparar el monumento o alguna de sus partes, así como realizar alguna alteración o adición.

monuments», es decir, cualquier monumento que aparezca en un listado confeccionado por el Secretario de Estado, el cual contiene todos los monumentos que fueron declarados bajo la anterior legislación como «monumentos históricos» por razones históricos, arquitectónicas, tradicionales, artísticas o arqueológicas, y cualquier otro que el Secretario de Estado considere de «importancia nacional»[445].

La expresión «sin la autorización necesaria» incluye, tanto el llevar a cabo trabajos sin dicha autorización, como llevarlos a cabo incumpliendo los términos o condiciones requeridas en ella.

A su vez, se preven un número de *exenciones (defenses)*[446] en las cuales el acusado deberá probar:

En la primera de ellas, que tomó todas las precauciones necesarias y actuó con la diligencia debida para evitar o prevenir el daño al monumento. En segundo lugar, el acusado deberá probar la falta de conocimiento sobre si el monumento se encontraba dentro del área afectada por las obras o que éste era un monumento protegido.

Finalmente, demostrará que los trabajos eran urgentemente necesarios por intereses de seguridad e higiene y que, además, se informó de esta necesidad al Secretario de Estado tan pronto como fue posible.

Por último, en cuanto a la penalidad, esta contravención está sujeta en *summary courts,* donde el proceso es conducido por «magistrados»[447], sin la presencia de un jurado (*Magistrate's Court*), generalmente por delitos menores, a una multa máxima de £5.000, o en la *Crown Court*[448] a multa ilimitada.

---

[445] El acusado no está obligado a comprobar que si se trata de un monumento catalogado; sin embargo, un mínimo nivel de información puede darle razones para creer que se encuentra protegido. SHARMAN, F.: «The New Law of Ancien Monuments», en *Journal of Planning and Environment Law*, 1981, p. 785.

[446] Secc. 7, 8 y 9 de la 1979 Act.

[447] La voz «*magistrate*» en inglés no es, sin embargo, equiparable a la de magistrado, de ahí el encomillado, sino que genéricamente, entre los anglosajones, se designan con ella ciertos funcionarios judiciales o jueces de menor jerarquía que ejercen una jurisdicción limitada. Si se trata de delitos graves actúan como jueces instructores en orden a determinar el tribunal competente.

[448] *Crown Court* cuya función principal es relativa a todos los procedimientos penales sobre delitos graves y muy graves. Es la jurisdicción ordinaria en materia penal.

2. El tipo penal más relevante lo constituye aquel en que se sancionan los *daños a un monumento protegido*[449].

La conducta típica consiste en *destruir o dañar* un monumento protegido.

El *objeto material* está constituido por un monumento protegido, esto es, el *«scheduled monument»* o cualquier otro bajo la propiedad o custodia del Secretario de Estado, la *English Heritage*, o la autoridad local.

Los bienes muebles de interés histórico o artístico no son protegidos en la legislación británica sino como pertenencias del inmueble en el cual han sido encontrados. Este sistema tiene su fundamento en una concepción de la tutela del Patrimonio Cultural como conservación del complejo de bienes insertos en su ambiente histórico natural.

En cuanto al *sujeto activo*, la actuación puede llevarse a cabo incluso por el mismo propietario del monumento o bajo su autoridad.

En lo referente a la *culpabilidad*, debe destruirse o dañarse el monumento, con conocimiento de que se trata de un monumento protegido, si bien la actuación puede llevarse a cabo, tanto con la *intención* de dañar o destruir éste, como actuando a través de *culpa consciente* (*recklessness*)[450], así como también de manera negligente.

En cuanto a la condena, en *summary conviction* consistirá en multa con un máximo establecido en la Ley y seis meses de prisión. En *indictment* la multa[451]

---

[449] Secc. 28 de la 1979 Act.:
«La persona que, sin excusa lícita, destruya o dañe un monumento protegido;
a) sabiendo (*«knowing»*) que es un monumento que se encuentra protegido; y
b) con la intención (*«intending»*) de destruirlo o dañarlo, o actuando a través de culpa consciente (*«being recklessness»*) será culpable de un delito.

[450] Vid. SMITH & HOGAN, *Criminal Law*, London, Dublin y Edinburgh, 1992, p. 60 y ss.
Sobre este particular, subraya SILVA SÁNCHEZ como no debe ignorarse la existencia de una distinción entre *«subjective recklesness»* y *«objective recklesness»*. Mientras que la primera se halla en el límite de la diferenciación entre el dolo eventual y la culpa consciente, afirma el autor antecitado que, la segunda se sitúa en el contexto de la culpa inconsciente, como forma cualificada de la misma. De modo que, concluye SILVA, su adopción configura la discusión sobre la imputación subjetiva en términos radicalmente distintos. SILVA SÁNCHEZ, J.M.: *La expansión del Derecho penal. Aspectos de la política criminal en las sociedades postindustriales.* Madrid, 1999, p. 84.

[451] En *R v JO Sims Ltd* (1993) 96 Cr App R 125, los apelantes, dueños de un almacén en una extensa área conocida como Winchester Palace en Southwark llevaron a cabo «trabajos de ampliación» que resultaron en la destrucción de un número importante de restos arqueológicos valiosos, siendo multados con £ 75.000. En apelación, alegaron que el daño fue causado por su inadvertencia, por lo que en consecuencia, el juez, con base en la multa impuesta debía haber considerado que de forma deliberada incumplieron la ley.

no tiene un máximo limitado y puede ser también impuesta una condena de dos años de prisión.

La posible concurrencia entre este tipo y el analizado en primer término, consistente en llevar a cabo trabajos en un monumento protegido sin la autorización necesaria, se resuelve entendiendo que éste cubre los trabajos que no provoquen la destrucción del monumento o le causen daños, mientras que el de la secc. 28 concierne realmente a supuestos de vandalismo o a descuidos graves sobre el monumento protegido.

3. El siguiente tipo prevé el **incumplimiento a la hora de notificar la realización de actuaciones en un área de interés arqueológico**[452], consistiendo la pena, en *summary conviction*, en una multa hasta el tope legal previsto, y en *indictment*, en una multa ilimitada.

Asimismo, tres excusas absolutorias son previstas:

a) La primera excusa para el acusado consiste en mostrar que él no sabía y no tenía razón alguna para creer que el lugar era considerado como un área de interés arqueológico.

b) La segunda consiste en demostrar que las actuaciones eran necesarias con carácter urgente por intereses de salubridad e higiene, y el aviso de tal necesidad se hizo llegar al Secretario de Estado tan pronto como razonablemente fue posible.

c) Por último, se procederá a la absolución si se prueba que se tomaron las razonables precauciones y la diligencia debida para evitar o prevenir alteraciones en el terreno.

4. Finalmente, en la sección 42 se contiene dos tipos delictivos: se incrimina, por un lado, el **uso de detectores de metal en lugar protegido**, y por otro, **tomar objetos arqueológicos localizados con un detector de metales en lugar protegido, sin la autorización**[453] **del Secretario de Estado para el Patrimonio Nacional**.

El Tribunal de Apelación fue de la opinión que, al ser considerado por la Crown Court el actuar negligente, la conclusión del juez tuvo que haber sido que la compañía conocía la naturaleza del área, pero había incumplido negligentemente al apreciar los restos arqueológicos situados bajo el edificio. El Tribunal señaló que el grado de negligencia será reflejado en el nivel de la multa, considerando que habían características que podían reducirla como el hecho de que la compañía había preservado determinados descubrimientos y que cesaron en el trabajo en el momento en que apreciaron el daño realizado. Entendiendo que la suma de £ 75.000 era injustificada en el caso redujo la multa a £15.000.

[452] AMAAA, Sec. 35.

[453] Autorización para usar detectores en un lugar protegido que puede ser concedida de forma incondicional o bajo determinadas condiciones.

Anteriormente a la previsión de esta ley se iniciaron procedimientos por uso de detectores ilícitos bajo la *Theft Act* de 1968 o en procedimientos civiles, aunque ningún cuerpo legislativo decía nada específicamente acerca del uso de detectores de metal.

Por «lugar protegido»[454] se entiende, de acuerdo con el texto legal, o bien un lugar donde esté situado un monumento protegido, o bien, un lugar situado en un área de importancia arqueológica o bajo la propiedad o custodia del Secretario de Estado o autoridad local en virtud de esta Ley.

La pena a imponer en *summary conviction* es una multa de un máximo de £200.

Constituyen *excusas* para el acusado en los procedimientos que se sigan bajo la previsión de la sección 42: probar que el uso del detector de metales se hizo con un propósito distinto al de detectar o localizar objetos de interés arqueológico o histórico, y, para el segundo tipo, demostrar que tomó todas las razonables precauciones para saber si el lugar donde utilizó el detector era un lugar protegido, y no sabía que lo era.

De acuerdo con alguna voz doctrinal[455] estas previsiones distan mucho de ser eficaces y completas, básicamente por dos motivos: en primer lugar porque la catalogación de un lugar no es considerado generalmente como el medio más efectivo de conservación arqueológica, y en segundo, porque no siempre es posible definir con certeza el ámbito de un monumento o lugar protegido. Partiendo de ello entre las propuestas para modificar esta ley, JEWKES[456] destaca dos de ellas: por un lado, sugiere eliminar la excusa basada en la ignorancia de que el área estaba catalogada, excusa corrientemente alegada por todo aquel que lleva a cabo trabajos no autorizados en monumento protegido. Por otro, aboga por una más comprensiva definición de en que consisten los daños al monumento protegido.

Finalmente únicamente mencionaré que, en Irlanda del Norte, tal y como ya dijimos, la legislación a aplicar es diferente; concretamente, bajo la *Historic Monument Act (Northern ireland)* de 1971, son sancionadas las excavaciones desaprobadas con el propósito de localizar objetos arqueológicos.

---

[454] Secc. 42 (2)
[455] PALMER, N.: «Treasure Trove and Title to Discovered Antiquities», en *2 Int. Journal of Cultural Property* 275, 278-9 (1993).
[456] JEWKES, P.: «Protecting the historic built environment», en *Jnl of Planning &Environment Law*, 1993.

b) Planning Act 1990

La siguiente ley protectora del Patrimonio Cultural es la *Planning (Listed Buildings and Conservation Areas) Act* de 1990, la cual sustituye a la *Town and Country Planning Act* de 1971 en relación a la protección de *edificios catalogados y situados en áreas preservadas.* A este respecto, es el Secretario de Estado para el Patrimonio Nacional quien tiene la obligación de componer y aprobar listados de edificios de especial interés histórico o arquitectural.

Constituyen «*criminal offenses*»:

1. Los **trabajos** *no autorizados* en un *edificio catalogado.*

Se incrimina el efectuar trabajos en un edificio catalogado para los cuales debía haberse obtenido una autorización que, sin embargo, no se ha obtenido.

La *conducta típica*[457] consistirá en ejecutar o hacer ejecutar trabajos que consistan en la *demolición,* total o parcial, del edificio, o en su *alteración* o *ampliación* de forma que afecten su especial interés histórico o arquitectural, a menos que dichos trabajos sean autorizados[458].

El *objeto material* se halla constituido por un edificio que se encuentre catalogado, lo que lleva a plantearse el siguiente interrogante: ¿constituye delito cualquier demolición no autorizada, o sólo si afecta al especial carácter del edificio?

En lo que no hay duda alguna es en que los trabajos *no se encuentren autorizados.* Estos controles aseguran que las propuestas de demolición sean examinadas cautelosamente antes de que la decisión sea tomada. También esta autorización se requiere para reparaciones que normalmente envuelven alteraciones que podrían afectar a los caracteres del edificio protegido. Por «no autorizados», también se incluyen los trabajos que, si bien tienen la autorización, sin embargo se llevan a cabo incumpliendo alguna condición ligada a ésta.

---

[457] P (LBCA) A 1990, s. 9, en relación con la S. 7.
[458] A este respecto, MYNORS pone de manifiesto el hecho de que, si el Parlamento ha configurado estos hechos como delito, demuestra la importancia que se concede al Patrimonio Cultural, ya que, si bien la construcción de un edificio sin la preceptiva licencia constituye una ilicitud, ésta puede ser remediada; sin embargo el derribo de un edificio histórico-artístico no es un acto que pueda ser fácilmente dado marcha atrás, siendo en muchos casos imposible su reconstrucción. MYNORS, *Listed Buildings and Conservation Areas,* 2ª ed., p. 260 y ss.

El llevar a cabo trabajos no autorizados en edificio catalogado constituye un delito de *strict liability*[459], es decir, de responsabilidad estricta, absoluta u objetiva, donde no se diferencia si la persona que llevó a cabo los trabajos sabía o no si el edificio estaba catalogado. La *strict liability* normalmente se aplica a delitos de menor cuantía (*minor offences*), penados normalmente con multa. En el caso de infracciones contra edificios catalogados, es posible teóricamente ser condenado a la pena de prisión, a discreción del tribunal. Prácticamente veremos como todos los delitos contenidos en esta ley son de *strict liability*.

Cuando los trabajos no autorizados sean llevados a cabo, como ocurrirá normalmente, por un constructor o una compañía de demolición, antes que por el *propietario* personalmente, la responsabilidad sólo corresponderá al propietario, si él era responsable delegado (*vicariously liable*[460]), por los actos del contratista al tiempo que los trabajos fueron llevados a cabo. Lo cierto es que, la mayoría de los delitos son cometidos por compañías más que por personas físicas. Sin embargo es posible procesar no sólo a la compañía sino también a su director, que consintió la realización de los trabajos[461].

Al igual que señalamos en los demás tipos, constituye una exención (*defense*) para el propietario probar que «los trabajos eran urgentemente necesarios en interés de la seguridad e higiene, o para la preservación del edificio. El propietario deberá informar a la autoridad local «tan pronto como sea posible razonablemente»[462].

Finalmente me interesa subrayar un par de cuestiones relativas al **procedimiento** seguido en estos casos. El acusado será llevado ante los magistrados locales (*local magistrates*), los cuales deben decidir inicialmente si consideran que el caso es adecuado o apto para *summary trial*, es decir el proceso ante ellos, en lugar de ante un jurado. Si los magistrados consideran que resulta preferible el *summary trial*, ofrecen al acusado la opción. Si éste también lo prefiere, los magistrados procederán a escuchar el caso, y si el acusado es encontrado

---

[459]   Vid. SMITH & HOGAN: *Criminal Law...* ob. cit. p. 99 y ss. SEAGO, P.: *Criminal Law,* Leeds, 1994, p. 102.

[460]   Acerca de esta figura, SILVA SÁNCHEZ cita a TIEDEMANN (*Lenkner-F.S.*), al entender dicho autor que esta figura constituye la correspondencia de la autoría en comisión por omisión. SILVA SÁNCHEZ, J.M:. *La expansión del Derecho penal,* ob. y loc. cit.

[461]   En *R v Brightman (1991) 1 PLR 25*, fue multada con 500 una empresa por llevar a cabo un derribo inautorizado de un árbol en un área protegida, siendo a su vez Mr. Brighman, director de la compañía, condenado a pagar otros 500. MYNORS, *Listed Buildings and Conservation Areas...* ob. cit. p. 272.

[462]   Secc. 9 (4).

culpable la pena máxima será de prisión de hasta seis meses o multa de hasta £20.000, o ambas[463].

Sin embargo, si el magistrado considera que el caso no es enjuiciable por *summary trial* o si el acusado elige serlo por un jurado, el caso se remitirá a la *Crown Court*, donde si es encontrado culpable la pena máxima será de prisión hasta dos años[464] o multa ilimitada, o ambas. Multas que pueden ser rebajadas de acuerdo con determinados criterios como puede ser la importancia de lo que fue destruido, el beneficio final o el grado de culpabilidad, entre otros[465].

2. **Daños a un edificio de interés histórico artístico** (*listed building*).

Estamos ante un delito específico de daños en razón del objeto sobre los que recaen[466].

Sujeto activo será la persona que realice o permita que se realice cualquier actuación que provoque *daños* en un edificio, pero distinta a aquellas realizadas para la ejecución de «excepted works», es decir, de trabajos para los cuales se haya concedido autorización o permiso, excluyéndose por tanto las actuaciones de ejecución, demoliciones o alteraciones. Sólo pueden ser cometidos por alguien autorizado para llevar a cabo esa actuación («*relevant person*»), generalmente el propietario o inquilino del suelo. Si los trabajos son realizados por cualquiera no autorizado para hacerlos, de acuerdo con MYNORS[467], lo correcto sería que fuese incriminado a través de la *Criminal Damage Act* de 1971, antes que bajo la P(LBCA)A 1990, s. 59. Debe existir, por tanto, autorización para llevar a cabo esa actuación.

En cuanto al objeto material éste debe ser un edificio de interés histórico-artístico (*listed building*). No se aplicará esta disposición si el edificio tiene un uso eclesiástico o si se trata de un *scheduled monument;* en estos casos quizá encontrarían protección a través de la *Ancien Monuments and Archaelogical Areas Act* de 1979.

En lo referente a la culpabilidad, debe existir intención de dañar el monumento. Sin embargo, no necesitará ser probado el conocimiento del declarado carácter histórico-artístico del edificio.

---

[463]   Penas incrementadas a partir del 25 de septiembre de 1991.
[464]   También doblada en 1991.
[465]   En *R v JO Sims Ltd* (1993) 96 Cr App R.
[466]   Secc. 59.
[467]   MYNORS, *Listed Buildings…*, ob. y loc. cit.

Finalmente, apuntaré que este delito sólo puede ser juzgado *summarily*, esto es, ante magistrado, siendo la máxima pena a imponer una multa de £1.000 para delitos cometidos a partir de 1 de octubre de 1992 (*Criminal Justice Act* 1991).

3. El tercero de los tipos contenidos en la *Planning Act* de 1990 consiste en la **demolición** *no autorizada de* **edificio no catalogado en área preservada**.

Se aplicarán las mismas consideraciones realizadas respecto a los edificios catalogados; sin embargo, no constituye delito bajo esta ley «dañar» un edificio no catalogado en área preservada, a menos que el daño suponga la demolición de parte del edificio. Será responsabilidad de la autoridad probar que la demolición ha tenido lugar y que el edificio se encontraba en un área preservada.

Como posibles *excusas* el acusado podrá probar que obtuvo la autorización para llevar a cabo dichos trabajos de demolición[468], constituyendo también el tipo el llevar a cabo los trabajos de demolición para los cuales haya sido concedida autorización, pero *incumpliendo alguna de las condiciones* que iban ligadas a dicha autorización. Otra excusa absolutoria consistirá en probar que los trabajos eran necesarios de forma urgente.

Los tipos descritos son de *strict liability*, esto es, no será necesario en el proceso probar que el acusado sabía que el edificio se encontraba en área preservada: si bien el propietario y ocupante de un edificio debe ser informado tan pronto sea posible de su catalogación, no existe tal requerimiento cuando un edificio es incluido en un área preservada. La penalidad máxima será la misma que la correspondiente para los delitos relativos a los edificios catalogados.

c) Protección de los restos provenientes de naufragios (*Wrecks Act 1973*)

Por último, esbozaremos en unas líneas la protección que ofrece la llamada *Wrecks Act de 1973;* ya comentamos que esta Ley es aplicable a todo el Reino Unido (Inglaterra, Gales, Escocia e Irlanda del Norte) y a través de ella se autoriza al Secretario de Estado a designar un área alrededor del lugar donde se encuentre restos de un buque naufragado («*wrecks*») en aguas del Reino Unido si, debido a la importancia histórica, arqueológica o artística de éste, el

---

[468] Autorización que no proporciona inmunidad para el proceso criminal, pero que será suficiente para interrumpir la ejecución que podría seguirse. MYNORS, ob. cit. p. 311.

yacimiento debiera ser protegido. A este respecto se incriminan las actuaciones de personas no autorizadas consistentes en estropear, descomponer, o dañar parte del buque o su contenido, lo mismo que llevar a cabo excavaciones para explorar éste. También constituye delito causar o permitir lo anterior en un área prohibida.

El culpable de un delito bajo esta ley responderá en *summary conviction* con una multa de hasta £400 o, en procesamiento por la Crown Court a multa ilimitada[469].

---

469 Información concedida por la Buildings, Monuments and Sites Division en el Departamento de National Heritage.

CAPÍTULO III

BIEN JURÍDICO Y PRINCIPIO «*NE BIS IN IDEM*» EN EL MARCO CONSTITUCIONAL

I. INTRODUCCIÓN

Es por todos conocido que entre los límites que se imponen al *ius puniendi* se encuentra el principio de «exclusiva protección de bienes jurídicos», partiendo de una concepción del Derecho Penal como tutelador de bienes y no como un mero orden imperativista[1]. Precisamente por ello, el Derecho Penal exige para su intervención un comportamiento antijurídico que, por su gravedad o su mayor desvalorización, la requiera efectivamente, y un objeto de protección que, por su valía, exija esa garantía punitiva y justifique la existencia del hecho punible[2]. Esto es, la presencia de un interés digno, susceptible y necesitado de protección penal.

El bien jurídico tiene, pues, un papel fundamental en relación con el contenido material del injusto típico: en virtud del dogma *nullum crimen sine iniuria*, expresión del *principio de ofensividad*[3], todo delito comporta un daño o una puesta en peligro de un bien jurídico determinado. Principio que se reconduce, como la mayoría de los principios penales, al de legalidad[4], de forma

---

[1] Así ya desde que VON LISTZ elevó el bien jurídico a la categoría de punto central del Derecho Penal, orientado a la idea de protección. También en España es pacífico; en ese sentido, la doctrina penal mayoritaria: así, por todos: COBO DEL ROSAL, M./VIVES ANTÓN, T.S.: *Derecho penal. Parte general*, Valencia, 1999, p. 315.; MIR PUIG, S.: *Derecho penal. Parte general*, Barcelona, 1996, 4ª ed.; SILVA SÁNCHEZ, J.: *Aproximación al Derecho penal contemporáneo*, Barcelona, 1992; MUÑOZ CONDE, F./GARCÍA ARÁN, M.: *Derecho Penal. Parte General*, Valencia, 3ª ed., 1998; OCTAVIO DE TOLEDO Y UBIETO, E.O.: «Función y límites del principio de exclusiva protección de bienes jurídicos», en *Anuario de Derecho Penal y Ciencias Penales* (en adelante, *ADPCP*), t. XLIII, fasc. 1, enero-abril 1990; también en VIVES ANTÓN, T.S.: «Estado de derecho y Derecho penal», en *Derecho Penal y Constitución, T. I., Comentarios a la legislación penal* (dir. por COBO DEL ROSAL, M.), p. 1, Madrid, 1982.

[2] Entre otros, a título de ejemplo, POLAINO NAVARRETE: *Bien jurídico en Derecho penal*, Sevilla, 1974, p. 53. VIVES ANTÓN, T.S.: *Fundamentos del sistema penal*, Valencia, 1996, p. 484. BUSTOS RAMÍREZ, J.: *Derecho penal. Parte general*, 1994, p. 99 y ss. GONZÁLEZ CUSSAC, J.L.: «Principio de ofensividad, aplicación del Derecho y reforma penal», en *Poder Judicial*, nº 28, p. 7 y ss. En la doctrina alemana, JAKOBS, G.: *Derecho penal. Parte general. Fundamentos y teoría de la imputación* (trad. Cuello Contreras y Serrano González de Murillo), Madrid, 1995, p. 44 y ss; MAURACH/ZIPF: *Derecho penal. Parte general*, 1994, p. 333 y ss; JESCHECK, H.H.: *Tratado de Derecho penal. Parte general*, Granada, 1993, p. 350 y ss; ROXIN, C.: *Política criminal y Sistema de Derecho penal*, Barcelona, 1972, p. 41 y ss; FERRAJOLI, L.: *Derecho y razón. Teoría del garantismo penal*, 1995, p. 464 y ss.

[3] GONZÁLEZ CUSSAC, J.L.: «Principio de ofensividad...», ob. y loc. cit.

[4] Cfr. VIVES ANTÓN, considerándolo como una suerte de «principio de principios». VIVES ANTÓN, T.S.: «Principios penales y dogmática penal», en *Estudios sobre el Código penal de 1995 (Parte General) 2*, Escuela Judicial, CGPJ, 1996, pp. 37-71.

que toda contradicción entre la norma penal y el hecho realizado supondrá ya un menoscabo de un bien jurídico[5].

Se hace, pues, absolutamente necesario la determinación del bien jurídico en el marco del análisis de una figura delictiva de la parte especial del Derecho Penal, básicamente porque el bien jurídico conforma la piedra angular, tal y como hemos expresado, de la teoría jurídica del delito[6]. Y más aún si cabe, en el caso que nos ocupa, habida cuenta de que nos encontramos ante un bien jurídico de dimensión social o colectiva, cuya protección resulta novedosa en nuestro ordenamiento jurídico-penal.

No nos detendremos, sin embargo, en la noción de bien jurídico —la cual se ha ido perfilando desde el siglo XIX hasta el siglo presente[7] después de una controvertida polémica doctrinal— por considerar que excedería de las pretensiones de este trabajo[8], en el cual se pretende únicamente un acercamiento a dicha noción de bien jurídico con carácter *instrumental*, esto es, en aras de la determinación del concreto objeto de protección y la configuración posterior de los tipos del Capítulo II del Título XVI del Código Penal de 1995, lugar donde se incardinan los denominados «delitos sobre el patrimonio histórico», objeto del presente estudio.

---

[5]   COBO DEL ROSAL/VIVES ANTÓN: *Derecho penal. Parte general...*, ob. y loc. cit. Por contra, señala TERRADILLOS BASOCO que, debido a que el lenguaje penal difícilmente puede abarcar todos los supuestos que, por el transcurso del tiempo o el cambio de determinadas circunstancias, se dan en la realidad, ciertos autores preconizan la inclusión de un *concepto material* de delito en la definición legal del mismo. TERRADILLOS BASOCO, J.: «La satisfacción de necesidades como criterio de determinación del objeto de tutela jurídico-penal», *en Revista de la Facultad de Derecho de la Universidad Complutense de Madrid* (en adelante *RFDUCM)*, 1981, nº 63, p. 128.

[6]   BUSTOS RAMÍREZ, J.: *Control social y sistema penal*, 1987, p. 36. Observaba GRISPIGNI como «*Il bene giuridico è la ragion d'essere della fattispecie legale, lo spirito che la fa vivere, e quello che ne segna i confini*». GRISPIGNI: *Diritto penale italiano*, Milano, 1952, vol. II, p. 140. En un sentido similar, BETTIOL, G.: «L'odierno problema del bene giuridico», en *Rivista di Diritto e Procedure Penale*, 1959, p. 716.

[7]   La actual discusión del concepto de bien jurídico es inabarcable; como mera indicación de diversos puntos de vista, ver HORMAZABAL MALAREE, H.: *Bien jurídico y Estado social y democrático de Derecho (el objeto protegido por la norma)*, Barcelona, 1991, p. 93 y ss.; PORTILLA CONTRERAS, G.: «Principio de intervención mínima y bienes jurídicos colectivos», en *Cuadernos de Política Criminal*, 1989, nº 39, p. 723 y ss.

[8]   En nuestra literatura, entre los autores que efectúan una exposición de la evolución histórica del concepto de bien jurídico destacamos los siguientes: BUSTOS RAMÍREZ, J.: *Manual de Derecho penal. Parte general*, Barcelona, 1994, p. 99 y ss.; MIR PUIG, S.: *Introducción a las bases del Derecho penal*, Barcelona, 1976, p. 128 y ss.; POLAINO NAVARRETE, M.: *Bien jurídico en Derecho penal*, Sevilla, 1974, p. 53; GONZÁLEZ RUS, J.J.: *Bien jurídico y Constitución (Bases para una teoría)*, Madrid, 1983, p. 34 y ss.

Pues bien, para determinar la intervención del Derecho Penal en la protección de estos nuevos intereses colectivos o sociales, también denominados *difusos*[9], la doctrina científica trata de aportar los *criterios* que sirvan de guía en la selección de los valores a proteger, de acuerdo con los cuales el bien jurídico pueda cumplir su *función crítica*[10], limitando el ejercicio por el Estado del poder punitivo en el momento legislativo. Por consiguiente, en la búsqueda de los criterios mencionados, que puedan estimarse correctos para saber con certeza qué bienes jurídicos son acreedores de la protección por el Derecho Penal, se suceden una variada gama de posiciones, que se reconducen finalmente al posicionamiento bicéfalo actual[11]: de un lado, las conocidas como *teorías sociológicas*[12], las cuales remiten directamente a la realidad social para concre-

---

[9] En este sentido, dedicaremos *infra* un epígrafe en este Capítulo al carácter colectivo de estos bienes jurídicos, en el que realizaremos las procedentes precisiones terminológicas.

[10] Y es que de todas las funciones que se asignan al bien jurídico —entre las que destacan el ser criterio de interpretación, así como de clasificación y fundamento de las infracciones penales, de acuerdo con sus funciones exegética y sistemática— el debate doctrinal se centra básicamente en la *función crítica* del bien jurídico, o función limitadora frente al legislador a la hora de crear el ilícito penal, discutiéndose los bienes jurídicos, individuales o colectivos, merecedores y susceptibles de protección penal. Si bien POLAINO NAVARRETE atribuye a la categoría del bien jurídico una función de naturaleza axiológica, otra sistemática, otra exegética y finalmente otra dogmática, preferimos la clasificación propuesta por COBO DEL ROSAL y VIVES ANTÓN por considerarla más clarificadora, donde, sin olvidar su papel de límite frente al legislador, de acuerdo con su función *garantista,* destacan las mencionadas funciones exegética y sistemática; POLAINO NAVARRETE, M.: *Bien jurídico en Derecho penal,* Sevilla, 1974; COBO DEL ROSAL/VIVES ANTÓN: *Derecho penal. Parte general,* ob. cit., p. 320.

[11] Expresión utilizada por GUTIÉRREZ FRANCÉS, M.L.: *Fraude informático y estafa,* Madrid, 1991, p. 200.

[12] Entre los partidarios de acudir a las necesidades sociales para concretar el bien jurídico a proteger penalmente, se encuentran los autores que mantienen posiciones *estrictamente sociológicas,* las cuales remiten a la *realidad social* como única vía para determinar el contenido de un bien jurídico, si bien debe diferenciarse entre las teorías «liberales» del perjuicio social las cuales aceptan que la lesión de un bien jurídico supone la «oposición a un valor» y sólo en última instancia, un perjuicio social (doctrina dominante, JESCHECK), y la evolución funcionalista que genera las «nuevas teorías del perjuicio social», destacando la aportación de HASSEMER. Para una aproximación detallada sobre el tema, vid. GÓMEZ BENÍTEZ, J.J.: «Sobre la teoría del bien jurídico» (aproximación al ilícito penal), en *Revista de la Facultad de Derecho de la Universidad Complutense de Madrid,* 1983, nº 69, p. 111.
De ese modo, las teorías funcionalistas, prescinden de cualquier mediación valorativa refiriendo directamente la lesión del bien jurídico al *perjuicio social.* En esta línea de pensamiento, AMELUNG condiciona el contenido del bien jurídico a lo que es «socialmente dañoso», definiendo el delito como el comportamiento que obstaculiza el funcionamiento de los sistemas sociales (cfr. *Rechtsgüterschutz und Schutz der Gesellschaft,* Frankfurt, 1972, parte III, p. 350).

También desde planteamientos sociológicos, HASSEMER señala la importancia del contexto socio-cultural concreto en la valoración del bien jurídico, de manera que considera como límite a respetar por el legislador en la tutela penal el juicio de valor «socialmente vigente», los intereses que son «socialmente reconocidos» como más importantes, indicando a su vez cuáles son las condiciones de incremento de dicho reconocimiento social: la frecuencia de la lesión, la intensidad, percibida socialmente de la necesidad de este bien, y por último la alarma social que produce su lesión. No obstante, considera a la Constitución del Estado como «indicativo» útil de dicho juicio de valor (HASSEMER, W.: «Il bene giuridico nel rapporto di tensione tra costituzione e diritto naturale. Aspetti giuridici», en *Dei Delitti e delle Pene*, 1984 (1), p. 107).

En la *doctrina española,* suele mantener planteamientos similares MIR PUIG *(Introducción a las bases...,* ob. cit., p. 138 y ss. También en *Función de la pena y teoría del delito en el Estado social y democrático de Derecho,* Barcelona, 1982, p. 63. Ver la evolución de su pensamiento, en *Derecho penal. Parte general,* ob. cit.). El citado autor estima conveniente introducir en el concepto de bien jurídico un planteamiento *social* de la función del Derecho penal y sus límites. En consecuencia, al considerar que el concepto de bien jurídico como límite para el legislador debe buscarse en el terreno de lo *social,* define los bienes jurídicos como las *«condiciones necesarias, según la observación empírica, de un correcto funcionamiento de los sistemas sociales»,* condiciones que deben traducirse, siguiendo a CALLIES (cfr. *Theorie der Strafe mi demokratischen und sozialen Rechtsstaat,* Frankfurt, 1974, p. 122 y ss.), en *concretas posibilidades de participación* en los sistemas sociales por parte de cada individuo. Por su parte, TERRADILLOS BASOCO concreta el contenido de esas posibilidades de participación identificando el bien jurídico con «lo que es susceptible de satisfacer una *necesidad* humana», ligando esas necesidades al mundo de los *valores,* como expresión de éstos, considerando que cuando más universales sean éstos, más radicales serán las necesidades, recibiendo la crítica de VIVES ANTÓN por la falta de un criterio de justicia en la selección de las necesidades que deben ser satisfechas y protegidas. Cfr. TERRADILLOS BASOCO, J.: «La satisfacción de necesidades...», ob. cit., p. 136 y ss.

Sin embargo, MIR (en «Bien jurídico y bien jurídico-penal como límites del *ius puniendi*», *Estudios Penales y Criminológicos XIV,* 1991, p. 205 y ss.) matiza estas consideraciones afirmando que debe realizarse una concreción ulterior para que un bien jurídico pueda convertirse en *bien jurídico-penal,* merecedor de tutela jurídico-penal. No todo cuanto posea una materia de *interés social* relevante se elevará a la categoría de bien jurídico-penal; para recibir esta consideración este autor exige en él dos condiciones:

– en primer lugar, la suficiente *importancia social del bien,* lo que conlleva postular la *autonomía de la valoración jurídico-penal* de aquellos bienes teniendo como criterio básico el que tales bienes puedan considerarse *fundamentales para la vida social,* concreción que se advierte claramente, de acuerdo con este autor, para determinar hasta donde debe llegar la protección en los casos de nuevos intereses colectivos o sociales, llamados también «difusos» en los que nos detendremos *infra.*

– y en segundo lugar la *necesidad* de la protección penal, por no resultar suficientes para su tutela otros medios de defensa menos lesivos, como la intervención administrativa o civil. Son varios los autores que tratan de precisar las condiciones necesarias para la correcta determinación del bien jurídico: entre otros, podemos citar a MUÑOZ CONDE definiendo los bienes jurídicos como *«aquellos presupuestos que la persona necesita para su autorrealización en la vida social».* Para GÓMEZ BENÍTEZ, el bien jurídico debe ser en todo caso un «concepto de contenido social» (cfr. MUÑOZ CONDE, F.: *Introducción al Derecho penal,* Barcelona, 1975. GÓMEZ BENÍTEZ, J.M.: «Sobre la teoría del bien jurídico», ob. y loc. cit.).

tar el contenido del bien jurídico, y, de otro lado, las *teorías constitucionalistas*, las cuales acuden a la Norma Suprema en la determinación de los valores que deben ser protegidos por el Derecho Penal.

Habida cuenta de que las críticas[13] a las posiciones sociológicas se dirigen principalmente a la consideración de que éstas adolecen de una precisión concreta de su contenido, no quedando por ello suficientemente delineada la función crítica del bien jurídico en el plano legislativo[14], en un intento de superar las deficiencias reseñadas, se suceden otra serie de construcciones denominadas *eclécticas o intermedias*[15], las cuales tienden un puente entre las sociológicas y las denominadas constitucionalistas.

---

[13]   Básicamente, cuando se afirma que los ilícitos penales son aquellos hechos *disfuncionales para los sistemas sociales* no se está aportando criterios exactos que limiten la tarea del legislador a la hora de castigar con sanciones penales determinadas conductas, por lo que resulta aleatorio y subjetivo lo que se considera «funcional» en una determinada sociedad, dependiendo de las variaciones sociales y culturales del contexto desde el que se emite el juicio. Las dificultades realmente comienzan a la hora de precisar ese carácter *fundamental*. Sin embargo, cuando algunos autores intentan delimitar el interés socialmente relevante que lo haga merecedor de tutela jurídico-penal, *«terminan enredándose en los mismos hilos del problema»* (cfr. ÁLVAREZ GARCÍA, J.: «Bien jurídico y Constitución», en *Cuadernos de Política Criminal*, nº 43, 1991, p. 5 y ss.) y acaban en la misma indefinición. Así, a mayor abundamiento, MIR PUIG con el fin de determinar la suficiente *importancia social del bien* merecedor de tutela jurídico-penal, se servía como criterio básico el que tales bienes puedan considerarse *fundamentales para la vida social,* lo cual nos sume en la misma inconcreción del principio, al depender de las valoraciones subjetivas del momento histórico y cultural en que se realicen.

[14]   BUSTOS RAMÍREZ, J.: *Derecho penal. Parte general,* 1996, p. 110; GONZÁLEZ RUS, J.J.: *Bien jurídico y Constitución...,* ob. cit., p. 30 y ss. Si bien es cierto que algunos autores de estas tendencias pretenden aportar una serie de condiciones necesarias para la consideración de un bien jurídico. Vid. *infra* HASSEMER: «Il bene giuridico…», ob. y loc. cit. Asimismo, SAX siguió el camino de acudir a la fundamentación constitucional, decidiendo lo que serán o no bienes jurídicos el «orden de valores de la Constitución». Vid. al respecto MIR PUIG, S.: *Introducción a las bases del Derecho penal,* Barcelona, 1976, 132 y ss.

[15]   Sustentadas, entre otros, por MORALES PRATS y por GUTIÉRREZ FRANCÉS. Así, en primer lugar, MORALES PRATS postula un concepto de bien jurídico *«de corte sociológico y constitucionalmente orientado»* al considerar por un lado, que se trata de un concepto de raíz sociológica, ubicado en el sistema social, y por otro lado, que, sin embargo, no debe obviarse la escala de valores recogida en la Constitución, al constituir ésta una *«premisa político-criminal de gran trascendencia para la modelación del sistema penal»*.

  También para GUTIÉRREZ resulta posible compatibilizar estos planteamientos, ya que si bien considera irrenunciable el envío a la realidad social efectuado por las corrientes sociológicas más próximas a VON LIZT, también sostiene que, debido a que dicha realidad social está configurada como un entramado de intereses, el legislador penal no opera libremente en su elección, sino que debe respetar los *límites elementales, «mínimos, nunca máximos, trazados por la Constitución y por el modelo de Estado en ella acogido»*, aproximán-

Ciertamente, de acuerdo con lo expuesto, no parecen plausibles las tesis sociológicas puras, al no ofrecernos un contenido material del objeto de tutela penal. Partiendo pues de las mencionadas tesis eclécticas, en la búsqueda de los *criterios* que efectivamente limiten al Estado a la hora de seleccionar los bienes a proteger, se acude a la *norma constitucional*, como norma suprema del ordenamiento, considerando su papel relevante en la determinación del bien jurídico y, en particular, del objeto de protección en los delitos que nos ocupan, desde el momento en que la Carta Magna prescribe el reconocimiento, la valoración, y la tutela de los citados bienes macrosociales o colectivos, y, más aún si cabe, desde la previsión en su propio texto (art. 46), de forma excepcional, de la tutela penal de nuestro Patrimonio histórico, cultural y artístico.

He considerado, pues, conveniente abordar en el siguiente epígrafe, por su relevancia en el presente trabajo, las relaciones entre la Ley penal y la Constitución, como factor determinante para la correcta concreción ulterior del objeto de protección en los delitos objeto de nuestro estudio, concreción del bien jurídico que no puede alcanzarse si no es en referencia a la Norma Fundamental y al modelo de Estado que ésta recoge.

Pero además, para la determinación del bien jurídico protegido en los citados delitos, será necesario adentrarnos en la naturaleza de aquél, partiendo de que una de las notas más significativas que fundamentan el mandato constitucional de tutela la constituye el hecho de encontrarnos ante bienes distintos a los personalistas que gozan tradicionalmente de la tutela penal, y cuya tutela es reclamada por el conjunto de la sociedad.

Por último, comprobaremos cómo la admisibilidad de un bien jurídico de carácter colectivo suscitará el debate sobre la necesidad de articular disciplinas, cuya regulación tradicional venía de manos del Derecho Administrativo Sancionador, con una tutela punitiva, situación que nos conducirá al clásico problema de compatibilizar ilícito penal e ilícito administrativo, así como a la técnica legislativa empleada.

---

dose de manera significativa a algunas de las posturas que analizaremos en el siguiente epígrafe. Vid. MORALES PRATS, F.: en QUINTERO OLIVARES, G.: *Curso de Derecho penal. Parte general*, Barcelona, 1996, p. 246. GUTIÉRREZ FRANCÉS, M.L.: *Fraude informático y estafa*, ob. cit., p. 200 y ss.

II. DERECHO PENAL Y CONSTITUCIÓN

1. Estado de la cuestión

En términos generales se afirma la existencia de limitaciones de carácter *negativo* provenientes de la Constitución, las cuales impiden la protección de determinados intereses que resulten incompatibles con ella, o que ya reciban tutela suficiente a través de otras ramas del ordenamiento jurídico.

Pero si es claro el aspecto negativo, se plantea en la doctrina la cuestión atinente a si la Constitución puede desempeñar una función *positiva*, en el sentido de obligar al Estado a otorgar protección penal a determinados intereses a los que el constituyente concede mayor relevancia; es decir, si todas las realidades que aparecen en la Constitución, sólo por ese hecho, adquieren la cualidad de penalmente protegibles.

Pues bien, precisamente con el fin de determinar el concreto alcance de nuestra Carta Magna, surgen las llamadas *teorías constitucionalistas* del bien jurídico, que se dividen en *amplias o estrictas,* según el modo de conexión entre los valores constitucionales y los valores protegidos por la ley penal; de ese modo las concepciones *amplias* utilizan la norma suprema únicamente como marco referencial mínimo de los bienes a tutelar por el Derecho Penal, para definir el objeto de la tutela punitiva, mientras que las *estrictas* deducen los objetos de tutela penal, así como la forma en que deben recibir dicha protección, de las disposiciones específicas del texto constitucional.

Pasaremos a continuación a abordar el estudio de los límites marcados *por la Constitución* en la determinación del contenido material del bien jurídico, así como *por el modelo de Estado previsto en aquella,* desde las diversas posiciones que acabamos de referir, dedicando finalmente una especial atención a la tesis formulada por VIVES ANTÓN, iniciadora en la doctrina española contemporánea de la conexión entre Derecho Penal, bien jurídico y Constitución.

1.1. Posiciones constitucionalistas estrictas

De acuerdo con las teorías constitucionalistas estrictas, los objetos de tutela se deducirán, expresa o implícitamente, de las prescripciones específicas del texto fundamental, dejando al legislador la tarea únicamente de perfilar los valores ya recogidos en el texto constitucional. El representante más cualificado de esta postura, por su influencia en España, es BRICOLA, el cual considera que el bien a tutelar debe encontrarse entre los que, explícita o implícitamente se encuentren contemplados por la Constitución, de forma que será la «naturaleza constitucional» del bien lo que determine la posibilidad de su tutela. Sentado lo anterior, el ilícito penal se concretará de forma exclusiva en una «significativa lesión de un valor constitucionalmente relevante»[16].

En la doctrina española adoptan esta posición, con algunos matices, ÁLVAREZ GARCÍA, ARROYO ZAPATERO y GONZÁLEZ RUS[17], entre otros.

El primer autor citado considera que los límites al *ius puniendi* en el momento legislativo deberán ser proporcionados por el ordenamiento constitucional, estimándolo como un límite tanto externo como interno: un límite de carácter *externo*, desde el momento en que dicho límite no puede encontrarse en el propio ordenamiento producido por el legislador ordinario, pero a su vez se trata de un límite *interno*, de consecuente carácter normativo, ya que la Constitución se integra en el ordenamiento jurídico como norma suprema[18]. No obstante, ÁLVAREZ matiza que, un entendimiento constitucional del concepto de bien jurídico no supone necesariamente predicar, con carácter general, la obligación de utilizar el Derecho Penal, toda vez que el Parlamento, en vista de las necesidades represivas, puede elaborar autónomamente la política penal que estime más adecuada, teniendo como único límite el no ir más allá de los bienes con reconocimiento constitucional; a partir de estas limitaciones, el legislador podrá optar tanto por la sanción penal como por la administrativa.

Por su parte, ARROYO ZAPATERO sostiene que la debilidad del funcionalismo radica en su «*pretensión de neutralidad valorativa*» de forma que tiende a servir en todo sistema social. Así, este autor considera que en la Constitución existen preceptos que, directa o indirectamente, afectan al sistema punitivo, así como también se contienen principios generales que vinculan al legislador, lo que denomina como «*programa penal de la Constitución*». Precisamente esta afirmación es uno de los puntos sobre los que han recaído las críticas que se dirigen

---

[16] BRICOLA: «Teoría general de reato», en *Novissimo Digesto Italiano*, vol. XIX, Milán, 1973.

[17] ÁLVAREZ GARCÍA: «Bien jurídico y Constitución», en *Cuadernos de Política Criminal*, nº 43, 1991. ARROYO ZAPATERO, L.: «Fundamento y función del sistema penal: el programa penal de la Constitución», en *Revista jurídica de Castilla-La Mancha*, 1987, p. 97. GONZÁLEZ RUS, J.J.: *Bien jurídico y Constitución (Bases para una teoría)*, ob. cit., p. 29 y ss.

[18] También de carácter constitucional es la postura de la que parten FIANDANCA/MUSCO (*Diritto Penale. Parte generale*, 5ª ed., Bologna, 1992) para llevar a cabo una aproximación al concepto de bien jurídico. De acuerdo con los citados autores, los bienes jurídicos de protección penal serán los valores conceptualmente aferrables, de directa o mediata procedencia constitucional, que sirven para asegurar las condiciones esenciales de la vida en común.

contra la concepción constitucionalista del bien jurídico[19], pues la remisión a un catálogo cerrado de bienes jurídicos, le da a éste un carácter estático.

Ciertamente, no todas las realidades contempladas en la Constitución, ni todas las ofensas a las mismas van a ser directamente protegibles por el Derecho Penal. Dicha protección se determinará de acuerdo con el principio de mínima intervención y el imperativo de la necesidad, cuestión en la que nos detendremos con posterioridad. Ahora bien, ello no es óbice para que, que *puedan* existir obligaciones *expresas* de penalizar en el texto constitucional, como es el caso del artículo 46, por causas que intentaremos analizar más adelante.

Otras de las objeciones que se realizan a estas posiciones constitucionalistas se basan en el hecho de que la limitación de la tutela a bienes de rango constitucional pueda conllevar la renuncia a la satisfacción de nuevas exigencias de protección o «nuevos bienes emergentes» que puedan surgir en la evolución de la realidad social.

Pues bien, a este respecto, como ha puesto de manifiesto GONZÁLEZ RUS, debe restarse importancia a dicha objeción toda vez que, el tiempo para que aparezcan bienes jurídicos nuevos «no es precisamente corto», y que realmente lo que surgen son nuevas formas de agresión que requieren darles respuesta típica. Además, el legislador, en general e incluso el constituyente, *eleva* a la categoría de bienes jurídicos lo que ya en la realidad social se muestra como un valor, de suerte que, la norma constitucional no crea, por tanto, los valores sino que recoge los fundamentales de una sociedad en un momento histórico concreto y «se limita únicamente a proclamarlos y darles un especial tratamiento jurídico».

No obstante, GONZÁLEZ RUS matiza estas consideraciones señalando que, el concepto así obtenido tiene verdaderas similitudes, «*bajo distinta prosa*», con las concepciones «anteriormente expuestas» (las sociológicas), no sirviendo por tanto para llevar a cabo la función limitadora del legislador ordinario. Por ello, en segundo lugar señala que deben buscarse *vías que limiten* y vinculen al legislador ordinario a la hora de seleccionar los bienes, por el «peligro de perversión» que supone las variaciones en la significación de los valores en cada momento histórico. Ciertamente, la respuesta está en la Constitución, como «obligado punto de referencia» en el ilícito penal, lo cual justifica desde una doble vertiente: *jurídica:* desde el momento en que constituye la norma fundamental a la que debe acomodarse el resto del ordenamiento y por tanto punto

---

[19]   Puede verse una síntesis de las principales críticas que se formulan a este concepción, en SANTANA VEGA, D. M.: *La protección penal de los bienes jurídicos colectivos.* Madrid, 2000, p. 43 y ss.

de partida del ordenamiento penal y «del contenido material del ilícito»; y *política*, pues, por su procedimiento de elaboración lo considera el instrumento más fiable, si bien matiza que, solamente si se trata de una Constitución *democráticamente elaborada,* asegurando así la correspondencia entre los *valores jurídicamente protegidos y los socialmente vigentes.*

De acuerdo con las consideraciones efectuadas, GONZÁLEZ RUS considera como bienes jurídicos defendibles tanto los bienes *directamente* reconocidos a los ciudadanos en la Constitución, los recogidos en convenciones internacionales incorporados al derecho vigente[20], los bienes tutelados «en sí mismos» sin referencia personalista[21], así como los constitucionalmente *homologables o asimilables* a los propiamente constitucionales, afirmando que «cuando se trata de ser respetuosos con la Constitución más vale serlo por exceso que por defecto».

Finalmente, en cuanto al contenido material del ilícito, como afirma este autor, el hecho de que la libertad personal sea un valor preferente en el ordenamiento constitucional supone un límite en la creación de los ilícitos penales, únicamente cuando sean absolutamente indispensables, en virtud de su consideración como *ultima ratio.* Sin embargo, no coincido con el autor cuando propone como criterio para delimitar de forma clara los respectivos ámbitos de actuación del ilícito penal y administrativo, el reservar al primero los bienes jurídicos de mayor relieve según el sentir constitucional, integrados o integrables en la Constitución, siendo competencia del Derecho administrativo aquellos que no tengan esa cualidad. A mi juicio, si bien los ilícitos penales supondrán una ofensa de un bien jurídico con relevancia constitucional, no por ello quedará excluida la tutela administrativa de dichos intereses[22].

En suma, ciertamente, la Constitución no delimita los mecanismos de tutela de los valores previstos en su texto, salvo contadas excepciones —como es el supuesto del artículo 46 donde sí se impone la tutela penal del patrimonio histórico, cultural y artístico— toda vez que la Carta Magna no contiene una política-criminal concreta ni establece criterios fijos de tutela, sino que únicamente determina una serie de valores a los que ha de servir el Ordenamiento[23].

---

[20]   De acuerdo con el procedimiento del art. 10 del texto constitucional.

[21]   Citando, entre otros, el patrimonio artístico, GONZÁLEZ RUS, J.J.: *Bien jurídico y Constitución...,* ob. y loc. cit.

[22]   La relación entre los ilícitos penales y los administrativos será estudiada con detenimiento en el epígrafe IV de este Capítulo.

[23]   En este sentido, SILVA SÁNCHEZ, si bien encuentra justificada la exigencia de una consagración constitucional, directa o indirecta, de los bienes penalmente protegidos —en la medida en que una intervención tan intensa como la penal ha alcanzado el consenso plasmado en la Constitución— considera que no todas las realidades plasmadas en la misma

Es a partir de la consagración constitucional de dichos valores cuando debe proseguirse en la concreción de los *presupuestos para la tutela penal de un bien jurídico,* que desde MAYER se vienen reclamando para justificar la protección de un bien jurídico[24], atendiendo a consideraciones de *dignidad, susceptibilidad y necesidad* de la tutela penal.

En cualquier caso, en el supuesto del artículo 46 donde, de forma excepcional sí se exige expresamente la tutela penal, hubiera resultado preferible que se hubiese precisado de forma expresa en el texto constitucional que la vía penal no se impone de forma única ni primaria, previsión que sí se contiene en el artículo 45 del mismo texto relativo a la protección del medio ambiente. Debe además subrayarse que, una vez resulta justificada la protección penal de un determinado bien jurídico, el legislador penal no actúa frente a cualquier tipo de ataque sino que decide qué conductas, de entre las que lesionan o ponen en peligro el bien jurídico, deben recibir la sanción penal.

Con todo, a mi juicio, cuando GONZÁLEZ RUS afirma que una Constitución *democráticamente elaborada* asegura la correspondencia entre los *valores jurídicamente protegidos* y los *socialmente vigentes,* ello conduce a plantearse la posibilidad de cierta aproximación con las tesis eclécticas o de compatibilizar las teorías sociológicas y las constitucionales.

Hechas las precedentes consideraciones, considero que debe significarse la postura mantenida por CARBONELL MATEU, posición que ha sido calificada injustamente de «panconstitucionalista»[25], y que nos servirá de enlace con las citadas posiciones constitucionalistas en sentido amplio.

El citado autor, sin entrar en el mayor o menor grado de rigidez que impone al legislador la relevancia constitucional de los bienes jurídicos, subraya la importante aportación de BRICOLA, por la trascendencia de su teoría en las relaciones entre la Constitución y el Derecho penal.

---

adquieren por ello la cualidad de penalmente protegible. En este sentido, la Constitución no establece en principio cuál ha de ser el mecanismo protector de las realidades que valora positivamente, por lo que a partir de esa consagración deberá seguirse la *labor de concreción de las características de los objetos penalmente protegibles* ...atendiendo a consideraciones sobre *merecimiento de pena* (de acuerdo con la significación atribuida al bien y la gravedad de las formas de ataque al mismo) y sobre la *necesidad* de pena derivada de la ineficacia de otros medios menos lesivos. SILVA SÁNCHEZ, J.M.: *Aproximación al Derecho penal contemporáneo,* ob. cit., p. 267 y ss.

[24]   MAYER, H.: *Das Strafrecht des Deutschen Volkes,* 1936.
[25]   CARBONELL MATEU, J.C.: *Derecho penal: concepto y principios constitucionales,* Valencia, 1996, p. 35 y ss. Del mismo, «Reflexiones sobre la tutela de los llamados intereses difusos», en *Cuadernos de Derecho Judicial,* 1994, vol. 36, p. 11 y ss.

Sobre este particular CARBONELL, partiendo de la consideración del Derecho Penal como la rama del ordenamiento más ligada a la Constitución, afirma que la Norma Suprema, al escoger y proclamar determinados valores a los que ha de servir el Ordenamiento, delimita el campo de acción del Derecho Penal *de forma positiva*. Por tanto, el hecho de que la Constitución constituya un límite positivo, conduce, en su opinión, a que los objetos de tutela penal han de tener *relevancia constitucional*, entendiendo por ésta el que el legislador democrático no pueda inventarse nuevos valores «que en absoluto *emanen* del sistema constitucional», pues supondría a su juicio «salirse del marco creado por el pacto político que supone una Constitución».

Considera este autor que el legislador penal tan sólo podrá tipificar aquellas conductas que son necesarias para la tutela de un bien jurídico digno de tutela penal, dignidad que tiene una vertiente formal y otra material. Dignidad *formal* que consistirá en la relevancia constitucional del bien jurídico, mientras que la dignidad *material*, de la que ha de estar dotado también el bien jurídico, «ha de tratarse de un valor asumido socialmente, susceptible de ataque y destrucción: esto es, de ser lesionado o puesto en peligro gravemente, y necesitado de tutela penal»[26].

Ahora bien, el mencionado autor afirma que, si bien la Constitución «fundamenta y limita la actuación de los poderes públicos»[27], no establece criterios fijos, sino que nuestra Carta magna marca unas líneas de carácter *programático*. Por ello, si bien contiene referencias concretas al Derecho Penal, no entiende la Constitución como un programa concreto sino como un *marco de Política Criminal*.

Estas últimas afirmaciones nos van a servir, tal y como ya se ha adelantado, de punto de enlace con las siguientes posiciones, denominadas «jurídico-constitucionales amplias».

---

[26]   CARBONELL MATEU, J.C.: *Derecho penal...*, ob. cit., p. 209. Es precisamente la falta de este último requisito, la dignidad material, lo que a juicio del autor antecitado, debería impedir la tipificación de conductas como las relacionadas con el suicidio, que sin embargo vienen recogidas en el Código penal.

[27]   Y así destaca como en determinados casos se somete incluso al legislador democrático a la obligación expresa de tutelar determinados bienes, como son el medio ambiente y el *patrimonio histórico* (arts. 45 y 46 CE).

1.2. Posiciones jurídico-constitucionales amplias[28]

Desde estos posicionamientos, la Norma Suprema, elaborada en el seno de una sociedad democrática, se considera como *marco de referencia*, y como tal, portadora de una serie de valores que no pueden ser contradichos[29], quedando espacios libres para la decisión libre del legislador en la determinación de los bienes jurídicos[30].

Para lograr este objetivo, la mayoría de autores se remiten a la *forma de Estado constitucionalmente establecida,* deduciendo de éste los caracteres necesarios en un sistema penal acorde con el mismo. Otros autores construyen el sistema punitivo con arreglo a los principios que inspiran la Norma Fundamental[31].

OCTAVIO DE TOLEDO —si bien es considerado por algún autor[32] dentro de la dirección sociológica del bien jurídico— considera a la Constitución como marco insuperable, y por tanto amplio, rechazando ver en ella un mero *catálogo de bienes jurídicos a tutelar por la ley punitiva*[33]. Ello sin dejar de reconocer el

---

[28] Algún autor como FERRE OLIVE engloba dentro de las teorías constitucionalistas amplias, a las sociológicas que parten de bases teóricas funcionalistas y que relacionan los bienes jurídicos con la Constitución, aunque lógicamente de forma mucho más indirecta que las estrictas. Básicamente lo razona desde la consideración de que, encontrándonos en un Estado social y democrático de Derecho asentado en la realidad, lógicamente se protegerán las relaciones sociales valiosas que permitan la participación del individuo en los procesos sociales. FERRE OLIVE, J.C.: *El delito contable,* Barcelona, 1988, p. 136 y ss.

[29] OCTAVIO DE TOLEDO Y UBIETO, E.: «Función y límites del principio de exclusiva protección de bienes jurídicos», ob. y loc. cit. En este sentido, vid. *supra* CARBONELL MATEU, J.C.: *Derecho penal...,* ob. y loc. cit. GUTIÉRREZ FRANCÉS, M.L.: *Fraude informático y estafa...,* ob. cit., p. 207 y ss.

[30] De acuerdo con PULITANO la Constitución no puede verse como una jerarquía de valores, como un sistema cerrado de valores que el legislador debe desarrollar, sino desde un entendimiento «abierto» de éste. PULITANO: «Obblighi costituzionali di tutela penale?», en *Rivista Italiana di Diritto e Procedura Penale,* 1983, p. 484 y ss. También en la doctrina extranjera, en esta línea, entre otros, ROXIN: *Problemas básicos de Derecho penal.* Trad. Luzón Peña, Barcelona, 1976, p. 21. Por su parte, MANTOVANI afirma que la Constitución debe ser, pues, un *marco de referencia* y no un mero «catálogo de bienes». MANTOVANI: *Diritto penale. Parte generale,* 1992, p. 203 y ss.

[31] En el seno de la doctrina alemana nos encontramos con la postura de ROXIN para quien, los únicos límites que cabe imponer al legislador penal tan sólo se pueden encontrar en los principios constitucionales. ROXIN: *Strafrecht Allgemeiner Teil,* Munchen, 1994.

[32] Vid. PÉREZ ÁLVAREZ, F.: *Protección penal del consumidor. Salud pública y alimentación,* Barcelona, 1991, p. 28.

[33] OCTAVIO DE TOLEDO Y UBIETO, E.O.: «Función y límites del principio de exclusiva protección de bienes jurídicos», ob. y loc. cit.

hecho de que la Constitución da expresión de los logros máximos que se alcanzan en la conformación de un Estado, *enunciando y reconociendo aquellos principios, derechos y deberes más importantes* que deben servir de *guía a la labor normativa que efectúa el resto del ordenamiento*. Mas, según este autor, la cuestión supera el marco constitucional, estableciendo la dependencia de las relaciones jurídicas con las transformaciones de la sociedad, las cuales se corresponden con la sucesión de los modelos de Estado, y se reflejan en los intereses protegidos por las normas. En consecuencia, considera que el principio de «exclusiva protección de bienes jurídicos» sólo adquiere pleno significado con la acción del Estado social y democrático de Derecho en el ámbito penal, del cual cabe esperar una selección adecuada de los intereses sociales transformables en bienes jurídico-penales, evidenciándose, pues, su conexión con las tesis sociológicas.

PÉREZ ÁLVAREZ[34], por su parte, comparte las tesis constitucionalistas sobre el bien jurídico, afirmando que la norma penal no podrá contradecir el tenor constitucional, y además el bien jurídico deberá tener su respaldo o referencia en la Norma Suprema porque ésta, al delimitar el contenido del orden social, determina el proceso de criminalización y descriminalización. Sin embargo, añade que la Constitución no es un catálogo inamovible de objetos jurídicos donde acudir el legislador penal, sino que surge como **marco** de obligada referencia, vinculando el contenido del bien jurídico con la Constitución, lo cual resulta posible, según él, ya que ésta «ofrece un marco consensuado de las relaciones de la comunidad, siendo una Constitución abierta, propia del Estado social y democrático de Derecho, de forma que el asidero legal de la Constitución evita las abstracciones de las amplias formulaciones ya comentadas». Aceptar la forma de Estado consagrada en la Constitución como marco referencial, no cierra, sin embargo, las posibilidades de participación ni impide la protección de nuevos bienes jurídicos valiosos, tal y como puntualiza el autor citado.

En definitiva, continuando con esta orientación, puede aceptarse con GONZÁLEZ CUSSAC que, si bien la conexión entre Estado y Derecho Penal sólo puede hacerse a través de la Constitución vigente de cada momento, ésta no puede entenderse como un mero catálogo de bienes jurídicos a tutelar de forma obligatoria por el legislador penal, pudiendo incluso hablarse de un «*programa penal de la Constitución*», sino que, la Norma Suprema fija unos *límites* dentro de los cuales el legislador *debe y puede moverse* según crea conveniente. A este respecto, un entendimiento excesivamente rígido de los contenidos constitucio-

---

[34] PÉREZ ÁLVAREZ, F.: ob. y loc. cit.

nales «*nos llevaría a ahogar el poder legislativo, con lo que la voz del pueblo sólo sería oída en el período constituyente*»[35]. Resulta, pues, preferible que el legislador penal quedara sometido a los *límites* marcados por la **Constitución** y por el *modelo de Estado* en ella previsto, a la hora de determinar el bien jurídico.

Tomando como punto de partida estas últimas consideraciones debemos referirnos a la tesis formulada por VIVES ANTÓN, tal y como anticipé, el primer autor en ocuparse, dentro de la doctrina española contemporánea, de la conexión entre el Derecho penal, el bien jurídico y la Constitución[36].

1.3. La tesis de VIVES ANTÓN

Dentro de los posicionamientos constitucionalistas, considero fundamental detenernos en la formulación realizada por VIVES ANTÓN[37] acerca de la vinculación del Derecho Penal con la Constitución.

Partimos de la afirmación de que los procesos de selección de bienes jurídicos serán diferentes de acuerdo con el *modelo de Estado* del que derive el ejercicio del *ius puniendi*[38], existiendo como se puede comprobar a lo largo de la historia jurídico-penal una efectiva correspondencia entre la forma de Estado y las maneras de concebir el Derecho Penal.

Pues bien, en la doctrina penal española VIVES ANTÓN establece una vinculación entre Estado —y por ende, la Constitución— y el Derecho penal a través de los derechos fundamentales y en perfecta sintonía con el *Estado social y democrático de Derecho*[39], proclamado en el art. 1 de nuestra Constitución

---

[35] GONZÁLEZ CUSSAC, J.L.: «Derecho penal y teoría de la democracia», en *Cuadernos Jurídicos*, nº 30, mayo 1995, p. 10 y ss.

[36] Cfr. VIVES ANTÓN, T.S.: «Reforma política y Derecho penal», en *Cuadernos de Política Criminal*, 1977, p. 73; también publicado recientemente en *La libertad como pretexto*, Valencia, 1995, p. 91.

[37] Vid. al respecto VIVES ANTÓN, T.S.: «Dos problemas del positivismo jurídico», en *La libertad como pretexto*, ob. cit., p. 138; *La reforma del proceso penal II*, Valencia, 1992, p. 248; «Reforma política y Derecho penal», ob. y loc. cit.; «Introducción: Estado de derecho y Derecho penal», en *Comentarios a la legislación penal*, t. I, Madrid, 1982; *Fundamentos del sistema penal*, Valencia, 1996; COBO DEL ROSAL, M./VIVES ANTÓN: *Derecho penal. Parte general*, Valencia, 1999.

[38] Como ya pusiera de manifiesto MIR PUIG, S.: *Función de la pena y teoría del delito...*, ob. y loc. cit. En este sentido, MORALES PRATS, F. en QUINTERO OLIVARES, G.: *Curso de Derecho penal...*, ob. y loc. cit.

[39] GONZÁLEZ CUSSAC señala, a este respecto, las vías de conexión que se han llevado a cabo en la doctrina penal española en la pretensión de conectar Estado y Derecho penal. GONZÁLEZ CUSSAC, J.L.: «Derecho penal y teoría de la democracia»..., ob. y loc. cit.

española de 1978, el cual ha de presidir la formación del concepto *material* de bien jurídico que le permita cumplir la función crítica.

Consecuentemente, entendemos, con el citado autor, que será la idea de *democracia* el eje central de la concepción de Estado desarrollado por nuestra Carta Magna.

De ese modo, sin negar la repercusión de la concepción social en la selección de los bienes a proteger[40], VIVES considera que, sin embargo, desde posicionamientos funcionalistas se pretendía relegar a un segundo plano al bien jurídico, desde el momento en que la punibilidad se determinaba por la lesividad social del comportamiento, lo cual no resultaba aceptable al entender que la protección de un bien jurídico deviene requisito indispensable de cualquier limitación de derechos constitucionales, de acuerdo con sentencias del Tribunal Constitucional (11/1981, de 8 de abril, y 62/1982, de 15 de octubre)[41].

En esta línea abierta por VIVES han seguido otros autores[42], destacando el riesgo y la insuficiencia de situar la base de construcción del Derecho Penal en el *Estado social*[43]. Así, de acuerdo con GONZÁLEZ CUSSAC[44], si se destaca la característica «social» del Estado como básica, conllevaría un adelantamiento de la barrera defensiva «*hasta el momento del peligro, para que así los logros sociales quedaran siempre a salvo*», concibiéndose un Derecho Penal como «mecanismo de configuración social», y descuidándose por consiguiente el principio de mínima intervención, desde el momento en que los logros mencionados pueden en muchos casos obtenerse por otros medios menos gravosos. En términos similares, MIRA BENAVENT señala el inconveniente del adelantamiento de forma generalizada de la intervención del Derecho penal a los momentos de peligro, aumentando así el ámbito de las conductas prohibidas y restringiéndose a su vez el de libertad de los ciudadanos[45].

---

[40] Afirmando que lógicamente «el ordenamiento jurídico positivo no se inventa por un Estado abstracto a partir de la nada», sino que «la ley penal positiva surge de la opción entre los valores e intereses múltiples que se enfrentan en el seno de una sociedad». VIVES ANTÓN, T.S.: «Dos problemas del positivismo jurídico», en *La libertad como pretexto...*, ob. cit., p. 138.

[41] COBO DEL ROSAL, M. y VIVES ANTÓN, T.S.: *Derecho penal. Parte general*, ob. cit., p. 316.

[42] Así, CARBONELL MATEU, J.C.: *Derecho penal...*, ob. y loc. cit.

[43] De acuerdo con la formulación de MIR PUIG: *Introducción a las bases...*, ob. y loc. cit.

[44] GONZÁLEZ CUSSAC, J.L.: «Derecho penal y teoría...», ob. y loc. cit.

[45] MIRA BENAVENT, J.: «Función del Derecho penal y forma de Estado», en *Estudios Jurídicos en memoria del profesor Casabó Ruiz,* 2º vol., Valencia, 1997, p. 393 y ss. Si bien, obviamente debe diferenciarse cuando el Derecho Penal actúa de forma preventiva, en determinados casos, prohibiendo la realización de determinadas conductas peligrosas y creando así figuras

Es por ello que, reiteramos la importancia del carácter *democrático* del modelo de Estado instaurado por nuestra Constitución. Valor de la idea de democracia que proviene fundamentalmente, de acuerdo con VIVES, de la forma de tomar decisiones en el ejercicio del poder. Así, dicho autor afirma que «*la democracia es, precisamente, aquel sistema de gobierno en que los procesos de decisión sólo pueden estimarse correctos si los ciudadanos han participado directa o indirectamente en los mismos y si esa participación ha sido el fruto de una opción libre y racional*»[46]. Con gran acierto se destaca la afirmación de RADBRUCH acerca de que la democracia es la única forma de gobierno apropiada para garantizar el Estado de Derecho.

Por tanto, es en un **Estado social y Democrático de Derecho** donde el principio de «exclusiva protección de bienes jurídico-penales» adquiere plena relevancia, ya que sólo en él, al propugnar «como valores superiores de su ordenamiento jurídico la libertad, la justicia, la igualdad y el pluralismo político» (art. 1 CE 1978), se realizará una selección adecuada de los valores[47] dignos, susceptibles y necesitados de tutela penal. De suerte que, dicho Estado constituye el soporte básico para que la finalidad garantística, fundamental del principio de exclusiva protección de bienes jurídicos, pueda cumplirse. Y es que con razón afirma VIVES ANTÓN, junto a COBO DEL ROSAL, como «el énfasis en torno a la función garantizadora del bien jurídico, no debe ser exagerado»[48]. De ese modo, el primero señala como «un concepto elaborado sobre tales bases

---

delictivas de peligro, de la consideración de todos los delitos como conductas peligrosas «ex ante». En ese sentido, CARBONELL MATEU, J.C.: *Derecho penal: concepto...*, ob. cit., p. 72 y ss.

[46] VIVES ANTÓN, T.S.: *La reforma del proceso penal II...*, ob. cit., p. 248. Entendimiento de la democracia en sentido similar a ROSS («Por qué democracia?» (trad. Vernengo), Madrid, 1989), autor que basa la idea de democracia en la forma de decisión en el ámbito político, definiéndola únicamente respecto de un ideal. Ideales democráticos que apuntan a los valores relacionados con esa forma de gobierno, lo que nos sitúa en el terreno de los efectos o consecuencias de la democracia, que se materializan en las libertades, de actuación, políticas y personales.

[47] Valores que, de acuerdo con OCTAVIO DE TOLEDO Y UBIETO, existen en la sociedad antes de que el legislador les otorgue protección penal. En contra, MUÑOZ CONDE, el cual señala que el bien jurídico es una «creación artificial, producto de un consenso o de un proceso constitutivo, en el que necesariamente es *reelaborado*, y a veces *manipulado y pervertido* en sus elementos esenciales. HASSEMER, W./MUÑOZ CONDE, F.: *Introducción a la Criminología y al Derecho penal*, Valencia, 1989, p. 21. Sin embargo, llama la atención en sus argumentos cómo algo puede ser *reelaborado* si no es que está ya previamente *elaborado*, o *manipulado* o *pervertido*, si no existe previamente. En OCTAVIO DE TOLEDO Y UBIETO, E.: «Función y límites del principio de exclusiva protección de bienes jurídicos», ob. cit., p. 14 y ss.

[48] COBO DEL ROSAL, M. y VIVES ANTÓN, T.S.: *Derecho penal...*, ob. cit., p. 325.

(el Estado social y democrático de Derecho) estaría en las mejores condiciones para desempeñar la función garantizadora que normalmente se le atribuye, desde el momento que podría aparecer como *concreción de un precepto constitucional*, vinculante para el legislador ordinario no sólo ideológicamente sino desde la más estricta positividad»[49].

Pues bien, como ya hemos apuntado, la concepción de Estado se plasma en las *Constituciones* respectivas, de forma que la vinculación entre *Estado* y *Derecho Penal* se hará a través de la Constitución vigente en ese momento. De suerte que, la *estrecha* relación existente entre la **Constitución** de un país y la **ley penal** provocará que los cambios constitucionales suelan ir acompañados de una reforma correlativa en el Código Penal, tal y como señala VIVES, desde el momento en que aquellos «suponen una alteración de los presupuestos materiales y formales que determinan el ejercicio del *ius puniendi*», de forma que la Constitución fija, directa o indirectamente, los objetivos del poder punitivo del Estado y sus limitaciones[50]. Por consiguiente, el citado autor sostiene: «*En un Estado de Derecho la Ley penal ha de estar estrechamente vinculada a la Constitución, de forma que las cuestiones constitucionales no pueden ser ajenas al penalista. La Constitución ha de ser tenida en cuenta por el penalista, tanto a la hora de la interpretación, cuanto a la de la elaboración dogmática y depuración crítica del contenido de la ley penal positiva*»[51].

Consecuentemente con ello, VIVES ANTÓN considera que lo que merece la protección jurídico-penal es el orden de valores constitucionalmente establecido[52], si el Estado, además de social, es Estado de Derecho, de forma que la noción de bien jurídico aparece como límite al poder legislativo, límite derivado de la Constitución. Partiendo de la consideración de que cada norma particular debe ser entendida por referencia a una «valoración fundamental», expresada en el concepto de Derecho, afirma el autor que, precisamente «*el derecho*

---

[49]   La cursiva es añadida. *Ibidem;* ver también en «Estado de Derecho y Derecho Penal», ob. y loc. cit.

[50]   VIVES ANTÓN, T.S.: «Reforma política y Derecho penal», en *La libertad como pretexto*, ob. cit., p. 91; «Introducción: Estado de derecho y Derecho penal», en *Comentarios a la legislación penal*, t. I, Madrid, 1982. En un sentido similar, GONZÁLEZ CUSSAC, J.L.: «*Derecho penal y teoría de...*», ob. y loc. cit. CARBONELL MATEU, J.C.: «Breve reflexión sobre la tutela de los llamados intereses difusos», en *Cuadernos de Derecho Judicial*, 1994, vol. 36, p. 15.

[51]   VIVES ANTÓN, T.S.: *Libertad de prensa y responsabilidad criminal (La regulación de la autoría en los delitos cometidos por medio de la imprenta).* Colección de Estudios de Criminología y Derecho Penal, Valencia, 1977.

[52]   VIVES ANTÓN, T.S. junto a COBO DEL ROSAL, M.: *Derecho penal. Parte general...*, ob. y loc. cit.

positivo conoce también una forma de expresión «concentrada» de sus valoraciones fundamentales: la Constitución»[53].

De acuerdo con la *concepción constitucional del derecho* como orden de coexistencia de libertades, VIVES rechaza que cualquier interés reconocido por la sociedad pueda ser reconocido como bien jurídico[54], toda vez que, como ya puso de manifiesto MAYER, las valoraciones culturales se hayan siempre sometidas a la crítica del derecho.

Desde un *concepto democrático de derecho* debe por tanto hallarse prefigurado el concepto de bien jurídico, en lugar de la inversión que realiza WELZEL donde el bien jurídico es mero reflejo de las valoraciones ético-sociales. A este respecto, de acuerdo con VIVES, por un lado, «el derecho y la ética social, aún cuando puedan coincidir en parte, no se identifican», de forma que las valoraciones sociales «presuponen ya un campo de referencia, el representado por las conductas que lesionan o ponen en peligro bienes jurídicos»; pero es que además, por otro lado, desde dicha concepción democrática, señala cómo no podrán castigarse todas las conductas que impliquen una injustificada lesión de un bien jurídico, tanto por razones de orden lógico, en virtud del principio de legalidad limitándose el castigo a los hechos descritos por la ley, así como por razones de corte axiológico, reservándose la pena, sólo para las infracciones más intolerables[55].

En definitiva, como marco o base de concepto *material* de bien jurídico, debe aceptarse con VIVES ANTÓN, la forma de Estado constitucionalmente establecida, el social y democrático de Derecho, siendo la idea de *democracia* el eje central de la concepción de Estado desarrollado por nuestra Carta Magna.

1.4. Recapitulación y conclusiones

De lo expuesto con anterioridad, podemos afirmar cómo los objetos de tutela penal deben tener *relevancia constitucional*, en el sentido de entender, de

---

[53]   VIVES ANTÓN, T.S.: «Reforma política y Derecho penal», en *La libertad como pretexto*, ob. cit., p. 93 y ss.

[54]   VIVES ANTÓN, T.S.: ob. cit., p. 98. Precisamente, sobre este particular, MUÑOZ CONDE se refiere a la «perversión» del concepto de bien jurídico en alusión a las observaciones de MAURACH considerando como bien jurídico el interés incluso *«reconocido por las capas sociales dirigentes de la colectividad estatal»*. MUÑOZ CONDE, F.: *Introducción al Derecho penal*, Barcelona, 1975, p. 49.

[55]   VIVES ANTÓN, T.S.: «Reforma política y derecho penal»..., ob. cit., p. 121 y ss.

acuerdo con las consideraciones efectuadas por CARBONELL MATEU, que el legislador democrático no puede crear nuevos valores «que en absoluto *emanen del sistema constitucional*», pues ello supondría salirse del marco creado por el pacto político que supone una Constitución.

De ello se infiere el que, a mi juicio, en el análisis de las tesis constitucionalistas estrictas, cuando GONZÁLEZ RUS considera que los bienes constitucionalmente relevantes engloban también a los implícitos, a los instrumentales o a los homologables o por analogía, termina coincidiendo prácticamente con las tesis constitucionalistas amplias[56].

Parece consecuente que deba considerarse como único límite para el legislador penal el no ir más allá de los bienes con reconocimiento constitucional; a partir de estas limitaciones, el legislador podrá optar tanto por la sanción penal como por la administrativa. No obstante, ello no impide que *puedan* existir obligaciones *expresas* de penalizar en el texto constitucional, como es el caso del artículo 46, por causas que intentaremos analizar posteriormente.

En suma, de acuerdo con las precedentes consideraciones, si bien nuestra Norma Suprema contiene unas directrices que deben ser respetadas por todo el ordenamiento jurídico, observamos como contiene, tanto *mandatos específicos*, como declaraciones de tipo generalista. De ese modo, junto a regulaciones completas de una materia, introduce, en otros casos las líneas maestras de la regulación de un derecho, o bien se limita únicamente a preverlos, dejando en manos de los poderes públicos su desarrollo concreto. De ahí que realmente podamos afirmar que la Norma Suprema se muestra como una «síntesis de lo explícito y lo implícito, de las corrientes amplias y las estrictas»[57].

En cualquier caso, el legislador penal quedará sometido a la hora de determinar el bien jurídico, a los *límites* marcados por la Constitución, así como por el *modelo de Estado* en ella previsto, en concreto, el *Estado social y democrático de Derecho,* proclamado en el art. 1 de nuestra Constitución, el cual regirá la formación del concepto *material* de bien jurídico, realizando una selección adecuada de los valores dignos, susceptibles y necesitados de tutela penal, de forma que constituya el soporte básico para que la finalidad garantística, fundamental del principio de exclusiva protección de bienes jurídicos.

---

[56]   GONZÁLEZ RUS, J.J.: *Bien jurídico y Constitución,* ob. y loc. cit.
[57]   SALINERO ALONSO, C.: *La protección del Patrimonio Histórico en el Código Penal de 1995,* Barcelona, 1997, ob. cit., p. 168. Vid. acerca de lo explícito y lo implícito en la Constitución, ESCRIVA GREGORI, J.M.: «Algunas consideraciones sobre Derecho penal y Constitución», en *Papers: Revista de Sociología,* 1980, n° 13.

Si se destacara como primordial la nota *social*, que también caracteriza nuestro modelo de Estado, se estaría adelantando de forma generalizada la intervención punitiva, pues el mantenimiento de los sistemas sociales puede lograrse acudiendo a otras vías menos gravosas, evitándose así la tópica «huida hacia el Derecho penal».

De ese modo, adhiriéndonos a la propuesta de VIVES ANTÓN, será la idea de *democracia* el eje central de la concepción de Estado desarrollado por nuestra Carta Magna. Y es que, en efecto, una Constitución *democráticamente elaborada* asegura la correspondencia entre los *valores jurídicamente protegidos y los socialmente vigentes* ofreciendo un marco consensuado donde la participación ciudadana (proclamada en el art. 9.2 CE) asegura un sistema en evolución.

La vinculación entre *Estado* y *Derecho penal* se hará, pues, a través de la Constitución, de modo que la estrecha relación entre la Norma Fundamental y la ley penal provocará que los cambios constitucionales suelan ir acompañados, tal y como ya se ha afirmado, de una reforma correlativa en el Código Penal. Por todo ello, el mandato previsto en el artículo 46 de la Carta Magna no podía resultar indiferente al legislador democrático. Partiendo de la consideración de que lo que merece la protección jurídico-penal es el *«orden de valores constitu- cionalmente establecido»*, en el caso particular del patrimonio histórico, cultural y artístico existe un mandato excepcional, dirigido al legislador democrático, de protección penal de aquél, por lo que hemos creído conveniente para la mejor exposición del tema, abordar su alcance y consecuencias jurídicas.

2. Alcance y naturaleza jurídica del art. 46 de la Constitución

2.1. Planteamiento

Antes de analizar el mandato constitucional previsto en el citado artículo 46 y su influencia en el ordenamiento penal, así como de exponer el debate doctrinal suscitado acerca de la conveniencia u oportunidad de dicho mandato, considero que debemos abordar como punto de partida la problemática relativa a cuál es el alcance y la naturaleza jurídica del mencionado precepto de nuestra Carta Magna. Como es sabido, el artículo 46 se halla ubicado sistemáticamente en el Capítulo III («De los *principios rectores de la política social y económica»*) del Título I («De los derechos y deberes fundamentales») de nuestra Norma Suprema de 1978.

Pues bien, partimos de la afirmación del **valor normativo de la Carta Magna** en su conjunto, y de todos sus preceptos en particular, desde el momento en que toda la Constitución vincula a los ciudadanos y a los poderes públicos[58]. Afirmación realizada tanto por la doctrina científica dominante[59], como por el Tribunal Constitucional en reiterados pronunciamientos[60], cuyo posicionamiento queda reflejado en el significativo párrafo de una de sus resoluciones que paso a transcribir: «Conviene no olvidar nunca que la Constitución, lejos de ser un mero catálogo de principios de no inmediata vinculación y de no inmediato cumplimiento hasta que sean objeto de desarrollo legal, es una norma jurídica, la norma suprema de nuestro ordenamiento y en cuanto tal, tanto los ciudadanos como todos los poderes públicos... están sujetos a ella»[61]. De otra parte, la jurisprudencia emanada del Tribunal Supremo[62] permite concluir admitiendo que la aplicación directa de la Constitución es un mandato imperativo.

Sin embargo, lo que parece ya más discutible es *si todos* los preceptos del texto constitucional poseen el mismo valor o eficacia jurídica, partiendo de la diversidad de su articulado. Dicha cuestión se plantea particularmente con relación a las normas contenidas en el Capítulo III del Título I, «*De los principios rectores de la política social y económica*», entre los que se encuentra como ya hemos comentado, el art. 46 CE, cuya aplicabilidad dependerá por tanto del valor o eficacia jurídica que se les atribuya a aquellos[63], cuestión en la que nos detendremos a continuación.

---

[58]   A este respecto, el art. 9.1 del texto constitucional expone que: «Los ciudadanos y los poderes públicos están sujetos a la Constitución y al resto del ordenamiento jurídico».

[59]   GARCÍA DE ENTERRÍA, E.: *La Constitución como norma y el Tribunal Constitucional*, Madrid, 3ª ed., 1985, p. 63 y ss.; COBREROS MENDOZA, E.: «Reflexión general sobre la eficacia normativa de los principios constitucionales rectores de la política social y económica del Estado», en *Revista Vasca de Administración Pública*, nº 19, sept.-dic. 1987, p. 27; SERRANO MORENO, J.L.: «Algunas hipótesis sobre los principios rectores de la política social y económica», en *Revista de Estudios Políticos*, nº 56, abril-junio 1987, p. 95; BELTRÁN AGUIRRE, J.L.: «El medio ambiente en la jurisprudencia del Tribunal Supremo», en *Revista de Administración Pública*, nº 134, mayo-agosto 1984, p. 282; LÓPEZ GUERRA, L.: *Derecho Constitucional*, vol. I, 1997, p. 28. GARCÍA-ESCUDERO, P. y PENDAS GARCÍA, B.: *El nuevo régimen jurídico...*, ob. cit., p. 43.

[60]   Entre otras resoluciones, podemos citar la STC nº 16/1982, de 28 abril de 1982; STC 4/1981, de 2 febrero de 1981; STC 80/1992.

[61]   STC de 28 abril de 1982.

[62]   Véase, entre otras, STS de 21 de mayo de 1979, dictada por la Sala 3ª de lo Contencioso; STS de 3 de julio del propio año, dictada por la Sala 4ª; STS de 27 de octubre de 1979, de la Sala 3ª.

[63]   Sobre la relación entre la aplicabilidad de los principios y su eficacia jurídica ver, aunque en relación al medio ambiente, LÓPEZ MENUDO, F.: *El derecho a la protección del medio ambiente, RCEC Nº 10, 1991*.

2.2. Alcance constitucional y naturaleza jurídica de los principios rectores: la interpretación del artículo 53.3

A) *El alcance de los principios rectores de la política social y económica*

El **alcance** de los principios rectores del Capítulo III es fijado por el propio constituyente en el artículo **53** del texto fundamental, precepto calificado por gran parte de la doctrina como poco afortunado en su formulación o confuso[64].

A este respecto, el precepto establece una diferenciación entre los derechos y libertades del Capítulo II del Título I —entre los que se encuentran los derechos fundamentales— y los principios del Capítulo III del mismo Título[65]. Así, si bien con respectos a los primeros, el art. 53 establece expresamente que éstos vinculan a todos los poderes públicos y puede recabarse su tutela ante los Tribunales ordinarios y, en su caso, a través del recurso de amparo ante el Tribunal Constitucional[66], respecto de los principios rectores el citado precepto dispone en su último apartado del artículo lo siguiente:

---

[64]   Según BELADIEZ ROJO, autora de una interesante monografía sobre los principios jurídicos, se fija el alcance expresamente en un precepto debido a la «deficiente formulación técnica de los principios». BELADIEZ ROJO, M.: *Los principios jurídicos*, Madrid, 1994, p. 75 y ss. Sin embargo, como decimos, el precepto ha recibido innumerables críticas. Así, FERNÁNDEZ RODRÍGUEZ se ha referido a su *«redacción poco feliz»* en «Los derechos fundamentales y la acción de los poderes públicos», en *Revista de Derecho Político*, nº 15, 1982. GARCÍA DE ENTERRÍA y COBREROS MENDOZA se refieren a la *«escasa fortuna formulativa».* PÉREZ MORENO, por su parte, califica la redacción del p. 3 de *«desgraciada»* al igual que GARCÍA TREVIJANO refiriéndose a la «poco esclarecedora dicción». GARCÍA DE ENTERRÍA, E.: *La Constitución como norma y el Tribunal Constitucional*, ob. cit., p. 69; COBREROS MENDOZA, E.: «Reflexión general sobre la eficacia normativa de los principios constitucionales rectores de la política social y económica del Estado», ob. cit., p. 27 y ss.; PÉREZ MORENO, A.: «El postulado constitucional de la promoción y conservación del Patrimonio Histórico-Artístico», en *Estudios sobre la Constitución española. Homenaje al profesor García de Enterría II,* Madrid, 1991, p. 1.635 (publicado también en *RDUrb.* nº 119, 1990, p. 116). GARCÍA TREVIJANO GARNICA, E.: «Consideraciones sobre la acción pública y el medio ambiente», en *Revista de Derecho Urbanístico y Medio Ambiente,* nº 145, p. 149.

[65]   A la luz de los textos constitucionales nacionales, la protección de los bienes culturales muestra una gran pluralidad en su configuración jurídica: desde elemento del Preámbulo, como es el caso de la Constitución de la República Checa de 1992, hasta deber de protección del Estado (en la Constitución de Portugal, ya en los principios fundamentales es calificada como *«tarea esencial del Estado»),* incluso como derecho fundamental o *deber fundamental* (como es el caso de la Constitución de Eslovenia de 1991). Vid. al respecto, un análisis comparativo de los nuevos textos constitucionales y la tutela de los bienes culturales, en HÄBERLE, P.: «La protección constitucional y universal de los bienes culturales: un análisis comparativo», en *Revista Española de Derecho Constitucional*, nº 54, sept.-dic. 1998, p. 11 y ss.

[66]   Concretamente los reconocidos en el art. 14 y la Secc. Primera del Capítulo segundo. Vid. al respecto, BORRAJO INIESTA, I., DÍEZ-PICAZO GIMÉNEZ, I., FERNÁNDEZ FARRES, G.:

«3. *El reconocimiento, el respeto y la protección de los principios reconocidos en el Capítulo tercero informarán la legislación positiva, la práctica judicial y la actuación de los poderes públicos. Sólo podrán ser alegados ante la jurisdicción ordinaria de acuerdo con lo que dispongan las leyes que los desarrollen».*

Lo cierto es que, en principio, debe estimarse, desde un criterio formal, que tanto el artículo 46 como el resto de principios rectores no han obtenido el rango de *derechos fundamentales* en nuestra Carta Magna[67], dada su ubicación —esto es, al no encontrarse en el Capítulo y sección correspondiente a estos derechos— así como de acuerdo con su configuración en el artículo 53.3, precepto que establece diferencias notorias entre ambos.

A pesar de ello, existe un grupo de autores en nuestra doctrina científica, entre los que se encuentran PÉREZ LUÑO y PÉREZ ALONSO, que se manifiestan *en contra* de esta interpretación, llegando a afirmar su carácter de derecho fundamental, desde una nueva configuración de los mencionados principios. En este sentido, PÉREZ LUÑO mantiene una acepción menos rigurosa de los derechos fundamentales en general, «desde la consideración de que la moderna concepción de los derechos fundamentales no coincide con los derechos públicos subjetivos, ligados a la concepción individualista propia del Estado liberal de Derecho, sino que engloba también a los derechos económicos, sociales y culturales». Dicho autor continúa afirmando que, a medida que el Estado social de Derecho ha devenido, en opinión de algunos, Estado democrático de Derecho «la propia idea de los derechos fundamentales ha perfilado su propio status significativo». En esa misma línea PÉREZ ALONSO reitera lo sostenido por el anterior autor y afirma que, si bien por su ubicación sistemática el constituyente no ha configurado el art. 46 como derecho fundamental sino como principio rector, el paso al Estado social conlleva una moderna noción de estos derechos, incluyendo los derechos económicos, sociales y culturales, reconociendo así en el precepto citado el derecho a la participación de los ciudadanos en los bienes que los integran[68].

El derecho a la tutela judicial y el recurso de amparo. Una reflexión sobre la jurisprudencia constitucional, Madrid, 1995.

[67] En ese sentido, GONZÁLEZ RUS señala expresamente que el régimen de aplicabilidad de los principios rectores es «sin duda distinto al de los derechos y libertades fundamentales». GONZÁLEZ RUS, J.J.: «Puntos de partida de la protección penal del patrimonio histórico, cultural y artístico», en *ADPCP* enero-abril, 1995, p. 37. Asimismo, ESCOBAR ROCA: «Los derechos constitucionales dispersos», en *Estudios de Derecho Público...,* ob. y loc. cit.

[68] PÉREZ ALONSO, E.: *La tutela civil y penal del Patrimonio histórico, cultural y artístico...,* ob. cit., pp. 135 y 145.

Desde una posición que podríamos calificar como *ecléctica*, GARCÍA DE ENTERRÍA, afirma, por un lado, que en la formulación de los principios rectores no se ha pretendido configurar verdaderos derechos fundamentales, sino principios propiamente dichos que orienten la acción del Estado como fines de su misión; sin embargo, en otro de sus trabajos afirma que «se trata de derechos fundamentales no articulados con la técnica de derechos subjetivos, que formulan los fines del Estado»[69].

Pues bien, pese a lo sostenido por los autores anteriores, reitero cómo, desde una perspectiva formal, no podemos afirmar que la Constitución otorgue a los mencionados principios el rango de derechos fundamentales, si bien ello no significa que carezcan de valor normativo o que tengan un carácter meramente programático, en el sentido que indicaremos en el siguiente epígrafe. Y es que, en efecto, superada una primera impresión derivada de la literalidad del precepto, de donde podría deducirse la prohibición de alegación directa, la mayoría de autores[70] reconoce la *eficacia jurídica* de dichos principios, así como su aplicabilidad inmediata, basándose primordialmente en su papel *informador de la práctica judicial* que ese mismo precepto, en su apartado primero, le asigna. Desde una perspectiva material, pues, pueden ser contemplados como fines del Estado, e incluso, en última instancia, en los casos ya apuntados, del Derecho Penal.

En cualquier caso, las consideraciones efectuadas sobre el alcance de estos preceptos nos conducen necesariamente a la problemática de la determinación de su naturaleza, cuestión que ha sido abordada tanto en sede doctrinal así como jurisprudencial.

---

[69] GARCÍA DE ENTERRÍA: «*La Constitución como norma...*», ob. cit., p. 69. La segunda referencia del mismo se trata de «Consideraciones sobre una legislación sobre el patrimonio histórico», en *Revista española de Derecho Administrativo*, nº 30, oct.-dic. 1983, p. 580.

[70] En este sentido, GARCÍA DE ENTERRÍA, E.: ob. cit., p. 69; BELADIEZ ROJO, M.: *Los principios jurídicos...*, ob. cit., p. 91; BELTRÁN AGUIRRE, J.L.: «El medio ambiente en la jurisprudencia del Tribunal Supremo», ob. y loc. cit., p. 284; PÉREZ LUÑO, A.E.: considera que «difícilmente se podría cumplir el imperativo constitucional de que esas normas informen la práctica judicial, si no pueden ser objeto de alegación o aplicación por los tribunales». PÉREZ LUÑO, A.E.: «Artículo 46», p. 305, y «Artículo 45», p. 265, en *Comentarios a las leyes políticas. Constitución española de 1978* (dirigidos por ÓSCAR ALZAGA VILLAAMIL), t. IV, 1984. Del mismo, *Derechos humanos, Estado de Derecho y Constitución*, Madrid, 1984.

B) *Naturaleza de «norma jurídica» de los principios rectores: postura doctrinal y breve reseña jurisprudencial. Especial referencia a las peculiaridades estructurales de los principios rectores*

Una de las cuestiones fundamentales y más debatidas en torno a los principios rectores es la determinación de su naturaleza jurídica, básicamente por las consecuencias que de ello se derivarán.

En **sede doctrinal** se discute sobre la consideración de su carácter normativo, afirmando éste o, por el contrario, la diferenciación entre norma y principios.

El sector mayoritario de la doctrina afirma el valor **normativo** de los preceptos que recogen los principios rectores de la política social y económica. Partidarios de esta postura son GARCÍA DE ENTERRÍA, OTTO, SERRANO MORENO, SATRUSTEGUI, PRIETO SANCHÍS, ESPÍN y PÉREZ LUÑO, entre otros[71].

Con razón sostiene ESPÍN que, el afirmar la *naturaleza normativa* de la Constitución significa considerarla norma susceptible de aplicación por parte de los poderes públicos encargados de la ejecución del derecho. Consecuentemente mantiene que es *auténtico derecho* integrado en el ordenamiento jurídico, según el propio contenido y carácter de cada uno de sus preceptos, y *no una serie de principios meramente programáticos* que no vinculan a los sujetos y órganos encargados de velar por el cumplimiento del orden jurídico.

Del mismo modo, PÉREZ LUÑO considera que el sentido del art. 53.3 no es el de negar carácter normativo a los «principios rectores de la política social y

---

[71]   GARCÍA DE ENTERRÍA, refiriéndose a los principios rectores señala como «en ningún caso podrá concluirse en su falta de carácter normativo». GARCÍA DE ENTERRÍA: *La Constitución como norma...*, ob. cit., p. 71. Por su parte, DE OTTO afirma el valor normativo de los principios rectores, en virtud de la supremacía propia de todas las normas contenidas en la Constitución. DE OTTO, I.: *Derecho Constitucional. Sistema de fuentes*, Barcelona, 1987, p. 48. Asimismo SERRANO MORENO afirma con rotundidad que «toda la Constitución, incluidos los principios rectores, tiene valor normativo inmediato y directo». SERRANO MORENO, J.L.: «Algunas hipótesis sobre los principios rectores...», ob. y loc. cit. De esa opinión SATRUSTEGUI, afirmando la fuerza normativa del 53.3 de la Constitución, en *Derecho Constitucional...*, ob. cit., 413. En ese sentido, PRIETO SANCHÍS, después de analizar la tesis de diferenciación entre normas y principios, concluye considerando los principios como un *tipo o especie de norma*. PRIETO SANCHÍS, L.: *Sobre principios y normas. Problemas de razonamiento jurídico*, Cuadernos y Debates, nº 49, Madrid, 1992. ESPÍN, E.: en LÓPEZ GUERRA; ESPÍN, E.; GARCÍA MORILLO, J.; PÉREZ TREMPS, P.; SATRUSTEGUI, M.: *Derecho Constitucional*, vol. I, 3ª ed. 1997, p. 41. PÉREZ LUÑO: «Artículo 46», ob. cit., p. 305.

económica»[72] y aunque en referencia al art. 45 señala que «difícilmente se podría cumplir el imperativo constitucional de que esas normas informen la práctica judicial, si no pueden ser objeto de alegación o aplicación por los tribunales. Además, según se desprende del art. 161.1 a), el Tribunal Constitucional tiene plena competencia para declarar la inconstitucionalidad de cualquier disposición legal que contradiga la Constitución, de la que el art. 45 y todos los integrados en el Cap. III del Título I forman parte[73]. De ello se induce el carácter normativo y la plena vinculación del art. 45, al igual que los restantes preceptos recogidos en el Capítulo III, sin que se les pueda relegar —aunque, según él, parezca sugerirlo la infeliz expresión terminológica del art. 53.3— a meros principios programáticos»[74].

Por contra, un sector minoritario de la doctrina científica sí establece diferencias entre normas y principios. Así, NIETO GARCÍA considera que el principio, aunque sea prescriptivo, no es normativo porque le faltan los elementos de la concreción de la inequivocidad y de la decisión[75].

Por lo que se refiere a la doctrina jurisprudencial, tanto desde el **Tribunal Supremo** como en sede del **Tribunal Constitucional**[76], en línea con la doctrina científica dominante, se afirma el carácter normativo de los preceptos del texto constitucional a los que venimos aludiendo. En ese sentido, la sentencia del Tribunal Supremo de 11 de julio de 1987 (Ar. 6877) en relación al art. 45 CE y la sentencia de 25 de abril de 1989 (Ar. 3233) refiriéndose al mismo y, en general, a los demás contenidos en el Capítulo tercero del Título I de la Constitución, declara que «tienen valor normativo y vinculan a los poderes públicos, cada uno en su respectiva esfera, a hacerlos eficazmente operativos».

Incluso en el debate parlamentario producido en el Senado respecto al contenido del artículo 46 se hizo referencia al carácter normativo del texto constitucional cuando se propuso la utilización de los tiempos de futuro en

---

[72]   PÉREZ LUÑO: «Artículo 46», ob. cit., p. 305.
[73]   Por su parte, los jueces ordinarios están obligados: a remitir al Tribunal Constitucional las cuestiones referentes a la posible inconstitucionalidad de las normas legales aplicables a sus fallos (art. 163); a interpretar y a aplicar todo el ordenamiento conforme a la Constitución (art. 9.1), y a tutelar el ejercicio de los derechos e intereses legítimos de todas las personas (art. 24.1).
[74]   PÉREZ LUÑO: «Artículo 45», ob. cit., p. 265.
[75]   NIETO GARCÍA, A.: *Derecho Administrativo Sancionador,* Madrid, 1993, p. 40. En la doctrina extranjera, es sin embargo esta posición la dominante. Así, ESSER, E.: *Principio y norma en la elaboración jurisprudencial del Derecho privado,* Barcelona, 1961, y LARENZ, K.: *Fundamentos de ética jurídica.* Trad. Díez-Picazo, Madrid, 1985 (citados en BELADIEZ ROJO, M.: ob. cit., p. 77).
[76]   Así, por ejemplo, la STC 16/1982, de 28 abril de 1982.

dicho precepto. Así, en la defensa de la enmienda gramatical del Grupo Progresistas y Socialistas Independientes, el señor VILLAR ARREGUI argumentó «que el futuro es el tiempo indicado para los verbos en la Constitución. Eso tiene una significación política: el valor normativo de la Constitución tiende a transformar el orden social y por eso se emplea el futuro»[77].

Sentado, pues, el carácter normativo de la Constitución y de sus principios rectores, no puede desconocerse, sin embargo, que los principios contienen una serie de *peculiaridades* que los diferencian del resto de normas, diferencias básicamente **de carácter** *estructural*[78], en el sentido de que carecen de un supuesto de hecho definido.

Destacaremos las consideraciones efectuadas en esta línea por BELADIEZ ROJO, la cual parte de la afirmación de que los principios rectores son técnicamente «principios jurídicos» o «principios generales del Derecho»[79], gozando por tanto de la misma naturaleza jurídica que los demás principios contenidos en la Constitución, al igual que el resto de principios jurídicos. Sin embargo, a consecuencia de esa estructura peculiar a la que hemos hecho referencia, afirma la citada autora que no son realmente una proposición jurídica, por esa falta de definición del supuesto de hecho a priori, así como de la sanción que su infracción debe conllevar. De lo que se derivan, según BELADIEZ, dos consecuencias íntimamente unidas: por un lado, los principios no generan obligaciones, por no constituir título suficiente para ello, no definiendo el contenido de la obligación, y, por otro lado, no otorgan derechos subjetivos *típicos*[80] o activos.

---

[77] Intervención del Sr. VILLAR ARREGUI, en D.S.S. de 30 de agosto de 1978, nº 46, p. 2.093.

[78] Argumentos que utiliza también precisamente algún autor para negar el carácter de norma jurídica a los principios. Así, NIETO señala que «El principio carece de la concreción propia de una norma». NIETO GARCÍA, A.: ob. cit., p. 40.

[79] Expresiones que según la autora designan el mismo fenómeno: «la fuente del Derecho que expresa los valores jurídicos-éticos de la comunidad». BELADIEZ ROJO, M.: ob. cit., p. 75 y ss. De opinión distinta es ARCE Y FLOREZ-VALDÉS al señalar que no todos los llamados principios pueden considerarse «principios generales del derecho», calificando a éstos últimos de «grandes principios» o «ejes sobre los que el ordenamiento se conforma». ARCE Y FLOREZ-VALDÉS, J.: *Los principios generales del Derecho y su formulación constitucional*, Madrid, 1990, p. 65 y ss.

[80] Partimos de un concepto de *derecho subjetivo* como «facultad o conjunto de facultades, con significado unitario e independiente, que se otorga por el ordenamiento jurídico a un ser capaz de voluntad o de voluntad suplida por la representación, para la satisfacción de sus fines o intereses, y autoriza al titular para obrar válidamente, dentro de ciertos límites, y exigir de los demás, por un medio coactivo, en la medida de lo posible, el comportamiento correspondiente», en CASTÁN TOBEÑAS, J.: «Derechos subjetivos», *Nueva Enciclopedia Jurídica Seix*, Barcelona, 1980, t. VII, p. 110.

Pues bien, respecto de esta última consideración parece existir acuerdo prácticamente unánime en la doctrina; en esta dirección se manifiestan QUINTERO OLIVARES, SERRANO MORENO, BELTRÁN AGUIRRE y CARMONA CUENCA[81].

Así, QUINTERO OLIVARES afirma que de los principios rectores constitucionales se derivan verdaderos *derechos sociales constitucionales.*

Por su parte, BELTRÁN AGUIRRE señala cómo, siguiendo la doctrina mayoritaria puede afirmarse que estos principios tienen fuerza vinculante, «aunque no tengan como efecto jurídico la creación de derechos subjetivos» pudiendo ser aplicados por los órganos judiciales, se hayan dictado o no las leyes que los desarrollen.

CARMONA CUENCA considera que no configuran por si mismos derechos subjetivos accionables ante los tribunales, sino que habrá que esperar a que se dicten las leyes de *desarrollo para que surtan este* efecto, *si bien* ello no significa que no gocen de eficacia jurídica en otro sentido. En esta dirección, ALMAGRO NOSETE considera que los derechos enunciados en este Capítulo son de los denominados, de acuerdo con un sector doctrinal, *derechos subjetivos mediatos,* por contraposición a los inmediatos, es decir condicionados en cuanto a la concreción de su prestación a futuros desarrollos legislativos, por lo que concluye afirmando que su naturaleza, como derechos efectivos, es precaria. También los denomina incompletos, pues no gozan de recurso de amparo por las violaciones que se cometan[82], mas, en cualquier caso, podrán acceder al recurso de inconstitucionalidad cuando las leyes que los desarrollen infrinjan esos principios o derechos.

Finalmente, GORDILLO CAÑAS, si bien en referencia a los principios generales del Derecho, considera que comienzan a desempeñar una función normativa, pese a que posteriormente «su estructura normativa se reduce al

---

[81]　QUINTERO OLIVARES: «Delitos contra los intereses generales», en *Revista de la Facultad de Derecho de la Universidad Complutense de Madrid,* 1983, n° 6, p. 571. También en ese sentido, SERRANO MORENO, J.L.: «Algunas hipótesis sobre los principios rectores...», ob. cit., p. 103. BELTRÁN AGUIRRE: «El medio ambiente en la jurisprudencia del Tribunal Supremo»..., ob. cit., p. 284. CARMONA CUENCA: «Las normas constitucionales de contenido social: delimitación y problemática de su eficacia jurídica», en *Revista de Estudios Políticos,* n° 76, 1992, p. 111.

[82]　Si bien, a su juicio, pueden construirse pretensiones de *amparo indirecto,* es decir, fundada la lesión de algunos de los derechos directamente amparables, «relacionando la lesión constitucional con la infracción de algunos de estos derechos o principios». ALMAGRO NOSETE: «Tutela procesal ordinaria y privilegiada», en *Revista de Derecho Político,* n° 16, 1982-3, p. 103 y ss.

mínimo indispensable para la proyección del valor en las relaciones sociales: son norma jurídica en un grado de enunciación no circunstancialmente desenvuelto, sino de gran generalidad» concluyendo que de ello deriva su peculiaridad normativa y su identidad diferente a la de la norma ordinariamente concretada y desarrollada[83].

La formulación expresa de los principios rectores es pues, tal y como se ha expuesto, objeto de atención por parte de algunos autores, particularmente con relación a los *mandatos* contenidos en ellos, cuestión en la que nos detendremos a continuación para así llegar al contenido en el art. 46.

C) Recapitulación y toma de postura

De acuerdo con lo expuesto, podemos afirmar cómo, desde un criterio *formal*, dada su ubicación, tanto el artículo 46 como el resto de principios rectores no han obtenido el rango de *derechos fundamentales* en nuestra Carta Magna, expresión reservada para los derechos ubicados en el Capítulo II. En este sentido, es clara la doctrina de la STC de 3 de diciembre de 1996 respecto al derecho a disfrutar de un medio ambiente adecuado, afirmando que... «no puede ignorarse que el art. 45 de la Constitución enuncia un principio rector, no un derecho fundamental. Los Tribunales deben velar por el respeto al medio ambiente, sin duda, pero de acuerdo con lo que dispongan las leyes que desarrollen el precepto constitucional» (SSTC 32/1983 (RTC 1983, 32, fundamento jurídico 2º), 149/1991 (RTC 1991, 149, fundamento jurídico 1º) y 102/ 1995 (RTC 1995, 102, fundamentos jurídicos 4º-7º).

Ahora bien, sin duda, desde un punto de vista material, el paso a un Estado social y democrático de Derecho, ha producido una suavización de la concepción de los derechos fundamentales como derechos públicos subjetivos y un acercamiento a los derechos reconocidos constitucionalmente[84] en el Capítulo

---

[83] GORDILLO CAÑAS, A.: *Ley, principios generales y Constitución: Apuntes para una relectura desde la Constitución, de la teoría de las fuentes del Derecho,* Madrid, 1990, p. 53.

[84] Recordemos, a este respecto, como GARCÍA DE ENTERRÍA afirmaba que se trataba de «derechos fundamentales no articulados con la técnica de derechos subjetivos, que formulan los fines del Estado». GARCÍA DE ENTERRÍA: «La Constitución como norma», ob. cit., p. 69. Asimismo, en «Consideraciones sobre una legislación sobre el Patrimonio histórico», en *Revista de Derecho Administrativo,* nº 30, oct.-dic. 1983, p. 580.
En Alemania, la distinción entre derechos fundamentales y derechos equivalentes a los fundamentales (los *grundrechtsgleiche Rechte,* también susceptibles de amparo) carece de toda trascendencia jurídica. Cfr. PIEROTH, B. y SCHLINK, B.: *Grundrechte,* 1989, p. 18.

III. Y es que, ciertamente, afirmado el carácter normativo de los principios rectores, se planteó si, como tal norma, confiere un *derecho subjetivo*.

Pues bien, tal y como ya se adelantó, los denominados principios rectores no confieren tal clase de derechos; dicha negación podemos argumentarla, atendiendo al art. 46 y a la protección de los bienes culturales, de acuerdo con dos planos fundamentales:

El primer argumento negador de la categoría de derecho subjetivo lo constituye la inadecuación al concepto tradicional de derecho subjetivo y sus presupuestos configuradores, toda vez que surge en un contexto en el que se acentúa la protección de la propiedad privada.

La concretización de la protección del Patrimonio Cultural exige, por contra, limitaciones del derecho de propiedad; precisamente, el concepto de derecho difuso o colectivo surge ante la insuficiencia de la categoría de derecho subjetivo, tal y como se expondrá en el siguiente epígrafe, dedicado a esta cuestión.

El segundo argumento negador de la categoría de derecho subjetivo, lo conforman los sujetos titulares de los derechos; de acuerdo con la definición aportada de derecho subjetivo, éste exige la presencia de un individuo al que se atribuye la titularidad, de modo que la titularidad colectiva de los valores culturales se enfrenta a una de las características del concepto tradicional de derecho subjetivo.

2.3. El art. 46 y su mandato de intervención penal

A) Eficacia u operatividad de los mandatos contenidos en los principios rectores

Si bien los principios rectores poseen, de acuerdo con lo hasta aquí manifestado, la misma naturaleza que el resto de principios de la Constitución, son, sin embargo, objeto de especial atención por parte de la doctrina, particularmente en relación a los *mandatos* contenidos en ellos, mandatos dirigidos a los poderes públicos, prescribiendo determinadas conductas.

Es por ello que, antes de detenernos en el concreto mandato comprendido en el art. 46, trataré de sintetizar algunas de las opiniones de la **doctrina científica** que se ha manifestado sobre la eficacia u operatividad de los mandatos recogidos, en general, en los principios rectores constitucionales.

Básicamente se mantienen dos posturas al respecto. Por un lado, un sector integrado por constitucionalistas que consideran dichos principios y, consecuentemente el art. 46, como *directivas* generales de la política social y económica, y que, aunque formuladas como derechos, únicamente tienen como fin *orientar al legislador*[85].

Desde otros posicionamientos se parte de la consideración de que los principios rectores expresan los *fines que precisan de intervención estatal*[86]. En este sentido, se manifiestan BELADIEZ ROJO, GONZÁLEZ RUS y LÓPEZ GUERRA. Precisamente BELADIEZ ROJO dedica un subepígrafe en su obra[87] a los principios rectores porque, a su juicio, la formulación de éstos puede llevar a confusión en el sentido de que pueda *parecer* que impongan determinadas obligaciones, cuando la autora ya señaló que, por su naturaleza de principios, no pueden generar obligaciones en sentido técnico. Es por ello que la interpretación o explicación la atribuye al hecho de *querer proclamar más enfáticamente los fines del Estado*. Concluye, pues, la citada autora afirmando que el mandato jurídico que de los principios rectores se deriva es muy genérico: únicamente de «respeto» de un determinado valor jurídico, concretamente señala que consiste en «imponer el genérico deber de carácter negativo de no actuar infringiendo el valor jurídico consagrado en el mismo».

Sin embargo, GONZÁLEZ RUS[88] sostiene cómo, desde las consideraciones del sector doctrinal mencionado en primer término, se relativiza la trascendencia y significación de los principios rectores, «considerándolos declaraciones más próximas a la retórica constitucional que a las disposiciones con verdadera estructura formal y lógica de normas jurídicas...»[89]. A este respecto, afirma que, los principios rectores, por su estructura, son similares a las disposiciones alojadas en la parte orgánica de la Constitución, reconociendo que en ambos casos existe un mandato dirigido a los poderes públicos y se dispone una determinada conducta. A su vez considera que, los principios rectores, y en concreto el art. 46, son *vinculantes* para el legislador, si bien el no imponer plazos de cumplimiento ni sanciones por incumplimiento del desarrollo legislativo, puede fundamentarse, tanto en su estructura de fines que precisan intervención estatal, así como en su formulación como *directrices generales* que

---

[85]   En ese sentido, véase, entre otros, GARRIDO FALLA y RUBIO LLORENTE; GARRIDO FALLA: «Las fuentes del derecho en la Constitución española», en *La Constitución española y las fuentes del Derecho*, III, Madrid, 1979, p. 590; RUBIO LLORENTE: «La Constitución como fuente del Derecho», en *La Constitución española y las fuentes...*, ob. cit., p. 71.

[86]   Denominados por la doctrina constitucionalista alemana «*Staatszwecke*», fines de la acción estatal.

[87]   BELADIEZ ROJO, M.: *Los principios jurídicos...*, ob. cit., p. 87.

[88]   GONZÁLEZ RUS, J.J.: «Puntos de partida de la protección del...», ob. cit., p. 37 y ss.

[89]   GONZÁLEZ RUS, J.J.: *Ibidem*.

dan margen al legislador para que elija los modos de materializarlo, sin someterlos a controles demasiado estrictos. Transcribiendo sus palabras: «...son normas que mandan mandar, prohibir o permitir». Su eficacia la concreta en que *podrán ser ignorados por el legislador, pero nunca contradichos,* de acuerdo con la consideración efectuada por BELADIEZ ROJO acerca de que el mandato consiste en no actuar en contra del valor en él consagrado.

Finalmente, LÓPEZ GUERRA entiende que, si bien los principios contienen normas con fuerza vinculante, están formulados con un nivel de generalidad. Sus disposiciones aparecen, «no como un programa político, sino afirmando una serie de valores que se traducen en objetivos comunes a todas las opciones políticas», por lo que sus mandatos no son alterables o modificables por los poderes públicos. Incluso en algunos supuestos señala cómo la Constitución disciplina una materia con cierto detalle, de manera que el ámbito del legislador queda reducido[90]. Sin embargo, considera los mandatos, más que como fines, como *límites a los poderes del Estado.*

Afirmado, pues, el carácter normativo de los principios, parece ya resuelto el peligro de mantener el carácter «*meramente* programático»[91] de los principios rectores en el sentido tradicional conferido. Consecuentemente, en la doctrina española un sector importante de autores huye de la calificación de alguna parte de la Constitución como «meramente programática»[92], es decir, en el sentido de mera o simple declaración de intenciones. Así, de acuerdo con GARCÍA DE ENTERRÍA, los principios constitucionales «son algo más que normas meramente programáticas, en el sentido tradicional, que les negaba toda aplicabilidad judicial». Ello no obsta para que considere que los preceptos que configuran la denominada Constitución cultural (arts. 44, 45 y 46) formulan, más que derechos subjetivos, «*fines o directrices de la acción estatal*»[93], en sentido similar a los autores ya mencionados.

---

[90] LÓPEZ GUERRA, L.: *Derecho constitucional,* ob. cit., p. 31.

[91] En su sentido gramatical, «*meramente*» se define como « solamente, simplemente», y «*programático*» como «programa o declaración de lo que quiere hacerse en una materia»; definiciones tomadas del Diccionario de la Lengua Española. Real Academia Española. Vigésima primera edición, 1992.

[92] En esta dirección, BELADIEZ ROJO, M.: *Los principios jurídicos...,* ob. y loc. cit. ESPÍN: *Derecho Constitucional...,* ob. y loc. cit. También PÉREZ LUÑO, A.E.: «Artículo 46»..., ob. cit., p. 305. PÉREZ MORENO en concreto sobre los arts. 44, 45 y 46: «El postulado constitucional de la promoción y conservación del Patrimonio Histórico-Artístico...», ob. cit., p. 1.634.

[93] GARCÍA DE ENTERRÍA, E.: «La Constitución como norma...», ob. cit., p. 69; del mismo: «*Consideraciones sobre una legislación de patrimonio...*», ob. cit., p. 580.

Otros autores, sin embargo, aun sirviéndose del término «*programático*», le vinculan necesariamente su *condición jurídica*. Así, SERRANO MORENO afirma que «no es incompatible el carácter programático con la condición jurídica»[94]. A su vez, ya señalamos cómo GONZÁLEZ RUS sostenía que las normas programáticas son similares a las disposiciones de la parte orgánica de la Constitución por la existencia en ambos casos de un mandato dirigido a los poderes públicos, disponiéndose una determinada conducta. Si bien, dicho autor resalta como única diferencia con los derechos tradicionales el hecho de que «*prescriben conductas en vez de proscribirlas*» y con las normas de organización, en «que no prevén el titular de una facultad, sino un determinado ejercicio de la misma»[95]. Finalmente MURILLO DE LA CUEVA recuerda cómo existen sólidas construcciones teóricas que ponen de manifiesto la virtualidad jurídica de las normas programáticas[96].

Pues bien, abundando en lo expuesto, considero deben destacarse las relevantes aportaciones de un sector de la **doctrina italiana** al poco tiempo de promulgarse su Constitución, en sentido opuesto a la doctrina tradicional y a la jurisprudencia italiana manifestada cuando distinguían las normas *programáticas* de las *preceptivas*, dejando su contenido sin ninguna relevancia jurídica. A este respecto, destaca la labor realizada por CHIARELLI así como por CRISAFULLI[97].

El primero de los citados autores, contestando a las interpretaciones tradicionales que dejaban vacías de contenido dichas normas, afirma que «resulta contrario al significado mismo de la Constitución, como Ley Fundamental... admitir que la voluntad del constituyente en la formulación de las concretas disposiciones del texto fundamental pueda limitarse a trazar un simple programa, con eficacia meramente dispositiva, para el propio legislador».

Por su parte, CRISAFULLI pretende en su obra diferenciar las normas programáticas de las simples declaraciones de buenos deseos y reconocerles así su dimensión jurídica estricta. Así, entiende este autor que vaciar de «juridicidad» a las normas programáticas supone eliminar de la Constitución una parte

---

[94] SERRANO MORENO, J.L.: «Algunas hipótesis sobre los principios rectores...», ob. cit., p. 104.
[95] GONZÁLEZ RUS, J.J.: «Puntos de partida...», ob. cit., p. 38.
[96] MURILLO DE LA CUEVA, P.L.: «Normas programáticas, Estatutos y Autonomía comunitaria», en *Revista de Derecho Político*, nº 21, 1984, p. 8.
[97] CHIARELLI, G.: «Elasticità della Costituzione», en *Scritti di Diritto Pubblico*, Milán, 1977, p. 333. CRISAFULLI: *La Costituzione e le sue disposizione di principio*, Milán, 1952. Debo las citas de estos autores a COBREROS MENDOZA, E.: «Reflexión general sobre la eficacia normativa de los principios constitucionales rectores de la política social y económica del Estado», ob. cit., p. 28.

esencial, violentado la voluntad del constituyente e impidiendo la debida comprensión histórica de los factores económicos, sociales y políticos de los que la Constitución es expresión directa. Consecuentemente con ello, sostiene que resulta imposible identificar *programático* con *directivo* y contraponerlo a obligatorio «porque toda norma constitucional debe decirse, sin más, obligatoria en relación con todas las potestades estatales discrecionales, incluida la misma potestad legislativa», por lo que considera que las normas programáticas no son simplemente directivas, sino normas vinculantes y obligatorias.

Sobre este particular, en el seno de la jurisprudencia española, si bien en las primeras resoluciones del **Tribunal Constitucional**[98] se afirma el valor aplicativo —y no meramente programático— de los principios generales, dicho criterio se verá matizado posteriormente en la sentencia 15/1982 de 23 de abril, al reconocer dicho Tribunal que la vinculación directa de los principios constitucionales «no tendrá más excepciones que aquellos casos en que así lo imponga la propia Constitución o en que la naturaleza misma de la norma impida considerarla inmediatamente aplicable» (FJ 8°). A su vez, en la STC 113/1989 de 22 de junio se afirma que se trata de valores que «obligan a los poderes públicos, no sólo al despliegue de la correspondiente acción administrativa prestacional, sino además a desarrollar la acción normativa que resulte necesaria para asegurar el cumplimiento de esos mandatos constitucionales…».

Mas, aun en la hipótesis de que un derecho constitucional requiera una *interpositio legislatoris* para su desarrollo y plena eficacia, nuestra jurisprudencia constitucional reiteradamente niega que su reconocimiento por la Constitución no tenga otra consecuencia que la de establecer un mandato dirigido al legislador sin virtualidad para amparar por sí mismo pretensiones individuales, de modo que sólo sea exigible cuando el legislador lo haya desarrollado[99].

En parecidos términos se pronuncia el **Tribunal Supremo** sobre estos principios, afirmando «que no son mera rétorica»[100], así como, sosteniendo que «los preceptos contenidos en el Capítulo tercero del Título I de la Constitución, pese a girar bajo la rúbrica de «principios rectores de la política social y económica» no constituyen meras normas programáticas que limiten su eficacia al campo de la retórica política o de la inútil semántica propia de las afirmaciones demagógicas… De manera que el art. 45 así como los demás del

---

[98] En la STC de 2 febrero de 1981 se afirmaba que «los principios generales del Derecho plasmados en la Constitución tienen carácter informador de todo el Ordenamiento jurídico».

[99] SSTC 254/1993, de 20 de julio (FJ 6°); 31/1994, de 31 de enero de 1994.

[100] STS de 11 de julio de 1987.

expresado capítulo tienen valor normativo y vinculan a los poderes públicos, cada uno en su respectiva esfera, a hacerlos eficazmente operativos»[101].

En suma, a la vista de lo expuesto, considero puede afirmarse que, las normas contenidas en los principios rectores de la política social y económica del Capítulo III del Título I del texto constitucional son *vinculantes* para los poderes públicos, encargados de velar por su cumplimiento y de hacerlos operativos, no quedando por tanto su enunciado en mera retórica sino constituyendo el antecedente o el fundamento cuyo consecuente deberá ser su plasmación normativa.

Sin embargo, sí es cierto que presentan determinadas *particularidades* que derivan de su formulación como fines de la acción estatal. De ese modo, debe señalarse que no son sometidas a estrechos controles para su cumplimiento, no imponiéndose plazos concretos para el mencionado desarrollo normativo, ni previéndose sanciones en caso de incumplimiento por parte del legislador. Ahora bien, como ya indiqué, no podrá actuarse en contra del valor consagrado, pudiendo declararse la inconstitucionalidad de cualquier ley o norma, notoria o evidentemente *contraria* al fin que se halle prescrito, lo que se denomina como *efecto impeditivo*, esto es, no se puede legislar en su contra[102].

A este respecto, de acuerdo con la sentencia 45/1989 del Tribunal Constitucional —en lo que toca a la cuestión de, en que medida los principios rectores de la política social y económica vinculan a los poderes públicos y, en particular al legislador— se reconoce que la naturaleza de los mencionados principios que recoge el Capítulo III del Título I de nuestra Constitución «...hace improbable que una norma legal cualquiera pueda ser considerada inconstitucional por omisión, esto es, por no atender, aisladamente considerada, el mandato a los poderes públicos y en especial al legislador, en el que cada uno de los principios por lo general se concreta...». Ahora bien, el Alto Tribunal continúa afirmando que, no obstante lo expuesto: «No cabe excluir que la relación entre alguno de esos principios y los derechos fundamentales (señaladamente el de igualdad) haga posible un examen de este género, ni, sobre todo, que el principio rector sea utilizado como criterio para resolver sobre la constitucionalidad de una acción positiva del legislador, cuando ésta se plasma en una norma de notable incidencia negativa sobre la entidad constitucionalmente protegida» (FJ 4º).

---

[101] STS de 25 de abril de 1989.

[102] Efecto que se ha considerado, de acuerdo con MURILLO DE LA CUEVA, una cláusula de prohibición del retroceso social. MURILLO DE LA CUEVA, P.L.: «El amparo judicial de los derechos fundamentales», en *La aplicación jurisdiccional de la constitución* (ed. a cargo de RUIZ-RICO RUIZ, G.), Valencia, 1995, p. 110 y ss. Cfr. con GÓMEZ CANOTILHO, J.J.: *Direito Constitucional*, Almedina, Coimbra, 1993, p. 468 y ss.

Entiendo, por tanto, que podrá utilizarse el término de normas programáticas para referirse a los principios rectores, si bien no en el sentido conferido tradicionalmente de meras declaraciones de intereses, sino como aquellas normas que prescriben fines que precisan de la intervención estatal, y de las cuales puede afirmarse su condición jurídica, sin olvidar que, de acuerdo con lo dispuesto expresamente en el art. 53.3, no generan derechos susceptibles de ser aducidos ante los tribunales, en tanto una ley no lo disponga expresamente.

Ahora bien, en mi opinión puede apreciarse una *heterogeneidad*[103] en el conjunto de los principios rectores, sin olvidar obviamente que todos ellos poseen un rasgo común que se sitúa en su eficacia jurídica y su fuerza normativa, vinculatoria de los poderes públicos.

Así, junto a aquellos que obedecen al perfil típico de las garantías institucionales, otro grupo se reconduciría al ya comentado de las normas programáticas, las cuales prescriben un fin determinado pero no los medios ni las condiciones de su realización. A mi juicio, estos mandatos de los principios rectores coinciden con lo que DE OTTO denomina *normas de programación final*, refiriéndose a aquellas normas que prescriben el logro de un fin[104], citando este autor como ejemplo el art. 45.2 de la Carta Magna donde, como él expresa, ni se define un supuesto de hecho, ni *cuando* hay que actuar ni *qué* hay que hacer, sino que tan sólo se indica el fin que hay que perseguir. Así, el tiempo verbal empleado expresa la idea de «programa a realizar» así como su valor normativo, tal y como ya comentamos. Precisamente, si bien considera que es posible examinar a la luz de estas normas la inconstitucionalidad de las leyes y de cualquier norma, por ser ellas normas jurídicas que obligan a los poderes públicos, sin embargo su carácter de norma de programación final supone, de acuerdo con el autor citado, un límite a su enjuiciamiento, por lo que el Tribunal Constitucional se limitará a sancionar la infracción *frontal* del mandato, es decir aquellos supuestos en que la ley resulte *manifiesta y claramente* contraria al fin prescrito. De suerte que, las pretensiones de obtener algunos de los bienes a que se refieren sólo podrán prosperar en la medida en que estén reconocidos en una ley.

---

[103]   Nosotros seguiremos la clasificación que realiza SATRUSTEGUI en *Derecho Constitucional…*, ob. cit., p. 412. También debe destacarse la clasificación entre los distintos tipos de normas materiales de la Carta Magna, debida a SCHEUNER: 1) normas que declaran derechos fundamentales; 2) garantías institucionales; 3) mandatos dirigidos al legislador para que complete la estructura prevista en la Constitución; 4) principios fundamentales y fines del Estado. Citado por RUBIO LLORENTE: «La Constitución como fuente del Derecho», ob. y loc. cit.

[104]   DE OTTO, I.: *Derecho Constitucional…*, ob. cit., p. 43.

Finalmente, se encuentran aquellos principios rectores que representan *mandatos al legislador* dirigidos a la promulgación de leyes indispensables para el ejercicio de tales derechos; prescripciones que también reciben la denominación de *imposiciones constitucionales,* definidas como mandatos concretos al legislador en aras a la regulación o actualización de determinadas materias, las cuales se encuentran ya presentes en el texto constitucional[105].

B) El mandato de protección penal del patrimonio histórico, cultural y artístico

Hemos podido observar como un considerable número de autores hace referencia a los mandatos que realiza el legislador constituyente en la mayoría de los principios rectores; sin embargo, resulta infrecuente la consideración en la doctrina de aquellos mandatos de carácter excepcional, como es el previsto en el segundo inciso del artículo 46, imponiendo la tutela específica penal del patrimonio histórico, cultural y artístico[106], si bien las reflexiones generales ya efectuadas pueden adelantarnos el valor que se otorga, en términos generales, a los mandatos contenidos en los principios rectores.

a) Posiciones doctrinales acerca de la conveniencia u oportunidad del mandato constitucional

El sometimiento del legislador democrático a la obligación positiva de tutelar determinados bienes —lo que la doctrina italiana denomina «obligaciones constitucionales de tutela»— provoca en la doctrina científica discrepancias acerca de la conveniencia u oportunidad de dicho mandato constitucional.

En particular, por lo que respecta al mandato de tutela penal del patrimonio cultural, histórico y artístico, éste no resulta exento de opiniones encontradas dentro de la *doctrina española* en lo relativo al acierto de dicho mandato. Así, el artículo 46 ha sido objeto de diversas **críticas** por parte de algunos autores. Concretamente, la previsión constitucional ha sido calificada por VAELLO ESQUERDO[107] de *innecesaria* —al entender que los tipos penales no requieren

---

[105]   GOMES CANOTILHO, J.J.: *Constituçao dirigente e vinculaçao do legislador,* Coimbra, 1982, p. 128.

[106]   Recordemos cómo, por ejemplo, BELADIEZ (ob. y loc. cit.) se refiere únicamente al inciso primero del artículo 46.

[107]   VAELLO ESQUERDO, E.: «*La defensa del Patrimonio Histórico-Artístico y el Derecho Penal*», en Derecho y Proceso. Estudios Jurídicos en honor del profesor Martínez Bernal, Murcia, 1980.

apoyatura de tales características— así como de precipitada y *extravagante*, alegando que en ninguno de los textos constitucionales comparados donde también se protege dicho patrimonio no existe sin embargo disposición semejante. Por su parte, ÁLVAREZ ÁLVAREZ también estima innecesaria la mencionada previsión, y «*sin duda excesiva*»[108], términos similares a los utilizados por FERRE OLIVE, el cual considera un *exceso del legislador constitucional* la técnica de obligar al legislador ordinario a tutelar penalmente determinados bienes, sosteniendo, a su juicio, que sería preferible no se consagraran objetos de protección en el texto constitucional. Esta afirmación la fundamenta en el hecho de que pueda tratarse de objetos que, según las concretas necesidades de la sociedad, no requieran de la protección penal, y consecuentemente su derogación sea muy dificultosa dado el complejo procedimiento de reforma constitucional[109].

Desde otra perspectiva, otros autores intentan dar argumentos que puedan justificar dicha previsión. Así, CARBONELL MATEU[110] admite la existencia en la Constitución de obligaciones expresas de tutela de determinados bienes —como es el caso del patrimonio cultural (e histórico, añade él)— consecuencia del papel que otorga a la Norma Suprema, como norma definidora de los valores a los que ha de servir el ordenamiento, así como de fundamento y límite de la actuación de los poderes públicos. Sin embargo, matiza posteriormente cómo ello no supone que no exista una obligación *implícita* de tutela de otros valores, cuya mención se hace innecesaria, a su juicio, por su naturaleza individual. Parece por tanto que CARBONELL admite estas previsiones en los supuestos de bienes de titularidad colectiva o supraindividual, considerando además cómo, del artículo 9.2. del texto constitucional, se deriva la obligación de tutelar dichos valores, en definitiva los bienes jurídicos colectivos.

En parecidos términos PÉREZ ALONSO señala también cómo, de otro modo, los bienes no tradicionales de carácter colectivo y no individuales podrían quedar al margen de una tutela efectiva y concreta, y así, dicho autor afirma: «por ello, pese a reconocer el carácter excepcional de esta exigencia constitucional, si con ella se consigue favorecer la protección penal del Patrimonio histórico, cultural o artístico, bienvenida sea»[111].

---

[108] ÁLVAREZ ÁLVAREZ, J.L.: *Estudios sobre el Patrimonio Histórico Español y la ley de 25 de junio de 1985*, Madrid, 1989, p. 70.

[109] FERRE OLIVE, J.C.: *El delito contable*, Barcelona, 1988, p. 33 y ss.

[110] CARBONELL MATEU, J.C.: *Derecho penal...*, ob. cit., p. 80 y ss.

[111] PÉREZ ALONSO, E.J.: *La tutela civil y penal del Patrimonio histórico, cultural o artístico*, Madrid, 1996.

Por su parte, PORTILLA CONTRERAS considera cómo el hecho de que la Constitución subraye la necesidad de proteger determinados valores, como es el caso del patrimonio histórico, cultural o artístico, se debe al carácter social del Estado de derecho, el cual conlleva la necesidad de desarrollar funciones promocionales y de defensa de intereses sociales[112].

QUINTERO OLIVARES, sin referirse expresamente a los mandatos de tutela penal, sostiene que, aun con independencia de que éstos existan, los ya aludidos *derechos sociales constitucionales*, aun sin ser del mismo rango que los derechos fundamentales, merecen se les preste la más alta protección jurídica, la tutela jurídico-penal, si bien reconociendo la función preventiva del Derecho Administrativo. Finalmente, sin negar la relatividad de la eficacia penal en algunos de estos casos, considera que, negarles esta respuesta sería, por contra, desmesurado, ello «sin entrar en la necesidad de dar cumplimiento a mandatos constitucionales que en algún caso existen»[113].

Dentro de esta línea de pensamiento, algunos van más allá en los términos del debate, como es el caso de PÉREZ LUÑO[114], el cual, con su moderna concepción de los derechos fundamentales, mantiene que éstos han dejado de entenderse como *Staatsschranken* (límites de la acción estatal) para asumir el papel de *Abwehrfunktion* (fines de la acción estatal), concibiendo el contenido del art. 46, *la participación en los bienes de la historia, del arte y de la cultura*, como un derecho fundamental[115], ya que de otra forma se incurriría en el equívoco de circunscribir el ámbito de tales derechos al de las libertades tradicionales de signo individual (una de cuyas modalidades fue la de los derechos públicos subjetivos).

En ese sentido, LUCAS VERDÚ sostiene que, si bien literalmente el art. 46 no reconoce ningún derecho fundamental, resulta obvio que, lo que justifica su inclusión en el Título I es que la defensa del Patrimonio se halla en función directa de su disfrute por la colectividad, o del reconocimiento implícito del

---

[112] PORTILLA CONTRERAS, G.: «Principio de intervención mínima y bienes jurídicos colectivos», en *Cuadernos de Política Criminal*, nº 39, 1989, p. 741 y ss.

[113] QUINTERO OLIVARES: «Delitos contra los intereses generales»…, ob. y loc. cit.

[114] PÉREZ LUÑO, A.E.: *Derechos humanos, Estado de Derecho y Constitución*, Madrid, 1984, p. 492.

[115] En ese sentido, si nos acercamos a las Constituciones de los países post-comunistas de la Europa del Este, caracterizadas por un proceso de recepción de ideas constitucionales de los occidentales, observamos como, por ejemplo, la Constitución de Eslovenia de 1991 considera entre las tareas del Estado la conservación de los bienes del patrimonio cultural (art. 5), declaración especificada en la parte dedicada a los derechos fundamentales, bajo la rúbrica «cuidado del patrimonio cultural y natural» (art. 73).

derecho a la participación por parte de los ciudadanos[116] en los bienes que integran el Patrimonio histórico.

Menos contundente en sus afirmaciones se muestran GARCÍA-ESCUDERO y PENDAS GARCÍA al aseverar que los modernos derechos se conciben como una facultad de exigir una acción positiva de los poderes públicos, señalando como ejemplo el art. 46, si bien este derecho social y cultural se califica de *instrumental* por cuanto su sentido último es constituir un medio para facilitar el «acceso de todos a la cultura»[117].

b) Consideraciones críticas y toma de postura

A la vista de lo expuesto y, partiendo de la clasificación que efectué, en relación a los principios rectores, considero que el primer inciso del artículo 46 CE podría incardinarse en las denominadas normas de *programación final*[118], de acuerdo con las cuales, tal y como se apuntó, únicamente podrían prosperar aquellas actuaciones sancionadoras desde el poder constituyente, en supuesto de leyes que supusieran infracciones frontales al fin prescrito. Sirva como ejemplo el apuntado por BELADIEZ ROJO[119], refiriéndose al primer párrafo del artículo 46[120], de acuerdo con el cual, el propietario de un edificio de valor histórico, cultural o artístico, no podrá ampararse en dicho artículo para exigir más ayudas para su conservación, si bien, sí podrá constituir fundamento jurídico suficiente para que fuese declarada inconstitucional una ley que fomentara la demolición de edificios de antigüedad superior a un siglo con el fin de levantar urbanizaciones acordes con la época actual.

Sin embargo, la previsión penalizadora del último inciso del precepto que nos ocupa, nos conduce a considerarlo como un *mandato dirigido al legislador,*

---

[116] LÚCAS VERDÚ, P.: «Comentario al artículo 46», en *Constitución Española. Edición comentada,* Madrid, 1979, p. 120.

[117] GARCÍA-ESCUDERO, P. y PENDAS GARCÍA, B.: *El nuevo régimen jurídico del patrimonio histórico español,* ob. cit., p. 55.

[118] Incluso algún autor, como OROZCO PARDO sostiene que la utilización del término «garantizarán», supone para los poderes públicos algo más que la sujeción a un principio rector o programático, considerándolo «un compromiso» que aquellos adquieren frente al ciudadano, frente a la comunidad. OROZCO PARDO, G./PÉREZ ALONSO, E.: *La tutela civil y penal del Patrimonio histórico, cultural y artístico,* ob. cit., p. 74.

[119] BELADIEZ ROJO, M.: *Los principios jurídicos...,* ob. cit., p. 90 y ss.

[120] «Los poderes públicos garantizarán la conservación y promoverán el enriquecimiento del patrimonio histórico, cultural y artístico de los pueblos de España y de los bienes que lo integran, cualquiera que sea su régimen jurídico y su titularidad».

basándonos en la *especial intensidad* de la vinculación, ya que no se alude simplemente a la defensa abierta de un bien, sino que se concreta lo que se debe legislar y cómo se debe legislar, y cuya eficacia para engendrar derechos correlativos a esas obligaciones, dependerá de que el legislador dicte esas leyes. La previsión penal del artículo 46 se aleja por ello de la configuración típica de los derechos llamados sociales, de carácter prestacional.

Por consiguiente, deberá realizarse una interpretación global de dicho precepto, partiendo de la indisoluble relación de sus dos primeros incisos, toda vez que, junto al derecho reconocido en la norma, se añade un mandato de actuación dirigido al poder legislativo.

Ciertamente nos encontramos ante un mandato real y de efectividad, mediante la superación del nivel programático, imponiendo a los poderes públicos unas funciones positivas de acción directa y dinámica[121], dejando únicamente a criterio del legislador *frente a* que ataques. De suerte que, pese a la existencia del mandato de tutela, no puede obviarse la valoración de la necesidad de la tutela penal.

Pese a lo expuesto reiteramos, en cuanto al alcance de la tutela constitucional, que el art. 46, al igual que el resto de preceptos del Capítulo III del Título I, tiene una eficacia *limitada*, supeditada al posterior desarrollo legislativo[122], el cual, en el orden criminal, resultó ineficaz e insuficiente a lo largo de la historia de la codificación penal, conformando una aspiración general el que, con la nueva regulación en el Código actual de 1995, núcleo básico de nuestro trabajo, se cumplan, en principio, las exigencias constitucionales.

El referido mandato, por tanto, parece ser una pretensión del constituyente ligada al mayor o más eficaz cumplimiento del fin proclamado en el primer inciso del artículo 46. Sin embargo, y en ello nos detendremos más adelante, resulta dudoso el que sólo se prevea un llamamiento al legislador «penal», como único modo de cumplimiento de los fines expresados, por lo que una interpretación literal del mandato constitucional, ya adelantamos, que no será posible.

Considero, pues, que debe reconocerse el carácter *excepcional* de dichas previsiones penalizadoras. Así, debe admitirse que lo cierto es que existen

---

[121] PÉREZ MORENO amplía dicha consideración al conjunto normativo al que la doctrina alude como «*Constitución cultural*». PÉREZ MORENO, A.: «El postulado constitucional de promoción y conservación del Patrimonio Histórico-Artístico», ob. y loc. cit., p. 116; también en *Estudios sobre la Constitución española. Homenaje al profesor García de Enterría II*, ob. cit., p. 1.621.

[122] En ese sentido, GARCÍA ESCUDERO-PENDAS GARCÍA: *El nuevo régimen jurídico del Patrimonio...*, ob. cit., p. 63.

derechos y libertades fundamentales consagrados en el texto constitucional, con respecto a los cuales no existen esas obligaciones expresas de tutela penal y, sin embargo, reciben la protección jurídico-penal. Consecuentemente, deben tratar de buscarse las razones que fundamenten ese *énfasis proteccionista* de nuestro legislador constituyente hacia el patrimonio histórico, cultural y artístico[123]. Ello sin olvidar que la existencia en la Constitución de normas de programación final y de mandatos dirigidos al legislador *imponiendo* la tutela del valor que consagra, no significa que haya de recurrirse *siempre* a la tutela penal.

Pues bien, a la hora de señalar los motivos que pueden fundamentar ese énfasis, por parte de nuestro legislador constituyente, en la protección del Patrimonio Cultural, a mi juicio, podemos destacar como más significativos los siguientes: **por un lado**, su ubicación entre los principios rectores de la política social y económica determina que su alcance y eficacia jurídica o vinculación con respecto a los poderes públicos (53.3.) sea, tal y como hemos apuntado en el epígrafe anterior, menor que en el caso de los derechos y libertades fundamentales[124] —los cuales gozan de las máximas garantías que el ordenamiento puede ofrecer— y por ello se entendería que necesitasen reforzar su tutela; y, **por otro lado,** puede también fundamentarse el énfasis proteccionista en una pretensión de resaltar ante la sociedad la relevancia intrínseca del patrimonio histórico, cultural y artístico y, transcribiendo las palabras de GONZÁLEZ RUS, *zanjar las dudas* que pudieran surgir precisamente por no encontrarse entre los bienes personalistas que gozan tradicionalmente de la protección penal y cuya protección reclama la sociedad. En la línea de los términos expuestos se pronuncia este autor afirmando que «el constituyente conocía que la afectividad social puede ser, en estos bienes jurídicos, menor que la que reciben otros más tradicionales y consolidados»[125].

Ello concuerda con el predominio del carácter social y democrático de nuestro Estado de Derecho donde, de acuerdo con el artículo 9.2. del texto constitucional, corresponde a los poderes públicos «facilitar la participación de todos los ciudadanos en la vida política, económica, cultural y social».

---

[123] ÁLVAREZ lo explica basándose en la efectividad y el respeto que merecen las leyes que se ocupan de la protección de esos bienes, razón que a mi juicio genera bastantes dudas. ÁLVAREZ ÁLVAREZ, J.L.: *Estudios sobre el Patrimonio Histórico Español...,* ob. y loc. cit.

[124] También de esta opinión, **CARMONA SALGADO,** C.: *Curso de Derecho penal español. Parte Especial II* (dir. por Cobo del Rosal), Madrid, 1997.

[125] GONZÁLEZ RUS, J.J.: «Puntos de partida de la protección del patrimonio histórico, cultural y artístico...», ob. cit., p. 40 y ss.

Ahora bien, todos estos argumentos carecerían de sentido, a mi juicio, si el Patrimonio histórico, cultural y artístico, no tuviera la cualidad de penalmente protegible por no cumplir con los requisitos necesarios para su verificación como bien jurídico, como un valor *digno, susceptible y necesitado* de tutela penal. Por ello, considero que se debe llegar a las mismas conclusiones apuntadas hasta ahora, analizando si los *presupuestos para la tutela penal de un bien jurídico* se cumplen en materia de Patrimonio Cultural.

Así, en primer lugar consideramos que es un bien *capaz* de tutela penal; su *dignidad* se reconoce, *formalmente*, por su previsión o relevancia constitucional, al ser la Constitución la norma básica que determina los valores a tutelar[126] y *materialmente*, porque en él se plasman las «señas de identidad de las civilizaciones y de la cultura de los pueblos»[127], constituyendo esta última consideración la piedra angular del concreto objeto de protección.

También, en segundo lugar, es *susceptible* de tutela desde el momento en que, a pesar de su contenido ideal de valor, consustancial a la idea de bien jurídico, se concreta en bienes materiales, muebles e inmuebles, potencialmente lesionables.

Por último, se encuentra *necesitado* de la tutela penal. Necesidad que, en primer término, y de acuerdo con GONZÁLEZ RUS no debe ponerse en tela de juicio desde el momento en que también resulta incuestionable la protección penal frente a los atentados al patrimonio individual, presente a lo largo de la historia de la codificación penal. Pero, además, su *necesidad* no se admite únicamente por su previsión constitucional, sino desde el principio de mínima intervención, una vez se entiende que resultan insuficientes el resto de vías de protección por otras ramas del ordenamiento. De suerte que, sólo recibirán tratamiento penal los atentados más graves contra dicho Patrimonio, toda vez que la Constitución en ningún momento dice que todos los atentados deban castigarse[128].

---

[126] CARBONELL MATEU, J.C.: *Derecho penal: concepto y principios constitucionales...*, ob. cit., p. 209.

[127] Para MUÑOZ CONDE la condición de «merecedor de protección» que debe tener un bien, depende del valor que le atribuya a ese bien una determinada cultura. MUÑOZ CONDE, F.: *Introducción al Derecho Penal*, 1975, p. 2.

[128] En este sentido, ENTRENA CUESTA señala como el mandato constitucional constituye testimonio expresivo de la conciencia que tiene el legislador de la gravedad de tales atentados y de la necesidad de frenarlos. ENTRENA CUESTA: «Artículo 46», en *Comentarios a la Constitución* (dir. por Garrido Falla), 1985, p. 828.

De todos modos, *finalmente* debe reiterarse que, hubiera resultado preferible, que el precepto constitucional encomendara la tutela del patrimonio histórico, artístico y cultural tanto en sede penal como administrativa, tal y como sí se contempla en el art. 45 CE en materia de medio ambiente.

Hechas las precedentes consideraciones, debemos detenernos en una de las notas más significativas que fundamentan el mandato constitucional de tutela penal, cual es el hecho de encontrarnos ante bienes cuya protección reclama la sociedad, distintos a los bienes de carácter personalista que gozaban tradicionalmente de la tutela jurídico-penal. Dicha cuestión nos servirá de punto de arranque para realizar una serie de reflexiones sobre los denominados *bienes jurídicos colectivos*, los cuales acentúan si cabe la relación entre la Constitución y el Derecho Penal.

III. BIENES JURÍDICOS COLECTIVOS

1. Planteamiento

Según ha quedado expuesto, es a través de la función del bien jurídico en el plano legislativo —obligando al Estado a proteger determinados intereses, y a impedir que se tutelen otros— cuando cabe limitar el ejercicio del poder punitivo estatal. Función limitadora del *ius puniendi* que se atribuye al bien jurídico, y que reiteramos, no tiene sólo un carácter negativo, prohibiendo la actuación penal en ausencia de lesión o puesta en peligro de un bien jurídico-penal, sino que a su vez asegura la *movilidad del catálogo punitivo*[129], obligando al legislador, no sólo a descriminalizar determinadas conductas que dejan de necesitar la intervención penal, sino también a ampliar el elenco de bienes jurídicos cuando las circunstancias o transformaciones sociales así lo exigen, constituyendo, pues, una necesidad social adecuar la categoría del bien jurídico a cada momento histórico[130].

---

[129]   HASSEMER Y MUÑOZ CONDE aseguran como, en el Derecho penal actual, la protección de bienes jurídicos se convierte en criterio positivo para justificar decisiones criminalizadoras, perdiendo el carácter de criterio negativo que tuvo originariamente. HASSEMER, W./ MUÑOZ CONDE, F.: *La responsabilidad por el producto en derecho penal*, Valencia, 1995, p. 22 y ss. En sentido análogo, ACALE SÁNCHEZ, M.: *Delitos urbanísticos*, Barcelona, 1997, p. 178 y ss.

[130]   Vid., por todos, el clásico trabajo en España de BUSTOS RAMÍREZ, J.: *Derecho penal y control social*, Barcelona, 1987; CUELLO CONTRERAS, J.: «Presupuestos para una teoría del

Así, recordemos como HASSEMER señala cuáles son las condiciones de incremento del reconocimiento social de un bien, en aras a la valoración del bien jurídico: frecuencia de su lesión, intensidad de la necesidad, y por último la alarma social que produce dicha lesión[131], condiciones que concurren de manera significativa en materia de Patrimonio Cultural, y por tanto son factores que justifican su autonomía como bien jurídico; en este sentido, en primer lugar, en cuanto a la *frecuencia de la lesión,* hemos observado en la evolución histórica de la tutela al patrimonio histórico-artístico como, desde tiempos remotos, los atentados a los bienes integrantes de nuestro patrimonio colectivo son una desgraciada constante. En segundo lugar, por lo que respecta a la intensidad, percibida socialmente, de la *necesidad* de este bien, constituye una cuestión resuelta de forma decisiva por la Constitución española, con la previsión de un mandato expreso al legislador penal para su protección. Por último, resulta indudable la *alarma social* que produce su lesión[132], al suponer una pérdida irreparable de una parte esencial de nuestro acervo cultural y de nuestra identidad social.

Pues bien, la **Constitución** española de 1978 contiene una serie de normas que reflejan las preocupaciones sociales, y, a este respecto, reconoce dentro de los ya debatidos «principios rectores de la política social y económica», una serie de derechos o intereses *supraindividuales* o colectivos[133], en los que con independencia de la preocupación real de cada ciudadano por dichos bienes, se

---

bien jurídico en Derecho penal», en *Anuario de Derecho Penal y Ciencias Penales,* t. XXXIV, 1981, pp. 461 y 22.

[131] HASSEMER, W.: «Il bene giuridico nel rapporto di tensione tra costituzione e diritto naturale. Aspetti giuridici», en *Dei Delitti e delle Pene,* 1984 (1), p. 107.

[132] Un ejemplo reciente lo encontramos en Berlín donde los museos alemanes han activado la señal de alerta tras la fuga de un hospital psiquiátrico de Hans-Joachim Bohlmann, un maníaco que a lo largo de su vida ha destrozado hasta 57 obras de arte con ácido sulfúrico. Sólo en 1977 destrozó más de medio centenar de piezas de iglesias y pinacotecas repartidas en Hamburgo, Lübeck, Hannover, Düsseldorf, Lüneburg, Essen, Bochum y Kassel. Pero es en 1988 cuando lleva a cabo su último y mayor atentado, aprovechando un permiso de su terapeuta. En la Pinacoteca de Antiguos Maestros de Munich, la mayor de Alemania, se personó armado con dos botellas de champagne llenas de un potente corrosivo y, ante la presencia de un atónito grupo de escolares, roció con el corrosivo de una de las botellas el cuadro «María, Virgen de los Dolores», de Durero, y otras dos piezas más del mismo autor. En el diario *El Mundo,* de 22 de enero de 1998.

[133] Si bien las bases de la discusión sobre estos bienes las encontramos ya en la Constitución de 1931 —estableciendo en su artículo 44 un nuevo tipo de propiedad, subordinada a fines independientes de los intereses del propietario— y en el Código penal de 1932, al cual nos referimos *supra,* en cuyo artículo 555 se tipifica ya la destrucción, daño o sustracción de cosa propia a la utilidad común.

presupone *iures et e iure* su titularidad colectiva[134]. Concretamente, el reiterado artículo 46 establece que «los poderes públicos garantizarán la conservación y promoverán el enriquecimiento del patrimonio histórico, cultural y artístico de los pueblos de España y de los bienes que lo integran», incluso en algunos supuestos, como es el caso del citado artículo, obligando a su consideración como bien jurídico-penal.

El fundamento constitucional lo encontramos en el art. 9.2 de su texto cuando señala que corresponde a los poderes públicos promover las condiciones para que la libertad y la igualdad del individuo y *de los grupos* en que se integra sean reales y efectivas, así como remover los obstáculos que impidan o dificulten su plenitud, y facilitar la *participación de todos los ciudadanos en la vida política, económica, cultural y social*[135].

Pero además de comprometer la actuación de los poderes públicos en materias que resultaban novedosas, en el texto constitucional se otorga, como afirma PEDRAZZI[136], *dignidad jurídica* a valores injustamente olvidados por el legislador; en estos casos, no es que estos bienes no existiesen con anterioridad sino que, lo novedoso es que la Constitución *reconozca* estos valores e imponga su tutela. Esto es precisamente lo que ocurre con el Patrimonio histórico, cultural e artístico, al reconocer la Constitución su trascendencia para la sociedad e imponer la tutela efectiva de un bien jurídico injustamente considerado o valorado a lo largo de la tradición histórica jurídico-penal, recibiendo únicamente protección desde un punto de vista residual, al atender únicamente a su componente patrimonial, acorde con la visión liberal del momento. De ese modo, podemos concluir afirmando como los *derechos colectivos* acentúan si cabe la relación entre la Constitución y el Derecho Penal.

Lo cierto es que, tal y como ya observamos, los sucesivos *cambios de modelo de Estado* conllevan avances en las normas jurídicas y con ellos modificaciones en los intereses protegidos por ellas[137], manteniéndose el paralelismo entre las

---

[134] QUINTERO OLIVARES, G.: «Delitos contra los intereses generales», en *RFDUCM*, 1983, n° 6, p. 571.

[135] En ese sentido, del artículo 9.2 de la Constitución se deduce, según CARBONELL MATEU, la exigencia de igualdad en la defensa de los bienes colectivos frente a los individuales. CARBONELL MATEU, J.C.: *Derecho penal: concepto y principios constitucionales*, ob. cit., p. 80.

[136] PEDRAZZI, C.: «El bien jurídico en los delitos socio-económicos», en *La Reforma penal de los delitos socio-económicos*, Madrid, 1985, p. 281 y ss.

[137] Como ya señaláramos *supra* en el epígrafe anterior, OCTAVIO DE TOLEDO se refería a como las transformaciones materiales de la sociedad se corresponden con las sucesivas mutaciones de modelo de Estado, estableciéndose una correspondencia paralela entre éstos y las

concepciones de Estado y las reformas constitucionales y penales. Si bien el *Estado liberal* giraba en torno a los bienes jurídicos individuales, descuidando en gran parte los intereses de carácter colectivo —no por desconocimiento de éstos, sino por la creencia de la innecesariedad de su intervención en los procesos sociales y económicos— esa situación se transforma con la asunción de nuevas tareas por el Estado intervencionista y con el *Estado social y democrático de Derecho*, base necesaria, tal y como ya se afirmó, para la formación del contenido material de bien jurídico. La mayor tendencia a la intervención estatal en los procesos sociales y económicos, propia de dicho Estado, conlleva la ampliación de los límites de los ilícitos penales, *reconociéndose* junto a los valores individuales tradicionales propios del Estado liberal, otra serie de *valores de carácter colectivo y social* que conforman *auténticos* bienes jurídicos, dignos de protección y tutela.

Es por ello que, desde un sector amplio de la doctrina[138] se utiliza indistintamente los términos *colectivo, social, difuso, público, difundido o macrosocial* para designar los bienes de carácter «supraindividual», esto es, aquellos bienes jurídicos caracterizados, no por ser de rango superior al individuo o por encima de él, como así ha ocurrido en los regímenes totalitarios, sino por aparecer vinculados al Estado social y democrático, atendiendo a las necesidades de la sociedad en su conjunto.

Parece pues conveniente aclarar la nomenclatura que va a ser utilizada en este trabajo, deteniéndonos en las categorías que han alcanzado un mayor grado de generalización: esto es, bienes jurídicos *difusos* y bienes jurídicos *colectivos*.

---

normas jurídicas creadas, lo que tendrá reflejo evidentemente en los intereses protegidos por esas normas. Función promocional que afecta al Derecho Penal a partir de la consideración del carácter social y democrático de derecho. OCTAVIO DE TOLEDO Y UBIETO, E.: «Función y límites del principio de exclusiva protección de bienes jurídicos...», ob. cit., p. 12.

[138] Entre otros, MIR PUIG, S.: *Derecho penal. Parte general*, ob. cit., p. 138; BUSTOS RAMÍREZ, J.: «Los bienes jurídicos colectivos», en *RFDUCM*, 1986, nº 11; PORTILLA CONTRERAS, G.: «Principio de intervención mínima y bienes jurídicos colectivos», en *Cuadernos de Política Criminal*, 1989, nº 39; ALMAGRO NOSETE, J.: «Tutela procesal ordinaria y privilegiada (jurisdicción constitucional) de los intereses difusos», en *Revista de Derecho Político*, nº 16, 1982-3, pp. 95 y 99; CARBONELL MATEU prefiere su denominación como *intereses supraindividuales*, frente a la de intereses difusos. CARBONELL MATEU, J.C.: «Breve reflexión sobre la tutela de los llamados intereses difusos», ob. cit., p. 10 y ss.

2. Aproximación a la cuestión de los denominados intereses colectivos o "interessi diffussi"

La doctrina científica suele realizar la distinción entre bienes jurídicos tradicionales de corte individual y bienes jurídicos *colectivos o difusos*[139], utilizando, en la mayoría de los casos, los últimos términos mencionados como equivalentes. Ello obedece al hecho de que participan de una naturaleza similar, debido a su carácter plural y su conexión a una generalidad de sujetos que se encuentran ante un bien respecto del cual tienen exigencias similares, por lo general de naturaleza no económica[140], si bien tal y como observaremos, ciertos autores señalan determinadas características que los diferencian.

En el ámbito que nos ocupa, partimos de que la Constitución Española eleva a la categoría de bien jurídico el patrimonio histórico, artístico y cultural de los pueblos de España, de modo que «formalmente» su dignidad como bien jurídico-penal es incuestionable. Lo que se pretende demostrar en las páginas que siguen es si, «materialmente» el Patrimonio Cultural se ajusta a los criterios clásicos de dignidad, merecimiento y necesidad de tutela penal. Con tal fin, era necesario prestar atención a la *dimensión social y colectiva* del bien jurídico, como una de las notas que, a mi entender, fundamentan el mandato constitucional y que nos conducen a precisar con exactitud el bien jurídico-penal. En este sentido, toda vez estamos ante un ejemplo paradigmático de bien jurídico colectivo, he pretendido recoger las distintas clasificaciones que se han venido realizando, tanto en sede penal como administrativa, intentando así determinar al máximo su naturaleza y su exigencia de garantía punitiva.

---

[139] Si bien la discusión acerca de la extensión y configuración concreta que debe darse a la distinción entre bienes jurídicos individuales y comunitarios —según el titular y la capacidad dispositiva sobre los mismos— da lugar a dos teorías que se enfrentan: las teorías **dualistas** (admitiendo dos clases de bienes jurídicos, los de naturaleza individual y los *universales*, lo que según TIEDEMANN exime de la tarea forzada e ideológica de buscar un concepto común superior) y las teorías **monistas** *personalistas,* como MARX, OTTO, MUÑOZ CONDE, funcionalizando los intereses generales desde el punto de vista de los de las personas, y las *estatalistas,* MAURACH, JESCHECK, SMIDHÄUSER, considerando los intereses de las personas desde el punto de vista de los intereses generales, es decir, desde el punto de vista del Estado (dentro de la doctrina española hacen prevalecer el criterio social o estatal del bien jurídico, COBO DEL ROSAL/VIVES ANTÓN: *Derecho penal. Parte general,* ob. cit., p. 319; MIR PUIG, *Derecho penal. Parte general,* ob. cit., p. 105; GÓMEZ BENÍTEZ, «Sobre la teoría del bien jurídico...», ob. y loc. cit.). Sobre estas teorías, en HASSEMER, W./MUÑOZ CONDE: *Introducción a la Criminología y al Derecho penal,* ob. cit., p. 107.

[140] PÉREZ ÁLVAREZ, F.: *Protección penal del consumidor...,* ob. cit., p. 40 y ss. GONZÁLEZ RUS, J.J.: *Los intereses económicos de los consumidores. Protección penal,* Madrid, 1986, p. 79 y ss.

2.1. Consideraciones previas

Los intereses colectivos o difusos **surgen** como alternativa a la tradicional e insuficiente categoría de *derecho subjetivo*[141]. En el ámbito filosófico y político suelen denominarse *derechos de tercera generación* a aquellos surgidos con la sociedad postindustrial, que reconocen nuevas posiciones jurídicas, distintas a las estrictamente individuales, y que además reclaman nuevos modos o vías de protección, derechos entre los que se encuentran los *económicos, sociales y culturales*[142]. La influencia de la doctrina italiana lleva, sin embargo, a la preferencia en la utilización de los términos *colectivo o difuso* para referirse a estos nuevos intereses.

Por lo que respecta a la locución *«interés difuso»*, si bien resulta difícil localizar su origen como concepto dogmático, éste se ha atribuido tradicionalmente a SGUBBI[143], a partir de cuyos trabajos comienza a demandarse la tutela penal de dichos intereses de carácter social y colectivo, y cuya tesis fue acogida en España con gran entusiasmo. No obstante, debe matizarse que su aportación pertenece a una primera etapa de los denominados intereses difusos[144], perdiendo posteriormente el sentido ideológico inicial de la construcción.

---

[141]	TORIO LÓPEZ considera a los denominados *interessi diffussi* como una técnica en territorio intermedio entre los derechos fundamentales y los derechos subjetivos. TORIO LÓPEZ: «Reflexión sobre la protección penal de los consumidores», en *Derecho del consumo*, 1994, p. 140. Sobre el tema: PÉREZ LUÑO, A.E.: «Las generaciones de derechos fundamentales», en *Revista del Centro de Estudios Constitucionales*, nº 10, sept.-dic. 1991, p. 203 y ss. ESCOBAR ROCA, G.: *La ordenación constitucional del medio ambiente*, Madrid, 1995, p. 92 y ss.

[142]	En relación con este punto puede resultar útil la consulta del trabajo de DE CASTRO CID, B.: *Los derechos económicos, sociales y culturales. Análisis a la luz de la teoría general de los derechos humanos*, León, 1993.

[143]	SGUBBI, F.: «Tutela penale di *interessi diffussi*», en *La Questione criminale*, 1975, p. 449. Sin embargo, remontándonos en el tiempo, parece ser que fue WOLFF, quien, en 1973, hizo referencia a los intereses difusos en la comunidad internacional en dos sentidos: por un lado, como intereses propios de los Estados, en cuanto partícipes de la relativa potestad atribuida de modo *difuso* a toda la colectividad y con forma jurídicamente descentrada, y, por otro lado, como intereses de los individuos y de los grupos económico-sociales que viven en un Estado determinado, representantes de éste en el exterior frente a otros Estados. También POCAR hace referencia a estos dos sentidos que se le da al término en el ámbito internacional, POCAR, F.: *La tutela degli interessi diffusi nel diritto comparato*, Milano, 1976, p. 116.

[144]	SGUBBI considera que la terminología es variable y equívoca, interesándole más el fenómeno en sí, como alternativo respecto de los valores que buscaban el aprovechamiento privado, que la denominación en sí misma; sin embargo, para una mayor comodidad expositiva habla de «interés difuso» respecto al origen factual de la figura, reservando el atributo «colectivo» para designar la figura en cuestión, en el momento de su reconocimiento normativo. SGUBBI: «Tutela penale...», ob. cit., p. 440.

La contribución de este autor viene a insertarse en una política criminal «alternativa» sobre la tutela de una serie de intereses correspondientes a necesidades reales de una amplísima franja de población, intereses generalmente privados de protección a consecuencia de su naturaleza antagonista con el poder económico dominante. SGUBBI, a este respecto, considera el interés *difuso* como una fuerza real que emerge de la sociedad, una aspiración difusa, es decir, presente en modo informal y propagado a nivel de masa en ciertos sectores de la sociedad.

Por tanto, en su origen, se trataba de una superación del modelo clásico, en base al cual, el interés de las clases dominantes en el provecho privado se entendía coincidente con el de la colectividad: por ello, se consideraba un fenómeno inédito, tanto en lo relativo a la titularidad —al no poseer una naturaleza colectiva, de masa y no individual— así como por su modo de formación, ya que el proceso que lo generaba tenía una dinámica del todo informal[145].

Pues bien en ese proceso comienza a demandarse la tutela de los intereses citados, coincidiendo con la pérdida del carácter liberal del Estado y la asunción por el Estado social y democrático de Derecho de estas reivindicaciones, y, consecuentemente, con su plasmación jurídico-positiva, a partir del compromiso constitucional[146]. De ese modo, se inicia una línea de intervención penal que realiza las funciones asignadas al Estado previsto en el texto constitucional, protegiendo nuevos bienes jurídicos así como valores injustamente olvidados por el legislador.

2.2. Precisiones conceptuales en torno a los intereses colectivos y a los intereses difusos

Si bien constituyen una realidad innegable, lo cierto es que los mencionados intereses escapan a una precisa definición jurídica, conformando un concepto poco preciso y plurívoco[147]. La expresión «*intereses colectivos*» en un sentido

---

[145] *Ibidem*, ob. cit., p. 457.

[146] En ese sentido, DOVAL PAIS, citando, entre otros preceptos, al artículo 46. DOVAL PAIS, A.: «Estructura de las conductas típicas con especial referencia a los fraudes alimentarios», en *Cuadernos de Derecho Judicial*, «Intereses difusos y Derecho penal», CCGPJ, Madrid, 1994, p. 10 y ss.

[147] MARCONI G.: «La tutela degli interessi collettivi in ambito penale», en *Rivista italiana di Diritto e Procedure Penale*, 1979, p. 1.062. LOZANO HIGUERO-PINTO, H. (con la colaboración de RENEDO ARENAL, A.): «El Patrimonio Histórico-Artístico y su protección mediante

genérico, esto es, incluyendo el interés difuso y el colectivo en sentido estricto, es sinónima de la de «solidaridad de intereses»[148]. Dicha locución expresa el fenómeno por el cual diversos individuos que tienen idénticas necesidades de naturaleza no económica —es decir, dirigidas a la adquisición de bienes que no son *monetizzabili* siguiendo una lógica patrimonial-propietaria— se disponen a dar satisfacción o respuesta a dichas necesidades de forma conjunta. Por tanto, vemos como el principal criterio para la identificación de estos intereses se sitúa en los sujetos interesados en el logro del mismo bien jurídico[149].

Sin embargo, pese a que gran parte de la doctrina y la jurisprudencia emplea indistintamente ambos términos, refiriéndose a los intereses *colectivos o difusos* como equivalentes, se van a emplear diversos *criterios* en orden a efectuar una caracterización general de dichos bienes, los cuales pasamos a exponer:

A) Atendiendo a la **titularidad** de los bienes jurídicos, esto es, a los sujetos portadores de los intereses, los criterios utilizados son los siguientes:

a) Que el interés concreto pertenezca a los *ciudadanos en general,* o bien que pertenezca a *ciertos sectores sociales.*

En la doctrina italiana, CRESTI[150] se refiere a los *interessi diffussi* como aquellos inherentes a una pluralidad de sujetos, que no pertenecen a las situaciones tradicionalmente admitidas en la tutela jurisdiccional, citando como ejemplo la tutela del ambiente, del paisaje, del patrimonio histórico y artístico, del interés al racional y ordenado desarrollo urbanístico, etc...[151]. De suerte que, a este respecto, se sostiene que, de hecho, estamos en presencia de intereses públicos por cuanto no son reconducibles al esquema de una situación subjetiva individual. Acertadamente, el autor citado parte de la afirmación de

---

las técnicas de tutela de los denominados 'intereses difusos' », en *Actualidad Administrativa,* nº 12, 18-24 marzo, 1996, p. 217 y ss.

[148] MARCONI, G.: «La tutela degli interessi collettivi in ambito penale», ob. cit., p. 1.060.

[149] En este sentido, GONZÁLEZ RUS, J.J.: *Los intereses económicos de los consumidores. Protección penal,* Madrid, 1976, p. 79 y ss.

[150] CRESTI, M.: *Contributo allo studio della tutela degli interessi diffusi,* Milán, 1992.

[151] Sin embargo, de acuerdo con el citado autor, la pluralidad de sujetos referida, en unos casos podrá ser *delimitable, c*itando como ejemplo el interés en la salvaguardia de un determinado ambiente, propio de los ciudadanos que se encuentran allí situados, mientras que en otros supuestos no será posible tal delimitación por ser un interés *común a la generalidad de los ciudadanos, p*or ejemplo, el interés de tutela del medio ambiente, prescindiendo de las situaciones de «*insediamento*» o toma de posesión territorial; mas, en ambos casos considera que los intereses difusos expresan una exigencia de adherencia del interés público a las expectativas de la sociedad.

la crisis de la tradicional noción de *interés público,* entendiendo éste actualmente, no como referido únicamente a la Administración pública y completamente extraño a la esfera jurídica de los ciudadanos, sino como un valor que emerge de una armonización de todos los intereses envueltos en la acción de los poderes públicos.

Por su parte, RECHHIA en base a un estudio de PIZZORUSSO, señala que, es la expresión *interés colectivo* la que puede ser utilizada, bien como sinónimo de «interés público», en cuanto atienda a una pluralidad de sujetos, indicando los intereses de la entera comunidad estatal[152], o bien, en cuanto expresión de una comunidad menor, diferenciándose de los intereses públicos propios por no concernir a toda la comunidad estatal sino solamente a una «comunidad menor» [153].

En la doctrina española, MARTÍNEZ-BUJÁN PÉREZ y TORIO LÓPEZ consideran que debe distinguirse, dentro de los bienes *colectivos* o supraindividuales: por un lado, los bienes sociales *generales,* entendiendo por éstos los pertenecientes a la generalidad de personas que integran la comunidad social, es decir, intereses de todos, como es el caso del medio ambiente o la salud pública, los cuales conforman, a su juicio, auténticos intereses sociales generales, al ser intereses compartidos por la generalidad de los miembros del cuerpo social; por otro lado, los *difusos,* los cuales no afectan a la generalidad de las personas al configurarse como intereses sectoriales; en definitiva, nuevos bienes jurídicos, que, desde luego, no son individuales —distinguiéndose así de

---

[152] Sin embargo, de acuerdo con BRICOLA la identificación de los intereses generales, referibles a la sociedad en su conjunto, con los públicos, hace que la tutela se produzca directamente sobre el bien, sin atender a la titularidad, individual o colectiva, del interés. BRICOLA, «Partecipazione e giusticia penale. Le azioni a tutela degli interessi collettivi», *QC,* 1976, p. 32.

[153] A este respecto, considera como, en unos casos, los sujetos titulares de dichos intereses pertenecen a una comunidad *«individuabile»,* y, en otros casos, el interés colectivo es expresión de una colectividad relativa al «estado difuso», en cuanto compuesto de una serie abierta e indeterminada de sujetos que tienen un interés común a satisfacer. RECCHIA, G.: «Considerazioni sulla tutela degli interessi diffusi nella costituzione», en *La tutela degli interessi diffusi nel diritto comparato,* Milano, 1976, p. 28 y ss. En esta dirección, MARCONI mantiene cómo los sujetos titulares de intereses colectivos —empleando la expresión en sentido vago y abstracto— en algunos casos son identificables con exactitud, formando una pluralidad cerrada y determinada, y en otros casos ello no resulta posible, siendo los sujetos de los intereses, miembros de una comunidad que se renueva y modifica, considerando finalmente que las observaciones realizadas pueden aplicarse en los intereses *colectivos* en sentido estricto y los *difusos* respectivamente. MARCONI: ob. cit. p. 1060.

los derechos subjetivos— pero tampoco sociales generales[154]. De acuerdo con lo expuesto, MARTÍNEZ-BUJÁN afirma que, en el marco de la categoría de los delitos socioeconómicos, se cuenta con figuras delictivas que pueden ser integradas en uno u otro grupo.

b) Otros autores utilizan, en la distinción entre los intereses colectivos y los difusos, el criterio relativo al mayor o menor grado de *vinculación entre los sujetos portadores de los intereses*. Así, se afirma que los intereses *colectivos* serán aquellos con una base organizativa previa, mientras que en los *difusos* existirá una menor estabilidad en el grupo portador de los mencionados intereses[155].

Entre los autores que apoyan estas diferencias, destacaremos en la doctrina extranjera, entre otros, a GIANNINI, DE VITTA y FIX ZAMUDIO[156]. En esta dirección se sostiene que, cuando del *interés difuso* —en el sentido conferido por

---

[154]   MARTÍNEZ-BUJÁN PÉREZ, C.: *Derecho penal económico. Parte general*, 1998, p. 94; TORIO LÓPEZ, A.: «Reflexión sobre la protección penal de los consumidores», ob. cit., p. 143 y ss.

[155]   En este sentido hay ordenamientos donde incluso están legalmente fijados dichos conceptos; así, por ejemplo, el ordenamiento brasileño los diferencia, definiendo ambos términos en su Código de Defensa del Consumidor (Ley nº 8.078, de 11 de septiembre de 1990); de ese modo, entiende por *intereses difusos* «los supraindividuales, de naturaleza indivisible, de que sean titulares personas indeterminadas y ligadas por circunstancias de hecho», mientras que por *intereses colectivos,* de acuerdo con el Código citado, se entienden «los supraindividuales, de naturaleza indivisible, de que sea titular un grupo, categoría o clase de personas, ligadas entre sí con la parte contraria por una relación jurídica base». Por tanto, vemos una diferencia basada en el distinto fundamento que origina su ligazón o carácter supraindividual.

[156]   GIANNINI, en una definición acogida ampliamente, mantiene cómo los *intereses colectivos* son aquellos que tienen como portador un ente exponencial o representativo de un *grupo no ocasional*. Por su parte, DE VITTA afirma que los conceptos de *interés difuso e interés colectivo* se entienden frecuentemente con un valor sinónimo y se refieren a situaciones en muchos aspectos análogas. Sin embargo, matiza que, a su juicio, la expresión *interés difuso* se reconduce, no tanto a una comunidad de personas genéricamente organizada e identificable, sino a los componentes de una pluralidad, más fluida, entendida hasta coincidir con la sociedad conjunta, donde se goce por parte de todos de una misma prerrogativa jurídica, si bien esta situación no nace de un momento asociativo, de fusión colectiva para perseguir el fin común. En esa línea FIX ZAMUDIO se pronuncia diciendo que los intereses *difusos* son aquellos correspondientes a un número *indeterminado* de personas *que no están agrupadas o asociadas para la defensa de sus intereses comunes*, sino que forman conglomerados dispersos, citando como ejemplo, entre otros, los integrados por los consumidores o los interesados en la defensa del patrimonio artístico o cultural. GIANNINI: «La tutela degli interessi collettivi nei procedimenti amministrativi», en *Le azioni a tutela di interessi collettivi*, Pádova, 1976, p. 23. DE VITTA, A.: «Tutela giuridica di interessi diffusi, con particolare riguardo alla protezione dei consumatori. Aspetti privatistici», en *La tutela degli interessi diffusi nel diritto comparato*, Milano, 1976, p. 350. FIX ZAMUDIO: «Los problemas contemporáneos del Poder Judicial», en *Problemas actuales de la Justicia. Homenaje al Dr. Gutiérrez-Alvis Armario*, Valencia, 1988 (citado por LOZANO-HIGUERO PINTO, ver *infra* en la nota 151).

CRESTI como referido a la generalidad indeterminada de los ciudadanos— se hace portador un organismo asociativo o asociación, este interés se transforma en *colectivo*[157]. En esta dirección, la *jurisprudencia italiana* utiliza la noción de *interés colectivo* en relación a los supuestos de impugnaciones promovidas por entes que representen un grupo bien delimitado y que no tenga carácter ocasional[158].

En la doctrina española, en un sentido similar, LOZANO-HIGUERO PINTO, aun considerando ambos intereses, colectivos y difusos como supraindividuales o *metaindividuales,* es decir, no referidos a un titular en particular, mantiene que resulta oportuno efectuar una distinción entre ambos. De ese modo, designa como *colectivos* aquellos intereses comunes a una colectividad de personas, y sólo a éstas, cuando existe un vínculo jurídico[159] entre los componentes del grupo que da lugar al nacimiento de intereses comunes, en función de una *relación-base* que une a los miembros de las respectivas comunidades y que, aun no confundiéndose los intereses individuales, permite su identificación.

Por otra parte, considera que, por intereses *difusos*[160] se entiende aquellos intereses que, no fundándose en un vínculo jurídico, se basan en situaciones de

---

[157] En esta línea de pensamiento NIGRO, M.: *Le due facce dell'interesse diffusso: ambiguità di una formula e mediazioni della giurisprudenza,* in Foro it, 1987; asimismo, VIGORITI, V.: *Interessi collettivi e proceso,* Milano, 1979. Sin embargo, esta opinión suscita valoraciones críticas: así, CRESTI considera que, retomando la definición acogida mayoritariamente de interés colectivo (aquel que tiene como portador o centro de referencia un ente exponente de un grupo no ocasional), difícilmente puede hablarse de una transformación del interés difuso en colectivo, debida al emerger de una asociación. Y es que, en la mayoría de los casos, se trata de organismos, como es el caso de Italia Nostra, portadores de intereses (en el caso citado como ejemplo, el medio ambiente) comunes a la generalidad de los ciudadanos. CRESTI, M.: «Contributo allo studio della tutela...», ob. y loc. cit.

[158] Ver como ejemplo, Cons. St., 18.5.1978, nº 378, in *Foro it,* 1980, III, 54.

[159] Citando, entre otros, a la sociedad comercial, el condominio, la familia, el sindicato... LOZANO-HIGUERO PINTO: «El Patrimonio Histórico-Artístico y su protección mediante la técnica de tutela de los denominados intereses difusos», en *Actualidad Administrativa,* nº 12, 1996, p. 231.

[160] Si bien, dicho autor considera que cuando se alude a los *intereses difusos* se está haciendo referencia a tres manifestaciones diferentes:
a) El movimiento de los intereses difusos (al cual nos referiremos más adelante);
b) La «teoría» de los intereses difusos: construcciones dogmáticas calificadas de oscuras y artificiosas, elaboradas con el fin de adecuar las respuestas de las distintas ramas jurídicas a las aspiraciones sociales, con preferencia para el derecho administrativo y el procesal.
c) La «técnica» de los intereses difusos: como conjunto de mecanismos de Derecho procesal surgidos también para responder las aspiraciones aludidas.
LOZANO-HIGUERO PINTO: ob. cit., p. 237.

hecho a menudo extremadamente genéricas, accidentales y mutables, como por ejemplo, el vivir en una misma zona, consumir el mismo producto, etc. Pero además, confiere una serie de notas caracterizadoras[161] de los intereses difusos, entre las que destaca dos de ellas: la primera, la *fungibilidad,* o sustituibilidad, tanto del sujeto o titular del interés, de acuerdo con su indeterminación[162], como del objeto sobre el que «el sujeto despliega su virtualidad jurídica», y, la segunda, la *hipojusticiabilidad,* referida a una deficiente o ausente tutela tanto material como procesal, de difícil utilización y accesibilidad, poniéndose el énfasis, tanto en la dificultad de accionar como en la inexistencia de acción supraindividual.

B) Siguiendo con los criterios distintivos aportados por la doctrina, relacionado con el anterior, otros autores focalizan la diferencia en el hecho de que el «interés *colectivo»* es el interés difuso **reconocido por el Derecho**[163]. Cabe destacar la opinión al respecto de MATEOS RODRÍGUEZ-ARIAS, para quien no pueden establecerse criterios cualitativos de distinción entre ambos tipos de intereses, debiéndose hablar, a su juicio, de interés colectivo, en aquellos supuestos en que el interés difuso es reconocido por el Derecho, de suerte que, éste establece sus condiciones formales. En este sentido, si bien reconoce cómo el medio ambiente ha figurado, junto con la ordenación del territorio, o la

---

[161] Notas caracterizadoras que se desprenden de una definición de intereses difusos de la que parte su estudio. «Son aquellos intereses de un sujeto jurídico en cuanto compartidos, expandidos, o compatibles, expansibles, por una universalidad, grupo, categoría, clase o género de los mismos; cuyo disfrute, ostentación o ejercicio son esencialmente homogéneos y fungibles, y que adolecen de falta de estabilidad y coherencia en su vinculación subjetiva, así como de concreción normativa orgánica en su tutela material y procesal».
Las notas son las que a continuación reproducimos:
a) Fungibilidad, es decir, posibilidad de que el objeto de que trae causa el interés difuso sea perfectamente sustituible.
b) Hipojusticiabilidad (deficiente tutela procesal).
c) Debilidad o inestabilidad organizativa e indeterminación subjetiva (numéricamente).
d) Hiporregulabilidad (insuficiente regulación o cobertura normativa).
e) Por último, laxitud y flexibilidad del interés material sustentador o legitimante de la pretensión. En LOZANO-HIGUERO PINTO, M.: «El Patrimonio Histórico-Artístico y su protección...», ob. y loc. cit.
Se adhiere a esa tesis GONZÁLEZ GONZÁLEZ: «Protección penal del Patrimonio Histórico Español: aproximación a su situación actual y proyecto de reforma...», ob. cit., p. 486, nota 5.

[162] Cita como ejemplo al consumidor, pues el producto puede ser igual consumido, utilizado o adquirido por A, por B o por C.

[163] En esta dirección, SGUBBI, F.: «Tutela penale di 'interessi diffussi' », ob. cit., p. 440, nota 4. MATEOS RODRÍGUEZ-ARIAS, A.: «El medio ambiente como ejemplo de interés difuso protegido por el Derecho penal», en *Intereses difusos y Derecho penal,* CGPJ, 1995, p. 2987 y ss.

protección de los consumidores, entre los principales ejemplos de interés difuso, matiza cómo, hoy día se puede afirmar que, tras el reconocimiento por el ordenamiento de la existencia de un derecho al medio ambiente, ha traspasado la frontera de los intereses difusos para convertirse en interés colectivo.

C) Otro grupo de autores sitúan la diferencia en el carácter **divisible o no** del bien jurídico. Gramaticalmente por *difuso* se entiende algo ancho, dilatado, incluso, excesivamente dilatado, también, vago e impreciso, de ahí que ciertos autores consideren a los intereses difusos de naturaleza indivisible, o sea, no susceptibles de apropiación individual o exclusiva[164].

Otros autores, por el contrario, mantienen que los *colectivos* así como los *generales* gozan de la característica de la indivisibilidad, mientras que son los *difusos* los capaces de fragmentarse en una pluralidad de situaciones subjetivas que lo integran[165].

Por su parte, GONZÁLEZ RUS sostiene que, tanto los intereses colectivos como los difusos son divisibles, atribuyendo la indivisibilidad únicamente a los intereses generales.

D) Por último subrayaremos cómo, desde otras posiciones, se sitúan las diferencias entre los intereses mencionados, en el carácter **conflictual** que presentan los intereses *colectivos,* entre los detentadores del poder económico y sus destinatarios, como un interés de control de las decisiones económico-jurídicas que afectan al mismo, nota que, sin embargo, no caracteriza a los *difusos,* donde se da una mayor extrañeidad a la conflictividad[166].

Sin embargo, acertadamente DOVAL PAIS[167] sí considera una característica de los intereses *difusos* su carácter conflictual, de reacción frente a los poderes económicos, tal y como venimos apuntando, de acuerdo con su origen.

---

[164] En ese sentido, entre otros, DENTI: «Profili civilistici della tutela degli interessi diffusi della collettivitá», cit. en FEDERICI: *Gli interessi diffussi. Il problema della loro tutela nel diritto amministrativo*, Pádova, 1984. VIGORITI: *Interessi collettivi e processo. La legitimazione ad agire,* 1979, cit. en MARCONI, G.: «La tutela degli interessi collettivi in ambito penale...», ob. y loc. cit. A este respecto, PÉREZ ÁLVAREZ afirma cómo la salud pública participaría de tal nota diferenciadora, por su indisponibilidad a título exclusivo o individual. PÉREZ ÁLVAREZ, F.: *Protección penal del consumidor...*, ob. y loc. cit.

[165] *Ibidem.* En la doctrina italiana, MARCONI, G.: «La tutela degli interessi...», ob. cit., p. 1.063.

[166] En este sentido se manifiestan GONZÁLEZ RUS, J.J.: *Los intereses económicos...*, ob. cit., p. 89; MARCONI: ob. cit., p. 1.066.

[167] DOVAL PAIS, A.: «Estructura de las conductas típicas...», ob. cit., p. 11.

Pues bien, una vez expuestas las posiciones más representativas, considero conveniente realizar una **breves reflexiones,** al respecto de la pretendida distinción entre intereses colectivos y difusos.

En primer lugar, hemos podido observar cómo la línea argumental de pretensiones diferenciadoras tiene fisuras[168], por lo que, a mi juicio, no debe forzarse la distinción entre los denominados intereses colectivos y difusos. Como habrá podido apreciarse, la imprecisión en la determinación de los conceptos es grande, existiendo en la doctrina científica un divorcio conceptual en torno a las nociones antecitadas, si bien entiendo que dicha imprecisión conceptual se debe también a la ambigüedad de los criterios diferenciadores.

En suma, considero que la nomenclatura no es el problema más relevante que presentan los bienes jurídicos supraindivuales, sino más bien el contenido que encierran[169]. Ahora bien, a tenor de lo expuesto, entiendo que no puede adoptarse, como criterio diferenciador, el de la remisión a los sujetos portadores de los intereses, así como a su mayor grado de organización o estabilidad, pues, tanto en el interés difuso como en el colectivo podemos afirmar que su peculiaridad reside en la existencia de una vinculación ideal de una colectividad con respecto a unos intereses.

Ciertamente, en puridad terminológica, el adjetivo «colectivo», conforme al Diccionario de la Real Academia Española, denota, tanto la cualidad de ser «perteneciente o relativo a cualquier agrupación de individuos», en su primera acepción, como, en su última acepción es definido como «cualquier grupo unido por lazos profesionales, laborales, etc.» [170]. Por su parte, el *interés difuso,* atendiendo a su significado gramatical, se relaciona con intereses «vagos, imprecisos», de acuerdo con su proceso de formación, emergente como una aspiración de masa y de manera informal. Consecuentemente, si se pretende encontrar diferencias conceptuales entre intereses difusos y colectivos, me parece más acertada la postura de aquellos que consideran que la diferencia es básicamente de carácter formal, de tutela jurídica, esto es, desde el momento en que recibe su reconocimiento jurídico, a mi juicio, el interés difuso pasa a convertirse en un «interés colectivo».

A este respecto, entiendo que el interés difuso no se transforma en colectivo cuando se hace de él portador un organismo asociativo, tal y como afirmaban

---

[168] De esta opinión, PÉREZ ÁLVAREZ, F.: *Protección penal del consumidor,* ob. y loc. cit.
[169] Así también, SANTANA VEGA, D. M.: *La protección penal de los bienes jurídicos colectivos,* ob. cit. p. 97.
[170] Diccionario de la Lengua Española. Real Academia Española. Vigésima primera edición, 1992.

algunos autores italianos[171], sino cuando es reconocido por el Derecho, gozando así de una estabilidad y coherencia en su tutela material y procesal. Ello no obsta a que, pese a que el interés colectivo es siempre inherente a una pluralidad de sujetos, puedan hacerse portadores del interés un grupo determinado de sujetos, con una base organizada y directamente reconocible, en aras de la defensa y acceso a la justicia del referido interés. Precisamente, la propia Ley Orgánica 6/1985, de 1 de julio, del Poder Judicial, en su art. 7.3 señala: «Los Juzgados y Tribunales protegerán los derechos e intereses legítimos, tanto individuales como colectivos, sin que, en ningún caso, pueda producirse indefensión. Para la defensa de éstos últimos se reconocerá la legitimación de las corporaciones, asociaciones y grupos que resulten afectados o que estén legalmente habilitados para su defensa y promoción».

De acuerdo con esta línea argumental, el Patrimonio Histórico o Cultural, ha de ser considerado necesariamente como un *interés colectivo,* alcanzando su reconocimiento jurídico el más alto nivel, esto es, el constitucional, si bien será en el siguiente epígrafe cuando nos referiremos con más detalle a estas cuestiones.

2.3. Aspectos diferenciales de los bienes jurídicos colectivos

Partiendo del reconocimiento de los bienes jurídicos colectivos como entidades de protección por el Derecho Penal junto a los tradicionales bienes jurídicos individuales[172], la doctrina científica —dada la enorme variedad de tipos englobados bajo la categoría antecitada de bien colectivo o supraindividual— propone diferentes *reordenaciones* de éstos[173], en aras a señalar impor-

---

[171] Vid. *supra* **NIGRO** o **VIGORITI**, entre otros, nota a pie nº 157.

[172] En general, sobre las diferencias entre los bienes jurídicos individuales y los colectivos, **SCHMIDHÄUSER**: *Strafrecht. Allgemeiner Teil. Lehrbuch,* Tubinga, 1970.

[173] Así, por ejemplo, **BUSTOS** distingue entre los bienes jurídicos individuales y los referidos al funcionamiento del sistema, distinguiendo, dentro de esta segunda categoría, tres subclases: los bienes jurídicos *institucionales,* los de *control* y los *colectivos,* referidos a la satisfacción de necesidades de carácter social y económico. **BUSTOS RAMÍREZ, J.**: «Los bienes jurídicos colectivos», ob. cit., p. 160 y ss. Por su parte, en el ámbito filosófico y político, se realizan diferentes clasificaciones de los bienes jurídicos: así, **RADBRUCH** hacía referencia a las concepciones *individualistas* del Derecho, donde los valores de la colectividad están al servicio de los de la personalidad; la construcción *supraindividualista* en la que el Estado envuelve cualquier realidad; y finalmente la *transpersonal,* donde los valores personales y de la colectividad están al servicio de la cultura. **RADBRUCH**: *Filosofía del Derecho,* Madrid, 1959, p. 73 y ss.

tantes aspectos diferenciales con respecto a dichos bienes jurídicos colectivos, diferencias que justificaran distintas técnicas legales de protección.

A los efectos de situar adecuadamente el objeto de protección de los delitos que nos ocupan, de entre las múltiples clasificaciones realizadas, me permitiré diferenciar entre aquellos bienes colectivos con referencia a los individuales, y aquellos otros considerados por muchos como ejemplo paradigmático de los bienes colectivos o difusos, los denominados bienes jurídicos «*modernos o de nueva generación*» —expresión que me permito tomar de la clasificación realizada por DOVAL PAIS, y que utilizaré en aras de una mayor concreción expositiva. Dichos bienes modernos de naturaleza difusa[174] se encuentran presentes en diferentes ámbitos de la vida social, y desligados de los individuales en cuanto que no están vinculados directamente con éstos, y cuya protección penal se planteó de forma reciente.

Ahora bien, debe procederse con especial cautela, ante la dificultad que supone la utilización de una terminología precisa con la que designar los casos mencionados. A este respecto, debe advertirse como, cuando algunos autores hacen referencia a los denominados *bienes jurídicos intermedios,* dicha expresión es utilizada en distintas direcciones, para conceptualizar situaciones diferentes respecto de los bienes colectivos.

En unos casos, se hace referencia a estos bienes para designar aquellos de carácter supraindividual pero cuya protección penal va vinculada a un bien personal, esto es, los antecitados bienes colectivos de referente individual, en los cuales nos detendremos más adelante.

Sin embargo, desde otra óptica distinta, se hace referencia a esta denominación en delitos que protegen *bienes jurídicos supraindividuales inmateriales.* En este sentido, ante la dificultad de tipificar la lesión o puesta en peligro de estos bienes jurídicos —toda vez que el menoscabo de estos bienes no se produce con una única acción individual sino que resulta preciso acreditar reiteradas lesiones (o puestas en peligro)— se efectúa una diferenciación entre un bien jurídico *mediato,* el bien de naturaleza colectiva inmaterial o institucionalizado, y un bien jurídico inmediato.

---

[174] DOVAL PAIS, A.: *Delitos de fraude alimentario,* Pamplona, 1996, p. 250. Del mismo, sobre las diferencias entre ambas categorías: «Estructura de las conductas típicas...», ob. cit., p. 10 y ss. En un sentido similar, RODRÍGUEZ MONTAÑÉS, T.: *Delitos de peligro, dolo e imprudencia,* Madrid, 1994.

Pues bien, en este punto resulta necesario referirnos a las tesis elaboradas por la doctrina alemana[175], que surgen para ser aplicadas a delitos de peligro abstracto que tutelan bienes jurídicos inmateriales. A este respecto, se construye la figura delictiva sobre la base de un *«bien jurídico intermedio espiritualizado»*[176], también denominado «bien jurídico con función representativa» de acuerdo con JAKOBS[177]. Este bien es el que resulta *inmediatamente* lesionado por la acción individual, sin que se requiera acreditar la lesión o puesta en peligro del bien mediato, pues la «abstracta peligrosidad» de la conducta típica para el bien jurídico inmaterial se produce desde el momento en que se lleva a cabo la reiterada lesión del bien intermedio, bastando con que el dolo o la imprudencia se refieran a dicha lesión.

Es en la esfera de los delitos económicos en sentido estricto[178] donde serían trasladables estas últimas construcciones, de acuerdo con algunos autores; en este sentido, RODRÍGUEZ MONTAÑÉS pone como ejemplo cómo, en los delitos contra la Hacienda Pública, se protege *mediatamente* estructuras básicas de la actividad económica a través de la tipificación de conductas, como el incumplimiento de los deberes tributarios, que no suponen individualmente una lesión o puesta en peligro de la economía estatal, pero que sí podría producirse mediante la práctica repetida de dichas conductas[179].

También es en materia de delitos económicos donde TIEDEMANN plantea su tesis sobre los bienes jurídicos supraindividuales *intermedios*, expresión que utiliza para referirse a aquellos que no pueden ser incluidos en la categoría de intereses jurídicos pertenecientes al Estado, pero que tampoco pueden ser identificados con los intereses de un agente económico individual que participa

---

[175] En España se hacen eco y crítica de estas construcciones, MARTÍNEZ-BUJÁN PÉREZ (*Derecho penal económico. Parte general*, Valencia, 1999) y RODRÍGUEZ MONTAÑÉS (*Delitos de peligro, dolo e imprudencia*, Madrid, 1994). Recientemente, CORCOY BIDASOLO, M.: *Delitos de peligro y protección de bienes jurídico-penales supraindividuales*, Valencia, 1999.

[176] Según denominación de SCHÜNEMANN, B.: «¿Ofrece la reforma del Derecho penal económico alemán un modelo o un escarmiento?» (traducc. Rodríguez Montañés), CGPJ, nº 8, 1991.

[177] JAKOBS: *Strafrecht, Allgemeiner Teil*, Berlín, 1991.

[178] Así, MARTÍNEZ-BUJÁN PÉREZ, C.: *Derecho penal económico. Parte general*, p. 112 y ss.

[179] RODRÍGUEZ MONTAÑÉS, T.: ob. cit., p. 304; tomando el mismo ejemplo, MARTÍNEZ-BUJÁN PÉREZ considera que podría descubrirse un bien jurídico *mediato* que vendría integrado por el correcto funcionamiento del orden económico en este ámbito —en este sentido, BOIX REIG, J. (*Derecho penal. Parte especial*, ob. cit., p. 527)— y un bien jurídico específico *inmediato* con función representativa que vendría constituido por el patrimonio del Erario. MARTÍNEZ-BUJÁN PÉREZ, C.: *Derecho penal económico. P. general...*, ob. cit., p. 99.

en el tráfico económico[180]. En estos supuestos, a su juicio, el interés supraindividual resultaría lesionado ante cada acción defraudatoria individual; ésta es precisamente la principal objeción que se le plantea a su tesis desde la doctrina, junto a la consideración de la innecesariedad de la intervención del Derecho penal en estos ámbitos, más propios del derecho administrativo o civil.

Con el fin de alcanzar una posición conciliadora, desde algún sector doctrinal se acepta la legitimación del Derecho Penal para intervenir en estos ámbitos, si se considera que la tutela de estos intereses supraindividuales se justifica por la necesidad de proteger bienes jurídicos individuales que van ineludiblemente unidos a los anteriormente mencionados; de modo que la lesión del bien colectivo se produciría desde la puesta en peligro del bien jurídico individual.

Pues bien, realizada esta precisión terminológica, tal y como ya adelantamos, vamos a efectuar una breve aproximación a los *bienes colectivos de referente individual*, únicamente en aras a su distinción con respecto a aquellos de naturaleza colectiva o difusa, sin vinculación directa a bienes personales e individuales, pero diferentes a los que se han denominado bienes jurídicos intermedios espiritualizados.

Partiendo de la propuesta ya apuntada que realiza DOVAL PAIS, podemos distinguir los bienes jurídicos *tradicionales* de los que el citado autor denomina bienes jurídicos *modernos* o *«de nueva generación»* integrada por objetos de naturaleza difusa. A su vez, los bienes jurídicos tradicionales los agrupa en tres clases: públicos, individuales y *colectivos con referencia a los individuales*[181]

---

[180] Así, el citado autor pone como ejemplo, el interés supraindividual en el funcionamiento del tráfico crediticio y del mercado de capitales. TIEDEMANN, K.: *Lecciones de Derecho penal económico (comunitario, español, alemán)*, 1993, p. 35. En este sentido, estima MARTÍNEZ-BUJÁN que su tesis no surge para ser aplicada en los delitos económicos en sentido estricto, refiriéndose a las infracciones penales en el ámbito del Derecho administrativo regulador de la intervención estatal en la economía. MARTÍNEZ-BUJÁN PÉREZ, C.: ob. cit., p. 100.

[181] En la doctrina española, BUSTOS RAMÍREZ, en su estudio sobre los bienes jurídicos colectivos, les asigna la característica de ser complementarios respecto de los individuales; BUSTOS RAMÍREZ: «Bienes jurídicos colectivos…», ob. cit., p. 161. Por su parte, CARBONELL MATEU considera que *«deben rechazarse concepciones de intereses colectivos que se alejan en exceso del referente individual»*. «Breves reflexiones…», ob. cit., p. 21. En la doctrina alemana, HASSEMER se pronuncia acerca de la protección de lo que denomina *bienes jurídicos universales*, los cuales sólo tienen fundamento en la medida en que se corresponden con los intereses del individuo. HASSEMER, W.: «Lineamientos de una teoría personal del bien jurídico», en *Doctrinal penal 46/47* (1989), p. 275 y ss. Sobre el carácter mediato de los bienes jurídicos colectivos, puede verse MARTÍN, J.: *Strafbarkeit grenzüberschreitender Umweltbeeinträchtigungen. Zugleich ein Beitrag zur gefährdungsdogmatik und zum Umweltöölkerrecht*, Freiburg, 1989. En contra, MAURACH, R. y SCHRÖDER, F.C.: *Strafrecht Besonderer Teil*, t. 2, 7ª ed., Heildelberg, 1991, § 50 I.

(seguridad del tráfico, salud pública, seguridad en el trabajo, etc.). Estos últimos —denominados también como *bienes intermedios*[182], tal y como ya se expuso— son los que nos interesan para su confrontación con los modernos, y se caracterizan por ser bienes que pertenecen a la categoría de los denominados bienes universales o suprapersonales, dentro de la tradicional distinción entre éstos y los individuales, si bien en su concreta protección por el legislador penal van a resultar vinculado a un bien jurídico de carácter personal o individual.

La doctrina mayoritaria manifestada al respecto afirma cómo los bienes de referente individual tratan de tutelar unas condiciones de garantía de bienes jurídicos individuales como la vida, la integridad o salud de las personas, frente a «nuevos ataques» que no pueden ser abarcados por las estructuras normativas de los delitos de lesión o daño[183] previstos por otros preceptos penales; de manera que, se pretende reforzar la protección de estos bienes frente a nuevas situaciones de riesgo, con la intervención del Derecho Penal en ámbitos propios de un bien colectivo, complementario y previo al personal[184].

Por tanto, una de las singularidades que diferencian los bienes colectivos de referente individual de los bienes jurídicos modernos es que aquellos se construyen a partir de los bienes jurídicos individuales, se vinculan a un bien jurídico netamente personal, y además, la necesidad de su protección se basa en la defensa de bienes esenciales para el desarrollo de la persona. Precisamente, la denominación de *bienes jurídicos intermedios* proviene del hecho de que la lesión o puesta en peligro del bien colectivo (intermedio) es *«medio o paso previo necesario para la lesión o puesta en peligro del bien individual»*[185] o más concretamente, en la progresión del ataque se producirá la lesión previa del bien social, así como debido al avance de la conducta, el peligro para el bien final, el individual[186]. Por tanto, se adoptan esquemas típicos de peligro para los bienes individuales, de los que resulta la lesión del bien colectivo. En definitiva, en estos supuestos, existen dos objetos de protección: uno colectivo y otro individual.

---

[182] MATA Y MARTÍN, R.: *Bienes jurídicos intermedios y delitos de peligro,* Granada, 1997.
[183] En ese sentido, DOVAL PAIS, A.: ob. cit.
[184] MATA Y MARTÍN, R.: *Bienes jurídicos...,* cit. p. 42.
[185] *Ibidem,* p. 32.
[186] MATA y MARTÍN: ob. cit., p. 58; en sentido similar, DOVAL PAIS, A.: «Estructura de las conductas típicas...», ob. cit., p. 18 y ss. También BUSTOS señala como el carácter complementario de los bienes colectivos respecto de los bienes individuales no implica que haya de recurrirse a delitos de peligro abstracto, ya que con relación al bien colectivo se pueden construir delitos de lesión o peligro concreto. BUSTOS RAMÍREZ: «Bienes jurídicos colectivos»..., ob. cit., p. 160 y ss.

Lo cierto es que, a la vista del nuevo Código Penal de 1995, cada vez resulta más frecuente encontrar supuestos de tutela conjunta de bienes individuales y colectivos, frente a la tradicional y tajante separación anterior entre ambos[187].

---

[187] En este sentido, podemos encontrar posiciones que afirman la dimensión colectiva del bien jurídico en *los delitos sobre los derechos de los trabajadores* (Capítulo XV); al respecto, MARTÍNEZ-BUJÁN PÉREZ estima que los intereses colectivos de los trabajadores como miembros de un sector de la comunidad, no se tutelan como bienes jurídicos autónomos, sino en cuanto van ineludiblemente ligados a otros individuales, como son los derechos individuales básicos de la relación laboral, sin perjuicio de que, incluso puedan entrar en consideración otros bienes como la salud personal o la integridad física; de esta manera considera que el interés colectivo resultará lesionado desde el momento en que se pongan en peligro los bienes jurídicos de los individuos particulares. Sin embargo, la posición mayoritaria niega la existencia de un bien jurídico único, pudiendo afirmarse la existencia de un bien jurídico categorial común que gira en torno a los derechos propios nacidos de la relación laboral (condiciones de trabajo, seguridad social, sindicación…) si bien en el análisis de las distintas figuras delictivas se podrá hablar de bienes jurídicos específicos (en esta misma dirección se han pronunciado algunos autores respecto de los *delitos contra la Administración Pública,* afirmando un bien jurídico categorial —el servicio que los poderes públicos han de prestar a la comunidad— el cual puede concretarse en cada figura delictiva). VIVES ANTÓN, T.S.: «La responsabilidad de los jueces en el Proyecto de Ley Orgánica del Poder Judicial», en *Estudios Penales y Criminológicos,* IX, Santiago de Compostela, 1986, p. 259 y ss. ORTS BERENGUER, E.: *Derecho penal. Parte especial,* ob. cit., p. 677.

De todos modos, de acuerdo con CARBONELL MATEU y GONZÁLEZ CUSSAC *(Derecho penal. Parte especial,* ob. cit., p. 552) resulta dudoso que en estos supuestos se protejan bienes jurídicos personales como la vida o la integridad personal, decantándose por apreciar, en aquellos supuestos en que se lesionen o pongan en peligro, un concurso de delitos.

En otro ámbito distinto, en los *delitos contra la seguridad colectiva,* se recogen en el Capítulo III del Título XVII los *«delitos contra la salud pública»,* en los cuales la alusión al carácter «público» se refiere a la clase de ataques que representan por su carácter de delito de peligro colectivo, afirmándose que la salud pública ostenta el carácter de bien jurídico colectivo de referente individual, de acuerdo con DOVAL PAIS (ob. y loc. cit.); por su parte, RODRÍGUEZ MONTAÑÉS (ob. cit., p. 310) considera que sirve de punto de referencia para la protección de intereses individualizables de la colectividad.

En el ámbito de los delitos relativos a las *drogas tóxicas, estupefacientes y sustancias psicotrópicas,* la determinación del concreto objeto de protección siempre ha resultado polémica, dividiéndose la doctrina entre los que señalan como protegido el interés del Estado en controlar el tráfico de aquellas sustancias (así, COBO DEL ROSAL) y los que consideran se trata de proteger la salud pública (en este sentido, BOIX REIG: *Derecho penal, parte especial,* 1999, p. 630). No obstante, BOIX estima que la referencia a intereses jurídicos individuales no es indicativo de que se protejan bienes jurídicos individuales sino como meros indicadores de la mayor o menor afección de la conducta en el objeto jurídico de protección.

Por su parte, en los *delitos contra la seguridad del tráfico,* cuando la regulación legal exige un peligro para las personas (art. 381 CP), la conducta debe encontrarse en una fase que represente un riesgo para los bienes de los particulares, esto es, que esté en peligro concreto la vida, integridad de las personas, de forma que el bien colectivo, la seguridad del tráfico, haya sido ya menoscabada.

En un sentido similar, CARBONELL MATEU distingue entre los bienes de titularidad colectiva cuya tutela resulta necesaria para el desarrollo del individuo —Los cuales realmente, según el autor, son bienes jurídicos de titularidad individual, si bien su lesión o puesta en peligro afecta a una pluralidad de sujetos— de los auténticos *bienes de titularidad colectiva,* cuyo carácter supraindividual resulta más patente al no poderse cuantificar la parte de titularidad que cada individuo tiene sobre el bien jurídico[188].

Pues bien, los **bienes jurídicos de** «*nueva generación*» se caracterizan[189], como ha puesto de manifiesto DOVAL PAIS, por suponer un paso hacia la solución de nuevos conflictos planteados en la sociedad con respecto a diversos órdenes: medio ambiente[190], territorio, economía, consumo, etc., ocupando una posición sistemática intermedia entre los bienes jurídicos individuales y los de naturaleza pública. Así las cosas, se determinan con las siguientes notas: en primer lugar, en cuanto a su *origen,* son bienes que carecen de tradición normativa, así como, en lo referente a su *estructura,* también carecen de un entronque «directo» con bienes jurídicos tradicionales, afirmándose su carácter «originario» y no derivativo; y, por último, en cuanto a la necesidad de tutela, frecuentemente existe, bien, una necesidad de dar respuesta a demandas sociales, bien, una *obligación constitucional de protegerlos,* o en otros casos esa necesidad se basa en su carácter de interés *difuso.*

No obstante, debe matizarse que estos valores no se protegen de una forma absoluta sino frente a los atentados más intolerables, si bien en muchos casos ligando su protección a la inobservancia de ciertos requisitos de carácter

---

[188] Además en su clasificación menciona los bienes supraindividuales de carácter político, los cuales constituyen la nueva categoría de los intereses difusos, y los bienes supraindividuales de supervivencia colectiva, indispensables para que se produzca la supervivencia de la colectividad. Y es que el citado autor prefiere la denominación de *intereses supraindividuales* frente a la de intereses difusos, como ya se dijo. CARBONELL MATEU, J.C.: «Breves reflexiones...», ob. cit., p. 17.

[189] Para mayor detenimiento en dichas características, puede verse VOLTA, R.: «Brevi note in tema di interessi diffussi alla luce della riforma del codice di procedura penale», en *Rivista penale,* 1990, p. 23 y ss.

[190] Con respecto a los *delitos contra el medio ambiente,* la postura mayoritaria apuesta por considerar que estamos ante un bien jurídico autónomo de carácter colectivo; sin embargo, la regulación concreta de estos delitos genera cuando menos algo de confusión; nos referimos concretamente al art. 328 castigando el establecimiento de depósitos o vertederos «*que puedan perjudicar gravemente* el equilibrio de los sistemas naturales o *la salud de las personas*», lo que conduce a algún autor a afirmar cómo la puesta en peligro grave del medio ambiente difícilmente puede desconectarse de la existencia de una peligrosidad para la vida y la salud de las personas (SILVA SÁNCHEZ, J.M.: «¿Protección penal del medio ambiente? Texto y contexto del artículo 325», en *La Ley,* año XVIII, número 4.285-4.286).

formal. Ello origina críticas por parte de la doctrina basadas en la superposición de la tutela con respecto al derecho administrativo, así como en la defensa, desde algunos sectores, de la necesaria creación en estos casos de delitos de peligro[191]. En este sentido, SGUBBI, tras afirmar como el Estado contemporáneo y su realidad social expresan nuevas necesidades, reivindica la tutela jurídica de intereses nuevos que han adquirido la dimensión de valor y de bien jurídico. Asimismo sostiene a continuación cómo el bien jurídico, producto de la realidad social, es protegido penalmente, no en cuanto perteneciente a sujetos distintos del Estado, sino en cuanto ha sido apropiado por el Estado mismo, de manera que el bien sufre lo que él denomina un «proceso de espiritualización» convirtiéndose en un fin del Estado, pues el Estado provee la tutela en forma conjunta a un proceso de «nacionalización» del bien protegido.

El ejemplo más claro de su discurso lo conforma el conjunto de los intereses y valores comprendidos en el concepto de «ambiente», pues dicho bien surge como interés colectivo o difuso, como un requerimiento al Estado para la represión penal de conductas agresivas que lesionen o pongan en peligro los recursos naturales o culturales; sin embargo, añade el citado autor como, el bien «ambiente» ha sido nacionalizado, de manera que, cuando el sistema penal interviene en defensa del bien jurídico que es objeto del monopolio y administrado de forma exclusiva por el Estado, se asiste a una fatal evolución, pues las normas penales creadas para asegurar la observancia de las reglas de gestión monopolística del bien se han construido sobre la violación de las reglas técnicas y burocráticas de administración del bien mismo. De manera que, el delito se convierte en un «*ilícito de mera transgresión*», penándose, a su juicio, la inobservancia de la norma, y descuidándose las consecuencias que ha provocado la transgresión sobre el bien tutelado[192].

Finalmente apuntaremos cómo un problema ligado al de la determinación de la clase de bien jurídico es el de la titularidad de los mismos. La individualización del interés protegido es fundamental para la determinación del sujeto pasivo, toda vez que éste es el titular del bien jurídico protegido. De ahí que sea preciso diferenciar, entre el cúmulo de intereses que pueden resultar lesionados

---

[191]   Cuestiones que son relativizadas por PORTILLA CONTRERAS en «Principio de intervención mínima y derechos colectivos», en *Cuadernos de Política Criminal*, n° 14, 1989, p. 736 y ss.

[192]   En este sentido, cita a modo de ejemplo determinados preceptos de la ley de 1977 y 1985 en materia edilicia y urbanística, en los cuales la pena está para la transgresión de la regla técnico-administrativa y es la misma en cualquier tipo de construcción abusiva, sea una apertura de un pequeño volumen, sea de un barrio entero. SGUBBI, F.: *El delito como riesgo social. Investigación sobre las opciones en la asignación de la ilegalidad penal* (trad. por Virgolini), Buenos Aires, 1998, p. 63 y ss.

con el delito, cuáles son los específicamente protegidos por el Derecho Penal, pues no todos ellos lo serán. A este respecto, afirmaba ANTOLISEI[193] cómo debía distinguirse entre ofensa y daño; así, la ofensa a los bienes jurídicos determina la pena, mientras que el daño a los intereses privados será causa de la sanción civil que tiene por fin repararlo. Ello conduce a efectuar una distinción ulterior relativa a los sujetos que pueden resultar afectados por la acción delictiva, pues cuando además de la lesión del bien jurídico se produce el daño de otros intereses económicamente evaluables, aparece junto con el sujeto pasivo el perjudicado por el delito. Y es que, en suma, tal como señala ROCA ROCA[194], las obras de arte trascienden del propio autor para integrarse en el patrimonio de la comunidad; se trata de valores que, siendo en principio obra de un hombre se sustantivizan, independizándose de él, y adquieren de esta forma categorías supraindividuales e intemporales. Así las cosas, el texto constitucional atribuye los bienes que componen el patrimonio histórico, cultural y artístico a los *pueblos de España* (art. 46.1 CE 1978).

Una vez expuestas las diferentes posiciones en torno a la cuestión de los bienes colectivos, vamos, pues, a detenernos en analizar si el Patrimonio Histórico participa de las notas caracterizadoras de los intereses expuestos.

3. El Patrimonio Histórico y su significación colectiva

3.1. Planteamiento

El modelo de Estado imperante en cada momento histórico ha influido poderosamente en la protección del Patrimonio Histórico Español y su trata-miento jurídico: así, tal y como ya hemos comentado, el Estado liberal suponía un excesivo proteccionismo de los derechos individuales y de la propiedad privada de modo que el Patrimonio Histórico sólo recibía protección a través de aquella[195]. Con el Estado intervencionista y su papel activo en el seno de la vida social, se lleva a cabo una acción prestacional en materia de cultura —de acuerdo con el ya referido artículo 9.2 del texto constitucional— y se adopta dicho papel activo en la regulación jurídica de nuestro legado cultural. El Estado

---

[193]   ANTOLISEI: *L'Offesa e il danno nel reato,* 1930.
[194]   ROCA ROCA, E.: *El patrimonio artístico cultural.* Instituto de Estudios de Administración Local, Madrid, 1976.
[195]   Ya hicimos alusión en el capítulo relativo a la evolución histórica al *individualismo* característico de la ideología liberal inspiradora de nuestros Códigos Penales del siglo XIX, los cuales no contemplaron nunca una auténtica protección sistemática y coherente de una «propiedad comunitaria», cuestión en la que me remito a lo allí señalado.

interviene, pues, invistiendo de unos derechos que surgen del reconocimiento de su titularidad colectiva, reconocimiento que nace de la generalizada opinión de que las manifestaciones del Patrimonio Cultural son de *todos* los ciudadanos, procediéndose, pues, a la constitucionalización de estos derechos, así como finalmente a su tutela en el ordenamiento jurídico-penal.

Lo cierto es que la protección penal de los bienes culturales se adscribe en la tendencia generalizada de incorporar a la vida penal intereses supraindividuales o colectivos frente a los tradicionalmente personalistas. La propia Exposición de Motivos del Código penal de 1995 comienza señalando cómo: «El Código penal ha de tutelar los valores y principios básicos de la convivencia social. Cuando esos valores y principios cambian, debe también cambiar». A su vez, en la Exposición de Motivos se destaca, entre los cambios introducidos, cómo «se ha afrontado la antinomia existente entre el principio de intervención mínima y las *crecientes necesidades de tutela* en una sociedad cada vez más compleja, dando prudente acogida a nuevas formas de delincuencia, pero eliminando, a la vez, figuras delictivas que han perdido su razón de ser».

3.2. Posición de la doctrina

Se encuentra extendida en la doctrina científica la consideración de que en materia de Patrimonio Cultural se está ante un bien jurídico cuya titularidad, tal y como venimos afirmando, corresponde a la sociedad en su conjunto, naciendo un derecho de la colectividad en relación a su conservación y disfrute. En este sentido, OCTAVIO DE TOLEDO hace referencia, entre los bienes que debe amparar el Estado social y democrático de Derecho, a «*aquellos de carácter social y titularidad colectiva que subyacen a muchas de las más importantes tareas asistenciales y reequilibradoras que, en beneficio de la mayoría, ese Estado está obligado a realizar*», citando, por lo que se refiere al ámbito penal, entre otros, al *patrimonio artístico*. Por su parte, MUÑOZ CONDE considera que, al igual que otros derechos de carácter social, en materia de Patrimonio Cultural la titularidad corresponde a la colectividad, es decir, a los pueblos de España, cualquiera que sea la relación que una al objeto con una persona individualizada. En sentido similar, GONZÁLEZ RUS señala que se trata de «*un bien jurídico cuya titularidad corresponde a la sociedad en su conjunto, y no a los propietarios de los bienes de valor histórico, cultural y artístico*», cuestión ésta última que se matizará un poco más adelante[196].

---

[196] Ver respectivamente, OCTAVIO DE TOLEDO Y UBIETO, E.: «Función y límites...», ob. cit., p. 116; MUÑOZ CONDE: «El tráfico ilegal de obras de arte», en *Estudios penales y*

Sin embargo, si bien existe acuerdo prácticamente unánime en estas consideraciones, hay autores que, en virtud de la distinción efectuada entre intereses difusos y colectivos, tratan de determinar si en sede de Patrimonio Cultural se está ante una u otra categoría, o incluso prefiriendo alguna denominación diferente.

A) Ciertamente, la postura más ampliamente difundida es la de considerar que se está ante un bien de naturaleza *colectiva o difusa,* sin perfilar excesivamente el concepto. En tal sentido puede citarse a PÉREZ ALONSO, CARMONA SALGADO, LÓPEZ GARRIDO, GARCÍA ARÁN y MURILLO DE LA CUEVA, entre otros muchos[197].

Concretamente, PÉREZ ALONSO se refiere a una significación *colectiva o difusa,* de una manera genérica, en el sentido de que el bien jurídico excede del mero interés individual para afectar a la generalidad de los ciudadanos. En un sentido similar CARMONA SALGADO, aludiendo a la naturaleza colectiva de la titularidad del Patrimonio histórico, sostiene que se está ante un bien jurídico *difuso «en la medida que afecta al conjunto de la ciudadanía».* Por su parte, LÓPEZ GARRIDO y GARCÍA ARÁN consideran como, en todo el Título XVI del Código Penal de 1995, referido a los *delitos relativos a la ordenación del territorio y la protección del patrimonio histórico y del medio ambiente,* nos encontramos ante bienes jurídicos que se inscriben en el fenómeno de incorporación a la protección penal de intereses *supraindividuales o colectivos,* superando las tradicionales concepciones personalistas del bien jurídico. Finalmente, MURILLO DE LA CUEVA aludiendo a los denominados derechos de tercera

---

criminológicos, XVI, 1993, p. 402 y ss.; GONZÁLEZ RUS, J.J.: «Puntos de partida…», p. 36 y ss. En el mismo sentido se han pronunciado BARRERO RODRÍGUEZ, C.: *La ordenación jurídica del Patrimonio Histórico,* Sevilla, 1990, p. 158. TAMARIT SUMALLA, J.M.: *Comentarios al nuevo Código penal* (dir. por QUINTERO OLIVARES y coord. por VALLE MUÑIZ), 1996, p. 1.497; VERCHER NOGUERA, A.: *Código penal de 1995. Comentarios y jurisprudencia* (coord. por SERRANO BUTRAGUEÑO), Granada, 1998, p. 1.475.

197 PÉREZ ALONSO, E.: *La tutela civil y penal del Patrimonio histórico, cultural y artístico,* Madrid, 1996, p. 129; CARMONA SALGADO, C.: *Curso de Derecho penal…,* ob. cit., p. 34; LÓPEZ GARRIDO, D./GARCÍA ARÁN, M.: *El Código Penal de 1995…,* ob. cit., p. 157. MURILLO DE LA CUEVA, P.L.: «El amparo judicial de los derechos fundamentales…», ob. cit., p. 55; BRUNO, F.: «Considerazione de iure condendo sul furto di cose d'arte…», ob. cit., p. 188; CERTO, C.: «Il concetto di tutela del patrimonio artistico…», ob. cit., p. 195; PALAZZO, F.C.: «La nozione di cosa d'arte…», ob. cit., p. 229. En la doctrina alemana, WOLFF: *Leipziger Kommentar,* Siebenter *Band,* Berlin-New York, 1988, p. 9 y ss.; STREE, W., en SCHÖNKE-SCHRÖDER, H.: *Strafgesetzbuch. Kommentar 25 Auflage,* München, 1997, p. 2.084; LACKNER, K.: *Strafgesetzbuch mit Erfaulerungen Kommentar 22 Aufl.,* München, 1997, p. 1.299; TRÖNDLE, H.: *Kom. Strafgesetzbuch und Nebengesetze,* München, 1997, p. 1.535.

generación, considera que entre estos últimos figuran los intereses difusos que revierten en derechos colectivos, como el del *goce de los bienes culturales*[198].

B) Sin embargo, otros autores se detienen a analizar si el Patrimonio Cultural participa de las notas caracterizadoras de las categorías a las que nos venimos refiriendo, las de interés difuso o colectivo, en aras a decantarse por una denominación más concreta.

Así, en la *doctrina italiana* CRESTI[199] citaba como ejemplo de *interés difuso*, entre otros, el referido a la tutela del patrimonio histórico y artístico, en el sentido de intereses confiados a los poderes públicos, no pertenecientes a la tradicional tutela judicial, e inherentes a una pluralidad de sujetos. Sin embargo, el mencionado autor señala que, por tratarse de intereses que no son de tradición jurisdiccional, se ha sostenido que se está en presencia de intereses *públicos*, entendiendo el interés público como un valor emergente de una armonización de todos los intereses envueltos en la acción de los poderes públicos, no reconducibles a una situación subjetiva individual.

En la *doctrina española,* autores como LOZANO-HIGUERO PINTO[200], afirman que, en cuanto a los bienes culturales, nos encontramos ante intereses *difusos impropios,* por no reunir la totalidad de las notas distintivas de los difusos propiamente dichos, en concreto por la ausencia de dos de las notas básicas, la *fungibilidad del objeto* y su *hipojusticiabilidad* o deficiente protección. Por ello, el mencionado autor estima preferible considerar que las cuestiones atinentes al Patrimonio Histórico se incluyen en lo que se ha venido denominando «movimiento» *de los intereses difusos*[201], aplicándose las *técnicas tutelares* de dichos intereses, predominantemente de carácter procesal.

También los hay que mantienen[202] —sin ahondar en la distinción por su complejidad— que, con respecto a la protección del Patrimonio Histórico,

---

[198]   MURILLO DE LA CUEVA, P.L.: «El amparo judicial de los derechos fundamentales…», ob. y loc. cit.

[199]   CRESTI, M.: «Contributo allo studio…», ob. cit., p. 4.

[200]   LOZANO-HIGUERO PINTO: «El Patrimonio Histórico-Artístico…», p. 230 y ss.; en idéntico sentido, GONZÁLEZ GONZÁLEZ: «Protección penal del patrimonio histórico español…», ob. cit., p. 492 y ss.

[201]   Entendido por LOZANO-HIGUERO como el movimiento político-social que se centra o halla su núcleo más característico en el fenómeno de la «participación».

[202]   GONZÁLEZ RUS, J.J.: «Puntos de partida de la protección penal del patrimonio histórico, cultural y artístico», ob. cit., p. 54 y ss.; también en *Los intereses económicos de los consumidores. Protección penal,* 1985, p. 79 y ss. MARCONI, G.: «La tutela degli interessi collettivi in ambito penale», ob. y loc. cit. En contra TARELLO entendiendo que el interés

resulta preferible hablar de un «*interés general*»[203] frente a la expresión «intereses colectivos». Así, GONZÁLEZ RUS considera que, si bien es característica común a los intereses colectivos o difusos el que la titularidad corresponda a una pluralidad de sujetos, entiende preferible hablar de «*interés general*» para referirse a la protección del patrimonio histórico, cultural y artístico. Para realizar esta afirmación se basa, entre otras razones, en que el interés general tiene naturaleza indivisible, de forma que sólo podría encontrar protección penal dicho Patrimonio en la medida en que fuera objeto de protección específica. Mientras que, al considerar que el interés difuso o colectivo puede fragmentarse en relación a los sujetos individuales conectados con el mismo, el patrimonio histórico, cultural y artístico encontraría en la protección de aquellos una tutela subsidiaria e insuficiente, al ser considerado únicamente la lesión del derecho patrimonial afectado.

Otros autores, sin embargo, aun manteniendo que se está ante intereses generales, utilizan indistintamente diferentes expresiones. Así, QUINTERO OLIVARES, en su valoración de la Propuesta de Anteproyecto de Código penal se refería a *derechos sociales o intereses generales* de nueva aparición en el sistema punitivo, los cuales gozan de las características de *generalidad y apersonalidad*, criticando cómo se incumplía el mandato recogido en el artículo 46 del texto constitucional y se protegía residualmente el patrimonio artístico nacional, «no captando su caracterización esencial de *interés colectivo*»[204].

Por su parte, TAMARIT SUMALLA estima que el bien jurídico en los delitos objeto de nuestro trabajo, se inscribe en la categoría conceptual de los *intereses generales*. No obstante lo cual, finalmente concluye afirmando, que en el Patrimonio histórico nos encontramos ante un interés de la colectividad, del que ésta es titular[205].

---

definido como *colectivo* tiene la misma característica de indivisibilidad. TARELLO, *Teorie e ideologie nel diritto sindacale*, 1967, p. 30. Vemos también cómo en el Derecho comparado, vid. *supra* en el ordenamiento brasileño, una de las notas definitorias de los intereses difusos y de los colectivos era precisamente su naturaleza indivisible.

[203]   Vid. *infra* STC 17/91 que se refiere a los bienes culturales como portadores de valores de *interés general*.

[204]   QUINTERO OLIVARES, G.: «Delitos contra los intereses generales o derechos sociales», en *RFDUCM*, n° 6, 1983, p. 569 y ss.

[205]   TAMARIT SUMALLA, J.M.: *Comentarios al nuevo Código penal,* ob. y loc. cit.

3.3. Consideraciones críticas y toma de posición

Una vez expuestas las posiciones más representativas en la doctrina científica, deben realizarse una serie de matizaciones y conclusiones respecto de la naturaleza del bien jurídico protegido en los delitos contra el Patrimonio Cultural.

Comenzaré señalando como, en la actualidad, las distinciones conceptuales a la hora de configurar la naturaleza del objeto de protección en los mencionados delitos, carecen de gran relevancia técnico-dogmática. La cuestión que, a mi juicio, realmente debe subrayarse, independientemente del término con el que se les quiera designar, es que su particularidad reside en que nos encontramos ante unos **bienes de titularidad colectiva,** cualquiera sea la relación que una al bien en cuestión con una persona determinada, tutelándose, pues, unos valores de carácter *supraindividual,* llámeseles colectivos o difusos, sin forzar matices, precisamente por la dificultad de delimitar los contornos conceptuales de unos y otros, cuestión en la que existe prácticamente unanimidad en toda la doctrina.

Ello se refleja en el propio Preámbulo de la Ley 16/1985, de 25 de junio, del Patrimonio Histórico Español: «El Patrimonio Histórico Español es una riqueza *colectiva* que contiene las expresiones más dignas de aprecio en la aportación histórica de los españoles a la cultura universal. Su *valor* lo proporciona la estima que, como *elemento de identidad cultural,* merece a la sensibilidad de los ciudadanos... Todas las medidas de protección y fomento que la ley establece sólo cobran sentido si, al final, conducen a que un número cada vez mayor de ciudadanos pueda contemplar y disfrutar las obras que son herencia de la capacidad colectiva de un pueblo».

Ahora bien si, no obstante lo expuesto, deseamos aproximarnos más a las características del bien jurídico protegido en los delitos que nos ocupan, atendiendo a las diferencias entre las diversas expresiones utilizadas para referirse a la misma realidad, podemos realizar una serie de *consideraciones críticas* que nos conducirán necesariamente a una toma de postura:

1. En *primer lugar,* si retomamos los criterios doctrinales para diferenciar los intereses colectivos de los difusos, recordemos como se sostiene, desde un sector doctrinal que, en el caso de los bienes *colectivos* en sentido estricto, debe existir una vinculación jurídica o una relación de base entre los individuos, mientras que los *difusos* van referidos a los componentes de una comunidad más difusa, prácticamente coincidente con la sociedad conjunta, donde no

existe un momento asociativo o de fusión colectiva para el logro del mismo fin[206].

Pues bien, en materia de Patrimonio Cultural, realmente no existe una base organizada ni un momento asociativo con respecto a los grupos portadores de los intereses que subyacen, atribuidos por nuestro texto constitucional, a «los pueblos de España». De ahí, que, de acuerdo con el criterio expuesto, podríamos hablar de encontrarnos en presencia de *intereses difusos*. En este sentido, FIX ZAMUDIO clarifica muy bien la situación cuando señala que estos intereses corresponden a un número indeterminado de personas que no están agrupadas o asociadas para la defensa de sus intereses —como ocurre con los sindicatos o los colegios profesionales— sino que forman conglomerados dispersos, citando como ejemplo a los interesados en la defensa del patrimonio artístico o cultural[207].

Sin embargo, si repasamos las notas caracterizadoras de los intereses *difusos*, no puede sostenerse con rotundidad que estemos en presencia de un «auténtico» interés difuso.

Así, por lo que se refiere a la primera de las características enunciadas, su *«fungibilidad»*, considero que en materia de bienes culturales, sí existe acuerdo en la posibilidad de referir esta característica a los sujetos portadores o titulares de esos intereses (fungibilidad subjetiva), atendiendo a la «pertenencia a los pueblos de España». Ahora bien, dicha característica de fungibilidad no puede ser atribuida a los bienes culturales, los cuales se caracterizan precisamente por ser *insustituibles e irrepetibles*, notas totalmente opuestas a la fungibilidad.

No obstante, con respecto a la *segunda* nota caracterizadora, la *«hipojusticiabilidad»* o deficiente protección jurídica, debemos señalar que, si bien algunos autores consideran que en la materia que nos ocupa existe precisamente lo contrario, es decir, una *hiperjusticiabilidad*, estimamos que ello se dará únicamente en materia procesal —básicamente a través de la posibilidad

---

[206] Ya vimos que, por contra, MARTÍNEZ-BUJÁN los calificaba de *sectoriales*. MARTÍNEZ-BUJÁN PÉREZ, C.: *Derecho penal económico*, ob. y loc. cit.

[207] Lógicamente, a pesar de que puedan existir asociaciones o entidades no lucrativas dirigidas a su defensa, la sociedad posee un interés en su conservación y defensa, por lo que se le atribuye su titularidad.
   En este sentido puede traerse a colación las palabras de A. HIRT: «Sólo haciéndolos públicos (los museos) y abriéndolos a la contemplación pública de sus colecciones pueden convertirse en materia de estudio; y cualquier resultado obtenido a partir de aquí es una ganancia a añadir para el bien común de la humanidad». A. HIRT, 1798. (Citado en BALLART, J.: *El patrimonio histórico y arqueológico: valor y uso*, Barcelona, 1997, p. 61.)

de denuncia y la acción popular— pues en materia penal resulta innecesario recordar las reiteradas ocasiones en que se ha denunciado, desde diversos sectores, la escasa y deficiente tutela que ha recibido nuestro Patrimonio Cultural a lo largo de la historia legislativo penal, ya que no es hasta el Código actual de 1995 cuando aquél se ha considerado con suficiente entidad para su consideración autónoma en dicho ordenamiento.

Así las cosas, según estas consideraciones, sería un *bien difuso impropio*, por la falta de alguna característica básica que los define; o incluso resultaría preferible, tal y como señalan los autores a los que nos hemos referido, considerar la posibilidad de situar las cuestiones relativas al Patrimonio Histórico o Cultural en el denominado *«movimiento» de los intereses difusos*, en cuanto representativo de aspiraciones sociales, que afectan a la sociedad en su conjunto.

Ahora bien, observábamos como, para otro sector doctrinal, son los denominados *bienes sociales generales* los que se definen por su pertenencia a la generalidad de las personas que integran la comunidad social, en contraposición a los *intereses difusos* que definen como intereses sectoriales[208].

Pues bien, ante tales posiciones divergentes, debemos **afirmar** que, lo relevante en materia de Patrimonio Cultural, es que nos encontramos ante unos intereses caracterizados por su pertenencia a la generalidad de personas que conforman la comunidad social, es decir, se trata de intereses de *todos*, con independencia de la denominación que se les asigne[209]. Los bienes del Patrimonio histórico, cultural y artístico se imputan, de acuerdo con el texto constitucional, a *«los pueblos de España»*, esto es, a todos los ciudadanos que integran la comunidad nacional. Y es que, en efecto, tanto desde el Preámbulo de nuestra Carta Magna, como desde el reiteradamente citado art. 46 de su texto, se reconoce el fenómeno del pluralismo cultural[210], toda vez que España está

---

[208]   Así, MARTÍNEZ-BUJÁN PÉREZ, C.: ob. y loc. cit., y TORIO LÓPEZ: «Reflexión sobre la protección penal de los consumidores», ob. y loc. cit. A este respecto, ya expusimos *infra* p. 296 como GONZÁLEZ RUS atribuye la característica de la *no fragmentabilidad* a los intereses generales, frente a los colectivos o difusos, que según él sí pueden fragmentarse en intereses individuales, criterio que no es unánime en sede doctrinal, existiendo algunas voces que consideran que también los intereses difusos son indivisibles.

[209]   MARCONI señala que los bienes culturales pueden ser considerados como bienes colectivos, pertenecientes —citando a GIANNINI— al patrimonio ideal de la humanidad administrado desde el Estado. MARCONI: «La tutela degli interessi collettivi...», ob. cit., p. 1.108.

[210]   Véase *in extenso* sobre esta cuestión: VAQUER CABALLERIA, M.: *Estado y cultura: la función cultural de los poderes públicos en la Constitución española*, 1998; PRIETO DE PEDRO, J.:

integrada por una pluralidad de pueblos y de culturas, y a este respecto ya fue expuesta[211] el hecho de que la cultura constituye una competencia concurrente entre el Estado y las Comunidades Autónomas[212]. Por otra parte, obviamente, la nación española tiene una identidad cultural, de modo que, cuando el art. 46 se refiere el patrimonio histórico, artístico o cultural de los pueblos de España, parece afirmar de un modo implícito que, pese al pluralismo cultural en la organización territorial del Estado, existe un patrimonio cultural común[213], si bien de conformación plural.

Precisamente la descentralización cultural se legitima a partir del principio democrático, de suerte que, el carácter *democrático* de nuestro Estado hace partícipes a todos los ciudadanos de los valores de la cultura, ya que de lo contrario estaríamos ante «*una democracia enferma, secuestrada por una minoría de gestores ricos e incultos*»[214].

Esta idea de pertenencia de los bienes del Patrimonio histórico, cultural y artístico a la comunidad social recibe un reconocimiento jurídico, lo que nos conduce a sostener que, si bien en cuanto intereses inherentes a una pluralidad de sujetos podría afirmarse su carácter de interés difuso, tras su reconocimiento por el ordenamiento jurídico, se traspasa el linde de los intereses difusos para afirmarse como interés **colectivo.** Reconocimiento que se produce al más alto nivel, el constitucional, constituyendo asimismo una realidad y una preocupación en el ámbito de la comunidad internacional[215] que se ha traducido en

---

Cultura, Culturas y Constitución, ob. cit.; PÉREZ DE ARMIÑÁN Y DE LA SERNA: *Las competencias del estado sobre el Patrimonio Histórico Español en la Constitución española de 1978*, Madrid, 1997.

[211] Vid. al respecto *supra* Capítulo relativo a la evolución histórica de la tutela del Patrimonio histórico, así como sobre las competencias *municipales* sobre éste.

[212] Sobre este particular, nuestro Tribunal Constitucional ha afirmado en su sentencia 49/1984, de 5 de abril, cómo: «...la cultura es algo de la competencia propia e institucional tanto del Estado como de las Comunidades Autónomas, y aún podríamos añadir, de otras Comunidades, pues allí donde vive una comunidad hay una manifestación cultural respecto de la cual las estructuras públicas representativas pueden ostentar competencias, dentro de lo que entendido en un sentido no necesariamente técnico-administrativo puede comprenderse dentro de «fomento de la cultura» (FJ 6º)».

[213] Al cual alude explícitamente asimismo el Alto Tribunal; véase SSTC 49/1984, de 5 de abril (FJ 6º); 106/1987, de 25 de junio (FJ 2º); 17/1991, de 31 de enero (FJ 3º), y reciente de 17 de septiembre de 1998 (FJ 8º).

[214] BALLART, J.: *El patrimonio histórico y arqueológico: valor y uso...*, ob. cit., p. 115.

[215] Me remito al apartado primero del Capítulo II dedicado a la regulación internacional de la materia.

diferentes Convenciones y Recomendaciones que España ha suscrito y observa, al igual que existen en Derecho comparado ejemplos de abanicos normativos con mecanismos de tutela de sus respectivos Patrimonios Culturales. Precisamente ese reconocimiento por el ordenamiento es lo que permite ejercitar pretensiones de defensa de los intereses citados, así como la formación de entidades o asociaciones constituidas para la protección de los bienes culturales.

2. La segunda de las reflexiones que pretendemos realizar trae su razón de ser en los ya expuestos aspectos diferenciales dentro de la categoría de los bienes jurídicos colectivos.

Ciertamente en el ámbito que nos ocupa, nos encontramos ante intereses de reciente aparición en el sistema punitivo, pudiendo identificarse, en este sentido, con *bienes de «nueva generación»* —a diferencia de aquellos bienes con larga tradición jurídico-penal, si bien con las matizaciones que a continuación se realizarán.

En primer término, con respecto a una de las notas caracterizadoras de estos bienes, la *ausencia de tradición normativa*, ya subrayamos en el Capítulo relativo a la evolución histórica cómo no es hasta la aprobación del Código penal de 1995 cuando el Patrimonio Histórico recibe por vez primera una tutela directa en la esfera penal, como bien jurídico autónomo, y no a través de figuras dispersas, con objetos de protección distintos, generalmente en los ataques a la propiedad privada o pública o al dominio público. Con el nuevo texto punitivo se produce, pues, su reconocimiento de forma totalmente autónoma del derecho a la propiedad o en general de otros derechos, de manera que, en principio, ya no aparece como manifestación residual de la protección otorgada por el Código Penal a otros bienes jurídicos[216]. Por tanto, más que «carecer» de tradición normativa, resulta preferible afirmar que su regulación era descuidada de forma innegable, recibiendo su tutela jurídico-penal de forma subsidiaria, que no originaria.

Ligado a lo anterior, en segundo término, se puede afirmar que existe una carencia de entronque *directo* con los bienes jurídicos tradicionales personalistas, pues como se ha puesto de manifiesto, nos encontramos ante un bien jurídico autónomo, independiente de los individuales[217], y por ello requiere una protec-

---

[216] Desde la doctrina ARROYO ZAPATERO critica la exclusión del Título XIII como delitos socioeconómicos de los delitos del Título XVI (ordenación del territorio, medio ambiente y patrimonio histórico).

[217] Sobre este particular, COBO DEL ROSAL y VIVES ANTÓN señalan que puesto que «junto a los valores individuales, existen otros sociales, comunitarios y públicos, la esencia del bien jurídico, no sólo será individual o individualista, sino también social, pública y comunitaria,

ción eficaz y singularizada, distinta de la que se ha venido otorgando tradicio-nalmente, toda vez que el fundamento de su protección se encuentra en las bases mismas del bien, sin referencia a otros.

El menoscabo al objeto de protección en los delitos contra el Patrimonio Cultural no requiere de reiteradas lesiones al bien jurídico supraindividual, sino que basta con una acción atentatoria individual para que resulten lesionados el conjunto de los bienes socio-culturalmente relevantes *por su valor y función*. A este respecto, los bienes colectivos no tienen por qué conducir necesariamente a estructuras de delito de peligro y, en nuestro caso, no se requiere construir las figuras delictivas sobre la base de un bien jurídico con función representativa, y por ende, el dolo o la imprudencia irán referidas al único bien jurídico protegido en los delitos contra el Patrimonio Cultural.

Finalmente, se cumple la última exigencia de los bienes de nuevo cuño, tal y como ya hemos comentado en el epígrafe anterior, con la existencia del *mandato constitucional de protección* del patrimonio histórico, cultural y artístico en el artículo 46 de la Carta Magna, mandato que constituye el fundamento básico de su necesaria consideración como bien jurídico autóno-mo. Si bien, como ya señalamos, estos nuevos bienes jurídicos no se protegen como valores absolutos, sino sólo frente a los ataques más intolerables cuando fallen los medios de tutela anteriores, en nuestro caso el Derecho administrativo sancionador, lo que conlleva reproches y críticas por la superposición de esquemas de tutela o por la utilización del Derecho Penal al servicio de determinadas políticas[218].

Por tanto, en atención a todo lo expuesto, me interesa subrayar que, en los delitos que nos ocupan, nos encontramos ante un bien jurídico de dimensión social y colectiva y cuya protección como tal, esto es, de manera autónoma, resulta novedosa, cualesquiera sea el término con el que se les quiera designar. En consecuencia, de la consideración de la dimensión social y colectiva del bien jurídico —entendiéndose que su titularidad corresponde a la sociedad en su

---

que generará *auténticos bienes jurídicos* (valores) *independientes de los individuales*, y dignos de protección y tutela». COBO DEL ROSAL/VIVES ANTÓN: *Derecho penal. Parte general*, ob. y loc. cit. En esta línea, CORCOY BIDASOLO (ob. cit., p. 183 y ss.) sostiene respecto de los bienes jurídicos colectivos que «no son meros instrumentos de protección de bienes individuales, o al menos no exclusivamente, sino que son un *nuevo bien jurídico*».

[218] Así, CARMONA SALGADO califica al ordenamiento penal de *ultraprotector* de determinados bienes jurídicos colectivos o difusos, sosteniendo que aquél llega al extremo de convertirse en *prima ratio* del ordenamiento en general. CARMONA SALGADO, C.: *Curso de Derecho penal español. Parte Especial II* (dir. por COBO DEL ROSAL, M.), ob. cit., p. 24 y ss.

conjunto[219], la cual se considera beneficiaria directa de la función sociocultural que desempeñan los bienes culturales— nace un derecho de la colectividad en relación a su conservación y disfrute, por lo que la figura del propietario pierde la relevancia que tuvo en épocas anteriores[220]. De lo expuesto puede deducirse, a mi juicio, lo siguiente:

De un lado, sólo podrá satisfacerse efectivamente el mandato constitucional, desde la consideración del Patrimonio Cultural como bien jurídico independiente y autónomo, lo que nos conducirá a diferenciar entre el cúmulo de intereses lesionados por el delito, cuáles son los específicamente protegidos por el ordenamiento jurídico-penal, problema ligado al de la determinación del sujeto pasivo, titular del bien jurídico protegido. En esta dirección, como bien jurídico de carácter macrosocial y colectivo, la relación titular concreta deja paso a su dimensión social, de manera que en muchos casos no coincide el sujeto pasivo, como titular del bien jurídico cuya lesión es indispensable para que exista delito, con el perjudicado por el delito, que puede coincidir con el propietario titular del objeto cultural.

De otro lado, esa dimensión social del Patrimonio Cultural supone un *límite a la disponibilidad* de los objetos que lo integran, por parte del sujeto que en un caso concreto sea su titular[221]. En ese sentido, como ya expondremos, el propietario de un edificio de gran valor histórico, declarado como tal por la Administración, no podrá derruirlo para, por ejemplo, construir en ese lugar otras edificaciones en un afán especulativo; de ahí la ineficacia del consentimiento del titular dominical para realizar la conducta lesiva[222].

Vamos, pues, a detenernos a continuación en este último punto, el cual nos va aproximando a la determinación del exacto objeto de tutela jurídica en los delitos que nos ocupan.

---

[219] En este sentido, GONZÁLEZ RUS, J.J.: «Puntos de partida...», ob. cit., p. 36 y ss.; MUÑOZ CONDE: «Tráfico ilícito...», ob. y loc. cit.

[220] Como ya se expuso en el Capítulo relativo a la evolución histórica, durante todo el siglo XIX se dictaron disposiciones que diferenciaban el estatuto jurídico de dichos bienes con base en la cualidad de su titular, encontrando ante la propiedad privada una total inaccesibilidad, por lo que el propietario privado no veía limitadas las facultades propias de su derecho en virtud de las cualidades monumentales del bien, siendo encomendada a los propios particulares la tutela de dichos valores en los bienes de su *propiedad*.

[221] MUÑOZ CONDE, F.: «El tráfico ilícito de obras de arte», en *Estudios Penales y Criminológicos XVI*, 1993, p. 402. En esa línea, GONZÁLEZ RUS, J.J.: «Puntos de partida...», ob. cit., p. 36 y ss.

[222] También de esta opinión, GONZÁLEZ RUS, J.J.: ob. cit., p. 54. MUÑOZ CONDE, F.: ob. cit., p. 402.

3.4. Limitación de las facultades del propietario de los objetos del patrimonio histórico, cultural y artístico

En la *doctrina española* reconocen estas limitaciones del titular dominical, entre otros, GONZÁLEZ RUS, MUÑOZ CONDE, TAMARIT SUMALLA, ÁLVAREZ ÁLVAREZ y GARCÍA DE ENTERRÍA[223]. Así, para el último autor citado, el problema de los bienes culturales es la interferencia entre el derecho de fruición colectiva y el derecho de pertenencia económica individual[224], considerando que la regla general es el mantenimiento de ambos mientras sean compatibles y si no lo son, prevaleciendo el derecho de fruición colectiva. A tenor del art. 128 CE, «toda la riqueza del país en sus distintas formas y sea cual fuera su titularidad está subordinada al interés general». En ese sentido, ÁLVAREZ ÁLVAREZ precisa, con un ejemplo muy similar al ya expuesto, como aunque un edificio de relevante valor o un terreno protegido pertenezca a un particular a quien interese derruir la casa para levantar otra o transformar una finca, resulta indudable que allí radica un valor no económico en el que él no participa como individuo y que tiene que respetar como ciudadano.

Vamos, pues, a tratar de determinar cuál es el *fundamento* de esa limitación de las facultades del propietario de bienes culturales[225], sea éste un particular o un ente público.

---

[223] GONZÁLEZ RUS, J.J.: ob. y loc. cit.; MUÑOZ CONDE, F.: «El tráfico ilícito...», ob. y loc. cit.; TAMARIT SUMALLA, J.M.: «Delitos sobre el Patrimonio Histórico», en *Comentarios al Nuevo Código penal,* ob. y loc. cit.; ÁLVAREZ ÁLVAREZ, J.L.: *Estudios sobre el Patrimonio histórico...,* ob. cit., p. 625; GARCÍA DE ENTERRÍA, E.: «Consideraciones sobre una legislación del patrimonio histórico, cultural y artístico...», ob. cit., p. 584.

[224] Pues bien, frente a las dos posiciones del particular como propietario de un bien cultural y como individuo que pretende el acceso a su disfrute, en la actualidad el panorama se va ampliando hacia nuevos sujetos; así, GARCÍA FERNÁNDEZ destaca *por un lado,* los que denomina como *sujetos del mercado del arte,* que incluye, frente a los tradicionales marchantes, subastadores y coleccionistas, las ferias nacionales e internacionales, las entidades de crédito que promueven los fondos de inversión en arte y las nuevas formas mercantiles de los marchantes de arte o subastadores que empiezan a constituirse en multinacionales del patrimonio cultural, como Sotheby's o Christie's, y *por otro lado,* las entidades sin ánimo de lucro en el mundo de la cultura. GARCÍA FERNÁNDEZ, J.: «La protección jurídica del Patrimonio Cultural. Nuevas cuestiones y nuevos sujetos a los diez años de la Ley de Patrimonio histórico Español», en *Patrimonio Cultural y Derecho,* n° 1, 1997, pp. 72-73.

[225] De acuerdo con QUINTANO estamos ante «propiedades privadas que permanecen en los respectivos patrimonios, aunque en una especialísima mancomunidad comunitaria, de parcial expropiación en suma...». QUINTANO RIPOLLÉS: *Tratado de la Parte Especial del Derecho Penal,* t. III, 2ª ed. puesta al día por C. GARCÍA VALDÉS, Madrid, 1978, p. 949.

A) La ***doctrina italiana*** encuentra su fundamento en la *teoría de la propiedad dividida de los bienes culturales,* formulada en sus aspectos esenciales por GIANNINI, el cual se encarga de especificar el significado jurídico de *«pertenencia»* del bien al Patrimonio Cultural de la Nación o de la Humanidad, no resultando equivalente a un derecho de propiedad sino realmente a un derecho de disfrute y goce por parte de la comunidad universal[226].

De acuerdo con la tesis de la propiedad dividida, la cosa de interés histórico, artístico o cultural es soporte, por un lado, de un bien patrimonial, y por otro, del bien cultural en sí mismo. Como bien patrimonial, por ejemplo un cuadro, es objeto de un derecho de propiedad (incluso puede serlo de otros derechos, usufructo, prenda…), mientras que como *bien cultural,* entendido como bien inmaterial, como testimonio material de civilización, es objeto de tutela por los poderes públicos.

De ahí la distinción entre el bien como *realidad física,* objeto de un derecho de propiedad privada, y el bien como *realidad cultural* perteneciente a la sociedad en su conjunto, determinándose el bien jurídico protegido penalmente únicamente con base en este segundo aspecto. Por tanto, si bien coinciden en el mismo objeto, aluden a realidades y titularidades diferentes; al bien patrimonial se alude en el sentido de pertenencia económica, pudiendo tener uno o varios titulares, mientras que como bien cultural se encuentra abierto a una «fruición colectiva».

B) Sin embargo, si bien esta distinción entre el aspecto patrimonial y el cultural sirve de base para sustentar la tradicional distinción en Derecho Penal entre objeto material u objeto de lesión y objeto de protección penal, la justificación de la inmisión en los derechos del propietario del bien cultural la encontramos **en nuestro derecho,** y en ello coincide un sector importante de la doctrina española manifestada[227], en el propio concepto de **propiedad constitucional,** concepto que tiene su epicentro en la ***función social***[228] recono-

---

[226]   GIANNINI: «I beni culturali», en *Rivista Trimestrale di Diritto Publico,* I, 1976, pp. 31-32.

[227]   Véase, sobre el tema GONZÁLEZ RUS, J.J.: «Puntos de partida de la protección penal del patrimonio histórico, cultural y artístico…», ob. cit., p. 36 y ss.

[228]   Sobre el tema tan controvertido de la función social de la propiedad, ver ampliamente, sin pretensión de dar una relación exhaustiva, BARNES VÁZQUEZ, J.: *La propiedad constitucional. El estatuto jurídico del suelo agrario,* Madrid, 1988; MONTES, V.L.: *La propiedad privada en el sistema del derecho civil contemporáneo (Un estudio evolutivo desde el Código Civil hasta la Constitución de 1978),* Madrid, 1980; RUIZ-GIMÉNEZ, J.: *La propiedad. Sus problemas y su función social,* vol. I, Salamanca, 1961.

cida en el artículo 33 de la propia Constitución[229], legitimándose así la intervención pública en estos bienes, y garantizándose de ese modo el disfrute compartido de los bienes a favor de la titularidad. Se supera así el concepto liberal de propiedad, basado en una concepción personalista e individualista de la propiedad, transformándose este derecho subjetivo por la función social que está llamado a cumplir desde la propia Constitución. De ese modo, intereses privados y públicos convergen en el contenido de la propiedad constitucional[230].

Así lo recoge el **Tribunal Constitucional** en Sentencia de 26 de marzo 1987 cuando afirma que «la Constitución reconoce un derecho a la propiedad privada que se configura y protege, ciertamente, como un haz de facultades individuales sobre las cosas, pero también, y al mismo tiempo, como un conjunto de deberes y obligaciones establecidos, de acuerdo con las leyes, en atención a *intereses y valores de la colectividad*, es decir a la *finalidad o utilidad social* que cada categoría de bienes objeto de dominio está llamada a cumplir»[231].

En un sentido similar, en otra de sus resoluciones, aludiendo al concepto de expoliación señala: «Así pues, la ley llama perturbación del cumplimiento de su *función social* a la privación del destino y utilidad general que es propio de cada uno de los bienes»[232].

Ya resultaba significativa la sentencia del TC de 23 de junio de 1982, cuando se afirmaba lo siguiente: «En orden a la conservación y protección del Patrimonio Histórico-Artístico —impuesta como dice la exposición de motivos de la Ley de 13 de mayo de 1933, por ser «fruto del alma colectiva, que fue reflejando en ellos su propio sentir», sin que en su actual valoración contribuyeran sus hoy dueños— se establecen una serie de limitaciones al derecho absoluto de propiedad... que simplemente lo limita en sus términos absolutos por razones de un interés público y superior al individual y en función de estimar que constituye lo que es objeto de tal derecho un legado, una parte del acervo espiritual materializado en inmuebles o muebles de interés artístico, arqueológico, paleontológico o histórico, extendiéndose a los conjuntos que por su belleza, importancia monumental o recuerdos históricos puedan incluirse en la categoría». En esta dirección, cabe citar como ejemplo la Sentencia de 30 de

---

[229] Art. 33: «1. Se reconoce el derecho a la *propiedad* privada y a la herencia.
2. La *función social de estos derechos delimitará su contenido de acuerdo con las leyes*».

[230] En este sentido, BARRERO RODRÍGUEZ: *La ordenación jurídica del Patrimonio Histórico*, Sevilla, 1990, p. 342; GONZÁLEZ RUSS, J.J.: «Puntos de partida...», ob. cit., p. 51.

[231] Sentencia de 26 de marzo de 1987 (Pleno). Recurso de inconstitucionalidad nº 685/1984. Ponente: D. Jesús Leguina Villa (B.O.E. de 14 de abril de 1987).

[232] Sentencia ya citada de 31 de enero de 1991.

noviembre de 1984, en la que el Alto Tribunal, ante un conflicto de intereses en materia de demolición de edificios ubicados en conjunto histórico-artístico, establece que debe prevalecer el interés comunitario sobre el particular.

Por tanto, los límites a la disponibilidad del propietario derivan de la *función social* integrada en la propia naturaleza de la propiedad constitucional[233]. Función social que deberá interpretarse de acuerdo con el tipo de propiedad ante la cual nos encontremos. En nuestro caso, nos encontramos ante una propiedad peculiar donde se coloca en primer plano la naturaleza *cultural* de los bienes. De ahí que, concretamente, la función social de la propiedad de los bienes culturales deba interpretarse como garantía del disfrute y uso compartido de los mencionados bienes.

Sin embargo, el legislador penal de 1995 no ha reconducido toda la protección del Patrimonio Histórico o Cultural a un mismo Capítulo, de acuerdo con su rúbrica legal, sino que mantiene las figuras delictivas que toman en cuenta el valor histórico, cultural o artístico para configurar subtipos agravados. De suerte que, la consideración jurídica de los bienes culturales en dichas figuras agravadas no difiere de otras situaciones de pertenencia, parificándose, por ejemplo, un robo de una pieza integrante del patrimonio histórico con otro de utilidad pública; de ahí que su protección penal en los subtipos agravados constituye mero reflejo de la tutela recayente sobre los bienes patrimoniales en su conjunto, de manera que su alcance y contenido estará mediatizado por el bien jurídico protegido en el injusto al que se adhieren. En consecuencia, debe lamentarse que esta técnica de las circunstancias específicas se mantenga en el texto del nuevo Código Penal[234], cuando el legislador ha creado un Capítulo

---

[233] En este sentido CARMONA SALGADO, C.: *Curso de Derecho penal...*, ob. y loc. cit.

[234] Si bien dichas circunstancias no son objeto de un análisis particular en este trabajo, por las razones que ya se adujeron, únicamente señalaremos cómo la doctrina científica se encuentra en este punto dividida en cuanto a su consideración jurídica:

– por un lado, se encuentran los que entienden que *la función social de la propiedad constituye un elemento intrínseco del concepto de propiedad constitucional*, en el que se funden dos aspectos: el de libertad (individual) y el de la función social (colectivo). Así, GONZÁLEZ RUS considera que «desde esta perspectiva deben interpretarse las figuras delictivas en las que el tipo básico puede estar tomando en cuenta la situación del titular dominical y la agravación del interés general». Otros autores, como son QUINTERO OLIVARES o SORIANO SORIANO sostienen que el fundamento de la agravación radica en la especial protección que ha pretendido conferirse a determinada clase de bienes, dada su significación para la colectividad.

– por otro lado, otro sector considera que los tipos agravados de los delitos patrimoniales suponen una perpetuación del concepto liberal de propiedad. Así, SUAY HERNÁNDEZ entiende que en el ordenamiento penal coexisten el concepto liberal y el social de la propiedad (se refiere al texto refundido de 1971, pero las figuras agravadas de los delitos de apodera-

específico para regular los atentados específicos contra nuestro patrimonio colectivo.

Es por ello que un sector doctrinal italiano[235] afirma que parece, pues, *riduttivo* considerar la *función cultural* de los bienes que integran el patrimonio histórico, cultural y artístico como simple especificación de la función social de la propiedad, como si se estuviese en presencia de uno de los posibles contenidos de la función social, en virtud de la cual, la ley pueda modular los límites de la propiedad privada, pareciendo más adecuado, y de acuerdo con el mandato constitucional, darle un alcance autónomo y más amplio.

---

miento perduran todavía en el Código penal), correspondiéndose con ese sentido liberal los delitos de apoderamiento del Título XIII del Código anterior; mientras que en el delito del 562 (actual 289: *«De la sustracción de cosa propia a su utilidad social o cultural»*) la protección se dirigía a la satisfacción de determinados intereses públicos o sociales.

En este sentido, GONZÁLEZ GONZÁLEZ considera que la técnica de las circunstancias específicas es un sistema que pivota sobre la propiedad privada, producto de la estrategia de raigambre liberal, atenta a la inmediata defensa de la propiedad privada, desconociendo el patrimonio histórico como concepto independiente, sistema que se mantiene pese a los cambios producidos.

Por último BAJO FERNÁNDEZ mantiene que el fundamento de la modalidad agravada estriba en la especial protección que el Derecho Penal ofrece al titular del bien, como contrapartida a los especiales deberes de carácter social que ese bien soporta, como su mantenimiento para el acceso al público y su disfrute y contemplación. GONZÁLEZ RUS, J.J.: «Puntos de partida...», ob. cit., p. 50 y ss. QUINTERO OLIVARES, G.: *El hurto. Comentarios a la legislación penal. La reforma del Código penal de 1983*, Madrid, 1985, p. 1.152; SORIANO SORIANO, J.R.: *Las agravantes específicas comunes al robo y hurto*, Valencia, 1993, p. 183 y ss.; SUAY HERNÁNDEZ, C.: *Los elementos básicos de los delitos y faltas de daños*, Barcelona, 1991, p. 139; GONZÁLEZ GONZÁLEZ: «Protección penal del Patrimonio...», ob. cit., p. 510 y ss.; BAJO FERNÁNDEZ, M.: *Manual de Derecho penal. Parte especial. Delitos patrimoniales*, p. 49.

235 ROLLA, G.: «Bienes culturales y Constitución», en *Revista del Centro de Estudios Constitucionales*, 2, enero-abril 1989, p. 168 y ss.; en el mismo sentido, MOCCIA, S.: «Riflessioni sulla tutela penale dei beni culturali», en *Rivista italiana di Diritto e Procedura Penale*, ottobre-dicembre 1993, p. 1.304.

IV. BIEN JURÍDICO Y PRINCIPIO «NE BIS IN IDEM» (DERECHO ADMINISTRATIVO SANCIONADOR Y DERECHO PENAL EN LA PROTECCIÓN DE BIENES JURÍDICOS)

1. Planteamiento

La incorporación a la tutela penal de los denominados *interessi diffusi* suscita el debate relativo a la necesidad de articular disciplinas extrapenales con una tutela punitiva.

Tal y como venimos comentando, con la entrada en vigor del Código Penal de 1995, si bien se ha procedido a destipificar determinadas conductas, se produce asimismo una *intervención punitiva* en ámbitos que no habían recibido la suficiente atención por parte del Derecho Penal y cuya regulación tradicional venía de manos del Derecho Administrativo, otorgando así, tal y como ya dijimos, dignidad jurídica a valores injustamente olvidados por el legislador[236], de acuerdo con el compromiso de actuación de los poderes públicos, previsto en la Constitución española de 1978.

De ese modo se incorporan *nuevos valores* al catálogo de bienes protegidos penalmente, tipificándose determinadas conductas atentatorias contra dichos bienes, las cuales hasta ese momento eran básicamente incriminadas por el Derecho Administrativo Sancionador.

Ilustrativa resulta, desde esta perspectiva, la tipificación, junto a los delitos sobre el patrimonio histórico, de los delitos contra la ordenación del territorio, toda vez que los atentados urbanísticos eran considerados únicamente como infracciones administrativas hasta su inclusión en la Ley Orgánica 10/1995, de 23 de noviembre, del Código Penal. Lo mismo ocurrió con las infracciones de contrabando, convertidas en delito por Ley Orgánica 7/1982, de 12 de julio, actualizada por Ley Orgánica 12/1995, de 12 de diciembre, de Represión del Contrabando[237].

---

[236] De acuerdo con GONZÁLEZ CUSSAC, esta tendencia que se encuentra generalizada en los demás países europeos, encuentra su fundamento en la necesidad de asegurar mediante la pena ciertas conquistas sociales propias de la cultura del «bienestar», si bien reconoce los riesgos que ello implica, que se traducen en una «cierta desnaturalización» del Derecho penal. GONZÁLEZ CUSSAC, J.L.: *El delito de prevaricación de autoridades y funcionarios públicos*, Valencia, 1997, p. 17 y ss.

[237] Si bien, a partir de un reciente cambio jurisprudencial del Tribunal Supremo, se vacía casi por completo de contenido, a favor de los delitos de tráfico de drogas tóxicas, estupefacientes y sustancias psicotrópicas.

De suerte que, se aumenta el elenco de comportamientos tipificados simultáneamente como delitos y como infracciones administrativas, situación que nos conduce al clásico problema de compatibilizar el *ilícito penal* con el *ilícito administrativo*[238].

Resultará, pues, preceptivo determinar si ilícito penal e ilícito administrativo tienen la misma naturaleza, o si existe alguna diferenciación, de acuerdo con la cual se justifique una doble reacción estatal frente a idénticos hechos[239], cuestión ligada irremediablemente a la relativa a si el *bien jurídico* tutelado en los diferentes órdenes normativos es único o es distinto en cada uno de ellos, ya que de acuerdo con la tesis que se sustente, se derivaran soluciones diferentes. De ese modo, ya adelantamos que, si apreciamos que existe identidad en los bienes jurídicos protegidos en ambos órdenes normativos, y la diferencia entre los ilícitos es meramente cuantitativa, la solución vendrá de la aplicación del principio *ne bis in idem*, mientras que si se aprecian bienes jurídicos diferenciados, la solución será distinta, resultando, pues, justificada la dualidad de sanciones, administrativa y penal.

Concretamente, la Sala 2ª del TS ha estimado un *recurso de revisión* interpuesto (STS de 13 de febrero de 1999) y declarado la nulidad de la Sentencia de la Audiencia confirmada por el propio Supremo al resolver un recurso de casación, absolviendo al recurrente del delito de contrabando por el que había sido condenado en relación de concurso medial con un delito contra la salud pública, criterio que venía apreciándose hasta el reciente cambio jurisprudencial. A partir de un acuerdo del Pleno que se plasma en una primera Sentencia de 1 de diciembre de 1997 (RJ 1997, 8761) y que constituye ya una línea uniforme de nuestra jurisprudencia, se estima que entre ambos delitos se da una relación de *consunción* (art. 8.3 CP) según la cual el hecho del contrabando está comprendido en el tipo genérico y básico del delito contra la salud pública, puesto que éste es de mayor alcance, de modo que, por la vía de los concursos de normas penales, se puede llegar a la inaplicación de determinados tipos en situaciones concretas.

[238] Se impone que nos detengamos en esta problemática en aras de conocer cuando una determinada conducta será constitutiva, bien de un «*delito sobre el patrimonio histórico*», o bien, de una infracción administrativa, prevista en la legislación estatal (Ley de Patrimonio Histórico Español de 1985) o autonómica específica en la materia. Hasta el momento han sido dictadas nueve leyes autonómicas de protección general del Patrimonio Histórico o Cultural: Ley 4/1990, de 30 de mayo, del Patrimonio Histórico de Castilla-La Mancha; Ley 7/1990, de 3 de julio, de Patrimonio Cultural Vasco; Ley 1/1991, de 1 de julio, del Patrimonio Histórico de Andalucía; Ley 9/1993, de 30 de septiembre, del Patrimonio Cultural Catalán; Ley 8/1995, de 30 de octubre, del Patrimonio Cultural de Galicia; Ley 4/1998, de 11 de junio de 1998, de la Generalitat Valenciana, de Patrimonio Cultural Valenciano; Ley 10/1998, de 9 de julio, del Patrimonio Histórico de la Comunidad de Madrid; Ley aragonesa 3/1999, de 10 de marzo, de Patrimonio Cultural y, finalmente, la Ley 2/1999, de 29 de marzo, de Patrimonio Histórico y Cultural de Extremadura.

[239] Cfr. CARBONELL MATEU, J.C.: *Derecho penal: concepto y principios constitucionales*, ob. cit., p. 90 y ss.

Finalmente, no podemos obviar el problema que se plantea por la técnica empleada por el legislador de 1995 en la esfera de los intereses colectivos, con continuo uso de conceptos indeterminados o pendientes de valoración. Asimismo, por la conexión a la materia, nos referiremos, siquiera brevemente, a las cuestiones de prejudicialidad en el ámbito de las relaciones del Derecho Penal con el Derecho Administrativo Sancionador.

2. Coexistencia de delitos e infracciones administrativas

2.1. Planteamiento general. Discusión de la doctrina

Según se anticipó, pese a la previsión constitucional de la intervención penal en materia de Patrimonio histórico, cultural y artístico, advertíamos que ese mandato debía ser relativizado, en el sentido de considerar que el legislador penal podía y debía decidir con respecto a qué bienes y frente a qué ataques intervendrá el Derecho Penal. Por ello, la incardinación de un acto ilícito contra un bien cultural en un sector u otro del ordenamiento jurídico, para ser castigado con penas o con sanciones administrativas, viene ligada a la determinación de qué **criterios** se han utilizado para efectuar dicha delimitación y así, seleccionar coherentemente las conductas merecedoras de la sanción más grave, la sanción penal.

La confluencia normativa entre el Derecho Penal y el Derecho Administrativo Sancionador, la demarcación entre ambos sectores del ordenamiento jurídico, y concretamente, la distinción entre *infracciones penales e infracciones administrativas,* son cuestiones íntimamente ligadas que han centrado desde siempre la atención de la doctrina científica, tanto la penalista como la administrativista. Sin embargo, tratar de ofrecer una visión completa de los diferentes criterios y posturas habidas en dichas cuestiones desbordaría con creces el ámbito de este trabajo, y en cualquier caso ya han sido desarrolladas exhaustivamente por relevantes autores.

Por ello, a los efectos argumentativos aquí pretendidos baste con señalar cómo hoy en día se acepta de forma mayoritaria una **diferenciación** *cuantitativa* entre los ilícitos, atendiendo a su *gravedad*[240], considerándose, pues,

---

[240] Defienden este criterio con especial rigor, COBO DEL ROSAL, M./VIVES ANTÓN, T.S.: *Derecho penal. Parte general*, ob. cit., p. 57. CEREZO MIR, J.: «Límites entre el Derecho penal y el Derecho administrativo», en *ADPCP*, enero-abril 1975, p. 160; SUAY HERNÁNDEZ, C.: «Los delitos contra la salubridad y seguridad del consumo en el marco de las relaciones entre el Derecho penal y el Derecho administrativo sancionador», en *Las fronteras del Código penal*

superadas las concepciones que abogaban por la existencia de *diferencias cualitativas* entre ambos ilícitos.

Los partidarios de las teorías cualitativas postulaban la separación entre ilícitos administrativos e ilícitos penales acudiendo a fundamentos de diversa índole[241], si bien numerosos autores efectuaban la distinción *excluyendo el concepto de bien jurídico* del ámbito del Derecho Administrativo Sancionador, elaborando un concepto de injusto administrativo a partir de un dato meramente formal.

Es en *Alemania* donde se produjo con mayor intensidad esta tendencia[242], desde la pretensión, por parte de la doctrina científica de principios de siglo, de traslado al ámbito sancionador administrativo de un conjunto de infracciones de menor relevancia, las denominadas *contravenciones, infracciones administrativas o infracciones de orden*, pertenecientes hasta entonces al Derecho Penal[243], intentado así demostrar la existencia de un ámbito sancionador

---

y el Derecho Administrativo Sancionador, Cuadernos de Derecho Judicial, 1997, p. 125 y ss. DE LEÓN VILLALBA, F.J.: *Acumulación de sanciones penales y administrativas. Sentido y alcance del principio «ne bis in idem»,* Barcelona, 1998, p. 265 y ss.

En la doctrina alemana, v. por todos, JESCHECK, H.H.: *Leipziger Kommentar,* 13, p. 8. En la doctrina italiana, PADOVANI: «La problematica del bene giuridico e la scelta delle sanzioni», en *Dei delitti e delle pene,* n° 1, 1984, p. 114 y ss.

[241] Tanto en el ámbito del injusto como en el de la culpabilidad, tal y como indican COBO DEL ROSAL y VIVES ANTÓN: *Derecho penal. Parte general,* ob. y loc. cit.

[242] El paso del Estado absoluto al Estado liberal supuso, en la mayoría de los países europeos, y entre ellos en Alemania, una progresiva abolición del poder sancionador de la Administración, de forma que únicamente a través del Derecho Penal se sancionaban las conductas contra las actividades administrativas merecedoras de pena, prescindiéndose, por tanto, de un derecho penal administrativo. Esto no ocurrió sin embargo en España donde la Administración ha mantenido siempre su potestad sancionadora; sin embargo, en la mayoría de países que carecían de ella tuvo lugar una «hipertrofia» del Derecho Penal, y consecuentemente una sobrecarga del aparato judicial.

Me remitiré a la fundamental obra de MATTES, la cual efectúa un completo y detallado repaso de la evolución histórica del Derecho Penal en Alemania, a través del pensamiento de los autores más representativos de la teoría del Derecho penal administrativo. MATTES, H.: *Problemas de Derecho Penal Administrativo. Historia y Derecho Comparado* (trad. y notas por: Rodríguez Devesa, J.M.), 1977.

[243] El movimiento se divide tradicionalmente en tres etapas: el *Derecho penal de policía,* las teorías del *Derecho penal administrativo* y las teorías de las *infracciones del orden.*

El *Derecho penal de policía,* precedente del Derecho penal administrativo, nace con el Estado absoluto de la Edad moderna, donde se pretende elaborar desde la doctrina la supuesta diferencia entre el concepto de *delito* y el de *injusto policial,* distinción formulada por vez primera de forma clara por FEUERBACH a principios del XIX, si bien hubo intentos anteriores de mano del racionalismo, tal y como refiere MATTES. Pues bien, de acuerdo con aquel autor, «los *crímenes en sentido estricto* suponían una lesión de los derechos originarios

sustancialmente administrativo, así como la distinción ontológica o sustancial entre el ilícito penal y el administrativo.

Adquiere particular trascendencia la ya clásica posición de GOLDSMICHT —al cual se le atribuye el nacimiento del Derecho penal administrativo— al partir de una separación entre *Derecho* como orden jurídico, y *Administración*[244], separación que se manifiesta en sus diferentes fines: mientras que el fin del *Derecho* es la protección de los bienes jurídicos, la finalidad de la actividad

---

del ciudadano o del Estado (BIRNBAUM rechazó la expresión «lesión del derecho», refiriendo las acciones punibles, no a derechos sino a bienes jurídicos), mientras que los denominados *delitos de policía (o contravenciones de policía)* no eran por sí mismos antijurídicos al lesionar sólo el derecho del Estado a exigir obediencia a una ley determinada de policía en concreto, de ahí que se definieran como acciones u omisiones que en verdad no lesionan en sí y por sí mismos derechos del Estado o de un súbdito, pero que, sin embargo, son mandadas o prohibidas bajo pena a causa del peligro para la seguridad o el orden jurídico (de acuerdo con la formulación del art. 2, p. 4, del Código penal bávaro de 1813, cuyo proyecto fue confiado al citado autor)». La transformación del Estado policía liberal al Estado administrativo supone que, lógicamente, «la policía» pase a conformar una de las ramas de la administración interna del Estado, realizando una función más amplia de cuidado del bienestar de la colectividad. Cfr. MATTES: *Problemas del Derecho penal administrativo...,* ob. cit. p., 177.

Entre las diversas opiniones que seguían realizando distinciones entre crímenes y contravenciones de policía, destacaré a BINDING, pues, si bien parte de la diferenciación citada, este autor ya *rechaza la teoría del Derecho penal de policía.* Según él los delitos contienen dos objetos de ataque, el ataque al derecho de obediencia a la norma, y un segundo objeto de ataque, equiparado al bien jurídico; sin embargo, las contravenciones de policía, de acuerdo con el autor, sólo poseen un objeto de ataque, la desobediencia simple. BINDING, K.: *Die Normen und ihre Ubertretung. Eine Untersuchung über die rechtsmässige Handlung und die Arten des Delikts,* vol. I, Leipzig, 1922, p. 313 y ss. *(referencia en Mattes).* De ese modo, tal y como señala MATTES, el Derecho Penal va adquiriendo un carácter unitario de protección de bienes jurídicos.

Sin embargo, es MAYER quien cierra definitivamente la etapa del Derecho penal de policía (si bien cronológicamente su obra aparece con posterioridad a la de GOLDSMICHT) concibiéndolo como parte del Derecho penal administrativo. Pues bien, a través de su teoría de las normas de cultura, diferencia el *injusto criminal,* injusto en virtud de una ley y de su nocividad cultural, de los *delitos administrativos,* los cuales contradicen únicamente los intereses administrativos del Estado, siendo por ello injustos en virtud de ley, y culturalmente indiferentes. Para un mayor detenimiento en su teoría de las normas de cultura, vid. MAYER: «Rechtsnormen und Kulturnormen», en *Strafrechtliche Abhandlungen,* 1903.

[244] Distinción que tiene como base una concepción dualista del ser humano, como persona —individuo y como persona— miembro de una comunidad. GOLDSCHMIDT, J.: *Das Verwaltungsrecht. Eine Untersuchung der Grenzgebiete zwischen Strafrecht und Verwaltungsrecht sc auf rechtsgeschicchtlicher und rechtsvergleichender Grundlage,* Berlín, 1902.

de la *Administración* consiste en la promoción del bienestar de la colectividad[245], no considerado como un bien jurídico. A partir de estas premisas, pretende formular las diferencias entre *antijuridicidad y antiadministratividad,* consistiendo la primera en un daño a bienes jurídicos de portadores individuales de voluntad, mientras que, respecto de la antiadministratividad, afirma que supone una infracción de un mandato de la Administración. Consecuentemente, el *injusto criminal* se caracterizaría por el daño o puesta en peligro de bienes jurídicos, mientras que el *ilícito administrativo* consistiría en una pura desobediencia a los mandatos de la Administración, dictados sobre la base de una autorización legal.

De ese modo, las infracciones administrativas constituían *ilícitos puramente formales,* que se agotaban en la desobediencia de mandatos y prohibiciones establecidos positivamente. El ilícito administrativo no consistiría en una lesión o puesta en peligro de un bien jurídico, sino que únicamente supondría una lesión del interés de la Administración en el bienestar público[246].

---

[245] La transformación del Estado policía liberal al Estado administrativo supone que, lógicamente la «policía» pase a conformar una de las ramas de la administración interna del Estado, realizando una función más amplia de cuidado del bienestar de la colectividad. MATTES: *Problemas del Derecho penal administrativo...,* ob. cit., p. 177.

[246] Los fundamentos de la teoría de GOLDSCHMIDT sirvieron de base para WOLFF, cuyos esfuerzos se centraron a su vez en una completa separación del Derecho penal criminal del Derecho penal administrativo, si bien situando la diferencia, no conceptualmente sino en un sentido valorativo, sometiendo a distintos principios de valoración, el daño producido por un delito criminal, del producido por un delito administrativo, el cual no era cifrable ni mesurable, faltando el objeto del acto. Asimismo consideraba que la pena administrativa constituía un llamamiento al orden único, pretendiendo alarmar al autor del delito administrativo por ser, no socialmente dañoso o peligroso, sino «socialmente descuidado» (WOLFF, E.: *Die Stellung der Verwaltungsdelikte im Srafrechtssystem,* «Festgabe für Reinhard von Frank», 2 Band Tübingen, 1930, p. 516 y ss.; en MATTES, p. 207 y ss.).
Por último, merece destacarse, durante la evolución de la postguerra, a SCHMIDT, en su pretensión de alejar a la Administración del ámbito del injusto criminal en aras a poner en sus manos la persecución de meras infracciones administrativas, «para así dar a la justicia lo que es de la justicia, dejar a la Administración lo que es de la Administración» (SCHMIDT, E.B.: *Sraftaten und Ordnungswidrigkeiten,* «Iuristenzeitung», 1951, p. 101 y ss.; en MATTES, ob. cit., p. 229 y ss.). Para ello, tomando como base la teoría de GOLDSCHMIDT, distingue los *delitos judiciales,* cuyo contenido material de injusto consiste en el daño o peligro concreto a un bien jurídico, de los *delitos administrativos,* aquellas infracciones cuya significación social no va más allá de los intereses administrativos, denominadas como *infracciones del orden,* las cuales nunca pueden ser objeto de materia judicial, sino, como asunto administrativo, de una decisión administrativa.
Si bien pareció que dicha separación tan anhelada —tan sólo realizada hasta entonces en el Derecho penal económico— iba a tener reflejo tras la promulgación en 1952 de la ley de las infracciones del orden, se produjo un tránsito desde la mencionada ley, donde se plantean

También en **Italia,** por influencia de la doctrina alemana, BRICOLA[247] tiende a configurar el ilícito administrativo como ilícito formal, a diferencia de los ilícitos penales que suponen una lesión o puesta en peligro de bienes jurídicos de relevancia constitucional. Los problemas surgen en la práctica cuando se elevan a la categoría de delito simples infracciones disciplinarias, o cuando las propias sanciones disciplinarias son incluso de mayor gravedad que las propias penas.

Concretamente, en lo concerniente al patrimonio cultural italiano, al encontrarse regulado tanto por el ordenamiento jurídico-administrativo como por el ordenamiento jurídico-penal[248], se originan las consiguientes discusiones acerca del ámbito correspondiente a cada uno de ellos. Así, la mayoría de la doctrina italiana[249], como ya se dijo, entiende que gran parte de las disposiciones penales sancionan realmente meros actos de desobediencia administrativa[250] —al igual que sucedía en la legislación francesa[251]— esto es, actos de inobservancia de una disposición negativa de la autoridad administrativa, o, al menos, con una estrecha vinculación al contenido de la disciplina administrativa. Resulta, pues, sumamente criticable la criminalización de dichos supuestos, cuando en la mayoría de legislaciones se trata de[252] infracciones de carácter administrativo. En esta dirección, FERRAJOLI denuncia como, uno de los factores de la crisis del derecho penal italiano ha sido provocado por una *legislación aluvial* que ha ampliado desmesuradamente la esfera de las prohibiciones penales, invadiendo

---

diferencias sustantivas, hasta la Ley de 1968, puesta al día en 1987, restableciéndose finalmente la situación anterior, no consiguiendo, pues, señalarse diferencias sustantivas entre delitos y contravenciones.

[247] BRICOLA: «Teoría generale del reato», en *Novissimo Digesto,* t. XIX, Torino, 1973, p. 83.

[248] Vid. *supra* en la segunda parte del Capítulo segundo dedicado al Derecho comparado.

[249] Entre otros autores, podemos destacar a PIOLETTI: «Patrimonio artistico e storico nazionale», en *Enciclopedia del Diritto XXIII,* 1982; MOCCIA, S.: «Riflessioni sulla tutela penale dei beni culturali», ob. cit., p. 1.295 y ss.; NUVOLONE, P.: «Linea fundamentali della tutela penale dei beni culturali mobili», en *L'Indice Penale,* 1977; PALAZZO, F.C.: «La nozione di cosa d'arte in rapporto al principio di determinatezza della fattispecie penale», ob. cit., p. 229 y ss.

[250] Así, recordemos la Ley italiana n° 1.089, una de las más importantes normas penales que tienen por objeto la tutela del patrimonio histórico y artístico italiano, y que, sin embargo, tal y como se expuso, al igual que otras disposiciones de esta ley, sanciona penalmente no sólo comportamientos de daños al *patrimonio nacional* sino también conductas que sustancialmente se concretan en *meros actos de desobediencia* administrativa y que integran ilícitos independientemente de la causación del daño.

[251] Como ya vimos *supra,* también se sancionan en el ordenamiento punitivo francés actos de mera desobediencia administrativa, lo que lleva a la doctrina a plantearse, principalmente con base en el principio de mínima intervención penal, el que la mayoría de estos supuestos pasaran a constituir ilícitos administrativos.

[252] FERRAJOLI, L.: *Derecho y razón. Teoría del garantismo penal,* 1995, p. 475 y ss., y p. 713.

sectores de naturaleza propiamente administrativa, aumentándose incontroladamente los delitos contravencionales, a menudo consistentes en meras desobediencias.

Pero además, no parece conforme al principio de elemental equidad castigar con idéntica sanción, como así se prevé en la ley italiana citada, tipos de *peligro presunto* con tipos de daños[253], parificando, en contra del principio de proporcionalidad, el peligro presunto al daño real. Consecuentemente, una parte de la doctrina penalista indicaba las dudas de constitucionalidad que pueden suscitar los tipos que anticipan la penalidad, de acuerdo con el principio de necesaria ofensividad del hecho. En ese sentido, señalaba MOCCIA[254], cómo ello no contribuía a conferir legitimidad y eficiencia a la disciplina de la materia, siendo síntoma evidente de la carencia de autonomía estructural que exige una tutela penal coherentemente inspirada en los principios constitucionales.

A tenor de lo expuesto, recordemos como, en la doctrina italiana se plantea el problema de una eventual despenalización de la tutela penal preventiva del patrimonio artístico, ante la necesidad de evitar una excesiva proliferación de los tipos penales, limitándolos a los hechos más graves, con la consecuente transformación en ilícitos administrativos de muchas infracciones de importancia secundaria[255]. Desde una perspectiva de Derecho Penal mínimo, FERRAJOLI afirma como, en general, podría despenalizarse toda la categoría de contravenciones y, junto a ella, la de los delitos punibles con pena pecuniaria, al suponer que el legislador las ha considerado menos lesivas que los demás delitos, criterio idóneo para satisfacer el criterio de necesidad o de economía del Derecho Penal[256].

Y es que, en efecto, puede extraerse la conclusión de que en el ámbito del ordenamiento italiano, como en el resto de ordenamientos, la acción de control del Derecho Penal, para resultar eficaz, debe insertarse en un contexto de intervención coordinada, en un sistema escalonado de sanciones en vía progre-

---

253 Como son las demoliciones de bienes pertenecientes a provincias, pueblos, entes e institutos legalmente reconocidos, a las que ya hicimos referencia al examinar la regulación italiana.

254 MOCCIA, S.: «Riflessioni sulla tutela penale dei beni culturali...», ob. y loc. cit.

255 Tal y como ya se apuntó, de acuerdo con estos planteamientos, la Ley italiana de 24 de diciembre de 1975 nº 706 reduce a meros ilícitos administrativos numerosas hipótesis contravencionales, constitutivas de ilícitos penales en la ley de tutela del patrimonio artístico e histórico italiano. Como ejemplo citamos el art. 58 de la ley 1.089 en cuyo párrafo 1º sancionaba el incumplimiento por parte de los representantes de las entidades señaladas en el art. 4 de la ley de su obligación de presentar la lista descriptiva de las cosas muebles e inmuebles de interés histórico, artístico, arqueológico o etnográfico descrita en el art. 1 perteneciente a las entidades o instituciones que representan.

256 FERRAJOLI, L.: *Derecho y razón. Teoría del garantismo penal*, ob. cit, p. 477 y 715.

siva, abandonándose al ordenamiento administrativo la estructura del peligro abstracto basado sobre el esquema de la autorización final, para prever finalmente la sanción penal para las violaciones más graves.

En cualquier caso, ninguna de las teorías que pretendían la diferenciación cualitativa entre el ilícito criminal y el ilícito administrativo logró imponerse, pues es evidente que el Derecho Administrativo se encuentra también al servicio de valores sustantivos, por lo que no puede afirmarse que los ilícitos administrativos constituyen meras infracciones formales, toda vez que la transgresión de normas de dicho sector del ordenamiento exige también la lesión o puesta en peligro de un bien jurídico[257].

Así, entre las *voces doctrinales españolas*, CEREZO MIR sostiene cómo si el injusto administrativo se agotase en una mera desobediencia o mandato, no podría establecerse diferente sanción entre los diversos ilícitos administrativos[258]. Por ello este autor no comparte la exclusión como bien jurídico de los intereses de la Administración tutelados por el Derecho. Ahora bien, debe matizarse, de acuerdo con COBO DEL ROSAL y VIVES ANTÓN[259], que no puede hablarse en puridad de «intereses de la Administración» pues la Administración no tiene más intereses que los de la colectividad. Y es que, como puso de manifiesto WELZEL: «A partir del ámbito nuclear de lo criminal discurre una línea continua de injusto material que ciertamente va disminuyendo, pero que nunca llega a desaparecer por completo, y que alcanza hasta los más lejanos ilícitos de bagatela, e incluso las infracciones administrativas *(Ordnungswidrigkeiten)* están (...) vinculadas a ella»[260]. Consecuentemente, de acuerdo con sus afirmaciones, el concepto de bien jurídico no puede ser reducido al ámbito del Derecho Penal.

Básicamente la discusión actual se centra en las **teorías eclécticas o intermedias**, asumidas por la doctrina administrativista, así como por el Tribunal Constitucional, si bien los propios repertorios jurisprudenciales nos muestran variaciones de criterio en las últimas resoluciones del Alto Tribu-

---

[257] Aunque, de acuerdo con SUAY, en muchos casos el bien jurídico no resulta tan evidente como en los ilícitos penales, por lo que todo lo más puede resultar más laboriosa su búsqueda. SUAY RINCÓN, J.: *Sanciones administrativas*, Bolonia, 1989, p. 96 y ss.

[258] CEREZO MIR, citando a KRÜMPELMANN; CEREZO MIR, J.: «Límites entre el Derecho penal y el Derecho administrativo», en *ADPCP*, enero-abril 1975, p. 160. Ahí se indica que el trabajo de KRÜMPELMANN es el *Die Bagatelldelikte*, Berlín, 1966, p. 171 y ss.

[259] COBO DEL ROSAL, M./VIVES ANTÓN, T.S.: *Derecho penal. Parte general...*, ob. cit., p. 53.

[260] WELZEL: *Der Verbotsirrtum im Nebenstrafrecht*, JZ, 1956, p. 240.

nal[261]. Las teorías mencionadas parten de la diferenciación de dos ámbitos en los que la Administración ejerce su potestad sancionadora: por un lado, la defensa de un interés general (la denominada *heterotutela*) y, por otro lado, partiendo de la existencia de un ámbito propio de la Administración, la defensa de un interés propio de ésta (la *autotutela)*, lo que implica, en este segundo ámbito, y de acuerdo con estas teorías, el reconocimiento de diferencias cualitativas entre ilícito penal y administrativo, englobando en éste el disciplinario, que incluye a las personas que están en una relación de especial sujeción con la Administración.

A este respecto, TORIO LÓPEZ, desde una tesis que podríamos considerar *mixta*, estima inviables tanto los criterios cualitativos como los cuantitativos, efectuando la distinción entre delito e injusto administrativo siguiendo un criterio *normativo o valorativo,* es decir, haciendo depender de una valoración, de una apreciación estimativa, si el injusto es merecedor de pena o sólo de sanción administrativa, previa descripción rigurosa de la materia que venga en consideración; sólo entonces se podrá, a su juicio, proceder a formular la definitiva valoración jurídica. Considera, pues, que la naturaleza del interés puede ser determinante de la decisión político-jurídica. En ese sentido, afirma como por ejemplo, existe un núcleo menos equívoco, como son los derechos fundamentales, los bienes jurídicos básicos que postulan y predeterminan para su protección la apelación al Derecho Penal de la justicia[262].

En una línea próxima a TORIO se manifiesta SILVA SÁNCHEZ. A su juicio la teoría de la diferenciación cuantitativa resulta incompleta, pues lo decisivo de la referida diferenciación no es (sólo) la configuración del injusto, sino los criterios desde los que se contempla, los criterios de imputación de ese injusto y las garantías de diverso signo (formales y materiales) que rodean la imposición de sanciones al mismo. En consecuencia, para SILVA, resulta necesario introducir algún género de diferenciación cualitativa entre Derecho Penal y Derecho Administrativo Sancionador. Concretamente, desde su perspectiva, lo decisivo es el criterio *teleológico*, esto es, la finalidad que persiguen, respectivamente, el Derecho Penal y el Derecho Administrativo Sancionador. Según el autor, el Derecho Penal persigue proteger bienes concretos en casos concretos y sigue

---

[261] Valga como ejemplo la STC 234/91, a la cual nos referiremos más adelante. Véase acerca de la doctrina jurisprudencial, TRAYTER JIMÉNEZ: «Sanción penal-sanción administrativa: el principio *non bis in idem* en la jurisprudencia·», en *Poder Judicial*, n° 22, p. 113 y ss.

[262] Sobre este particular, señala que un criterio valorativo es el aportado por JAKOBS *(Strafrecht,* 1983). TORIO LÓPEZ, A.: «Injusto penal e injusto administrativo (presupuestos para la reforma del sistema de sanciones», en *Homenaje a E. García de Entrería*, 1991, vol. III, p. 2529 y ss.

criterios de lesividad concreta y de imputación individual de un hecho propio, mientras que, el Derecho Administrativo Sancionador «es el refuerzo de la ordinaria gestión de la Administración», afirmando que «es el Derecho sancionador de conductas perturbadoras de modelos sectoriales de gestión», residiendo su interés en el sector en su integridad, y por eso «tipifica infracciones y sanciones desde perspectivas generales». Por este motivo, considera que el Derecho Administrativo Sancionador no precisa para sancionar «que la conducta sea relevantemente perturbadora de un bien jurídico y por ello tampoco es necesario un análisis de la lesividad del caso concreto... En esta medida el Derecho administrativo sancionador es el Derecho del daño cumulativo, que exime de una valoración del hecho específico, requiriendo sólo una valoración acerca de cuál sería la trascendencia global de un género de conductas, si es que éste se estimara ilícito»[263].

No obstante lo expuesto, actualmente se rechaza por la doctrina penal mayoritaria, tanto la existencia de un ámbito propio de la Administración, como cualquier diferencia cualitativa entre ambos ilícitos. A este respecto, GONZÁLEZ CUSSAC afirma como «...la Administración no es un fin, sino un medio para servir a la sociedad»[264].

Ahora bien, en la doctrina alemana, pese a reconocer que en los últimos años se ha producido una inclinación hacia el punto de vista cuantitativo, debe resaltarse la postura de MAURACH y ZIPZ los cuales sostienen que la mejor manera de trazar la delimitación de la infracción administrativa con el ilícito penal es a partir de un punto de vista mixto *cualitativo-cuantitativo*. De ese modo, a partir de la escala constitucional de valores no todos los ilícitos son discutibles; por un lado, pueden diferenciarse *cualitativamente* los ilícitos más significativos pertenecientes al núcleo central del derecho penal de las infracciones administrativas y, por otro lado, en la *zona límite*, debe atenderse a criterios cuantitativos para diferenciar ambos ilícitos, de acuerdo con la gravedad del contenido de injusto[265].

---

[263] SILVA SÁNCHEZ, J.M.: «Introducción. Necesidad y legitimación de la intervención penal en la tutela de la ordenación del territorio», en *Delitos contra el urbanismo y la ordenación del territorio*, Bilbao, 1998, p. 15 y ss.; reflexiones que también realiza este autor en: «¿Política criminal moderna? Consideraciones a partir del ejemplo de los delitos urbanísticos en el nuevo Código penal español», en *Actualidad penal*, nº 23, junio 1998, p. 435 y ss.

[264] GONZÁLEZ CUSSAC, J. L.: *El delito de prevaricación de autoridades y funcionarios públicos*, ob. cit., p. 32.

[265] MAURACH, R./ZIPZ, H.: *Derecho penal. Parte general. 1. Teoría general del derecho penal y estructura del hecho punible* (trad. por Bofill Genzsch y Aimone Gibson), Buenos Aires, 1994, p. 19 y ss.

2.2. Toma de postura

Como ya se ha dicho, el problema de compatibilizar ilícitos penales con ilícitos administrativos se hace evidente en aquellos ámbitos que reciben una doble regulación o tutela jurídica. Así, por ejemplo, en materia de Patrimonio Histórico, cuando el legislador penal de 1995 crea los nuevos tipos penales, algunos de ellos resultan coincidentes, como veremos a continuación, con ciertos ilícitos administrativos previstos en la Ley de Patrimonio Histórico Español de 1985.

Si partiéramos de la consideración de los ilícitos administrativos como meros ilícitos formales, se estaría elevando al rango de infracción penal supuestos donde el interés abstracto resultaría vulnerado con la mera infracción de la prohibición, es decir, estaríamos ante tipos carentes de todo injusto material, al residir el contenido de injusto en la mera voluntad rebelde a los mandatos jurídicos[266], lo cual resultaría insostenible.

Como resultaría también inadmisible que sólo el ámbito de protección incluido en el Código Penal respondiera a la necesidad de protección del bien jurídico subyacente, mientras que el resto de conductas sancionadas por el ordenamiento administrativo no respondieran a la tutela de valor alguno. De ser cierta dicha afirmación, sólo desde que se introduce la protección del Patrimonio Histórico en el Código penal, se le identificaría como bien jurídico necesitado de protección[267] —con las matizaciones que efectuaremos al concretarlo exactamente— lo cual contradice lo que hemos venido afirmando durante el presente trabajo, pues entendemos que en el ordenamiento administrativo

---

Similar posición sustenta en nuestro país SALINERO ALONSO, al considerar que no todos los ilícitos son discutibles y conflictivos, estableciendo la siguiente diferenciación: por un lado, nos encontramos con aquellos ilícitos que lesionan bienes jurídico-penales, cuya defensa pertenece exclusivamente al núcleo central del Derecho Penal, generalmente bienes jurídicos tradicionales de corte individual o personalista, como por ejemplo la vida humana o el valor libertad, cuyo tratamiento más adecuado corresponde al ordenamiento jurídico-penal; así, como bienes jurídicos donde resulta suficiente su tutela con otros medios de defensa menos lesivos (ejemplo), interviniendo exclusivamente el Derecho Administrativo; sin embargo, por otro lado, reconoce una zona polémica, una *línea fronteriza*, es decir, supuestos donde, ante una agresión a un bien jurídico, la pertenencia a una clase u otra de ilícito, penal o administrativo, se determinará según el concreto programa político-criminal diseñado por el legislador, percibiéndose que la diferencia es meramente cuantitativa, de acuerdo con la gravedad del injusto. SALINERO ALONSO, C.: *La protección del Patrimonio Histórico...*, ob. cit., p. 148 y ss.

[266] De acuerdo con COBO/VIVES: *Derecho penal. Parte general*, ob. cit., p. 296.

[267] En un sentido similar, ACALE SÁNCHEZ, M.: *Delitos urbanísticos,* ob. y loc. cit.

sancionador hay un bien o valor en juego *de las mismas características* que el protegido a través del ordenamiento penal, toda vez que su protección constituye una obligación para todos los poderes públicos, tal y como señala el Preámbulo de la Ley de Patrimonio Histórico Español. Ello sin olvidar que la infracción administrativa se integra ampliamente por conductas lesivas para bienes jurídicos de titularidad colectiva[268]. Por ello, si bien puede aceptarse con BRICOLA que los ilícitos penales suponen la lesión o puesta en peligro de un bien jurídico con relevancia constitucional, no por ello debe quedar excluida la tutela administrativa de dichos intereses de relevancia constitucional[269].

Por consiguiente, la función de tutela de bienes jurídicos no es desempeñada de forma exclusiva por el ordenamiento jurídico-penal, pudiendo acudirse a otros sectores del ordenamiento en la citada tutela. El principio de «exclusiva protección de bienes jurídicos» viene íntimamente ligado al de *mínima intervención*, reduciendo al máximo el recurso al Derecho Penal, sólo cuando sea absolutamente necesaria su intervención, para conseguir así los mínimos ataques a la libertad de los ciudadanos[270]. Tal y como afirma FERRAJOLI[271], el principio de necesidad exige que se recurra sólo a la intervención punitiva como remedio extremo, precisamente por ser la técnica de control social más gravosamente lesiva de la libertad y dignidad de los ciudadanos. Así, partiendo de las posibilidades de protección de bienes jurídicos por parte de otros sectores del ordenamiento, y de acuerdo con el carácter *subsidiario*[272] del Derecho Penal, éste no debe intervenir si resulta posible garantizar la tutela de aquellos con otros instrumentos jurídicos. Debe acudirse a él como «*ultima ratio*» en el sistema de tutela, en la defensa de los valores sociales más relevantes cuyo respeto sea esencial para garantizar la convivencia comunitaria; es decir, el

---

[268] Así también, QUINTERO OLIVARES, G.: «La autotutela, los límites al poder sancionador de la Administración Pública y los principios inspiradores del Derecho penal», en *Revista de Administración Pública*, nº 126, sept.-dic. 1991, p. 257. A este respecto, sostiene PALIERO que la sanción administrativa es el instrumento de tutela más eficaz en relación a los intereses colectivos o *diffusi*. PALIERO, C.E.: «Il «diritto penale-ammnistrativo»: profili comparatistici», en *Rivista Trimestrale di Diritto pubblico*, 1980, p. 1.254 y ss.

[269] En ese sentido, CARBONELL MATEU, J.C.: *Derecho penal: concepto y principios constitucionales*, ob. cit., p. 41 y ss.

[270] De esta opinión, entre otros, MIR PUIG, S.: «Sobre el principio de intervención mínima del Derecho penal en la Reforma penal», en *Revista de la Facultad de la Universidad de Granada*, 1987, p. 243 y ss. Asimismo, CARBONELL MATEU, J.C.: ob. cit., p. 195 y ss.

[271] FERRAJOLI, L.: *Derecho y razón. Teoría del garantismo penal*, ob. cit, p. 464 y ss.

[272] Subsidiariedad que constituye una exigencia derivada del principio de proporcionalidad o un subprincipio del de proporcionalidad en sentido amplio. De esta opinión, AGUADO CORREA: *El principio de proporcionalidad en Derecho penal*, Madrid, 1999, p. 232.

Derecho Penal actuará en defensa, no de todo bien jurídico, sino sólo de bienes jurídicos que sean dignos o merecedores de protección, susceptibles de ser protegidos penalmente y necesitados de dicha protección. Pero no basta con ello sino que, de acuerdo con su carácter *fragmentario* intervendrá, como reiteradamente se ha dicho, únicamente frente a las agresiones más graves e intolerables, de ahí la importancia de una selección rigurosa de las conductas que van a ser tipificadas penalmente, en aras a conseguir los mínimos ataques a la libertad. El olvido del carácter fragmentario del Derecho Penal conduciría a una «indeseable inflación punitiva que degrada la función de la pena»[273].

De acuerdo con lo hasta aquí expuesto, trazar la línea de demarcación entre el delito y la infracción administrativa implica la necesaria referencia, primero, al *bien jurídico protegido* y su colocación en una escala ideal jerárquica donde se aprecie el contenido de injusto, el grado de lesividad del bien, atendiendo a su vez a los criterios de imputación de ese injusto, de modo que la sanción esté en una relación ponderada con la gravedad del ilícito y, por ende, como afirma CUERDA ARNAU[274], con la tutela jurídica del bien de que se trate, de acuerdo con el *principio de proporcionalidad* en sentido estricto. Exigencia de proporcionalidad[275] que habrá de determinarse mediante «*un juicio de ponderación entre la «carga coactiva» de la pena y el tipo perseguido por la comunidad penal*»[276]. En

---

[273]   CUERDA ARNAU, M. L: «Aproximación al principio de proporcionalidad en Derecho Penal», en *Estudios Jurídicos en memoria del profesor Dr. D. José Ramón Casabó Ruiz. Primer Volumen.* Valencia, 1997, p. 472.

[274]   CUERDA ARNAU, M. L: ob. cit., p. 467.

[275]   La mayoría de la doctrina está conforme en reconocer rango constitucional al principio de proporcionalidad. A este respecto, COBO DEL ROSAL y VIVES ANTÓN —primeros autores que se refirieron al principio de proporcionalidad en sentido amplio o prohibición del exceso como límite al *ius puniendi*— afirman la vigencia del principio a partir del art. 1 de la Constitución, no sólo en tanto ese precepto constituye una proclamación del Estado de Derecho, «*sino también en la medida en que declara que la libertad es un valor superior del ordenamiento español*», toda vez que el principio de prohibición del exceso constituye «*una regla de maximalización de la libertad*». Pero además consideran que la vigencia de ese principio puede inducirse de otros preceptos constitucionales cuales son arts. 15, 17.2.4 y 55.2. COBO DEL ROSAL, M. Y VIVES ANTÓN, T.S.: *Derecho penal. Parte general*, ob. cit., p. 82.

[276]   COBO DEL ROSAL, M./VIVES ANTÓN, T.S.: ob. cit., p. 88 y ss. Asimismo, el Tribunal Constitucional alude al principio de proporcionalidad en sentido estricto como «*la vertiente del principio de proporcionalidad que se refiere a la comparación entre la entidad del delito y la entidad de la pena*» (STC 55/1996, FJ 9º), criterio coincidente con aquella postura doctrinal que, aun minoritaria en nuestro país, sostiene que el principio de proporcionalidad en sentido estricto es un subprincipio del principio de proporcionalidad en sentido amplio. En este sentido, entre otros, CARBONELL MATEU, J.C.: *Derecho penal: concepto…*, ob. cit., p.

suma, debe recordarse con MIR PUIG[277], que no basta constatar la importancia abstracta del bien jurídico sino que deberá determinante el concreto *grado de afectación* del bien, para determinar lo penalmente exigible.

La decisión del legislador en la configuración de los tipos penales deberá fundarse, pues, en una *ponderación* entre el aludido principio de *mínima intervención* y la *necesidad* de protección de los intereses tutelados, de acuerdo con la Exposición de Motivos del actual Código Penal, adaptando positivamente el texto punitivo a los valores constitucionales. Ponderación que no redunda en un «detrimento del principio de intervención mínima» —tal y como afirma en ese sentido ESTEVEZ GOYTRE[278]— pues dicho principio debe estar siempre presente, como límite al *ius puniendi*, en aras de una cuidadosa selección de las conductas que se tipificarán penalmente, dando así «prudente acogida» a nuevas formas de delincuencia, elevando sólo los atentados más graves al rango de injusto penal.

En definitiva, de respetarse estos postulados básicos del derecho punitivo, conectando los distintos principios constitucionales en materia penal, habrá que calificar de plausibles las transformaciones legislativas de infracciones administrativas de mayor gravedad en ilícitos penales.

El propio *Tribunal Constitucional,* en Sentencia de 3 de octubre de 1983[279], reconoce la potestad sancionadora de la Administración, citando entre las posibles razones, «la conveniencia de no recargar en exceso las actividades de la Administración de Justicia como consecuencia de *ilícitos de gravedad menor,* así como la conveniencia de dotar de una mayor eficacia al aparato represivo en relación con ese tipo de ilícitos y la conveniencia de una mayor inmediación de la autoridad sancionadora respecto de los hechos sancionados». La citada Sentencia del Tribunal Constitucional, se refiere junto al principio de gravedad, a las razones de *política criminal* que fundamentan la represión administrativa

---

191 y ss.; VIVES ANTÓN, T.S.: «Presupuestos constitucionales de la prevención y represión del tráfico de drogas tóxicas y estupefacientes», en *Problemática jurídica y psicosocial de las drogas,* 1987, p. 245 y ss.

277   MIR PUIG, S.: «Bien jurídico y bien jurídico-penal...», ob. y loc. cit.

278   Si bien, luego matiza este autor que el principio de intervención mínima no puede esta «*del todo*» ausente, de modo que se tipifiquen los aspectos más importantes de las agresiones, refiriéndose en concreto a las urbanísticas. ESTEVEZ GOYTRE, R.: «Límites entre el Derecho penal y el Derecho administrativo sancionador: especial referencia a los delitos sobre la ordenación del territorio en relación con las infracciones urbanísticas», en *Actualidad Administrativa,* nº 30, 1996, p. 638 y 640.

279   Sentencia de 3 de octubre de 1983 (Sala Segunda). Recurso de amparo nº 368/82. Ponente: D. Luis Díez Picazo (B.O.E. de 7 de noviembre de 1983).

de «ilícitos de gravedad menor», concretamente a la conveniencia de dotar de una mayor eficacia al aparato represivo en relación con ese tipo de ilícitos, dando de ese modo cumplimiento a los mandatos constitucionales correspondientes, y por supuesto a una demanda social perceptible. Criterio de la unidad sustancial[280] entre ilícito penal y administrativo adoptado también por el *Tribunal Supremo,* básicamente a partir de las Sentencias de 2 y 25 de marzo de 1975[281].

Pues bien, cuando la Administración impone una sanción por una infracción administrativa[282], dicha infracción puede consistir en un *ataque de menor intensidad* al mismo bien jurídico[283] que tutela el ordenamiento jurídico-penal,

---

[280]   NIETO se plantea qué quieren decir exactamente los tribunales, y en ciertos casos la doctrina científica, cuando afirman la «identidad ontológica» de delitos e infracciones administrativas. Pues bien, partiendo de que dicha expresión se refiere a la *naturaleza* o esencia de los ilícitos, considera que esa naturaleza idéntica es de carácter *normativo,* pues los dos ilícitos no son ontológicamente iguales o desiguales en el sentido real, sino que son conceptos *normativos*, pues el ilícito no existe en la realidad hasta que no es creado por la norma, concluyendo que se trata de una *ontología normativa.* Por ello se remite a la jurisprudencia italiana, en su interpretación de que «la distinción entre delito e infracción administrativa es solamente normativa, puesto que la decisión de configurar un comportamiento humano como delito o como ilícito administrativo, aunque esté inspirada normalmente por el criterio de la consideración de la importancia de los bienes jurídicos tutelados y de la gravedad de su agresión, es no obstante y solamente el resultado de una decisión meramente discrecional fundada sobre criterios de política legislativa. El ilícito administrativo no se distingue conceptualmente del penal si no es por la sanción conminada en la ley, que siempre es una pena pecuniaria administrativa» (S. Trib. Rávena, 21 de noviembre de 1981). NIETO GARCÍA, A.: *Derecho administrativo sancionador,* Madrid, 1993, p. 188.

[281]   RA 1168 y 1472, respectivamente. Vid. un comentario sobre las citadas sentencias en GARCÍA DE ENTERRÍA/T.R. FERNÁNDEZ: *Curso de Derecho Administrativo,* II, 1993.

[282]   No entraremos en la cuestión relativa a la naturaleza de su potestad sancionadora, aspecto éste discutido ya ampliamente por la doctrina y que entiendo excede del propósito del trabajo presente. Unicamente señalaré que mantengo la posición negadora de un poder propio de la Administración, por el que ejerza su actividad sancionadora, ya que dicha actividad supone el ejercicio de la actividad punitiva del Estado, única e indivisible. Vid. ampliamente, COBO DEL ROSAL, M./VIVES ANTÓN, T.S.: *Derecho penal. Parte general...,* ob. y loc. cit. Asimismo, AGULLÓ AGÜERO, A.: *«Non bis in idem,* contrabando y tráfico de drogas», en *Problemática jurídica y psicosocial de las drogas,* Valencia, 1987, p. 19.

[283]   En ese sentido, ACALE SÁNCHEZ sostiene cómo el Derecho administrativo sancionador interviene también con el mismo fin protector y sobre los mismos bienes jurídicos. ACALE SÁNCHEZ, M.: *Delitos urbanísticos,* ob. cit., p. 104. En la misma dirección QUINTERO OLIVARES, afirmando cómo, en consecuencia, la defensa de bienes jurídicos no es patrimonio exclusivo del Derecho penal, en: «La autotutela, los límites al poder sancionador de la Administración Pública y los principios inspiradores del Derecho penal», en *Revista de Administración Pública,* nº 126, sept.-dic. 1991, p. 257. En esta línea, GARCÍA-PABLOS sostiene cómo actualmente no cabe disociar bien jurídico e intereses de la Administración.

éste frente a las agresiones de mayor gravedad, de lo que se deriva que no existe diferencia cualitativa, sino únicamente basada en la entidad del ataque frente a ese bien jurídico, lo que provocará la reacción de uno u otro sector del ordenamiento jurídico, del Derecho Administrativo frente a agresiones menos graves y del Derecho Penal frente a las más graves. Por tanto, podemos afirmar que, aunque posean un *bien jurídico categorial común,* como acertadamente señala GONZÁLEZ CUSSAC, su tutela se realizará en *dos planos,* en atención a la mayor o menor relevancia de la infracción. En este sentido, afirma cómo el quebrantamiento del Derecho debe ser menos grave en el caso del Derecho Administrativo, con base en diversos motivos, «bien porque el bien jurídico categorial se concrete en bienes específicos de menor entidad; o porque no se haya producido lesión; o porque no exista dolo, etc.»[284]. De ello se desprende, pues, que lo decisivo en orden a la referida diferenciación entre ilícito penal e ilícito administrativo puede ser, no sólo el contenido de injusto, el grado de lesividad, sino también los criterios de imputación de ese injusto.

A partir de estas diferencias de orden cuantitativo, dicha línea de demarcación entre el ilícito penal y el ilícito administrativo, es *delimitada positivamente por el legislador*[285], si bien, dicha decisión en un momento concreto debe tomarse lógicamente no de forma caprichosa[286] sino atendiendo a la *gravedad* de la infracción. De este modo, la regulación penal, justificada por la gravedad de la ofensa de los intereses o valores en juego, recibe una valoración temporal[287], de

---

Cfr. GARCÍA PABLOS: «La eliminación del requisito de la cuantía en determinados supuestos delictivos», en *Comentarios a la legislación penal,* nº 3, Delitos e infracciones de contrabando, 1984, p. 259.

[284] V. GONZÁLEZ CUSSAC, J.L.: *El delito de prevaricación,* ob. cit., p. 38. A este respecto, la despenalización de la modalidad imprudente en el delito de prevaricación, conducirá a afirmar su tratamiento como infracción administrativa, reservándose el Derecho Penal únicamente para sancionar la modalidad dolosa.

[285] En ese sentido, CEREZO MIR: «Límites entre el Derecho penal y el Derecho administrativo», ob. cit.; TORIO LÓPEZ, A.: «Injusto penal e injusto administrativo...», ob. y loc. cit.; ESTEVEZ GOYTRE, R.: «Límites entre el Derecho penal y el Derecho administrativo sancionador: especial referencia a los delitos sobre la ordenación del territorio en relación con las infracciones urbanísticas», ob. cit., p. 635.

[286] En opinión de NIETO GARCÍA, el decisionismo del legislador se basa en la realidad únicamente en «criterios propios absolutamente coyunturales», afirmando que «...el Legislador ha tenido el *capricho* de convertir de golpe algunas infracciones en delitos, y en otros casos a la inversa», calificándolo de «...meras etiquetas que el Legislador va colocando libremente por razones de una política punitiva global en la que se utiliza a las normas como simples instrumentos». NIETO GARCÍA, A.: *Derecho Administrativo Sancionador,* cit. p. 130.

[287] En este sentido, DE LEÓN VILLALBA, F.J.: *Acumulación de sanciones penales y administrativas... ob. cit., p. 258.*

acuerdo con el criterio del legislador encargado de adoptar una u otra regulación. De ahí precisamente que, no serían posible los cambios de infracción administrativa a penal o viceversa, si no apreciáramos tal identidad cualitativa entre ambas infracciones.

El criterio de la diferencia cuantitativa parece ajustarse, pues, a lo dispuesto en el art. 25.3 de nuestra Constitución cuando señala que «*la Administración civil no podrá imponer sanciones que, directa o subsidiariamente, impliquen privación de libertad*», prohibiéndose a la Administración la imposición de las sanciones, en principio, más graves.

Sin embargo, se formulan por la doctrina *objeciones* a este precepto, entre las que cabe destacar las siguientes: en primer lugar, el hecho de que la prohibición no se extienda a otras penas graves, como sanciones privativas de derechos o restrictivas de libertad[288], posiblemente debido al fundamento originario del precepto, basado en un intento de evitar la «prisión por deudas» por impago de multas administrativas.

Asimismo, en segundo término, se le objeta al precepto el que, en muchos casos, se invierte el orden valorativo, cuando las multas impuestas en vía administrativa son, cuando menos igual, o incluso en muchos casos de mayor entidad que la sanción penal. Esta última cuestión ha generado desde siempre abundantes críticas doctrinales; no obstante algun autor, en un intento de encontrar explicación a esta inversión valorativa, fundamenta la cuantía de las sanciones administrativas por la admisión, en el ámbito sancionador administrativo, del principio de responsabilidad directa de las personas jurídicas, que exige que las multas deban alcanzar grandes cuantías para que puedan desempeñar con eficacia su finalidad preventiva, al resultar, de otro modo, integrables en los costes de producción de las empresas[289].

---

[288] En un sentido similar, CARBONELL MATEU, J.C.: *Derecho penal: concepto y principios constitucionales*, ob. y loc. cit.

[289] LOZANO CUTANDA, B.: «La tensión entre eficacia y garantías en la represión administrativa: aplicación de los principios constitucionales del orden penal en el derecho administrativo sancionador con especial referencia al principio de legalidad», en *Las fronteras del Código penal y el Derecho Administrativo Sancionador*. Cuadernos de Derecho Judicial, 1997, p. 43 y ss. Asimismo, LOZANO entiende también puede tener su explicación por la importancia de los bienes jurídicos cuya protección tiene encomendada el Derecho Administrativo sancionador, citando como ejemplo la protección del medio ambiente. Sin embargo LOZANO parece olvidarse que dicha protección se encomienda desde la Constitución a *ambos* sectores del ordenamiento, correspondiendo al ordenamiento penal el castigo de las infracciones más graves, lógicamente con sanciones más graves.

Lo cierto es que la solución a este modelo legal debe pasar, en mi opinión, por una reestructuración valorativa de los ilícitos, junto a un necesario acomodo a los principios constitucionales de ofensividad y proporcionalidad de las sanciones, garantizando la mayor gravedad de las penas frente a las sanciones administrativas.

A la vista de lo expuesto, en la regulación penal de los atentados contra el Patrimonio Histórico, deberán incriminarse aquellos comportamientos que, por su singular entidad, supongan una lesión *intolerable* de aquél, relegando el resto de infracciones de menor entidad al Derecho Administrativo Sancionador. Por ello, de acuerdo con la lógica penal, el ámbito de las infracciones administrativas contra el Patrimonio Histórico Español es mucho mayor que el de los delitos, con base en el referido principio de mínima intervención. Concretamente, el art. 76.1 de la LPHE relaciona una serie de hechos que constituyen infracciones administrativas[290], respecto de las cuales hubiera resultado preferible, a mi juicio, haberse realizado una distinción atendiendo a su gravedad entre infracciones administrativas leves, graves y muy graves. Pese a ello, la diferente cuantía económica de las sanciones en los supuestos donde la lesión

---

[290] Art. 76.1: «Salvo que sean constitutivos de delito, los hechos que a continuación se mencionan constituyen infracciones administrativas que serán sancionadas conforme a lo dispuesto en este artículo:

a) El incumplimiento por parte de los propietarios o de los titulares de derechos reales o los poseedores de los bienes de las disposiciones contenidas en los arts. 13; 26.2, 4 y 6; 28; 35.3; 36.1 y 2; 38.1; 39; 44; 51.2 y 52.1 y 3.

b) La retención ilícita o depósito indebido de documentos, según los dispuesto en el art. 54.1.

c) El otorgamiento de licencias para la realización de obras que no cumplan lo dispuesto en el art. 23.

d) La realización de obras en Sitios Históricos o Zonas Arqueológicas sin la autorización exigida por el art. 22.

e) La realización de cualquier obra o intervención que contravenga lo dispuesto en los arts. 16, 19, 20, 21, 25, 37 y 39.

f) La realización de excavaciones arqueológicas u otras obras ilícitas a que se refiere el art. 42.3.

g) El derribo, desplazamiento o remoción ilegales de cualquier inmueble afectado por un expediente de declaración como Bien de Interés Cultural.

h) La exportación ilegal de los bienes a que hacen referencia los arts. 5 y 56.1 de la presente ley.

i) El incumplimiento de las condiciones de retorno fijadas para la exportación temporal legalmente autorizada.

j) La exclusión o eliminación de bienes del Patrimonio Documental y Bibliográfico que contravenga lo dispuesto en el art. 55».

no sea valorable económicamente[291], parece que implícitamente supone llevar a cabo tal distinción. Ahora bien, no debe olvidarse que el ordenamiento jurídico en materia de Patrimonio Cultural se encuentra actualmente plenamente descentralizado, por lo que, de ese modo, si existe legislación autonómica que regule la materia, ésta y, en concreto, los preceptos relativos a las infracciones y sanciones[292] se convierten en la normativa aplicable en su territorio, con carácter *preferente* frente al derecho estatal, convertido éste por tanto en derecho supletorio.

3. Aplicación del principio «ne bis in idem»

3.1. Consideraciones previas

Tal y como ya se adelantó, si revisamos los tipos penales y las infracciones administrativas en materia de Patrimonio Histórico, observamos cómo en determinadas ocasiones, los comportamientos infraccionables son subsumibles en ambas ramas del ordenamiento jurídico, dando lugar a una superposición de los esquemas de tutela. Así, por ejemplo, de acuerdo con la regulación actual, un supuesto de derribo ilegal de un edificio declarado como Bien de Interés Cultural está previsto, tanto en la legislación administrativa, entre sus infracciones, como en la actual legislación penal, concretamente en el tipo previsto en el artículo 321 del Código Penal[293].

---

[291] Art. 76.2: «Cuando la lesión al Patrimonio Histórico Español ocasionada por las infracciones a que se refiere el apartado anterior sea valorable económicamente, la infracción será sancionada con multa del tanto al cuádruplo del valor del daño causado.
3. En los demás casos se impondrán las siguientes sanciones:
A) Multa de hasta 10.000.000 de pesetas en los supuestos *a)* y *b)* del apartado 1.
B) Multa de hasta 25.000.000 de pesetas en los supuestos *c), d), e)* y *f)* del apartado 1.
C) Multa de hasta 100.000.000 de pesetas en los supuestos *g), h), i)* y *j)* del apartado 1».

[292] A modo de ejemplo, la Ley 4/1998, de 11 de junio, de Patrimonio Cultural Valenciano, define en su apartado 1 del art. 97 lo que considera son infracciones administrativas en sede de Patrimonio Cultural, clasificándolas a continuación en leves, graves y muy graves.

[293] Tal y como se ha expuesto *supra*, de acuerdo con el art. 76.1 g) de la LPHE, se considera como infracción administrativa el *derribo*, desplazamiento o remoción ilegales de cualquier inmueble afectado por un expediente de declaración como Bien de Interés Cultural. Asimismo, en la legislación autonómica, a título de ejemplo, el art. 97.4 de la ya citada Ley Valenciana considera como infracción *muy grave:* «a) El derribo, total o parcial, de los inmuebles incluidos en el Inventario, así como el otorgamiento de licencias de demolición, contraviniendo la prohibición expresa del art. 20». De forma similar, el art. 71.4 de la Ley 9/1993, de 30 de septiembre, de Patrimonio Cultural Catalán, considera infracción muy grave: «a) *el derribo, total o parcial, de inmuebles declarados de interés nacional»*.

Pues bien, al ser tanto el Derecho Penal como el Derecho Administrativo manifestaciones de un único *ius puniendi* del Estado, se propugna la aplicación de los principios y garantías propios del Derecho Penal, como rama jurídica más avanzada en el terreno garantista, al Derecho Administrativo. Consecuentemente, el punto de partida para articular las relaciones entre ambas ramas del ordenamiento jurídico debe pasar por un acomodo a los preceptos constitucionales, sometiendo el Derecho Administrativo Sancionador, y en concreto el disciplinario, al sistema de **garantías** y principios fundamentales del Derecho Penal.

Como decía GARCÍA DE ENTERRÍA, frente al afinamiento de los criterios y métodos del Derecho Penal, el Derecho Sancionador Administrativo aparecía como un derecho represivo primario y arcaico, donde tenían cabida las antiguas y groseras técnicas de la responsabilidad objetiva, del *versari in re illicita*, de supuestos estimativos y no tipificados legalmente, afirmando dicho autor como: «...sin hipérbole puede decirse que el Derecho administrativo sancionatorio es un derecho represivo pre-beccariano»[294].

En la búsqueda de la razón de ser de la «importación» de los principios penales al ámbito del Derecho Administrativo Sancionador, NIETO GARCÍA[295] —pese a manifestar su suspicacia hacia la concepción de la potestad sancionadora de la Administración como emanación del *ius puniendi* único del Estado, y afirmar cómo, consecuentemente, debiera entonces regirse por el Derecho público estatal del que emana— considera, sin embargo, como resulta *recomendable* en la práctica aplicar materiales procedentes del Derecho Penal por motivos de *mera oportunidad,* los cuales desglosa en tres razones precisas: una *cronológica,* pues el Derecho penal ya tiene consolidados sus principios fundamentales; una segunda razón *constitucional,* pues los principios inspiradores del Derecho Penal son progresistas en cuanto suponen una garantía para los ciudadanos, por lo que es lógica una igualación hacia arriba; y por último, una razón de carácter *dogmático,* pues los principios penales son los únicos que

---

En la nueva tipificación de los ilícitos penales relativos al Patrimonio Histórico, el tipo penal previsto en el art. 321 sanciona concretamente los derribos de edificios singularmente protegidos, entre los que se encuentran, a mi juicio, como ya se expondrá, los reconocidos como Bien de Interés Cultural. En consecuencia, ello conduce, a juicio de CARMONA SALGADO, «a una indeseable yuxtaposición de injustos de ambas naturalezas». CARMONA SALGADO: *Curso de Derecho Penal. Parte Especial* (II) (dir. por COBO DEL ROSAL), 1997, p. 12.

[294] GARCÍA DE ENTERRÍA, E.: «El problema jurídico de las sanciones administrativas», en *Revista Española de Derecho Constitucional,* nº 10, 1976, p. 399 y ss.

[295] NIETO GARCÍA, A.: *Derecho Administrativo Sancionador,* ob. cit., pp. 90, 136, 143 y 147.

hasta ahora se conocen como expresión del *ius puniendi* del Estado. Si bien el citado autor advierte como, no debe admitirse una aplicación automática de los principios, sino que ésta ha de hacerse «con matices» y con *atenuado rigor y flexibilidad.*

Igualmente, TORIO LÓPEZ, pese a su preferencia por un criterio valorativo para delimitar los ilícitos penales y administrativos, ello no le conduce a prescindir de las garantías propias del Derecho Penal para ambas formas de injusto, por su carácter vinculante, «*como categorías inherentes al Estado de Derecho*»[296].

Por su parte, el **Tribunal Supremo** genera una teoría de aplicación de principios a toda infracción, si bien con la flexibilidad adecuada al concreto sector aplicable.

Así, viene afirmando en sus resoluciones, incluso antes de la entrada en vigor de la Constitución de 1978, como son las técnicas del Derecho Penal las que integrarán la ausencia de una parte general en la legislación de las infracciones y sanciones administrativas[297]. Se manifiesta en el mismo sentido en otras sentencias, entre las que puede destacarse la STS de 28 de mayo de 1987, en la cual expone como: «...es de señalar la trascendencia que en esta materia tiene la doctrina que informa la proyección de los principios penales al Derecho administrativo sancionador, que si ha aparecido a través de los tiempos como un derecho primario frente al Derecho penal, esta situación debe entenderse superada tras la entrada en vigor de la Constitución en donde la sanción penal y la administrativa reciben la misma declaración del constituyente conforme al art. 25 del Texto Fundamental... lo que hace que los principios inspiradores del orden penal son de aplicación, con ciertos matices, al Derecho administrativo sancionador, dado que ambos son manifestaciones del ordenamiento punitivo del Estado, tal como refleja la Constitución (art. 25 que consagra el principio de legalidad) y una muy reiterada jurisprudencia de este Tribunal Supremo...».

Reincide en la llamada a los principios penales en STS de 15 de octubre de 1988, a cuyo tenor: «Habida cuenta del paralelismo esencial entre el derecho penal y el derecho administrativo, ello permite la extrapolación a éste de aquellos principios de aquel en que, siendo de obligada observancia en la

---

[296] TORIO LÓPEZ, A.: «Injusto penal e injusto administrativo», ob. cit., p. 2.542.
[297] SSTS de 25 de marzo de 1972 (RJ 1472), y de 12 de diciembre de 1997. En la última resolución citada del Tribunal reconoce «la necesidad de atenerse a los principios jurídicos que informan el Derecho penal en materia de imposición de sanciones administrativas, puesto que en todo caso cualquiera que sea la naturaleza del órgano a que se atribuya la función sancionadora, jurisdiccional o estrictamente administrativa, se actúa el *ius puniendi*».

actividad procesal punitiva de la jurisdicción penal lo han de ser también en la actividad sancionadora de la Administración...» (FJ 3º).

Más recientemente, en STS de 29 de mayo de 1991, se sostiene cómo la capacidad sancionadora de la Administración debe ejercerse con estricta sujeción a los principios constitucionales y a los principios de orden penal.

Cerrando este repaso meramente expositivo de algunos de los pronunciamientos jurisprudenciales acerca de la aplicación de los principios inspiradores del orden penal al orden administrativo sancionador, la STS de 9 de abril de 1996, en su fundamento jurídico segundo, pone de manifiesto cómo: «Esta Sala, a través de reiterada jurisprudencia viene sosteniendo que la teoría general del ilícito como supraconcepto comprensivo tanto del penal como del administrativo establece que la potestad sancionadora de la Administración ha de ejercitarse *ajustándose a los principios esenciales inspiradores del orden penal,* ya que dicha potestad tiene como soporte teórico la *negación de cualquier diferencia ontológica entre sanción administrativa y penal»* (la cursiva es añadida).

El **Tribunal Constitucional** justifica la legitimidad de la doctrina de la unidad del ordenamiento punitivo del Estado en un concreto precepto: el art. 25.1 CE. En su primer pronunciamiento sobre este tema, la STC 18/1981, de 8 de junio[298], proclama que: «Ha de recordarse que los principios inspiradores del orden penal son de aplicación, con ciertos matices, al derecho administrativo sancionador, dado que ambos son manifestaciones del poder punitivo del Estado, tal y como refleja la propia Constitución (art. 25, principio de legalidad)... y una muy reiterada jurisprudencia del Tribunal Supremo (SS de 29 de septiembre, 4 y 10 de noviembre de 1980, entre las más recientes) hasta el punto de que un mismo bien jurídico puede ser protegido por técnicas administrativas o penales, si bien en el primer caso con el límite que establece el art. 25.3 al señalar que la Administración Civil no puede imponer penas que directa o subsidiariamente impliquen privación de libertad...».

La doctrina de la *unidad del ordenamiento punitivo* es reiterada por el Tribunal Constitucional[299], declarando aplicables al Derecho Sancionador Administrativo no sólo los principios en un sentido material sino también las

---

[298]   Vid. los comentarios a las SSTC de 30 de enero y 8 de junio de 1981, en GARCÍA DE ENTERRÍA, E.: «La incidencia de la Constitución sobre la potestad sancionadora de la Administración: dos importantes sentencias del Tribunal Constitucional», en *Revista Española de Derecho Administrativo,* nº 29, abril-junio 1981. Concepción reitera posteriormente en STC 26/94, de 27 de enero (RTC 1994, 26).

[299]   Entre las SSTC que reconocen la constitucionalidad de que un mismo bien jurídico sea protegido por técnicas administrativas y penales, pueden verse las nº 76/1990 y 161/1997.

garantías procesales del art. 24 de nuestra Carta Magna[300]. Llamada a la aplicación de los principios en materia de procedimiento que también se encuentra prevista en la jurisprudencia del Tribunal Supremo[301].

En suma, el art. 25.1 de nuestra Norma Suprema prevé una serie de *garantías de carácter material*, propias del principio de legalidad, que son aplicables a todo el Derecho sancionador, ofreciendo de ese modo una regulación unitaria del fenómeno incriminador, naturalmente desde el entendimiento de la identidad sustancial o, en otros términos, de la distinción únicamente cuantitativa de delitos y penas e infracciones y sanciones administrativas. Entendemos pues que no sería posible la extensión de las garantías propias de los delitos y las penas a las infracciones y sanciones administrativas si no aceptamos la identidad entre unas u otras, esto es, admitiendo únicamente diferencias cuantitativas. Pero además, se trasladan, no sólo los principios penales materiales, sino también los referentes al *proceso* penal, si bien se precisa que no se trata de una «interpretación literal», sino que la traslación de los «principios inspiradores del orden penal»[302] debe realizarse «*con ciertos matices*»[303], rechazándose una aplicación automática de los principios penales al orden administrativo sancio-

---

[300] Entre las resoluciones más paradigmáticas conviene destacar la STC 77/1983, de 30 de octubre, en la que nos detendremos más adelante, en la cual se justifica la existencia de una potestad atribuida al Derecho Administrativo Sancionador al amparo del art. 25.3, si bien la somete a determinados límites. Así, en su FJ 3° señala entre los límites a dicha potestad sancionadora: «…c) el respeto de los derechos de defensa, reconocidos en el art. 24 de la CE, que son de aplicación a los procedimientos que la Administración siga para la imposición de sanciones».

[301] Entre otras, SSTS de la Sala 4ª, de 29 de septiembre, de 4 y 10 de noviembre de 1980, de 7 de mayo de 1981 (Sala 2ª) la cual lo conceptúa como «*un principio público de garantía procesal*».

[302] Véase sobre dicha cuestión: GARCÍA DE ENTERRÍA, E.: *La Constitución como norma y el Tribunal Constitucional*, ob. cit., p. 248 y ss.

[303] Vid. *supra* la citada STC de 8 de junio de 1981. Advertencia relativa a la flexibilidad de la aplicación de los mencionados principios que vuelve a realizar el Alto Tribunal en la ya citada sentencia de 26 de abril de 1990 (RJ 1990/76) afirmando que: «la recepción de los principios constitucionales del orden penal por el Derecho Administrativo Sancionador no puede hacerse mecánicamente y sin matices, esto es, sin ponderar los aspectos que diferencian uno y otro ordenamiento jurídico». En esta misma dirección, véase la STC 246/1991.

A este respecto, el propio Tribunal Supremo recoge la postura del Constitucional en sentencia de 8 de febrero de 1994 (RJ 1994/1077) declarando que «…hay que recordar que la jurisprudencia constitucional tiene reiteradamente declarado que, si bien es cierto que los principios inspiradores del orden penal son de aplicación, con ciertos matices, al Derecho administrativo sancionador, no lo es menos que esta operación no puede hacerse de forma automática, porque la aplicación de dichas garantías al procedimiento administrativo sólo es posible en cuanto que resulte compatible con su naturaleza».

nador, toda vez que las garantías que se derivan del mencionado principio de legalidad no pueden operar lógicamente en ambos procesos sancionadores (penal y administrativo) del mismo modo.

En definitiva, comprobada la vigencia de estos principios más allá de los límites del Derecho penal substantivo, con mayor motivo debía afirmarse su aplicabilidad en el ámbito de las relaciones entre el Derecho Penal y el Derecho Administrativo Sancionador[304]. Aplicación de los principios penales al orden administrativo sancionador que resulta prevista tanto en la legislación administrativa[305] como en la jurisprudencia ordinaria y constitucional: en concreto, los principios de legalidad[306], tipicidad[307], irretroactividad[308] de las normas sancionadoras, proporcionalidad de las sanciones[309], así como el principio *ne bis in idem*[310], indiscutiblemente aplicable en relación con las sanciones penales y administrativas.

---

[304] La aplicación de los principios penales al Derecho Administrativo sancionador se ve confirmada por la *jurisprudencia del Tribunal Europeo de Derechos Humanos* (doctrina vinculante en la interpretación de nuestros derechos fundamentales, en virtud del art. 10.2 CE).

[305] Principios y garantías que, en el ámbito del Derecho Administrativo sancionador, son recogidos en la Ley de Régimen Jurídico de las Administraciones Públicas y del Procedimiento Administrativo Común (Ley 30/1992, modificada por Ley 4/1999); concretamente, es en su Exposición de Motivos *(legalidad y tipicidad)*, así como en su Título IX «De la potestad sancionadora», donde se regulan los principios generales de la potestad sancionadora de la Administración.

[306] Entre los límites a la potestad sancionadora de la Administración, se encuentra, en primer término, tal y como pone de manifiesto la STC 77/1983, de 3 de octubre: «a) la *legalidad*, que determina la necesaria cobertura de la potestad sancionadora de la Administración en una norma de rango legal, con la consecuencia de carácter excepcional que los poderes sancionadores en manos de la Administración presentan...». Principio de legalidad recogido en el art. 127 LRJAP-PAC. Véase acerca del principio de legalidad, BOIX REIG, J.: «De nuevo sobre el principio de legalidad», en *Revista General del Derecho*, nº 512, mayo 1987, p. 2.289 y ss.

[307] La extensión de dicho principio al Derecho Administrativo Sancionador (art. 129 LRJAP-PAC) ha sido aceptada por el Tribunal Constitucional en sentencia 62/1982, de 15 de octubre, así como por el Tribunal Supremo en resolución de 8 de febrero de 1985.

[308] STC 18/1981, de 8 de junio; SSTS de 4 y 10 de noviembre de 1980. Principio de irretroactividad recogido en el art. 128 LRJAP-PAC.

[309] Art. 131 LRJAP-PAC. Como ya anticipamos, en nuestro país, el tránsito del Estado liberal a un Estado liberal, en contraste con el ámbito del Derecho europeo, no dio lugar a la aludida «hipertrofia penal», sino que, por contra, se produce una desmesurada extensión de materias sobre las que incide la potestad sancionadora de la Administración.

[310] Art. 133 LRJAP-PAC.

3.2. Sentido y alcance del principio «*ne bis in idem*»

Aceptando que las diferencias entre los ilícitos penales y administrativos sean meramente *cuantitativas,* así como la posibilidad de identidad del bien jurídico tutelado en los diferentes órdenes normativos, resulta lógica la negación de la doble sanción por un mismo comportamiento, en aplicación del relevante **principio *ne bis in idem***[311], principio rector de la relación de interferencia entre los referidos ilícitos.

Ahora bien, conviene recordar antes de proseguir, que, aunque el planteamiento inicial del principio se restringía a la acumulación de sanciones penales y administrativas, el Tribunal Constitucional admite —a través de la sentencia 159/85— la aplicación del principio en todos los ámbitos del ordenamiento sancionador estatal, ampliándolo a supuestos de duplicidad de sanciones penales o de sanciones administrativas. Concretamente, se afirma que el principio supone la prohibición de que «por autoridades de un mismo orden y a través de procedimientos distintos, se sancione repetidamente una misma conducta, por entrañar esta posibilidad una inadmisible reiteración en el ejercicio del *ius puniendi* del Estado» (FJ 3º)[312].

A) *Justificación del principio*

En aras de la justificación o fundamento del principio *ne bis in idem,* el Tribunal Constitucional, en la citada sentencia STC 2/81, de 30 de enero, afirma que, el citado principio, «si bien no se encuentra recogido expresamente en los arts. 14 a 30 de la Constitución, que reconocen los derechos y libertades susceptibles de amparo ... va íntimamente unido a los de **legalidad** y **tipicidad**

---

[311] La doctrina utiliza indistintamente la denominación del principio *ne bis in idem* o principio *non bis in idem,* elección basada en la mayoría de casos en preferencias fonéticas, si bien la opción por la locución *ne bis idem* puede justificarse por la constante en su uso en los textos latinos legales con un sentido imperativo. Véase acerca del nacimiento del principio en el marco del proceso romano, DE LEÓN VILLALBA, F.J.: *Acumulación de sanciones penales y administrativas. Sentido y alcance del principio «ne bis in idem»,* Barcelona, 1998, p. 34 y ss.

[312] Doctrina que se reproduce en SSTC 66/86 y 395/94. Recientemente el Alto Tribunal ha afirmado en sentencia de 4 de diciembre de 1997, que, en lo que concierne a la esfera jurídico-penal, el principio *ne bis in idem* «...aparece vinculado a la problemática referida al concurso de delitos y a la pluralidad de procesos penales, así como a la excepción procesal de la cosa juzgada. Siempre que exista identidad fáctica, de ilícito penal reprochado y de sujeto activo de la conducta incriminada, la duplicidad de penas es un resultado constitucionalmente proscrito, y ello con independencia de que el origen de tal indeseado efecto sea de carácter sustantivo o bien se asiente en consideraciones de naturaleza procesal».

de las infracciones recogidos principalmente en el art. 25.1 de la Constitución»
(p. 2 del FJ 4º)[313].

La determinación del Constituyente de declarar la íntima relación entre el
principio *ne bis in idem* y el de legalidad conduce a localizar la conexión entre
ambos, a partir de la idea de *seguridad jurídica*. En este sentido, el principio de
legalidad, como garantía del ciudadano frente al poder punitivo del Estado,
tiene entre sus expresiones más importantes el principio *ne bis in idem*[314].

En un afán de justificar la normativización del principio en el texto constitucional[315], GARCÍA DE ENTERRÍA realiza una interpretación literal de los
términos del art. 25.1 CE, negando la posibilidad de que una determinada
acción u omisión pueda estar incluida simultáneamente en un tipo penal o en
un tipo de infracción administrativa. De acuerdo con su postura afirma: «La
inclusión del non bis in idem en los principios de tipicidad y legalidad de los
delitos, faltas «o infracción administrativa» que se enuncia en el art. 25 parece
clara. La conjunción disyuntiva «o» empleada por el precepto así impone
concluirlo, utilizando el método literal de la interpretación más simple; una
determinada actuación, activa u omisiva, podrá ser tipificada como delito, falta
o como infracción administrativa, pero no como todas o varias de las figuras a
la vez. El texto del art. 25 impone esta conclusión elemental»[316].

Ante tal planteamiento, debemos cuestionarnos si efectivamente el principio
ne bis in idem supone un límite frente al legislador, esto es, una prohibición de
crear normas que reproduzcan supuestos o hipótesis ya reguladas en otras
normas.

Pues bien, de acuerdo con lo expuesto, la prohibición de que recaiga
duplicidad de sanciones sobre la misma conducta ilícita, no supone, a mi juicio,
la negación de la posibilidad por parte del legislador de crear de manera
cautelosa, que no caprichosa, las normas que se estimen pertinentes en cada
momento. En este sentido se manifiesta DEL REY, afirmando a este respecto
que: «la imposibilidad de sancionar doblemente un mismo hecho respecto a un
mismo sujeto y sobre la base de un mismo fundamento en los ámbitos penal y
administrativo no significa que ambos Ordenamientos no puedan tipificar
como infracción un mismo hecho. Con otros términos, lo que el principio non

---

[313] (RTC 1981, 2).
[314] Véase acerca de las garantías concretas derivadas del principio de legalidad, CARBONELL
       MATEU, J.C.: *Derecho penal: concepto y principios constitucionales*, ob. cit., p. 104 y ss.
[315] Así lo entiende también DE LEÓN VILLALBA, F.J.: ob. cit., p. 408.
[316] GARCÍA DE ENTERRÍA, E.: *La Constitución como norma y el Tribunal Constitucional*, ob.
       cit., p. 246 y ss.

bis in idem está vedando es que un mismo hecho sea doblemente sancionado, no que sea doblemente tipificado, administrativa y penalmente»[317].

En cualquier caso, tal y como ha afirmado el Tribunal Constitucional, el legislador goza, dentro de los límites establecidos en la Constitución, de un amplio margen de libertad que deriva de su posición constitucional y, en última instancia, de su legitimidad democrática[318]. El Derecho Penal amplía su ámbito de actuación hacia nuevas áreas, de acuerdo con una política criminal moderna, protectora de bienes jurídicos colectivos que pueden justificar la conminación penal. Esta realidad exige la necesidad de armonizar y compatibilizar la actuación sancionadora en los diversos órdenes normativos, y ha de ser resuelta con respeto al principio *ne bis in idem*.

La mencionada vinculación entre el principio de legalidad y el *non bis in idem* resulta cuestionada por algunos autores, por parecer más aconsejable la fundamentación de este principio en el de *proporcionalidad o prohibición del exceso*[319]. Sin embargo, en opinión de LEÓN VILLALBA[320], no resulta posible considerar dicho principio como el fundamento básico del principio *ne bis in idem,* antes bien aparece como un complemento lógico dentro de la construcción del ilícito en el marco de un Estado social y democrático de Derecho.

A este respecto, el Tribunal Constitucional en sentencia 154/1990, de 15 de octubre, ha expuesto su postura afirmando que: «...Se impide sancionar

---

[317] DEL REY GUANTER, S.: *Potestad Sancionadora de la Administración y Jurisdicción Penal en el Orden Social,* Madrid, 1990, p. 125.

[318] STC 161/1997 (FJ 9º).

[319] En opinión de GONZÁLEZ CUSSAC, resulta forzada su fundamentación en el principio de legalidad y tipicidad, pareciéndole más aconsejable su justificación dentro del principio de proporcionalidad o prohibición del exceso. GONZÁLEZ CUSSAC, J.L.: *El delito de prevaricación...,* ob. cit., p. 34; véase también, GARCÍA ALBERÓ, R.: *«Non bis in idem» Material y Concurso de Leyes Penales,* Barcelona, 1995. PADOVANI, T.: «Tutela di beni e tutela di funzioni nella scelta fra delitto, contravvenzione e illecito amministrativo», en *Cassazione penale,* 1987, p. 670 y ss. Véase *in extenso* acerca del principio de proporcionalidad: VVAA: *Cuadernos de Derecho Público,* nº 5, sep.-dic. 1998.

Vid. el planteamiento que realiza VIVES ANTÓN («Principios penales y dogmática penal», ob. y loc. cit.) sobre el principio de legalidad, no sólo como límite formal del poder punitivo del Estado, sino como límite material. Sobre dichas exigencias materiales y su relación con el principio de legalidad, vid. SSTC 111/1993 y 55/1996.

Otros autores, sin embargo, de su incardinación en el art. 25.1 de la Carta Magna le otorgan al principio *ne bis in idem* la consideración de derecho fundamental, lo que implicaría su protección a través del 53.2 CE. En ese sentido, GARBERÍ LLOBREGAT, J.: «Principio *non bis in idem* y cuestiones de prejudicialidad», en *Las fronteras del Código penal y el Derecho Administrativo Sancionador,* Cuadernos de Derecho Judicial, 1997, p. 81 y ss.

[320] DE LEÓN VILLALBA, F.J.: *Acumulación de sanciones...,* ob. cit., p. 424 y ss.

doblemente por un mismo delito, desde la misma perspectiva de defensa social, o sea, que por un mismo delito recaiga sobre un sujeto una sanción penal principal doble o plural, lo que también contradiría el principio de proporcionalidad entre la infracción y la sanción, que exige mantener una adecuación entre la gravedad de la sanción y la de la infracción…» (FJ 3º)[321].

Ciertamente, partiendo de las consideraciones efectuadas desde el Alto Tribunal, considero que, entre los mencionados principios, más que una relación derivada parece existir realmente una relación de complemento, en el sentido de que, siempre que se infrinja el principio *ne bis in idem* se estará produciendo asimismo una ruptura del principio de proporcionalidad o prohibición del exceso por la respuesta jurídica dada al ilícito; mientras que, la infracción del principio de proporcionalidad, por ser una sanción desproporcionada respecto de la infracción cometida, no supondrá necesariamente la del principio objeto de nuestro estudio.

B) «Ne bis in idem» material. Especial referencia al fundamento de la infracción

Según ha sido expuesto, el principio *ne bis in idem*, si bien no ha sido recogido expresamente en el texto constitucional[322], entre los derechos y libertades susceptibles de amparo, ha sido avalado firmemente por el *Tribunal Constitucional* desde sus primeras resoluciones, otorgándole un contenido mínimo, íntimamente ligado a los valores constitucionales del Orden sancionador. A partir de la célebre STC 2/81, de 30 de enero, se reconoce el valor fundamental del citado principio *ne bis in idem,* insertándose en su marco jurídico base y configurándose como un límite más al *ius puniendi* del Estado[323].

---

[321] Afirmando a continuación que: «…aplicada una determinada sanción a una específica infracción, la reacción punitiva ha quedado agotada. Dicha reacción ha tenido que estar en armonía o consonancia con la actividad delictiva, y la correspondiente condena ha de considerarse como autosuficiente desde una perspectiva punitiva, por lo que aplicar otra sanción en el mismo orden punitivo representaría la **ruptura de esa proporcionalidad,** una reacción excesiva del ordenamiento jurídico, al inflingirse al condenado una sanción desproporcionada respecto a la infracción que ha cometido» (la negrilla es añadida).

[322] Sobre la constitucionalización de este principio, vid. TRAYTER JIMÉNEZ: «Sanción penal-sanción administrativa…», ob. y loc. cit.; véase asimismo COBO DEL ROSAL, BOIX REIG, J.: «Garantías constitucionales del derecho sancionador», en *Comentarios a la legislación penal*, 1982, p. 203.

[323] Se reafirma la doctrina de este Tribunal sobre este principio en otras resoluciones, entre las que destacamos las siguientes: STC 159/1985, de 25 de noviembre; STC 23/1986, de 14 de

Ahora bien, este principio tiene una doble vertiente, material y procesal. De acuerdo con su vertiente material, no podrá imponerse doble sanción cuando exista *identidad de hecho, sujeto y fundamento*[324]. Concretamente la citada STC 2/81 dice: «El principio general del derecho conocido por *non bis in idem* supone, en una de sus más conocidas manifestaciones que no recaiga duplicidad de sanciones —administrativa y penal — en los casos en que se aprecie identidad de sujeto, hecho y fundamento sin existencia de una relación de supremacía especial de la Administración —relación de funcionario, servicio público, concesionario, etc.— que justificase el ejercicio del *ius puniendi* por los Tribunales y a su vez de la potestad sancionadora de la Administración».

Pues bien, antes de determinar el alcance del principio *ne bis in idem* en el ámbito de los delitos contra el Patrimonio Histórico, deben realizarse unas precisiones básicas en relación al mentado principio, partiendo de que las diversas resoluciones jurisprudenciales no explicitan el contenido de la triple

---

febrero; STC 66/1986, de 23 de mayo, en la que no procedía la excepción de cosa juzgada en el procedimiento militar ni se produjo infracción del principio *non bis in idem;* STC 94/1986, de 8 de julio, en la cual se estima que no cabe hablar de violación del citado principio, en el supuesto de negarse el beneficio de redención de penas por el trabajo a los penados o presos preventivos sancionados por el quebrantamiento de condena, por tratarse de una condición negativa del beneficio y no de una sanción; STC 10/1989, de 8 de junio, en la que únicamente se acepta que se ha producido una discrepancia en la valoración de las pruebas obrantes en los procedimientos de peligrosidad y rehabilitación y en el proceso penal propiamente dicho en relación con la autoría de los hechos, por lo que ante todo se considera evidente que no ha habido una doble sanción impuesta a una misma conducta ilícita; STC 150/1991, de 4 de julio, estimando que con la apreciación de la agravante de reincidencia no se vuelve a castigar el hecho o los hechos anteriores, ya ejecutoriamente juzgados, no conculcándose el principio constitucional citado; STC 205/1994, de 11 de julio, sosteniendo que lo vedado no es la dualidad de procedimientos sino la sanción por un mismo hecho; o la STC 204/1996, de 16 de diciembre, estimando el recurso de amparo contra sentencia de la AP de Palma de Mallorca, al considerar que vulneró el principio de legalidad en materia sancionadora consagrado en el art. 25 CE y, dentro del cual, se entiende incluido el principio *non bis in idem*. Por su parte, la doctrina general de la jurisprudencia del *Tribunal Supremo* queda expuesta en pronunciamientos tales como las SSTS de 20 de octubre de 1983 (RA 5907), de 18 de julio de 1984 (RA 3637), de 18 de abril de 1988 (RA 3374), de 16 de julio de 1990 (ARA 6713) o de 8 de octubre de 1993 (S. 2ª), entre otras.

[324] La LRJAP-PAC supone la positivización del principio en el ámbito del Derecho Sancionador Administrativo; a este respecto, su art. 133 prohíbe la acumulación de sanciones penales y administrativas, estableciendo que: «*No podrán ser sancionados los hechos que hayan sido sancionados penal o administrativamente, en los casos en que se aprecie identidad de sujeto, hecho y fundamento*», precepto que ofrece una simple proyección de la doctrina constitucional sobre el *ne bis in idem* en su vertiente material.

identidad (identidad de hecho, de sujeto y de fundamento) exigida para la aplicación del citado principio.

A mi juicio, la determinación de la identidad de *fundamento* es la que más dificultades entraña[325], pues se plantea la duda relativa a si la excepción al principio puesta de relieve por el Tribunal Constitucional podría entenderse como una posibilidad de que, en atención a la especial posición del sujeto con la Administración, posean un fundamento distinto el delito y la infracción disciplinaria[326]. Conviene, pues, precisar que se entiende concretamente por fundamento del delito o de la infracción, en aras a poder resolver si es el

---

[325] La determinación de la identidad *subjetiva* no parece, en principio, problemática, pudiendo reconducirse a la determinación de si existe coincidencia entre la persona sancionada ya por unos hechos y la que puede ser sancionada de nuevo por esos mismos hechos.

Cuestión distinta es admitir la concurrencia de la actividad sancionadora del Estado sobre una persona física y una jurídica por unos mismos hechos cuando entre ambas existe una relación de gestión o representación. En el ámbito penal se puede plantear este problema a raíz de la introducción en el CP de 1995 de las medidas o consecuencias *accesorias,* concretamente las previstas en el art. 129, que suponen, entre otras, la clausura temporal o definitiva de la empresa, la suspensión de sus actividades, así como la prohibición de realizarlas en el futuro, e incluso la disolución de la propia empresa. Se afirma que se trata de medidas que, aunque recaen en las personas jurídicas, tienen por destinatario final la persona individualmente responsable del delito, a la cual se la priva de «un medio peligroso especialmente peligroso para la comisión del delito: el ente corporativo» (SILVA SÁNCHEZ, J.M.: «Responsabilidad penal de las empresas y de sus órganos en el Derecho español», *Fundamentos de un sistema europeo del Derecho penal.* VVAA, 1995, p. 363). A pesar de ello el autor citado mantiene la necesidad de estas medidas accesorias, apoyándose en el principio *ne bis in idem,* afirmando en este sentido que «la prohibición de *bis in idem* impide la concurrencia de la sanción penal al individuo y la administrativa a la empresa, con base en el mismo hecho, de forma que la empresa eludiría cualquier tipo de sanción, pudiendo proseguir su actividad». En esta misma línea, TERRADILLOS BASOCO se mostraba favorable a la introducción de las consecuencias «accesorias» contra las personas jurídicas «para evitar roces chirriantes con dicho principio *(ne bis in idem)*», en «El ilícito ecológico: sanción penal-sanción administrativa», ob. cit., p. 101.

En lo que se refiere a la identidad de *hecho* se plantean dudas acerca del verdadero significado del término; en concreto si se toma el hecho en sentido fáctico o normativo. Y es que, en efecto, como puso de manifiesto VIVES ANTÓN *(La estructura de la teoría del concurso de infracciones,* Valencia, 1981, p. 10) la voz «hecho» aunque tiene un significado normativo, que equivale a tipo de injusto, «se emplea también en un sentido naturalístico que hace referencia al sustrato de la valoración típica, y no a la valoración misma». El propio Tribunal Constitucional no deja claro cuál es el criterio predominante a la hora de determinar la identidad, combinando la referencia a hechos naturales y hechos normativos de forma indistinta (puede verse una relación jurisprudencial de ambos extremos, en DE LEÓN VILLALBA: *Acumulación de sanciones...,* ob. cit., p. 482 y ss.).

[326] Vid. un análisis de la cuestión en AGULLÓ AGÜERO («*Non bis in idem,* contrabando y tráfico de drogas», en *Problemática jurídica y psicosocial de las drogas,* Valencia, 1987, p. 38), autora

elemento esencial para poder diferenciar entre delitos e infracciones administrativas.

De acuerdo con la línea interpretativa del Tribunal Constitucional, presente en la resolución 234/1991, de 10 de diciembre, para que sea admisible la dualidad de sanciones por un mismo hecho, será necesario, «que la normativa que la impone pueda justificarse porque contempla los mismos hechos desde la perspectiva de un interés jurídicamente protegido que no es el mismo que aquel que la primera sanción —de orden penal— intenta salvaguardar...» (FJ 2º)[327].

Tal y como ha expuesto GONZÁLEZ CUSSAC[328], cuando en Derecho Penal se habla de *fundamento* del delito, viene referido a la razón de ser por la que se castiga una conducta, razón que se centra generalmente en la lesión o puesta en peligro del bien jurídico protegido, esto es, en el *contenido de injusto*. Idéntico significado se puede atribuir al fundamento de las infracciones administrativas, toda vez que ya afirmamos como en ellas se protegen asimismo bienes jurídicos. En consecuencia, para resolver si apreciamos identidad de fundamento entre el ilícito penal y el ilícito administrativo deberemos comparar no sólo los respectivos bienes jurídicos protegidos, sino también atender a sus correspondientes contenidos de injusto.

En una posición globalizadora, COBO DEL ROSAL y VIVES ANTÓN afirman cómo: «Con razón exige el Tribunal esa triple identidad, que podía sintetizarse hablando de idéntica infracción o del *mismo contenido de injusto*»[329].

Sobre este particular recordemos como, a pesar de que el bien jurídico categorial puede ser el mismo en los delitos y las infracciones administrativas, en atención a la mayor o menor relevancia de la infracción[330] su tutela se

---

para quien los términos de la exclusión de las relaciones de supremacía especial que se realiza en la sentencia citada del Tribunal Constitucional no significan necesariamente una excepción a la exigencia de triple identidad sino «*la referencia a un supuesto específico en el que suele existir un fundamento diverso que justifica la doble sanción*». Más recientemente, sobre esta cuestión, véase GARCÍA ALBERÓ, R.: «*Non bis in idem*» *Material y Concurso de Leyes Penales*, Barcelona, 1995, p. 64 y ss.

[327] Así, CARBONELL MATEU entiende la unidad de fundamentación referida a «la misma tutela del mismo bien jurídico», en *Derecho penal: concepto y principios constitucionales...*, ob. cit., p. 150 y ss.

[328] GONZÁLEZ CUSSAC, J.L.: *El delito de prevaricación de autoridades y funcionarios públicos...*, ob. cit., p. 37 y ss. *In extenso*, GARCÍA ALBERÓ, R.: «*Non bis in idem*» *Material y Concurso de Leyes Penales*, ob. cit., p. 91 y ss.

[329] COBO DEL ROSAL, M./VIVES ANTÓN, T.S.: *Derecho penal. Parte general*, ob. cit., p. 91.

[330] V. *supra* las afirmaciones realizadas por GONZÁLEZ CUSSAC, J.L.: ob. y loc. cit.

realizará en dos planos; si entre esos dos planos hay una relación de progresión[331] o de medio a fin entre el bien jurídico tutelado en la infracción administrativa y el garantizado en el delito, en ese caso el fundamento será idéntico; mientras que, si se produce una relación de complementariedad, pese a la identidad del bien jurídico categorial, no podrá afirmarse que el fundamento sea exactamente el mismo. En suma, si los respectivos bienes jurídicos específicos *coinciden* o se hallan en una relación de *progresión*, será de aplicación el principio *ne bis in idem*, imponiéndose únicamente la sanción penal[332].

Desde otra vía puede negarse la admisión de la dualidad de sanciones, concretamente acudiendo a la teoría del *concurso de aparente de leyes*[333], el cual vuelve a situarnos en el campo de operatividad del *ne bis in idem*. Así, entre injusto penal y administrativo se dará normalmente una relación de *consunción* a favor del ilícito penal[334]. Si el Derecho penal contempla el desvalor total que el ordenamiento jurídico atribuye a una conducta no cabrá la dualidad de sanciones[335]. Pero, incluso, si el injusto penal abarca sólo una parte de ese

---

[331] En los supuestos de «progresión criminosa» se produce una intensificación cuantitativa en el ataque a un mismo bien jurídico perteneciente a un mismo sujeto. Puede verse acerca del concepto de *progresión criminosa*, GARCÍA ALBERÓ, R.: «*Non bis in idem» Material...*, ob. cit., pp. 171-180 y 345-351. En estos casos, el Tribunal Supremo ha fundamentado la absorción del delito menos grave en el *ne bis in idem* «al que repugna castigar dos veces los actos que, por estar en la misma línea de ataque al bien jurídico protegido, se refunden en la acción culminante y de más entidad penal» (STS 21-6-1976, Ar. 3120).

[332] Cfr. GONZÁLEZ CUSSAC, J.L.: *El delito de prevaricación...*, ob. y loc. cit.

[333] *Ibidem.* Asimismo, OCTAVIO DE TOLEDO afirma que, ni la diferencia de objetos de protección permite la consideración aislada de los ilícitos disciplinarios con los ilícitos penales, pues la relación de estos «con los ilícitos disciplinarios que se muestren concomitantes es de absorción o consunción de los segundos por los primeros; lo injusto de los unos se agota en la infracción del deber impuesto para la preservación de la organización, en tanto que lo injusto de los ilícitos penales, implicando en numerosos casos la infracción de tales deberes, exige, además, la directa afección de algunas de las cualidades que la actividad desarrollada debe poseer para, realmente, estimarse que sirva al conjunto de la población y a cada uno de los que lo componen». OCTAVIO DE TOLEDO Y UBIETO, E.: «El delito de prevaricación de los funcionarios públicos en el Código penal», en *La Ley*, VI, 1996, p. 1.516.

[334] A modo de ejemplo puede citarse la reciente STS de 7 de abril de 1999, Secc. 3ª (Ar. 3067) la cual anuló la sanción por obstrucción a la labor inspectora impuesta a quien, por los mismos hechos había sido condenado penalmente por delito de atentado a funcionario público. En la sentencia se afirma que en ambos ilícitos «el bien jurídico protegido es idéntico: proteger el ejercicio de las funciones públicas». En el caso de autos, razona la sentencia que no era posible sancionar en vía administrativa al ya condenado criminalmente por aquellos hechos, habida cuenta de que «la obstrucción a la actuación inspectora quedó subsumida en el delito de atentado», pues sólo existió «una acción unitaria sin discontinuidad temporal».

[335] Cfr. COBO/VIVES: cit. p. 176. JESCHECK *(Tratado...*, cit. p. 1.038) afirma que con carácter general «...hay que estimar consunción cuando el contenido de injusto y de culpabilidad de

desvalor, pero existe una relación cuantitativa, basada en una relación medio-fin, se puede afirmar que el desvalor del injusto penal absorberá el disciplinario[336].

Asimismo, cuando no pudiera afirmarse si los bienes jurídicos coinciden o se encuentran en una relación de progresión, podemos saber si el Derecho Penal contempla la totalidad del desvalor del hecho, no ya atendiendo al injusto típico sino a la consecuencia jurídica; si es así, no cabrá doble sanción. En consecuencia, siempre que exista entre ambas infracciones una relación de consunción propia o impropia, se aplicará únicamente la sanción penal.

En suma, el dato que se desprende es la íntima conexión entre el alcance del *ne bis in idem* y la *identidad de ilícito penal e ilícito administrativo,* ya que si la finalidad de las distintas normas sancionadoras no fuese la misma, no podría entenderse el por qué de su no imposición simultánea[337].

C) «Ne bis in idem» procesal

La necesidad de impedir la duplicidad sancionadora en casos de concurrencia penal y administrativa conduce a la prohibición de llevar a cabo dos procedimientos por los mismos hechos, afirmación que replantea las relaciones entre el proceso penal y el administrativo, y, consecuentemente, si la autoridad administrativa debe estar subordinada a la autoridad judicial.

La Sentencia del Tribunal Constitucional 77/1983, de 3 de octubre, es de gran trascendencia en este punto, pues, si bien reconoce la potestad sancionadora del Derecho Administrativo al amparo del art. 25.3 CE, la somete a determinados límites, declarando la prioridad absoluta de los tribunales de justicia sobre la Administración. Así, en su fundamento jurídico segundo se dice que: «...nuestra Constitución no ha excluido la existencia de una potestad sancionadora de la Administración, sino que, lejos de ello, la ha admitido en el art. 25, apartado tercero, aunque, como es obvio, sometiéndole a las cautelas necesarias, que preserven y garanticen los derechos de los ciudadanos».

A este respecto, los límites que la potestad sancionadora de la Administración encuentra en el art. 25.1 de la Constitución se enumeran en el siguiente fundamento jurídico:

---

una acción típica alcanza, incluyéndolo, a otro hecho o a otro tipo, de suerte que la condena basada en un solo punto de vista jurídico ya expresa, de forma exhaustiva, el desvalor de todo el proceso».

[336] GONZÁLEZ CUSSAC, J.L.: ob. y loc. cit.

[337] En ese sentido, SUAY RINCÓN, J.: *Sanciones administrativas,* Bolonia, 1989, p. 180.

«a) la legalidad, que determina la necesaria cobertura de la potestad sancionadora en una norma de rango legal, con la consecuencia de carácter excepcional que los poderes sancionatorios en manos de la Administración presentan; b) la interdicción de las penas privativas de libertad, a las que puede llegarse de modo directo o indirecto a partir de las infracciones señaladas; c) el respeto de los derechos de defensa, reconocidos en el art. 24 de la Constitución, que son de aplicación a los procedimientos que la Administración siga para imposición de sanciones, y d) finalmente, la subordinación a la autoridad judicial».

En el mismo fundamento jurídico tercero se dota de especial relevancia a la regla de la *preferencia del orden penal*, conceptuándola en los siguientes términos:

«La subordinación de los actos de la Administración de imposición de sanciones a la autoridad judicial exige que la colisión entre una actuación jurisdiccional y una actuación administrativa haya de resolverse a favor de la primera. De esta premisa son necesarias consecuencias, las siguientes:

a) el necesario control *a posteriori* por la autoridad judicial de los actos administrativos mediante el oportuno recurso; b) la imposibilidad de que los órganos de la Administración lleven a cabo actuaciones o procedimientos sancionadores en aquellos casos en que los hechos pueden ser constitutivos de delito o falta según el Código penal o las leyes especiales, mientras la autoridad judicial no se haya pronunciado sobre ellos; c) la necesidad de respetar la cosa juzgada. La cosa juzgada despliega un efecto positivo, de manera que lo declarado por sentencia firme constituye la verdad jurídica y un efecto negativo, que determina la imposibilidad de que se produzca un nuevo pronunciamiento sobre el tema[338]».

Finalmente el Alto Tribunal afirma que: «Consecuencia de lo dicho, puesto en conexión con la regla de la subordinación de la actuación sancionadora de la Administración a la actuación de los Tribunales de Justicia, es que la primera, como con anterioridad se dijo, no puede actuar mientras no lo hayan hecho los segundos y deba en todo caso respetar, cuando actúe *a posteriori*, el plantea-

---

[338] Sobre este particular, VIVES ANTÓN estima correcto el planteamiento del Tribunal al afirmar que cuando la jurisdicción declara que los hechos no están probados, eso implica, para el ordenamiento, que los hechos no existen y, por consiguiente, la Administración no puede declarar su existencia. Pero además el autor considera que debe añadirse que, en virtud de la presunción de inocencia, la jurisdicción y todos los demás poderes del Estado han de tener ya por inocente respecto de esos hechos al sujeto. VIVES ANTÓN, T.S.: «*Ne bis in idem* procesal», en *Cuadernos de Derecho Judicial*, n° 5, 1992; posteriormente en *La libertad como pretexto*, Valencia, 1995, p. 353.

miento fáctico que aquellos hayan realizado, pues en otro caso se produce un ejercicio del poder punitivo que traspasa los límites del art. 25 de la Constitución…» (FJ 4º).

Estas trascendentales afirmaciones han servido de pauta a constantes pronunciamientos jurisprudenciales posteriores, integrando la vertiente material del principio *ne bis in idem* con efectos de carácter procesal, impidiendo el doble enjuiciamiento por los mismos hechos, e inclinándose, ante la tipificación de un comportamiento por el Derecho Penal así como por el Derecho Administrativo Sancionador, por la preeminencia de la jurisdicción de los Tribunales sobre la actuación sancionadora de la Administración[339]. A este respecto, si se inicia proceso penal por un hecho, las actuaciones de otro orden jurisdiccional o de carácter administrativo han de suspenderse hasta que se resuelva la causa criminal[340].

En suma, a tenor de lo afirmado, no podrá por ello actuar la Administración respecto de aquellos hechos que se encuentren *sub iudice* ante los órganos jurisdiccionales, respetando, si finalmente actúa a posteriori, el planteamiento fáctico realizado por los Tribunales. En el caso de que los Tribunales realicen un pronunciamiento de condena, la Administración se encuentra imposibilitada para imponer una sanción añadida por los mismos hechos.

Ahora bien, resulta necesario traer a colación una cuestión controvertida que se suscita cuando es la Administración la que impone una sanción respecto de un hecho que, posteriormente es enjuiciado y considerado como delito con la imposición de la pena correspondiente. ¿Deberá dejarse sin efecto la sanción administrativa, sin que pueda producir el efecto de cosa juzgada material la actuación sancionadora previa? Además, el problema se verá agravado en aquellos supuestos en que haya sido ejecutada la sanción administrativa mencionada.

Sobre este particular, desde la doctrina científica se propone que, en tales casos, para evitar la infracción del principio *ne bis in idem*, las actuaciones penales puedan iniciarse, incluso cuando se haya cumplido la sanción administrativa, y en caso de ser condenado, si existe coincidencia en la naturaleza de la sanción administrativa y la pena, deducirse del importe de la multa impuesta en vía judicial el de la satisfecha en administrativa[341]; mientras que, de no existir

---

[339] STC de 16 de julio de 1990 (RJ 1990, 6713).
[340] V. STC de 30 de septiembre de 1992 (RJ 1992, 7405).
[341] Cfr. DOMÍNGUEZ LUIS, J.A./FARRE DÍAZ, E.: *Los delitos relativos a la ordenación del territorio*, Valencia, 1998, p. 57 y ss.

dicha coincidencia, se opta por acudir al instituto de la *nulidad* de la sanción gubernativamente impuesta. Este último criterio es el aceptado por TERRADILLOS BASOCO para quien «lo correcto no es descontar ésta (la sanción administrativa) de la pena, sino declarar la nulidad de lo actuado»[342], solución más acorde con la toma de posición que se mantendrá sobre esta cuestión.

El problema ha sido abordado recientemente por el Tribunal Constitucional en su controvertida sentencia de 11 de octubre de 1999[343], en la cual se otorga al recurrente el amparo solicitado, por vulneración del derecho fundamental a la legalidad penal y sancionadora (art. 25.1 CE) en su vertiente de derecho a no ser sancionado doblemente por unos mismos hechos *(ne bis in idem)*, procediendo de forma sorprendente a la anulación de una condena de la Audiencia de Barcelona a un empresario por un delito contra el medio ambiente del art. 347 bis del anterior Código Penal, pues ya había sido sancionado por la Junta de Aguas de la Generalitat de Cataluña[344].

Debe destacarse como, sin embargo, en las alegaciones presentadas por el Ministerio Fiscal se defendía la desestimación del recurso, al entender que las resoluciones penales no incurrían en vulneración del *ne bis in idem*, sino que la causa que originó la vulneración del citado principio fue precisamente la inobservancia por parte de la autoridad administrativa de la regla de preferencia del orden jurisdiccional penal.

Pues bien, los argumentos empleados por el Tribunal Constitucional en la resolución citada pueden resumirse en los siguientes:

En primer lugar, los términos de la controversia se sitúan en que, los órganos jurisdiccionales (tanto el Juzgado de lo Penal, como, en apelación, la Audiencia de Barcelona) parten de apreciar la triple identidad de sujeto, hecho y fundamento, y ello no obstante, no concluyen en un pronunciamiento absolutorio por la sola razón del criterio de la prevalencia de la jurisdicción penal sobre la

---

[342]   TERRADILLOS BASOCO, J.: «El ilícito ecológico: sanción penal-sanción administrativa», ob. cit., p. 89. En estos casos para DE LEÓN VILLALBA, debe conseguirse la aplicación de la sanción jurisdiccional «anulando o dejando sin efecto la administrativa, que como ya vimos en su momento, suele ser previa dada la mayor celeridad de su actuación», en *Acumulación de sanciones...*, ob. cit., p. 535.

[343]   Sala Primera. Sentencia 177/1999, de 11 de octubre de 1999. Recurso de amparo 3657/94.

[344]   La resolución, dictada en el expediente nº D02-00593, estimó que la empresa carecía de autorización para realizar los vertidos y que, además, éstos rebasaban los límites permitidos por la Ley de Aguas de 2 de agosto de 1985. Como consecuencia, se condenó a la industria al pago de una multa de 1 millón de pesetas, la cual fue abonada el 6 de junio de 1991.

potestad administrativa sancionadora, entendiendo, pues, ineludible la ulterior imposición de pena.

En este punto, el alto Tribunal pasa a precisar el alcance del invocado principio afirmando que, su dimensión procesal cobra su sentido a partir de su vertiente material. Así las cosas, se mantiene que: «...la perspectiva que en sus Sentencias condenatorias han considerado los órganos jurisdiccionales ha sido la meramente procedimental en que cristaliza la vertiente procesal del ne bis in idem, desatendiendo su primordial enfoque sustantivo o material, que es el que cumple la función garantizadora que se halla en la base fundamental en juego» (FJ 3°). Es más, se sostiene que la articulación procedimental del principio, se orienta a evitar que recaigan eventuales pronunciamientos de signo contradictorio, concluyendo que, «irrogada una sanción, sea ésta de índole penal o administrativa, no cabe, sin vulnerar el mencionado derecho fundamental, superponer o adicionar otra distinta, siempre que concurran las tan repetidas identidades de sujeto, hechos y fundamento» (FJ 4°).

Sin embargo, en el voto particular a esta sentencia, pronunciado conjuntamente por el Presidente Sr. CRUZ VILLALON, y la magistrada Sra. CASAS BEAMONDE, se manifiesta una discrepancia de la opinión mayoritaria, basada en una serie de razones:

La primera se apoya en que, si bien se coincide con la concepción general de la vertiente material de la interdicción de *bis in idem*, no se comparte su aplicación en el supuesto enjuiciado, basándose para realizar esta afirmación, en que no existe «una absoluta identidad de fundamento entre la sanción administrativa y la penal», pues «la norma penal contiene un elemento que añade desvalor a la infracción administrativa».

La discrepancia se apoya en una segunda razón basada en «la relevancia que asume la reacción penal en un Estado de Derecho, muy especialmente en materia medioambiental», de acuerdo con el mandato constitucional.

Por último, sostienen que, aun si en los hechos de la causa hubiera existido una identidad tal que justificara la aplicación del principio *ne bis in idem*, de acuerdo con lo que ha venido manteniendo la jurisprudencia constitucional desde la STC 77/1983: «La subordinación de los actos de la Administración de imposición de sanciones a la Autoridad Judicial exige que la colisión entre una actuación jurisdiccional y una actuación administrativa haya de resolverse a favor de la primera». A este respecto, la interpretación que aduce el voto particular es que la opinión mayoritaria invierte las relaciones entre Poder Judicial y Administraciones sancionadoras.

A la vista de lo expuesto debemos pues plantearnos cuál es el alcance de *la regla de preferencia penal;* concretamente si dicha regla opera sólo en el ámbito procesal o si debe hacerlo también en el ámbito material.

Partimos de que la primacía de la actuación judicial no deriva directamente del principio *ne bis in idem,* puesto que éste no establece pautas para elegir cuál de las sanciones ha de ser aplicada prioritariamente, sino que aquélla ha de ser resulta conforme a los criterios que informa el sistema sancionador[345]. A este respecto, recordemos como, entre los límites a la potestad sancionadora de la Administración señalados en el FJ 3° de la STC 77/1983 se encuentra «la subordinación a la autoridad judicial», de suerte que es posible deducir del citado pronunciamiento jurisprudencial, y en virtud del principio de separación de poderes, que la potestad administrativa ostenta un rango subordinado respecto de la potestad punitiva penal que es la originaria. En este sentido, a mi entender, se pronuncian COBO DEL ROSAL y VIVES ANTÓN, cuando se refieren a «la potestad de castigar, que originariamente reside en los Jueces y Tribunales, y cuyo ejercicio por otros órganos habrá de someterse a un control judicial inmediato y efectivo»[346].

En suma, podemos afirmar que ambas potestades, si bien participan de la misma naturaleza, no lo hacen en un plano de igualdad, de forma que, *la prevalencia del orden penal* supone la manifestación más clara de la subordinación del orden administrativo sancionador a la autoridad penal[347].

Ahora bien, dicha preferencia penal no es una simple preferencia cronológica, como así ha defendido en la doctrina NIETO GARCÍA, para quien «...el verdadero criterio es el cronológico, o sea que la primera resolución cierra el paso a la segunda, cualquiera que sea su procedencia, hasta el punto que una simple resolución administrativa impide por sí misma las actuaciones penales posteriores...», llegando a afirmar que «...la única posibilidad de imponer la prevalencia de la sentencia penal es asegurar su prioridad cronológica, ya que

---

[345] En este sentido, DE LEÓN VILLALBA *(Acumulación de sanciones...,* ob. cit., p. 535 y ss.) afirma acertadamente que serán principios como los de mínima intervención, proporcionalidad, culpabilidad los que doten de un respuesta adecuada, tanto desde la actuación judicial como legislativa.

[346] COBO/VIVES: *Derecho penal,* ob. cit., p. 53.

[347] Opinión que coincide con la sustentada por GARCÍA ALBERÓ: *«Non bis in idem» material y concurso de Leyes Penales,* ob. cit., p. 86. En esta dirección GORRIZ ROYO, E.: «El principio «ne bis in idem» y la regla de preferencia del orden jurisdiccional penal a la luz de la STC 177/1999, de 11 de octubre», en *Revista de Ciencias Penales,* (en prensa).

una vez producida la resolución administrativa sancionadora, sería muy difícil hacer viable «hacia atrás» la influencia de una sentencia penal posterior»[348].

Sin embargo, éste parece ser el criterio tenido en cuenta por el Tribunal Constitucional en su sentencia 177/1999 cuando afirma que la atribución prioritaria a los órganos jurisdiccionales penales se encamina a evitar que recaigan eventuales pronunciamientos de signo contradictorio, en caso de permitir la prosecución paralela de dos procedimientos atribuidos a autoridades del mismo orden. En esa dirección se dice que dicha atribución prioritaria no descansa en un «abstracto criterio de prevalencia absoluta del ejercicio de su potestad punitiva sobre la potestad sancionadora de las Administraciones Públicas, que encuentra también respaldo en el texto constitucional», concluyendo que «irrogada una sanción, *sea ésta de índole penal o administrativa, no cabe*, sin vulnerar el mencionado derecho fundamental, *superponer o adicionar otra distinta*, siempre que concurran las tan repetidas identidades de sujetos, hecho o fundamento».

Esta solución, a mi juicio, resulta difícil de admitir, pues, si bien el TC parece pretender salvaguardar el derecho de los ciudadanos a no verse doblemente sancionados, se rompe con la estructura básica del Estado de Derecho configurado por nuestra Constitución, como así se afirma en el voto particular formulado a la sentencia. De adoptar el criterio cronológico se estaría negando el plus garantista que ofrece la norma y el proceso penal frente a la norma y proceso administrativo.

Pero además debe rechazarse el entendimiento de la preferencia del orden penal como una mera *preferencia normativa*[349] como así parece admitir el TC cuando afirma en su F.J. 3º que «la interdicción del *bis in idem* no puede depender del orden de preferencia que normativamente se se hubiese establecido entre los poderes constitucionalmente legitimados para el ejercicio del derecho punitivo y sancionador del Estado...».

En suma, debemos sostener la prevalencia del orden penal, tanto sustantiva como procesal, en el sentido defendido por DE LEÓN VILLALBA quien habla de una primacía *sustancial*, pues, a su juicio «una consideración estrictamente cronológica sobre las relaciones entre el procedimiento administrativo sancionador y el proceso penal, con la consecuente libertad del primero en tanto no se haya incoado el segundo, haría depender la eficacia del principio *non bis in idem* de un elemento accesorio, y no de la relación sustancial de los valores en

---

[348]   NIETO GARCÍA, A.: *Derecho administrativo sancionador,* ob. cit., pp. 368 y 369.
[349]   En este sentido, GORRIZ ROYO, E.: «El principio «ne bis in idem»...», ob. cit.

contraste, que imponen la primacía del enjuiciamiento penal, esté o no en curso el correspondiente proceso, mientras se tramita el procedimiento administrativo sancionador»[350].

Ahora bien, no podemos compartir el criterio adoptado en el voto particular, en relación a la concepción de las dos potestades sancionadoras, la penal y la administrativa, como «distintas cualitativamente». Ciertamente, se está así adoptando una tesis cualitativa en la diferenciación entre ilícito criminal e ilícito administrativo, concepción abandonada en la doctrina penal, toda vez que se entiende que el Derecho Administrativo se encuentra también al servicio de valores sustantivos, por lo que no puede admitirse que los ilícitos administrativos constituyan meras infracciones formales, ya que la transgresión de normas de dicho sector del ordenamiento exige también la lesión o puesta en peligro de un bien jurídico.

3.3. El «*ne bis in idem*» en relación con los delitos contra el Patrimonio Cultural

A) Consideraciones generales

Venimos afirmando cómo el bien jurídico categorial protegido en los delitos contra el Patrimonio Histórico o Cultural es idéntico al bien jurídico tutelado en las infracciones administrativas, protegiéndose en ambos sectores del ordenamiento un bien o valor en juego de las mismas características, toda vez que su tutela constituye una obligación para todos los poderes públicos, tal y como prevé el texto constitucional.

Pues bien, si mantenemos la posición basada en que no existen diferencias cualitativas entre los ilícitos, y que el bien jurídico protegido es el mismo en ambos órdenes normativos, deberá concluirse de forma incuestionable con la aplicación del principio *ne bis in idem* en la materia que nos ocupa[351]. De esta manera se resuelven así los problemas derivados de la posibilidad de subsunción de los comportamientos infraccionables, en normas administrativas y penales, donde dado el contenido de injusto de ambas infracciones, podíamos encontrar determinadas actuaciones enmarcables en ambos ámbitos de aplicación.

---

[350] DE LEÓN VILLALBA, F.J.: ob. cit., pp. 546-7.
[351] A este respecto, BOIX REIG puso de manifiesto que «la reformas legislativas se van produciendo con un creciente respeto a las exigencias derivadas del principio *non bis in idem*, con formulaciones legales ciertamente acabadas y dignas de encomio desde una perspectiva técnico-jurídica». BOIX REIG, J.: «De nuevo sobre el principio de legalidad», ob. cit., p. 2303.

A este respecto, en distintas disposiciones legales se recoge la imposibilidad de sancionar administrativamente un hecho que ya lo esté penalmente. Incluso en algunos casos, realizan una proyección del principio, en tanto efectúan una remisión de la materia al órgano competente excluyendo la actuación propia. Así, concretamente en el art. 76 de la ley 13/1985, de 25 de junio, de Patrimonio Histórico Español, el principio *ne bis in idem* se encuentra positivizado cuando dispone que: «*Salvo que sean constitutivos de delito,* los hechos que aquí se mencionan constituyen infracciones administrativas que serán sancionadas conforme a lo dispuesto en este artículo…»[352], delimitándose así el terreno de las mencionadas infracciones administrativas, en aras a evitar la duplicidad sancionadora. Resulta, pues, loable dicha previsión legal, si bien, como ya se ha puesto de manifiesto con anterioridad, hubiera resultado preferible la supresión en la legislación administrativa sancionadora de aquellos comportamientos que ya estén tipificados penalmente.

B) Supuestos excluidos e incluidos en el principio «ne bis in idem»

A tenor de las consideraciones efectuadas, si las medidas sancionadoras responden a *distinta naturaleza,* su concurrencia no lesionará el principio *ne bis in idem,* pues no se fundamentan en «lo mismo», esto es, no responden a la misma razón de ser su castigo.

De ese modo, no plantean problemas de compatibilidad, por ejemplo, las denominadas «*multas coercitivas*»[353] —reguladas con carácter general en el art. 107 de la Ley de Procedimiento Administrativo, y previstas expresamente, por ejemplo, en la Ley de Patrimonio Cultural Valenciano[354]— pues básicamente dichas multas suponen medios de reforzar o asegurar la ejecución, resultando independientes y compatibles con las que puedan imponerse como sanción[355].

---

[352] Sin embargo, la positivización del principio *ne bis in idem* en el sentido de la ley estatal, resulta ausente, por ejemplo, en la Ley Valenciana de Patrimonio Cultural, a la que hemos venido haciendo referencia.

[353] De esa opinión, GARBERÍ LLOBREGAT, J.: «Principio *non bis in idem* y cuestiones de prejudicialidad…», ob. cit., p. 90. Asimismo, TERRADILLOS BASOCO, J.: «El ilícito ecológico: sanción penal-sanción administrativa», en *El delito ecológico,* Madrid, 1992, p. 89.

[354] Art. 100: «Independientemente de las sanciones que procedan conforme a lo dispuesto en el artículo anterior, el órgano competente podrá, previo requerimiento, imponer a quienes se hallaren sujetos al cumplimiento de las obligaciones establecidas en esta Ley multas coercitivas de hasta cien mil pesetas, reiteradas por períodos de un mes, hasta obtener el cumplimiento de lo ordenado».

[355] De finalidad similar a la *Zwangsbusse,* figura prevista en los ordenamientos de lengua alemana, de naturaleza aparentemente híbrida, similar a la pena pecuniaria administrativa,

Línea interpretativa sustentada por el Tribunal Supremo, concretamente en STS de 10 de julio de 1984, al afirmar que «es conforme a derecho la imposición de una nueva multa aun después de haber impuesto una de carácter sancionador, sin infringir por ello el apotegma *non bis in idem,* por tratarse de una medida de distinta naturaleza, por su carácter teleológico, esto es, por no ser multa sancionadora sino coercitiva para el cumplimiento del mandato de la Administración».

Tampoco originan problemas de compatibilidad las órdenes *de restauración del ordenamiento jurídico conculcado*[356] —como son las de reconstrucción o restauración de la obra o del bien dañado, previstas en los arts. 321 y 323 del nuevo Código Penal, y en las que nos detendremos cuando analicemos dichos tipos penales— pues se considera no tienen naturaleza sancionadora propiamente dicha, y por consiguiente, son acumulables con cualquier sanción, penal o administrativa. Por tanto, la potestad de adoptar dichas medidas de restauración corresponde a los Jueces o Tribunales, debiendo abstenerse la Administración competente en materia de protección del Patrimonio de ordenar dichas medidas, sin perjuicio de que, en caso de que recayera sentencia absolutoria en el orden penal, pueda dicha autoridad administrativa dictar finalmente dichas medidas[357], de igual modo que imponer la sanción correspondiente, si bien con vinculación a los hechos probados.

Por consiguiente, por tener un fundamento distinto, ocurre lo mismo con el resto de consecuencias *civiles* de un delito, las cuales pueden imponerse

---

pero cuya finalidad es únicamente coactiva. Vid. PALIERO: «Il «diritto penale-ammnistrativo»: profili comparitistici», ob. cit., p. 1.265.

[356] Véase al respecto, sobre las medidas de restauración del orden jurídico conculcado la STS de 15 de diciembre de 1992, en este caso sobre una orden de demolición. Asimismo, la STS de 16 de diciembre de 1987 (S. 4ª), en un supuesto en el que, junto a la sanción impuesta por la Administración por vicios o defectos en la construcción, se impone al sujeto la obligación de reparación de los daños producidos, entiende que, dado que ambas medidas obedecen a motivaciones diferentes —de forma que la sanción tiene unas finalidades específicas mientras que las medidas reparadoras están llamadas a retribuir o compensar a las víctimas del ilícito, penal o administrativo— no puede entrar en este caso la eficacia limitativa del principio *ne bis in idem.* Compatibilidad que, a la postre, está recogida en el art. 51 del Reglamento de Disciplina Urbanística.

[357] Art. 23.2 LPHE: «*Las obras realizadas sin cumplir lo establecido en el apartado anterior serán ilegales y los Ayuntamientos o, en su caso, la Administración competente en materia de protección del Patrimonio Histórico Español podrán ordenar su reconstrucción o demolición con cargo al responsable de la infracción en los términos previstos por la legislación urbanística*».

simultáneamente a las penales[358], al encontrar su fundamento en la existencia de un daño civil resarcible causado por un hecho antijurídico[359].

C) *Incidencia del «ne bis in idem» en el art. 322 del Código penal*

No podemos finalizar sin dejar referirnos al tipo previsto en el artículo 322 del CP, denominado por la doctrina como *prevaricación específica*, el cual podría plantear ciertas dificultades en cuanto a la determinación del bien jurídico específico, así como en relación a las infracciones disciplinarias.

Como es sabido, en el ámbito de las denominadas *relaciones de especial sujeción* con la Administración, el Tribunal Constitucional admitía la compatibilidad entre la sanción penal y la sanción disciplinaria administrativa (compatibilidad afirmada por primera vez en la STC 2/1981, de 30 de enero), al vulnerarse preceptos penales y preceptos del ordenamiento disciplinario por el que se rige dicha relación. Ahora bien, ya apuntamos como los repertorios jurisprudenciales muestran oscilaciones en su posición, admitiéndose excepciones en algunos casos, así como manteniéndose en otros casos la posición contraria a la hasta entonces dominante; así, en la STC de 10 de diciembre de 1991 (STC 234/1991) declara abiertamente que: «la existencia de esta relación de sujeción especial tampoco basta por sí misma para justificar la dualidad de

---

[358] Ahora bien, en los supuestos en que concurriesen penas y *medidas de seguridad* en la sanción de unos mismos hechos, no podríamos afirmar la compatibilidad con el principio *ne bis in idem*, toda vez que el contenido aflictivo que llevan implícito *las medidas de seguridad* hace que sean objeto de las garantías que acompañan a la sanción. A este respecto, el propio Tribunal Constitucional le otorga la consideración de *sanción* en sentencia 23/1986, de 14 de febrero. Con base en la doctrina sentada por el Tribunal Constitucional, VIVES ANTÓN (: «Constitución y medidas de seguridad», en *La libertad como pretexto*, ob. cit., p. 250) realiza algunas precisiones al respecto. En este sentido, afirma que, si bien la imposición de una pena y una medida de seguridad no *parece prima facie* vulnerar el principio *ne bis in idem* —por cuanto las medidas responden teóricamente a la probable delincuencia futura *(peligrosidad)*, y por tanto no se fundamentan en «lo mismo» que las penas— tal compatibilidad con el *ne bis in idem* es sólo aparente, siendo correcta la doctrina del Tribunal al respecto. Tal afirmación se basa partiendo de que, a tenor del art. 25.1 de la Constitución, la coacción estatal sólo se justifica por el hecho cometido; de ese modo, si la pena expresa toda la reprobación del hecho por parte del ordenamiento jurídico, no podrá imponerse además una medida de seguridad que venga a castigar nuevamente el hecho, ya que, de acuerdo con el art. 25.1 referido, la *peligrosidad* del sujeto, no puede constitucionalmente justificar ninguna clase de intervención coactiva del Estado.

[359] Véase acerca de la responsabilidad civil: GRACIA MARTÍN, L., BOLDOVA PASAMAR, M.A., ALASTUEY DOBON, M.C.: *Las consecuencias jurídicas del delito en el nuevo Código penal español*, Valencia, 1996.

sanciones… Estas relaciones no se dan al margen del Derecho, sino dentro de él, y por tanto, también dentro de ellas tienen vigencia los derechos fundamentales…»[360].

En este sentido, en la doctrina científica española se plantea si las relaciones de especial sujeción son suficientes para eludir el principio *non bis in idem* en lo referente a sanciones disciplinarias. A mi juicio, partiendo del rechazo de las teorías eclécticas en la distinción de ilícitos, con la consecuente negación de diferencias cualitativas entre ilícito penal e ilícito administrativo, incluyendo el ámbito disciplinario —tal y como señalan COBO DEL ROSAL y VIVES ANTÓN: «Basta pensar que las violaciones más graves de ese especial deber de sumisión son constitutivas de delito (prevaricación, malversación, cohecho…) y que algunas de las leves son incriminadas como faltas»— debe entonces plantearse si ello reconduce a la aplicación del *ne bis in idem*[361].

Pues bien, el tipo penal previsto en el art. 322 del CP —el cual será analizado con detenimiento en el siguiente Capítulo— si bien alberga coincidencias con la figura básica de prevaricación del art. 404, supone una gran novedad ya que, no sólo se castiga a quien tiene la facultad de *resolver*, sino también al funcionario que «*informa*» proyectos de derribo o alteración de edificios singularmente protegidos, así como al que, con abuso de su cargo, posibilita la resolución *otorgando su voto a favor* por sí mismo o en un órgano colegiado. Pero además, presenta otras diferencias con respecto al tipo básico: de un lado, respecto de los *sujetos activos*, se refiere, no a toda autoridad o funcionario público, sino únicamente a aquellos con competencia propia en materia de Patrimonio histórico. De otro lado, se diferencia del tipo básico por su carácter *pluriofensivo*, pues además de la lesión o peligro para el «correcto ejercicio de la función pública» —bien jurídico protegido en los delitos de prevaricación básica— se lesiona el bien jurídico colectivo tutelado en los delitos sobre el Patrimonio Histórico.

Considero que, en el ámbito del art. 322 no puede tenerse en consideración la observación realizada por GONZÁLEZ CUSSAC respecto del delito de prevaricación común, cuando señala que no puede afirmarse si el bien jurídico del citado delito, coincide, o se encuentra en una relación de progresión, con la multitud de infracciones disciplinarias existentes, pues para ello tendría que

---

[360] Por su parte, la jurisprudencia del Tribunal Supremo mantiene el criterio de considerar inaplicable el *non bis in idem* a dicha clase de relaciones (SSTS de 16 de febrero de 1984 (RA 1300), 8 de marzo de 1984 (RA 1261), 6 de mayo de 1988 (RA 3723), entre otras). Cuestión expuesta ampliamente por TRAYTER JIMÉNEZ, J.M.: «Sanción penal-sanción administrativa…», ob. y loc. cit.

[361] COBO DEL ROSAL, M. y VIVES ANTÓN, T.S.: *Derecho penal. Parte general…*, ob. cit., p. 57.

hacerse un estudio particularizado y detallado de cada infracción en concreto, por lo que para negar la acumulación de sanciones no podría aplicarse el principio *ne bis in idem*. En el ámbito del Patrimonio Histórico se tipifica la prevaricación, denominada *específica* precisamente porque se cometen en un ámbito concreto, por autoridades y funcionarios competentes en dicha materia, y sobre actuaciones específicas, por lo que sí podremos determinar y afirmar que el bien protegido es el mismo que en el ilícito administrativo[362].

Ahora bien, la exclusión de la modalidad imprudente, deducida del requisito típico de «actuar a sabiendas», proporciona un criterio seguro y cierto para delimitar el ilícito penal y el administrativo[363], y conduce a que las actuaciones imprudentes, en principio, sean sancionables de acuerdo con lo dispuesto en la normativa administrativa. El quebrantamiento del Derecho en el ilícito administrativo es, pues, menos grave que en la infracción penal, por el hecho de que la prevaricación específica del art. 322 sólo puede cometerse «a sabiendas de su injusticia», castigándose la actuación imprudente a través de la normativa administrativa sobre la materia.

En todo caso, si atendemos a la consecuencia jurídica del delito del 322 —a la pena de inhabilitación especial se une la pena de prisión— podemos concluir de igual modo afirmando que la mayor pena ya contempla el desvalor del hecho, lo que impedirá la duplicidad de sanciones[364].

---

[362] En el ordenamiento administrativo, el art. 228.2 TRLS 76, texto actualmente vigente en materia urbanística, establece que «en las obras amparadas en una licencia cuyo contenido sea manifiestamente constitutivo de una infracción urbanística grave serán igualmente sancionados: el facultativo que hubiera informado favorablemente el proyecto, y los miembros de la Corporación que hubiesen votado a favor del otorgamiento de la licencia sin el informe técnico previo, o cuando éste fuera desfavorable en razón de aquella infracción o se hubiere hecho la advertencia de ilegalidad prevista en la legislación del Régimen Local».

[363] MORALES PRATS, F. y RODRÍGUEZ PUERTAS, M.J.: *Comentarios al nuevo Código penal*, ob. cit., p. 1.769 y ss. GONZÁLEZ CUSSAC (ob. cit., p. 40) afirma a este respecto que supone un avance en una nítida orientación político-criminal.

[364] Recordemos que esta cuestión fue abordada en el Informe del Consejo General del Poder Judicial sobre el Anteproyecto del Código penal de 1992 (ponente T.S. Vives Antón), afirmándose que si el texto punitivo valora la totalidad del evento, esto es, contempla el injusto total del acto (quebrando del orden general y del servicio en cuanto relación laboral), habrá agotado toda la respuesta jurídica y, por tanto, no cabrá la duplicidad de sanción. La pena de inhabilitación impuesta en el delito de prevaricación capta, en este sentido, de una manera global, las repercusiones de la conducta sobre la relación de servicio, por lo que habrá que negar la doble sanción.
Si bien, como ya dijimos, por otro camino podría negarse la acumulación de sanciones, concretamente acudiendo a la teoría del *concurso aparente de leyes* para solucionar el conflicto, y más exactamente aplicando la regla de *consunción* a favor del injusto penal, cuyo

Lo cierto es que, la aprobación del Código Penal de 1995 hubiera sido una acertada ocasión para la proclamación positiva del principio *ne bis in idem* en el seno del texto punitivo, y, de ese modo generalizar su aplicación con respecto al Derecho Administrativo Sancionador[365], cuestión que, si bien resulta afirmada por vía del art. 133 de la LRJAPPAC, constituye un mero reflejo de la doctrina constitucionalista sobre el precepto en su vertiente material, faltando pues una regulación del procedimiento adecuado para su concreta realización.

Llegados a este punto, no podemos dejar de afirmar que, la apertura del Derecho Penal hacia ámbitos tradicionalmente pertenecientes al Derecho Administrativo, provoca —como ya apuntó GONZÁLEZ CUSSAC[366]— una cierta «desnaturalización» del ordenamiento jurídico-penal, no sólo por la complejidad de la materia, sino también en cuanto a la *técnica legislativa empleada* por el legislador penal para regularla en el Código Penal de 1995. Sobre esta última cuestión creo oportuno realizar las consideraciones que se exponen a continuación.

4. Cuestiones de técnica legislativa. Remisiones y términos normativos

Como ya se apuntó, la incorporación a la tutela penal de los *denominados interessi diffusi* suscita el debate sobre las técnicas de intervención adecuadas, y más concretamente, sobre la necesidad de articular disciplinas extrapenales con la mencionada tutela punitiva. Evidentemente, deberá tratarse de una

---

desvalor absorberá al injusto disciplinario, lo que sucede en el delito de prevaricación, ya que de la sanción impuesta, inhabilitación especial, se deduce que la norma penal no sólo recoge la lesión de la función pública sino también la relativa al ámbito de la relaciones de servicio del funcionario infractor. En ese sentido, GONZÁLEZ CUSSAC: *El delito de prevaricación de autoridades y funcionarios públicos...*, ob. cit., p. 42 y ss. OCTAVIO DE TOLEDO y UBIETO: «El delito de prevaricación de funcionario de los funcionarios públicos», en *La Ley* 4139, 1996. Sobre dicha cuestión, ver también GARBERÍ LLOBREGAT, J.: «Principio *non bis in idem* y cuestiones de prejudicialidad», en *Las fronteras del Código penal y el Derecho Administrativo Sancionador*, Cuadernos de Derecho Judicial, 1997, p. 81 y ss.; QUINTAÑA LÓPEZ, T.: «El principio *non bis in idem* y la responsabilidad administrativa de los funcionarios», en *Revista Española de Derecho Administrativo*, nº 52, octubre-diciembre 1986, p. 585 y ss.

[365] La propuesta al respecto efectuada por DE LEÓN VILLALBA va referida al art. 34.2 del Código, sugiriendo que, cuando en este precepto se niega el carácter de pena a las multas y demás correcciones que, en uso de atribuciones gubernativas o disciplinarias, se impongan a los subordinados o administrados, hubiera bastado con añadir la prohibición de acumulación de las penas con cualquiera de esas consecuencias administrativas.

[366] GONZÁLEZ CUSSAC, J.L.: *El delito de prevaricación...*, ob. cit., p. 17.

intervención *equilibrada* donde, por encontrarnos ante valores sobre los cuales se produce habitualmente una intervención administrativa, el legislador se ve abocado necesariamente en la descripción de los tipos penales, a una cierta dependencia *conceptual* con respecto al Derecho administrativo. No obstante lo cual, deberá *evitarse*, tanto un *excesivo grado de accesoriedad o dependencia* — que desembocaría, bien en la represión de conductas de mera desobediencia formal, sin ofensividad relevante para el bien jurídico desde una vertiente de desvalor material, bien en meras funciones de prevención o control—*como una absoluta autonomía* en la redacción de los tipos[367], esto es, de espaldas a la legislación administrativa de la materia. Algunos autores se refieren a diversos grados o formas de accesoriedad, distinguiendo una absoluta respecto del Derecho administrativo, de forma que estaríamos ante un ilícito formal, y una *accesoriedad relativa*, donde la ilicitud administrativa sería condición necesaria pero no suficiente para la punibilidad, admitiéndose dentro de este modelo la denominada *accesoriedad conceptual* que supone la introducción de términos administrativos en el Derecho Penal[368]. Ahora bien, si el legislador utiliza términos procedentes de otras ramas del ordenamiento, debe dilucidarse, en cada caso, cual es el sentido o el alcance que la propia Ley penal otorga[369].

De acuerdo con lo expuesto, la intervención punitiva en materia de Patrimonio histórico, artístico y cultural debe tomar en consideración el mandato constitucional dirigido a los poderes públicos, los cuales, sólo desde una intervención coordinada y, armonizando la tutela del bien jurídico con las exigencias del principio de legalidad penal, taxatividad y certeza de los tipos penales, garantizarán el enriquecimiento y conservación de los bienes que integran dicho Patrimonio.

A este respecto, la protección del Patrimonio Histórico en el ordenamiento jurídico-penal se articula mediante la técnica de las **remisiones normativas**[370],

---

[367] MORALES PRATS, en la tutela del medio ambiente, aboga por dicho modelo equilibrado de intervención penal. MORALES PRATS, F.: «La estructura del delito de contaminación ambiental. Dos cuestiones básicas: Ley penal en blanco y concepto de peligro», en *La protección jurídica del medio ambiente (coord. Valle Muñiz)*, 1997, p. 225 y ss.

[368] Véase al respecto, GONZÁLEZ GUITIAN, L.: «Sobre la accesoriedad del Derecho penal en la protección del ambiente», en *Estudios Penales y Criminológicos*, 1989-1990 (XIV), p. 114 y ss.; DE LA MATA BARRANCO, N.: *Protección penal del medio ambiente y accesoriedad administrativa...*, ob. cit., p. 78 y ss.

[369] En esta dirección, COBO DEL ROSAL, M./VIVES ANTÓN, T.S.: ob. cit., p. 42.

[370] Término *(Verweisung)* utilizado en la doctrina alemana que engloba diversas técnicas o modalidades a las que nos referiremos a continuación. En la doctrina española, vid., entre otros, GARCÍA ARÁN, M.: «Remisiones normativas, leyes penales en blanco y estructura de la norma penal», en *Estudios Penales y Criminológicos*, XVI, 1993, p. 65.

técnica legislativa característica del ámbito del Derecho penal económico[371], que encuentra claros exponentes, dentro del vigente marco punitivo, en las infracciones que conforman el Título XVI del Libro II del Código Penal, si bien dichas remisiones presentan un carácter heterogéneo, a saber, *normas penales en blanco,* o la utilización de *términos normativos.*

Pues bien, tratar globalmente esta problemática desbordaría las pretensiones de este trabajo, por lo que las consideraciones que se realicen tendrán carácter meramente instrumental, a propósito de la regulación de los denominados «delitos sobre el patrimonio histórico»; en este sentido, nos limitaremos a referirnos en primer lugar a la vía empleada por el legislador en estos delitos, la utilización de **remisiones** y, en concreto, de *términos* (o elementos)[372] **normativos,** así como a algunas de las numerosas cuestiones que plantearán en la práctica, y cuyas soluciones serán abordadas en particular en el análisis de los correspondientes tipos penales.

4.1. La posición de la doctrina ante las remisiones normativas

Desde la doctrina científica se han realizado serias críticas al recurso de empleo de *leyes penales en blanco* o *elementos normativos* en el nuevo Título XVI del vigente Código penal. A este respecto, CARMONA SALGADO considera *de dudosa aceptación* la técnica legislativa seguida en el Título XVI del vigente Código Penal, *plagado,* a su juicio, de «tipos abiertos integrados por numerosas normas penales en blanco o excesivos elementos normativos no penales que obligan al intérprete a acudir continuamente a la exhaustiva regulación extrapenal existente»[373]. La autora continúa señalando cómo dicha técnica legal conduce a una yuxtaposición de injustos de ambas naturalezas, vulnerándose, a su juicio, principios fundamentales del derecho penal: *por un lado, **el principio de mínima intervención,*** «por ese excesivo intervencionismo del ordenamiento penal, ultraprotector de determinados bienes jurídicos colectivos o difusos, hasta el extremo de llegar a convertirse éste, dentro del contexto delictivo que

---

[371] Entre la abundante bibliografía sobre este ámbito, puede verse, con carácter general, TIEDEMANN: *Lecciones de Derecho penal económico,* ob. cit. MARTÍNEZ-BUJÁN PÉREZ, C.: *Derecho penal económico. Parte general,* ob. cit.

[372] De acuerdo con la distinción que llevan a cabo COBO DEL ROSAL y VIVES ANTÓN (ob. cit., p. 329), se utilizará la expresión «*términos*» para designar a los componentes de la proposición que formula el tipo, reservando la expresión de «elementos» para acudir a los caracteres del *hecho,* como conducta jurídicamente regulada.

[373] CARMONA SALGADO, C.: *Curso de Derecho Penal. Parte Especial* (II) (dir. por COBO DEL ROSAL), ob. cit., p. 12 y ss.

nos ocupa, en la prima ratio, que no en la ultima ratio del ordenamiento en general, como debiera ser»; *por otro lado,* considera vulnerado el ***principio de legalidad*** como consecuencia de la invasión del Derecho Penal en otros sectores del ordenamiento jurídico, obligando a realizar una labor integradora de los tipos, incrementada por el hecho de que buena parte de esa normativa extrapenal es de naturaleza autonómica o municipal, incluso internacional, ocasionándose asimismo un grave atentado al ***principio de igualdad,*** desde el momento en que el diferente contenido de dicha normativa puede hacer variar la concreta calificación de idénticas conductas, según la parte de territorio donde se den, pudiendo incluso ser atípico en un determinado lugar lo que es punible en otro.

Una parte de la doctrina manifestada sobre este punto —entre los que se encuentran BOIX REIG, MOREU CARBONELL, LUZÓN PEÑA, BARRIENTOS PACHO y MESTRE DELGADO[374]— coincide en el riesgo para el último principio mencionado. Concretamente BOIX REIG plantea las dudas de constitucionalidad sobre la técnica legislativa de la *norma penal en blanco* empleada en los delitos contra la ordenación del territorio y los delitos contra los recursos naturales y el medio ambiente, resaltando cómo la diversa normativa administrativa a la que debe acudirse puede hacer variar la calificación de las conductas de una parte a otra del territorio nacional.

Sin embargo, existen afirmaciones que resaltan la necesidad del empleo de dichas técnicas. Así, LÓPEZ GARRIDO y GARCÍA ARÁN[375] subrayan como, el hecho de que la intervención estatal en el ámbito del Título XVI del Código se haya llevado a cabo tradicionalmente mediante una amplia normativa de carácter administrativo, explica la técnica legislativa adoptada, con profusión de elementos normativos así como con la utilización de leyes penales en blanco. En esta dirección, CURY destaca, entre las razones que, por lo general, justifican

---

[374] BOIX REIG, J. (junto a JUANATEY DORADO): *Derecho penal. Parte especial,* Valencia, ob. cit., p. 626 y ss.; los mismos en: *Comentarios al Código penal de 1995,* cit., p. 1.572. MOREU CARBONELL: «Relaciones entre el Derecho Administrativo y el Derecho penal en la protección del medio ambiente», en *REDA,* nº 87, julio-septiembre 1995, p. 385; LUZÓN PEÑA, D.: *Derecho penal. Parte general,* Madrid, 1996; BARRIENTOS PACHO, J.M.: «Delitos relativos a la ordenación del territorio», en *La Ley* 6, 1996, p. 1.555 y ss.; MESTRE DELGADO, E.: «Límites constitucionales de las remisiones normativas en materia penal», en *ADPCCPP,* 1988 (XLI-II), p. 503 y ss. Concretamente, este último autor sostiene que «en la actualidad, a falta de una consagración constitucional expresa de ese principio de la uniformidad de la legislación penal, este límite a la posibilidad estatal de establecer remisiones normativas para integrar los tipos penales debe hallarse... en la igualdad garantizada en el art. 14 del Texto Fundamental».

[375] LÓPEZ GARRIDO, D./ GARCÍA ARÁN, M.: El Código Penal de 1995 y la voluntad del legislador, ob. cit, p. 158.

la persistencia en el uso de dichas técnicas, la necesidad de someter a una pena al conjunto de infracciones a la regulación jurídica de una materia más o menos compleja[376].

En general, la doctrina viene realizando objeciones a las *normas penales en blanco* desde una perspectiva de conflicto con los postulados que derivan del principio de legalidad[377], si bien las críticas se agudizan en los supuestos de remisiones efectuadas a normas de rango inferior[378] al exigido en la normativa penal. En esta dirección, un sector de la doctrina, integrado, entre otros autores, por VIVES ANTÓN, COBO DEL ROSAL y BOIX REIG, se ha mostrado crítico en relación al empleo de dicha técnica legislativa. Concretamente los dos últimos autores citados sostienen como, la remisión por parte de una ley orgánica a una disposición de rango normativo inferior supone una contradicción con los artículos 53.1 y 81.1 CE, vulnerando la garantía de seguridad jurídica que los mismos comportan, y por tanto la certeza que comporta la

---

[376]   CURY, E.: *La ley penal en blanco.* Bogotá, 1988, p. 51.

[377]   Véase un análisis de la problemática constitucional de las leyes penales en blanco en DOVAL PAIS, A.: *Posibilidades y límites para la formulación de las normas penales. El caso de las leyes en blanco,* Valencia, 1999, p. 127 y ss. Sin embargo, a juicio de SILVA SÁNCHEZ, con razón se ha dicho (citando a KARPEN) que los elementos normativos vulneran en mayor medida que las leyes en blanco el mandato de determinación, al expresar de modo implícito algo que en las leyes en blanco se hace expreso, estimando preferible desde el punto de vista del mandato de determinación el recurso a las leyes en blanco. KARPEN: *Die Veweisung,* p. 216, en SILVA SÁNCHEZ, J.M.: «Introducción. Necesidad y legitimación de la intervención penal...», ob. cit., p. 32.

[378]   Un sector de la doctrina defiende un *concepto estricto* de norma penal en blanco, referido únicamente a las leyes penales que se remiten a normas de rango reglamentario, de rango inferior, de acuerdo con el origen histórico del término (surgido en Alemania para explicar las autorizaciones a los Länder para completar los supuestos delictivos de la Ley del Reich), pretendiendo acotar su significado a los supuestos en que intervengan los órganos de la Administración en la configuración de los preceptos penales, vulnerándose de ese modo la reserva de ley en la material penal. Así, COBO DEL ROSAL, M./VIVES ANTÓN, T.S.: *Derecho penal. Parte general,* ob. y loc. cit.; COBO DEL ROSAL, M./BOIX REIG, J.: «Garantías Constitucionales del derecho sancionador», en *Comentarios a la legislación penal,* 1982, p. 20 y ss.; BUSTOS RAMÍREZ, *Manual de Derecho penal. Parte general,* 1989, p. 74; MESTRE DELGADO, E.: ob. cit., p. 507, nota 14; QUINTERO OLIVARES, en QUINTERO OLIVARES/ MORALES PRATS/PRATS CANUTS: *Curso de Derecho penal. Parte general,* ob. cit., p. 22. Por el contrario, otro sector mayoritario defiende un *concepto amplio* comprendiendo también los supuestos donde la remisión se realiza a otra extrapenal pero de rango igual de ley. Así, entre otros, MUÑOZ CONDE, F./GARCÍA ARÁN: *Derecho penal. Parte general,* Valencia, 1999; MIR PUIG, S.: *Derecho penal. Parte general,* Barcelona, 1996; LUZÓN PEÑA: *Derecho penal,* ob. cit.

vertiente de garantía criminal del principio de legalidad[379]. A este respecto, afirman cómo la existencia de leyes penales en blanco, en su acepción más restringida, produce una especie de «delegación legislativa» a partir de la propia ley penal, de manera que «de esta suerte puede facultarse a la propia Administración en la tarea de configurar los preceptos penales».

No obstante, VIVES ANTÓN afirma el carácter *prácticamente ineludible* del recurso a las leyes penales en blanco, como también lo es el empleo de términos normativos[380]. Y es que, ciertamente, el **sector doctrinal mayoritario** *admite* la técnica de las leyes penales en blanco, argumentando tanto exigencias derivadas de la *complejidad* que presentan determinados delitos —cuya precisión motivaría un incremento considerable de tipos penales, con el consiguiente menoscabo de la economía legislariva— como la variabilidad y el carácter cambiante de determinadas materias, que hace imposible su regulación acabada en el Código Penal[381].

Con el fin de evitar los mayores riesgos de la utilización de las leyes blanco, LUZÓN PEÑA, en una posición que podíamos calificar de ecléctica y conciliadora, sostiene que debe exigirse que la ley penal describa todos los elementos típicos que delimiten el sentido de la conducta típica, *salvo* aquello que no se pueda precisar técnicamente sin recurrir a reglamentos o leyes extrapenales. Dicho recurso ha de *ser «estrictamente necesario, imprescindible,* y no meramente conveniente, para completar la descripción típica», al considerar que la mera conveniencia por suponer determinadas ventajas no justifica una excepción o una limitación material al mandato de reserva de ley[382].

---

[379] COBO DEL ROSAL, M./BOIX REIG, J.: «Garantías constitucionales del derecho sancionador», ob. y loc. cit. También, aunque de forma matizada («*puede* implicar una clara infracción del principio de legalidad») COBO DEL ROSAL, M./VIVES ANTÓN, T.S.: *Derecho penal. Parte general,* ob. y loc. cit

[380] VIVES ANTÓN, T.S.: *Comentarios al Código penal,* Vol. I, p. 44.

[381] Así, entre otros, BUSTOS RAMÍREZ, J.: *Derecho penal. Parte general,* ob. y loc. cit.; CASABO RUIZ: «La capacidad normativa de las Comunidades Autónomas en la protección del medio ambiente», en *Estudios penales y criminológicos,* 1972, p. 260. SANTANA VEGA, D.M.: *La protección penal de los bienes jurídicos colectivos,* ob. cit., 213.

[382] LUZÓN PEÑA: *Derecho penal. Parte general,* ob. y loc. cit. En esta misma dirección, ARROYO ZAPATERO: «Principio de legalidad y reserva de ley en materia penal», ob. cit., p. 34. Por su parte, CARBONELL MATEU admite las leyes en blanco sólo por razones de estricta necesidad técnica y sólo en la medida en que el objeto de la remisión esté constituido por «cuestiones de detalle», que pueden afectar a la delimitación de la conducta prohibida, pero que no constituyen aspectos esenciales de la misma, afirmando pues que estos supuestos no pueden suponer una quiebra del principio de legalidad. CARBONELL MATEU, J.C.: *Derecho penal: concepto y principios...,* ob. cit., p. 119.

Finalmente, encontramos un grupo de autores, los cuales son abiertamente partidarios del uso de la técnica de las leyes en blanco, como mecanismo más adecuado en determinados ámbitos en los que el Derecho Penal no puede aspirar a una regulación absoluta. A este respecto, defienden la compatibilidad de las leyes en blanco con el principio de legalidad, siendo, pues, conformes, con las exigencias de certeza y seguridad, derivadas de aquel principio. En esta dirección, TERRADILLOS BASOCO justifica la compatibilidad mencionada afirmando que «en las materias en que es esencial una actuación preventiva de los poderes públicos a través de una muy compleja normativa administrativa, la configuración de los ilícitos penales como tipos «en blanco» es la más adecuada para conseguir una mejor definición de lo prohibido, cuyos contornos quedan precisados por aquella»[383]. En suma, desde esta posición se estima que la técnica de las leyes penales en blanco puede ser respetuosa con el principio de legalidad[384], incluso aconsejable en la regulación de ciertas materias que tienen un gran dinamismo y complejidad y se encuentran condicionadas por las circunstancias histórico-sociales concretas[385].

Ahora bien, no todas las **remisiones normativas** adoptan la misma forma ni plantean los mismos problemas desde la perspectiva de las exigencias del principio de legalidad. Me parece, pues, oportuno, antes de seguir avanzando, poner de manifiesto los intentos, por parte de la doctrina, de sistematizar dicha

---

[383] TERRADILLOS BASOCO, J.: «El ilícito ecológico: sanción penal-sanción administrativa», en *El delito ecológico*, ob. cit., p. 91.

[384] En esta dirección, PÉREZ ALONSO, E.: *Teoría general de las circunstancias: especial consideración de las agravantes «indeterminadas» en los delitos contra la propiedad y el patrimonio*, Madrid, 1995, p. 340. Centrándolo en el caso del derecho ambiental, DE LA MATA BARRANCO, N.: *Protección Penal del Ambiente y Accesoriedad Administrativa. Tratamiento penal de comportamientos perjudiciales para el ambiente amparados en una autorización administrativa ilícita*, Barcelona, 1996, p. 70 y ss. Por su parte, RODRÍGUEZ RAMOS defiende abiertamente la utilización de las leyes en blanco, afirmando que, incluso es aconsejable la remisión a una disposición escrita al proporcionar mayor seguridad que la utilización de conceptos relativamente abiertos que deban ser completados con una labor interpretativa, en «Reserva de ley orgánica para las normas penales», *Comentarios a la legislación penal*, I, 1982, p. 306.

[385] A este respecto, DOVAL PAIS realiza unos comentarios críticos acerca de la posibilidad de hacer compatibles la técnica de las leyes en blanco con los postulados del principio de legalidad, basándose en una *necesidad técnica* que en la práctica se pueda plantear; a este respecto, la certeza y seguridad jurídica se podrán proporcionar mediante descripciones de las conductas prohibidas en la propia ley penal. A juicio de este autor, el problema de la admisibilidad constitucional de las leyes en blanco «subsiste en la medida en que no se aporten criterios más claros para distinguir aquello que puede llegar a ser remisible sin menoscabo del principio de legalidad». DOVAL PAIS, A.: *Posibilidades y límites para la formulación de las normas penales...*, ob. cit., p. 149 y ss.

técnica legislativa, precisamente con la finalidad de individualizar los problemas que aparecen en las distintas remisiones. He partido de la clasificación llevada a cabo por DOVAL PAIS con la intención de ofrecer un abanico lo más amplio posible de aquellas, antes de abordar algunos de los supuestos de remisiones que aparecen en los tipos penales objeto de nuestro estudio.

a) Remisiones relativas al *supuesto de hecho* y relativas a *la consecuencia jurídica.*

Las primeras se caracterizan por requerir su supuesto de hecho un complemento, pudiendo afectar a distintos elementos que formen parte del hecho —al sujeto activo, a las circunstancias que rodean al comportamiento, a determinados aspectos del objeto material[386], etc.— configurándose, pues, de formas muy diversas, originando mayores situaciones problemáticas que las remisiones mencionadas en segundo término, en las cuales la remisión afecta a la sanción o la consecuencia jurídica correspondiente.

b) Remisiones *internas* y remisiones *externas.* Atendiendo a la fuente de la norma de complemento pueden distinguirse, aquellas remisiones efectuadas a la misma ley penal (remisiones internas), de aquellas otras en las que el objeto de remisión se halla en disposiciones de leyes o reglamentos extrapenales, pudiendo incluso el complemento provenir de actos de la Administración, por ejemplo, autorizaciones singulares.

c) Remisiones *estáticas* y *dinámicas.* En atención a la permanencia o estabilidad de la disposición a la que se envía, se habla de remisión *estática* cuando existe una referencia a una disposición normativa concreta y determinada, dirigida al sentido que posee el texto de la ley en el momento en que se redactó o entró en vigor. En este sentido, afirma DOVAL cómo las remisiones internas, esto es, las que se realizan a algunas de las disposiciones penales, constituyen, por su propia naturaleza, remisiones de carácter estático. Por el contrario, la remisión será *dinámica* cuando el sentido de la remisión dependa, en cada momento, del que posea la disposición a que se remite, repercutiendo cualquier cambio en la norma de complemento en la ley penal.

---

[386] El citado autor considera que en el Código penal de 1995 se hallan muchos ejemplos de remisiones que afectan a diversos elementos que forman parte del supuesto de hecho, y en concreto, aludiendo a aspectos relativos al objeto material, cita, entre otros ejemplos, la exigencia de «singular protección» en los edificios, objeto material del art. 321, objeto de nuestro estudio.

d) Remisiones *interpretativas* y remisiones *«en bloque»*. Estas expresiones son acuñadas por GARCÍA ARÁN[387] como las dos formas básicas de remisión que se contienen en las leyes penales, y acude a ellas con la finalidad de localizar los problemas diferenciados entre los términos normativos y las leyes penales en blanco[388].

De ese modo, entiende la remisión en bloque como aquella en la cual, la infracción de la normativa administrativa se convierte en un elemento típico más, mientras que denomina *remisiones interpretativas* a aquellas en las que la normativa extrapenal es necesaria para interpretar o integrar un elemento típico, establecido por el legislador penal, pero la precisión de su contenido necesita del recurso a la norma extrapenal. Esto es, en las remisiones interpretativas, el complemento integrará con fines interpretativos un determinado elemento típico.

e) Remisiones *generales* (o totales) y remisiones *especiales* (o parciales)[389].

En las primeras, el legislador efectúa una referencia completa y exclusiva a la infracción de disposiciones, de manera que, cualquier infracción a la normativa a la que se remite, conformará el ilícito penal, mientras que en las remisiones *especiales* se acota el ámbito de la remisión a sólo determinados aspectos del supuesto de hecho[390].

---

[387] GARCÍA ARÁN, M.: «Remisiones normativas, leyes penales en blanco y estructura de la norma penal», en *Estudios Penales y Criminológicos*, XVI, 1993, p. 70 y ss.

[388] Sobre dichas técnicas de remisión, y en particular sobre sus similitudes y diferencias existe gran controversia tanto doctrinal como jurisprudencial. Incluso MARTÍNEZ-BUJÁN hace referencia a tres modalidades de remisión, añadiendo a las anteriormente mencionadas las conocidas como *cláusulas de autorización*, sosteniendo que «En tales casos, puede entenderse con SILVA, que la cláusula de autorización es un elemento normativo jurídico del tipo, o, si se prefiere, una remisión concluyente a actos administrativos que hacen del tipo uno «parcialmente en blanco»…». MARTÍNEZ-BUJÁN PÉREZ, C.: *Derecho penal económico. P. general*, cit. p. 129.

[389] Estas remisiones reciben, de acuerdo con otros autores, distinta denominación; así, por ejemplo, MARTÍNEZ-BUJÁN PÉREZ —siguiendo a SILVA SÁNCHEZ— en *Derecho penal económico. Parte general*, ob. cit., p. 123. A este respecto, SILVA considera que, únicamente deben estimarse claramente infractoras del principio de legalidad y del mandato de determinación, las leyes en blanco «propias» con «remisión total», en las que el legislador deja en términos absolutamente inconcretos la descripción típica y tampoco proporciona al Ejecutivo criterio alguno para la formulación del complemento, resultando las remisiones ambiguas e indeterminadas en cuanto al objeto de remisión. Sin embargo, considera perfectamente conformes con la Constitución las «remisiones parciales», en las que se abandonen a instancias reglamentarias la regulación de aspectos de detalle de la descripción típica. SILVA SÁNCHEZ, J.M.: ob. y loc. cit.

[390] Señala DOVAL cómo la forma que suelen adoptar es la siguiente: «Quien, contra lo dispuesto en la disposición de complemento, haga X, y con ello afecte… será castigado…», ofreciendo

f) Remisiones *explícitas* y remisiones *implícitas*. Son *explícitas* aquellas remisiones que incorporan en su propio texto la referencia expresa a la normativa complementaria, mientras que las *implícitas* son aquellas que incluyen en el texto un término normativo o reglado, sin aludir de modo expreso a disposición alguna. Precisamente, éste es un criterio de diferenciación que se propone desde la doctrina, en la distinción entre los denominados *elementos normativos* y las *normas penales en blanco;* esto es, atendiendo al *carácter explícito e implícito* de la remisión[391], la ley en blanco sería aquella que contuviese una remisión expresa a preceptos de otra ley no penal (estricta o amplia), mientras que, en los términos normativos la alusión a la norma extrapenal se realizaría implícita o tácitamente. Sin embargo, considero no es posible tan tajante discusión, toda vez que también pueden existir remisiones expresas en los elementos normativos, por lo que, a mi juicio, esta tesis no puede ser acogida.

4.2. Breve referencia a la jurisprudencia constitucional

La relación entre las remisiones normativas y el principio de legalidad ha sido tratada por nuestro Tribunal Constitucional en numerosas sentencias. A este respecto, viene admitiendo la *colaboración reglamentaria* si bien exigiendo determinados requisitos para que ésta sea correcta[392]; sobre este particular,

---

como ejemplo el art. 325 (delito contra el medio ambiente) o el art. 350 (delito de riesgo catastrófico), entre otros. DOVAL PAIS, A.: *Posibilidades y límites para la formulación de las normas penales…*, ob. y loc. cit.

[391] En esta dirección, SILVA SÁNCHEZ, J.M.: «Legislación penal socio-económica y retroactividad de disposiciones favorables: El caso de las «Leyes en Blanco» », en *Estudios Penales y Criminológicos*, XVI, 1993, p. 425. Otro sector doctrinal atiende al *rango* de la norma que completa la ley penal, considerando así que en las leyes penales en blanco se delega la definición de algunos elementos típicos a una autoridad normativa inferior. En esta línea, TIEDEMANN: «Blankettstrafgesetz», en *Handwörterbuch des Wirstchafts-und Steuerstrafrechts*, 1990, p. 1. Pues bien, asimismo esta posición resulta, a mi juicio, objetable partiendo de que en el Código penal encontramos supuestos de remisiones a disposiciones o decisiones de rango inferior, tal y como más adelante mostraremos, contenidas en términos normativos, por lo que no podemos situar en este criterio las diferencias entre ambos institutos.

[392] Concretamente el Tribunal Constitucional se refiere en STC 83/1984, de 24 de julio (FJ 4° y 5°) a la potestad reglamentaria como a *«un complemento de la regulación legal que sea indispensable por motivos técnicos o para optimizar el cumplimiento de las finalidades propuestas por la Constitución o por la propia Ley»*. En un sentido similar, SSTC 77/1985, 122/1987, entre otras.

debe traerse a colación la STC 3/1988, de 21 de enero, de la cual se extrae que la única solución conciliadora debe partir de la fijación de unos límites, tanto en su formulación como en su remisión, de manera que «*queden suficiente determinados los elementos esenciales de la conducta*».

También de cita obligada es la STC 127/1990, de 5 de julio, la cual recoge expresamente en la teoría del *complemento indispensable* las exigencias mencionadas; a este respecto, concretamente se afirma: «...que el reenvío sea expreso y esté justificado en razón del bien jurídico protegido por la norma penal; que la ley, además de señalar la pena, contenga *el núcleo esencial de la prohibición*[393] *y quede satisfecha la exigencia de certeza,* o como señalaba la citada STC 122/1987, se dé la suficiente concreción, para que la conducta calificada de delictiva quede suficientemente precisada con el complemento indispensable de la norma a la que la ley penal se remite, y resulte de esta forma salvaguardada la función de garantía del tipo con la posibilidad de conocimiento de la actuación penalmente conminada». Estos argumentos se reiteran en la STC 61/1994, de 2 de febrero[394], aceptando la constitucionalidad del art. 347 bis del anterior Código Penal.

El Alto Tribunal, en STS 120/1998, de 15 de junio, en el recurso de amparo contra la Sentencia de 2 de julio de 1994 de la Audiencia Provincial de Barcelona —en la que se condenaba por un delito de contrabando de especies protegidas—, revisa si la sentencia impugnada respeta su doctrina general sobre las normas penales en blanco. Sobre este particular, estima que el reenvío normativo del art. 3.2 b) de la Ley 7/1982, de contrabando[395] es expreso, así como que la técnica de remisión está justificada en razón del bien jurídico protegido por la norma penal[396]. Finalmente, afirma que la tercera exigencia, relativa a que la

---

[393] Ciertamente, tal y como afirma SILVA SÁNCHEZ, una de las dificultades de aplicación de esta teoría radica en determinar cómo debe entenderse la expresión relativa al *núcleo de la prohibición,* el cual, a juicio del autor, debía venir constituido por la descripción de la conducta del sujeto en tanto que portadora de un riesgo para el bien jurídico protegido, correspondiendo a la norma extrapenal sólo la misión de especificar modos, medios o formas de la relación entre la conducta y el bien jurídico. SILVA SÁNCHEZ, J.M.: «Introducción. Necesidad y legitimación de la intervención penal...», ob. cit., p. 30. Por su parte, CARBONELL MATEU sostiene como actualmente —ante la amplitud de la regulación jurídica que se contiene sobre las más diversas materias, sobre las que puede y debe pronunciarse el Derecho penal— resulta imposible mantener el grado de exigencia que se podía contemplar en el siglo pasado, de manera que hemos de conformarnos con que la ley contemple el *núcleo esencial de la conducta,* mientras que las cuestiones de detalle han de quedar para normas de rango inferior. CARBONELL MATEU, J.C.: *Derecho penal: concepto y principios...,* ob. cit., p. 121.

[394] En el mismo sentido incide la sentencia de 13 de febrero de 1996 (RJC 24), entre otras.

[395] Recordemos, actualmente derogada por la Ley Orgánica 12/1995, de 12 de diciembre, de Represión del Contrabando.

[396] En el presente caso, se protege tanto el interés económico del Estado como el medio ambiente y, en concreto la subsistencia de especies con riesgo de extinción, de suerte que la remisión

norma penal remitente contenga el núcleo esencial de la prohibición, también ha sido observada pues, si por lo que se refiere al objeto material, es cierto que no se mencionan *expresis verbis* los concretos géneros prohibidos, este elemento es determinable mediante la norma que sirve para completar el tipo penal, «por lo que, en definitiva, el precepto cumple lo requerido por la doctrina de este Tribunal y el órgano *judicial no infringió el principio de legalidad al aplicarlo*» (FJ 5°)[397].

A su vez, el Tribunal Constitucional no rehusa la presencia, en particular, **de términos normativos** que requieran un juicio de valor por parte del juez. Ya en STC 62/1982, de 15 de octubre, rechazó una pretensión de inconstitucionalidad, declarando que el principio de legalidad no es infringido «en los supuestos en que la definición del tipo interpone conceptos cuya delimitación permite un margen de apreciación, máxime en aquellos supuestos en los que los mismos responden a la protección de bienes jurídicos reconocidos en el contexto internacional en el que se inserta nuestra Constitución, de acuerdo con su artículo 10.2 y en supuestos en que la concreción de tales bienes es la dinámica y evolutiva y puede ser distinta según el tiempo y el país de que se trate; ello sin perjuicio de que la incidencia sobre la seguridad jurídica, en los casos en que se produzca, deba tenerse en cuenta al valorar la culpabilidad y en la determinación de la pena por el Tribunal» (FJ 7°).

Ahora bien, el Tribunal sostiene que vulneran las exigencias determinadas en el art. 25.1 del texto constitucional «los tipos formulados en forma tan abierta que su aplicación o inaplicación dependa de una decisión prácticamente libre y arbitraria, en el sentido estricto de la palabra de los Jueces y Tribunales»[398].

En suma, el Tribunal Constitucional admite aquellos conceptos que, en su formulación, permiten un cierto margen de apreciación en su delimitación, mas, evitando la libertad absoluta y la arbitrariedad en la actuación de los jueces al respecto.

¿Cuál es entonces el parámetro que mida el grado aceptable de indeterminación en la formulación normativa? A esta pregunta parece responder el propio Tribunal en la STC 89/1993, de 12 de marzo, al afirmar que «la suficiencia o insuficiencia, a la luz del principio de tipicidad, de esta labor de predeterminación normativa podrá apreciarse también a la vista de lo que en

---

resulta plenamente justificada toda vez que la protección del medio ambiente se eleva a la categoría de principio rector de la política social y económica.

[397] V. Sentencia de 15 de junio de 1998 (Sala Segunda).

[398] STC 105/1988, de 8 de junio (FJ 2°).

ocasión anterior —en referencia al FJ 6º de la STC 133/87, de 21 de julio— se ha llamado contexto legal y jurisprudencial en el que el precepto se inscribe» (FJ 2º).

Respecto del posible quebranto del **principio de igualdad** por mor de las remisiones normativas, se ha pronunciado asimismo el Tribunal Constitucional en diversas sentencias, siendo su posición clara al respecto[399].

Así, la sentencia 40/79, de 14 de julio, señala cómo el referido principio «impone que un mismo órgano no puede modificar arbitrariamente el sentido de sus decisiones en casos sustancialmente iguales y que cuando el órgano en cuestión considera que debe apartarse de sus precedentes tiene que ofrecer para ello *una fundamentación suficiente y razonable*» (FJ 2º)[400]. Una tesis que cabe advertir reiteradamente en la jurisprudencia constitucional, consolidando una doctrina constante[401], según la cual el cambio de criterio no está vedado siempre que «el mismo órgano judicial no modifique arbitrariamente el sentido de sus decisiones en casos sustancialmente iguales: de manera que si bien pueden válidamente apartarse de sus precedentes y alterar la orientación de su propia jurisprudencia, es preciso que para ello aporte la correspondiente justificación, ofreciendo una fundamentación suficiente y razonable o que, en ausencia de tal motivación expresa, resulte patente que la diferencia de trato tiene su base en un efectivo *cambio de criterio interpretativo* por desprenderse así de la propia resolución judicial o por existir otros elementos externos que así lo indiquen» (FJ 3º).

Abundando en esta interpretación, la STC 66/87, de 21 de mayo, sostiene cómo lo relevante es «la existencia misma del cambio de criterio y no sólo su manifestación externa el factor a tener en cuenta para excluir la violación del principio de igualdad. Por ello será posible su exclusión, aun en ausencia de motivación expresa, si resulta patente que la *diferencia de trato* se deriva de una *variación en la interpretación de la ley fundada y fundamentada y adoptada de forma reflexiva por el juzgador...*».

---

[399] Por su parte, el Tribunal Supremo ha tratado el tema, si bien de forma no significativa, en la polémica Sentencia de 18 de noviembre de 1991 (R. A. 9448) sobre unos casos de contagio del virus del Sida, declarando la legitimidad de una Orden de la Conselleria de Sanidad de la Generalitat de Catalunya de 10 de octubre de 1986, norma reglamentaria que establecía la obligatoriedad de realizar pruebas del Sida y que integró una norma en blanco por la que se condenó a los facultativos que realizaron transfusiones de sangre contaminada.

[400] La cursiva, en ésta y en las sucesivas resoluciones de este apartado, es añadida.

[401] Como ejemplos, pueden citarse las SSTC 37/81, de 16 de noviembre (FJ 2º); 63/84, de 21 de mayo (FJ 4º); 66/87, de 21 de mayo (FJ 2º); 12/88, de 3 de febrero (FJ 4º), y 63/88, de 11 de abril (FJ 2º).

El principio de igualdad veta, pues, la ausencia de fundamentación de la desigualdad en sí, que es arbitrariedad[402]. En este sentido, la STC de 1º de noviembre de 1988 declaraba que: «Las diversificaciones normativas son conforme a la igualdad, en suma, cuando cabe discernir en ellas una finalidad no contradictoria con la CE y cuando, además, las normas de las que la diferencia nace muestran una estructura coherente, en términos de razonable proporcionalidad, con el fin perseguido».

Lo cierto es que nuestro ordenamiento jurídico ha adoptado una estructura compuesta, en la que coexiste la legislación estatal junto a la legislación autonómica en la medida en que las Comunidades Autónomas asuman las competencias, al amparo del art. 148 y de sus respectivos Estatutos de Autonomía. De suerte que ello conduce a la posibilidad de que la posición jurídica de los ciudadanos sea distinta en las diferentes partes del territorio nacional[403]. La STC Pleno 14/1998, de 22 de enero, reitera la imposibilidad de que el ordenamiento jurídico sea concebido de modo monolítico, afirmando lo siguiente: «Con la debida reserva respecto de las condiciones básicas que garanticen la igualdad de todos los españoles en el ejercicio de los derechos y el cumplimiento de los deberes constitucionales (art. 149.1), la potestad legislativa de que gozan las Comunidades Autónomas hace que el ordenamiento tenga una estructura compuesta, por obra de la cual puede ser distinta la posición jurídica de los ciudadanos en las distintas partes del territorio nacional».

Abundando en esta tesis, la citada sentencia 120/1998 de 15 de junio afirma cómo «la ausencia de una monolítica uniformidad jurídica no infringe necesariamente los arts. 1, 9.2, 14, 139.1 y 149.1 de la Constitución, ya que estos preceptos no exigen un tratamiento jurídico uniforme de los derechos y deberes de los ciudadanos en todo tipo de materias y en todo el territorio del Estado, lo que sería frontalmente incompatible con la autonomía, sino que, a lo sumo, y por lo que al ejercicio de los derechos y al cumplimiento de los deberes se refiere, una igualdad de las posiciones jurídicas fundamentales (SSTC 37/1987, fundamento jurídico 10º, y 43/1996, fundamento jurídico 2º)».

Ahora bien, como es sabido, la legislación penal es competencia exclusiva del Estado (149.1.6 CE) de forma que las Comunidades Autónomas no pueden prever concretos delitos ni sus correspondientes penas. En este sentido, la STC 162/1996, en su fundamento jurídico 4º, declaró la inconstitucionalidad de un

---

[402]   En este sentido, SILVA SÁNCHEZ, J.M.: «Las «normas de complemento» de las leyes penales en blanco pueden emanar de las Comunidades Autónomas (Consideraciones a propósito de la STC (2ª), 120/1998, de 15 de junio)», en *Poder Judicial*, nº 52, p. 483 y ss.

[403]   SSTC 37/1981 (FJ 2º) y 46/1991 (FJ 2º).

precepto autonómico que reproducía y ampliaba un tipo penal, insistiendo en que está constitucionalmente proscrita la acción del legislador autonómico en el ámbito de la legislación penal[404].

Partiendo de estas premisas el problema que puede plantearse es si el órgano judicial puede integrar el tipo penal con una norma autonómica de naturaleza administrativa, esto es, **si la norma autonómica puede servir de complemento a la ley penal en blanco.**

Sobre este particular se pronuncia el Alto Tribunal en la citada sentencia 120/1998 afirmando que «el órgano jurisdiccional puede seleccionar como complemento válido de la ley penal las normas de las Comunidades Autónomas dictadas en el marco de sus respectivas competencias. En tal caso será preciso que dichas normas autonómicas se acomoden a las garantías constitucionales dispuestas en el art. 25.1 de la CE y que «no introduzcan divergencias irrazonables y desproporcionadas al fin perseguido respecto al régimen jurídico aplicable en otras partes del territorio»…»[405]. Puesto que, de acuerdo con la doctrina del TC acerca de las leyes penales en blanco, el núcleo del delito ha de estar contenido en la ley penal remitente, «la función de la norma autonómica remitida se reduce simplemente a la de constituir un elemento inesencial de la figura delictiva»[406]. Concretamente, el Tribunal considera que, en el presente caso, la integración del delito de contrabando con una Ley del Parlamento de Cataluña cumple las exigencias constitucionales[407], de suerte que representa un complemento válido a los efectos de lo exigido por la norma penal remitente».

Finalmente, debemos apuntar cómo, en la citada sentencia se plantea si también una *norma comunitaria* puede cumplir la función de complemento de la ley penal incompleta, cuando ésta exige el rango de ley para la norma remitida. Pues bien, a este respecto, basándose en la doctrina jurisprudencial del Tribunal de Luxemburgo, nuestro Tribunal Constitucional concluye afirmando que una norma de derecho comunitario, originaria o derivada, en

---

[404] Como también recuerda la STC 142/88 en su fundamento jurídico 6°.

[405] Doctrina constitucional reiterada en relación a la capacidad sancionadora de las Comunidades Autónomas (SSTC 87/1985 8FJ 8°), 152/1988 (FJ 14°), 75/1990 (FJ 5°), 100/1991 (FJ 4°), 168/1993 (FJ 8°), 87/1995 (FJ 8°), 156/1995 (FJ 7° y 9°), 96/1996 (FJ 5°), 15/1998 (FJ 13°).

[406] Véase STC de 15 de junio de 1998.

[407] En primer término, la Ley autonómica ha sido dictada en el marco de las competencias de la Asamblea Legislativa de la respectiva Comunidad Autónoma. En segundo lugar, se comprueba que la disposición tiene rango y fuerza de ley. Y, en último término, la Ley catalana coincide en su finalidad con la Ley estatal 4/1989, de 27 de marzo, de Conservación de los Espacios Naturales y de la Flora y Fauna Silvestres, de forma que no puede admitirse que la ley catalana introduzca en este punto divergencias irrazonables o desproporcionadas.

atención a su primacía en el derecho interno, es también susceptible de integrar el supuesto de hecho de una norma penal, incluso cuando ésta exige que el complemento tenga rango legal.

4.3. Toma de posición

A) *Planteamiento. El empleo de términos normativos en la formulación típica*

Si partimos de las consideraciones efectuadas por CARMONA SALGADO —las cuales resumen las principales objeciones que se realizan a la técnica legislativa seguida en el Título XVI del Código— se puede observar cómo la mencionada autora prevé idénticas consecuencias negativas, tanto del uso o utilización de *elementos normativos,* como de *normas penales en blanco,* cuando se trata de técnicas de remisión distintas, no susceptibles de equiparación, y donde la opción por una u otra comporta consecuencias jurídico-penales diversas. Por todo ello, reitero que, si bien pueden tener en algunos casos efectos finales similares[408], hemos expuesto cómo la remisión a la norma extra-penal puede tener diferentes grados[409], de ahí que no pueden confundirse las *normas penales en blanco* con los denominados **términos normativos.** Por todo ello, antes de pasar a abordar los supuestos de remisiones contenidos en los delitos que ocupan nuestro trabajo, estimo que deben realizarse una serie de consideraciones que, por básicas, no dejan de ser fundamentales en estas cuestiones.

Una de las principales consecuencias que se derivan de la vigencia del principio de legalidad consiste en que, si bien resulta indudable el necesario cumplimiento por parte del legislador del mandato de taxatividad, implícito en el de legalidad[410], simultáneamente debe reconocerse la imposibilidad de

---

[408] Así, GARCÍA ARÁN si bien considera que, respecto de los elementos normativos no suelen plantearse los problemas propios de las leyes penales en blanco, añade sin embargo cómo «...en último término, la condición típica o atípica de la conducta enjuiciada también depende o puede depender de lo dispuesto en una norma sin rango de ley o en una decisión administrativa», en «Remisiones normativas, leyes penales en blanco y estructura de la norma penal», ob. cit., p. 67; por su parte, COBO DEL ROSAL y VIVES ANTÓN exponen el peligro que encierran ambas técnicas para el principio de legalidad. *Derecho penal. Parte general,* ob. y loc. cit.

[409] Cfr. la selección de las modalidades de remisión características de las leyes penales en blanco que realiza DOVAL PAIS: *Posibilidades y límites...,* (ob. cit., p. 114 y ss.) de acuerdo con las necesidades de previsión de determinadas materias.

[410] Como se ha afirmado: «...la falta de determinación en la descripción legal de las conductas, la ausencia de la necesaria taxatividad en la misma, hace decaer la seguridad jurídica y, por

alcanzar un rigor absoluto en la formulación de los tipos penales. Partimos, pues, de la inevitabilidad de un cierto grado de indeterminación, toda vez que la certeza y concreción absoluta conllevaría necesariamente al exclusivo empleo de términos descriptivos y al uso de un excesivo casuismo. Todo ello conduce al legislador a la dificultosa tarea de compatibilizar las exigencias de taxatividad con la generalidad y abstracción que debe caracterizar a cada norma.

A su vez, debe tenerse presente la existencia de limitaciones del lenguaje de la ley en el sistema jurídico positivo. El ordenamiento jurídico, la ley positiva, surge de la elección de una serie de valores e intereses presentes en la sociedad, lo que implica de por sí una referencia a realidades extralegales[411]. Los valores generales se expresan en conceptos de contenido general, mas, si dichos conceptos legales pueden tener un «núcleo» conceptual más o menos claro, tienen, sin duda, un «campo» conceptual difuso[412]. Ello sin olvidar el cambio que, con el devenir histórico, se produce en el sentido de las palabras.

La compleja naturaleza de la formulación típica a la que venimos haciendo referencia exige, pues, que deba efectuarse una diferenciación entre los diversos términos legales, en atención a la diferente naturaleza de los procesos de captación del sentido de aquéllos. A este respecto, los términos típicos pueden ser clasificados en *descriptivos, normativos y teoréticos o cognoscitivos,* si bien, como se ha advertido, todos los términos legales tienen en común el contener referencias de carácter valorativo.

Frente a los términos descriptivos, para cuya interpretación se ha de recurrir a la experiencia del mundo exterior, o a la interna, esto es, al ámbito anímico, en los *términos normativos* su significado se establece mediante el recurso a un juicio de valor[413]. En unos casos la valoración de los elementos típicos viene ya

---

tanto, la certeza que comporta la vertiente de la garantía criminal del principio de legalidad». COBO DEL ROSAL, M./BOIX REIG, J.: «Garantías constitucionales del derecho sancionador», ob. cit., p. 200.

[411] Véase VIVES ANTÓN, T.S.: «Dos problemas del positivismo jurídico», en *La Colección de Estudios,* Instituto de Criminología y Derecho Penal, Universidad de Valencia, 1979; recientemente, en *La libertad como pretexto,* Valencia, 1995, p. 135 y ss.

[412] ENGISCH, K.: *Introducción al pensamiento jurídico,* Madrid, 1967, p. 140.

[413] Acerca de las relaciones de las citadas clases de elementos con las exigencias derivadas del principio de legalidad, véase MADRID CONESA, F.: *La legalidad del delito,* Madrid, 1983. Por su parte, los términos *teoréticos o cognoscitivos,* obligan al intérprete a determinar su sentido acudiendo a un juicio, mas, no se trata de un juicio de valor como en el caso de los términos normativos, sino de un juicio teórico «semejante a los formulados por las leyes de la Ciencia natural». En este sentido, COBO DEL ROSAL, M./VIVES ANTÓN, T.S.: *Derecho penal. Parte general,* ob. y loc. cit.

impuesta al intérprete por el ordenamiento jurídico, tratándose, pues, de términos normativos *ya valorados*[414], donde debe atenerse al contenido de las decisiones de los órdenes normativos. Sin embargo, en otros casos, la valoración de los elementos típicos será «propia» del intérprete, y en última instancia, del juzgador, aunque para ello acuda, o al menos respete, las prescripciones, más o menos difusas, de los órdenes normativos de los que proceden dichas valoraciones, sirviendo de criterio orientativo[415]; en tal caso se habla de cláusulas *pendientes de valoración*. Respecto de esta última subclase de términos, RODRÍGUEZ MOURULLO afirma al respecto cómo: «la propia naturaleza de las cosas impone a veces, no obstante, la necesidad de remitir a la decisión judicial la interpretación del tipo y la introducción en el mismo de características normativas. A técnicas de esta índole sólo se podrá apelar cuando resulte estrictamente indispensable. Esta necesidad convierte ciertas limitaciones del principio de legalidad si no en deseables, sí al menos en tolerables»[416].

Abundando en esta tesis, la sentencia del Tribunal Supremo de 5 de octubre de 1990[417] es de gran trascendencia en este punto, resumiendo los puntos del

---

Junto a los términos mencionados, algunos autores aluden a las denominadas *cláusulas generales indeterminadas,* de naturaleza afín a los términos que requieren una valoración, es decir, a los normativos. En este sentido, DOVAL PAIS, A., ob. cit., p. 61. Asimismo, MADRID CONESA se refiere a la profusa utilización de las cláusulas generales en la doctrina y en la jurisprudencia, señalando cómo el análisis más completo del fenómeno de dichas cláusulas en el derecho penal lo ha llevado a cabo PETZOLDT («Die Problematik...»), autor en cuya opinión, en los supuestos en los que el juez debe aplicar las mencionadas cláusulas generales debe recurrir a valoraciones y hechos que se encuentran fuera del campo del derecho; cit. por MADRID CONESA, F.: *La legalidad del delito,* ob. cit., p. 191 y ss.

[414] Lo que, de acuerdo con COBO y VIVES, no siempre implica que estén expuestos con la precisión suficiente desde el punto de vista de la taxatividad, pudiendo pues, vulnerar la reserva de ley, tanto desde un punto de vista *formal,* en la medida que la esfera de lo punible venga íntegramente determinada por normas que pueden carecer de rango de ley, así como desde un punto de vista *material* en tanto en cuanto no se circunscriba la esfera del injusto penalmente relevante. COBO DEL ROSAL, M./VIVES ANTÓN, T.S.: *Derecho penal. Parte general,* ob. cit., p. 307.

[415] COBO DEL ROSAL y VIVES ANTÓN consideran que, puesto que tales elementos remiten a valoraciones culturales, sociales y metajurídicas, dimanantes de órdenes normativos abiertos, *«su inclusión en los tipos vulnera la exigencia de certeza»,* de manera que, por regla general, existe «un atentado por demás flagrante del principio de legalidad» al constituir «una forma de eludir las exigencias de la reserva absoluta de ley que, según se dijo en su momento, impide toda suerte de remisión normativa, tanto si ésta tiene lugar a favor del ejecutivo, que detenta la potestad reglamentaria, cuanto si tiene lugar a favor de la judicatura». Los citados autores admiten que sólo en ocasiones excepcionales pueden alcanzar un grado de precisión aceptable. COBO DEL ROSAL, M. y VIVES ANTÓN, T.S.: *Derecho penal...,* ob. y loc. cit.

[416] RODRÍGUEZ MOURULLO, G.: «Principio de legalidad», en *Nueva Enciclopedia Jurídica,* t. XIV, 1971, p. 882.

[417] (RJ 7676)

debate; así, afirma en su fundamento jurídico primero que: «El principio de legalidad impone al *legislador la prohibición de dictar leyes penales de contenido indeterminado* porque se desplazaría al poder judicial la tarea de señalar los confines de lo prohibido pero, *en ocasiones, por la propia naturaleza de la materia objeto de regulación, los tipos de delitos sólo pueden ser determinados en parte y han de ser completados por una valoración del juez;* es frecuente la concurrencia, junto a los inevitables elementos descriptivos que permiten una vinculación relativamente estrecha del Juez a la Ley, otros *elementos valorativos —normativos—* que le ofrecen, por el contrario, una mayor libertad, porque necesitan una valoración que refleja, no su personal criterio, sino reglas o normas extrapenales extraídas de la experiencia o de las realidades sociales. La existencia de estos conceptos indeterminados significan, efectivamente, una restricción del principio de legalidad, por eso se limitan a los supuestos en los que la misma naturaleza de las cosas impide determinar legalmente «a priori» todas las características del comportamiento prohibido» (la cursiva es añadida).

En suma, afirmada la inevitable existencia de elementos necesitados de complemento en la formulación de los tipos, debe procurarse, a este respecto, una interpretación conforme al tenor literal del precepto. En esta dirección, VIVES ANTÓN sostiene que el aplicador del Derecho no es libre para interpretar la ley penal, sino que «ha de partir del uso común del lenguaje y del sentido común, para después efectuar una delimitación más precisa conforme a las exigencias materiales que derivan, nada más y nada menos, del hecho de que, en la correcta aplicación de la ley penal está en juego el núcleo más duro de los derechos fundamentales de los ciudadanos»[418].

A la luz de las consideraciones precedentes, entiendo que, con carácter general, en aras a localizar los problemas diferenciadores entre los términos normativos y las normas penales en blanco, más que buscarse un criterio de distinción de carácter formal, éste debiera situarse en la función que desempeña cada clase de remisión en el ámbito del Derecho Penal. De ese modo, considero debemos partir de la distinción efectuada en el apartado anterior entre remisiones en bloque y remisiones interpretativas: así, en un sentido amplio, o bien pueden realizarse remisiones genéricas a la normativa administrativa, remisiones conocidas como *leyes penales en blanco,* o bien se pueden introducir en el tipo ***términos normativos*** *específicos,* en aras de la unidad del ordenamiento, de forma que su significado viene establecido mediante el recurso a un *juicio de valor*[419].

---

[418] VIVES ANTÓN, T.S.: «Principios penales y dogmática penal», ob. cit., p. 42.
[419] Por todos, COBO DEL ROSAL, M./VIVES ANTÓN, T.S.: *Derecho penal. Parte general,* ob. y loc. cit.

En ese sentido, a mi juicio, en los *términos normativos* la ley no remite estrictamente a otras normas, sino que se invoca a éstas en una «valoración» de los elementos típicos[420] para conocer su significado, y por ende, son opuestos a los conceptos denominados descriptivos. Por su parte, en la *norma penal en blanco*, la norma extrapenal se incorpora en la estructura de la definición típica, y por tanto va más allá de la función interpretativa o valorativa de los elementos normativos, de forma que no sólo se caracteriza porque hay una remisión a una norma inferior sino porque el legislador deja en manos del Ejecutivo la fijación y concreción del elemento típico[421]. La remisión se realiza, pues, en las normas penales en blanco, mediante el empleo de una expresión que, si bien es de naturaleza normativa, no procede del legislativo sino del Ejecutivo; esto es, se cede a una instancia no legislativa la fijación y concreción del elemento típico, lo que podría conducir a una conculcación del principio de legalidad en materia penal, así como del principio de separación de poderes[422]. En atención a ello, deben exigirse —tal y como hace el Tribunal Constitucional y la doctrina mayoritaria— ciertas garantías en la formulación de los tipos penales que empleen la mencionada técnica de remisión. Dichas garantías deben pasar, a mi entender, por delimitar con exquisito cuidado los supuestos en que sea inevitable el recurso a las normas en blanco, y siempre que se trate de elementos no esenciales relativos a la conducta prohibida.

Concluyendo, la existencia de conceptos indeterminados significa, efectivamente, que la autonomía del Derecho Penal se ve limitada en determinados ámbitos, en los cuales el ordenamiento jurídico-penal no puede aspirar a una regulación totalmente independiente del resto de órdenes sectoriales, en virtud de la unidad y congruencia del ordenamiento jurídico. A ello se une el hecho de que, de acuerdo con el carácter subsidiario del Derecho Penal, éste sólo interviene en última instancia, cuando los recursos a medios no penales han fracasado en su intento de tutela. En definitiva, como se ha dicho, el rigor absoluto en la formulación de los tipos penales resulta sumamente difícil que

---

[420]   Así, CRAMER en SCHÖNKE-SCHRÖDER, H.: *Strafgesetzbuch. Kommentar 25 Auflage*, ob. cit.

[421]   No obstante lo expuesto, de acuerdo con DOVAL PAIS, pese al hecho de que a las leyes en blanco se les asigne una función instrumental en aras a regular materias caracterizadas por el dinamismo, no supone que únicamente puedan consistir en remisiones en bloque, pues algunos de los mecanismos pueden, a su juicio, ser catalogados como «remisiones interpretativas», pudiendo en estos casos plantearse el problema de su diferenciación con los términos normativos. DOVAL PAIS, A.: *Posibilidades y límites para la formulación de las normas penales. El caso de las leyes en blanco*, ob. cit., p. 122.

[422]   En este sentido, cfr. COBO DEL ROSAL, M./VIVES ANTÓN, T.S.: ob. y loc. cit.

sea alcanzado[423] pues, aunque en dicho momento los términos empleados pudieran acercarse a un grado de precisión rayano a lo absoluto, éste se vería empañado con el paso del tiempo. Ahora bien, la pretensión de la certeza y el rigor debe estar siempre presente hasta donde sea posible, de suerte que, como señaló LEVI: «las exigencias de certeza se cumplen, no mediante una absoluta taxatividad, sino mediante la exhibición permanente de la zona problemática, del área de duda e incerteza»[424]. En este sentido, tal y como afirman COBO DEL ROSAL y VIVES ANTÓN: «El rigor absoluto no puede, ciertamente, alcanzarse, pero no por ello hay que renunciar absolutamente al rigor, sino que es preciso intentar lograrlo hasta donde sea posible, de modo persistente y fijándose cada vez, como meta a conseguir cotas más elevadas de seguridad y certeza»[425].

Partiendo de las consideraciones precedentes, pasemos pues a efectuar, siquiera brevemente, un par de reflexiones puntuales en cuanto a *la técnica* seguida en la tipificación de las conductas atentatorias contra el Patrimonio Histórico[426], previstas en el Capítulo II del Título XVI, de manera que podamos comprobar si cumplen con las exigencias de taxatividad y certeza, consecuencia del principio de legalidad. A este respecto, dependiendo del mayor o menor grado de concreción de la formulación legal, la interpretación judicial gozará, a su vez, de mayor o menor margen de valoración.

Concretamente, en primer término realizaremos una sucinta referencia a la presencia de algunos términos normativos presentes en el citado Capítulo, para ya en segundo término hacer alusión a una cuestión apuntada con anterioridad referida a las posibles situaciones de desigualdad que podían originarse en la aplicación de determinados términos normativos, de acuerdo con el origen o fuente de la remisión.

B) Remisiones y términos normativos en el Capítulo II del Título XVI del Código Penal

Conviene recordar cómo, en la esfera de los *interessi diffussi* o de los intereses colectivos, el empleo de términos descriptivos en la configuración de los tipos penales, se torna una técnica muy limitada[427]. La complejidad de la tutela de

---

[423] *Ibidem.*
[424] LEVI, E.H.: *Introducción al razonamiento jurídico*, Buenos Aires, 1964, p. 132.
[425] COBO DEL ROSAL, M. y VIVES ANTÓN, T.S.: *Derecho penal*, ob. y loc. cit.
[426] Sin perjuicio de un estudio más detenido en el próximo Capítulo.
[427] Así lo reconoce el Tribunal Constitucional respecto del delito ambiental en las ya citadas sentencias 127/90 y 62/94.

nuevos bienes jurídicos de carácter social, económico o institucional obliga al legislador, cada vez con más profusión, a acudir al empleo de términos normativos[428].

Afirmada la presencia de un bien jurídico colectivo en los delitos que nos ocupan, nos encontramos ante tipos penales que contienen, tanto términos normativos *ya valorados,* como *pendientes de valoración,* cuya integración es imprescindible para que se cumpla el tipo. En el presente punto nos limitaremos a señalar únicamente aquellos términos más significativos, y, sin entrar en un análisis detenido de los mismos, por cuanto ello nos llevaría a tratar numerosas cuestiones que serán abordadas en sus respectivos lugares.

a) Así, comenzamos adelantando que el objeto material[429] del tipo recogido en el art. 321 se refiere a «edificios *singularmente protegidos* por su interés histórico, artístico, cultural o monumental».

La exigencia de «singular protección» genera posiciones encontradas en la doctrina científica, si bien la mayoría de los autores manifestados hasta ahora en este punto, entienden que la expresión presupone un reconocimiento o calificación previa por parte de la Autoridad competente de que poseen dicho interés expresado en la ley[430]. Como ya se expondrá detenidamente, la exigencia por parte del precepto de la *singular protección* en los edificios, parece ir referida al nivel máximo de protección que concede la LPHE a determinados bienes, los cuales quedan afectados por un expediente de declaración de Bien de Interés Cultural, si bien estas cuestiones serán matizadas en su momento oportuno.

En principio, la exigencia de «singular protección» en los edificios que conformen el objeto material del art. 321, puede conducirnos a considerar que

---

[428] Sobre este particular, MORALES PRATS, F.: «Técnicas de tutela de los intereses difusos», en *Cuadernos de Derecho Judicial (Intereses difusos y Derecho penal),* 1994, p. 75.

[429] DOVAL PAIS afirma cómo el legislador, en la configuración de los elementos que integran el presupuesto de la norma, puede valerse con mayor libertad que en el caso de las consecuencias jurídicas, señalando, entre otros ejemplos de referencias normativas que aluden a aspectos del objeto material la «singular protección de los edificios» en el art. 321 del Código. DOVAL PAIS, J.: *Posibilidades y límites para la formulación de las normas penales...,* ob. cit., p. 81 y ss.

[430] Posición que sustentan en la actualidad BOIX REIG, J.: *Derecho penal. Parte especial,* Valencia, 1999, p. 5.633; MUÑOZ CONDE, F.: *Derecho penal. Parte especial,* Valencia, 1999, p. 533 y ss.; TAMARIT SUMALLA, J.M.: *Comentarios al nuevo Código penal,* ob. cit., p. 857. Si bien, algún autor como por ejemplo VERCHER NOGUERA entiende será la autoridad judicial en cada caso la que deberá determinar la protección «singular» del edificio. VERCHER NOGUERA, A.: «Delitos contra el patrimonio histórico», en *El nuevo Código penal y su aplicación a empresas profesionales,* Diario Expansión, vol. V, 1996.

nos encontramos ante una clase de *remisión relativa al supuesto de hecho*[431], concretamente relativa a ciertos aspectos del objeto material. A su vez, la remisión podría calificarse de *externa*, pues dicha remisión no se efectúa a la misma ley penal. Es más, a mi juicio, el precepto legal no *remite* a otras normas, sino que se invoca a éstas, para la valoración del elemento típico, de acuerdo con la tesis ya expuesta. Se trata, pues, a mi entender, de un *término normativo valorado*, bien por Ley o bien por la Administración competente en la materia, mediante Real Decreto, el cual no debe suponer, en principio, un menoscabo de las exigencias de claridad y certeza, derivadas del principio de la legalidad.

b) Sin embargo, la exigencia en todos los tipos penales de la previa declaración legal o administrativa de la protección, en los bienes que constituyen el objeto material, podría reducir en exceso el ámbito de lo punible. A este respecto se suscita una polémica doctrinal —que ya se originó en los subtipos agravados del Código precedente— relativa a si los daños tipificados en el art. 323 del nuevo Código Penal se identifican únicamente con los declarados administrativamente o si se valoraba en cada caso concreto la posesión de los valores «**artístico, histórico, científico, cultural o monumental**». Así, algún autor, entre los que se encuentra BAJO FERNÁNDEZ, entiende se trata de un elemento normativo ya valorado en las disposiciones pertinentes. Sin embargo, *la doctrina mayoritaria*[432], así como la *jurisprudencia del Tribunal Supremo*, en pronunciamientos sobre esta materia, aunque referidos al Código precedente[433], entienden, con buen criterio, que se trata de un elemento normativo pendiente de valoración.

Si bien esta cuestión será tratada con detenimiento en el análisis del objeto material del art. 323, podemos adelantar cómo, con base en una interpretación sistemática con el artículo 321 del CP y, de acuerdo con las penas contempladas en ambos preceptos, se optaría por una concepción formalista, requiriendo que los bienes estén así calificados al amparo de la Ley de Patrimonio Histórico. Ciertamente, dicho criterio tiene de positivo el favorecimiento de la seguridad jurídica, sin embargo no constituye dicha limitación un requisito integrante del

---

[431] De acuerdo con la clasificación expuesta *supra* 4.1.

[432] MUÑOZ CONDE: *Derecho penal. Parte especial*, ob. cit., p. 545; TAMARIT SUMALLA, J.M.: *Comentarios al Nuevo Código penal*, ob. y loc. cit.; VERCHER NOGUERA: *Delitos contra el Patrimonio histórico*, ob. cit., p. 1.475; SUÁREZ GONZÁLEZ, C.: en *Comentarios al Código penal*, ob. cit., p. 919; CARMONA SALGADO, C.: en *Curso de Derecho Penal. Parte Especial* (II) (dir. por COBO DEL ROSAL), ob. cit., p. 45; SALINERO ALONSO, C.: *La protección del patrimonio histórico*, ob. cit., p. 315 y ss.

[433] Así, entre otras, la STS de 6 de junio de 1988; STS de 12 de noviembre de 1991; STS de 3 de junio de 1995.

tipo, por lo que podría conducir a una protección parcial y sectorial del Patrimonio Cultural, quedando fuera del ámbito penal todos aquellos bienes que, siendo poseedores de alguno de los valores dignos de protección no han sido objeto de un acto declarativo en este sentido[434]. Considero, pues, que, si de lo que se trata es de dispensar una protección real e integral a los bienes culturales, la norma penal no puede ser interpretada exclusivamente en base a criterios administrativistas.

Sobre este particular, el Tribunal Constitucional, en sentencia de 17 de septiembre de 1998 (Sala primera)[435], afirma que la expresión «Patrimonio Histórico-Artístico Nacional», contenida en el art. 558.5 del anterior Código Penal, es «un elemento normativo que es necesario integrar con la Ley 16/1985, del Patrimonio Histórico Español», cuyo ámbito está conformado, no sólo por los bienes que hayan recibido una especial declaración formal como tales, sino por todos aquellos que poseen algunos de los valores mencionados en el art. 1º, ap. 2, de la citada Ley.

Pero lo cierto es que la LPHE, ni define lo que ha de entenderse por Patrimonio Histórico, pues sólo enumera los bienes que lo integran, ni tampoco especifica en qué consisten en concreto los intereses o valores dignos de protección. Es por ello que, si bien YAÑEZ[436] mantiene que el Alto Tribunal ha entendido que la expresión «Patrimonio Histórico-Artístico Nacional» es un elemento normativo ya valorado legalmente en la LPHE, la presencia de algunos de los valores o intereses en los bienes dañados, objeto de protección penal, habrá de ser estimada, en concreto, por el órgano judicial, con base en los dictámenes periciales pertinentes, si bien sin olvidar las pautas hermenéuticas aportadas por la normativa administrativa.

Una de las mayores razones de mayor peso para argumentar la tesis de la libre valoración nos la da el propio **artículo 46** de nuestra Norma Fundamental, ya que no sólo no exige la previa declaración administrativa para que la ley penal sancione dichos atentados, sino que expresamente matiza «no importa cuál sea su régimen jurídico y su titularidad».

---

[434] Tal como señala ORTS BERENGUER, los inventarios y catálogos requieren una constante actualización y ampliación, y dejan fuera manifestaciones de indudable interés. ORTS BERENGUER, E.: «Exportación sin autorización de obras u objetos de interés histórico o artístico», en *Comentarios a la legislación penal*, t. III (Delitos e infracciones de Contrabando), Madrid, 1984, p. 87 y ss.

[435] Recurso de amparo nº 3002/1995 contra Sentencia de la Sala Segunda del Tribunal Supremo, de 3 de junio de 1995. Ponente don Pablo García Manzano (BOE de 20 de octubre de 1998).

[436] YAÑEZ, A.: «Los bienes integrantes del «Patrimonio Histórico Español». A propósito de la sentencia 181/1998 del Tribunal Constitucional», en *Revista Española de Derecho Administrativo*, nº 103, julio-septiembre 1999, p. 459 y ss.

Y es que, ciertamente, como bien señala VIVES ANTÓN, sin perjuicio de que las normas que regulan el Patrimonio Histórico Español puedan contribuir al esclarecimiento de la ley penal, no parece que ésta pueda ser interpretada únicamente en base a las mismas, ya que «el interés colectivo ni aumenta ni disminuye por el hecho de que el bien de que se trate se halle o no inventariado»[437].

Quizá por ello el legislador de 1995 solamente exige la previa declaración respecto de los edificios[438], especificándose en el art. 321 que éstos gocen de una «singular protección», con el fin de que efectivamente reciban tutela penal. Ninguna particularidad exige el artículo 323 respecto de los objetos de protección, pudiendo, pues, ser considerados como *elementos pendientes de valoración* judicial el resto de bienes integrantes del Patrimonio, por lo que, con base en el mandato constitucional, tendrán cabida en el precepto todos aquellos bienes que, según la interpretación judicial, posean dicho valor «con independencia de su régimen jurídico».

El criterio de la innecesaria declaración formal es también el seguido en el Código Penal de 1995 en los subtipos agravados del hurto, robo, estafa y apropiación indebida. Sin embargo, sorprende como, a diferencia de los delitos anteriores, el legislador exige en el delito de malversación (art. 432.2), dentro del ámbito de los bienes muebles, la previa declaración de las cosas de valor histórico o artístico, reduciendo así el ámbito del objeto material. Dicha previsión no resulta, pues, coherente con el objetivo de protección real de nuestro Patrimonio Cultural, introduciendo pues un elemento distorsionador respecto de la protección dispensada a los bienes muebles en los mencionados subtipos agravados donde no se exige tal declaración[439].

No obstante lo expuesto, optar por el criterio de la libre valoración sigue siendo complejo y controvertido ya que raya el grave problema de la inseguridad jurídica, dejando la valoración del carácter cultural en manos de Tribunales. Sin embargo, ello no supone el dejar totalmente a un lado la normativa administrativa, pues no todos los bienes estarán pendientes de dicha valoración judicial: los que estén correctamente catalogados, inventariados o declarados de interés

---

[437]   VIVES ANTÓN, T.S.: en *Derecho penal. Parte especial*, Valencia, 1993, p. 806.
[438]   El fundamento de esta exigencia será objeto de análisis en el siguiente Capítulo de este trabajo.
[439]   En parecidos términos, SALINERO ALONSO, C.: *La protección del Patrimonio Histórico en el Código Penal de 1995*, ob. cit., 286. También aludiendo a la inadecuada redacción, puede verse PÉREZ ALONSO, E. J.: «Los delitos contra el patrimonio histórico en el Código penal de 1995», en *Actualidad penal* n° 33, 1998, p. 626; asimismo, GARCÍA CALDERÓN, J.M.: «Los daños por imprudencia al Patrimonio Histórico», cit.

cultural serán directamente objeto material del delito. En el resto de los casos, el Tribunal será quien decida con base en criterios objetivos, estimando conveniente acudir a la normativa administrativa para que proporcione criterios indicativos y esclarecedores del alcance de los bienes portadores de los valores mencionados en el ámbito penal, sin por ello dejar de prevalecer el estudio por parte del órgano judicial del caso concreto de que se trate y las circunstancias específicas que lo rodeen. Ahora bien, volveremos sobre esta cuestión tan relevante al abordar el tipo previsto en el art. 323 del Código Penal.

c) Mayores dificultades plantea, en cuanto a las exigencias de taxatividad, el uso por el legislador penal de *términos normativos abiertamente indeterminados*[440], debido a su indefinición o difícil identificación en la legislación extrapenal o en el contexto social. Así por ejemplo, retomando el art. 321 del CP, constituye un elemento esencial para conformar la conducta típica, la **«gravedad»** en la alteración que se lleva a cabo sobre el edificio singularmente protegido, *gravedad* que establece, en principio[441], la frontera entre la ilicitud penal y la ilicitud administrativa[442].

Pues bien, la valoración de la entidad cuantitativa del acto de la alteración quedará, en términos absolutos, en manos del juez, generando, por consiguiente, el empleo del término normativo los mencionados problemas para el mandato de taxatividad[443] inherente al principio de legalidad. La determinación

---

[440] Según expresión de MORALES PRATS: «La estructura del delito de contaminación ambiental. Dos cuestiones básicas: Ley penal en blanco y concepto de peligro», en *La protección jurídica del medio ambiente* (coord. Valle Muñiz), 1997, p. 230. El mismo autor considera que el recurso a los elementos normativos debe ser sometido a una regla de cautela, según la cual debe procurarse la erradicación de los mencionados elementos normativos indeterminados. En QUINTERO OLIVARES, G./MORALES PRATS, F./PRATS CANUT, M.: *Curso de Derecho penal. Parte general,* Barcelona, 1996, p. 25.

[441] Sobre esta cuestión se realizarán una serie de matizaciones en el análisis de los tipos delictivos.

[442] Así, BOIX REIG, J.: *Derecho penal. Parte especial,* ob. cit., p. 634.

[443] Para MORALES PRATS *«los mayores problemas para el principio de taxatividad»* («La estructura del delito...», ob. y loc. cit.). Por su parte, COBO DEL ROSAL y VIVES ANTÓN sostienen cómo, de igual forma, pueden vulnerarse las exigencias de taxatividad mediante el empleo de *conceptos descriptivos* de carácter *objetivo,* si éstos carecen de la debida precisión, en cuanto a las circunstancias, cantidad, tiempo, etc., del objeto descrito, poniendo como «modelo de peregrina indeterminación» la «extrema gravedad» de la conducta de los delitos de narcotráfico (arts. 369-370) que eleva las penas de estos delitos. Sin embargo, COBO y VIVES admiten cómo no carecen totalmente de fundamento las posturas de aquellos autores que defienden qué cláusulas, como la citada, rebasan el límite de lo descriptivo, aun cuando, si se extrema, pone en evidencia que todos los términos penales contienen una referencia valorativa. COBO DEL ROSAL y VIVES ANTÓN: ob. cit., p. 334 y ss.

del contenido del término requerirá de la valoración del intérprete, el cual deberá atenerse, en mayor o menor medida, a prescripciones de órdenes normativos abiertos.

El Tribunal Supremo se ha referido a dicho término normativo en la sentencia de 19 de febrero de 1992 (RJ 1.302), concluyendo que la *gravedad*, si bien referida al delito de injurias, «se trata de un concepto jurídico indeterminado cuya protección obliga al juez, de acuerdo con los factores señalados, y con la propia realidad social a la que el art. 3.1 del Código civil llama para integrarse en el complejo fenómeno de la búsqueda y alcance de las normas jurídicas, a graduar las características de la ofensa para decidir después si el hecho es grave…».

Desde esta perspectiva, estimo que la expresión «alteración grave» merece la consideración de término normativo pendiente de valoración, frente a su pertenencia a la fórmula de las «*cláusulas generales indeterminadas*»[444]. Y es que, en efecto, si bien ambas técnicas poseen, de acuerdo con la doctrina, una naturaleza afín, por cuanto exigen del juez una valoración, la primera de las características de las cláusulas generales es la inexistencia de puntos objetivos de referencia mediante los cuales la actividad del juez pueda guiarse, de manera que decide en última instancia de un modo subjetivo[445]. No es el caso de la locución «alteración grave», para cuya integración debe partirse del hecho de que el legislador penal equipara punitivamente la mencionada *alteración grave* del edificio singularmente protegido a su *derribo*, de suerte que, a falta de un mínimo referente jurisprudencial respecto del tipo penal, la doctrina científica apunta posibles *criterios* a tener en cuenta por los Tribunales en aras a la integración del término normativo.

Para finalizar este somero repaso a algunos de los supuestos de remisiones que aparecen en los tipos penales previstos en el Capítulo II del Título XVI, debemos referirnos al tipo recogido en el art. 322, el cual puede calificarse, de acuerdo con la doctrina mayoritaria, como un supuesto de *prevaricación específica agravada*, a través del cual se da un tratamiento diferenciado a la responsabilidad penal en que puede incurrir el funcionario en sectores de la

---

[444] MORALES PRATS señala la frecuencia del empleo de las cláusulas generales en el CP de 1995 citando como ejemplo el concepto de «daño de especial gravedad» en los tipos agravados de los delitos contra la propiedad intelectual (art. 271). MORALES PRATS: en QUINTERO OLIVARES, G./MORALES PRATS, F./PRATS CANUT, M.: *Curso de Derecho penal. Parte general*, ob. y loc. cit.

[445] PETZOLD: «Die Problematik…», en MADRID CONESA, F.: *La legalidad del delito*, ob. cit., p. 191.

actividad social sometidos a una elevada intervención y capacidad de actuación de la Administración.

En el presente precepto puede encontrarse, de un lado, algún ejemplo de las denominadas *remisiones encubiertas*[446], los cuales tienen lugar cuando la ley penal se remite a una disposición de su mismo texto, si bien, ésta a su vez, reenvía a otras disposiciones extrapenales. A este respecto, puede considerarse como ejemplo de dichas *remisiones* las expresiones «autoridad» y «funcionario público», sujetos activos del tipo del art. 322, toda vez que su definición en el art. 24 del Código Penal, remite a lo establecido en disposiciones fuera del ámbito del texto penal[447].

De otro lado, en este precepto se halla, a mi juicio, un ejemplo *de remisión relativa a la consecuencia jurídica,* si bien con alguna matización. Según lo ya expuesto, esta clase de remisiones se caracterizaban porque en ellas estaría establecido el supuesto de hecho, pero no la sanción o consecuencia jurídica correspondiente. Pues bien, si atendemos a la penalidad prevista, el art. 322 se remite a la pena del delito de prevaricación básica (art. 404), esto es, inhabilitación especial para empleo o cargo público por tiempo de siete a diez años, mas añade a ésta la pena de prisión de seis meses a dos años o multa de doce a veinticuatro meses. De modo, que puede afirmarse que se trata de una remisión *parcial* a la consecuencia jurídica.

C) *Principio de igualdad y Comunidades Autónomas*

A continuación procedo a exponer mi posición acerca de la cuestión atinente a las posibles situaciones de desigualdad que podían originarse en la aplicación de determinados términos normativos. Como ya se ha dicho[448], de acuerdo con el origen o fuente de la remisión, cuando la materia a la que se refiere la actividad en la que se pueden cometer los delitos, o algunos aspectos relativos a ella,

---

[446] Remisiones que suelen citarse junto a las remisiones *implícitas,* a las cuales ya nos referimos con anterioridad *supra* 4.1.

[447] Artículo 24 CP:

«1. *A los efectos penales se reputará autoridad al que por sí solo o como miembro de alguna corporación, tribunal u órgano colegiado tenga mando o ejerza jurisdicción propia. En todo caso, tendrán la consideración de autoridad los miembros del Congreso de Diputados, del Senado, de las Asambleas Legislativas de las Comunidades Autónomas y del Parlamento Europeo. Se reputará también autoridad a los funcionarios del Ministerio Fiscal.*

2. Se considerará funcionario público todo el que por disposición inmediata de ley o por elección o por nombramiento de autoridad competente participe en el ejercicio de funciones públicas».

[448] Vid. *supra* 4.1.

puedan delegarse por el Estado a las Comunidades Autónomas, el mencionado **principio de igualdad** de los ciudadanos ante la ley penal pueda verse cuestionado.

Pues bien, en el ámbito que nos ocupa, partimos de que, de acuerdo con lo dispuesto en el art. 148 1.16° de la Constitución Española, el «*Patrimonio monumental de interés de la Comunidad Autónoma*» se encuentra dentro de las materias sobre las que, a raíz de la descentralización introducida por la Constitución de 1978, podrán asumir competencias las diversas Comunidades Autónomas[449], siendo así que en la actualidad las van asumiendo en mayor o menos medida[450].

No obstante, deben realizarse un par de puntualizaciones a este respecto: en primer lugar, de todos es sabido que, a pesar de lo expuesto, en nuestro orden constitucional las Comunidades Autónomas no tienen competencia directa para legislar en materia de Derecho Penal, de acuerdo con la competencia exclusiva del Estado[451], si bien ciertamente la legislación autonómica tendrá cierta incidencia indirecta y limitada.

En segundo lugar, a pesar de que el debate doctrinal acerca de la función de complemento que puede desempeñar la legislación autonómica respecto de los tipos penales, se centra en las remisiones contenidas en las leyes penales en blanco, dicha problemática puede localizarse igualmente en tipos que contienen *términos normativos*[452].

---

[449] Salvo en defensa del patrimonio cultural, artístico y monumental español contra la exportación y la expoliación, competencia exclusiva del Estado de acuerdo con el art. 149.1.28° CE.

[450] Y de hecho, en sus respectivos estatutos, califican además la competencia como *exclusiva* (v.gr. artículo 10.17 del Estatuto de Autonomía del País Vasco; art. 9.5 del Estatuto de Autonomía de Cataluña; art. 27.18 del Estatuto de Autonomía de Galicia; art. 13.27 del Estatuto de Autonomía de Andalucía; art. 10.13 del Estatuto de Autonomía del Principado de Asturias; art. 22.14 del Estatuto de Autonomía de Cantabria; art. 8.1.14° del Estatuto de Autonomía de La Rioja; art. 10.1.14° del Estatuto de Autonomía de la Región de Murcia; art. 31.4 del Estatuto de Autonomía de la Comunidad Valenciana; art. 31.1 del Estatuto de Autonomía de Castilla-La Mancha; art. 29.9 del Estatuto de Autonomía de Canarias; art. 44.9 del Estatuto de Autonomía de Navarra; art. 7.1.13° del Estatuto de Autonomía de Extremadura; art. 10.19° del Estatuto de Autonomía para las Islas Baleares; art. 26.13° del Estatuto de Autonomía de Castilla y León).

[451] De acuerdo con el art. 149.1.6° CE.

[452] Así lo reconocen, LAMARCA PÉREZ y ARROYO ZAPATERO; concretamente, LAMARCA sostiene que «...tan sólo cabría imaginar una cierta función complementaria a favor de la legislación autonómica, ya sea como portadora de elementos normativos del tipo o como objeto de remisiones del propio legislador estatal, dentro siempre de los límites que impone la ya examinada reserva absoluta». Por su parte, ARROYO señala que «...queda planteado el problema de la posible función de complemento de la legislación autonómica respecto de

Así, por ejemplo, esta cuestión se plantea con respecto a la ya aludida exigencia legal de la previa declaración legal o administrativa de la protección de los edificios de interés histórico, artístico, cultural o monumental, objeto de la conducta lesiva del art. 321 del Código penal. A este respecto, a partir de una trascendental sentencia del Tribunal Constitucional, STC 17/1991, de 31 de enero, se produce una notable ampliación de las competencias de las Comunidades Autónomas en cuanto al procedimiento de declaración de los Bienes de Interés Cultural.

Sobre este particular, resulta preciso recordar que, antes de la citada sentencia, la Ley estatal de 1985 de Patrimonio Histórico Español establecía una competencia compartida entre el Estado y las Comunidades Autónomas, de forma que a éstas sólo les correspondía la *incoación y tramitación* del procedimiento de declaración, mientras que las *resoluciones* concretas correspondían al Gobierno de la nación. Este sistema fue objeto de impugnación por diversas Comunidades Autónomas —en concreto las de Cataluña, País Vasco y Galicia— planteándose *recursos de inconstitucionalidad* contra la citada Ley. Finalmente, el 31 de enero de 1991 el Tribunal Constitucional dicta una sentencia en la que se reconoce con carácter general la constitucionalidad de la Ley estatal de Patrimonio Histórico, si bien con algunos matices, que afectaban básicamente a la competencia para la declaración de Bienes de Interés Cultural. Pues bien, el Alto Tribunal estima que, *con carácter general, la declaración como Bien de Interés Cultural es de competencia de las Comunidades Autónomas,* con una única excepción, los bienes adscritos a servicios públicos gestionados por la Administración del Estado, o los que formen parte del Patrimonio Nacional.

A raíz de dicha resolución, algunas comunidades, en el uso de su competencia propia, además de declarar Bienes de Interés Cultural y aplicarles su régimen de protección, crean categorías y regímenes propios de protección, tal y como se expondrá más adelante.

La principal objeción que se ha realizado a esta ampliación de competencias, a partir de la sentencia del TC, es *la falta de uniformidad* que se produce, pudiendo denunciarse situaciones de desigualdad entre unas Comunidades Autónomas y otras, a raíz de la divergencia de criterios a la hora de inventariar

---

los tipos penales, tanto en lo que se refiere a los elementos normativos jurídicos del tipo penal como a las remisiones que el propio legislador estatal pueda hacer en la configuración del tipo a la legislación autonómica...». LAMARCA PÉREZ, C.: «Legalidad penal y reserva de ley en la Constitución española», *REDC*, mayo-agosto 1997, p. 99 y ss.; ARROYO ZAPATERO: «Principio de legalidad y reserva de ley en materia penal», en *Revista Española de Derecho Constitucional* (en adelante, REDC), mayo-agosto 1983, p. 9 y ss.

o catalogar, en cada caso, su Patrimonio Cultural. A modo de ejemplo sobre el posible trato discriminatorio por parte de las diferentes Administraciones autonómicas, puede ocurrir que un determinado monumento sea declarado de Interés Cultural, de suerte que el ataque a los mismos podría entenderse incluido entre los tipificados penalmente, mientras que en otros supuestos, un monumento de alto valor cultural puede quedar relegado a otras categorías jurídicas de menor nivel de protección, como su simple inclusión en los Catálogos, o incluso quedar al margen de protección legal[453] por dejadez o inactividad del ente administrativo autonómico correspondiente, y consecuentemente no gozar de la expresada protección el ataque a los mismos.

Pues bien, considero que deberá plantearse en qué condiciones pueden estar justificadas estas diferencias de tratamiento, en aras al respeto del principio de igualdad.

La posición del *Tribunal Constitucional* en este punto es clara, tal y como ya se puso de manifiesto[454], señalando como para que pueda apreciarse una vulneración del principio de igualdad es preciso que los supuestos de hecho que se comparen sean iguales, de forma que tal principio no puede ser entendido en modo alguno como una rigurosa y monolítica uniformidad del Ordenamiento.

Así las cosas, considero que no existirá vulneración de dicho principio, si la discordancia en el ámbito de lo punible estuviera basada en circunstancias existentes y propias en cada Comunidad Autónoma, toda vez que la evolución y las condiciones socio-económicas de cada comunidad son distintas y, por consiguiente, obligan a preservar bienes culturales de distinta naturaleza, de acuerdo con una correcta interpretación del principio de igualdad.

De manera que una misma conducta puede tener una trascendencia muy distinta, dependiendo de las circunstancias peculiares —sociales, históricas, culturales, económicas, etc.— de la Comunidad Autónoma en que se lleve a cabo.

El principio de igualdad no se ve, pues, vulnerado por la existencia de regímenes territoriales diversos, pues ello iría en contra del principio de descentralización introducido por la Constitución Española de 1978. Sobre este

---

[453] Cuestiones apuntadas, que no resueltas, por GARCÍA FERNÁNDEZ, J.: «La protección jurídica del Patrimonio Cultural. Nuevas cuestiones y nuevos sujetos a los diez años de la Ley del Patrimonio Histórico Español», en *Patrimonio Cultural y Derecho*, nº 1, p. 81; PÉREZ DE ARMIÑÁN Y DE LA SERNA, A.: «Una década de aplicación de la Ley del Patrimonio Histórico Español», en *Patrimonio Cultural y Derecho*, nº 1, p. 33 y ss.

[454] Vid. *supra* 4.2.

particular, SILVA SÁNCHEZ afirma como, a partir de ello «es posible que sea diferente la posición jurídica de los ciudadanos en las distintas partes del territorio nacional, pues la Constitución no requiere uniformidad monolítica, sino igualdad en las posiciones jurídicas fundamentales»[455].

Obviamente, de acuerdo con la competencia exclusiva estatal en materia penal, los *elementos típicos* que integran las conductas deben ser los mismos para todos; lo que quizá sí podría admitirse, a mi juicio, son diferentes modos de interpretar el contenido de alguno de los elementos típicos, en función de las diferentes circunstancias concurrentes en los distintos territorios autonómicos en que deba ser aplicada[456] la normativa penal. Así, por ejemplo, en materia de Patrimonio Histórico, el objeto de agresión en el art. 321 del Código Penal es único para todo el ámbito estatal, esto es, los edificios singularmente protegidos por sus intereses históricos, artísticos, culturales o monumentales, si bien, la interpretación de cuales en particular integran esa categoría será de competencia autonómica[457].

De ahí el requerimiento de una actuación coordinada de todos los entes públicos, toda vez que la intervención penal dependerá en muchos casos de otras precedentes de distintos sectores del ordenamiento.

D) El error en los términos normativos

La introducción de términos normativos en los tipos penales genera la conocida discusión acerca de qué clase o qué *grado de conocimiento* requieren los mencionados elementos en las realizaciones dolosas, y su relación con el problema del *error*. Hemos creído conveniente adelantar unas líneas de dicha cuestión, para después, más detenidamente, plantear la problemática en el Capítulo dedicado al estudio particular de los tipos objeto del presente trabajo.

En una primera aproximación provisional parece que, así como para el conocimiento de los términos *descriptivos* del tipo únicamente basta con un

---

[455] SILVA SÁNCHEZ, J.M.: «Las normas de complemento de las leyes penales en blanco pueden...», ob. cit., p. 492.

[456] Admitiendo lo que GARCÍA ARÁN denominó como *remisiones interpretativas*. GARCÍA ARÁN, M.: «Remisiones normativas, leyes penales en blanco y estructura de la norma penal», ob. cit., p. 96 y ss. En un sentido similar al del texto, SILVA SÁNCHEZ, J.: «¿Competencia «indirecta» de las Comunidades Autónomas en materia de Derecho penal?», en *La Ley*, 1, 1993, p. 964; SALINERO ALONSO: «Delitos contra la ordenación del territorio», en *La Ley*, 4, 1997, p. 1.332.

[457] Más adelante, nos referiremos a las categorías propias de protección creadas por las autonomías con competencia para ello.

entendimiento lógico de sus circunstancias, en los términos *normativos* se requieren especiales conocimientos para su total comprensión. Sin embargo, asiste la razón a la doctrina mayoritaria cuando sostiene que no hace falta un conocimiento exacto del significado del elemento, sino que basta con un conocimiento aproximado de su significado normativo, es decir, sólo se exige un *conocimiento paralelo, en la esfera de lo profano, del juicio de valor* contenido en él[458]. Consecuentemente, entiendo será suficiente con conocerse los extremos relevantes que conformen su significado material, excluyéndose el elemento cognoscitivo del dolo cuando no se tiene ese conocimiento aproximado, exigible al hombre medio ideal sobre el significado del elemento, no requiriéndose, en modo alguno, la correcta subsunción en la ley.

Partiendo de estas premisas, se trata de dilucidar si el *error* sobre los términos normativos es un error de tipo o es un error de prohibición[459], problema que no viene resuelto por la ley penal. Además, el legislador de 1995 no ha venido a facilitar la interpretación, ya que, por lo que respecta al *error sobre el tipo,* en lugar de hablar de error sobre un elemento esencial integrante de la infracción penal —tal como estaba previsto en el art. 6 bis a) del Código penal de 1944— se refiere al «error sobre un hecho constitutivo de la infracción penal». Una interpretación estricta de los términos legales dificultaría[460] el encaje legal de los supuestos de error sobre los elementos normativos del tipo, si se tradujese el término «hecho» como elemento puramente fáctico perteneciente al tipo.

Dado que no existe razón alguna para considerar diferentes efectos legales en el tratamiento del error sobre los elementos fácticos que en el previsto para los supuestos de error sobre los términos normativos, optamos por una inter-

---

[458] Una «valoración paralela en la esfera de los profano», según la formulación de MEZGER, o «un enjuiciamiento paralelo en la esfera del sujeto», de acuerdo con la fórmula de WELZEL. MEZGER: *Strafrecht,* 3ª, 1949, p. 328 y ss.; *Tratado,* 1946, p. 145 y ss.; WELZEL: *Strafecht,* 11ª, 1969, p. 75 y ss. También defienden esta tesis en la doctrina alemana, entre otros, MAURACH: *Tratado 1,* 1964; SCHMIDHÄUSER: *Studienbuch AT,* 1984. En la doctrina española, entre otros, ARROYO ZAPATERO: *Delitos contra la Hacienda Pública,* 1987, p. 70; asimismo, RODRÍGUEZ MUÑOZ: *Notas al Tratado de Derecho Penal de E. Mezger,* t. II, 1957 (cfr. DÍAZ y GARCÍA CONLLEDO, M.: «Los elementos normativos del tipo penal y la teoría del error», en *Estudios Jurídicos en honor del prof. Dr. J.R.: Casabó Ruiz,* Valencia, 1997, citando ampliamente los autores defensores de este criterio).

[459] En el *error de tipo,* el sujeto cree que no concurren en su conducta todos o algunos de los elementos del tipo, pese a que efectivamente concurren. En el *error de prohibición* el sujeto cree que actúa conforme a derecho, cuando en realidad no es así. Este error puede ser directo, si ignora la desvalorización que el derecho atribuye al hecho, o indirecto, cuando conociéndola, cree erróneamente que concurre una causa de justificación. V. COBO DEL ROSAL, M./ VIVES ANTÓN, T.S.: *Derecho penal. Parte general,* ob. cit., p. 670 y ss.

[460] En esta dirección MORALES PRATS, F.: *Comentarios al nuevo Código penal,* ob. cit., p. 105.

pretación *sistemática y teleológica*, considerando que el art. 14.1 se está refiriendo al «*hecho* constitutivo de la infracción penal» como toda circunstancia descrita en el tipo, sea de carácter fáctico o con significado o valoración social, cultural, es decir, incluyendo a los términos normativos, pertenecientes todos ellos al tipo[461]. Por consiguiente, me inclino por el tratamiento del error sobre un término normativo como *error de tipo*, concepción dominante en la doctrina[462].

Asimismo, desde consideraciones *dogmáticas* llegamos a la misma solución, pues si el error recae sobre un término que se utiliza para caracterizar el hecho como típico, debe ser analizado prioritariamente en la tipicidad. Dicho de otro modo, deberá solucionarse en el tipo lo que sistemáticamente pertenece a él y sirve para constituirlo[463], de manera que, si se puede constatar que, sin la presencia de estos términos o elementos el hecho carece de relevancia jurídico-penal, son elementos de la tipicidad misma.

En definitiva, atendiendo al carácter secuencial en el análisis del delito, sólo constatada la tipicidad, podemos pasar a determinar si la conducta debe ser considerada definitivamente como antijurídica —el estudio del tipo es anterior al de la antijuridicidad— de forma que si el término es necesario para afirmar la atipicidad, debe ser, pues, analizado en esta categoría, no teniendo por qué relegarse su análisis a un momento posterior.

---

[461] De esta opinión, LUZÓN PEÑA, D.: *Derecho Penal, Parte General*, ob. y loc. cit.; SALINERO ALONSO, C.: «Delitos contra la ordenación del territorio», ob. cit., p. 245; MORALES PRATS, F.: ob. y loc. cit.

[462] Así, MUÑOZ CONDE, F.: *El error en Derecho penal*, Valencia, 1989, p. 128 y ss.; GARCÍA ARÁN, M.: ob. cit., p. 86; LUZÓN PEÑA, D.: ob. y loc. cit.; DÍAZ Y GARCÍA CONLLEDO, M.: «Los elementos normativos del tipo penal y la teoría del error», ob. y loc. cit.; MAURACH: *Derecho penal. Parte general*, ob. cit., p. 665.
Ahora bien, algunos autores distinguen el error que recae *sobre el sustrato fáctico* del elemento normativo, y entonces es claro tiene las consecuencias del error de tipo, del error *sobre el significado normativo* del elemento, refiriéndose en este último caso a un *error de subsunción*, cuando, por ejemplo, se da un error en la interpretación del significado jurídico exacto del elemento normativo, o un error de denominación o calificación, resultando discutible la solución de los casos concretos, de forma que para algunos autores dicho error será irrelevante, mientras que para otros puede ser un error de prohibición. Así, MAURACH admite que, por excepción, el error sobre un elemento normativo puede ser tratado como error de prohibición cuando el autor haya conocido todos los hechos relevantes, y sólo debido a una equivocada valoración jurídica no haya logrado el necesario conocimiento de la significación de la circunstancia. MAURACH: *Derecho penal. Parte general*, ob. cit., p. 664; incluso para otros autores se estará ante un error de tipo. V. LUZÓN PEÑA: ob. y loc. cit. Véase sobre la discusión doctrinal, SUAY HERNÁNDEZ, C.: «Los elementos normativos y el error», en *ADPCP*, 1991, p. 97 y ss.

[463] En este sentido, MUÑOZ CONDE, F.: *El error en Derecho penal*, ob. cit., p. 60 y ss.

La elección como error de tipo del error sobre los términos normativos, cobra especial sentido en aquellos ámbitos en que el legislador ha renunciado a sancionar la modalidad imprudente. Como es sabido, el error de tipo, de ser vencible sólo sería punible si se admitiera la incriminación imprudente. A este respecto, en el nuevo texto punitivo no se contempla la incriminación imprudente de los atentados tipificados en el art. 321; al no estar prevista expresamente, en principio dicho error conduciría a una impunidad. Esta cuestión será analizada más detenidamente en el siguiente Capítulo, en aras a determinar si podría admitirse la incriminación imprudente desde una interpretación extensiva del art. 324 —el cual reproduce textualmente la conducta de daños genéricos del 323, si bien referida a los bienes de valor artístico, histórico, cultural y científico.

4.4. Problemática de carácter procesal: las cuestiones de prejudicialidad

La intervención directa del legislador penal en materias tradicionalmente reguladas por el Derecho administrativo, tal y como ya se apuntó, puede dar lugar a cierta problemática de índole procesal, concretamente me estoy refiriendo a las denominadas cuestiones de prejudicialidad.

Si bien partimos de la afirmación de la *prevalencia del orden jurisdiccional penal*[464] sobre la actuación sancionadora de la Administración —suspendiéndose dicho procedimiento hasta que la autoridad penal decida, y respetando, si finalmente actúa a posteriori, el planteamiento fáctico realizado por los Tribunales— dicha preferencia del orden penal podría verse cuestionada por la concurrencia de *causas prejudiciales o cuestiones prejudiciales devolutivas*.

Ya expusimos como el legislador penal utiliza para integrar los tipos elementos extrapenales, los cuales se incardinan en relaciones con otros órdenes normativos. Pues bien, estas cuestiones, denominadas *«prejudiciales»* porque su resolución es previa a la decisión final del juez[465], se clasifican, de acuerdo con la doctrina, en *no devolutivas,* cuando las resuelve el juez penal en su sentencia, y en *devolutivas,* cuando son resueltas por el juez del orden jurisdiccional que corresponda según la naturaleza de la cuestión[466], de forma

---

[464] Cfr. *supra* lo expuesto acerca del *ne bis in idem,* en su vertiente procesal.

[465] Cfr. CORTÉS DOMÍNGUEZ, V. en CORTÉS DOMÍNGUEZ, V., GIMENO SENDRA, V., MORENO CATENA, V.: *Derecho procesal penal,* Madrid, 1997, p. 235 y ss.

[466] Si bien, alguna voz doctrinal considera que se está incurriendo en imprecisiones terminológicas con esta distinción, estimando preferible hablar de *«causas prejudiciales»* ante una decisión

que, en este segundo supuesto, se invierte la afirmación de la que partíamos, al suspenderse el procedimiento penal hasta que el Tribunal competente decida sobre la mencionada cuestión.

Llegados a este punto, debemos plantearnos si puede admitirse que, en los delitos sobre el Patrimonio Histórico, el Juez penal utilice la vía de la *causa prejudicial* o cuestión prejudicial devolutiva, toda vez que en ellos existen conceptos y situaciones jurídicas de otro orden jurisdiccional, cual es el administrativo, cuya integración es imprescindible para que se cumpla el tipo, elementos que, a la postre, son susceptibles de integrar el objeto de un litigio administrativo.

A) *Posición de la doctrina*

La doctrina española se encuentra dividida en cuanto a la aplicación de la técnica de la prejudicialidad en las figuras delictivas introducidas en el Código penal de 1995, en las cuales se ha optado por el empleo de términos normativos.

De un lado, se sostiene la *inevitabilidad* de dichas cuestiones prejudiciales *devolutivas* en los tipos en que se ha utilizado la mencionada técnica legislativa. En ese sentido podemos citar, entre otros, a CARMONA SALGADO, RODRÍGUEZ RAMOS y GARCÍA DE ENTERRÍA[467]. Sobre este particular, CARMONA señala que, como consecuencia de una actitud excesivamente expansionista del Derecho Penal, se producen inevitables cuestiones prejudiciales devolutivas, si bien admite el riesgo ya apuntado de conversión en regla general de lo que constituye hoy legalmente una excepción. Por su parte, RODRÍGUEZ RAMOS considera que los tipos penales de nueva creación que han introducido elementos normativos, van a generar inevitablemente el planteamiento de cuestiones prejudiciales de carácter devolutivo, citando como ejemplo los nuevos *«delitos relativos a la ordenación del territorio y la protección del patrimonio histórico y del medio*

---

previa de un juez distinto que deba ser tomada como base de la decisión del juez penal. En ese sentido, CORTÉS DOMÍNGUEZ, V.: ob. y loc. cit. Incluso, alguna resolución jurisprudencial invierte el significado de los dos tipos de cuestiones; así la Sentencia de la Sala 2ª de 5 de noviembre de 1991.

[467] CARMONA SALGADO, C.: *Curso de Derecho penal. Parte especial*, ob. y loc. cit. RODRÍGUEZ RAMOS, L.: «¿Hacia un Derecho penal privado y secundario? (Las nuevas cuestiones prejudiciales suspensivas)», en *Actualidad Jurídica Aranzadi*, nº 251, junio 1996. GARCÍA DE ENTERRÍA, E.: «La nulidad de los actos administrativos que sean constitutivos de delito ante la doctrina del Tribunal Constitucional sobre cuestiones prejudiciales administrativas apreciadas por los jueces penales. En particular, el caso de la prevaricación», en *REDA*, nº 98, abril-junio 1998.

ambiente». En esa misma línea se sitúa GARCÍA DE ENTERRÍA, el cual afirma que, en todos los delitos del Título XVI del Libro II del CP, resultará aplicable la técnica de la prejudicialidad devolutiva; ahora bien, reconoce como en la práctica seguirá predominando el recurso habitual por parte del juez penal a dictámenes periciales, y consecuentemente la prejudicialidad atractiva propia e incidental. Por último, LASCURAIN SÁNCHEZ[468], entre los supuestos previstos en el nuevo Código Penal en los que puede sucederse la prejudicialidad administrativa, menciona el art. 321 del CP donde la calificación de «singular protección» del edificio, entiende puede estar cuestionada administrativamente.

Sin embargo, desde otra perspectiva, se sostiene por algunos autores la autonomía del juez penal en la valoración de los términos normativos previstos en los delitos contra el Patrimonio Histórico. Así, MUÑOZ CONDE, delimita el contenido de los bienes de «valor histórico, artístico, científico, cultural o monumental», objeto de protección del art. 323, considerando que nos hallamos ante un elemento normativo de valoración cultural, mientras que en el tipo del art. 321 estima gozarán de protección los declarados de interés cultural por ley o por Real Decreto de forma individualizada[469]. Por su parte, TAMARIT SUMALLA sostiene dicha autonomía, basándose en que, de otra forma, se otorgaría al tipo un cariz formalista, no coherente con su formulación, si bien con respecto al tipo recogido en el art. 321 matiza que su interpretación no puede quedar al margen del régimen administrativo de protección del patrimonio histórico.

Por último, por lo que se refiere al tipo de prevaricación específica agravada del art. 322, podemos hacer aplicables, en principio, las consideraciones realizadas respecto del tipo básico de prevaricación[470]; en ese sentido, si la conducta injusta lo fuera de modo manifiesto y patente, no se admitiría la prejudicialidad devolutiva[471].

B) Toma de posición

La *regla general* que disciplina esta materia se contiene en el art. 3 de la Ley de Enjuiciamiento Criminal (en adelante LECrim), y consiste en la «no

---

[468] Citado por GARBERÍ LLOBREGAT, si bien este autor ha obviado la referencia a su obra, quizá por un error de transcripción. GARBERÍ LLOBREGAT, J.: «Principio *non bis in idem* y cuestiones de prejudicialidad», en *Las fronteras del Código penal y el Derecho Administrativo Sancionador*, Cuadernos de Derecho Judicial, 1997, p. 81 y ss.

[469] MUÑOZ CONDE: *Derecho penal. Parte especial*, ob. cit., p. 544 y ss.

[470] Cfr. GONZÁLEZ CUSSAC, J.L.: *El delito de prevaricación...*, ob. y loc. cit.

[471] En esta dirección se pronuncia el TS en sentencia 20 de enero de 1996.

devolutividad» de las cuestiones prejudiciales. El citado precepto dispone que: «...*la competencia de los Tribunales encargados de la justicia penal se extiende a resolver, para el solo efecto de la represión, las cuestiones civiles y administrativas prejudiciales propuestas con motivo de los hechos perseguidos cuando tales cuestiones aparezcan tan íntimamente ligadas al hecho punible que sea racionalmente imposible su separación*». Esta proclamación normativa se completa con lo establecido en el art. 10.1 de la Ley Orgánica del Poder Judicial: «*A los solos efectos prejudiciales, cada orden jurisdiccional podrá conocer de asuntos que no le estén atribuidos privativamente*».

No obstante, esta regla general tiene una *excepción* prevista en el art. 4 de la LECrim, el cual establece que: «*Sin embargo, si la cuestión prejudicial fuese determinante de la culpabilidad o de la inocencia, el Tribunal de lo criminal suspenderá el procedimiento hasta la resolución de aquélla por quien corresponda...*».

La *jurisprudencia constitucional* viene admitiendo el instituto de la prejudicialidad, básicamente en aras de evitar la vulneración del principio de seguridad jurídica, pues, en cuanto dicho principio integra «la expectativa legítima de quienes son justiciables a obtener para una misma cuestión una respuesta inequívoca de los órganos encargados de impartir justicia, ha de considerarse que ello vulneraría, asimismo, el derecho subjetivo a una tutela judicial efectiva, reconocido por el art. 24 de la Constitución (SSTC 62/1984, 158/1985)...» (FJ 5°)[472].

Sin embargo, de acuerdo con la doctrina constitucional, debe admitirse o hacerse uso de dicho instituto sólo de forma excepcional, de modo que la primacía o la competencia específica de una jurisdicción sobre otra se establezca con el fin de evitar los «*indeseables efectos*» señalados (STC 50/ 1996, de 26 de marzo, Sala primera).

Desde la doctrina científica, incluso se ha llegado a afirmar como precisamente, de la propia regulación legal, parece desprenderse que el principio de diversidad de jurisdicciones no va más allá de su mera formulación, toda vez que se establecen plazos extraordinariamente breves (2 meses) «...*para que las partes acudan al Juez o Tribunal civil o contencioso-administrativo competente*» (art. 4 LECrim). De suerte que, en la práctica, resulta difícil o incluso *inoperante*[473], pues, una vez transcurrido el plazo sin que el interesado acredite haberlo

---

[472]   STC 30/1996, de 26 de febrero de 1996.
[473]   GARBERÍ LLOBREGAT: ob. cit., p. 117 y ss.

utilizado, el Tribunal de lo criminal alzará la suspensión y continuará el procedimiento hasta la sentencia[474].

En cualquier caso, si se generalizase el recurso a las cuestiones prejudiciales devolutivas en los procesos penales se producirían básicamente dos *efectos de carácter negativo:* en primer lugar, se invertiría la propia regla general impuesta por el legislador, pero además, en segundo lugar, se produciría en la práctica excesivas paralizaciones de ambos procesos, de forma que la efectividad de la jurisdicción penal quedaría condicionada, cada vez que se tuviera que plantear la cuestión en vía administrativa, por la consiguiente paralización del proceso penal hasta la resolución de ésta, combinada con la lentitud y retraso de la Jurisdicción contencioso-administrativa[475]. Pese a todo, la resolución por el juez extrapenal no sería vinculante con efectos de cosa juzgada para el juez penal[476].

En definitiva, todo ello conduce a fundamentar la atribución al juez penal del conocimiento de todas las cuestiones que componen el supuesto de hecho del tipo penal, de acuerdo con los principios que rigen el proceso penal (inmediación y valoración probatoria)[477]. **Por tanto,** a tenor de las consideraciones efectuadas, estimo que la aludida preferencia en el orden penal, impide el recurso a la vía jurisdiccional administrativa[478], salvo los casos excepcionales ya

---

[474] Cfr. art. 4, p. 2. De ahí que algún autor, como es el caso de CORTÉS DOMÍNGUEZ, considere que el legislador defiende el principio referido tan sólo formalmente y no sustancialmente, pues aun cuando se planteara la demanda del orden jurisdiccional correspondiente en el plazo indicado, entiende que nunca vincula al juez penal con efectos de cosa juzgada. CORTÉS DOMÍNGUEZ: *Derecho procesal penal...,* ob. cit., p. 241.

[475] En este sentido se pronuncian GONZÁLEZ CUSSAC, J.L.: *El delito de prevaricación de autoridades y funcionarios públicos,* ob. cit., p. 46 y ss.; LÓPEZ RAMÓN: «Aspectos administrativos de los delitos urbanísticos», en *Revista de Derecho Urbanístico,* nº 151, 1997, p. 54 y ss. El problema expuesto encuentra solución *ex lege* en el ordenamiento italiano respecto de los delitos urbanísticos, al establecerse la necesaria resolución previa de las cuestiones administrativas, dándose entonces posterior traslado a la vía jurisdiccional penal. Concretamente, el art. 22 de la Ley 47/85 expone que: «la acción penal relativa a las violaciones edificatorias permanece en suspenso hasta que no hayan sido terminados los procedimientos administrativos de sanatoria así como los recursos jurisdiccionales».

[476] A este respecto, CORTÉS DOMÍNGUEZ afirma que: «Sólo cuando la resolución de la cuestión da lugar a una sentencia constitutiva puede decirse que el juez penal se ve vinculado por la sentencia extrapenal». CORTÉS DOMÍNGUEZ, ob. y loc. cit.

[477] Cfr. CORTÉS DOMÍNGUEZ. *Ibidem.* En el mismo sentido, DOVAL PAIS, A.: *Posibilidades y límites para la formulación de las normas penales,* ob. cit., p. 136 y ss.

[478] Otro planteamiento lo encontramos en RODRÍGUEZ RAMOS, el cual sugiere otra hipótesis diferente al tratar las cuestiones prejudiciales devolutivas como un conflicto de competencias, cuya resolución afecta al juez ordinario predeterminado por la ley, considerando que

mencionados. Consecuentemente, sobre este particular, me sitúo en la línea de quienes afirman la falta de operatividad de las cuestiones prejudiciales devolutivas en la mayoría de los supuestos de los delitos sobre el Patrimonio Histórico.

Ahora bien, ello no es óbice para que deba tenerse presente lo establecido en el art. 7 LECrim: «*El Tribunal penal se atemperará, respectivamente, a las reglas de Derecho civil o administrativo, en las cuestiones prejudiciales que, con arreglo a los artículos anteriores, deba resolver*». De ese modo, en los delitos objeto de nuestro trabajo, y, en concreto, en el supuesto del art. 321 del Código Penal, será la propia Administración competente en la declaración del interés cultural del bien, la que vendrá a auxiliar al Juez penal en el esclarecimiento, por ejemplo, del contenido de la «singular protección» exigida por el tipo referido con respecto al edificio, objeto material del citado precepto. A este respecto, ya avanzamos que el juez penal deberá acudir, en la interpretación o valoración del término normativo, a la normativa administrativa de protección del Patrimonio histórico, de forma que se identifiquen los «edificios de singular protección» con los edificios protegidos desde la Administración —regulados en la LPHE y en la normativa autonómica dictada al respecto— declaración dependiente de la Administración activa y no de la jurisdiccional[479]. En ese sentido, el legislador de 1995 solamente exige la previa declaración respecto de los edificios de interés histórico, artístico o monumental, por las razones que ya serán esgrimidas en su momento, especificándose que éstos gocen de una «singular protección».

Sin embargo, ninguna particularidad exige el artículo 323 en la determina ción *del «valor histórico, artístico, científico, cultural o monumental»* de los bienes muebles e inmuebles, objeto de su protección. En este caso, la norma penal no puede ser interpretada *exclusivamente* con criterios administrativos, si bien la normativa administrativa referida podrá contribuir al esclarecimiento e interpretación del alcance de los bienes portadores de los valores mencionados

---

el citado juez no es otro que el competente en razón de la materia, pudiendo, consecuente-mente con su planteamiento, plantearse *en cualquier momento* del proceso penal, de oficio o a instancia de parte, las cuestiones prejudiciales devolutivas, siendo preceptiva la inhibi-ción del órgano jurisdiccional penal. Cfr. RODRÍGUEZ RAMOS: «Cuestión prejudicial devolutiva, conflicto de competencia y derecho al juez predeterminado por la ley» en *Actualidad Jurídica Aranzadi*, n° 285, 13 de marzo de 1997.

[479] Si bien refiriéndose a los delitos sobre la ordenación del territorio, ACALE reduce la eficacia de la cuestión prejudicial a los supuestos en que exista un acto administrativo recurrido en vía jurisdiccional contencioso-administrativa. Cfr. ACALE SÁNCHEZ, M.: *Delitos urbanís-ticos*, ob. cit., p. 128 y ss.

en el ámbito penal, proporcionando criterios aclaratorios e indiciarios[480]. Obviamente no será el único criterio interpretativo al que acudirá el juez penal, el cual deberá contar con la asistencia de peritos y especialistas en la materia en la determinación del valor de las piezas u objetos dañados.

Resulta significativa en este sentido la resolución del Tribunal Supremo de 6 de junio de 1988, que aunque referida al Código precedente, sostiene que «debe entenderse que queda al arbitrio judicial la determinación, en cada caso concreto objeto de enjuiciamiento, de si los bienes u objetos ostentan o no el valor justificativo del tipo agravado, sin que, como es obvio, ello signifique o impugne, como dice el recurrente, dejar a los gustos, preferencias, tal determinación ya que ello no supondría arbitrio sino arbitrariedad o la posibilidad de que se incurriese en ella, sino que como en todos los casos en que la apreciación de algo se deja legalmente al arbitrio judicial, los Tribunales deberán atenerse con la mayor prudencia y cautela a aquellos criterios que aparezcan como más objetivos, según el común sentir de la colectividad, y, a ser posible, como manifiestamente notorios e indiscutibles y siempre inspirándose en el espíritu del conjunto normativo regulador de la materia de que se trate» (FJ 3°).

Por consiguiente, si bien será el propio Tribunal quien decida finalmente el contenido de los términos normativos, al tener la valoración del carácter cultural en sus manos, considero resultaría conveniente, en aras de la seguridad jurídica, una efectiva coordinación de las requeridas labores de asistencia por parte de los técnicos especialistas. Asimismo, podrían establecerse organismos de enlace especiales entre la Administración y la Judicatura, regulándose las relaciones entre todas las autoridades competentes de una manera más detallada y precisa, unido a las oportunas reformas procesales o de organización jurisdiccional. En ese sentido, sería plausible el logro de especializaciones en la materia por parte de las fiscalías[481], así como la unificación de criterios de las Fiscalías Generales, ante las escasas resoluciones provinciales dictadas hasta el momento.

Las reflexiones que hasta ahora hemos realizado sobre el bien jurídico, nos conducen a poder afirmar la *singularidad* y *sustantividad* del bien jurídico

---

[480] En esta línea, si bien refiriéndose al tipo agravado de robo y de hurto cuando recaiga sobre «cosas de valor histórico, cultural o artístico». PÉREZ ALONSO, E.: *Teoría general de las circunstancias: especial consideración de las agravantes «indeterminadas» en los delitos contra la propiedad y el patrimonio*, ob. cit., p. 419 y ss.

[481] Sobre el particular, resalta GARCÍA CALDERÓN (*La protección penal del Patrimonio Histórico*, cit.) la iniciativa parlamentaria de CIU de creación de una Fiscalía especial para la protección del patrimonio histórico o la creación de cuerpos especializados en la persecución de esta clase de delitos.

protegido en el Capítulo II del Título XVI[482]; singularidad que, tal y como venimos resaltando a lo largo del presente trabajo, no ha recibido una adecuada respuesta en cuanto a su protección y tutela por parte del legislador penal, de acuerdo con una concepción residual del bien jurídico.

Pasemos, pues, a tratar de determinar cuál es en concreto el objeto de protección en los delitos contra el Patrimonio Cultural. Las consecuencias que de aquí se extraigan serán determinantes en aspectos como la identificación del objeto material, la posibilidad de apreciar concursos de delitos con otras figuras delictivas de nuestro Código Penal, la autoría o el error.

V. EL OBJETO JURÍDICO PROTEGIDO EN LOS DELITOS SOBRE EL PATRIMONIO HISTÓRICO

1. Introducción

La definición de bien jurídico[483] aportada por los autores COBO DEL ROSAL y VIVES ANTÓN, según la cual conciben aquél como «todo valor de la vida humana protegido por el Derecho»[484], nos servirá de punto de arranque para concretar el bien jurídico concreto en los delitos objeto de análisis. Idea de *valor* que permite la distinción entre el objeto de tutela jurídico-penal y el llamado

---

[482] Obviamente, sin olvidar las objeciones realizadas por no reconducir a su interior toda la regulación penal vigente en la materia.

[483] Desde un punto de vista conceptual, el bien jurídico ha recibido por parte de la doctrina científica diversas denominaciones desde que se identificó con la idea de *derecho subjetivo* en la época de la Ilustración. Entre otros, POLAINO NAVARRETE hace una completa exposición de todas estas denominaciones. POLAINO NAVARRETE: *Bien jurídico en Derecho penal*, Sevilla, 1974.

[484] COBO DEL ROSAL y VIVES ANTÓN: *Derecho Penal. Parte general*, ob. cit., p. 318. Recientemente VIVES ANTÓN (*Fundamentos del sistema penal*, Valencia, 1996, p.484) concibe el bien jurídico de modo *procedimental*, al considerarlo el primer tópico de la argumentación en torno a la validez de la norma.

Por su parte, GONZÁLEZ RUS ha definido el bien jurídico como «el bien o valor, individual o social, susceptible de ser percibido física o mentalmente y lesionable». GONZÁLEZ RUS, J.J.: *Bien jurídico y Constitución (Bases para una teoría)*, Madrid, 1983, p. 34 y ss. A su vez, ya señalamos cómo TERRADILLOS BASOCO entendía por bien en sentido jurídico-penal «lo que es susceptible de satisfacer una necesidad humana», relacionando la idea de «necesidad», apuntada por ROCCO, con la de *valor*, a través de la cual se define. TERRADILLOS BASOCO, J.: «La satisfacción de necesidades...», ob. cit., p. 136 y ss; ROCCO, A.: *Opere giuridiche*, Roma, 1932, p. 260 y ss.

objeto material del delito, expresiones conceptualmente diferenciables y básicas en el estudio del contenido material del injusto[485]. Por ello, en relación a los delitos que constituyen el objeto del presente trabajo, se precisará de un lado lo que conforma el objeto material, constituido por los bienes integrantes del patrimonio histórico, cultural y artístico sobre los que recaiga la acción u omisión típicas, y de otro lado lo que constituye el objeto de protección penal.

Sin embargo debe realizarse alguna matización que será desarrollada más adelante; concebir el bien jurídico como un *valor* no puede conducirnos sin más a establecer una tajante separación o a privarle de la referencia con la realidad que constituye su concepto, lo cual conduciría en palabras de MIR PUIG[486] a una «evaporización del concepto de bien jurídico», llegando incluso a confundirse con la abstracta finalidad de la ley[487], de acuerdo con las concepciones teleológico-metodológicas del bien jurídico (concepciones neokantianas). Ahora bien, el autor citado matiza que, aunque el bien jurídico descanse en una realidad material, su concepto no se agotará en ésta sino que requiere *algo más*[488], siendo dicho concepto expresión de una «relación dialéctica de realidad y valor».

Lo cierto es que el Derecho Penal tutelará esas realidades concretas precisamente por el *valor* que se les ha incorporado, así como por la función que desempeñan.

---

[485]   Así, entre otros autores, POLAINO distingue ambos conceptos entendiendo por *objeto de acción u objeto material* la persona o ente inanimado sobre el que se realiza el movimiento corporal, propio de la conducta típica, mientras que el *objeto jurídico u objeto de protección* representa el objeto de tutela de cada norma, constituyendo el bien jurídico garantizado en el tipo de delito. POLAINO NAVARRETE, M.: ob. cit., p. 36 y ss. MIR por su parte entiende por objeto material del delito aquella concreta realidad empírica a la que se refiere la acción típica, mientras que con la expresión «objeto jurídico» del delito se alude, de acuerdo con este autor, al bien tutelado por el Derecho que es atacado por el delito. MIR PUIG, S.: «Objeto del delito», en *Nueva Enciclopedia Jurídica*, t. XVII. También, sobre la relación y características de ambos términos, vid. ampliamente la monografía de GIANNITI: *L'oggetto materiale del reato*, 1966. Cfr. ROCCO: ob. cit., p. 1 y ss. JESCHEK, H.-H.H.: *Tratado de Derecho Penal. Parte General*, Granada, p. 229. MAYRACH/ZIPF: *Derecho penal. Parte general...* (trad. 7ª ed. Alemana por Bofill Genzsch y Aimone Gibson), 1994.

[486]   MIR PUIG, S.: ob. cit., p. 139 y ss. En sentido similar, GONZÁLEZ RUS, J.J.: *Bien jurídico y Constitución (Bases para una teoría)*, Madrid, 1983, p. 16 y ss.

[487]   En ese sentido, como bien señalan COBO DEL ROSAL y VIVES ANTÓN, no siempre coinciden las razones que motivan la incriminación de una conducta como delito con el bien jurídico, no siendo la *ratio legis* y el bien jurídico criterios idénticos ni absolutamente coincidentes. COBO DEL ROSAL, M./VIVES ANTÓN, T.S.: *Derecho penal. Parte general*, ob. cit., p. 320.

[488]   Partiendo de la afirmación de GIANNITI según la cual el objeto material es siempre una entidad natural (persona humana o cosa corporal) mientras que el *oggeto giuridico* (bien jurídico) tiene una esfera más amplia. GIANNITI, F.: *L'oggeto materiale del reato*, cit., p. 175.

En cualquier caso, el concepto abstracto de bien jurídico protegido despliega toda su virtualidad al concretarse en la figura delictiva. Al analizar ésta resulta necesario, por tanto, determinar qué *valor* se pretende proteger y cuál es el substrato es que tal valor reside.

La rúbrica del Capítulo II del Título XVI del Código Penal nos aporta una primera aproximación al objeto de protección de la norma penal, el Patrimonio Histórico, si bien de acuerdo con las consideraciones que venimos realizando en el presente Capítulo, debemos determinar el objeto de tutela con mayor precisión.

Para ello, procederemos con carácter previo a la delimitación conceptual de la locución «patrimonio histórico» en el Código Penal.

2. El contenido de la rúbrica «delitos sobre el patrimonio histórico»

De acuerdo con la rúbrica del mencionado Capítulo del Código Penal, parece que, en una primera aproximación provisional, el bien jurídico protegido en los delitos objeto de nuestro estudio está configurado por el **Patrimonio Histórico,** expresión empleada por el legislador como una instancia de *reductio ad unitatem* de las distintas nomenclaturas que se han venido utilizando para referirse a los diversos bienes que lo integran.

2.1. Sentido del término «patrimonio» en el Título XVI del Código Penal

Antes de pronunciarnos sobre su contenido, considero conveniente precisar, siquiera brevemente, cuál es el sentido que se otorga al término «**patrimonio**» en el ámbito que nos ocupa. Vaya por delante que dicho término, en sede del Título XVI del Código Penal adquiere una significación diferente al concepto *económico-jurídico* de patrimonio —concepción que cuenta con la mayoría de adeptos, tanto en la literatura española como en la alemana[489]— de acuerdo con el cual forman parte del patrimonio los bienes y derechos económicamente

---

[489]   Cfr. entre otros, VIVES ANTÓN, T.S./GONZÁLEZ CUSSAC, J.L.: *Derecho penal. Parte especial*, ob. cit., p. 350; MUÑOZ CONDE, F.: *Derecho penal. Parte especial*, ob. y loc. cit.; HUERTA TOCILDO, S.: *La protección penal del patrimonio inmobiliario*, Madrid, 1980; WELZEL, H.: *Das Deutsche Strafrecht*, Berlín, 1969, p. 372.

evaluables, poseídos por el sujeto en virtud de una relación reconocida por el ordenamiento jurídico[490], constituyendo elemento esencial de esta concepción la pertenencia a un mismo titular.

Así las cosas, indicaré a continuación las dos notas básicas que, a mi juicio, nos conducen a afirmar el significado propio del término «patrimonio» en el ámbito del citado Título XVI, si bien será más adelante cuando nos detengamos con más profundidad en aquéllas.

En primer lugar, podemos afirmar que el Patrimonio Histórico está integrado por un conjunto de bienes, cuyo rasgo común lo constituye el ser *portadores de unos valores intrínsecos* los cuales determinarán un especial régimen jurídico, con el fin de garantizar su conservación y disfrute por la colectividad[491], *con independencia de la titularidad concreta* que recaiga sobre el bien en cuestión. De ese modo, a diferencia del sentido conferido en el ordenamiento jurídico tradicional[492], la **titularidad** de los bienes se convierte en irrelevante en la configuración de su régimen jurídico, tal y como ya comentamos en el anterior apartado, considerándose a la colectividad como único titular, de acuerdo con el sentir constitucional.

En segundo lugar, otro rasgo distintivo de este concepto de patrimonio, ligado al anterior, es su independencia con respecto a la naturaleza económica[493] de los bienes, nota que siempre ha sido consustancial al concepto tradicio-

---

[490]   VIVES ANTÓN, T.S./GONZÁLEZ CUSSAC, J.L.: ob. y loc. cit.

[491]   En este sentido, BARRERO RODRÍGUEZ, C.: *La ordenación jurídica del Patrimonio Histórico*, ob. cit., p. 153 y ss. Sobre este particular, únicamente apuntamos, que el Tribunal Constitucional, en la citada sentencia de 17 de septiembre de 1998, ha incidido recientemente en una cuestión que, como ya dijimos, no resulta habitual en sus pronunciamientos —pues los pronunciamientos del Alto Tribunal en materia de Patrimonio histórico han ido dirigidos normalmente a resolver cuestiones de distribución de competencias, o en relación a la Cultura, en términos generales— cual es la determinación de la extensión del concepto de Patrimonio Histórico. A este respecto, como ya se ha expuesto, nuestro más Alto Tribunal afirma que el Patrimonio Histórico-Artístico Nacional es un concepto normativo que es necesario integrar con la LPHE de 1985.

[492]   Si bien hay que matizar que no es que el «patrimonio» en relación con los bienes históricos carezca de significación jurídica, sino que ésta es diferente a la tradicional en nuestro ordenamiento; en este sentido, BARRERO RODRÍGUEZ: ob. y loc. cit.; en contra, negando significación jurídica al concepto, MENDIZABAL ALLENDE, calificándolo, de expresión *«metafórica e inexacta en el plano de los conceptos jurídicos»*, en «Tesoro Artístico y Patrimonio Histórico», en *Actualidad Administrativa*, 22, 1986, p. 1.241 y ss.

[493]   De ahí que ALONSO IBÁÑEZ considere que no resulta exacto jurídicamente hablar de patrimonio para referirse a los bienes culturales, entendiendo que la idea jurídica de patrimonio va ligada a la de bienes patrimoniales, de valoración económica. ALONSO IBÁÑEZ, M.R.: *El Patrimonio Histórico. Destino público y valor cultural*, Madrid, 1992, p. 125.

nal del término «Patrimonio». Pues bien, esta cuestión resulta relevante a los efectos de la determinación concreta del bien jurídico, por lo que nos detendremos en ella más adelante[494].

2.2. La denominación «patrimonio histórico» en el Código Penal. Posición de la doctrina española e italiana acerca de dicha locución

Alcanzado el concepto de Patrimonio en sus rasgos más esenciales, observamos cómo el nuevo Código Penal de 1995 opta en la rúbrica del Título XVI — y en su Capítulo II— por la denominación «patrimonio histórico» como concepto aglutinador de los diversos bienes que lo componen[495]. Sin embargo, entendemos debemos detenernos a analizar si la opción por el adjetivo «**histórico**» resulta la más adecuada para lograr una consideración unitaria de la materia[496], en orden a su eficaz protección de acuerdo con el mandato constitucional.

A) Por lo que se refiere a la posición de la escasa **doctrina española** manifestada sobre este punto, se dan posturas encontradas al respecto.

En favor del término «*histórico*» para calificar nuestro patrimonio colectivo, algún autor argumenta que éste es el adjetivo que conduce a un menor confusionismo[497].

---

[494] Vid. *infra* p. 399.

[495] La expresión «Patrimonio Histórico» es reciente en nuestra tradición normativa, pues muchas y diversas han sido las expresiones utilizadas para referirse a estos bienes (así, entre otras, antigüedades, obras de artes, tesoros artísticos, monumentos histórico-artísticos...) tal y como vimos en el Capítulo dedicado a la Evolución histórica.

[496] Incluso en la Ley 16/1985, de 25 de junio, denominada de **Patrimonio Histórico Español,** se produjo una discusión durante su tramitación parlamentaria. Así, a favor del término «*histórico*» se esgrime que la *historicidad* impregna el resto de valores dignos de protección, añadiéndose que es un término más amplio en cuanto a los valores a tener en cuenta, evitando caer en el subjetivismo de las valoraciones presentes en el término *artístico* (D.S.C.G. 1985, *II Legislatura,* n° 163, p. 8.404, y n° 263, p. 8.189). Sin embargo, en el Informe de la Ponencia consta cómo el Grupo de Minoría Catalana a través de la Enmienda n° 193 al Proyecto de ley, apuesta por la locución *Patrimonio Cultural,* si bien esta enmienda no fue aceptada por la Ponencia y no llegó a provocarse discusión al respecto. Informe de la Ponencia 1985, II Legislatura, n° 96-1-3, p. 1.208/5.
Esta es también precisamente la denominación que reciben las recientes leyes autonómicas sobre la materia, como son la Ley 18/1995, de 30 de octubre (DOG 8-11-95), del Patrimonio Cultural de Galicia, o la Ley 4/98, de 11 de junio, del Patrimonio Cultural Valenciano.

[497] En ese sentido, ALONSO IBÁÑEZ: *El Patrimonio Histórico...,* ob. cit., p. 71.

Sin embargo otros autores, entre los que se encuentra TERRADILLOS BASOCO, consideran que la rúbrica resulta demasiado *estrecha y angosta*, ya que hay que entender que también se protege el patrimonio artístico, cultural y monumental, que no siempre tendrá carácter «histórico», por lo que afirma que dicha rúbrica será fuente de equívocos en la determinación del bien jurídico protegido[498]. En un sentido similar, CONDE-PUMPIDO TOURON sostiene que la rúbrica del capítulo induce a cierta confusión al parecer que sólo se está protegiendo el patrimonio de valor «histórico»[499].

Otros autores van más allá y se pronuncian en favor de la locución «*Patrimonio cultural*»[500]; así, por ejemplo, ÁLVAREZ ÁLVAREZ considera que, si bien el tema de la denominación no resulta decisivo por no afectar al contenido en sí de aquél, no puede considerarse prevalente el aspecto «histórico» frente al «artístico», estimando que si se prescindiese de éste último en su denominación se estaría cometiendo «un atropello al carácter de nuestra cultura»[501]. Ciertamente, parece asistir la razón a este autor en este último punto, cuando considera que existen creaciones de artistas vivos que se consideran Patrimonio Artístico contemporáneo, y que, por lo tanto, resultaría más conveniente su denominación como Patrimonio *Cultural* frente a la de Patrimonio *Histórico*.

B) Pero será el **derecho italiano** el que aporte un documento de inestimable trascendencia en el tema que nos ocupa.

Desde 1966, en la búsqueda de un objeto de protección dotado de autonomía conceptual, se asume la locución «***beni culturali***»[502], generalizada progresiva-

---

[498] TERRADILLOS BASOCO, J.: «Protección penal del medio ambiente en el nuevo Código penal español. Luces y sombras», ob. cit., p. 304. También en «Delitos relativos a la protección del patrimonio histórico y del medio ambiente», en *Derecho penal del medio ambiente*, Madrid, 1997, p. 36.

[499] CONDE-PUMPIDO TOURON, C.: *Código penal. Doctrina y jurisprudencia*, t. II (artículos 138-385) (dir. por Conde-Pumpido Ferreiro), Madrid, 1997, p. 3.211.

[500] Así, por ejemplo, BARRERO RODRÍGUEZ (*La ordenación jurídica…*, ob. cit., básicamente p. 194 y ss.) se refiere al Patrimonio Cultural como objeto de tutela. En ese mismo sentido, BENÍTEZ DE LUGO Y GUILLÉN, F.: *El Patrimonio Cultural Español*, Granada, 1995.

[501] ÁLVAREZ ÁLVAREZ, J.L.: *Sociedad, Estado y Patrimonio Cultural*, Madrid, 1992, p. 20 y ss.

[502] Dicha expresión, a la cual ya hicimos alusión en el Capítulo dedicado al Derecho italiano, tiene su origen en los trabajos de la conocida como **Comisión Franceschini** por el nombre de su Presidente, instituida por ley nº 310, de 26 de abril de 1964, para investigar la situación y las exigencias de tutela de las «cosas de interés histórico, arqueológico, artístico y del paisaje». Los trabajos de la Comisión fueron publicados en la «Relazione della Commissione d'indagine per la tutela e la valorizzacione del patrimonio storico, archeologico, artistico e del paesaggio», en la *Rivista Trimestrale di Diritto Pubblico*, 1966.

mente en doctrina y legislación[503], cuyo valor principal radica en ser una categoría omnicomprensiva de todas las nomenclaturas utilizadas en la legislación italiana para referirse a la integridad de los bienes, unificados así en base al dato de ser «*bienes que constituyen testimonio material dotado con un valor de civilización, o que incorporan una referencia a la historia de la civilización*», es decir, significativos para el conocimiento de «los modos de vivir, pensar y sentir de los hombres en el tiempo y en el espacio»[504].

A partir de ese momento, el término «cultura» supone, además de un intento de unificar la tutela de estos bienes, una definitiva separación de una noción estrictamente «estético-idealística»[505], asemejable a la época de la Ilustración donde predominaba la idea de *patrimonio* ligada a una función *estática*, únicamente como objeto de contemplación estética.

2.3. Toma de postura

De la exigencia constitucional de protección penal de nuestro patrimonio colectivo, adjetivado como **«histórico, cultural o artístico»,** deriva la necesidad de determinar el alcance de dichos términos que, en última instancia, serán los que definan el contenido de la tutela penal.

Como se puso de manifiesto en el repaso histórico a la normativa reguladora de la materia, la terminología legal ha sido profusa en la adjetivación de los intereses protegidos (monumentos *antiguos*, monumentos *de utilidad pública u ornato*, Patrimonio *Artístico* Nacional, Patrimonio *Histórico-Artístico* Nacional, etc.) si bien los términos «histórico» y «artístico» han sido los ejes determinantes de la protección por el Derecho, tanto en el siglo XX, como en buena parte del presente[506].

---

[503] Si bien en menor medida en ésta última, pues los adelantos doctrinales no encontraron suficiente reflejo en la legislación italiana, ley de 1 de junio de 1939, nº 1.089, sobre «*Tutela delle cose di interesse artistico e storico*».
En la legislación francesa, una ley reciente sí acoge esta nueva denominación, la Ley sobre *circulación de bienes culturales,* ley nº 92-1477, de 31 de diciembre de 1992, relativa a productos sometidos a ciertas restricciones de circulación.

[504] La construcción dogmática de la doctrina de los «bienes culturales» a la que más adelante volveremos a referirnos, se debe a Massimo Severo GIANNINI, miembro de la Comisión Franceschini. GIANNINI, M.S.: «I beni culturali», ob. cit., p. 3 y ss.

[505] ALIBRANDI, T./FERRI, P.: *Il diritto dei beni culturali,* ob. y loc. cit.

[506] Si bien es en el Código penal de 1928 donde por vez primera se hace referencia expresa a las «*cosas de valor histórico, cultural o artístico*».

Es la Constitución de 1931 la que introduce el adjetivo «cultural» en su artículo 45, expresando que: «Toda la riqueza histórica y artística del país, sea quien fuere su dueño, constituye un *tesoro cultural* de la Nación y estará bajo la salvaguardia del Estado, que podrá prohibir su exportación y enajenación y decretar las expropiaciones legales que estimare oportunas para su defensa...», en una pretensión de dar mayor cobertura conceptual a nuevos contenidos. Por ello, más que una novedad terminológica, supone el inicio de un proceso de evolución del concepto jurídico de **cultura material**[507].

La Constitución de 1978 marca un momento decisivo en la materia, que afectará a todos los sectores del ordenamiento en mayor o menor medida, consagrando como uno de los principios rectores de la política social y económica, la *defensa,* conservación y acrecentamiento del Patrimonio **histórico, cultural y artístico,** dirigiendo a continuación el constituyente un mandato al legislador penal de protección de aquél. Este sólido respaldo constitucional conduce, a mi juicio, a que debe ser del propio texto constitucional de donde se deduzcan los caracteres sobre los que haya de basarse la protección penal.

A este respecto, considero que la referencia al «Patrimonio histórico, cultural e artístico» en el art. 46 del texto constitucional, tal y como se concluyó en el epígrafe anterior, no se realiza en un sentido técnico, dada la dificultad de precisión y exactitud jurídica de dichos términos, al tratarse de conceptos indeterminados que requieren la labor necesaria de interpretación por parte del juez penal, interpretación ligada a la realidad social imperante[508].

Es por ello que, adscribiéndonos al parecer de un nutrido grupo de autores[509], entendemos que con aquella locución se está haciendo referencia a un *conjunto de bienes* dotados de un **valor cultural objetivo,** como elemento determinante de la protección exigida por el constituyente. En esta línea, MUÑOZ CONDE considera que los bienes objeto de protección «se individualizan por su valor social en cuanto expresión de su cultura y sus señas de identidad». Así las cosas, dicho valor se asimila con la idea de *civilización*, vocablo que, de acuerdo con su significado gramatical, concretamente en su segunda acepción,

---

[507] En este sentido, PRIETO DE PEDRO, J.: «Concepto y otros aspectos del patrimonio cultural en la Constitución», en *Estudio sobre la Constitución española. Homenaje al profesor Eduardo García de Enterría*, II, p. 1.551 y ss.

[508] No solucionando, tal y como ya dijimos, el problema la definición descriptiva, recogida en la Ley 16/1985, de 25 de junio, de Patrimonio Histórico Español.

[509] Entre otros, GONZÁLEZ RUS, J.J.: «Puntos de partida...», ob. cit., p. 35 y ss.; MUÑOZ CONDE, F.: *Derecho penal. Parte especial*, ob. cit., p. 542; BARRERO RODRÍGUEZ, C.: *La ordenación jurídica...*, ob. cit., p. 163 y otras; ALONSO IBÁÑEZ, R.: *El Patrimonio Histórico...*, ob. cit., p. 128 y ss.

se refiere al «conjunto de modos de vida y de costumbre, conocimientos y grado de desarrollo artístico, científico, industrial, en una época o grupo social»[510]. En suma, el *valor cultural* podrá identificarse con la relevancia para el conocimiento de las formas de vida de los hombres en cualquiera de sus manifestaciones[511].

Si atendemos al **derecho comparado,** la exigencia de tutela del patrimonio histórico y artístico, también se afirma en la *Constitución italiana*, concretamente entre los *principi fondamentali*[512] en el apartado segundo de su artículo 9, eje de un grupo de preceptos que conforman su Constitución cultural. La inserción de tales exigencias entre los principios fundamentales de la Constitución se justifica, de acuerdo con autorizada doctrina[513], con la voluntad de caracterizar la República como Estado que persigue el objetivo de promover y elevar la cultura, la espiritualidad y la personalidad de la comunidad social. De este modo, la obligación constitucionalmente establecida de proteger y revalorizar el patrimonio histórico, artístico, arqueológico y paisajístico de la Nación se explica en cuanto tales bienes son portadores de un valor de tipo cultural, en cuanto testimonio de la civilización de un pueblo. En ese sentido, ROLLA afirma que, en el artículo 9 se ha constitucionalizado el interés de la colectividad a disfrutar de los valores culturales de su patrimonio histórico y artístico. Y es que, en efecto, los bienes pertenecientes al patrimonio colectivo, como ya se ha dicho, adquieren relevancia por la función *social y cultural* que desempeñan. Parafraseando a GIANNINI «si la pertenencia del bien puede variar, su función es siempre única»[514].

Ya observamos, a su vez, como los **organismos internacionales** utilizan frecuentemente la locución *Patrimonio Cultural* y aluden a los bienes culturales en las diversas Convenciones y Recomendaciones sobre la materia. Incluso el término «cultural», referido al Patrimonio o a los bienes que lo integran, se considera que surge en este ámbito y es utilizado por vez primera[515] en la

---

510   Diccionario de la Lengua Española. Real Academia Española. Vigésima primera edición, 1992.

511   En este sentido, BARRERO RODRÍGUEZ, R.: ob. cit., p. 163.

512   Asimismo, la Constitución portuguesa de 1976 califica, entre los principios fundamentales, como tarea esencial del Estado la conservación y acrecentamiento de los bienes culturales del pueblo portugués (art. 9.e).

513   MOCCIA, S.: «Riflessioni sulla tutela penale dei beni culturali», ob. cit., p. 1.303 y ss. ROLLA, G.: «Beni culturali e funzione sociale», ob. cit., p. 62.

514   GIANNINI, M.S.: «I beni culturali», ob. cit., p. 20.

515   Pues, aunque dicho término ya fue mencionado en nuestro país en el Decreto-ley de 9 de agosto de 1926 —concretamente haciendo referencia al *valor cultural* de los bienes—, carecía realmente de cualquier pretensión unificadora de la materia.

Convención de la Haya de 1954 para la protección de bienes culturales en caso de conflicto armado[516], unificándose a partir de entonces dicha terminología a nivel internacional. Asimismo, es de destacar el Convenio de la UNESCO de 1970 en su consideración de los bienes culturales como uno de los elementos fundamentales de la civilización y de la cultura de los pueblos.

Resulta, pues, indudable la pertenencia del patrimonio histórico, cultural y artístico al concepto amplio de cultura. Sobre este particular[517], el **Tribunal Supremo** afirma en resolución de 13 de abril de 1981 —anterior, pues, a la Constitución de 1978— que «*el derecho social a la cultura*, que trasciende incluso de los límites nacionales para ser objeto de creciente regulación internacional y que en el campo espiritual viene ya inserto en el patrimonio común de la Humanidad, presenta unas tan acusadas cualidades de esencialidad e importancia que hace inexcusable aplicar su legislación protectora... en el sentido más favorable a los fines de conservación de los *bienes culturales* a que se refiere... respecto de los cuales se inicie cualquier clase de actuación administrativa dirigida a incluirlos en el correspondiente catálogo a efectos de su conservación por razones de valor estético, artístico o *análogo de naturaleza cultural...*».

Pues bien, si consideramos el «valor cultural» como determinante de la protección constitucional, debemos escuetamente referirnos a cuál es el sentido de las locuciones «histórico» y «artístico» en dicho texto legal.

A mi juicio, el interés *Histórico* constituye una de las manifestaciones del valor cultural como referencia a la historia en un sentido estricto, aludiendo así

---

[516]   Así, en el ámbito de la **UNESCO,** además de la citada Convención en la que se introduce por vez primera el concepto de «cultural property», ya expusimos en el Capítulo relativo a la reglamentación internacional y derecho comparado, como también se refiere a los bienes culturales la *Convención de 1970 concerniente a las medidas a adoptar para prohibir e impedir la importancia, la exportación y el traslado de propiedades ilícitas de bienes culturales,* así como la *Convención concerniente a la Protección del Patrimonio Mundial, Cultural y Natural de 1972.* Entre los instrumentos jurídicos emanados del **Consejo de Europa** en relación al Patrimonio Cultural, destacamos la *Convención Europea sobre infracciones en materia de bienes culturales* firmada en Delfos el 23 de junio de 1985, así como la *Recomendación del Comité de Ministros a los Estados miembros sobre la protección del patrimonio cultural contra actos ilícitos,* adoptada el 19 de julio de 1996.
Por último, dentro de la **acción comunitaria** en el sector cultural, significamos en su momento, por un lado, el *Reglamento de 9 de diciembre de 1992 sobre exportación de bienes culturales,* que entró en vigor el 30 de marzo de 1993 y la *Directiva de 15 de marzo de 1993 relativa a la restitución de bienes culturales* que hubieran salido ilícitamente del territorio de un Estado miembro.

[517]   El Tribunal Constitucional debate, acerca de la inclusión del patrimonio histórico en el concepto amplio de cultura, en sentencia 17/1991, entre otras.

a los hechos y sucesos públicos y políticos acaecidos en el transcurso de los tiempos, mientras que el valor *cultural* supone una referencia más amplia a las diversas manifestaciones del ser humano, ligadas a la idea de civilización.

Por lo que se refiere al interés *Artístico,* sin olvidar la dificultad de su precisión por el subjetivismo que impregna su determinación, también constituye otra manifestación del valor cultural, desde el entendimiento de la obra de arte, no sólo desde un mero punto de vista estético, sino también como reflejo de la problemática social y general de su tiempo, como un componente del sistema cultural al que pertenece, evidenciándose las preocupaciones del momento; las obras artísticas constituyen, pues, fuente de conocimiento de la sociedad en que surge, al expresar aquélla las ideas y pensamientos de la sociedad imperante[518].

En suma, **considero** que será el *valor cultural* de los bienes el elemento unificador determinante del amparo por el ordenamiento jurídico, constituyendo los intereses *histórico y artístico,* manifestaciones de aquél, si bien es cierto que su utilización yuxtapuesta en el precepto constitucional al que estamos haciendo referencia no es la más idónea, al no determinarse con claridad las relaciones que los unen[519].

De ese modo, de acuerdo con ALONSO IBÁÑEZ[520], el uso conjunto de estos tres términos «histórico, cultural y artístico» obliga a una interpretación *restrictiva* del objeto de protección del artículo 46. De acuerdo con dicha exégesis, el mandato constitucional va referido a la **cultura** en sentido **material,** terminología muy usual en la literatura especializada[521], entendida como un conjunto de bienes, especialmente considerados por tener implícitos un *valor cultural,* plasmado en una realidad material, es decir, cuyo soporte físico sea una cosa[522]. El resto de manifestaciones que incidan en la cultura, que no se

---

[518] Así, por ejemplo, la obra de Miguel Ángel no puede ser concebida sin ligarla a la crisis religiosa que se estaba viviendo en ese momento histórico.

[519] En la doctrina critican también esta cuestión, PRIETO DE PEDRO *(Cultura, Culturas y Constitución,* Madrid, 1995); BARRERO RODRÍGUEZ, C.: ob. cit., p. 175.

[520] ALONSO IBÁÑEZ, M.R.: *El Patrimonio Histórico...,* ob. cit., p. 74 y ss.

[521] Entre otras definiciones, destacamos la aportada por el historiador SCHLERETH, refiriéndose a las manifestaciones físicas de la cultura, o la que ofrece BALLART, a modo de resumen, definiendo la Cultura material como todo aquel agregado o conjunto de objetos creados por una determinada cultura con el fin de satisfacer necesidades y deseos derivados de su interrelación con el medio. SCHLERETH, T.J.: *Material Culture Studies in America,* 1982; BALLART, J.: *El patrimonio histórico y arqueológico: valor y uso,* Barcelona, 1997, p. 25 y ss.

[522] BALLART: *Ibidem;* en análogo sentido, PÉREZ ALONSO, E.J.: *La tutela...,* ob. cit., p. 132.

materializan en realidades objetivas tienen su propia regulación al margen del artículo 46 (ejemplo la lengua, las manifestaciones teatrales, cinematográficas, los medios de comunicación…).

En definitiva, desde esta perspectiva, nos decantamos por el valor «**cultura**» en la adjetivación del término Patrimonio, por considerarlo el más ajustado a la amplitud de intereses que definen el objeto de nuestro estudio. Sólo desde esta consideración se entiende la inclusión en el tipo del art. 323 de los daños causados en *centros docentes, gabinetes científicos o instituciones análogas.*

En suma, los bienes pertenecientes al denominado «Patrimonio Histórico» forman parte de la cultura de un país, y, por tanto, del genérico concepto constitucional de «cultura», remitiendo a este término los demás intereses o aspectos que lo configuran.

El único inconveniente que se podría aducir al empleo del calificativo «cultura» en relación al Patrimonio, sería que no todo lo perteneciente al ámbito cultural resulta protegido en el ordenamiento penal, inconveniente que podría solventarse sosteniendo que, en concordancia con el mandato del constituyente, en el ordenamiento penal se hace realmente referencia a la **cultura material,** al recaer la acción delictiva sobre realidades materiales potencialmente lesionables[523]. A este respecto, se sancionan básicamente las agresiones más graves contra el Patrimonio Cultural, consistentes en daños, tráfico ilícito y adquisiciones ilegales de los bienes que lo integran, excluyéndose de la tutela penal, por tanto, los daños que se produzcan a determinadas manifestaciones «inmateriales» del Patrimonio Cultural, como por ejemplo son los «conocimientos y actividades que son o han sido expresión relevante de la cultura tradicional del pueblo español en sus aspectos sociales y espirituales», que configuran el denominado Patrimonio Etnográfico[524].

---

[523] En la doctrina italiana, CERULLI IRELLI reclama *«il carattere **materiale** delle testimonianze che divengono beni culturali per il loro valores di civiltà».* CERULLI IRELLI, V.: «Beni, culturali, diritti collettivi e proprietà pubblica», en *Scritti in onore di Massimo Severo Giannini*, p. 40.

[524] Cfr. art. 46 LPHE.

3. El valor cultural como objeto de la protección jurídico-penal

Como vengo insistiendo, el Patrimonio Cultural era concebido, en el Código penal anterior al actual, desde una perspectiva residual. Su protección era un mero reflejo de la tutela recayente sobre los bienes patrimoniales en su conjunto, desde una concepción liberal del concepto de propiedad, reduciendo su tutela a su aspecto secundario, lo que explicaba el sistema de protección de la materia a través del sistema de agravaciones. Dicho sistema todavía hoy no se encuentra superado totalmente por el mantenimiento en el nuevo Código de determinadas figuras agravadas, fuera del Capítulo específico de tutela del Patrimonio Histórico[525]. De suerte que, con dicha regulación, a mi juicio se relegan a un segundo plano los aspectos o caracteres especiales que constituyen precisamente el objeto de protección de la norma penal.

3.1. La posición de la doctrina. Breve reseña jurisprudencial

Distintas **aportaciones doctrinales españolas** han perfilado y dotado de contenido material al bien jurídico-penal protegido en dicho Capítulo.

A) Como ya hemos apuntado, en una primera aproximación provisional, se considera como bien jurídico protegido, de acuerdo con la rúbrica, tanto del Título XVI como de su Capítulo II, al Patrimonio Histórico Español. Así lo manifiestan, entre otros autores, BOIX REIG y SERRANO GÓMEZ[526]. También en ese sentido, CONDE-PUMPIDO TOURON señala que el bien jurídico protegido es el «patrimonio histórico, cultural y artístico de los pueblos de España» tal y como lo define la Constitución al ordenar expresamente que «la ley penal sancionará los atentados contra este Patrimonio»[527].

---

[525] Si bien para MUÑOZ CONDE estas formas cualificadas del hurto, la estafa, la apropiación indebida y la malversación por recaer sobre cosas y de valor histórico, cultural, artístico o científico, vienen a tutelar también la dimensión supraindividual y pública del dominio. MUÑOZ CONDE, F.: *Derecho penal. Parte especial*, ob. y loc. cit.

[526] BOIX REIG, J. junto a JUANATEY DORADO, C.: *Derecho penal. Parte especial*, ob. cit., p. 634; SERRANO GÓMEZ, A.: *Derecho penal. Parte especial* II (Delitos contra la colectividad), Madrid, 1997.

[527] CONDE-PUMPIDO TOURON: *Código penal: Doctrina y jurisprudencia*, t. II (arts. 138-385) (dir. por CONDE-PUMPIDO FERREIRO), ob. y loc. cit.

B) Otro grupo de autores va más allá en su determinación exacta, tratando de perfilar con mayor nitidez y exactitud el objeto de protección en estos delitos.

Ya antes de la aprobación del Código Penal de 1995, GONZÁLEZ GONZÁLEZ[528] dio quizá el primer paso en la aproximación al concreto objeto protección de lo que serían los nuevos tipos penales, cuando sostenía *que «el concepto de patrimonio histórico debe construirse a partir de su función»;* de ahí que el especial régimen jurídico al que están sometidos los bienes que lo integran se debe a sus propias *características intrínsecas, a los valores objetivos de que son portadores* y que originan *un interés común,* con independencia de su distinta titularidad[529], sean propiedad de la Administración o de un particular.

Tras la aprobación del Código Penal, existe cierta *uniformidad en la doctrina* al considerar que el objeto de tutela en el Capítulo que estudiamos se materializa en la reconocida *función cultural y social* que cumplen los bienes con valor histórico, cultural y artístico. En esta línea se sitúan CARMONA SALGADO, DE LA CUESTA ARZAMENDI, VERCHER NOGUERA, así como GARCÍA-ESCU-DERO y PENDAS GARCÍA, entre otros[530]. En concreto, VERCHER sostiene que no se trata de tutelar a estos bienes por sí mismos, ni de establecer una sobreprotección sobre sus propietarios, sino que se les protege como instrumentos de una función social que los mismos desempeñan al servicio de la cultura[531] y del progreso de los individuos. En ese sentido, recordemos cómo GARCÍA ESCUDERO y PENDAS GARCÍA señalaban que el derecho contenido en el art. 46 de la Constitución, era de carácter instrumental por cuanto su sentido último era facilitar el «acceso de todos a la cultura»[532].

Sin embargo, GONZÁLEZ RUS matiza dichas consideraciones al afirmar que no puede identificarse de forma automática la función social y cultural que cumplen determinados bienes y la protección penal del patrimonio histórico, cultural y artístico, en el sentido de que, si bien los bienes que integran dicho Patrimonio cumplen siempre una función cultural, no puede sostenerse a la inversa que todo bien o elemento que cumpla una función como la mencionada

---

[528] GONZÁLEZ GONZÁLEZ, J.J.: «Protección penal del Patrimonio Histórico Español», ob. cit., p. 494.

[529] En este sentido, BARRERO RODRÍGUEZ, C.: *La ordenación...,* ob. cit., pp. 154 y 155.

[530] CARMONA SALGADO, C.: *Curso de Derecho penal...,* ob. y loc. cit.; DE LA CUESTA ARZAMENDI, J.L.: «Los delitos sobre la ordenación del territorio y patrimonio histórico», en *La protección del medio ambiente en el nuevo Código penal,* UIMP.

[531] VERCHER NOGUERA, A.: en *Código penal de 1995. Comentarios y jurisprudencia.* También, GONZÁLEZ GONZÁLEZ, J.: ob. y loc. cit.

[532] GARCÍA-ESCUDERO, P. y PENDAS GARCÍA, B.: *El Nuevo Régimen Jurídico...,* ob. y loc. cit.

sea susceptible de ser considerado objeto de los tipos dirigidos a la protección del patrimonio histórico, cultural y artístico[533].

En la línea de las posiciones expuestas, GONZÁLEZ GONZÁLEZ mantiene cómo el bien jurídico, centrado en lo *funcional* o promocional, se identifica con el *valor inmaterial de cultura* ínsito en aquellos bienes. En esta dirección, se manifiesta otro grupo de autores, entre los que se encuentran MUÑOZ CONDE y TAMARIT SUMALLA. Así, MUÑOZ CONDE considera que el bien jurídico protegido es el *valor cultural y social* de los bienes objeto de protección, definiéndolo como «un bien de dimensión social y colectiva, cifrado en la conservación del patrimonio histórico y cultural»[534]. Por su parte, TAMARIT SUMALLA considera que «el *valor* que subyace a este bien jurídico no tiene carácter económico, sino *cultural* lo cual obliga a ponderar el grado de afectación al bien jurídico con independencia del valor económico del perjuicio causado sobre el objeto que constituye el soporte material de dicho bien»[535].

Por último, PÉREZ ALONSO alcanza una posición integradora de todas las tesis sustentadas por la doctrina, afirmando que el objeto de tutela jurídico-penal está constituido por el conjunto de los bienes socio-culturalmente relevantes, *por su valor y función*, los cuales conforman el Patrimonio histórico, cultural y artístico real de los pueblos de España, pudiendo afirmarse que su titularidad corresponde a la colectividad, beneficiaria directa de la función socio-cultural que desempeña»[536].

En este sentido, ALONSO IBÁÑEZ afirma que la función que desarrollan —el ser *instrumentos de promoción cultural*— representa un valor inmanente de los bienes que integran dicho Patrimonio. El *valor cultural* conforma el elemento de conexión conceptual interna de estos bienes y el centro de gravedad del régimen jurídico del Patrimonio Histórico[537].

---

[533] GONZÁLEZ RUS, J.J.: «Puntos de partida…», ob. cit., p. 46 y ss.

[534] MUÑOZ CONDE, F.: *Derecho penal. Parte especial*, ob. y loc. cit.; en similares términos se expresa en «El tráfico ilegal de las obras de arte», en *Estudios Penales y Criminológicos*, XVI, 1993, p. 402 y ss.

[535] TAMARIT SUMALLA, J.M.: «Delitos sobre el Patrimonio Histórico…», ob. y loc. cit. En ese sentido, LESMES SERRANO, C., ROMÁN GARCÍA, F., MILANS DEL BOSCH y JORDAN DE URRIES, S., ORTEGA MARÍN, E.: *Derecho penal Administrativo (Ordenación del Territorio, Patrimonio Histórico y Medio Ambiente)*, Granada, 1997.

[536] PÉREZ ALONSO, E.J.: *La tutela civil y penal del Patrimonio histórico, cultural y artístico*, ob. cit., p. 129. En el mismo sentido, ACALE SÁNCHEZ, M.: *Delitos urbanísticos*, Barcelona, 1997, p. 210.

[537] ALONSO IBÁÑEZ, M.R.: ob. y loc. cit.

Finalmente, realizaremos una breve referencia a la **escasa jurisprudencia** existente en relación a los caracteres que motivan la protección penal.

A este respecto, la Sentencia de la Sala II del *Tribunal Supremo* de 6 de junio de 1988, relativa a un robo con fuerza de objetos de valor histórico y cultural expuestos en las vitrinas de un museo, aludía expresamente a las «especiales peculiaridades que le hacían dignos de ser objeto de conservación y exposición pública por tener un interés especial para los estudiosos de la materia... con independencia del valor crematístico que pudieran tener».

Asimismo, debe destacarse también la Sentencia del *Tribunal Constitucional* de 31 de enero de 1991[538] cuando se refiere a los bienes integrantes del Patrimonio Histórico Español, como «bienes que, por estar dotados de singulares características, resultan *portadores de unos valores* que les hacen acreedores de especial consideración y protección, en cuanto dichos valores son patrimonio cultural de todos los españoles, e incluso de la Comunidad internacional, por constituir una aportación histórica a la cultura universal».

A su vez, el Tribunal, al referirse a la competencia estatal para la defensa frente a la *expoliación*, considera que su significado no debe quedar limitado al estricto significado gramatical del término; así «la utilización del concepto en defensa de la expoliación ha de entenderse como definitoria de un plus de protección respecto de unos bienes dotados de características especiales. Por ello mismo abarca un conjunto de medidas de defensa que, a más de referirse a su destrucción o deterioro, tratan de *extenderse* a la *privación arbitraria o irracional del cumplimiento normal de aquello que constituye el propio fin del bien* según su naturaleza en cuanto *portadores de valores de interés general* necesitados, estos valores también, de ser preservados. Así pues, la Ley llama perturbación del cumplimiento de su función social a la privación del destino y utilidad general que es propio de cada uno de los bienes, aunque materialmente el mismo permanezca» (FJ 7º)[539].

Recapitulando, a tenor de lo expuesto, hemos podido observar como, de las distintas posiciones en la determinación del bien jurídico, se pone en evidencia la relevancia del valor cultural de los bienes que integran el Patrimonio Cultural frente al valor económico de éstos, afirmación que se corresponde con la

---

[538] Sentencia de 31 de enero de 1991. (Pleno) Recursos de inconstitucionalidad núms. 830/1985, 847/1985 y 858/1985, acumulados. Ponente: D. José Gabaldón López (B.O.E. de 25 de febrero de 1991. Rectificada en el B.O.E., núm. 98, de 24 de abril de 1991 (Suplemento)).

[539] La cursiva es añadida.

referida sustantividad del bien jurídico protegido en la nueva regulación penal, y que por ello requiere, a nuestro juicio, un mayor detenimiento.

3.2. Relevancia del valor cultural frente al valor económico de los bienes integrantes del Patrimonio Cultural

La doble naturaleza económico/patrimonial y cultural de estos bienes plantea la duda sobre si la primera de dichas características será también objeto de la protección penal. Precisamente la batalla entre estos dos intereses convergentes ha sido una constante a lo largo de todo este siglo, resolviéndose desgraciadamente en muchos casos a favor del interés económico, en detrimento del cultural; así, se vienen produciendo con asiduidad derribos de monumentos o edificios históricos para construir en su lugar modernos edificios, predominando claramente, como señalábamos, el interés económico y especulativo.

El análisis económico aplicado a los bienes culturales[540] es relativamente reciente. En las primeras décadas de siglo, un destacado economista, PIGOU[541] ya hizo escuela con sus reflexiones acerca de que el arte no podía trasladarse al terreno de la economía al considerar que los bienes culturales tenían un valor *per se*, independiente de su valor en el mercado, proporcionando un tipo de bienestar de un orden valorativo superior, irreductible a una mera cuestión de cifras y que, por tanto, no podían ser tenidos en cuenta por los economistas. Por su parte, KEINES realizaba duras críticas contra la mercantilización de la cultura, como la que aquí reproducimos: «La experiencia histórica demuestra ampliamente que estas cosas no pueden desarrollarse con éxito si dependemos del provecho y de la ganancia financiera. La explotación y la destrucción contemporáneas del don artístico para prostituirlo con las miras puestas en el provecho financiero es uno de los peores crímenes del capitalismo de nuestros días».

Este debate será planteado de nuevo a partir de la segunda guerra mundial a raíz de las demandas sociales de adjudicación de recursos que contribuyeran al «bienestar social», considerando la cultura como un sector que contribuye a éste, pero que necesita de la asignación de ayudas para su conservación. Más

---

[540]   Véase sobre esta problemática, GREFFE, X.: *Le valeur économique du patrimoine. La demande et l'offre des monuments,* París, 1990.

[541]   Tanto la cita de PIGOU como la de KEINES se contienen en José BALLART: *El patrimonio histórico y arqueológico: valor y uso,* ob. cit.

adelante, se elabora —desde la destacada consideración de los valores intrínsecos de los objetos culturales, dentro de la escala de valores sociales— el
concepto de los *merit wants*, definidos como un tipo de necesidades de las
personas, necesidades merecedoras de una especial consideración, como sería
el caso de la educación y la cultura, por ser de un nivel superior a otras
necesidades humanas[542].

Pues bien, en nuestro país el Preámbulo de la Ley de Patrimonio Histórico
Español de 1985 señala cómo dicha Ley pretende «asegurar la protección y
fomentar la cultura material debida a la acción del hombre en sentido amplio,
y concibe aquélla como un conjunto de bienes que, en sí mismos, han de ser
apreciados, *sin establecer limitaciones derivadas* de su propiedad, uso, antigüedad o *valor económico*».

La **doctrina científica** coincide en señalar que el valor económico de los
bienes debe pasar a un segundo plano si consideramos los bienes culturales
como instrumentos de acceso a la cultura y de progreso intelectual y social,
resultando por tanto indudable la subordinación de su valor económico al
cultural.

En la doctrina **española**[543] se sitúan en esta línea MUÑOZ CONDE,
GONZÁLEZ RUS, ORTS BERENGUER, TAMARIT SUMALLA y ÁLVAREZ
ÁLVAREZ.

MUÑOZ CONDE, partiendo de la dimensión social del bien jurídico de la
cual deriva una limitación a las facultades dispositivas del propietario, considera que de ello se deduce la ulterior característica del bien jurídico, su *valor
cultural antes que patrimonial o económico*. Precisamente, por mor de esa doble
naturaleza cultural-ideal y patrimonial-económica se convierten en bienes
sumamente frágiles, en el sentido de que generalmente cuanto mayor sea el
valor cultural también lo será el económico, con el consiguiente peligro de
acrecentamiento de su exportación ilegal. Ahora bien, el citado autor sostiene
que, en la tutela penal el valor económico del bien pasa a un segundo plano, ya
que también son imaginables supuestos donde bienes de gran valor cultural

---

542 MUSGRAVE, en VALENTINO, P.: «Per un' analisi della redittivita' dei prodotti del settore
      culturale; lo stato dell'arte», *L'Ippogrifo*, 1, Roma, 1988.
543 MUÑOZ CONDE, F.: «El tráfico ilegal de obras de arte», ob. y loc. cit.; del mismo autor:
      Derecho penal. Parte especial..., ob. cit., p. 494; GONZÁLEZ RUS, J.J.: «Punto de partida...»,
      ob. cit., p. 44 y ss.; ORTS BERENGUER: «Exportación de obras de interés histórico o
      artístico», en *Comentarios a la legislación penal*, 1984, p. 88; ÁLVAREZ ÁLVAREZ, J.L.:
      Estudios sobre el Patrimonio Histórico, ob. cit., p. 625 y ss.; ACALE SÁNCHEZ, M.: ob. cit.,
      p. 209; QUINTANO RIPOLLÉS, A.: *Tratado de la Parte Especial del Derecho penal...*, ob. y loc.
      cit.; TAMARIT SUMALLA, J.M.: «Delitos sobre el Patrimonio Histórico...», ob. y loc. cit.

tengan un valor económico cero por ejemplo, por el estado ruinoso en que se encuentre.

En un sentido similar, GONZÁLEZ RUS señala como, aunque lo usual sea que el valor histórico, cultural o artístico determine también un valor económico superior, cabe también la posibilidad contraria por lo que, a los efectos de la protección jurídica del Patrimonio histórico, el valor cultural resulta *independiente* del económico, así como *más relevante*. Ello lo razona básicamente considerando el concepto constitucional de patrimonio histórico, cultural y artístico, construido, no sobre los intereses de los propietarios, tendentes normalmente al económico, sino sobre el cultural, mostrando así el texto constitucional la preferencia por el valor para la colectividad en general.

Siguiendo esta misma línea ORTS BERENGUER, pese a admitir, en el sentido de los anteriores autores, la doble consideración del patrimonio histórico y artístico del país, considera que el valor económico no trastoca la esencia del delito donde «el valor ideal de los bienes que en él se tutelan detenta, más que la preeminencia, la *exclusividad defensiva*».

Por su parte, ÁLVAREZ ÁLVAREZ, partiendo de la concurrencia de los intereses privados y públicos, considera absurdo que, aunque se respeten los intereses particulares, prevalezcan éstos. Por ello estima que resulta indudable la subordinación del aprovechamiento económico al cultural.

En sentido similar, ACALE SÁNCHEZ, desde la reiterada afirmación de que al propietario le pertenece la cosa, pero el valor cultural *es* de la colectividad, deduce que el valor económico del bien no es determinante, ya que el bien es valioso por sus valores culturales y no por su valor económico.

Finalmente, TAMARIT SUMALLA sostiene que el valor que subyace al bien jurídico protegido en los delitos contra el patrimonio histórico *no tiene carácter económico sino cultural*, lo cual obliga, según él, a ponderar el grado de afectación al bien jurídico con independencia del valor económico del perjuicio causado sobre el objeto que constituye el soporte material de dicho bien.

La doctrina **italiana**[544] también se ha detenido en la cuestión relativa a la doble naturaleza económico-cultural de los bienes que integran el Patrimonio Histórico o Cultural.

---

[544] PIVA, G.: «Cose d'arte», ob. y loc. cit.; GIANNINI, M.S.: «I beni culturali», en *Rivista trim diritto pubblico*, 1976, ob. cit., p. 27; CANTUCCI, M.: «Beni culturali e ambientali», en *Novissimo Digesto i Appendice*, 1980, vol. I, p. 725; AZZALI, G.: «Esportazione di opere d'arte», en *La tutela penale del patrimonio artistico. Atti del sesto simposio si studi di diritto e procedure penali*, Milano, 1997, p. 126.

Así, PIVA, coincidiendo con las afirmaciones de que el objeto de interés de la comunidad no son propiamente los bienes sino *los valores a ellos inherentes,* estima posible separar en la obra de arte la consideración del valor «artístico» de la del valor «económico»; no es que considere que éste no sea computable a partir de su valor artístico, sino que el valor artístico es irreducible a su valoración económica[545].

A su vez, GIANNINI señalaba cómo el interés cultural como tal, no es patrimonial, poniendo como ejemplo la posibilidad de que un castillo semiderruido que presente un interés como arquitectura militar puede tener un valor de mercado cero, en cuanto el área sea inutilizable, ni siquiera como terreno agrícola, lo cual no significa, sin embargo, que se modifique su valor cultural. Por tanto, dicho valor no va siempre en conexión con el valor comercial, al venir determinado por factores diversos: así, mientras que el valor cultural del bien es examinado por los críticos de arte, que actúan independientemente de los operadores económicos, generalmente el valor comercial viene determinado por las tendencias económicas de los mercados de arte, las cuales con frecuencia sufren variaciones según el lugar y el tiempo.

Ahora bien, pese a lo expuesto, debe traerse a colación en este punto, la doctrina europea en materia cultural, elaborada a través del *Consejo de Europa*[546] desde hace casi treinta años, la cual se caracteriza por la voluntad de conciliar la dimensión económica del Patrimonio Cultural, y en concreto el arquitectónico, con los valores culturales inherentes al mismo y siempre condicionada al respeto de éstos como prioritarios.

Así, en esta dirección, un estudio reciente sobre la nueva perspectiva social y económica del Patrimonio Cultural, MORENO BARREDA define éste como un recurso cultural y económico de carácter no renovable y amenazado de destrucción. Así, sin olvidar el carácter prioritario de los valores culturales, se considera la dimensión económica como un método de evaluación y análisis para hacer frente a las exigencias de su financiación[547].

---

[545]   Valor artístico que puede ser lesionado desde el momento en que se disminuya o desaparezca la posibilidad de su disfrute, o la pérdida o disminución del valor artístico de la obra.

[546]   Doctrina que venía siendo elaborada en conferencias y debates celebrados bajo sus auspicios y que se plasmó en una serie de Resoluciones y Recomendaciones a las que hicimos referencia en el capítulo relativo a la regulación internacional.

[547]   Y es que los bienes integrantes del patrimonio arquitectónico son los más fácilmente perceptibles por los ciudadanos desembocando en un mayor desgaste como consecuencia de su uso. MORENO BARREDA, F.: «La dimensión económica del Patrimonio Arquitectónico: Punto de partida para soluciones nuevas», en *Patrimonio Cultural y Derecho,* nº 1, 1997, p. 213 y ss.

La **jurisprudencia** del *Tribunal Supremo* también viene afirmando la prevalencia del valor cultural como determinante de la protección jurídica.

Así, entre otros pronunciamientos, podemos destacar como, en resolución de 17 de marzo de 1980, ya se afirmaba la «necesidad de reverencia y consideración que merece el *acervo cultural,* interesado por edificios de carácter artístico, histórico, arqueológico, típico o tradicional...»[548]. En esta dirección, en sentencia de 13 de abril de 1981, se proclama *el derecho social a la cultura*[549], y ese mismo año, la sentencia de 31 de enero confirmaba el acto de denegación de demolición de cierta fachada de un inmueble al concurrir en él «valores históricos, artísticos, estéticos, ambientales o típicos que aconsejan su conservación por *constituir legado cultural de generaciones precedentes*»[550].

Asimismo, el TS afirmaba en sentencia de 31 de marzo de 1982 que la protección legal de los monumentos y conjuntos histórico-artísticos de la Nación desenvuelve su actuación, *«quedando en estos supuestos marginada toda consideración crematística,* por pesar más en ellos su capacidad espiritual, en cuanto bien común de la colectividad».

Por último, debe traerse a colación la ya citada Sentencia del 6 de junio de 1988[551], referida al robo en un museo de bienes integrantes del patrimonio artístico, en la cual se afirma que «los objetos substraídos se hallaban colocados en la vitrinas de un museo porque sus especiales peculiaridades les hacían dignos de ser objeto de conservación y exposición pública... por lo que es indudable, *que con independencia del valor crematístico* que los mismos pueden tener, no llegaron al lugar en el que se encontraba por azar, sino que acontece con todos los objetos que se exhiben en los museos, después de haber sido examinados y clasificados por los expertos o peritos en la materia y reputados dignos de ser conservados y expuestos al público *por su valor histórico y cultural».*

Abundando en esta tesis, cabe citar como ejemplo en la *jurisprudencia italiana,* la Sentencia de la Corte Costituzionale de 27 de junio de 1986 afirmando la imposibilidad de subordinar el interés estético-cultural a cualquier otro, incluidos los económicos[552].

---

[548]   RA 1006 de 1981. Ponente: RUIZ SÁNCHEZ.
[549]   RA 1838. Ponente: DÍAZ EIMIL.
[550]   RA 1024. Ponente: RUIZ SÁNCHEZ.
[551]   RA 4478. Ponente: GARCÍA MIGUEL.
[552]   Sentenza 27 giugno 1986, n° 151.

3.3. Consideraciones finales y toma de postura

Conforme ha quedado expuesto, de la dimensión social y colectiva del patrimonio histórico, cultural y artístico se derivan principalmente dos consecuencias: por un lado, una *limitación a la disponibilidad* de los objetos por parte de sus propietarios, y por otro lado, la relevancia del *valor cultural* del bien integrante del Patrimonio Cultural, frente a su valor económico. Al hilo de las posiciones mantenidas sobre esta última cuestión, considero conveniente realizar unas precisiones, las cuales nos conducirán finalmente a nuestra postura en relación a la determinación del objeto de protección en los delitos que nos ocupan.

En primer lugar, debe plantearse si efectivamente es posible valorar económicamente el Patrimonio Cultural, y en caso afirmativo, cómo o de qué manera pueden valorarse los bienes culturales producidos por el hombre.

Pues bien, las respuestas a la primera cuestión han sido dispares. Si nos remontamos en el tiempo, los maestros de la escuela flamenca eran básicamente mercantilistas, cobrando por realizar sus obras. Sin embargo, ya comentamos cómo en las primeras decenas de nuestro siglo, retomando una discusión que se encontraba paralizada desde MARX, la escuela neoclásica de la economía aseguraba que no se podía valorar desde el punto de vista económico esta clase de bienes.

Hoy en día debe realizarse la siguiente distinción a la hora de realizar dicha valoración: de un lado, existe un grupo de bienes cuyo valor se encuentra regulado por la ley del mercado, concretándose su precio por la ley de la oferta y la demanda. Es el caso, por ejemplo, de los bienes ofertados en subastas, donde los coleccionistas acuden a comprar determinadas obras de arte. Generalmente, cuando se trata de obras del pasado, junto a otros factores, la premisa más importante para mantener su nivel valorativo es su *autenticidad,* determinada normalmente por un seguimiento desde el origen, constatación y confrontación de testimonios legitimados o la propia expertización[553], disminuyendo su valor de mercado si resulta atribuida con alguna reserva. Sin embargo, cuando se trata de piezas actuales, cuyos autores siguen trabajando, influyen otros factores en la determinación de los importes, pudiendo estar la producción regulada por el galerista o retenida en momentos de menor demanda[554].

---

[553] MUÑOZ IBÁÑEZ, M.: «El arte y su precio», en *Diario Las Provincias,* de 6 de junio de 1988.

[554] En las ventas de obras de arte desde las galerías, en muchos casos para guardar el anonimato que no tendrían en las subastas, se obtiene menos dinero por la obra.

También en los centros históricos de las ciudades, atendiendo al valor utilitario de los edificios, junto con otros valores, se adjudica un valor económico a la zona, así como a las propiedades inmobiliarias integradas en ella. Por último, por lo que se refiere a los monumentos y yacimientos arqueológicos, en aras a su valoración, sus costes de salvación y mantenimiento se contrastan con los beneficios esperados de la intervención[555].

Sin embargo, de otro lado, hay bienes que están sustraidos a las reglas del mercado, toda vez que no se encuentran a la venta por ser propiedad del Estado. En estos casos debe hacerse una advertencia: no debe confundirse el valor de los seguros obligatorios de estos bienes cuando se exhiben en museos, galerías de arte o salas de exposición, con el precio de aquéllos en el mercado[556]. Y es que determinados bienes, como las grandes obras maestras contenidas en los museos, atesoran tal cantidad de intangibles que sería prácticamente imposible una valoración por parte del mercado.

En segundo lugar, resulta conveniente reiterar que, si bien el *valor cultural* generalmente va ligado al valor económico del bien, no siempre ocurre así; un ejemplo paradigmático son los bienes arqueológicos cuyo valor viene determinado, no por el objeto en sí mismo, sino por la información que aportan para el conocimiento de la historia, de ahí la importancia del respeto al contexto en el que se encuentran o aparecen. A su vez, existen bienes de gran valor cultural pero que por su *estado ruinoso* tienen un valor patrimonial mínimo[557]; así, merece destacarse el deterioro que sufren castillos, construcciones defensivas y fuentes históricas, bienes que son objeto de frecuentes y numerosos actos vandálicos y expolios, que los conducen en muchos casos a situaciones de ruina[558]. Estos bienes tienen una utilidad casi exclusivamente cultural[559], no

---

[555] BALLART: ob. cit., p. 64.

[556] Así, en el reciente préstamo de las Majas de Goya, del Museo del Prado al del Hermitage, en San Petersburgo, se puso un precio de aseguración *aleatorio*, 3.000.000 millones, no confundible con el de mercado, de acuerdo con declaraciones desde el Ministerio de Cultura español, pues este sería «incalculable» al estar sustraidas dichas obras maestras a la venta.

[557] La jurisprudencia del Tribunal Supremo viene afirmando reiteradamente la procedencia de la declaración de ruina sobre edificios de valor histórico-artístico. Sin pretender ser exhaustivos, por ser además una cuestión que será abordada *infra* en el siguiente Capítulo, citaremos algunas resoluciones: así, por ejemplo, las SSTS de 18 de octubre de 1983 (RA 5245), de 18 de febrero de 1985 (RA 1174), de 26 de septiembre de 1986 (RA 5994), o de 18 de noviembre de 1986 (RA 900), entre otras muchas.

[558] Asimismo, las Catedrales españolas, joyas culturales de nuestro Patrimonio (algunas de ellas declaradas como Patrimonio de la Humanidad, como por ejemplo, las Catedrales de León y Burgos, distinciones que sin embargo, no inciden en su estado de conservación) sufren tales problemas de deterioro debido a destrucciones de la piedra, problemas de humedades, etc.,

produciendo prácticamente rendimiento económico, ni directo ni indirecto, llegando a constituir incluso una carga económica en el supuesto de que se trate de bienes que se encuentren en manos privadas, pese a que sea indudable su relevancia histórica y artística.

Por todo ello, a pesar de que algunos de los bienes integrantes del Patrimonio Cultural puedan valorarse económicamente, nos encontramos ante otros cuya relevancia se encuentra, básicamente, en un valor independiente de aquel que, en un momento dado, pueda adjudicarle el mercado, pues su prestigio no pertenece a un valor adquirido.

Tomando como punto de partida la interpretación del concepto constitucional de Patrimonio histórico, cultural o artístico, como conjunto de bienes en el cual el elemento que les dota de unidad es su *valor cultural* objetivo, criterio capaz de aglutinarlos en una categoría única[560], consideramos que el valor que subyace al bien jurídico protegido en los delitos objeto de nuestro trabajo, es un valor *per se,* que se superpone a cualquier valor material que pudiera recaer sobre el objeto y a los intereses de sus variados propietarios.

En suma y, adscribiéndonos al mayoritario sentir doctrinal, **a mi juicio,** el bien jurídico protegido en los denominados delitos sobre el Patrimonio Histórico se identifica con el **valor cultural inmaterial** de los bienes que lo conforman. De ahí que dichos bienes reciban una tutela jurídico-penal precisamente por el *valor que representan y por ser instrumentos de acceso a la cultura,* compenetrándose el valor ideal con el elemento material[561]. Dicho *valor cultural,* como fin de la tutela, podrá concretarse en intereses específicos (histórico,

---

que originan la programación de necesarias intervenciones para su conservación y mantenimiento. Sobre esta cuestión: «Catedrales en la UVI», *Diario El País,* 27 de abril de 1997.

[559] Resulta interesante la clasificación que realiza ÁLVAREZ ÁLVAREZ de los bienes culturales en atención a su utilidad cultural y su utilidad económica, distinción a la que volveremos más adelante. ÁLVAREZ ÁLVAREZ, J.L.: *Estudios sobre el Patrimonio Histórico,* ob. cit., p. 267; también en «El Patrimonio Cultural. De dónde venimos, dónde estamos y a dónde vamos», en *Patrimonio Cultural y Derecho,* nº 1, p. 25.

[560] BARRERO RODRÍGUEZ, C.: *La ordenación jurídica...,* ob. cit., p. 152 y ss.; GONZÁLEZ RUS, J.J.: ob. cit., p. 44.

[561] A mi juicio, GONZÁLEZ GONZÁLEZ interpreta erróneamente la distinción y separación que realizan ALIBRANDI y FERRI entre *corpus misticum* como creación intelectual, y su trascendencia y por tanto no incorporación al *corpus mechanicum* como exteriorización material, pues estos autores se están refiriendo a las obras de ingenio o invenciones industriales, que ya comentamos quedan fuera de la protección constitucional del art. 46 y consecuentemente de la tutela penal prevista en el Título XVI, y no se refieren a los bienes culturales donde entienden no se da dicha contradicción. GONZÁLEZ GONZÁLEZ: «Protección penal...», ob. cit., p. 496.

artístico, arqueológico, etnográfico…) que posea el bien en particular, constituyendo así el criterio de identificación de los bienes integrantes del denominado Patrimonio Histórico[562].

La identidad de los bienes culturales se encuentra, pues, conectada a ese valor ideal, al *valor cultural,* el cual justifica la sujeción de la cosa a un especial régimen de tutela. Así, por ejemplo, el valor cultural de una obra de arte, de una pintura o una escultura, se encuentra ligado a la *cosa* pintura o *cosa* escultura y la tutela del primero se identifica con la tutela del bien en sí[563]. De ese modo, puede aceptarse con ACALE SÁNCHEZ, cómo al depositarse el valor cultural sobre los bienes que integran el Patrimonio Cultural, la lesión al propio valor puede apreciarse a través de los daños a los bienes que lo integran[564].

De suerte que, si bien entendemos deben diferenciarse los valores que conforman el *objeto de protección* penal, de lo que constituye el *objeto material* —los objetos o bienes[565] sobre los que recae la agresión— no podemos olvidar que, ciertamente, la función cultural no existe al margen del objeto portador de dichos valores[566].

Precisamente por ser objeto de protección, debido a ese valor inmaterial del que hemos hablado, el interés de la comunidad debe ser tutelado siempre, dentro y fuera del ámbito nacional, sin encontrarse vinculado por el principio de territorialidad[567], cuestión relevante en los supuestos de exportación de obras de arte.

---

[562] En esta dirección, ALONSO IBÁÑEZ, M.R.: *El Patrimonio Histórico. Destino público y valor cultural,* ob. cit., p. 141.

[563] En este sentido, en la doctrina italiana: CERULLI IRELLI, V.: «Beni culturali…», ob. cit., p. 26 y ss. En parecidos términos, ALIBRANDI y FERRI matizando la formulación de GIANNINI, ALIBRANDI, T./FERRI, P.: *I beni culturai e ambientali,* ob. cit., p. 140 y ss. En la doctrina española, ALONSO IBÁÑEZ, M.R.: ob. cit., p. 216.

[564] ACALE SÁNCHEZ, M.: *Delitos urbanísticos…,* ob. cit., p. 209.

[565] Por ello, no coincido con la postura de SERRANO GÓMEZ *(Derecho penal. Parte Especial* II, ob. cit., p. 645), quien considera que lo que se pretende proteger a través de las tipificaciones del Capítulo II del Título XVI son *los bienes del Patrimonio Histórico Español.* Pero mis objeciones van todavía más allá cuando dicho autor continúa afirmando que «lo que verdaderamente se protege *no es el propio Patrimonio Histórico,* sino *los bienes que lo conforman, su integridad física»,* pues, a mi juicio, el concepto de «Patrimonio Histórico» es equivalente al de «bienes integrantes del mismo», toda vez que aquel concepto sólo cobra significación jurídica precisamente a través de los bienes que forman parte del mismo.

[566] De acuerdo con ALONSO IBÁÑEZ, «ni física ni jurídicamente al margen de un objeto al que se haya considerado con aptitudes suficientes para ser considerado vehículo cultural». ALONSO IBÁÑEZ: ob. cit., p. 135.

[567] En este sentido, *Ibidem,* p. 131. Si bien, matiza el autor italiano PIVA que sí existirá un límite material territorial en el caso de intereses referidos a valores propios del «ambiente»

De modo que, la función cultural de los bienes culturales *representa*, no tanto el presupuesto que legitima una intervención administrativa que limite o funcionalice el derecho de propiedad[568], cuanto el valor inmanente a estos bienes al que venimos haciendo referencia.

El valor económico de los bienes, que no será determinante para la protección penal, podrá ser considerado, a mi juicio, a efectos del cálculo de la responsabilidad civil. De ese modo, el perjuicio que pudiera provocarse a intereses privados, en el caso de un propietario particular del bien, podrá constituir causa de la indemnización civil que se determine.

En suma, el objeto de especial protección penal en el Título XVI del Código Penal lo constituye el **valor cultural** de los bienes que integran el Patrimonio Histórico o Cultural[569], independientemente de la naturaleza mueble o inmueble del bien en cuestión, por encontrarse ligado a la función de promoción cultural que desempeñan como insignes aportaciones a la cultura universal. Es, por tanto, un valor independiente del mayor o menor valor económico que a los objetos se les pueda atribuir o adjudicar en un momento determinado en el mercado. Al ser un bien jurídico de dimensión social, su interés digno de protección se centra en el *valor cultural* del bien, no en su valor económico[570], por lo que se protegerá estos bienes penalmente por la función cultural y social que representan. Aunque el bien pertenezca a un particular, se entiende que su disfrute y goce es colectivo y, por ende, se pretende proteger el acceso de los ciudadanos a los mencionados bienes, por el acercamiento a la cultura de un país que ello supone. Precisamente en el Código Penal anterior las críticas doctrinales se dirigían al hecho de que la protección se encontraba diseminada a lo largo del texto penal con la fórmula de las agravaciones, la cual mostraba la prevalencia del criterio del valor económico frente al valor cultural de los bienes.

---

nacional, como por ejemplo el valor estético del paisaje, encontrando precisamente ese límite en su nacimiento, protección y disfrute. PIVA, G.: «Cose d'arte», ob. cit., p. 95.

[568] También de esta opinión ROLLA: «Bienes culturales y Constitución», en *Revista del Centro de Estudios Constitucionales*, nº 2, 1989, p. 170.

[569] Sin perjuicio de que, en el análisis de los tipos en particular, determinemos el concreto objeto de protección del art. 322, por tratarse de un tipo específico y agravado de prevaricación.

[570] Ya adelantamos que este criterio se pone sin embargo en entredicho, desde el momento en que veremos existe un defecto de coordinación entre algunos de los tipos penales, pues si bien el *art. 323* sanciona los daños a bienes de valor histórico, artístico, cultural o monumental, *sin que se exija una cuantía mínima*, la falta prevista en el *art. 625.2* establece que los daños tipificados en ella no pueden exceder de las 50.000 pesetas. Estimo, sin embargo, más adecuado detenernos en esta controvertida cuestión cuando procedamos en el siguiente Capítulo al análisis de los diversos tipos penales.

En definitiva, la tutela jurídica-penal no sólo pretende asegurar la necesaria preservación de los *valores culturales* de los propios bienes, sino también la función que desempeñan, como *instrumentos de acceso por parte de todos los ciudadanos a su propia cultura.*

CAPÍTULO IV

LOS DELITOS SOBRE EL PATRIMONIO HISTÓRICO: EL CAPÍTULO II DEL TÍTULO XVI

I. CONSIDERACIONES PREVIAS

La creación en el texto penal de un capítulo autónomo dedicado a la protección del Patrimonio Histórico tiene su origen en el debate parlamentario del Proyecto de Ley Orgánica de Código Penal tras el acuerdo, adoptado por la Ponencia designada para estudiar dicho Proyecto, de incorporación de una enmienda[1] que *trataba* de aglutinar bajo un solo capítulo los tipos penales referidos a lesiones al Patrimonio Histórico, dispersos en varios Títulos del Proyecto, así como de aunar los conceptos y enumeraciones que se realizaban en la normativa administrativa básica, la Ley de Patrimonio Histórico Español de 1985. Sin embargo, ninguna de las razones que motivaron la enmienda vio la luz en el texto aprobado finalmente. La citada enmienda pasó por la Comisión sin debate parlamentario, de ahí en gran medida los errores y la precipitación de la redacción, a los que nos referiremos más concretamente.

Pues bien, en el Capítulo II del Título XVI (del Libro II) del nuevo Código Penal, que lleva por rúbrica «Los delitos sobre el Patrimonio histórico», se insertan, *de un lado,* las conductas relativas al derribo o alteración de edificios singularmente protegidos por su interés histórico, artístico, cultural o monumental —ubicadas en el Proyecto de Código Penal dentro de los delitos sobre la ordenación del territorio[2] y, *de otro lado,* se incluyen las conductas previstas en los artículos 265.1.4 y 268 del citado Proyecto, relativas a daños sobre bienes integrantes del Patrimonio Histórico. Asimismo, se incorpora al citado Capítulo un tipo novedoso de prevaricación específica en el ámbito del Patrimonio Histórico.

Sin embargo, si bien puede afirmarse, haciéndonos eco de doctrina autorizada, que la regulación autónoma de los atentados contra dicho Patrimonio en

---

[1]   Ya comentamos que los preceptos que integran este nuevo Capítulo se introdujeron en el trámite de aprobación del proyecto de Código en el Senado, concretamente a través de la incorporación de la enmienda 373 del Grupo Parlamentario Socialista que los reagrupó en un Capítulo independiente bajo la rúbrica *«De los delitos sobre el Patrimonio Histórico».* Ver DELGADO-IRRIBAREN: *Ley Orgánica del Código penal. Trabajos parlamentarios,* Madrid, 1996.

[2]   El art. 305.1 del Proyecto de Código Penal castigaba en su número 1° la construcción no autorizada en suelos destinados a viales, zonas verdes o *lugares que tengan legal o administrativamente reconocido su valor paisajístico, artístico, histórico o cultural o que por los mismos motivos hayan sido considerados de especial protección»,* incluyendo en su número 2° el *derribo o alteración grave de edificios singularmente protegidos por un interés histórico, artístico, cultural o monumental.*

el Capítulo II del mencionado Título XVI, en términos generales, es acogida favorablemente, ello no es óbice para que su materialización concreta sea objeto de determinadas **críticas u objeciones** pertenecientes a órdenes diferentes, dejando aparte las derivadas del análisis de los tipos penales, las cuales serán abordadas en su momento oportuno.

En **primer término,** las objeciones se concretan en una serie de *precisiones de carácter semántico/gramatical,* por defectos en su redacción, lo cual resulta, cuando menos curioso, habida cuenta de que es el primer texto punitivo en nuestra historia sometido en su conjunto al dictamen de la Real Academia Española.

Concretamente, las primeras críticas se dirigen al enunciado del Capítulo, «De los delitos *sobre* el patrimonio histórico», ya que quizá hubiera sido más apropiado que el legislador hubiese utilizado la preposición «*contra*», referida a lo que, en una primera aproximación provisional, supondría el objeto de protección[3] en dichos delitos. Expresión que además no resulta coherente con las utilizadas en los siguientes Capítulos del mismo Título, al regular los delitos *contra* los recursos naturales y el medio ambiente (Capítulo III), y los delitos *relativos* a la protección de la flora y la fauna (Capítulo IV)[4].

A su vez, el Capítulo II se enmarca dentro del Título XVI, cuyo enunciado reza, «De los delitos *relativos* a la ordenación del territorio y la protección del patrimonio histórico y del medio ambiente», no siguiendo tampoco un criterio coherente con las demás rúbricas del Libro II, en las que sí aparece la preposición «contra» un bien jurídico determinado, en cada uno de los Títulos.

Ahora bien, considero que la fórmula empleada de adjetivación de los delitos del citado Título, si bien ha sido calificada de «densa» y «confusa»[5] —por anteponer la expresión lingüística «relativos a», únicamente a la ordenación del territorio y no a los otros dos conceptos— podría encontrar su justificación en un intento de ofrecer una visión integradora de los elementos que conforman el medio en el que vive el hombre: el medio cultural, natural y urbano, es decir, su «entorno»[6], comportando una previa identificación del ámbito en el cual se llevan a cabo conductas que afectan a los bienes jurídicos protegidos.

---

[3] Vid. *supra* el Capítulo anterior relativo al bien jurídico protegido.

[4] De ahí que, en ese sentido, CARMONA SALGADO se refiere a la «inadecuada» y «contradictoria» expresión utilizada al redactar las rúbricas de los diversos Capítulos. CARMONA SALGADO, C.: *Curso de Derecho Penal. Parte Especial* (II) (dir. por COBO DEL ROSAL), Madrid, 1997, p. 40.

[5] ACALE SÁNCHEZ, M.: *Delitos Urbanísticos,* Barcelona, 1997, p. 79.

[6] En este sentido, haciendo referencia al entorno, ver, por todos, PÉREZ ALONSO, E. J.: «Los delitos contra el patrimonio histórico en el Código penal de 1995», en *Actualidad penal,* nº 33,

En **segundo término,** las objeciones más importantes son de carácter *sistemático* y se basan en la decisión del legislador de no reconducir al interior del Capítulo II todos los atentados contra el Patrimonio Histórico, toda vez ésta constituía una de las razones que motivó la enmienda que dio lugar a la regulación actual.

Proclamada de forma expresa en el texto constitucional la necesaria sanción penal para las conductas atentatorias contra el «patrimonio histórico, cultural y artístico», y, con base en el principio penal de mínima intervención, el legislador de 1995 tenía ante sí diversas **posibilidades** a la hora de configurar dichos delitos, concretamente partía de la posibilidad de elegir entre la regulación por el Código Penal o la regulación de la materia en leyes especiales. La actualización de la ley penal a la realidad social, cultural y económica de nuestro país, así como la adecuación a los principios y contenidos axiológicos de la Constitución, exigía el ejercicio de determinadas opciones políticas, así como la asunción de criterios de carácter técnico[7]. Superada la opción decimonónica a favor de la universalidad del Código Penal y en contra de las leyes especiales —basada en la falta de sometimiento, si quiera de manera parcial, por parte de las leyes especiales a los principios constitucionales— hoy en día, tanto el Código Penal como la legislación especial se hallan subordinados a la Constitución, tal y como prevé el preámbulo del Código tanto con base en el principio de jerarquía como en el control jurisdiccional de constitucionalidad.

Por consiguiente, los Estados, a la hora de proteger penalmente sus respectivos Patrimonios Culturales, se hallan ante la siguiente **alternativa:** acudir a una **legislación especial,** de base generalmente administrativa y penal, opción por la que se decantan un número importante de países de nuestro entorno[8], o, en segundo lugar, acudir a la tipificación en el **Código Penal,** bien a través de una regulación unificada y orgánica, modelo por el que se ha decantado nuestro legislador o bien de un modo fragmentario y disperso, tal como se regulaba en el Código anterior.

En favor de su integración en leyes especiales se aduce *la inconveniencia del alejamiento físico entre normas penales y administrativas,* del cual pueden

---

14-20 de septiembre de 1998, p. 611 y ss.; GARCÍA CALDERÓN, J.M.: «La protección penal del Patrimonio Histórico», en *Estudios Jurídicos. Ministerio Fiscal IV. Delitos de nueva planta en el Código penal,* Madrid, 1997, p. 407.

[7]   GONZÁLEZ CUSSAC, J.L.: «Un Código penal en democracia», en *Tapia* (Especial monográfico. Reflexiones en torno al Código penal), octubre, 1997, p. 25.

[8]   Vid. *supra* la parte 2ª del Capítulo Segundo, relativa a la tutela del Patrimonio en el Derecho comparado.

derivarse problemas de interpretación sobre todo en lo referente al objeto de protección[9]. Asimismo, constituye otro de los argumentos comúnmente utilizados en favor de las leyes especiales su utilidad para *evitar supuestos de atipicidad*[10].

No obstante, desde la óptica penal se plantean también ciertos **inconvenientes** derivados de las leyes especiales, inconvenientes tanto dogmáticos como de política criminal; así, entre otros debe destacarse el excesivo intervencionismo por parte de la Administración en las leyes especiales, por cuanto, tal como señala PÉREZ ALONSO, «*sus actos son la base fundamental para la intervención penal*»[11]. A su vez, se reprocha a la regulación a través de leyes especiales el que suponga, por un lado una *regulación muy particularizada que provoca frecuentemente la existencia de lagunas penales,* y, por otro lado, que se trata de una legislación con una excesiva reglamentación provocadora de confusionismo y que dificulta la labor del intérprete.

Pues bien, a mi juicio, si bien, en principio, un acercamiento entre la normativa penal y la administrativa resulta necesario en la materia en que nos movemos —contribuyendo a precisar conceptos relativos al ámbito del Patrimonio Histórico y a un mejor conocimiento de los bienes que lo integran— finalmente se acaba potenciando una protección del patrimonio histórico, cultural y artístico «oficial», estimando con VIVES ANTÓN[12] que esta legislación de carácter administrativo debe servir únicamente como medio de referencia para «facilitar» la labor del intérprete y no con carácter vinculante. Asimismo, entre otros de los argumentos esgrimidos, tal y como señalara FERNÁNDEZ ALBOR, se encuentra el hecho de que los valores relativos a la defensa de la cultura deben ser confiados con vocación permanente al Código Penal[13].

Habiéndose decantado el legislador por la regulación de los delitos contra el Patrimonio Histórico en el Código Penal, podía seguir la sistemática utilizada en el Código precedente, regulando la materia por el sistema de agravaciones, o bien podía elegir una regulación autónoma y singularizada de ésta, opción por

---

9   FERNÁNDEZ ALBOR estimaba aconsejable, antes de la aprobación del nuevo Código Penal, la elaboración de una ley «penal especial» donde se definan una serie de conceptos, hoy aún muy confusos, sobre el Patrimonio Artístico albergando tipos precisos y bien meditados, FERNÁNDEZ ALBOR: «El patrimonio artístico y su protección penal», ob. y loc. cit.

10   FERNÁNDEZ ALBOR, A.: *Ibidem.*

11   PÉREZ ALONSO, E.J.: *La tutela civil y penal del Patrimonio histórico, cultural o artístico,* 1995, p. 123 y ss.

12   VIVES ANTÓN, T.S.: *Derecho penal. Parte especial,* Valencia, 1993, p. 806.

13   GONZÁLEZ GONZÁLEZ, J.: «Protección penal del patrimonio histórico español. Aproximación a la situación actual y proyecto de reforma», ob. y loc. cit.

la que, en una primera aproximación provisional, parece haberse inclinado el legislador penal. Sin embargo, si damos un repaso al articulado del Código observamos cómo, pese a la creación del Capítulo denominado *«De los delitos sobre el Patrimonio histórico»*, los citados delitos conviven con subtipos agravados ya existentes en el Código precedente, contenidos en su mayoría en el marco de los delitos contra la propiedad individual, cuando la acción delictiva recae sobre bienes de valor histórico, artístico o cultural.

Concretamente, en el ámbito de los delitos contra la propiedad, el art. 235.1 del Código Penal, reproduciendo casi literalmente el precepto del texto antiguo, sanciona el *hurto* recayente en «cosas de valor artístico, histórico, cultural o científico», causa de agravación también del *robo con fuerza en las cosas* (art. 241.1); a su vez, el art. 250.5 prevé, entre las causas que agravan el delito de *estafa* el que ésta recaiga sobre «bienes que integren el patrimonio artístico, histórico, cultural o científico», causa de agravación aplicable, a su vez, al delito de apropiación indebida; asimismo, la *apropiación de cosa perdida o de dueño desconocido* (art. 253) resultará agravada si se tratare de «cosas de valor artístico, histórico, cultural o científico». En el Capítulo XII se incrimina, por su parte, la *sustracción de cosa propia de utilidad social o cultural* (art. 289). Asimismo, en el art. 432 se verá agravada la *malversación* cuando recaiga sobre cosas declaradas de valor histórico o artístico.

Por su parte, en el Capítulo I del Título XVI, delitos sobre la ordenación del territorio, el art. 319.1 del CP tipifica la realización de construcciones no autorizadas en *lugares que tengan reconocido un valor artístico, histórico o cultural.* En ese sentido MUÑOZ CONDE, si bien considera la ordenación del territorio como el bien jurídico protegido en las distintas modalidades del delito urbanístico, afirma, a su vez, que aparecen otros intereses indisociablemente ligados al mismo: «la conservación del valor paisajístico, ecológico, *artístico, histórico o cultural* de determinados lugares», tutelándose en última instancia «el derecho de todo ciudadano a la conservación y disfrute de la riqueza natural y *el patrimonio cultural*»[14]. Pues bien, parece asistir la razón al citado autor en sus afirmaciones si atendemos a la clasificación que realiza la LPHE de los bienes inmuebles que integran el Patrimonio Histórico Español, donde encontramos entre las categorías de protección los *Sitios Históricos*, dejando patente la relación existente entre el Patrimonio Histórico y la realidad ambiental.

En esta dirección, si atendemos al Derecho comparado, y concretamente a la regulación italiana, las conductas penales relativas al entorno o «ambiente

---

14   MUÑOZ CONDE, F.: *Derecho penal. Parte especial*, ob. cit., p. 486 y ss.

monumental»[15], de acuerdo con la traducción de la expresión utilizada, son sancionadas, por la vía de remisión, de acuerdo con el Código de Urbanismo. Esta parece ser la línea hacia la que se dirige la política promocional y de conservación patrimonial, precisándose actuaciones coordinadas[16] en la protección de los monumentos, conjuntos históricos y sus entornos. Sin embargo, a pesar de la innegable conexión e interacción entre ambas materias, ello no debe confundirse con la existencia de bienes jurídicos diferenciados, que justifiquen su tutela en Capítulos diferenciados.

En suma, el motivo por el cual no se aglutinan en el Capítulo II todas las conductas atentatorias contra el Patrimonio Histórico parece ser desconocido; en concreto, y por lo que se refiere a la protección de las zonas culturales naturales, siguiendo a ACALE SÁNCHEZ[17], estuvo condicionado por la sistematización del Capítulo I en virtud de la conducta típica, la realización de construcciones ilegales en determinados lugares protegidos, por lo que la protección de las zonas culturales naturales siguió dentro del citado Capítulo I del Título XVI.

A más, en el Capítulo que regula los delitos contra personas y bienes protegidos en caso de conflicto armado, se castiga el ataque a bienes culturales que constituyan el Patrimonio Cultural o espiritual de los pueblos y a los que se les haya conferido protección en virtud de acuerdos especiales, causando como consecuencia destrucciones de los mismos.

Por último, dentro del Libro III dedicado a las faltas y sus penas, el art. 625.2 agrava los daños «*cuyo importe no exceda de cincuenta mil pesetas*» si se causaren en bienes de valor histórico, artístico, cultural o monumental. Este precepto resulta un tanto desconcertante al no parecer coherente ni concordante con la línea sistemática seguida en la tipificación autónoma y singularizada de los daños al Patrimonio Cultural (art. 323), ya que, de un lado, se ubica entre las faltas *contra el patrimonio*, volviendo a su protección de manera residual, subordinada a la protección del patrimonio individual, de acuerdo con la regulación del Código precedente, y de otro lado, porque tampoco toma en cuenta, en principio, el criterio de la cuantía de los daños producidos.

---

[15] Expresión acuñada por la jurisprudencia española haya ya más de 20 años; véase la STS (3ª) de 29 de marzo de 1978.

[16] En ese sentido gira el acuerdo de colaboración entre los Ministerios de Cultura y Medio Ambiente, firmado el 18 de enero de 1999, en el cual —partiendo de aunar los conceptos de cultura y naturaleza— se pretende la mencionada colaboración para la aplicación del presupuesto que Medio Ambiente dedica al llamado uno por ciento cultural, medida de fomento prevista en el art. 68 de la LPHE.

[17] ACALE SÁNCHEZ, M.: *Delitos urbanísticos*, ob. cit., p. 84 y ss.

Por último, ya fuera del Código penal, por LO 12/1995, 12 de diciembre, de Represión del Contrabando, se sanciona la exportación ilegal de obras u objetos de interés artístico o histórico, donde el bien jurídico protegido es, en principio, el Patrimonio Histórico Español[18], y no la capacidad impositiva estatal; la cuantía de los géneros es determinante del delito, elevándose con la nueva Ley[19] a 3.000.000 de pesetas, salvo que la exportación la lleve a cabo una organización, en cuyo caso será delito cualquiera que sea la cuantía (art. 2.1 e) y 2.3 a)).

A la vista de lo expuesto, PÉREZ ALONSO califica de «fraude de etiquetas»[20] la nueva regulación, basándose en un dato numérico al existir más preceptos relativos al Patrimonio fuera del Capítulo destinado su protección.

Ciertamente, se sigue cayendo en el error que se venía advirtiendo respecto de la histórica regulación jurídico-penal de la materia, ausente de directrices político-criminales, otorgando de este modo una protección subsidiaria al Patrimonio Cultural, subordinada al injusto de referencia, y, consecuentemente, deudora del bien jurídico protegido en el tipo legal en el que se halle incorporada su tutela. Dicha acentuación de su carácter patrimonial conlleva asimismo el que dichos atentados al Patrimonio quedan semiocultos en las estadísticas criminales, al incardinarse en los apartados correspondientes a los delitos contra la propiedad, lo que supone una ausencia de conocimiento real de la criminalidad sobre estos delitos[21]. Actualmente, una de las fuentes más fiables para el conocimiento de la realidad delictual en materia de Patrimonio Histórico son los datos manejados por los grupos del Seprona o por el Grupo de Patrimonio, dependientes de la Guardia Civil, así como por la Brigada del Patrimonio Histórico, dependiente de los Ministerios de Interior y Cultura.

Pues bien, tal y como ya se anticipó, el sistema de tutela penal indirecta del Patrimonio Histórico todavía previsto en el nuevo Código Penal, escapará del ámbito de nuestro estudio, básicamente porque ya ha sido abordado en diversos trabajos, tanto referidos al Código precedente —cuya regulación resulta prácticamente literal con respecto al actual— como algún otro respecto del Código

---

18 En ese sentido, ORTS BERENGUER, E.: «Exportación sin autorización de obras u objetos de interés histórico o artístico», en *Comentarios a la legislación penal*, t. III, 1984. En contra ACALE: ob. cit., p. 88.

19 Ya indicamos en el primer Capítulo que la exportación ilegal de obras de arte se regulaba por LO 7/82, de 13 de julio.

20 PÉREZ ALONSO, E.J.: «Los delitos contra el patrimonio histórico...», ob. cit., p. 617.

21 GARCÍA CALDERÓN propone como solución a este problema la creación de una casilla específica para los robos u otros delitos contra la propiedad cuando recaigan sobre objetos o bienes de indudable valor histórico o artístico, con objeto de poder ser valorados adecuadamente por los interesados. En «La protección penal», ob. y loc. cit.

actual, lo que exigiría además una extensión ajena a mis propósitos. Consecuentemente, se ha creído conveniente centrar el objeto de nuestro estudio en el nuevo Capítulo dedicado a los «delitos sobre el patrimonio histórico» —al margen de los delitos contra el patrimonio y el orden socioeconómico— cuya necesaria aparición, pese a las objeciones ya realizadas y a las observaciones críticas a determinados aspectos puntuales que suscitará el estudio concreto de los tipos, debe ser acogida favorablemente, por cuanto por vez primera por el legislador penal reconoce la singularidad del bien jurídico protegido en los atentados contra el Patrimonio Histórico.

Finalmente y, antes de entrar en el análisis de los tipos penales, debe subrayarse de nuevo la *ausencia de una jurisprudencia* clarificadora de éstos, ante la imposibilidad procesal del análisis de estas agresiones por nuestro Tribunal Supremo. La competencia para el enjuiciamiento de los tipos objeto de nuestro estudio la tiene actualmente el Juzgado de lo Penal, tras la reforma de los apartados primero y tercero del art. 14 de la Ley de Enjuiciamiento Criminal por la Ley 36/1998, de 10 de noviembre, al no superar aquéllos la pena privativa de libertad los cinco años, ni la inhabilitación especial los diez años[22].

Con el fin de afrontar esta problemática, resulta interesante la propuesta de VERCHER NOGUERA, concerniente a la conveniencia de arbitrar algún tipo de recurso de casación de unificación de doctrina[23]. A este respecto, tal figura ha sido introducida recientemente en la Ley 29/1998, de 13 de julio, reguladora de la Jurisdicción Contencioso-Administrativa[24], estando además prevista en la

---

[22]   El artículo 14 de la Ley de Enjuiciamiento Criminal queda redactado en los siguientes términos: «...*Para el conocimiento y fallo de las causas por delitos a los que la Ley señale pena privativa de libertad de duración no superior a cinco años o pena de multa cualquiera que sea su cuantía, o cualesquiera otra de distinta naturaleza, bien sean únicas, conjuntas o alternativas, siempre que la duración de éstas no exceda de diez años, así como por faltas, sean o no incidentales, imputables a los autores de esos delitos o a otras personas, cuando la comisión de* la falta o su prueba estuviesen relacionadas con aquéllos, el Juez de lo Penal de la circunscripción donde el delito fue cometido o el Juez Central de lo Penal en el ámbito que les es propio...».

[23]   VERCHER NOGUERA, A.: «Constructores, promotores y técnicos directores en los delitos contra la ordenación del territorio a la luz de la reciente jurisprudencia penal», en *Actualidad Penal*, nº 357, septiembre 1998, p. 1 y ss. Véase sobre el objeto de este recurso en el ámbito del Derecho Social. MARTÍNEZ EMPERADOR, R.: *El Recurso de casación para la Unificación de la Doctrina*, III Congreso Nacional del Derecho del Trabajo y de la Seguridad Social, Alicante, junio de 1992 (cit. por VERCHER NOGUERA, A.: «Constructores, promotores...», ob. cit., p. 4).

[24]   Art. 96: «*1. Podrá interponerse recurso de casación para la unificación de doctrina contra las sentencias dictadas en única instancia por las salas de lo contencioso-administrativo del*

Ley Orgánica 5/2000, de 12 de enero, reguladora de la responsabilidad penal de los menores[25].

Además, a esta problemática debe añadirse el hecho de que la mayoría de las resoluciones provinciales dictadas hasta el momento han sido absolutorias, de forma que no deciden ni dan criterios interpretativos.

En suma, lo cierto es que la *insuficiente persecución* de estos delitos[26] hasta el momento actual contrasta, sin embargo, con la alerta y múltiples denuncias que aparecen constantemente en medios de comunicación, las cuales si bien propician en muchos casos la incoación de diligencias para investigar la presunta comisión de los delitos, en la mayoría de los supuestos acaban siendo archivadas.

Tribunal Supremo. Audiencia Nacional y Tribunales Superiores de Justicia, cuando respecto a los mismos litigantes u otros diferentes en idéntica situación y, en mérito a hechos, fundamentos y pretensiones sustancialmente iguales, se hubiere llegado a pronunciamientos distintos.
2. También son recurribles por ese mismo concepto, las sentencias de la Audiencia Nacional y de los Tribunales Superiores de Justicia dictadas en única instancia cuando la contradicción se produzca con sentencias del Tribunal Supremo en las mismas circunstancias señaladas en el apartado anterior.
3. Sólo serán susceptibles de recurso de casación para la unificación de la doctrina aquellas sentencias que no sean recurribles en casación con arreglo a lo establecido en la letra b) del art. 86.2 siempre que la cuantía litigiosa sea superior a los tres millones de pesetas.
4. En ningún caso serán recurribles las sentencias a que se refiere el artículo 86.2 a), c) y d), ni las que quedan excluidas del recurso de casación en el artículo 86.4...».
25   Art. 42. Recurso de casación para unificación de doctrina.
      «2. *El recurso tendrá por objeto la unificación de doctrina con ocasión de sentencias dictadas en apelación por las mencionadas Salas de Menores de los Tribunales Superiores de Justicia que fueran contradictorias entre sí con las de otra u otras Salas de Menores de los referidos Tribunales Superiores, o con sentencias del Tribunal Supremo, respecto de hechos y valoraciones de las circunstancias del menor que, siendo sustancialmente iguales, hayan dado lugar, sin embargo, a pronunciamientos distintos.*»
26   Véase al respecto el anexo estadístico que acompaña a la Memoria del Fiscal General del Estado de 1997, en el que consta la incoación de un total de 28 Diligencias Previas por daños al Patrimonio, y un solo caso por daños imprudentes contra el Patrimonio Histórico. Asimismo, en la Memoria de la Sección de Medio Ambiente de la Fiscalía de Valencia del año 1997 fueron un total de cinco diligencias incoadas en la investigación de infracciones incardinables dentro de los tipos penales contemplados en los arts. 321 y ss., ascendiendo el número a ocho las incoadas en investigación de este tipo de infracciones, de acuerdo con la Memoria del año 1998.

II. ARTÍCULO 321: EL DERRIBO O ALTERACIÓN GRAVE DE EDIFICIOS SINGULARMENTE PROTEGIDOS

El primero de los tipos legales es el previsto en el **artículo 321,** cuyo tenor es el siguiente:

«Los que derriben o alteren gravemente edificios singularmente protegidos por su interés histórico, artístico, cultural o monumental serán castigados con las penas de prisión de seis meses a tres años, multa de doce a veinticuatro meses, y en todo caso inhabilitación especial para profesión u oficio por tiempo de uno a cinco años.

En cualquier caso los Jueces o Tribunales, motivadamente podrán ordenar, a cargo del autor del hecho, la reconstrucción o restauración de la obra, sin perjuicio de las indemnizaciones debidas a terceros de buena fe».

1. Introducción. Breve referencia a las causas de destrucción del patrimonio arquitectónico durante el pasado siglo

El tipo que comenzamos a analizar carece de antecedentes, apareciendo por vez primera, tal y como ya se apuntó, ubicado en el Proyecto de Código Penal de 1992 en el ámbito de los delitos sobre la ordenación del territorio[27]. Ahora bien, debe mencionarse como, entre las enmiendas presentadas al articulado del Proyecto de Código penal de 1980, se solicitó entonces la adición de un nuevo precepto (el art. 383 bis) para impedir la demolición de edificios histórico-artísticos o catalogados, o la no ejecución de obras de reparación necesarias en

---

[27]   Art. 310 del Proyecto de 1992:

«1. Se impondrán las penas de prisión de seis meses a dos años, multa de doce a veinticuatro meses e inhabilitación especial para profesión u oficio por tiempo de seis meses a tres años, cuando se llevare a cabo una construcción no autorizada en suelo no autorizable o en lugares que tengan legal o administrativamente reconocido su valor paisajístico, artístico, histórico o cultural, o por los mismos motivos hayan sido considerados de especial protección.

2. Los que derribaren o alteraren gravemente edificios singularmente protegidos por su interés histórico, artístico, cultural o monumental serán castigados con las penas de prisión de seis meses a tres años, multa de doce a veinticuatro meses y, en todo caso, inhabilitación especial para profesión u oficio por tiempo de uno a cinco años.

3. En cualquier caso, los Jueces o Tribunales, motivadamente, podrán ordenar, a cargo del autor del hecho, la demolición, o en su caso, reconstrucción de la obra, sin perjuicio de las indemnizaciones debidas a terceros de buena fe, así como adoptar cualquier otra medida cautelar necesaria para la protección de los bienes tutelados en este artículo».

los mismos con ánimo de provocar su ruina (nº 296), así como la adición de un segundo párrafo en el art. 384 en aras a castigar la comisión por negligencia o ignorancia inexcusables de los supuestos previstos (nº 298).

Prescindiendo de remotos antecedentes, la necesidad de preservación del patrimonio arquitectónico se vio acrecentada en el **siglo XIX** por el entorno de la época, pues si hasta esa fecha aquél se conserva en su mayor parte[28], comienza entonces una etapa de pérdidas importantes del patrimonio edilicio que llega hasta nuestros días. Hasta finales de dicho siglo era, pues, práctica harto frecuente la «construcción previa destrucción»; se destruía para integrar nuevos estilos, de forma que se producía una renovación de arquitecturas, unas *sobre* otras, y unas *contra* otras. Por ello, antes de intentar un juicio sobre los tipos previstos en nuestro Código Penal actual, he considerado oportuno detenernos en las **causas de la destrucción** del patrimonio arquitectónico en el período del siglo pasado[29], con la finalidad de que sirvan como cimiento del análisis que se pretenda realizar del tipo legal recogido en el art. 321 del nuevo Código Penal, y que puedan ayudarnos a resolver algunas cuestiones que se suscitarán en dicho precepto.

Dichas causas pueden ser sintetizadas en las que a continuación paso a enunciar:

A) La causa más evidente la constituyó el denominado «**vandalismo**[30] **revolucionario**», habida cuenta de que los destrozos y barbaries cometidos

---

[28]   Hasta esa época, en términos generales las degradaciones de los monumentos tenían su origen en mayor medida en fenómenos naturales, o por la falta de uso, si bien también se dieron expolios de ciudades abandonadas, así como alteraciones estilísticas desafortunadas. Vid. sobre el deterioro del Patrimonio Arquitectónico Español, ÁLVAREZ ÁLVAREZ, J.L.: en *Sociedad, Estado y Patrimonio Cultural,* Madrid, 1992, p. 71 y ss.

[29]   Causas que resultan difíciles de enumerar debido a la escasa atención prestada por parte de la historiografía española. No obstante lo cual, me remito al riguroso trabajo de BARRIOS ROZUA sobre las consecuencias urbanísticas y arquitectónicas de las desamortizaciones en Granada, análisis que realiza el autor mencionado para entender la conformación de la ciudad burguesa, y que, por ende, sirven de base para aportar nuevos elementos de reflexión en el tratamiento de los delitos que nos ocupan. BARRIOS ROZUA, J.M.: *Reforma urbana y destrucción del Patrimonio histórico en Granada. Ciudad y desamortización,* Granada, 1998.

[30]   El término *vandalisme* fue utilizado por vez primera por el abad Gregoire en 1784 para referirse al movimiento iconoclasta en Francia. Sobre las distintas formas de vandalismo durante la Revolución francesa, ver REAU: *Historie du vandalisme,* ob. cit.; asimismo, CHOAY, F.: *L'allegorie du patrimoine,* París, 1992. De otro lado, resultan de interés los relatos de Víctor Hugo, en 1825, acerca de episodios de destrucciones del patrimonio arquitectónico en Francia desde la Revolución, en su artículo titulado «Guerre aux démolisseurs», en *Revue du Paris,* 1929.

durante la *invasión napoleónica* repercutieron en las edificaciones y tesoros de arte[31], siendo de gran trascendencia la destructiva intervención urbanística de los revolucionarios, eliminando símbolos y edificios vinculados al Antiguo Régimen[32].

Ahora bien, para los partidarios del Antiguo Régimen, el vandalismo de la revolución burguesa venía íntimamente ligado con la **desamortización eclesiástica.** Efectivamente, la *política desamortizadora* supuso el abandono y destrucción de muchos edificios histórico-artísticos, al ser expulsadas las Instituciones religiosas que estaban a su cargo, de forma que, ante la ausencia de vigilancia resultaba muy frecuente el *saqueo de edificios eclesiásticos,* tanto de los objetos muebles de su interior como de los elementos constructivos de los conventos y las iglesias. Mas, si la desamortización trajo consigo consecuencias dañinas, en mayor o menor medida, para el Patrimonio Histórico, no debe tampoco obviarse, por un lado, como las consecuencias del fenómeno desamortizador fueron distintas según las circunstancias y las regiones afectadas, y, por otro lado, como la desamortización contribuyó, en cierto modo, al nacimiento de una nueva sociedad regida por las leyes del *libre mercado.*

La secularización de edificios religiosos no tenía por qué suponer necesariamente su aniquilación, sino que ésta se produjo en muchas ocasiones por otros motivos. De ahí que con razón se sostenga que la desamortización constituyó más un *punto de partida* que una causa directa de destrucción de nuestro legado histórico[33].

B) Otra de las causas relevantes que contribuyeron, y contribuye actualmente, a la degeneración[34] de nuestro patrimonio arquitectónico es la **falta de**

---

[31] Los daños ocasionados en el patrimonio histórico conventual de Madrid durante los años de la ocupación francesa fueron cuantiosos, desapareciendo aquél total o parcialmente. Otros conventos e iglesias sufrieron graves expolios en su patrimonio artístico, como por ejemplo el Convento de San Bernardo en Alcalá de Henares, el cual sufrió asimismo los efectos de la desamortización de Mendizábal, y, posteriormente, los de la Guerra Civil española.

[32] Precisamente la Francia revolucionaria se utilizó como arma arrojadiza por los sectores más conservadores de la sociedad para centrar la culpabilidad de la destrucción del patrimonio en un sector de la sociedad, los liberales, primero, más tarde los anarquistas y los marxistas. Vid. al respecto, BARRIOS ROZUA, J.M.: *Reforma urbana y destrucción del Patrimonio,* ob. cit., p. 225 y ss.

[33] Así, en uno de los países que mejor conserva su patrimonio, Italia, no se llevó a cabo desamortización eclesiástica.

[34] Sólo desde algunas instituciones, como por ejemplo la Real Academia de Bellas Artes, tal y como se expuso en la primera parte de este trabajo, se trabajó para intentar frenar estas destrucciones.

concienciación de su «valor» inmaterial e intangible, pudiendo afirmarse como dicho fenómeno va unido al anteriormente expuesto.

Así, los frecuentes derribos de edificios religiosos se llevaban a cabo básicamente por dos grupos de sujetos: las *propias autoridades,* de un lado, y *los particulares* compradores de bienes nacionales, de otro lado, de suerte que, un mero traspaso de propiedad tenía consecuencias nefastas para la cultura del país.

A este respecto, si bien la desaparición de gran parte de edificios históricos o artísticos se produjo a causa de incendios provocados por multitudes exaltadas, por los acontecimientos históricos, entre las causas principales de daños al patrimonio histórico-artístico se encuentran las **reformas urbanas.** Sobre este particular, los *derribos institucionales* se justificaban inicialmente como mejoras urbanas, con la expresa intención de crear plazas y ensanchar calles; de ese modo, si bien no todos estos edificios son demolidos en un primer momento, las dificultades técnicas y financieras del Estado para su conservación, propician con los años la desaparición total o parcial de muchos de ellos[35].

Consecuentemente, la decisión política más inteligente para la conservación del Patrimonio Histórico era darle alguna utilidad, generalmente de carácter público. Sin embargo, las reparaciones y reconstrucciones que se llevaron a cabo en los edificios dañados no tendrían en cuenta su interés histórico y artístico, sino *únicamente* el funcional. Asociado a las reformas urbanas, asimismo resultaba harto frecuente liberar el entorno de los monumentos, en concreto de las catedrales, a costa de demoler otros edificios dotados de valor cultural.

Por su parte, tal y como se ha apuntado, los derribos por obra de **particulares** que adquirían previamente el inmueble se venían justificando por su difícil adaptabilidad para fines de habitación o industria. Precisamente por esa falta de concienciación entre las autoridades y la población en general, de la necesidad de preservación de nuestro Patrimonio Histórico, las tasaciones de edificios de gran valor histórico y artístico eran inferiores que las realizadas sobre cualquier finca urbana.

---

[35]   Asimismo, se reutilizaban los materiales de los edificios derribados para su uso en obras públicas, ocupando de este modo a jornaleros en paro; pero lo cierto es que en la base de dichas demoliciones se encontraba el *anticlericalismo,* es decir, el deseo de hacer irreversible la exclaustración. Sin embargo, según BARRIOS el anticlericalismo más destructivo fue el que llevaron a cabo las autoridades liberales en tiempos de Mendizábal, Espartero y la Junta de 1868.

La realidad es que las destrucciones de edificios monumentales se llevaban a cabo por *motivaciones especulativas,* donde la nueva burguesía buscaba los rápidos ingresos que suponían las ventas de los materiales, generalmente para pagar los plazos en que se había adquirido el bien nacional[36], mostrando así con sus conductas la escasa o nula sensibilidad hacia los valores históricos o artísticos, conducta si cabe menos disculpable que la del resto de la población por la posibilidad de acceso a la cultura de la burguesía y aristocracia propietaria de dichos edificios. Mas, lo cierto es que, incluso algunos derribos fueron vistos con buenos ojos por las autoridades, por la contribución a la mejora urbana acorde con los criterios dominantes.

Los derribos de edificios conventuales dieron paso a un primer fenómeno especulador promovido por una inicial burguesía que propiciará *las reformas interiores* de las ciudades, todavía constreñidas por las murallas medievales. Precisamente, la *destrucción de las murallas* de las ciudades antiguas, consideradas como obstáculos para el futuro crecimiento y la modernización, supone el primer paso de la revolución urbana moderna, que se consuma con las técnicas urbanísticas del «ensanche»[37] de las poblaciones en los congestionados centros de las ciudades, así como de la reforma interior, rompiendo viejos barrios ante la irrupción de las grandes vías.

C) Para finalizar con este somero repaso a las causas más sobresalientes que propiciaron, directa o indirectamente, la destrucción del patrimonio arquitectónico, nos referiremos a las **obras de adaptación a nuevos usos.** Estas se realizaban siguiendo el dogmatismo estético dominante en esa época —admitiéndose únicamente el neoclasicismo academicista— de modo que, si no se ajustaban a esos cánones arquitectónicos, se negaba valor monumental y artístico a muchos edificios antiguos, desembocando en muchas ocasiones en el derribo de éstos, obviando su carácter histórico. Cuestión diferente son las malas restauraciones de los edificios, toda vez que se llevan a cabo con la intención de conservar el edificio, aunque finalmente éstas supongan intervenciones desastrosas[38].

---

[36] Conductas que seguían llevando a cabo, incluso cuando ya no se ostentaba la propiedad, como el supuesto que relata BARRIOS, la demolición de un edificio conventual de Granada llevada a cabo por un particular, cuya propiedad le había sido retirada al no pagar los plazos del pago y cuya pretensión era revender unos materiales de construcción que ya no le pertenecían.

[37] La legislación española sobre el «ensanche» se refiere conceptualmente a la ciudad nueva, fuera y más allá de la ya existente, con la cual se relaciona, cuando es posible, con un cinturón de ronda.

[38] Sin embargo, el denominado *vandalisme restaurater* de Francia no tuvo gran acogida en nuestro país, pues la práctica de la restauración fue más bien escasa en España.

Pues bien, de acuerdo con la falta de conciencia sobre el valor del Patrimonio histórico y artístico, la oposición a su destrucción fue débil en España[39], todo ello acompañado de una **imprecisa legislación** en el **primer tercio del siglo XIX.** Entre las medidas de salvaguarda más pretenciosas para poder prevenir la desaparición de edificios conventuales, durante la desamortización del Trienio liberal, se emitió una Real Orden de 29 de octubre de 1820, para la formación de inventarios que comprendieran, desde los títulos de propiedades inmuebles hasta los objetos de culto.

El Decreto de 11 de octubre de 1835 sobre supresión de comunidades religiosas y la entrega de sus bienes para la venta, tuvo un efecto muy pernicioso para el Patrimonio histórico-artístico español, quedando resentida la labor de conservación de los edificios existentes; de ahí, la solicitud por parte del Ministerio del Interior en 1835 de *inventariar* los bienes de interés histórico y artístico, incluidos conventos y monasterios, así como, por otro lado, el requerimiento a las provincias por la Academia de San Fernando de *listados* de monumentos de interés, si bien nunca se llegó a contar con ese catálogo que ayudara a valorar las riquezas del reino y, por consiguiente, a evitar su desaparición.

El incremento de las pérdidas provoca, pues, que comiencen a dictarse una serie de normas en aras a la conservación de nuestros monumentos, a través de las cuales resultara prohibida su destrucción[40]. Sin embargo, con la consolidación de los moderados en el Gobierno tras la caída de Espartero, continúan las destrucciones, básicamente de manos de particulares. No obstante lo cual, algunas instituciones eclesiásticas serán también responsables de reformas dañinas y derribos parciales de edificios religiosos, justificadas por el deterioro que sufrían éstos, y con la pretensión de mejorar su habitabilidad, si bien, la ausencia de las necesarias autorizaciones administrativas y de criterios en su restauración contribuyó a su degradación.

Las nuevas autoridades políticas, en un deseo de mejorar las relaciones con la Iglesia, propiciaron un giro a favor de la protección del Patrimonio Histórico, el cual se inició cuando en 1844 se solicita a los jefes políticos una relación de los edificios dignos de conservarse por su antigüedad, origen, destino o los recuerdos históricos que ofrecen, aprobándose ese mismo año la creación de Comisiones de Monumentos Históricos y Artísticos, de confusas atribuciones, y que resultó excesivamente tolerante ante ciertas destrucciones.

---

[39]   Así, durante las regencias de María Cristina y Espartero no hubo una reacción contundente frente a las destrucciones del patrimonio histórico y artístico.

[40]   Concretamente, la Real Orden de 29 de mayo de 1839 obligaba a obtener autorización superior para proceder a la demolición de algún convento.

Asimismo se pretendía un mayor control sobre los edificios propiedad del Estado[41]. A este respecto, la Real Orden de 4 de mayo de 1850 establecía la necesaria consulta a la Comisión de Monumentos Históricos y Artísticos para su preceptivo dictamen a la hora de *demoler, revocar o hacer obras en los edificios públicos*. Por su parte, las Reales Órdenes de 14 de septiembre y 10 de octubre del mismo año establecían normas en defensa de «los edificios del Estado de reconocido mérito artístico» prohibiéndose, entre otras actuaciones, «*derribar claustros, portadas, galerías y ornatos de conocido mérito; que bajo ningún pretexto se alteren las formas o se supriman sus fachadas*».

Sin embargo el grado de cumplimiento fue escaso, continuando los derribos y reformas traumáticas. Consecuentemente, ante el recrudecimiento de los derribos durante la revolución de 1868, la Academia de San Fernando envía el 10 de diciembre de 1873 un documento al Ejecutivo solicitando la detención de dichos derribos[42]. Las consecuencias son inmediatas, dictándose un Decreto el 16 de diciembre[43] de ese mismo año que contenía disposiciones para evitar la destrucción, por iniciativa de Ayuntamientos y Diputaciones, de edificios públicos que, por su valor histórico o artístico, se consideraren monumentos dignos de su conservación.

Ya en nuestro siglo, además de asistir a la degradación producida por las dos grandes guerras sufridas, el destrozo comienza con las migraciones del campo a la ciudad, si bien la explosión inmobiliaria producida durante los años 70 y 80, los ensanches, junto con el crecimiento exacerbado de la ciudad con insensibilidad y falta de respeto a nuestro Patrimonio, provoca que en cuestión de 20 años se produzcan destrucciones importantes, tanto de la arquitectura de las ciudades como de la arquitectura popular.

---

[41] Cuestión ya apuntada en el Capítulo de la Evolución histórica.

[42] El director de la Academia, D. Federico de Madrazo y su secretario D. Eugenio de la Cámara, denunciaban en dicho documento cómo «con el aparente motivo de ensanchar una calle o abrir una nueva o rectificar una alienación, que podría mejorarse de otro modo menos violento, y acaso menos costoso, se ordena la demolición de un monumento, y se lleva a cabo su destrucción con pasmosa rapidez y hasta con posible fruición, sin dar oídos a las observaciones de los inteligentes, ni escuchar las reclamaciones de esta Academia ni sus delegadas, las de Bellas Artes de las provincias, ni las Comisiones de los documentos», en *Resumen de las actas y tareas de la Academia de Bellas Artes de San Fernando el año académico de 1873 a 1874*, Madrid, 1874, p. 75, apéndice Segundo.

[43] Su art. 3º determinaba: «*Los monumentos derribados con manifiesta infracción de la ley por las corporaciones municipales, hasta la fecha de publicación del presente decreto, que puedan ser reedificados lo serán, a expensas de la corporación que ordenó su destrucción*», precepto de difícil cumplimiento ante los devastadores derribos que se venían produciendo.

Entre 1979-1989 resulta evidente la necesidad de adoptar estrategias urbanísticas que concilien las exigencias culturales de la conservación y la rentabilidad de las operaciones, así como de elaborar instrumentos de *planeamiento*[44] en aras de la protección de los edificios dignos de conservación, de acuerdo con la necesaria coordinación, en el ámbito del Patrimonio Histórico, entre la normativa urbanística[45] y la específica reguladora de éste.

2. Análisis del tipo

2.1. La conducta típica

Dos son las *modalidades* de la conducta típica del tipo recogido en el art. 321, modalidades que vienen definidas con los términos **«derribar» o «alterar gravemente»**.

No encontramos ante un delito de **resultado material** toda vez que, a través de los verbos típicos, se están describiendo resultados materiales, a los que el sujeto activo puede llegar valiéndose de cualquier medio empleado al efecto. En este apartado analizaremos, pues, si se admite la modalidad omisiva, así como, en última instancia se abordará una cuestión íntimamente ligada a las anteriores, cual es la referida a la consumación y tentativa.

A) El «derribo» como primera modalidad de conducta

a) Definición del término «derribo» y precisiones terminológicas

Por lo que se refiere a la primera modalidad de conducta típica, el *derribo*, en principio no plantea problemas interpretativos, por cuanto el grave atentado que supone a la integridad del bien —al comportar la desaparición física del

---

[44] El *Plan especial* se considera resultado de una conciencia protectora surgida en los años 70, tras las harto frecuentes demoliciones en las ciudades españolas, conteniendo las determinaciones precisas para establecer los niveles de protección y la intensidad de tutela de los bienes que integran el conjunto histórico, usos tolerados, etc. Técnica que, incomprensiblemente, no se ha establecido para los monumentos y su entorno, salvo en alguna normativa autonómica. Véase acerca del *Plan especial* el art. 20 de la LPHE.

[45] Tras la Sentencia del Tribunal Constitucional 61/1997 sobre el ordenamiento urbanístico, el retorno al Texto Refundido de la Ley sobre Régimen del Suelo y Ordenación Urbana de 1976 (en adelante LS76) como normativa de carácter supletorio en cada territorio autonómico, supone implícitamente la aplicación, de forma complementaria del *Reglamento de Disciplina Urbanística*, aprobado por Real Decreto 2.187/1978, de 23 de junio.

inmueble en cuestión— ya lleva implícita su gravedad, tratándose pues de actos de naturaleza irreversible[46].

El Diccionario de la Real Academia Española define la voz *derribar* como «*arruinar, demoler, echar a tierra casas, muros o cualesquiera edificios*». Por otra parte, el «Diccionario técnico-jurídico de la construcción», de contenido temático, considera que por *derribo* debe entenderse la «destrucción o demolición de un edificio o de algún elemento constructivo»[47], definición similar a la aportada por PANIAGUA SOTO, según la cual el derribo consiste en «la demolición de una construcción u obra de fábrica»[48].

Asimismo, los términos «derribo» y «demolición» son utilizados de forma indistinta por la legislación sobre Patrimonio Histórico, así como por la legislación urbanística[49].

---

[46] Tal y como reconoce en su Fundamento 5° la STS (3ª) de 22 de junio de 1990, estableciendo que «*la irreversibilidad* del acto de demolición de un edificio de las características del que es objeto de este recurso y la finalidad conservadora del «patrimonio histórico, cultural y artístico de los pueblos de España» que garantiza el art. 46 de la Constitución impone una interpretación de las disposiciones que fundamentan las resoluciones impugnadas, de conformidad con el art. 3.1 del Código civil, o sea, en relación con la realidad social de nuestro tiempo atendiendo, fundamentalmente, al espíritu y finalidad de estas normas»»(FJ 5°). Afirmación que realiza posteriormente el Tribunal Supremo en sentencia de 6 de abril de 1992 (RJ 1992, 3001) en su FJ 4°. Recientemente la STS de 19 de junio de 1998 resaltaba la importancia de «*evitar daños irreparables al patrimonio Cultural*», acorde con la voluntad constitucional manifestada en el art. 46 CE.

[47] GUTIÉRREZ CAMACHO, M.E.: «Voz: derribo», en *Diccionario técnico-jurídico de la construcción*, Granada, 1997.

[48] PANIAGUA SOTO, J.R.: *Vocabulario básico de Arquitectura*, Madrid, 1996, p. 125.

[49] El art. 76 g) de la LPHE, en la tipificación de las infracciones administrativas, se refiere al «*derribo, desplazamiento o remoción ilegales de cualquier bien afectado por un expediente de declaración de Bien de Interés Cultural*». Asimismo, el art. 37 de la citada Ley faculta a la Administración competente para «*impedir un derribo y suspender cualquier clase de obra o intervención en un bien declarado de interés cultural*». Sin embargo, en otros preceptos se refiere a la ilegalidad de los actos u obras de **demolición** de inmuebles pertenecientes al PHE (así, arts. 23.2, 24.2 y 3 y art. 25 LPHE).
Por su parte, en la normativa urbanística, el Reglamento de Disciplina Urbanística (RDU) hace uso indistintamente tanto del término «derribo» como del vocablo «demolición»; así, por ejemplo, en su art. 1, entre los actos sujetos a previa licencia se encuentra, en el n° 10, «*la demolición de las construcciones, salvo casos declarados de ruina inminente*», mientras que, en la regulación de las infracciones administrativas, se sanciona a «*quienes derribaren o desmontaren parcialmente edificaciones, construcciones o instalaciones que sean objeto de una protección especial por su carácter monumental, histórico, arqueológico, cultural, típico o tradicional*» (art. 861.).
Sin embargo, desde una perspectiva aislada, el Tribunal Superior de Justicia de Andalucía, en la sentencia de 1 de junio de 1998 (RJCA 1844) parece deslindar el significado de ambos

Si atendemos al Derecho comparado, en la doctrina alemana, DREHER-TRÖNDLE concibe la destrucción como una subespecie de daños al constituir un daño tan grave que supone la anulación completa de su capacidad de uso; en ese sentido, WOLFF sostiene que en el acto de *demoler* se ha destruido una cosa convirtiéndola en absolutamente inutilizable[50]. Ahora bien, considero más completa la definición del término «destrucción» aportada por VON LISZT, según la cual la destrucción presupone la *inutilización* de la cosa, de acuerdo con su finalidad o destino, si bien el autor puntualiza que será *imprescindible la lesión de la sustancia material*[51]. En la doctrina italiana, sin embargo, BAJNO sostiene que la demolición no puede equivaler en ningún caso a mera destrucción sino exclusivamente a abatimiento o descomposición del objeto[52].

Por su parte, algunos autores de la doctrina científica española, pese a que el texto punitivo únicamente se refiere al castigo del «derribo», admiten, dentro de la primera modalidad de conducta prevista en el art. 321.1, tanto el **derribo total** como el **derribo parcial** del edificio en cuestión[53], si bien no aportan

---

términos. Así, declara que la infracción en la que se funda la resolución es concretamente la vulneración del art. 20.3 en relación con el art. 76.1 e) de la LPHE, considerando que las obras a las que se refiere el precepto, no se restringen a las de construcción o rehabilitación, sino que incluyen las de *demolición* no autorizada (en el caso, demolición de parte de la fachada del edificio), supuesto distinto —según la sentencia— al indicado en el apartado g) del mismo precepto, que se refiere al *derribo*, «*esto es, a la destrucción total del inmueble*». Sin embargo, meses más tarde, la misma Sala, en sentencia de 6 de marzo de 1998, desestima un recurso interpuesto contra la resolución de la Dirección de Bienes Culturales, de 17 de marzo de 1994, por la que se impuso la sanción de 500.000 por la infracción tipificada en la LPHE, consistente en la *demolición* de un inmueble sin la autorización preceptiva.

[50]   A esto se objeta, por ARTZ-WEBER, que muchas veces tal distinción tiene dificultades en la práctica. DREHER-TRÖNDLE: *Komm Strafgesetzbuch und Nebengesetze*, 1997; WOLFF: *Leipziger Kommentar*, 1997.

[51]   De acuerdo con la teoría del *doble criterio* en los daños típicos, teoría a la que nos referiremos más detenidamente al analizar el tipo previsto en el art. 323 de nuestro Código Penal. LISZT F., V.: *Lehrbuch des Deutschen Strafrechts*, 1927, Berlín-Leipzig.

[52]   BAJNO, R.: «Disapplicazione dell'atto amministrativo o disapplicazione della norma penale?», en *La tutela penale del patrimonio artistico. Atti del sesto simposio di studi di diritto e procedura penali*, Milano, 1977, pp. 171-179.

[53]   De esta opinión, expresamente, MUÑOZ CONDE, el cual, después de afirmar que la conducta típica consiste en el derribo de los inmuebles a que se refiere el precepto, sostiene que por derribo debe entenderse «*tanto la demolición total del edificio como la que afecta a una parte de la construcción*». MUÑOZ CONDE, F.: *Derecho penal. Parte especial*, ob. y loc. cit.; en el mismo sentido, CARMONA SALGADO, C.: *Curso de Derecho Penal. Parte Especial*, ob. cit., p. 39; DOMÍNGUEZ, J.A., HERNÁNDEZ, J., FARRE, E., GRINDA, J., HERVAS, J.V., SOSPEDRA, F.J., HERREROS, M.J.: *Delitos relativos a la ordenación del territorio…*, ob. cit., p. 112.

Por el contrario, POLAINO NAVARRETE se refiere únicamente a la *total* destrucción del bien. POLAINO NAVARRETE, M.: «Delitos contra el Patrimonio Histórico», en *Estudios*

criterios interpretativos para determinar por qué y, hasta dónde, es típico el derribo parcial del edificio singularmente protegido.

Si acudimos a la legislación administrativa protectora del Patrimonio Histórico, en ella sí se tipifican como infracciones ambas posibilidades; a este respecto, si bien la LPHE se refiere únicamente al «derribo», en términos generales, de cualquier inmueble afectado por un expediente de declaración de Bien de Interés Cultural[54], en la normativa autonómica sobre la materia se considera, en muchos casos, expresamente como infracción muy grave ambas posibilidades, esto es, tanto el derribo total como el parcial del edificio protegido[55]. Asimismo, ya hemos indicado cómo en el Reglamento de Disciplina Urbanística constituirá infracción urbanística grave —obviamente, tal y como venimos reiterando, salvo que sea constitutivo de delito[56]— «el *derribo* o desmontaje, *total o parcial, de edificaciones,* construcciones o instalaciones, *que sean objeto de una protección especial por su carácter monumental, histórico, artístico, arqueológico, cultural,* típico o tradicional» (la cursiva es añadida)[57].

En el ámbito jurídico-penal partimos, sin embargo, de la ausencia de previsión expresa en el tipo penal de los derribos *parciales,* unido a la dificultad interpretativa por causa de la falta de resoluciones judiciales dictadas hasta el momento.

Jurídicos (en memoria del profesor Dr. D. José Ramón Casabó Ruiz), Valencia, 1997, p. 600. Si atendemos al derecho alemán la mayoría de los Land coinciden en castigar expresamente a quien *destruya* un monumento cultural o *una parte esencial del mismo.* Vid. *supra* Capítulo relativo al Derecho comparado.

[54]   Cfr. art. 76 g) LPHE.

[55]   Cabe citar como ejemplo la Ley de Patrimonio Cultural Valenciano tipificando el «derribo, *total o parcial,* de los inmuebles incluidos en el Inventario» (art. 97.4.a); asimismo, en la Ley de Patrimonio Cultural Catalán, en su art. 71.4.a se sanciona el «derribo *total o parcial* de inmuebles declarados de interés nacional»; por su parte, la Ley 8/1995, de 30 de octubre, del Patrimonio Cultural de Galicia se considera infracción muy grave: «el derribo o la destrucción *total o parcial* de inmuebles declarados de interés cultural sin la preceptiva autorización» (art. 92 a)).

[56]   Se castigarán, pues, por la vía administrativa dichas conductas, salvo que sean constitutivas de delito, en virtud del principio *ne bis in idem,* ya expuesto *supra* en el Capítulo relativo al bien jurídico. De suerte que, con la aplicación del referido principio, previsto expresamente en la normativa administrativa referida, se resuelven así los problemas derivados de la posibilidad de encontrar determinadas actuaciones enmarcables en distintos sectores del ordenamiento jurídico; concretamente, las actuaciones constitutivas de derribo de un edificio singularmente protegidos por sus intereses histórico, artístico, cultural o monumental, tipificadas en ambos sectores del ordenamiento jurídico, serán sancionadas de acuerdo con el Código Penal, en virtud del citado principio *ne bis in idem.*

[57]   Art. 86.1 del Reglamento de Disciplina Urbanística, al cual ya habíamos hecho referencia.

Pese a ello, a mi juicio, podemos aventurarnos a considerar que, en principio, será típico tanto el derribo total del edificio protegido como el derribo de una *parte esencial del mismo*, esto es, el derribo parcial de un edificio singularmente protegido, en cuanto suponga la destrucción o demolición de aquellos elementos arquitectónicos de especial interés histórico, artístico o cultural presentes en el inmueble y que hayan propiciado su singular protección. Como ejemplo de lo expuesto, imaginemos el supuesto del derribo de un palacete del siglo XVI donde los elementos arquitectónicos más sobresalientes (arcos de sillería, pórticos, etc...) son demolidos, de forma que lo que queda en pie sea lo de menor interés. Sin embargo, si el derribo afecta únicamente a alguno o algunos de los elementos carentes de especial interés, y se lleva a cabo sin la autorización que resulta preceptiva[58], dicho derribo quizás podría constituir una infracción administrativa, de acuerdo con la normativa autonómica en la materia, o en su defecto, con el Reglamento de Disciplina Urbanística (en adelante, RDU).

Lo que parece indiscutible es que, a tenor de lo expuesto, aunque el texto punitivo no diga nada al respecto[59], los derribos tipificados serán los **derribos ilegales,** esto es, **los derribos no autorizados** por la Administración competente[60]. De acuerdo con una interpretación lógica, deben considerarse tipificados penalmente en el art. 321 de nuestro Código punitivo, los derribos ilegales de edificios protegidos, es decir, fuera de los casos legalmente autorizados, cuales

---

[58] En algunos edificios el deber de conservación rige solamente para algunas de sus partes, si bien para el derribo del resto se requiere la autorización de la Administración competente, cuestiones en las que nos detendremos cuando hagamos referencia a los distintos grados de protección en los edificios. En este sentido, valga como ejemplo la STS de 6 de junio de 1996 (RJ 478) en la que se autorizó el derribo de un edificio, integrado en Conjunto Histórico-Artístico, declarado en estado de ruina, pero ordenando la conservación de la fachada.

[59] Sí lo especifica el art. 76.e LPHE, ya citado, al tipificar como infracción administrativa «*el derribo, desplazamiento o remoción ilegales de cualquier inmueble afectado por un expediente de declaración de bien de interés cultural*».

[60] Sobre este particular, recordemos como en el ordenamiento jurídico alemán, se sanciona expresamente la *destrucción no autorizada* de monumentos culturales o partes esenciales de los mismos; el resto de intervenciones no autorizadas incluidas las alteraciones o modificaciones, conforman ilícitos administrativos. Así, en el Länd de Baja Sajonia *(Niedersachen)* la *autorización* por parte de la autoridad protectora de monumentos será necesaria, de acuerdo con el § 10 en los siguientes supuestos: cuando se pretenda *destruir*, modificar, reparar o restaurar un monumento cultural; cuando se retire de su emplazamiento un edificio o en general un inmueble de carácter monumental o se les coloque algún tipo de publicidad; cuando se modifique el uso del monumento arquitectónico; y, por último, cuando se quiera erigir o modificar en el entorno del monumento arquitectónico instalaciones que influyan en su aspecto.

son las actividades de demolición en supuestos de declaración de ruina[61] del edificio singularmente protegido, siempre de acuerdo con el procedimiento y los requisitos establecidos en la LPHE, tal y como veremos a continuación.

b) Posición jurisprudencial en relación a la declaración de ruina en edificios protegidos

La jurisprudencia del Tribunal Supremo es de enorme trascendencia para delimitar la interrelación entre el deber de conservación y la declaración de ruina de los inmuebles objeto de protección, vía legislación de Patrimonio Histórico o vía planeamiento.

Como ahora podrá comprobarse, existe una consolidada doctrina jurisprudencial que deja sentado el criterio de la *compatibilidad* entre la posible *declaración de ruina* de un edificio —la cual tiende a determinar el estado fáctico de éste— y la tramitación de un expediente para que el edificio en cuestión sea declarado como Monumento histórico-artístico, afirmándose en este sentido como «es posible que la declaración de Monumento de Interés Cultural recaiga sobre bienes que se encuentren en estado ruinoso, siempre que por su interés histórico, artístico, científico o social lo merezcan»[62].

---

[61] El régimen aplicable supletoriamente para los supuestos de ruina, a falta de normativa autonómica, es el previsto en la Ley del Suelo de 1976 y en la LPHE. Concretamente el art. 183 de la LS76 distingue entre las causas de **ruina** las siguientes: a) Daño no reparable técnicamente por los medios normales (lo que viene denominándose como *ruina técnica).* En un intento de hacer más asequible a la práctica jurídica la terminología legal empleada, la jurisprudencia ha ido identificando este supuesto de ruina con aquellos donde el edificio presente un agotamiento de los elementos estructurales o fundamentales (en este sentido, la STS de 21 de diciembre de 1979); b) Coste de la reparación superior al 50 por 100 del valor actual del edificio o plantas afectadas (la denominada *ruina económica);* c) circunstancias urbanísticas que aconsejaren la demolición del inmueble *(ruina urbanística,* en la que, según jurisprudencia constante, además de existir un decaimiento estructural que haga necesarias obras que se aproximen a las previstas en los supuestos de ruina técnica o económica, y que las obras estén prohibidas en virtud de lo dispuesto en el art. 60 de la LS de 1976). Véase la selección de sentencias que realiza SIBINA TOMÁS, las cuales tratan de determinar los distintos aspectos que presentan las clases de ruinas expuestas. SIBINA TOMÁS, D.: *La conservación de las fachadas en condiciones de seguridad,* Barcelona, 1998, p. 63 y ss.
Resulta interesante destacar las modificaciones introducidas por la Ley Reguladora de la Actividad Urbanística (Ley 6/1994, de 15 de noviembre, de la Comunidad Valenciana) respecto de la declaración de ruina, haciendo desaparecer los conceptos de ruina física y económica, unificándolos en su art. 90.

[62] STS (3ª) de 18 de noviembre de 1996, la cual declaraba la compatibilidad entre el estado ruinoso de un edificio, concretamente se trataba de un balneario en Cádiz, y su declaración como Monumento de Interés Cultural.

Haciendo, pues, un repaso de la **jurisprudencia** del Tribunal Supremo en este punto, observamos cómo ésta distingue con claridad y de forma reiterada la *declaración de ruina* de la *ejecutoriedad* o los efectos de dicha declaración.

Ya en las resoluciones anteriores a la Ley 13/1985 de LPHE —y cuya doctrina parece inspirar el actual art. 24 de la mencionada Ley— se venía afirmando la posibilidad de compatibilizar la ruina formalmente firme con una posible conservación del edificio «*en función de finalidades espirituales de orden colectivo*»[63]. Por ello —tal y como afirmaba la STS (4ª) de 10 de mayo de 1982— «...si los daños que sufre el edificio ...al requerir para su reparación la reconstrucción y sustitución de los elementos arquitectónicos esenciales, acarrean la declaración del estado ruinoso de dicha edificación, el hecho de que ésta se halle incluida en el Catálogo de Edificios y Monumentos e Interés Artístico, Histórico, Arqueológico, Típico o Tradicional de Barcelona... no empece a la declaración de su estado de ruina, si bien somete a dicho edificio a **un especial estatuto jurídico que privará o regulará su demolición,** la cual no podrá llevarse a cabo sin someterla al efecto previsto para impedir la destrucción de edificaciones que produzcan **pérdidas irreparables** para el patrimonio artístico y cultural del pueblo»[64].

En definitiva, la declaración de ruina de una edificación no excluye la posibilidad de dispensarle la protección histórico-artística que corresponda en el momento de pretender el derribo, de suerte que, éste puede ser impedido, total o parcialmente, si así lo autoriza el régimen de protección histórico artística[65]. Al respecto, la STS de 7 de mayo de 1984 resume los criterios jurisprudenciales, cuyos elementos esenciales serían los siguientes:

1. La *situación de posible ruina* de un edificio es una *cuestión de puro hecho*, pues un edificio puede encontrarse en ruina, con independencia de consideraciones jurídicas o artísticas; ahora bien, ello no quiere decir que, declarada la ruina de un edificio histórico-artístico, haya de seguir su inmediata demolición, porque en tales supuestos consideraciones culturales pueden imponer la conservación a ultranza del inmueble.

2. La *subordinación de la propiedad privada a los intereses de la comunidad*, que permanecen aun cuando la declaración de ruina y la comunicación de la demolición sea anterior a la iniciación del expediente de la declaración como Monumento, pues, a partir de este inicio, es inexcusable la autorización de la

---

[63]   STS de 12 de mayo de 1978.
[64]   La negrilla es añadida.
[65]   STS de 20 de noviembre de 1984.

Dirección General de Patrimonio Artístico, exigible en cualquier evento en tanto no se haya producido la demolición del edificio.

El panorama jurisprudencial sobre esta cuestión es similar después de la aprobación de la LPHE, resultando fiel exponente de la orientación jurisprudencial dominante la sentencia de 22 de julio de 1986[66], al reconocer que «...esta Sala tiene declarado (SS de 27 de mayo, 10 de octubre y 14 de diciembre de 1978) que la declaración de ruina puede quedar enervada y ser improcedente la demolición cuando el edificio ha sido declarado monumento histórico-artístico y que aunque tal declaración no sea obstáculo para la iniciación del procedimiento de declaración de ruina puede obstaculizar la ejecución de una declaración de este tipo».

Para finalizar el repaso de algunas de las resoluciones jurisprudenciales más significativas, haremos mención de un par de ellas relativas a edificios catalogados[67] por Planes especiales; así, en palabras del Tribunal, «ha de recordarse que, una reiterada jurisprudencia... viene declarando que el interés histórico, artístico o ambiental que pueda tener un determinado edificio afectará a la *ejecutividad de la declaración* del estado ruinoso pero no a la *viabilidad* de tal declaración...»[68]. Asimismo la STS (3ª) de 1 de febrero de 1994 afirma cómo: «...es doctrina consolidada de esta Sala —sirviendo como ejemplo las de 23 de septiembre y 7 de octubre de 1988...— la que sostiene que el hecho jurídico de la inclusión de una finca en el catálogo del Patrimonio Histórico-Artístico, no enerva, sin más, una posible declaración del estado de ruina de un edificio, como expresión de una situación de hecho; si bien, sí incide directa y principalmente en el ámbito de la ejecutividad, ya que la demolición exige, en todo caso, licencia de tal carácter, y su contenido vendrá predeterminado por la norma especial o

---

[66] RA 5551. Abundando en lo expuesto, el TS afirma en resolución de 21 de febrero de 1992 que «la situación expuesta de abandono y ruina no priva al inmueble, objeto de contemplación, de la posibilidad de alcanzar la cualidad de «Bien de Interés Cultural», en su condición de monumento, si del análisis de los informes técnicos evacuados y obrantes en el expediente de autos, de acuerdo con las previsiones definitorias de los arts. 14 y 15.1 de la Ley 16/1985, se establece tal conclusión...» (RJ 1997), Sentencia relativa a un supuesto de impugnación del RD 155/1989, de 10 de febrero, por el que se declara Bien de Interés Cultural el edificio del antiguo convento de San Andrés en Mérida (Badajoz).
     Asimismo, resulta digna de mención la STS de 18 de noviembre de 1996 que recoge la doctrina jurisprudencial anterior.

[67] Cuyo régimen será analizado *infra* en el epígrafe dedicado al objeto material del tipo legal.

[68] STS (3ª) de 17 de mayo de 1995 sobre un edificio *catalogado* por el Plan especial con el nivel de Protección Estructural.

catalogada que, como normativa específica, vincula por igual al Ayuntamiento y a la Comisión del Patrimonio Histórico-Artístico»[69].

c) Postura doctrinal en los supuestos de derribos autorizados. Toma de posición

Aunque no se desprenda expresamente de la formulación típica, ya adelanté que deben considerarse tipificados penalmente en el art. 321 los derribos *ilegales* de edificios protegidos, esto es, los derribos *fuera de los casos legalmente autorizados;* consecuentemente me estoy refiriendo como supuestos autorizados a aquellas actividades de demolición en supuestos de *ruina* del edificio, siempre que se lleven a cabo de acuerdo con los requisitos establecidos para estos casos en el art. 24.2 de la LPHE[70], tal y como expondremos a continuación. De ahí que, desde mi perspectiva, no puede ser acogida la tesis de SERRANO GÓMEZ, el cual, basándose únicamente en la definición gramatical del verbo «derribar», considera que se requiere la demolición o «la reducción a la ruina del edificio», cuando, tal y como a continuación se pondrá de manifiesto, no son acciones equivalentes[71].

Si el derribo se llevara finalmente a cabo, al coincidir la declaración de ruina del edificio y la autorización administrativa preceptiva para efectuar su derribo, la doctrina penal española manifestada sobre esta cuestión, se encuentra dividida a la hora de determinar las consecuencias jurídico-penales de dicha actuación.

Algunos autores, como es el caso de CONDE-PUMPIDO TOURON y DE LA CUESTA ARZAMENDI, consideran que la *antijuridicidad* de la conducta quedaría *excluida*[72] al amparo del ejercicio legítimo de un derecho, causa de justificación contemplada en el art. 20.7 del Código Penal.

---

[69]   En esta misma línea pueden verse las SSTS de 18 de noviembre de 1986 (RA 900) y, de 13 de febrero de 1987 (RA 2977).

[70]   Ver *infra* nota a pie n° 76.

[71]   SERRANO GÓMEZ: *Derecho penal. Parte especial*, II, 1997, p. 645 y ss.

[72]   CONDE-PUMPIDO TOURON, C.: *Código penal: Doctrina y jurisprudencia*, t. II, ob. cit., p. 3.212; DE LA CUESTA ARZAMENDI, J.L.: «Los delitos relativos a la ordenación del territorio en el nuevo Código penal de 1995», en *Actualidad penal*, n° 15, abril, 1998, p. 319 y ss.; también de este autor en «Los delitos relativos a la ordenación del territorio y sobre el patrimonio histórico en el nuevo Código penal de 1995», en *Jornadas sobre la protección del medio ambiente en el nuevo Código penal*, UIMP, p. 19.

Sin embargo, para otros autores, entre los que se encuentran BOIX REIG y CARMONA SALGADO[73], la declaración de ruina y la consiguiente autorización para demoler el edificio suponen la *exclusión del tipo* penal. Concretamente la autora citada matiza que, para que sea atípica la conducta, el derribo debe ajustarse a la preceptiva autorización administrativa, pues en otro caso, es decir, si los derribos no se ciñen a los términos de la citada autorización, una vez obtenida, el comportamiento será delictivo, poniendo como ejemplo el caso en que sólo se permitiese un derribo parcial y se llevó a cabo una demolición completa del edificio protegido.

A la vista de lo expuesto, **considero** deben realizarse algunas observaciones en torno a dos cuestiones básicas: en *primer lugar,* acerca de las consecuencias jurídicas de la ruina en el patrimonio inmobiliario protegido, y, en *segundo término*, respecto a la cuestión relativa a si las actuaciones de derribo, contando para ello con una autorización administrativa, constituyen causas de justificación o son motivo de atipicidad de ese comportamiento. Trataremos ambas cuestiones separadamente y en el orden indicado.

1) Consecuencias jurídicas de la ruina en el patrimonio inmobiliario protegido

Resulta de buena lógica que la protección recayente sobre los bienes integrantes del Patrimonio Histórico se intensifique en los momentos en que la subsistencia de dichos bienes peligre. En el patrimonio inmobiliario ello ocurre, entre otros casos, cuando se declara su estado de ruina, en la medida en que ello puede conducir a su derribo.

Ahora bien, la legislación urbanística, reguladora del régimen jurídico de la ruina[74], no otorga tratamiento específico, ni realiza salvedad alguna, en los supuestos de edificios portadores de valores culturales en orden a su protección. Ello provoca el que, desde la doctrina científica, se critique la inadecuación de algunos de los presupuestos determinantes de la declaración de ruina cuando éstos recaen sobre bienes integrantes del Patrimonio. Así, por ejemplo, en los casos de ruina económica —cuyo criterio de determinación consiste en que el coste de la reparación superior al 50 por 100 del valor actual del edificio o

---

[73]   BOIX REIG, J. junto a JUANATEY DORADO, C.: *Derecho penal. Parte especial*, ob. cit., p. 634; asimismo, en *Comentarios al Código penal de 1995*, ob. cit., p. 1.586; CARMONA SALGADO, C.: *Curso de Derecho Penal…*, ob. cit., p. 39.

[74]   Véase *supra* el art. 183 de la LS76.

plantas afectadas— se asignará un valor mínimo al edificio en cuestión, al considerarse únicamente su valor material y no el cultural[75].

En estos supuestos, es la legislación de Patrimonio Histórico la que realiza algunas consideraciones en relación a los supuestos de ruina. A este respecto, si a una declaración de ruina le sigue normalmente la demolición del edificio, esta ecuación se rompe en los casos de los inmuebles integrantes del Patrimonio Histórico. Así, la Ley 16/85 de LPHE establece una serie de cautelas y garantías —concretamente, en el supuesto de inmuebles afectados por expediente de declaración de Bien de Interés Cultural— las cuales evidencian la preocupación del legislador por la conservación de los valores culturales del edificio en cuestión. En efecto, de acuerdo con el art. 24.2 de la Ley, declarada la ruina de estos edificios, para su posterior demolición se requiere, no sólo dicha declaración, sino también la *autorización de la Administración competente*, en este caso reforzada con un informe favorable a la demolición de, al menos, dos de las instituciones consultivas a las que se refiere el aludido precepto[76].

En suma, la declaración del estado ruinoso de un edificio protegido no significa que necesariamente éste se deba derribar, toda vez que, de acuerdo con la normativa reguladora de la protección, pueden establecerse prohibiciones del derribo o bien, unos controles o límites a éste. Por tanto, la peculiaridad del régimen de ruina no radica en el momento de identificar ésta, como acabamos de exponer, sino en las consecuencias derivadas de ella.

No obstante lo previsto por el art. 24 de la LPHE, la no exclusión expresa de la posibilidad de demolición de un bien declarado de Interés Cultural, provoca algunas críticas doctrinales, por cuanto se consideran insuficientes las cautelas previstas en la citada Ley, estimando al respecto que hubiera resultado preferible la previsión legal de la imposibilidad de proceder, en todo caso, a la demolición del bien[77], salvo en los supuestos de ruina inminente. Críticas que,

---

[75] Por este motivo, se considera que hubiera resultado preferible, en el caso de los inmuebles pertenecientes al Patrimonio Histórico, reducir los supuestos de ruina a los casos de ruina inminente y total. En este sentido, GARCÍA GARCÍA, M.J.: *El régimen jurídico de la rehabilitación urbana*, Valencia, 1999, p. 150 y ss. ALONSO IBÁÑEZ, R.: *El Patrimonio histórico. Destino público...*, ob. cit., p. 276.

[76] Art. 24.2 LPHE: «*En ningún caso podrá procederse a la demolición de un inmueble* (el apartado anterior se refiere a los afectados por un expediente de declaración de Bien de Interés Cultural) *sin previa firmeza de la declaración de ruina y autorización de la Administración competente, que no la concederá sin un informe favorable de al menos dos de las instituciones consultivas a que se refiere el art. 3*».

[77] Sí se prevé expresamente dicha prohibición en el ámbito autonómico. Así, de acuerdo con la Ley Valenciana de Patrimonio Cultural, los bienes inmuebles incluidos en el Inventario

insisto, tienen su fundamento en la ampliación de los supuestos de ruina a todo tipo de bienes, sin realizar salvedad alguna respecto de los integrantes del Patrimonio Histórico[78]. Mayores son las críticas respecto de los inmuebles que, siendo portadores de valores culturales, no lo son de tal intensidad para que hayan recibido su declaración como tales. En estos casos quedan «dudosamente asistidos» —según expresión de GARCÍA BELLIDO[79]— mientras no se haya incoado o declarado su carácter cultural.

En suma, la declaración de ruina es causa necesaria, pero no suficiente para el derribo, trasladándose a un momento posterior a la declaración de ruina la decisión de protección del edificio, al amparo de la legislación del Patrimonio Cultural. En otros términos, el derecho al derribo o demolición de un edificio en estado de ruina puede quedar anulado por la presencia de valores culturales en el inmueble y ser impedido por la autoridad competente en materia de Patrimonio Histórico, incluso cuando no se haya producido su declaración de Interés Cultural[80].

---

general previsto en esta Ley «*no podrán derribarse, total o parcialmente, mientras esté en vigor su inscripción el Inventario*» (art. 20 LPCV). A este respecto, reitero que el derecho estatal se convierte en derecho supletorio en los supuestos donde las Comunidades Autónomas hayan legislado sobre la materia. La única excepción —de acuerdo con lo previsto en el art. 149.1 de la Constitución española— se sitúa en materia de *defensa del patrimonio histórico, artístico y cultural contra la exportación y la expoliación* (así como de museos, bibliotecas y archivos de titularidad estatal, sin perjuicio de su gestión por parte de las CCAA), ámbito sobre el cual tiene competencia exclusiva el Estado.

[78]　Cfr. GARCÍA GARCÍA, M.J.: *El régimen jurídico de la rehabilitación urbana*, ob. y loc. cit.

[79]　GARCÍA BELLIDO, J.: «Nuevos enfoques sobre el deber de conservación y la ruina urbanística», *RDUrb.*, n° 89, p. 53.
Concretamente, son dos los preceptos de la LPHE los que prevén la posibilidad de *suspender* las operaciones de derribo sobre estos bienes. Así, el art. 25 condiciona dicha suspensión a la aprobación por parte de la Administración competente de un Plan Especial de protección, u otras medidas previstas en la legislación urbanística. Por su parte, el art. 37, en su primer apartado, faculta a la Administración competente para «*impedir un derribo y suspender cualquier clase de obra o intervención en un bien declarado de interés cultural*»; para QUINTANA LÓPEZ (*Declaración de ruina y protección del patrimonio histórico inmobiliario*, Madrid, 1991), al margen de la tramitación de la declaración de ruina, como medida precautoria general, mientras que GARCÍA GARCÍA (ob. y loc. cit.) lo vincula con las previsiones del art. 24. Finalmente, en el apartado segundo del art. 37, respecto de los bienes que no han recibido la declaración de Interés Cultural condiciona la mencionada suspensión a la incoación del expediente de su declaración como tal en el plazo de treinta días.

[80]　A pesar de las objeciones y límites que mostramos *supra* en la nota a pie inmediatamente anterior.

Podemos afirmar, pues, cómo en el caso de edificios protegidos por sus valores culturales, la Administración, pese a la declaración de ruina, puede evitar el derribo u ordenar, si lo estima procedente, ordenando las obras necesarias en orden a su conservación; de suerte que el derecho a demoler[81] se transmuta en un *deber de conservación*[82] en el caso de edificios singularmente protegidos, deber que no cesa con la declaración de ruina, sino cuando el edificio va a ser finalmente demolido.

Precisamente, del art. 46 de nuestra Carta Magna, se desprende la voluntad del constituyente de primar la **conservación** de los bienes mencionados frente a su destrucción o demolición[83], en cumplimiento del fin de «enriquecimiento y acrecentamiento del patrimonio». Conforme a ello, el Tribunal Supremo ha declarado que «...las atribuciones de los organismos protectores del Patrimonio Histórico Artístico obedecen a la exigencia de defender el derecho social a la cultura y ello obliga —conforme al art. 53.3 de la Constitución— a interpretar la legislación protectora de dicho patrimonio en el sentido más favorable a la conservación del mismo, en cumplimiento del mandato constitucional de conservar y promover el enriquecimiento del patrimonio histórico, cultural y artístico de los pueblos de España y de los bienes que lo integran (art. 46) y otorgar cobertura legal para impedir o demoler obras que pudieran producir daño a dicho patrimonio y perjuicios irreparables...»(FJ 3º)[84].

Abundando en esta tesis, el Tribunal Superior de Justicia de Cataluña, en resolución *de 17 de febrero de 1995* expone en, su fundamento jurídico 5º, cómo el art. 46 «obliga a los poderes públicos a garantizar la conservación y promoción enriquecedora de los bienes que integran el patrimonio histórico, cultural y artístico de los pueblos de España y que antepone este interés constitucional a otros intereses de menor rango, impidiendo que la revitalización de los cascos históricos protegidos se realice *a costa de la pérdida* de sus valores históricos, y

---

81 En consonancia con lo expuesto, el TS en resolución de 17 de junio de 1991 argumentaba lo siguiente: «Este deber (se supone el de conservación) tiene un límite o momento de cesación en la situación de ruina... pues cuando resulta procedente la demolición del edificio se extingue, por incompatibilidad, el deber de conservación» (RJ 1991, 5248).

82 Acerca de los deberes de conservación y el patrimonio histórico artístico, v. PARADA, R.: *Derecho administrativo III. Bienes públicos. Derecho urbanístico*, 1997, p. 513.

83 La STS (3ª) de 18 de noviembre de 1996 (RJ 8649) deducía que la voluntad constitucional manifestada en el art. 46 «*en la duda, está mucho más cerca de la conservación de los bienes que puedan integrar el Patrimonio Histórico, Cultural y Artístico de los pueblos de España que de su demolición o destrucción*».

84 STS de 6 de abril de 1992 (RA 3001). En sentido similar, la citada STS de 18 de noviembre de 1996.

prohibiendo en todo caso que se realicen atentados lesivos contra ese patrimonio que deben sancionarse en la sede jurisdiccional penal o contencioso-administrativa» (la cursiva es añadida)[85].

En definitiva, ante la falta de procedencia del derribo de un edificio singularmente protegido, debido a la ausencia de autorización por la Administración competente, el derecho a derribo se sustituye por el deber de reparación o rehabilitación. Si, pese a la declaración del estado de ruina, la Administración no autorizase el derribo del edificio protegido o no constasen los informes preceptivos, si aquél se lleva a cabo finalmente, se incurriría, en principio, en el tipo recogido en el art. 321 del Código Penal.

2) Supuestos de derribos autorizados

En los casos en que existiera autorización de la Administración para efectuar el derribo del edificio singularmente protegido, como ya se ha dicho, la doctrina científica se plantea si estos supuestos constituyen causas de justificación o son motivo de atipicidad de ese comportamiento.

A este respecto, considero deben traerse a colación las distintas formas de remisiones[86] presentes en el Código Penal. Recordemos como, entre las remisiones «externas», hice referencia a unas fórmulas que aludían —si bien de una manera indirecta— a la infracción de prohibiciones u obligaciones establecidas en la normativa extrapenal, y que presuponían el incumplimiento de su obligatoria observancia, considerándose particularmente problemáticas aquellas que exigen la «ilegalidad» del comportamiento, pues debe entenderse que el comportamiento se lleva a cabo «de modo contrario a la ley». Concretamente se hizo referencia a aquellas *remisiones externas* en las que el complemento provenía de actos de la Administración, utilizándose expresiones como «sin autorización»[87], esto es, ausencia de autorización para llevar a cabo el comportamiento.

---

[85] Sentencia que sirve de base para el artículo de GUILLÉN CARAMES, J.: «Los proyectos de obra de urbanización menor a ejecutar sobre bienes inmuebles incluidos en conjuntos históricos *(a propósito de la Sentencia del Tribunal Superior de Justicia de Cataluña, Secc. 2ª de la Sala de lo Contencioso-Administrativo, nº 122, de 17 de febrero de 1995)»*, en *REDA*, nº 89, enero-marzo 1996, p. 125 y ss.

[86] Vid. *supra* Capítulo Tercero, IV, 4.1.

[87] A este respecto cabe citar como ejemplo, entre otros, el art. 335 en materia de medio ambiente («El que cace o pesque especies distintas a las indicadas en el artículo anterior, no estando expresamente autorizado para ello...»), etc.

Conforme a ello, cabe plantearse si en el tipo previsto en el art. 321 nos encontramos ante un supuesto de remisión de carácter externo, si bien implícitamente contenida[88]; es decir, nos planteamos si, en la configuración del tipo penal podría existir una alusión implícita a una «ausencia de autorización para llevar a cabo el comportamiento».

A este respecto, la doctrina científica suele hacer referencia a tres modalidades de remisión, sumando a las leyes penales en blanco y a los términos normativos las conocidas como *cláusulas de autorización,* afirmándose acerca de éstas que, en tales casos, «la cláusula de autorización es un elemento normativo jurídico del tipo, o, si se prefiere, una remisión concluyente a actos administrativos que hacen del tipo uno «parcialmente en blanco», en atención a lo cual hay que colegir que la concurrencia de autorización convierte el hecho en atípico…»[89].

Se castiga, pues, lo descrito, a no ser que la Administración lo autorice, esto es, en última instancia, la tipicidad de la conducta dependerá de la decisión de la autoridad administrativa, si bien, en el delito que nos ocupa, el legislador al describir la conducta típica lo hace sin referencia expresa a una norma o actuación administrativa de carácter permisivo.

En suma, en los supuestos en que existiera autorización de la Administración para efectuar el derribo del edificio protegido, la conducta del derribista habrá de reputarse *atípica*. En primer lugar porque falta una exigencia que el tipo proyecta «implícitamente» sobre las circunstancias de la acción. A ello se une que, si consideramos que se trata de un término normativo implícito, se contribuirá a eludir consecuencias procesales innecesarias, inclinándonos pues por estimar la *atipicidad* del derribo autorizado de edificios singularmente protegidos.

---

[88] Ahora bien, si en la clasificación efectuada por DOVAL PAIS (*Posibilidades y límites…*, ob. y loc. cit.), y que reprodujimos con anterioridad, se hace referencia a las remisiones *implícitas* como aquellas que incluyen en el texto un término o una expresión que posee un significado normativo, sin aludir de modo expreso a disposición alguna, en el supuesto que ahora venimos analizando, no podemos afirmar que el legislador haya previsto expresamente un término o una expresión normativa al respecto.

[89] MARTÍNEZ-BUJÁN PÉREZ, C.: *Derecho penal económico. Parte general,* ob. cit., p. 129. Realmente se trata, pues, de cláusulas que se han ubicado generalmente en la tipicidad o en la antijuridicidad, o incluso a caballo entre ambas. V. al respecto, GARCÍA ARÁN, M.: «Remisiones normativas…», ob. cit., p. 75. Asimismo, MUÑOZ CONDE, F.: *El error en Derecho penal,* ob. cit., pp. 59 y 68.

No obstante, esta solución dependerá de que la resolución no incurra en vicios tan graves que deba considerarse *nula de pleno derecho*[90], o que las irregularidades del acto lo hagan susceptible de *anulación*. La diferencia esencial entre un acto nulo y otro anulable radica en que, la *nulidad* tiene efectos retroactivos, de forma que se puede afirmar que no tiene vigencia temporal, que el acto nació jurídicamente muerto, mientras que los meramente *anulables,* son susceptibles de ser anulados en el futuro, desplegando mientras tanto su eficacia, toda vez que la anulación no tiene efectos retroactivos.

Partiendo de esta base, si la autorización de derribo incurre en vicios de *nulidad* de pleno derecho, su inexistencia en el orden administrativo convertirá en *típica* la conducta del particular que actúe bajo su amparo, sin perjuicio de poder apreciarse, en su caso, un error de tipo en su actuación[91]. Por el contrario, si la irregularidad de la autorización es sólo susceptible de anulación, la actuación del particular, hasta el momento en que se declare la expulsión del ordenamiento de la autorización, deberá reputarse, en el orden penal, *atípica*[92].

Ahora bien, la respuesta definitiva a estos supuestos viene condicionada por el grado de conocimiento que el sujeto activo tenga de la ilegalidad de la autorización. A este respecto, BARRIENTOS PACHO —si bien, en relación al art. 319.1, constitutivo de un delito sobre la ordenación del territorio— sostiene que «si la licencia obtenida es *nula por ilegalmente obtenida,* de ser conscientes de la ilicitud, deben parárseles los mismos efectos que si la licencia no hubiese existido nunca»[93], de suerte que se podrá exigir responsabilidad penal.

Pensemos incluso en los casos en que el beneficiario de la autorización ha influido de forma decisiva en su concesión ilegal. Por ejemplo, falseando la documentación que condiciona la resolución favorable, o amenazando al

---

[90] Nulidad de pleno derecho prevista en el art. 62.1 f) de la LRJ-PAC.

[91] En el sentido del texto, GÓMEZ RIVERO, M.C.: *El régimen de autorizaciones en los delitos relativos a la protección del medio ambiente y ordenación del territorio,* Valencia, 2000, p. 32 y ss.

[92] Sin perjuicio de las *sanciones administrativas* que, en su caso, pudieran imponerse. A este respecto, debe estarse a lo dispuesto en el art. 35.1 del Reglamento de Disciplina Urbanística, de acuerdo con el cual «*Si el Tribunal de la Jurisdicción Contencioso-Administrativa, al dictar sentencia, anulase la licencia, la autoridad que suspendió sus efectos ordenará la incoación del expediente sancionador al objeto de imponer, si procediera, las multas correspondientes a los responsables y adoptar las medidas dispuestas en este Reglamento*». Asimismo, en su apartado tercero, se dispone que: «*Tratándose de licencia u orden de ejecución que autorizase una demolición indebida, anulado el acto administrativo en vía jurisdiccional, la autoridad que suspendió sus efectos ordenará se proceda a la reconstrucción de lo demolido*».

[93] BARRIENTOS PACHO, J.M.: «Delitos relativos a la ordenación del territorio», en *Revista La Ley,* nº 4.172, de 22 de noviembre de 1996, p. 4.

funcionario para que le conceda la licencia, o incluso actuando en connivencia con él. A este respecto, entre los actos ilícitos que, de acuerdo con el art. 62.1 de la Ley de Régimen Jurídico de las Administraciones Públicas y del Procedimiento Administrativo Común (en adelante LRJA y PAC) deben considerarse nulos de pleno derecho se encuentran, en el apartado d), los que sean «constitutivos de infracción penal o *se dicten como consecuencia de ésta*». De ese modo, cuando la licencia o autorización de derribo se haya concedido debido a la conducta delictiva de quien pretende después ampararse en ella, como puede ser en caso de amenaza, cohecho, falsedad, etc., la autorización será nula y, en consecuencia, la conducta del derribo habrá de reputarse *típica* conforme al art. 321 del Código Penal[94].

Si la irregularidad de la autorización es sólo susceptible de *anulación,* la actuación del particular, hasta el momento en que se declare la expulsión del ordenamiento de la autorización, deberá reputarse, en el orden penal, *atípica.* Ahora bien, si esta posición se mantiene sin dificultad en los casos en que el particular actuó de *buena fe,* esto es, sin ser consciente de los vicios de que adolece la autorización, más complejos resultan los casos en que el beneficiario *advierte* la irregularidad de la autorización que solicita y obtiene, es decir, conoce la ilegalidad de la situación en que formalmente se ampara. En estos controvertidos casos parece asistir la razón a aquellos autores que estiman que debe excluirse la tipicidad en la actuación del sujeto amparado en una licencia anulable[95], argumentando que lo contrario sería convertir al particular en «garante» de la correcta actuación administrativa. Pese a ello, lo cierto es que dicha solución conlleva cierto grado de insatisfacción puesto que la licencia se

---

[94] De esta opinión, GÓMEZ RIVERO, M.C.: *El régimen de autorizaciones...,* ob. cit., p. 38. Por su parte, DE LA CUESTA ARZAMENDI, entre las autorizaciones jurídicamente ineficaces (radicales o *ex tunc)* cita también los casos en que la licencia se haya obtenido mediante engaño, amenaza o cohecho. DE LA CUESTA ARZAMENDI, J.L.: «Delitos relativos a la ordenación del territorio en el nuevo Código penal de 1995», ob. y loc. cit. Véase la discusión de estos supuestos problemáticos en la doctrina alemana, siendo mayoritaria la opinión favorable a exceptuar la exclusión de la responsabilidad penal en los casos de amenaza, cohecho o connivencia. Así, por ejemplo, HEINES propone en estos casos aceptar una amplia gama de causas de nulidad como «ancla de salvación jurídico-penal». HEINES, G.: «Accesoriedad administrativa en el Derecho Penal del Medio Ambiente» (traducción por De la Cuesta Aguado), en *ADPCP,* 1993, p. 303 y ss.

[95] De esta opinión, GÓMEZ RIVERO, M.C.: ob. y loc. cit.; MORALES PRATS y TAMARIT SUMALLA *(Comentarios al Nuevo Código penal,* ob. cit., p. 1.493) estiman que el tipo (se refieren a las construcciones no autorizadas del 319.1 CP) no incluye las que hayan sido realizadas mediante licencia ilegal. Por el contrario, BARRIENTOS PACHO propone atender al grado de conocimiento que tenga la persona a la que haya de exigirse la responsabilidad, refiriéndose al promotor, constructor o técnico director, pues dicha posición la sustenta en relación al 319, delito especial. BARRIENTOS PACHO: ob. y loc. cit.

obtiene de forma fraudulenta; mas, como ha puesto de manifiesto GÓMEZ RIVERO[96], en tanto pueda seguirse hablando de la vigencia formal de la autorización, fundamentar la responsabilidad penal en estos supuestos supondría realizar una interpretación analógica en perjuicio del reo, constitucionalmente prohibida.

d) Otros supuestos controvertidos

Antes de abordar el estudio de la segunda modalidad delictiva del art. 321, se hace necesario dedicar unas observaciones, siquiera brevemente, a otras situaciones problemáticas que puede suscitar la realidad descrita, y que nos sitúa ante algunos interrogantes, a saber: ¿qué hace el particular si el Ayuntamiento le conmina al derribo del edificio y la Administración Cultural no se lo autoriza?; y, en segundo término, ¿es posible la obtención de las autorizaciones —esto es, la de la Administración cultural y la autorización municipal vía licencia— por silencio administrativo?

1. Por lo que se refiere a la primera hipótesis, como ya hemos indicado, los particulares pueden encontrarse ante situaciones inciertas en aquellos casos en que exista una declaración de ruina de un edificio y, de un lado, al propietario particular se le requiera por el Ayuntamiento para que derribe aquel, mientras que, de otro lado, la Administración Cultural se oponga a su demolición.

Pues bien, partimos de que la Ley 16/1985 de Patrimonio Histórico no impide que pueda declararse la situación de ruina de un edificio protegido, pues, tal y como reitera la jurisprudencia, la declaración de ruina no es más que una situación de hecho, que no conlleva necesariamente que el derribo pueda llevarse a cabo, cuando las específicas cualidades del edificio aconsejen su conservación. De modo que, la declaración de ruina tiene un alcance limitado, en tanto que, para que el Ayuntamiento pueda otorgar la licencia de derribo, ha de contar necesariamente con la autorización de la Dirección General de Patrimonio, lo que no implica la imposibilidad de declarar el estado de ruina del edificio, sino la existencia de limitaciones que inciden en el ámbito de su ejecutividad[97].

De acuerdo con lo expuesto, efectuada la declaración de ruina de un edificio afectado por un expediente de declaración de monumento Histórico, su demolición quedará condicionada a la autorización de la Administración de Patrimonio, exigiéndose además —de acuerdo con el art. 24.2 de la LPHE— como

---

[96]   GÓMEZ RIVERO, M.C.: ob. y loc. cit.
[97]   En este sentido, STS de 7 de junio de 1993.

garantía del acierto de la decisión de la Administración favorable al derribo, el informe favorable de, al menos, dos de las instituciones consultivas a que se refiere el art. 3 de la Ley.

Con base en lo expuesto, debemos plantearnos qué decisión debe prevalecer en caso de conflicto entre las dos Administraciones. En este punto, la doctrina jurisprudencial es clara y reiterada, insistiendo en la prevalencia de los órganos a quienes está encomendado la preservación de los valores culturales[98]. La sentencia del Tribunal Supremo de 12 de marzo de 1992 insiste en dicha prevalencia, afirmando que: «...cuando se habla de la concurrencia de diversas competencias, atribuidas por la norma jurídica a distintas Administraciones, en razón a los diferentes ámbitos de las materias a proteger... cuando se trata de edificios singulares merecedores de particular atención en los que concurre la competencia de los *Ayuntamientos* en orden a velar por el respeto a los Planes e intereses urbanísticos mediante la concesión de las preceptivas licencias municipales de obras, junto a la competencia de los organismos —sea de la *Administración Central o la Autonómica correspondiente*— a los que se les ha atribuido la defensa y protección del mencionado Patrimonio, deben tener carácter prioritario la mayor prevalencia de los intereses en juego, cual son los del Patrimonio Histórico-Artístico o en los casos en que exista peligro de su desaparición o lesión irreversible...».

En suma, la *ausencia de autorización* de la Administración Cultural al solicitarse la licencia urbanística impide la concesión de la misma, debiendo por tanto el Ayuntamiento notificar al solicitante la apertura de un plazo para que subsane la deficiencia, solicitando y obteniendo la autorización previa[99].

2. A continuación, considero conveniente que nos planteemos si resulta posible la obtención de las autorizaciones de derribo —esto es, la autorización municipal vía licencia y la proveniente de la Administración Cultural— por *silencio administrativo*.

En concreto, pueden resultar problemáticos, por ejemplo, los supuestos en que el agente derribe un edificio protegido, al amparo de una licencia municipal de derribo, pretendidamente obtenida por silencio administrativo positivo[100].

---

[98]   Entre otras, las SSTS de 29 de octubre de 1984 (R.A 4748), 3 de octubre de 1986 (R. A. 5287), 19 de noviembre de 1991.

[99]   En esta dirección se manifiestan QUIRÓS ROLDÁN, A., ESTELLA LÓPEZ, J.M., ARENA SALVATIERRA, S.: *Estudio-Comentario jurisprudencial sobre las licencias urbanísticas*, Granada, 1997, p. 124 y ss. Asimismo, el Tribunal Supremo en resolución de 22 de enero de 1992 (R. A. 758).

[100]   La técnica del *silencio administrativo* aparece como una ficción ideada por el legislador, en beneficio del administrado, para evitar que la Administración pudiera eludir el control

Sobre este particular, debe recordarse, en primer lugar, que, el juego de la institución del silencio es excepcional en nuestro Derecho, de forma que queda reducido a los supuestos expresamente previstos. Así, en concreto, de acuerdo con la LRJAP y PAC, el silencio en materia de licencias debe entenderse *positivo*[101] y se produce automáticamente si vence el plazo de resolución y el órgano no resuelve expresamente, *siempre* que la acción pretendida sea conforme a la legislación vigente[102]. Se establece, por tanto, la regla general del sentido estimatorio del silencio, *salvo* que una norma con rango de Ley establezca lo contrario.

Además, en la legislación administrativa sustantiva se establece en algunas ocasiones la interdicción de la obtención por silencio de lo que no habría podido conseguirse por resolución expresa. Concretamente, el art. 246.6 del Texto Refundido de la Ley sobre Régimen del Suelo y Ordenación Urbana, aprobado por Real Decreto Legislativo 1/1992, de 26 de junio[103] dispone, con el carácter de norma básica, que en ningún caso pueden entenderse adquiridas por silencio administrativo licencias en contra de la legislación o el planeamiento urbanístico.

Ahora bien, en los supuestos de derribos de edificios singularmente protegidos por su valor cultural, venimos repitiendo la necesidad de la autorización administrativa. ¿Qué ocurrirá, pues, en aquellos casos en que, transcurra el plazo para la obtención de la licencia municipal por silencio, sin que todavía el órgano correspondiente de la Administración Cultural haya emitido su autorización?

---

jurisdiccional con sólo permanecer inactiva. Mediante esa ficción se entienden resueltos por la Administración las peticiones o recursos ante ella planteados. Dentro de ese marco, el silencio tiene alcance y significados distintos, según que su valor sea positivo o negativo. Véase, con carácter general, GUILLÉN PÉREZ, M.E.: *El silencio administrativo. El control judicial de la inactividad administrativa*, Madrid, 1996. Sobre la relevancia del silencio en materia de licencias y su relevancia a efectos penales, CONDE-PUMPIDO TOURON, C.: *Código penal. Doctrina y jurisprudencia*, ob. cit., p. 3.200 y ss.

[101]　Acerca del silencio y las novedades de la reforma de la Ley 30/1992, puede verse PAREJO ALFONSO, L.: «La nueva regulación del llamado silencio administrativo», en *Documentación Administrativa*, n° 254-255, mayo-diciembre 1999, p. 111.

[102]　Art. 43. Silencio administrativo en procedimiento iniciado a solicitud del interesado (de acuerdo con la redacción de la Ley 4/1999, de 13 de enero, modificadora de la Ley 30/92 (LRJAP y PAC). De acuerdo con el n° 2 de este precepto «Los interesados podrán entender estimadas por silencio administrativo sus solicitudes en todos los casos, salvo que una norma con rango de ley o norma de Derecho comunitario establezca lo contrario...».

[103]　Vigente de acuerdo con la disposición derogatoria de la Ley 6/1998, de 13 de abril, de régimen de suelo y valoraciones.

Y es que, en efecto, el art. 23.1 LPHE declara expresamente que: «No podrán otorgarse licencias para la realización de obras que, conforme a lo previsto en la presente Ley, requieran cualquier autorización administrativa hasta que ésta haya sido concedida», señalando a continuación, en su apartado 2° que «Las obras realizadas sin cumplir lo establecido en el apartado anterior serán ilegales y los Ayuntamientos, o en su caso, la Administración competente en materia de protección del Patrimonio Histórico Español podrán ordenar su *reconstrucción o demolición con cargo al responsable de la infracción* en los términos previstos por la legislación urbanística».

En este sentido, la sentencia del Tribunal Supremo de 3 de febrero de 1997[104] resulta significativa al declarar, respecto de un edificio situado en Conjunto Histórico-Artístico, que: «Una tardanza de la administración municipal en el otorgamiento de la licencia de demolición, no supone autorización por silencio positivo; pues, por un lado, faltaría en todo caso la licencia de las autoridades de Bellas Artes, y por otro, como dice la Sentencia de esta Sala de 6 de mayo de 1993, el silencio nunca puede legalizar obras indebidas» (FJ 3°). Con anterioridad, resulta asimismo digna de ser citada la sentencia de 29 de marzo de 1995[105] al declarar, respecto de un inmueble situado asimismo en Conjunto Histórico-Artístico, que: «Así las cosas, queda claro que las obras realizadas no estaban amparadas por licencia… y que, dada su naturaleza, exigían como presupuesto la aprobación de los órganos competentes en la tutela del Patrimonio Histórico-Artístico, en el *régimen concurrente* con las autoridades municipales de otorgamiento de licencias, motivos todos ellos por los que en ningún caso pueden entenderse amparadas las obras por silencio administrativo».

En suma, de acuerdo con lo expuesto, se supedita expresamente la concesión de la licencia al previo informe del órgano competente —autonómico o estatal— de la Administración cultural; de manera que, debemos concluir afirmando que, mientras que la autorización de la Administración no se produzca, la licencia municipal no puede ser válidamente otorgada.

Esto sentado, con respecto a la *autorización de derribo* por parte de la *Administración Cultural*, el silencio administrativo opera de manera diferente a la expuesta en materia de licencias municipales. Y es que, ante la falta de previsión expresa de estos supuestos por parte de la LPHE[106], las autorizaciones

---

104 Secc. 3ª (RJ 1466).
105 Secc. 5ª (RJ 2094).
106 Y ello a pesar de las reiteradas solicitudes que, a favor de su mantenimiento, se hicieron por parte de algunos grupos parlamentarios durante la tramitación de la Ley. Concretamente, por parte del Grupo Popular se hizo una propuesta de configurar un supuesto de silencio

provenientes de los órganos que tengan atribuida la competencia sobre los bienes históricos quedan al margen del instituto del silencio[107].

Así las cosas, se apunta la posibilidad de que quizás la Ley podría haber llegado a un punto de equilibrio afirmando o negando el valor positivo del silencio, en función del distinto alcance de las diferentes actuaciones que sobre el bien histórico se pretendan[108]. Lo cierto es que ello provocaría tanto ventajas como inconvenientes los cuales habría que sopesar; mas, en la duda, considero que debe anteponerse siempre la conservación de los bienes culturales, la cual podría peligrar ante el instituto del silencio.

B) La «alteración grave» del edificio singularmente protegido como segunda modalidad de conducta típica

Si atendemos al sentido gramatical del verbo «**alterar**» éste consiste, de acuerdo con el Diccionario de la Real Academia Española, en su primera acepción, en «el cambio de la esencia o forma de una cosa»; mientras que en su última acepción, se refiere a «estropear, dañar, descomponer»[109].

Sin embargo, el Código Penal exige en la descripción de la acción típica que la alteración sea «**grave**», elemento valorativo que deberá ser determinado por la práctica judicial, con base en los documentos o informes que se presenten por las partes, pero que punitivamente se equipara al derribo. De ahí, que suscite mayores dificultades interpretativas esta segunda modalidad delictiva que la anteriormente expuesta.

---

administrativo positivo, en el plazo de dos meses, para los casos previstos en los artículos 18 y 19, si bien se negaría su aceptación ante el peligro que esta institución presenta para la conservación de los bienes culturales.

[107] A pesar de lo expuesto, la situación puede variar en aquellas Comunidades Autónomas que hayan asumido competencia en materia de Patrimonio Histórico. A este respecto, valga como ejemplo la situación en la Comunidad Valenciana donde, la autorización de la Consellería de Cultura, Educación y Ciencia, preceptiva para realizar cualquier intervención en un inmueble declarado de Interés Cultural, «...se entenderá concedida una vez hayan transcurrido tres meses desde que se solicitó sin que hubiera recaído resolución» (art. 35.1 de la Ley de Patrimonio Cultural Valenciano).

[108] En este sentido, BARRERO RODRÍGUEZ, R.: La ordenación jurídica del patrimonio histórico, ob. cit., p. 546 y ss.

[109] Diccionario de la Lengua Española, Real Academia Española, Vigésima primera edición, 1992.

a) Posición de la doctrina

En la doctrina científica española manifestada sobre este punto se mantiene que la «**alteración**» prevista en el **art. 321** consiste, tanto en la causación de un *daño*[110], como en cualquier modificación operada sobre el edificio[111].

Por lo que se refiere a la «**gravedad**» de la alteración exigida en el art. 321, la doctrina penal apunta, a su vez, posibles *criterios* a tener en cuenta por los Tribunales en su determinación.

Un sector doctrinal, entre los que se encuentran CONDE-PUMPIDO TOURON, TAMARIT SUMALLA y TERRADILLOS BASOCO[112], sostiene que la alteración de un edificio singularmente protegido, para ser considerada como *grave*, debe afectar negativamente de modo relevante a los elementos que determinan el valor histórico, artístico, cultural o monumental del edificio y que justificaron su especial protección. En particular, TAMARIT SUMALLA considera que deberá ser valorada la forma en que resulten dañados los elementos del edificio que dieron lugar a su protección singular por la Administración, de modo que no se deberá tener en cuenta la entidad global del perjuicio causado en el conjunto del edificio, si el mismo no afecta a la parte provista de interés histórico o cultural. De ahí que TERRADILLOS BASOCO afirme en esta dirección que, aunque se trate de la alteración *parcial* del edificio, será considerada *grave* si recae sobre el elemento en cuya virtud el edificio está singularmente protegido.

De acuerdo con otro criterio, se apunta, en la interpretación de la «gravedad» de la alteración, a aquellos daños que comporten una modificación sustancial de la estructura arquitectónica e impliquen un cambio en la propia configuración monumental del mismo[113]. En esta dirección, MILANS DEL BOSCH y JORDANS DE URIES consideran que la alteración grave va referida a los elementos estructurales del edificio, así como —aportando un nuevo criterio— al cambio de destino dado a la construcción de tal manera que el valor histórico-artístico a proteger se vea gravemente afectado[114].

---

[110] De esta opinión, MUÑOZ CONDE, F.: *Derecho penal. Parte especial*, ob. y loc. cit.

[111] Así, BOIX REIG, J. junto a JUANATEY DORADO, C.: *Derecho penal. Parte especial*, ob. cit., p. 634. Asimismo, en *Comentarios al Código penal de 1995*, ob. cit. p. 1584.

[112] CONDE-PUMPIDO TOURON, C.: *Código penal: Doctrina y jurisprudencia*, t. II, ob. cit., p. 3.212. TAMARIT SUMALLA, J.M.: *Comentarios al nuevo Código penal*, ob. cit., p. 1.497. TERRADILLOS BASOCO, J.: «Delitos relativos a la protección del patrimonio histórico y el medio ambiente», en *Derecho penal del medio ambiente*, ob. cit., p. 35.

[113] Así se manifiesta POLAINO NAVARRETE, M.: «Delitos contra el Patrimonio Histórico», ob. cit., p. 663.

[114] Cita a título de ejemplo la conversión de un convento en sanatorio, una muralla (¿?) en bar de copas o tapiando el pórtico de un edificio para convertirlo en aparcamiento cubierto para

En opinión de PÉREZ ALONSO[115], el daño ha de cifrarse en la imposibilidad o grave perturbación en la específica función cultural que el edificio desempeña, exista o no afección a la sustancia del mismo, postura cercana a la doctrina científica alemana en la valoración de los daños a bienes jurídicos colectivos[116].

Desde otras perspectivas, algunos autores consideran que la «gravedad» de la alteración *dependerá del grado de protección del objeto material,* es decir, del grado de protección del edificio que resulte alterado gravemente, diferenciando si se realizan sobre edificios protegidos especialmente por la normativa protectora del Patrimonio Histórico, los Bienes de Interés Cultural, o si se interviene sobre edificios incluidos en los Catálogos municipales[117].

Por último, desde otro criterio se sostiene que la gravedad deberá valorarse atendiendo a la posibilidad o a las dificultades de *restauración* de lo dañado[118]. En este sentido, TERRADILLOS BASOCO también hace referencia al criterio de la reversibilidad, considerando que si la alteración es fácilmente reversible no constituirá alteración grave[119].

Ahora bien, donde se ha centrado realmente la discusión es en la ubicación de las **alteraciones que no sean consideradas como graves,** no resultando pacífica la posición de la doctrina científica en este punto. Así pues, podemos afirmar que existen *dos interpretaciones* diferenciadas respecto de la cuestión señalada, además de una posición ecléctica o intermedia que adoptan otros autores:

1. Un sector doctrinal, integrado fundamentalmente por MUÑOZ CONDE y POLAINO NAVARRETE, considera que los supuestos de alteraciones que no sean consideradas graves deben subsumirse en el art. 323, tipo *específico de daños* contra el Patrimonio Histórico.

---

un vehículo; MILANS DEL BOSCH y JORDANS DE URIES, S., junto a LESMES SERRANO, C., ROMÁN GARCÍA, F. y ORTEGA MARÍN, E.: *Derecho penal Administrativo (Ordenación del Territorio, Patrimonio Histórico y Medio Ambiente),* Granada, 1997, p. 209.

[115] PÉREZ ALONSO, E.: «Delitos contra el Patrimonio Histórico...», ob. cit., p. 629.

[116] Me remito *infra* al posterior análisis del tipo penal relativo a los daños específicos, previsto en el art. 323 del Código Penal.

[117] En esta dirección, BELTRÁN ABADÍA, R., CORVINOS BASECA, P. y FRANCO HERNÁNDEZ, Y.: «Los nuevos delitos sobre ordenación del territorio y la disciplina urbanística», en *RDUrb.,* nº 151, enero-febrero 1997.

[118] En ese sentido, se pronuncian MUÑOZ CONDE, F.: ob. y loc. cit., asimismo TAMARIT SUMALLA, J.M.: ob. y loc. cit.; MILANS DEL BOSCH y JORDANS DE URIES, S.: *Derecho penal Administrativo,* ob. cit., p. 209.

[119] A este respecto, pone como ejemplo recubrir con estuco un muro de sillería. TERRADILLOS BASOCO, J.: «Delitos relativos a la protección...», ob. y loc. cit.

La postura de MUÑOZ CONDE[120] en ese sentido es clara, desde el momento en que sostiene que la *alteración* debe consistir en la causación de un *daño*. Sin embargo, continúa afirmando que, debido a la exigencia de la *gravedad* de la alteración del art. 321, se excluirán de su ámbito típico aquellas conductas no equiparables en pena al derribo, poniendo como ejemplo la realización de pintadas en las fachadas de los edificios «en la medida en que puedan eliminarse *sin dañar* a los mismos», considerando entonces dicho autor de aplicación el art. 323.

En esta misma línea, POLAINO NAVARRETE[121] afirma que la conducta típica de daños del 323 es «*conceptualmente subsidiaria*» de la de alteración grave y de la de derribo, integrada por los «*menoscabos residuales que no destruyan el edificio ni lo modifiquen en su configuración arquitectónica*». En consecuencia, subsume en el art. 323 los daños menos graves sobre el mismo objeto material, si bien reconociendo que existe, a su juicio sin fundamento, menor severidad en las penas privativas de libertad del artículo 321.

2. Parecen mantener una posición intermedia MILANS DEL BOSCH y JORDANS DE URIES y TAMARIT SUMALLA[122]. En este sentido, el primero de los autores citados incardina en el 323 los daños no destructivos o que no alteren gravemente el edificio *únicamente* si dichos daños no tuvieran finalidad urbanística o edificatoria y dichos edificios tuvieran «valor histórico, artístico, científico, cultural o monumental». De otro lado, afirma que si la obra altera «levemente» el edificio singularmente protegido, se sancionará como infracción administrativa, concretamente la prevista en el 76.1 g) (¿desplazamiento o remoción?), así como el supuesto e) del mismo precepto (la «realización de cualquier obra u intervención que contravenga lo dispuesto en la ley»).

---

[120] MUÑOZ CONDE, F.: ob. y loc. cit.
[121] POLAINO NAVARRETE propone de *lege ferenda* una nueva estructura en la configuración de los daños sobre el Patrimonio, diferenciando tres hipótesis de comportamiento destructivo o de menoscabo en relación con los edificios del Patrimonio Histórico Español —si bien olvida este autor que el objeto material no son todos los edificios integrantes del Patrimonio sino únicamente los que tienen una «singular protección»—: por un lado, el *derribo* equivalente a la destrucción total; la *alteración grave,* equivalente según POLAINO, a la irrogación de daño que comporte modificación sustancial de la estructura arquitectónica o de la propia configuración monumental del mismo; y finalmente, los *daños* integrantes de menoscabos residuales que no destruyan el edificio ni lo modifiquen en su configuración arquitectónica. POLAINO NAVARRETE: ob. y loc. cit.
[122] MILANS DEL BOSCH y JORDANS DE URIES, S.: ob. cit., p. 208. TAMARIT SUMALLA, J.M.: *Comentarios al nuevo Código Penal,* ob. y loc. cit.

Por su parte, TAMARIT SUMALLA realiza una primera afirmación, en el sentido de considerar que las alteraciones de edificios que quedan excluidas del ámbito del art. 321 por no revestir la gravedad exigida, resultan subsumibles en el art. 323, tipo descrito con términos más genéricos y que permite incluir en el término «bienes» a los edificios. Sin embargo, se plantea dudas al respecto, desde el momento en que, comparando las penas de los citados preceptos, no puede afirmarse que el art. 321 esté configurado como un tipo cualificado, puesto que, a pesar de prever la pena de inhabilitación especial, ésta se ve compensada por la menor gravedad del límite inferior de la pena privativa de libertad que impone el mencionado precepto.

3. Finalmente, otro grupo de autores considera que los supuestos de alteraciones que no sean consideradas como graves, no serán castigados como delitos sino como **infracciones administrativas,** conforme a lo dispuesto en la normativa administrativa estatal —artículos 74 y ss. de la LPHE— o, en su caso, en la autonómica. En esta línea se manifiestan BOIX REIG, VERCHER NOGUERA, CASTRO SIMANCAS y SALINERO ALONSO[123].

Frente a ellos, CARMONA SALGADO plantea serias objeciones a la postura partidaria de considerar los supuestos de alteraciones que no sean consideradas como graves, como infracciones administrativas, sobre la base de dos razones: por un lado, la autora no llega a entender cómo se pretende desviar la causación de daños menos graves al Patrimonio a la legislación administrativa sanciona-dora, cuando los daños ocasionados a un bien particular carente de valor histórico[124] ya constituye delito, si supera la cantidad de 50.000 pesetas; incluso cuando está prevista una falta de daños referida a bienes de valor cultural, monumental, artístico o histórico cuando no supere la mencionada cantidad; y, por otro lado, la autora afirma que la producción de daños menos graves al

---

[123] BOIX REIG, J. junto a JUANATEY DORADO: *Derecho penal. Parte especial,* ob. y loc. cit.; a su vez, en *Comentarios al Código penal de 1995,* ob. y loc. cit.; VERCHER NOGUERA, A.: *Código penal de 1995. Comentarios y jurisprudencia* (coord. Por SERRANO BUTRAGUEÑO), Granada, 1998, p. 1.476. Del mismo, junto a varios autores: *Estudio y aplicación práctica del Código penal de 1995,* t. II, Parte Especial, p. 379 y ss. Asimismo, CASTRO SIMANCAS, P.R.: «Los delitos sobre el Patrimonio Histórico», en el Código penal de 1995, en *Tapia,* marzo-abril 1998, p. 22. También SALINERO ALONSO, C.: ob. cit., p. 307.

[124] Imagino que el adjetivo utilizado por la autora tendrá una pretensión de globalidad, similar a cuando va acompañando al término genérico de Patrimonio.

Patrimonio «*no armoniza demasiado bien con la descripción de las infracciones previstas en el art. 76 LPHE*»[125].

Por su parte, GARCÍA CALDERÓN[126] afirma que, en principio, resulta obvio que las alteraciones que no se consideren graves podrían ser incluidas como infracciones administrativas, de acuerdo con el artículo citado, sin embargo a continuación estima que, si dichas alteraciones suponen un «menoscabo evaluable en los edificios», le parece más correcto acudir a la tipificación de los daños contenida en el art. 323 del Código Penal, por cuanto considera cómo, sin ningún esfuerzo, podrán ser apreciados como tales cuando superen el límite cuantitativo que *a sensu contrario* establece la falta del art. 625 del mismo texto legal. Sin embargo, finaliza reconociendo la dificultad que conlleva deslindar la simple infracción administrativa de las figuras penales, decisión, a su juicio, más próxima a criterios subjetivos que a las disposiciones de la ley.

b) Toma de postura

Corresponde ahora exponer nuestra interpretación acerca de la segunda modalidad de la conducta típica del art. 321. Con esta finalidad, en primer término habrá que fijar qué debe entenderse por «alteración», para, a continuación, pronunciarnos acerca de la «gravedad» exigida por el legislador en la alteración del edificio protegido. Sólo entonces, abordaremos la cuestión discutida por la doctrina relativa a la ubicación legal de los supuestos de alteraciones que no se consideren como graves.

1. Las alteraciones «graves»

Siguiendo el orden expuesto, considero que, en términos generales, por «*alteración*» debe entenderse cualquier modificación operada sobre el edificio protegido[127]. En este sentido, la *modificazione*, en Derecho italiano, es una de las hipótesis donde se hace perder a la cosa alguna de sus características originarias, concretándose en una alteración de la naturaleza y cualidad del bien, encontrando frecuentemente su explicación en la idea de modernizar o adaptar a nuevas exigencias los muebles e inmuebles sujetos a la ley, comportamiento independiente de la verificación de un daño.

---

[125]   CARMONA SALGADO, C.: ob. y loc. cit.
[126]   GARCÍA CALDERÓN, J.M.: «La protección penal del Patrimonio Histórico», en *Estudios Jurídicos. Ministerio Fiscal IV*, Madrid, 1997, p. 403.
[127]   Coincidiendo con BOIX REIG, J.: *Derecho Penal. Parte especial*, ob. y loc. cit.

Una vez fijado, en líneas generales, qué entendemos por «alteración», para que ésta configure el tipo recogido en el art. 321 debe ser considerada como **«grave»,** término normativo *abiertamente indeterminado* que, como ya se apuntó, origina las consiguientes dificultades en cuanto a las exigencias de taxatividad, inherentes al principio de legalidad, por tratarse de expresión no definida en la legislación de la materia, quedando la valoración de la entidad cuantitativa del acto de la alteración en manos de los Jueces o Tribunales, los cuales deberán tomar como base los documentos o informes que se presenten por las partes.

A falta de integración judicial que aporte criterios unificadores, y, partiendo de que la mencionada conducta punitivamente se equipara al *derribo*, entiendo que el espíritu finalístico del precepto respecto de las **«alteraciones** *graves»* pretende englobar todas aquellas actuaciones operadas en los edificios, *que afecten negativamente* y, de forma relevante, *a los elementos que determinaron su especial protección,* como portadores del *valor cultural* que propició la singular protección del edificio, por lo que la gravedad se medirá atendiendo el grado de afectación del bien jurídico protegido.

En suma, no se considera tanto la alteración global realizada sobre el edificio protegido, cuanto *la manera* en que ésta afecte a los elementos de interés histórico, artístico, cultural o monumental que propiciaron la singular protección del edificio[128].

Ahora bien, no podemos obviar cómo, en la práctica, puede resultar dificultoso en determinados casos precisar la exacta línea de demarcación entre los derribos «parciales» y las *alteraciones graves* de los edificios, máxime cuando dicha alteración incluya al menos una demolición parcial. Lo cierto es que los límites entre las conductas mencionadas son poco precisos[129], lo que justifica la

---

[128]   En este sentido se manifiestan varios autores respecto de la regulación inglesa de los *listed buldings* donde, como ya se vio, se exige de forma expresa esa afectación al carácter del edificio (*«in any manner which would affect its character as a building of special architectural or historic interesi»*). SUDDARDS, R.W./HICKEN, D./HARDMAN, P.: *Listed Buildings: The Law and Practice of Historic Buildings, Ancient Monuments, and Conservation Areas,* London, 1988, p. 115.
En el ordenamiento alemán, recordemos cómo en el Land de Sajonia-Anhalt se regula un delito de *daños específico contra los monumentos culturales,* castigándose no sólo a quien dolosamente destruya un monumento cultural o una parte esencial del mismo, sin el necesario permiso, sino también a quien *«dañe sus cualidades monumentales».* V. *supra,* Capítulo Segundo, II.41.B c).

[129]   A este respecto, el TSJ de Andalucía, Granada (RJ 1998/1844) sostiene que, dentro de las infracciones administrativas previstas en la LPHE, la relativa al *derribo* de bienes de interés

idéntica penalidad prevista por el legislador penal para los supuestos de derribos y los de alteraciones graves.

En cualquier caso, si atendemos a una interpretación gramatical, el *derribo* típico de carácter *parcial* supone, tal y como se expuso, la destrucción o eliminación de elementos esenciales del edificio, que condujeron a su protección. Esto es, supone un acto de naturaleza irreversible, frente al que sólo cabe, en todo caso, la adopción por parte del juez de la medida consistente en la *posible reconstrucción* de lo eliminado, a cargo del autor de los hechos. Sin embargo, *la alteración* grave, de acuerdo con el criterio adoptado, comporta una modificación en el edificio que afecte peyorativamente a los elementos determinantes de la protección del edificio. En estos casos, atendiendo a la posibilidad de reversibilidad de lo dañado, el Juez podrá ordenar, a cargo del autor del hecho, su *restauración,* en la medida de lo posible[130].

En otro orden de cosas, respecto de la afirmación por parte de algún autor que valoraba la gravedad de la alteración dependiendo del *grado de protección* del objeto material, es decir, del grado de protección del edificio que resulte alterado gravemente, dicha afirmación requiere ser matizada. Si bien es cierto que cada edificio merece un trato determinado, en función de su naturaleza e importancia arquitectónica —de forma que, mientras en algunos, cualquier cambio en su estructura los perjudicaría gravemente, otros edificios pueden modificarse en mayor o menor medida[131]— el criterio que seguimos para

---

cultural se restringe a las de «destrucción total del inmueble», mientras que, en el supuesto enjuiciado, la demolición de un muro de fachada en edificio protegido, resultará de aplicación el art. 76.1 e), sancionador del resto de actuaciones sobre el edificio, realizadas sin licencia urbanística o autorización de la Administración. En consecuencia, las fronteras entre la demolición parcial y la alteración del edificio resultan, en este caso, difíciles de delimitar.

130   El artículo 321 se refiere a la posibilidad de ordenar, a cargo del autor del hecho, una de las dos medidas, «...la *reconstrucción o restauración* de la obra...», según se haya producido, bien el derribo o bien la alteración grave. Estas medidas, que, no obstante, plantean serias objeciones, serán objeto de un análisis más detallado en su lugar oportuno.

131   En ese sentido, resultan ilustrativas las declaraciones del arquitecto Salvador Lara, presidente del grupo Edilicia, citando ejemplo de edificios «*que hay que conservarlos como si fuesen de cristal*», como es el caso de la Lonja de Mercaderes en Valencia, mientras que otros como la Catedral de Valencia «en sus cimientos moruna, en su arranque románica, en sus nervaduras gótica, renacentista en sus proporciones, manierista en su cripta, barroca a los pies, revestida neoclásica y confusamente desnudada. Cada uno de los diferentes momentos, además de ser un modélico ejercicio de arquitectura estilística, está ejemplarmente ejecutado sobre el anterior... Nuestra catedral no podía ser de otra manera, sino el resumen de una

determinar la gravedad de la alteración es el del grado de afectación de los elementos portadores del interés histórico, artístico, cultural o monumental del edificio.

En este sentido, la LPHE sólo en *casos excepcionales* autoriza determinadas actuaciones sobre el patrimonio inmobiliario en orden a la superación del urbanismo expansionista, y a favor de una política urbana orientada a la conservación, pretendiendo atajar el fenómeno grave de deterioro de los cascos históricos[132]. Sin embargo, la citada normativa recibe asimismo abundantes críticas en el sentido de que favorece una política pasiva de protección, por el carácter excesivamente restrictivo en la autorización de intervenciones. En concreto, únicamente dispone de forma obligatoria la realización de determinadas actuaciones sobre los mencionados edificios, vinculadas a los *deberes de mantenimiento* sobre éstos.

Por último, por lo que se refiere a la afirmación realizada por MILANS DEL BOSCH y JORDANS DE URIES, considerando que la alteración grave va referida tanto a los elementos estructurales del edificio, como al *cambio de destino* dado a la construcción de tal manera que el valor histórico-artístico a proteger se vea gravemente afectado, debemos hacer alguna observación al respecto. Hoy en día resulta práctica habitual precisamente los cambios de destino de los edificios mismos, convirtiéndolos en museos, residencias, centros culturales, etc., precisamente en aras de su conservación, toda vez que la inutilización de los edificios podría conducir a su deterioro.

En el caso concreto de los edificios nos encontramos con una clase de inmuebles que, como espacios habitables, también lo son de un *uso espacial alternativo,* independiente de los posibles valores culturales que concurran en él: por ello considero imprescindible que la alteración típica repercuta negativamente en los valores culturales mencionados que son los que determinan la protección singular al edificio[133]. De suerte que, *sólo* en el caso de que dicho

---

sociedad tan dinámica y cambiante como históricamente lo ha sido la nuestra». En «Arquitectura sobre Arquitecturas», Diario «Las Provincias», 1996.

Ahora bien, si hasta tiempos históricos recientes resultaba práctica frecuente las intervenciones sobre monumentos, de acuerdo con lo expuesto, hoy en día debemos preguntarnos, cómo efectivamente hace GONZÁLEZ-VARAS: «¿son posibles las obras de sustitución en una Catedral?». GONZÁLEZ-VARAS IBÁÑEZ: *La rehabilitación urbanística,* ob. cit., p. 47.

[132] MAGAN PERALES, J.M.A.: «Orientaciones de la Ley de Patrimonio Histórico Español en materia de conservación y restauración de bienes culturales», en *Actas del Congreso de Conservación y Restauración de Bienes Culturales,* octubre 1998, p. 115 y ss.

[133] Cuestión que será desarrollada *infra* en el epígrafe relativo al objeto material del tipo que venimos analizando.

cambio afecte gravemente los valores culturales del edificio será dicha conducta subsumible en el 321; consecuentemente, no se podrán atribuir al cambio de destino los perjuicios que puedan producirse *posteriormente* en el edificio. Los cambios de uso no son motivos de desaparición del edificio, pues, como ya se apuntó, es precisamente el uso lo que mantiene vivo al edificio, y el propio uso obliga a cambios. Por este motivo *únicamente* cuando los cambios produzcan perjuicios graves en los elementos de valor del edificio la conducta puede resultar típica, pero no por el simple cambio de uso.

Tomando como punto de partida dicha exégesis podemos pronunciarnos a propósito de la sanción de los supuestos de alteraciones que no sean consideradas como graves, cuestión en la cual la doctrina científica es discordante.

2. Supuestos de alteraciones «no graves»

Recordando lo ya expuesto, básicamente un sector de la doctrina se inclinaba por reconducir estos supuestos al art. 323 del Código Penal, precepto en el cual se tipifica la producción de daños a bienes de valor histórico, artístico, científico, cultural o monumental, mientras que, desde otra posición doctrinal, la sanción de estos supuestos debía quedar reservada a las infracciones administrativas en sede de Patrimonio Histórico.

Pues bien, disiento del razonamiento que permite incriminar por la vía del artículo 323 los supuestos de alteraciones *no graves* realizadas sobre un edificio singularmente protegido, por las razones que a continuación expondré.

En primer lugar, considero que esta postura llevaría a consecuencias ilógicas, desde el momento en que la pena prescrita por el precepto mencionado es de mayor gravedad que la impuesta por el art. 321, concretamente es más grave el mínimo de la pena de prisión. De suerte que, no compartimos la solución a la que llega MILANS DEL BOSCH Y JORDANS DE URIES, incardinando en el 323 los daños no destructivos o que no alteren gravemente el edificio, si dichos daños no tuvieran finalidad urbanística o edificatoria y los edificios tuvieran «valor histórico, artístico, científico, cultural o monumental, tesis además no exenta de contradicciones, así como, a mi juicio, contraria al principio de igualdad, en tanto dicho autor considera que la misma actuación, llevada a cabo con las finalidades indicadas[134], constituiría infracción administrativa.

---

[134] Toda vez que el tipo no requiere elemento subjetivo alguno, tal y como expondremos más adelante.

En segundo lugar, considero inaplicable el art. 323 en los supuestos de alteraciones *no graves* de edificios protegidos porque, a mi juicio, el legislador ha pretendido dar un tratamiento claramente diferenciado a los edificios protegidos por su interés histórico, artístico, cultural o monumental, frente al previsto para el resto de bienes de valor cultural, cuestión que dejo apuntada y en la que nos detendremos al analizar el objeto material del tipo recogido en el art. 321. Únicamente adelanto que, mientras que para los edificios se exige que medie «singular protección», con respecto al resto de bienes susceptibles de valoración cultural, ni el artículo 323 exige esa «singular protección», ni está previsto en relación a estos bienes un tipo de prevaricación específica análogo al contemplado en el artículo 322. Consecuentemente, la diversidad de tratamiento, es otro de los motivos que me lleva a concluir que la alteración considerada como no grave de los mencionados edificios no podrá castigarse a través del artículo 323.

En tercer lugar, y como ya he apuntado, en consideración a la exégesis del término «alterar», no toda alteración sobre el edificio debe resultar perjudicial o provocar daños sobre aquél. Incluso, en algunos casos, las alteraciones pueden suponer *mejoras o beneficios* para el edificio[135]; pensemos, por ejemplo, en la restauración no autorizada de un monumento o de un fresco pero realizada según la mejor *lex artis*. No coincido por ello con MUÑOZ CONDE, en cuanto considera toda alteración como dañosa, como causación de un daño, cuando realmente, a mi juicio, no toda modificación del estado de una cosa supone un menoscabo de ésta. A este respecto, si bien en toda alteración grave se produce una modificación del estado del bien en cuestión, a la inversa, no toda modificación del estado de una cosa supone una alteración grave de éste[136].

---

[135] Sin embargo, la LPHE sólo autoriza aquellas alteraciones que produzcan mejoras *en el ámbito de los Conjuntos Históricos*, concretamente en su art. 21.2 y 3, y cuando dichas remodelaciones impliquen una mejora de las relaciones con su entorno territorial. Asimismo, de forma excepcional, permite las sustituciones de inmuebles, aunque sean parciales, en la medida en que contribuyan a la conservación general del carácter del Conjunto.
Nada dice, pues, la Ley estatal acerca de dicha posibilidad respecto de los edificios singulares declarados como Bienes de Interés Cultural, autorizando únicamente su mantenimiento con actuaciones de conservación, consolidación y rehabilitación. A este respecto, de acuerdo con el art. 39.1: «*1. Los poderes públicos procurarán por todos los medios de la técnica de la conservación, consolidación y mejora de los bienes declarados de interés cultural... 2. En el caso de bienes inmuebles, las actuaciones a que se refiere el apartado anterior irán encaminadas a su conservación, consolidación y rehabilitación...*».
Esta cuestión da paso a una de las cuestiones más complejas con las que precisamente se encuentra la restauración de monumentos.

[136] En este sentido, en el Código penal alemán, los términos *dañar* o *destruir* que constituyen las modalidades típicas del artículo 303, aluden únicamente a algunos supuestos de modificaciones de las cosas, pero no a todos.

Asimismo, cuando el autor citado afirma que si la acción realizada es eliminable «*sin producir ningún tipo de daños*» resulta de aplicación el art. 323, parece, en principio, incurrir en una contradicción, pues difícilmente se podrá aplicar dicho precepto, que incrimina los daños específicos contra el Patrimonio Histórico, si realmente éstos no se han producido. Quizá el autor se esté refiriendo a la posibilidad de que los daños producidos fueran reversibles, aplicándose a su juicio el 323; sin embargo, ello llevaría a las ya mencionadas consecuencias ilógicas, por la mayor penalidad de este precepto frente a la prescrita por el art. 321.

Por tanto, debemos plantearnos si, en el caso de actuaciones sobre el edificio, no autorizadas por la Administración competente, o no conformes con las prescripciones de la autorización acordada, pero que no provoquen un perjuicio de entidad sobre los valores culturales del edificio, podrán castigarse con arreglo a la normativa administrativa.

A este respecto, el Tribunal Supremo, en sentencia de 9 de diciembre de 1997 (3ª), admite la calificación de infracción administrativa, en un supuesto de reconstrucción de un edificio protegido, estimando la Sala que el perjuicio causado al Patrimonio Artístico Cultural es de escasa importancia «conservando las peculiaridades del mismo, mejorando el aspecto anterior…y apreciando en conjunto todo ello llega a la conclusión de que el reproche administrativo, atendiendo a la *escasa trascendencia del daño,* no debe alcanzar más que a la cantidad de 1.000.000 de pesetas»[137].

Asimismo, la citada sentencia de 1 de junio de 1998 del Tribunal Superior de Justicia de Andalucía (RJ 1998/1844) consideró infracción administrativa la demolición de un muro de fachada de un edificio protegido, pues «ponderando todas las circunstancias del caso, singularmente el estado precario del muro de la fachada, el riesgo de la caída, la recuperación de los elementos ornamentales de la misma y su ubicación en la nueva edificación, y en atención a ello **lo limitado del perjuicio al Patrimonio Histórico,** estima la Sala procedente reducir la sanción a la cuantía de 500.000 pesetas».

En esta dirección considero preferible el castigo de los supuestos de alteraciones que no merezcan la calificación de «graves», con arreglo a lo dispuesto en la normativa administrativa, de acuerdo con el art. 76 e) (y 19) de la LPHE y la correspondiente normativa autonómica en aquellas Comunidades que

---

[137] (La cursiva es añadida.) RA 9516. La sanción se reduce, atendiendo a las circunstancias personales de la acusada y al perjuicio ocasionado al Patrimonio, teniendo en cuenta lo dispuesto por el art. 76.1 de la LPHE.

hayan legislado sobre la materia. La exigencia de la «gravedad» en la alteración que se realice sobre el edificio singularmente protegido, constituye un elemento típico esencial para conformar el tipo previsto en el 321, máxime porque establece la frontera entre la ilicitud penal y la ilicitud administrativa.

Conformarán, pues, *ilícitos administrativos* los supuestos de ejecución de trabajos o intervenciones no autorizadas o no conformes con las prescripciones de la autorización acordada por la Administración competente. Esto es, serán castigadas con arreglo a lo dispuesto en la normativa administrativa (art. 75 y ss. LPHE o normativa autonómica) aquellas intervenciones o realización de obras en el edificio protegido, sin la necesaria autorización de la Administración del Patrimonio[138] o contraviniendo ésta, que no menoscaben sustancialmente los valores que propiciaron la protección del edificio. Por ello, el legislador penal exige para la incriminación que la alteración del edificio, además de ilegal, pueda ser calificada de «**grave**», gravedad que marcará el límite con las acciones infraccionables por nuestro ordenamiento sancionador administrativo. Ahora bien, aquellas actuaciones de mero deslucimiento del inmueble, fácilmente recuperable, que no comporten un perjuicio para la sustancia o para su función cultural, podrían reconducirse, en su caso, a la falta prevista en el art. 626 del CP.

Si atendemos al Derecho comparado, recordemos cómo en el ordenamiento jurídico francés, concretamente en la Ley de 1913 de monumentos históricos, se prevén sanciones penales en el caso de *ejecución de trabajos no autorizados o no conformes con las prescripciones de la autorización acordada por la Administración.* En este sentido DELMAS-MARTY se refería a la «*ejecución de trabajos*» *sobre los monumentos,* locución distinta a la de la «construcción», pues aquella comprende, además de la construcción, todo acto de *demolición,* desplazamiento y cualquier *transformación o modificación, incluso si se trata de restauraciones*[139].

Asimismo, la doctrina *italiana* dominante considera que en el ámbito de las disposiciones contenidas en el art. 59 de la Ley nº 1.039 de 1934[140] se realiza una

---

[138] Este tipo de infracciones son castigadas en países de nuestro entorno cultural por sus respectivos ordenamientos jurídico-penales, tal y como ya se describió en el Capítulo de derecho comparado, y en donde fue objeto de crítica por nuestra parte.

[139] Sin embargo, DELMAS-MARTY sostiene que, como no es la pretensión del legislador el castigar en este ámbito una simple falta material de inobservancia de un reglamento administrativo, se exige al sujeto activo el conocimiento de la decisión administrativa de protección *(classement ou inscription)* del bien de que se trate. DELMAS-MARTY, M.: *Construction et protection de lesthétique: problemes de droit pénal*, ob. y loc. cit.

[140] Recordemos que la tipificación de las conductas atentatorias contra el patrimonio cultural **italiano** se encuentra básicamente ubicada en legislación especial, con la excepción del art. 733 del *Codice penale.*

anticipación de la tutela penal hasta tomar la forma de peligro presunto, al prever una serie de tipos penales *de función preventiva* que anticipan la intervención penal[141], y donde en algunos casos la transgresión de tales normas no supone necesariamente un daño para la cosa de arte, sino incluso un mejoramiento real del bien (por ejemplo, en el supuesto de falta de comunicación del traslado de un objeto de arte, el particular puede utilizar una cautela más eficaz de la que a lo mejor podría prescribir la autoridad administrativa competente).

De ahí que, tal y como ya expusimos, no se comprenda como la mayor parte de estos ilícitos tiene prevista una sanción idéntica a la de los supuestos de demolición —considerados por algunos autores[142] entre las agresiones llamadas de *danneggiamento*, y, concretamente, entre aquellas que suponen una *tutela penal directa,* es decir, cuyo objeto de protección es la cosa de arte como valor en sí—, parificando, en contra del principio de proporcionalidad, el peligro (presunto) al daño real.

Con base en las respuestas que han ofrecido los ordenamientos de nuestro entorno frente a los atentados al Patrimonio Cultural, las críticas doctrinales se centran en que, si bien se sancionan conductas que suponen un perjuicio para aquél, realmente estamos ante actos de mera desobediencia administrativa, lo que debería llevar a plantearse, principalmente de acuerdo con el principio de mínima intervención penal, el que la mayoría de estos supuestos pasaran a constituir ilícitos administrativos.

Consecuentemente, de lo expuesto se deriva la necesidad de evitar una excesiva proliferación de los tipos penales, limitándolos a los hechos más graves, con la consiguiente transformación en ilícitos administrativos de muchas infracciones de importancia secundaria. Ello sin olvidar las dudas de constitucionalidad que pueden suscitar los tipos que anticipan la penalidad, de acuerdo con el principio de necesaria ofensividad del hecho.

Al hilo de lo expuesto, y, partiendo de la diferenciación que tratamos de establecer entre el «derribo parcial» de un edificio protegido, y la «alteración

---

[141] Valga como muestra los referidos a la falta de comunicación a la autoridad competente del traslado del bien, o cuando se refiere a la inobservancia de las prescripciones ministeriales relativas a las distancias, medidas y demás normas dirigidas a evitar la puesta en peligro de la integridad de los bienes inmuebles sujetos a las disposiciones de la ley 1.089, o se *omita someter* a la superintendencia, para obtener la preceptiva aprobación administrativa los *proyectos de obra* de cualquier género que quieran ser seguidos, distintas de la de demolición, modificación o restauración. Ver *supra* Capítulo Segundo, II, 3.

[142] Entre otros ya mencionados en el Capítulo II de este trabajo, podemos citar a MANTOVANI, F.: «La disciplina penales…», (ob. y loc. cit.).

grave» de éste, cabe **plantearse** si pueden existir supuestos de «*derribos no graves*».

A mi juicio, el hecho del *derribo* lleva siempre implícita una gravedad, por cuanto supone la desaparición física, bien del inmueble, bien de sus elementos constructivos. Conforme a ello, en efecto, resulta coherente que el tipo penal no contemple la exigencia de la «gravedad» en el derribo, como sí ocurre en las alteraciones. Ahora bien, el derribo, tal y como ya se expuso, puede recaer sobre elementos de edificio, que no sean portadores de ninguno de los intereses que condujeron a la protección del edificio en cuestión. Estos supuestos, considero que no se castigarán como delitos sino como infracciones administrativas, conforme a lo dispuesto en la normativa administrativa estatal, o en su caso autonómica[143].

Finalmente, debe señalarse que, cuestión distinta de la alteración del edificio sería el menoscabo de su valor por realización de **construcciones que afecten su entorno, o bien al propio edificio,** si bien de forma *indirecta,* por ejemplo porque afecten a su visibilidad.

En el Derecho comparado, recordemos cómo, en la legislación *francesa* reciben protección los *inmuebles situados en la proximidad de los inmuebles históricos,* tutela otorgada por la ley de 1913 tras la concienciación de la necesidad de tutelar el *entorno* de los monumentos, y donde, ante las numerosas dificultades de aplicación jurídica y práctica que suscitaban las sanciones previstas por el texto, pareció más sencillo referirse a *las disposiciones penales previstas en determinados preceptos del Código de Urbanismo,* mejor adaptadas y más cómodas de poner en marcha cuando se infringen las condiciones exigidas en lo referente a trabajos efectuados en dicho campo de visibilidad[144]. Por su parte, en el Derecho Penal *italiano,* la noción de «*danneggiamento*» asume un significado más extenso del habitual. Así, ROTILI realiza una interpretación extensiva de la conducta típica, considerando que debe abarcar tanto los daños *directos,* es decir, cuando se destruye, deteriora o de cualquier otra forma se daña el bien en su materialidad, como también los daños *indirectos,* cuando sin haber contacto el bien sufre igualmente un daño, por ejemplo, un supuesto de construcción de un edificio de grandes dimensiones en inmediata cercanía de un importante monumento, entendiendo dicho autor que en muchos casos es tan relevante el bien en sí como el ambiente o *entorno* que le rodea[145].

---

[143]　Véase la sentencia citada *supra* del TSJ de Andalucía (RJCA 1998/1844).

[144]　El artículo 30 bis de la ley de 1913 dispone que las infracciones a los artículos 13bis y 13ter de dicha ley son castigadas con penas contempladas según el artículo 480.4 del Código de urbanismo.

[145]　ROTILI, B.: *La tutela penale delle cose di interesse artistico e storico,* ob. cit.

En la doctrina española, para MUÑOZ CONDE[146] la realización ilegal de construcciones que atenten a su entorno paisajístico son supuestos que habrán de reconducirse a la modalidad primera del tipo previsto en el art. 319, tipo cualificado en los delitos contra la ordenación del territorio[147]. Por su parte, MILANS DEL BOSCH y JORDANS DE URIES[148] considera que se excluye de la protección penal el entorno de los edificios, cuya tutela se integrará en la regulación administrativa otorgada a los Bienes de Interés Cultural.

A mi juicio, dichas actuaciones normalmente podrán ser constitutivas de una infracción administrativa, prevista en el art. 76 LPHE, sancionando en la letra e) «la realización de cualquier clase de obra o intervención que contravenga lo dispuesto en el art. 19 de la citada ley, de acuerdo con el cual se prohíbe toda construcción que altere el carácter de los inmuebles declarados de Interés Cultural o *perturbe su contemplación*». Ahora bien, quizás podría resultar de aplicación el art. 319.1 del Código Penal si el entorno del edificio protegido en el que se lleva a cabo una construcción no autorizada es un «lugar que tenga legal o administrativamente reconocido su valor paisajístico, ecológico, artístico, histórico o cultural», concurriendo, por supuesto, el resto de elementos típicos.

C) *La modalidad omisiva*

En principio, considero que no habrá obstáculo alguno para poder admitir la **comisión por omisión**[149], siempre que concurran las condiciones fijadas en el art. 11 del Código Penal[150] para su apreciación.

---

[146] MUÑOZ CONDE, F.: *Derecho Penal. Parte especial*, ob. y loc. cit.

[147] Art. 319.1.: «Se impondrán las penas de prisión de seis meses a tres años, multa de doce a veinticuatro meses e inhabilitación especial para profesión u oficio por tiempo de seis meses a tres años, a los promotores, constructores y técnicos directores que lleven a cabo una construcción no autorizada en suelos destinados a viales, zonas verdes, bienes de dominio público o *lugares que tengan legal o administrativamente reconocido su valor paisajístico, ecológico, artístico, histórico o cultural, o por los mismos motivos hayan sido considerados de especial protección*» (la cursiva es añadida).

[148] MILANS DEL BOSCH y JORDANS DE URIES: *Derecho penal administrativo*, ob. cit., p. 206.

[149] De esta opinión, MILANS DEL BOSCH y JORDANS DE URIES, S.: *Ibidem*, p. 213; CATALÁN SENDER, J.: *Los delitos cometidos por autoridades o funcionarios públicos en el Código penal de 1995*, p. 525; FARRE DÍAZ, J.(junto a DOMÍNGUEZ LUIS, J.A., HERNÁNDEZ GARCÍA, J., GRINDA GONZÁLEZ, J., HERVAS VERCHER, J.V., SOSPEDRA NAYAS, F.J., HERREROS VENTOSA, M.J.): *Delitos relativos a la ordenación del territorio y protección del patrimonio histórico, medio ambiente y contra la seguridad colectiva (delitos de riesgo catastrófico e incendios)*, Barcelona, 1999, p. 130.

[150] Art. 11: «Los delitos o faltas que consistan en la producción de un resultado sólo se entenderán cometidos por omisión cuando la no evitación del mismo, al infringir un especial

Así, por ejemplo, con respecto a la primera modalidad de conducta, la sustancial *destrucción* de un edificio protegido podrá verificarse, no sólo con un comportamiento activo sino también omitiendo voluntariamente los cuidados o reparaciones necesarios para el mantenimiento de aquél, dejando que se deteriore de tal modo que finalmente resulte destruido el edificio, por ejemplo, por el no mantenimiento de sus cubiertas.

A este respecto, en la doctrina italiana, ROTILI[151] entiende por *demolizione* la sustancial destrucción de un bien, la cual puede verificarse no sólo como un comportamiento activo sino también omitiendo el proceder a la necesaria obra de manutención y dejando que la cosa se deteriore hasta su desparición.

En suma, en el art. 321, tipo prohibitivo de causar, podrá castigarse el «no hacer» que conduzca, bien al desmerecimiento de los valores que propiciaron la singular protección del edificio, bien a su destrucción.

Ahora bien, tal y como anticipé, deben concurrir las exigencias del art. 11 para su admisión, requiriéndose un especial deber jurídico del autor, que constituye el eje de la comisión por omisión y que lo coloca en una posición de *garantía,* cuyas posibles fuentes son concretadas en el inciso segundo del mencionado precepto.

Así, el primer apartado se refiere a los supuestos en que exista una específica obligación legal o contractual.

Por lo que se refiere a la *obligación legal,* en el ámbito que nos ocupa, el art. 36.1 de la LPHE, vincula a todos aquellos que tengan disponibilidad material del bien mueble o inmueble, en nuestro caso a «conservar, mantener y custodiar» dichos bienes, precisándose que, en relación a los bienes inmuebles del patrimonio histórico, el deber de conservación que pesa sobre todos los propietarios se hace especialmente intenso. Los deberes legales se entienden en un sentido amplio, esto es, como aquellos comportamientos positivos o negativos que se imponen a un sujeto en consideración a intereses que no son los suyos propios sino los generales de la colectividad[152]. En este sentido se considera que, no sólo

---

deber jurídico del autor, equivalga, según el sentido del texto de la ley, a su causación. A tal efecto se equiparará la omisión a la acción:

a) Cuando exista una específica obligación legal o contractual de actuar.

b) Cuando el omitente haya creado una ocasión de riesgo para el bien jurídico protegido mediante una acción u omisión precedente».

[151] ROTILI, B.: *la tutela penale...,* ob. cit., p. 44.

[152] GARCÍA DE ENTERRÍA, E./FERNÁNDEZ RODRÍGUEZ, T.R.: *Curso de derecho Administrativo,* t. II, 1993.

hay que «hacer» para conservar, sino que la imposición del deber *«significa la negación de un presunto derecho a arruinar e inutilizar la riqueza de un país»*[153], es decir, «queda proscrito el «no hacer», la omisión o el «hacer negativo» consistente en procurar la inutilización del bien, en definitiva, impedir que aparezcan las condiciones que hagan que el estado del objeto desmerezca los valores que reúne»[154].

En segundo término, por lo que se refiere a la existencia de una *obligación contractual*, podrán incriminarse por omisión los supuestos de dejación de la obligación de cuidado y mantenimiento que pueda derivarse de cualquier contrato, que conduzcan al resultado típico. En el caso del que ostenta un cargo directivo de la empresa constructora, y asume el correcto funcionamiento de ésta, podría responder en comisión por omisión si tiene conocimiento de su actividad irregular, y se comprobara que, en virtud de su competencia, estaba obligado a controlar y evitar las situaciones de peligro que pudieran originarse y, por ende, los posibles delitos que pudieran cometerse[155].

En último término, de acuerdo con el segundo supuesto del art. 11 del Código Penal, podrá admitirse la modalidad omisiva en aquellos supuestos en que el sujeto haya creado el riesgo de pérdida de los valores que integran el edificio protegido, verificándose finalmente la destrucción o alteración grave de éste.

D) *Consumación y tentativa*

Descrita la esencia de la conducta típica, se plantea el problema del momento consumativo de estos delitos. Pues bien, para la *consumación* del tipo previsto en el art. 321 se requiere que se realice la totalidad de los elementos del tipo de injusto de que se trate[156], esto es, de acuerdo con la descripción típica analizada, el «derribo» o la «alteración grave» del edificio singularmente protegido.

La configuración del tipo legal como de resultado material conduce a la admisión, de forma casi unánime en la doctrina[157], de la *tentativa* como forma

---

153 GARCÍA BELLIDO, J.: «Nuevos enfoques sobre el deber de conservación y la ruina urbanística», en *RDUrb.*, 1984, p. 695.
154 De esta opinión también ALONSO IBÁÑEZ, M.R.: *El Patrimonio histórico. Destino público y valor cultural*, ob. cit., p. 269 y ss.
155 En esta dirección, más refiriéndose a los delitos relativos al medio ambiente, GÓMEZ RIVERO, M.C.: *El régimen de autorizaciones...*, ob. cit., p. 58.
156 V. COBO/VIVES: *Derecho Penal*, ob. cit., p. 732.
157 En ese sentido, entre otros TAMARIT SUMALLA, J.M.: *Comentarios...*, ob. y loc. cit.; FARRE DÍAZ, E.:*Delitos relativos a la ordenación del territorio y protección del patrimonio histórico,*

imperfecta de ejecución del delito, tanto en su versión acabada como inacabada. Si el sujeto de principio a la ejecución directamente por hechos exteriores, practicando todos los actos que objetivamente deberían producir el resultado, esto es, el derribo o la alteración grave del edificio, y, sin embargo, el resultado no se produce por causas independientes a la voluntad del actor, estaremos ante un supuesto de *tentativa acabada*. Ahora bien, si el agente únicamente realiza parte de los actos necesarios para producir el derribo o la alteración, que, por sí mismos, no bastan para que se produzca finalmente, estaremos ante una hipótesis de tentativa inacabada.

La diferencia entre ambas la apreciaremos mejor con unos ejemplos. Imaginemos un supuesto en que se colocan unos explosivos en el interior de un edificio conventual, explosivos que, por causas ajenas a la voluntad del sujeto activo, no llevan a activarse. En este caso nos encontramos ante una tentativa acabada, pues todo estaba ya dispuesto para que el resultado se produjera, si bien éste no se produjo por causas ajenas a la voluntad del autor. O bien aquella hipótesis en que el sujeto realice todas las actuaciones sobre la bóveda de una basílica que conducirían con toda seguridad al desprendimiento de su superficie cóncava, sin que finalmente, por la inminente actuación de técnicos en arquitectura, se produzca el desplome del edificio monumental.

En la *tentativa inacabada* el resultado no puede llegar aún a producirse, pues faltan las condiciones necesarias: pensemos en que el agente lleve a cabo actuaciones sobre la cubierta del edificio, agrietándola y perforándola, con la intención de derribarlo o alterarlo gravemente, actuaciones que, sin embargo, no son suficientes para que se produzca finalmente el resultado deseado.

La tentativa podrá ser, pues, objeto de persecución penal, salvo que se evite voluntariamente la producción del resultado o se desista en la forma de ejecución iniciada, en cuyo caso y de conformidad con el art. 16.2 del Código penal, se excluirá la responsabilidad criminal, viniendo a ser, pues, causas de exclusión de la pena. Ahora bien, puede ocurrir que los actos ya ejecutados fueran constitutivos de otra infracción penal, que alcance el estado de consumación, descartándose, pues, la impunidad. En los supuestos anteriores ello ocurriría cuando, pese al desistimiento o arrepentimiento, en su caso, pudiera apreciarse una falta de daños en bienes de valor histórico, artístico, cultural o monumental (art. 625.2 del CP).

---

medio ambiente y contra la seguridad colectiva, ob. cit., p. 130; CATALÁN SENDER, J.: ob. cit., p. 524. En contra GARCÍA CALDERÓN, J.M.: ob. y loc. cit.

2.2. Especial referencia al objeto material: «edificios singularmente protegidos por su interés histórico, artístico, cultural o monumental»

A) Planteamiento. Breve referencia a la posición doctrinal

El objeto material sobre el que recae la conducta debe ser, de acuerdo con la descripción típica, un «edificio singularmente protegido por su interés histórico, artístico, cultural o monumental». Comenzaremos planteando dos cuestiones básicas sobre las que se pronuncia la doctrina científica española, en orden a poder interpretar el contenido del referido objeto material. Estas cuestiones son las siguientes: a) la determinación del término *«edificio»* y su delimitación con el resto de bienes inmuebles, y b) la exigencia por el legislador de la **«singular protección»** en los edificios derribados o alterados gravemente.

a) Por lo que respecta a la primera cuestión, suscita la atención doctrinal el hecho de que se castigue el derribo o alteración únicamente de **«edificios»** —término que en el Derecho urbanístico no queda claramente definido[158]— y no de bienes inmuebles, a los cuales se dedica un Título en la Ley de Patrimonio Histórico Español, siendo la naturaleza *mueble* o *inmueble* del bien uno de los criterios con que se opera para analizar la definición genérica de Patrimonio Histórico prevista en el art. 1 de la Ley citada. Precisamente, en la tramitación parlamentaria del nuevo Código Penal se trató de sustituir en el tipo que venimos analizando el término «edificio» por el más amplio y omnicomprensivo de bienes inmuebles, sustitución que finalmente no se logró[159].

De acuerdo con lo expuesto, podemos afirmar en una primera aproximación que los inmuebles que no sean edificios quedan *excluidos* del ámbito de protección del tipo previsto en el art. 321.

A este respecto, parece que existe acuerdo doctrinal en sostener que el término «construcción»[160] tiene un sentido más amplio que el de «edificio»[161],

---

[158] La reciente Ley 38/1999, de 5 de noviembre, de *Ordenación de la Edificación*, define técnicamente el concepto jurídico de «edificación», entendiendo por tal la acción y resultado de construir un edificio de forma permanente, mas no contempla la definición de éste.

[159] El Grupo Popular, a través de una enmienda —rechazada posteriormente en el Congreso de los Diputados— pretendió sustituir la locución «edificios singularmente protegidos» por la de bienes inmuebles, expresión de mayor amplitud, entendiendo el edificio como la especie del género que serían los bienes inmuebles (ver DSC, de 29 de junio de 1995, núm. 160).

[160] Uno de los elementos que configura la conducta típica que recoge el apartado primero del art. 319, tipo cualificado de los delitos sobre la ordenación del territorio.

pudiendo establecerse una relación en la que, aquél sería el género, en lo que se refiere a las obras inmobiliarias, mientras que el edificio se consideraría la especie[162]. El término «edificio» iría referido al concepto tradicional de arquitectura, mientras que el de «construcción» comprendería las obras de ingeniería, tales como puentes, fábricas pertenecientes a épocas precedentes, acueductos, etc.

Con ello no quiere decirse que quedarían faltos de protección dichos bienes, ya que, a mi juicio, podrán ser objeto de protección del tipo previsto en el artículo 323, como ya se expondrá en su momento.

b) La segunda cuestión que suscita controversia doctrinal es la exigencia por el legislador de la **«singular protección»** en los edificios derribados o alterados gravemente.

Sobre dicha exigencia existen posiciones encontradas en la doctrina científica si bien, de acuerdo con la postura dominante, la expresión «singularmente protegido» presupone una *calificación previa* o un *reconocimiento por parte de la autoridad competente* de que poseen un interés digno de protección, posición que sustentan en la actualidad BOIX REIG, MUÑOZ CONDE o TAMARIT SUMALLA, entre otros[163].

Por el contrario, alguna voz aislada, como es el caso de VERCHER NOGUERA[164], entiende será la autoridad judicial en cada caso la que deberá determinar la protección «singular» del edificio. Por su parte, CATALÁN SENDER sostiene que no es preciso que esté declarado el interés cultural, pues la experiencia señala que generalmente no se derriba o altera un edificio declarado como tal, o que tiene expediente incoado, sino los que se sabe que

---

[161] Por el contrario, GARCÍA CALDERÓN (ob. y loc. cit.) considera que el Código penal se refiere a edificio, incluyendo —en una interpretación extensiva— toda clase de construcciones, de carácter permanente y monumental, incluso a todos los bienes inmuebles singularmente protegidos por la LPHE.

[162] En ese sentido, el Código Civil, en su Libro II, «De los bienes, de la propiedad y sus modificaciones», establece en su art. 334, nº 1, que son bienes inmuebles: «1º Las tierras, edificios, caminos y construcciones de todo género adheridas al suelo», y en su art. 389 se refiere a «edificio, pared, columna, *o cualquier otra construcción*».

[163] BOIX REIG, J., junto a JUANATEY DORADO: ob. y loc. cit.; MUÑOZ CONDE, F.: *Derecho penal. Parte especial*, ob. y loc. cit.; TAMARIT SUMALLA, J.M.: *Comentarios al nuevo Código penal*, ob. cit., p. 857. En contra, MILANS DEL BOSCH (ob. y loc. cit.) afirma que los edificios que gocen de singular protección tendrán también protección a través del 323, incluso si se destruyen totalmente, cuando no se trata de conductas de orden urbanístico, ligadas a la declaración de ruina o incumplimiento de deberes de conservación.

[164] VERCHER NOGUERA, A.: «Delitos contra el patrimonio histórico», en *El nuevo Código penal y su aplicación a empresas profesionales*, Diario Expansión, vol. V, 1996.

tienen gran valor pero, por descuido o desidia de la Administración autonómica, no están protegidos todavía[165].

De la postura adoptada por la mayoría doctrinal, se deduce una ulterior cuestión cual es la de que no se podrán incriminar por la vía del art. 321 los derribos o alteraciones de *edificios que no ostenten dicha «singular protección»*, dicho en otros términos, si en el edificio no media la singular protección que impida su derribo. Se plantea entonces si sería incriminable por el art. 323 el derribo o la alteración grave de edificios «carentes de singular protección». En ese sentido, MILANS DEL BOSCH y JORDANS DE URIES considera que los edificios también tendrán protección a través del art. 323 cuando se trate de daños, incluso destrucciones totales o derribos, causadas fuera del orden urbanístico[166].

Sobre estas cuestiones, meramente esbozadas, realizaré a continuación una serie de observaciones, para finalmente adoptar una postura al respecto.

B) *Toma de posición*

En una primera aproximación observamos como efectivamente se da un *tratamiento diferenciado* al derribo y alteración grave de «edificios» (arts. 321 y 322) *frente* al previsto para conductas dañosas de otros bienes enumerados en el art. 323. Ello denota la voluntad legislativa de restringir el ámbito de aplicación del precepto que venimos analizando. Y es que, a mi juicio, el art. 321 encuentra precisamente su fundamento en el objeto material específicamente protegido en él. En otras palabras, considero que, la diversidad de trato es intencionada y tiene su fundamento o razón de ser en virtud del objeto material sobre el que recae la conducta típica, en cuyo análisis vamos a detenernos seguidamente.

a) La determinación del término «*edificio*» y su delimitación con el resto de bienes inmuebles. Los elementos consustanciales a los edificios

1. El objeto material del tipo previsto en el artículo 321 del Código Penal está constituido por los «*edificios singularmente protegidos* por su interés histórico, artístico, cultural o monumental».

---

[165] CATALÁN SENDER, J.: *Los delitos cometidos por autoridades y funcionarios públicos*, 1999, p. 519 y ss.

[166] En ese sentido, MILANS DEL BOSCH y JORDANS DE URIES: ob. cit., pp. 205 y 207.

Nos encontramos ante una clase de bienes inmuebles, los **edificios,** que poseen una naturaleza especial, pues son, de un lado, susceptibles de una *valoración cultural,* de poseer intereses culturales que determinan su especial protección, como obras de arquitectura representativas de diferentes estilos, pero que, a su vez, como espacios habitables, son susceptibles de un *uso espacial alternativo,* se caracterizan por la versatilidad de su uso. En este sentido, de acuerdo con su significación gramatical, se definen como aquella «obra o fábrica construida para habitación o para usos análogos; como casa, templo, teatro, etc...»[167].

Y es que, en efecto, en el ámbito de los bienes culturales, las interacciones forma-función tienen gran trascendencia pues, a menudo, determinan el destino futuro de los mismos[168]. Dado que el derecho a un disfrute público —previsto por la LPHE— resulta compatible con un cierto aprovechamiento privativo, estos bienes de naturaleza inmueble podrán ser afectados a ciertos servicios públicos, siendo bastante habitual, por ejemplo, el empleo de edificios históricos como sede de dependencias públicas.

El edificio, obra arquitectónica, debe conjugarse pues con su funcionalidad[169]. En otras palabras, debe combinar lo cotidiano (su funcionalidad) con lo sublime (sus valores artísticos, históricos o culturales), pues, como ya dijimos, es precisamente el uso lo que mantiene vivo al edificio Como dijo en su día VIOLLET-LE-DUC: *«el mejor modo de conservar el edificio es darle un uso»*[170].

Así las cosas, podemos afirmar que esta clase de bienes inmuebles tienen una doble función o una función *mixta:* de un lado, poseen una función cultural derivada de los valores ínsitos en el edificio, pero, de otro lado, al edificio también le compete la función que le haya querido asignar su propietario[171]. Ya VÍCTOR HUGO, denunciando a los especuladores, fue de los primeros en

---

[167] Diccionario de la Real Academia Española (vigésima primera edición).

[168] Sobre las interacciones forma-función de los objetos, vid. BALLART, J.: ob. cit., p. 80.

[169] Así, valgan como ejemplo los edificios que tuvieron un uso público o semipúblico, como hospitales, castillos, fábricas, iglesias, monasterios... hoy en desuso, pero susceptibles de utilización, y que habitualmente para salvar y conservar este patrimonio son rehabilitados y convertidos en paradores, hoteles, edificios con locales y pisos destinados a viviendas, etc.

[170] VIOLLET-LE-DUC, E.E.: *Entretiens sur l'architecture.* Paris, 1863-72, reed. 1997.

[171] La doctrina alemana se plantea cómo determinar la función que compete a una cosa, proponiendo para ello varias perspectivas: una perspectiva *objetiva* —según la terminología empleada por MAIWALD— de acuerdo con la cual la función es la general que compete a la clase a la que pertenece la cosa en cuestión, es decir, una función «estándar»; finalmente una perspectiva *mixta* —a propuesta de BEHM— se combinan los criterios objetivos y subjetivos. En SUAY HERNÁNDEZ, C.: *Los elementos básicos de los delitos y faltas de daños,* Barcelona, 1991, p. 68 y ss.

señalar como en un edificio existe tanto un *valor de uso* como *un valor estético*, y que, mientras el primero pertenece al propietario, el segundo es de la sociedad, por lo que aquél no tiene derecho a destruirlo[172].

Precisamente por este motivo, por su funcionalidad, por ser susceptibles de un uso espacial alternativo, son posibles y harto frecuentes las intervenciones agresivas sobre ellos. En otros términos, dicha accesibilidad supone que están expuestos al peligro de su destrucción o deterioro. La búsqueda de nuevas utilidades puede colocar al edificio, en determinados casos, en riesgo potencial de degradación[173].

Evidentemente, la función protegida penalmente en el tipo legal que venimos analizando es la *función cultural* del edificio, como instrumento de acceso a la cultura, función derivada de los elementos artísticos, históricos o culturales que propiciaron su protección, de suerte que no integrarán la conducta típica del 321 aquellas actuaciones que provoquen la perturbación únicamente de la función o valor de uso espacial del edificio.

Y es que, en efecto, uno de los hechos que más han contribuido a la destrucción del patrimonio arquitectónico es su posible utilización económica y el *mayor beneficio* que, en algunos casos, se obtiene de dicha destrucción[174] frente a su conservación, pues estos edificios admiten normalmente *revalorizaciones,* a consecuencia de su derribo o su alteración grave. De forma que, el valor utilitario de los edificios contribuye a fijar un valor económico determinado de la zona, en el sentido de *valor de cambio* de la propiedad inmobiliaria.

---

[172] En BABELON, J.P. y CHASTEL, A.: *La notion du patrimoine,* 1994, p. 69.

[173] Véase el caso de Europa Central y del Este, donde la *estatalización* de innumerables edificios históricos como consecuencia de la revolución, condujo, o bien a la ruina de éstos, por ausencia de los necesarios cuidados en su mantenimiento o bien a la adjudicación de nuevos usos, radicalmente distintos a los propios de los edificios, sin respetar las exigencias derivadas de sus caracteres dignos y necesitados de protección. *In extenso* sobre esta situación: KOWALSKY, W.: «The situation in Central and Eastern Europe», en *The protection of historic buildings and their artistic contents against crime and wilfull damage* (Colloquy organised jointly y the Council of Europe and the Directore of Monuments and Landscapes of the Ministry of the Flemish Community, Belgium, 1992).

[174] En este sentido, KEINES lanzaba duras críticas contra la mercantilización de la cultura, reproduciendo nuevamente sus afirmaciones a este respecto: «La explotación y la destrucción contemporáneas del don artístico para prostituirlo con las miras puestas en el provecho financiero es uno de los peores crímenes del capitalismo de nuestros días». Cfr. *supra* Capítulo Tercero, V, 3.2.

En suma, en estos bienes se plantea la coexistencia de un interés cultural y otro económico, donde el primero abona por su mantenimiento original, mientras que el segundo hace más rentable su *transformación o destrucción*.

Como ejemplo de edificaciones que pueden conformar el objeto material del tipo, de concurrir en ellos los intereses legalmente exigidos, podemos señalar diversas categorías dentro de los edificios civiles[175]: tanto aquellos que son susceptibles de utilización actual para vivienda o para locales de negocio o industria, así como otro grupo de edificios civiles los cuales plantean mayores problemas, pues, si bien se construyeron para su habitación, transcurrido el tiempo son difícilmente utilizables para su uso; son casonas, edificaciones de lujo, palacios, grandes residencias, etc., difíciles en su utilización[176] o antieconómicos.

El conflicto es, pues, mayor que en otros bienes culturales, pues mientras el interés cultural del edificio abona su mantenimiento, el interés económico o especulativo que se deriva del mismo conduce a que sea más rentable su transformación o su destrucción. Ello ha conducido, tanto en España como en otros países, a su destrucción sistemática, desapareciendo edificios notables de gran valor histórico o artístico, incluso barrios enteros de centros históricos. Se han derribado casas solariegas, palacios, para venderlos como solares y construir edificios modernos, prevaleciendo el interés económico sobre el cultural.

Esta situación provoca una primera reacción defensiva, aprobándose Planes para su conservación, en aras a que sea posible la aplicación de la norma protectora que impida su destrucción o demolición. Ahora bien, si las medidas prohibitivas no van acompañadas de otras de fomento, la consecuencia inevitable será su deterioro y su ruina. Un excesivo celo en la conservación de los edificios, sin variar sus circunstancias —como en los casos expuestos— distintas a las actuales, hace que los capitales inmobiliarios pierdan el interés en su restauración, de forma que caen en el abandono y desaparecen finalmente.

En esta categoría de bienes se debe, pues, coordinar «utilización» y «conservación»: si se les negara su utilización actual se haría más difícil su conservación y es entonces cuando se desea su destrucción, para hacer más negociable el

---

[175] Véase la interesante clasificación de edificios que realiza ÁLVAREZ ÁLVAREZ, J.L.: «El Patrimonio Cultural. De dónde venimos, dónde estamos y a dónde vamos» en *Revista Patrimonio Cultural y Derecho*, n° 1.

[176] Por ejemplo, las reformas que se emprendieran para hacer habitable un palacete barroco, fácilmente podrían provocar modificaciones en el edificio que atentasen gravemente contra su integridad formal o su percepción estética.

terreno; y si se permite libremente su modificación y utilización se corre el riesgo de su deterioro y desnaturalización.

2. Para finalizar la cuestión relativa a lo que debe entenderse por «edificio» a los efectos de la regulación jurídico-penal, considero que debemos detenernos en el art. 14.1 de la Ley 16/1985 del Patrimonio Histórico Español[177], el cual contiene una definición de lo que, a efectos de la Ley, ha de entenderse como bien inmueble. Debemos, pues, considerar si el concepto extensivo de bien inmueble previsto en la Ley 16/1985 es directamente extrapolable al ámbito penal a la hora de delimitar el objeto material del tipo previsto en el art. 321.

De acuerdo con la definición recogida en la citada LPHE, tendrán la consideración de bienes inmuebles y, se someterán al régimen jurídico de protección previsto para dicha clase de bienes, en primer lugar, los enumerados en el art. 334 del Código civil, definición descriptiva que, ya adelantamos, resulta, a mi juicio, excesivamente amplia para aplicarlo en el ámbito del 321 del CP.

Ahora bien, en segundo lugar, también serán considerados bienes inmuebles, conforme a la Ley 16/1985, «cuantos elementos puedan considerarse **consustanciales con los edificios y formen parte de los mismos o de su exorno»** (la negrilla es añadida).

Por **consustancial**, el Diccionario de la Real Academia Española entiende aquello que «es de la misma sustancia, naturaleza indivisible y esencia de otro»[178]. Pero la definición legal exige que los elementos, además de ser consustanciales a los edificios, sean *parte* de los mismos o de su exorno. Pues bien, antes de continuar, considero debería realizarse la siguiente diferenciación entre los elementos que formen **parte de un edificio**: de un lado, se pueden incluir, en un primer nivel, los elementos *estructurales*, de soporte del edificio (muros de carga, pilares, la cubierta del edificio, forjados, escaleras, etc.); de otro lado, se incluirían aquellos elementos integrantes del edificio respecto de los que cabe la posibilidad de que sean separados del edificio, conformando lo que podría constituir un *segundo nivel:* desde los elementos de albañilería

---

[177] El art. 14.1 de la LPHE recoge una definición de lo que debe entenderse por bienes inmuebles a los efectos de esta ley, considerando incluidos, «...*además de los enumerados en el art. 334 del Código civil, cuantos elementos puedan considerarse* **consustanciales** *con los edificios y formen parte de los mismos o de su exorno o lo hayan formado, aunque en caso de poder separados constituyan un todo perfecto de fácil aplicación a otras construcciones o a usos distintos del suyo original, cualquiera sea la materia de que estén formados y aunque su separación no perjudique visiblemente al mérito histórico o artístico del inmueble al que están adheridos».*

[178] Vocablo «consubstancial». DRAE, t. I, vigesimaprimera edición, 1992.

(paredes, pavimentos, etc...), hasta los elementos de carpintería (puertas, ventanas…), de cerrajería, vidrieras, etc...

La definición de inmueble prevista en la Ley 16/85 incluye asimismo los elementos consustanciales al edificio que formen parte de **su exorno**, por ejemplo, escudos heráldicos, imágenes en la fachada de los edificios, etc. En este sentido, la Convención para la salvaguarda del patrimonio arquitectural de Europa, firmada en Granada el 3 de octubre de 1985[179] considera que la expresión «patrimonio arquitectónico» comprende los bienes inmuebles siguientes: «1) *los monumentos:* «todas las realizaciones especialmente relevantes por su interés histórico, arqueológico, artístico, científico, social o técnico, *comprendidas* las instalaciones o *los elementos decorativos que constituyen parte integrante de estas realizaciones».*

Ahora bien, en la definición de la LPHE, tanto en relación a los elementos parte del edificio como a los de su exorno se añade que, «*en el caso de poder separados*», constituyan un todo perfecto de fácil aplicación a otras construcciones, y aunque su separación no perjudique visiblemente al mérito histórico o artístico del inmueble al que están adheridos. A estos efectos reciben, pues, la consideración de bienes inmuebles aquellos elementos del edificio que *sí puedan ser separados* del edificio, cualquiera que sea la materia de la que estén formados, y, reitero, aunque la separación no perjudica visiblemente al mérito histórico o artístico del inmueble.

En aquellos casos en que los citados elementos *no puedan ser separados* del edificio, pues de otro modo se produciría un quebranto de su materia o un deterioro del edificio, dichos elementos podrían incluirse, a mi entender, entre los bienes descritos en el nº 3 del art. 334 del Código civil, tradicionalmente considerados como «*inmuebles por incorporación*»[180].

Pues bien, partiendo de lo expuesto, tratemos de precisar aquellos elementos del edificio singularmente protegido cuya alteración grave convertirá en típica la conducta llevada a cabo.

La mayoría de la escasa doctrina penal manifestada sobre este punto se refiere a los ataques a la *estructura* del edificio[181] a la hora de concretar el alcance

---

[179]   Ratificada por España el 27-4-89.

[180]   Art. 334, nº 3: «Todo lo que esté unido a un inmueble de manera fija, de suerte que no pueda separase de él sin quebrantamiento de la materia o deterioro del objeto». Véase al respecto, DÍEZ PICAZO, L.: «Los bienes inmuebles en el Código civil», en *Revista Crítica de Derecho Inmobiliario*, 1997, p. 937 y ss.; del mismo, junto a GULLÓN: *Sistema de Derecho Civil*, vol. I, 1984, p. 404.

[181]   Así, SERRANO GÓMEZ: *Derecho Penal. Parte Especial*, ob. cit., p. 647.

del objeto material en el art. 321. Con todo, GARCÍA CALDERÓN[182] admite la posibilidad, no de derribar, pero sí de alterar gravemente un edificio singularmente protegido, sin necesidad de dañar su estructura arquitectónica pero menoscabando elementos decorativos o de exorno que se configuren como parte fundamental de dicho bien, aun cuando puedan ser separados sin menoscabo y sin que se vea disminuido su mérito de modo visible. Ahora bien, el citado autor considera que bastará la vinculación *histórica* del elemento mueble respecto del edificio para que se pueda alterar gravemente el edificio.

A mi juicio, como cuestión previa a precisar con exactitud el alcance del objeto material sobre el que recae la conducta típica del art. 321, resulta necesario realizar una breve referencia a la noción de cosa mueble en el ámbito de los delitos de apoderamiento. En este punto, existe unanimidad en la doctrina penal a la hora de exigir la nota de la «movilidad o transportabilidad de la cosa». Se trata, pues, de un concepto «funcional» de cosa mueble.

Sin embargo, si bien en los delitos de apoderamiento resulta de buena lógica que el objeto sea necesariamente susceptible de traslación, en correlación con la acción típica, el criterio del desplazamiento[183], a mi modo de ver, no resulta aplicable en los delitos de daños, pues en estos casos, bienes que, de acuerdo con ese criterio son muebles, en determinados supuestos se les deben aplicar las reglas de los inmuebles.

Por tanto, en aras a concretar con exactitud el objeto material del 321, más que el criterio de la susceptibilidad o no de ser trasladado, resultaría preferible determinar la vinculación o integración del elemento con el edificio protegido.

De suerte que, tanto el concepto civil como el concepto administrativo de bien inmueble contenido en la LPHE resultan demasiado amplios para ser trasladados automáticamente al ámbito del art. 321. Ello resulta consecuente con la consabida autonomía del Derecho Penal, de acuerdo con la cual, se deriva la no vinculación del intérprete cuando emplea términos procedentes de otras

---

[182] GARCÍA CALDERÓN, J.: ob. y loc. cit. En esta dirección, véase BESUNSAN MARTÍN, M.P.: *La protección urbanística de los bienes inmuebles...*, ob. cit., p. 18 y ss.

[183] Criterio de traslación que se abandona en muchas ocasiones, tal y como afirman DÍEZ PICAZO y GULLÓN (ob. y loc. cit.). A este respecto es por todos conocidos el hecho de que incluso bienes inmuebles pueden ser trasladados de un sitio a otro, tal es el caso de conventos e iglesias que se trasladaron piedra a piedra de España a Estados Unidos, o el de templos griegos y egipcios repartidos por Europa.

ramas del ordenamiento. En estos casos, deberá dilucidarse en cada supuesto cuál es el sentido que la Ley penal les otorga[184].

Llegados a este punto, y, con base en lo hasta ahora expuesto, vamos a tratar de precisar qué debe considerarse como «edificio», a los efectos de su inclusión en el objeto material del 321, llegando a las siguientes conclusiones:

En **primer lugar** debe considerarse, sin ninguna duda, que forman parte del concepto de «edificio» los *elementos estructurales* de éste, puesto que, cuando la agresión recae sobre ellos, en la mayoría de los casos se llega a producir el desplome o *derribo* del edificio protegido.

En **segundo lugar**, también se considerarán integrados en el concepto de edificio, a mi juicio, aquellos elementos que forman parte integrante del edificio, dotándole de un valor singular, de forma que no puedan ser separados de él, pues, de otro modo, se produciría un quebranto de su materia o un deterioro del edificio; y aun en el supuesto de que puedan ser separados, se considerará que ha existido una alteración grave del edificio, si ello supusiera un grave perjuicio al mérito histórico[185] o artístico del edificio. Pensemos, por ejemplo, en el fresco decorativo de la bóveda de una basílica, declarada Bien de Interés Cultural, con categoría de monumento.

En este punto, puede traerse a colación la regulación jurídico-penal italiana, por cuanto, recordemos, una de las infracciones penales, previstas en su legislación especial, consistía en la separación de frescos, escudos, inscripciones u otros ornamentos del edificio, sin autorización administrativa. Según se justificó, la *ratio legis* del precepto debía reconocerse en la exigencia de su conservación, como «pertenencia artística del inmueble y componente de la inteligencia histórica y artística del bien»[186].

El conflicto surgirá cuando nos encontremos ante la presencia de elementos de naturaleza mobiliaria que, reconocidos oficialmente como integrantes del Patrimonio Histórico, han sido transformados en inmuebles por incorporación

---

[184] V. COBO DEL ROSAL, M./VIVES ANTÓN, T.S.: *Derecho penal. Parte general*, ob. cit., p. 40 y ss.

[185] Valga también como ejemplo lo que sucedió con dos paneles de azulejos policromos realizados en Triana (Sevilla) situados en la fachada del edificio principal de un Balneario en Cádiz, declarado Bien de Interés Cultural, con categoría de monumento, de acuerdo con el RD 1728/90. Pues bien, el art. 2 del citado Real Decreto, establecía que tendrán consideración de Bienes de Interés Cultural, por constituir parte esencial de la historia del Monumento, los dos referidos paneles de azulejos, considerándolos de forma individualizada como elementos específicos en la descripción global del Balneario.

[186] Véase *supra* el Capítulo dedicado al Derecho comparado.

y, sin embargo, el edificio del que forman parte no se encuentre protegido como Bien de Interés Cultural, ni se encuentre catalogado. Pensemos en un edificio que no haya recibido protección oficial, pero que posea escudos o piezas heráldicas en sus muros, consideradas como Bienes de Interés Cultural a tenor de la Disposición Adicional Segunda de la LPHE. En estos supuestos, cabe plantearse si podría aplicarse al edificio la protección dispensada legalmente a los escudos y piezas heráldicas, extendiendo el estatuto jurídico del elemento, en principio secundario, al superior. Pues bien, coincido con ABAD LICERAS cuando niega la posibilidad de esta «acción invertida»[187]. A mi juicio, las agresiones recayentes en los escudos y piezas heráldicas del edificio recibirán tutela de forma independiente al edificio por la vía del 323, al considerarse aquellos elementos como «bienes de valor histórico y artístico», poseedores de forma autónoma de unos valores singulares que encuentran su protección en sede del precepto referido.

En este sentido, si acudimos a la normativa autonómica, resulta loable, por ejemplo, el hecho de que la Ley Valenciana de Patrimonio Cultural[188] considere expresamente que algunos objetos de relevante valor cultural, que en principio, por estar incorporados a un inmueble deberían poseer legalmente dicha naturaleza, reciban, sin embargo, la consideración de *bienes muebles*, a efectos de su inclusión en el Inventario General, cuando el inmueble carezca de valor cultural o se encuentre en estado de ruina. De ese modo, a mi juicio, se garantiza que cuando los objetos ostenten, por sí mismos relevante valor cultural, no se les pueda privar de protección especial, pese a que el inmueble en el que se encuentren sea carente de dicho valor.

Evidentemente, la alteración de aquellos elementos del edificio, cuya separación no perjudicara visiblemente el mérito histórico o artístico del inmueble, no será sancionada por la vía del art. 321. En este ámbito sólo se protegen las alteraciones que recaigan sobre aquellos elementos del edificio que, por su interés histórico, artístico, cultural o monumental, propiciaron la singular protección de aquél.

En **tercer lugar**, debemos referirnos a aquellos bienes que, de acuerdo con el nº 4 del art. 334 del CC, reciben la consideración de «*inmuebles por destinación*», esto es, «*las estatuas, relieves, pinturas y otros objetos de uso u ornamento, colocados en edificios o heredades por el dueño del inmueble en tal forma que revele el propósito de unirlos de un modo permanente al fundo*». Pues bien, estos

---

[187]   ABAD LICERAS, J.M.: *Urbanismo y patrimonio histórico*, Cuadernos de Urbanismo. Madrid, 2000, p. 19.
[188]   Art. 15.3 LPCV.

elementos artísticos que, a mi entender, guardan relación con las denominadas en la LPHE como «pertenencias» del inmueble[189], son susceptibles de separación del edificio, por estar «contenidos» en el inmueble. Pues bien, considero que los elementos citados quedarán fuera del ámbito del 321, si bien su protección penal vendrá preferiblemente de manos del tipo legal previsto en el art. 323 si tienen un valor cultural objetivo, concretamente por su inclusión en la cláusula «bienes de valor histórico o artístico...».

Por ultimo, el art. 27 de la LPHE afirma que tendrán la consideración de Bienes de Interés Cultural, en todo caso, «*los bienes muebles contenidos en un inmueble que haya sido objeto de dicha declaración y que ésta los reconozca como parte esencial de su historia*». En estos casos hay una ausencia de unión física con el inmueble, si bien la ligazón proviene de la historia o de la vida del edificio[190]. Sin embargo, su tratamiento jurídico es como «muebles», de suerte que, los daños en esta clase de bienes serían perseguibles, a mi juicio, con base en lo establecido en sede del art. 323, si son acreedores de un valor cultural, suscitándose a este respecto problemas concursales que serán resueltos en su momento oportuno.

En suma, pese a las conclusiones obtenidas, debe reconocerse que la cuestión abordada es sumamente polémica y compleja, de ahí que estimo hubiera resultado preferible la previsión expresa por parte del legislador penal del régimen concreto a seguir en estos supuestos determinados[191].

b) La exigencia de la «singular protección» del edificio

La exigencia de «singular protección» en los edificios de interés histórico, artístico, cultural o monumental genera posiciones encontradas en la doctrina, si bien ya señalamos cómo la mayoría de los autores manifestados hasta ahora en este punto, entendían que la expresión presuponía una calificación previa o un reconocimiento por parte de la Autoridad competente de que los edificios poseían dicho interés.

---

[189] Al respecto, CLAVERÍA GOSALVEZ: «Las pertenencias en el Derecho privado español», en Anuario de Derecho civil, *1976, p. 4 y ss.*

[190] Pensemos, por ejemplo, en los muebles de Felipe II en El Escorial. Sin embargo, retomando el derecho comparado, en la legislación británica, los bienes muebles de interés histórico o artístico no son protegidos sino como «pertenencias» del inmueble en el cual se hallan y, por ende, su tutela se deriva dependiente de éste.

[191] De acuerdo con esta interpretación, GARCÍA CALDERÓN, J.M.: ob. cit., p. 416 y ss.

Partiendo, de la coexistencia en el edificio de valores de uso, junto con posibles valores culturales, resultará, a mi juicio, consecuente una declaración formal de su protección para asegurar la conservación de sus valores culturales. A este respecto, la *valoración cultural* del edificio se manifestará formalmente, a través de medidas administrativas que concreten cuáles han de ser conservados, por ser, como hemos mencionado, espacios habitables y susceptibles de usos diversos.

Ciertamente su valor no puede dirimirse en el momento del derribo y, conforme a ello, no puede incriminarse al derribista de un edificio cuando no exista previa medida de protección cultural, pública y formalmente adoptada[192]. La postura dirigida a admitir que basta con la existencia de un consenso social del valor cultural, únicamente sería admisible en aquellos edificios que tuvieran un valor universal conocido, lo que previsiblemente supondría también que con toda probabilidad estarían declarados como tales[193].

De acuerdo con lo que se ha venido hasta ahora poniendo de manifiesto, el elemento de la «*singular protección*» del edificio se dota de contenido a partir de disposiciones legales o administrativas. Nos encontramos, pues, ante un ***término normativo valorado,*** como ya se adelantó[194], invocándose de ese modo el contenido de las decisiones de otros órdenes normativos. En este caso concretamente, la singular protección vendrá determinada, *bien* por Ley, *bien* por la Administración competente en la materia, mediante Real Decreto, el cual no debe suponer un menoscabo de las exigencias de claridad y certeza derivadas del principio de la legalidad.

Por esa dualidad de valores mencionada, resulta de buena lógica necesario el que la Administración deba entrar a dirimir su protección, en otros términos, que decida cuáles han de ser conservados y cuáles no, y en caso afirmativo determinar su concreto grado de protección. El edificio está sujeto, pues, a las decisiones administrativas que establecen su protección específica. En otras palabras, la previsión por parte del precepto penal de una **singular protección** en los edificios viene referida, pues, a que medie *singular protección administra-*

---

[192] A este respecto, en el controvertido derribo en Madrid del emblemático edificio «La Pagoda», obra del arquitecto Miguel Fisac, entre las justificaciones *legalistas* del derribo, se apuntaba que «*Al haber solicitado el derribo de la propiedad y no estar catalogado el edificio, no tenemos ningún respaldo legal para impedirlo*». Cfr. «Los arquitectos comparan el derribo de «La Pagoda» de Fisac con la quema de «un miró»», Diario El País, 21 de julio de 1999.

[193] En un sentido similar, LASO MARTÍNEZ, J.L.: *Urbanismo y medio ambiente en el Código penal*, Madrid, 1997, p. 134.

[194] Vid. *supra* p. 334 en las «Cuestiones de técnica legislativa», dentro del Capítulo Tercero sobre el Bien Jurídico.

tiva del edificio que se altere o derribe ilegalmente. En definitiva, se exige el formalismo de la declaración administrativa de «singular protección», por el posible conflicto entre esa dualidad de valores, su valor cultural y su valor de uso.

Atendiendo a antecedentes jurisprudenciales, la Sentencia del Tribunal Supremo de 6 de junio de 1988 (RJ 1988/4478) declara que: «...en todos los casos en que la apreciación de algo se deja legalmente al arbitrio judicial, los *Tribunales deberán atenerse con la mayor prudencia y cautela a aquellos criterios que aparezcan como más objetivos, según el común sentir de la colectividad, y, a ser posible, como manifiestamente notorios e indiscutibles...*», criterios que en el caso del art. 321, se traduce en la necesaria existencia de una protección administrativista, desde el momento en que el tipo exige la «singular protección» de éstos.

Por tanto si, junto al interés de disfrutar útilmente del edificio concurren otros intereses relativos a su conservación, deberán *armonizarse*, estableciendo la Administración los criterios y niveles de protección del edificio, esto es, estableciendo una indispensable jerarquización, de suerte que, cuando los intereses mencionados entren en conflicto o se opongan, se determinen normativamente limitaciones en el derribo o en la realización de actuaciones sobre el edificio.

Hechas las precedentes consideraciones, corresponde ahora especificar cuáles son los edificios que ostentan una efectiva singular protección, y que, por ende, conformarán el objeto material del 321.

En la tutela del patrimonio inmobiliario debe partirse de la necesaria interacción ofrecida por la normativa específica del Patrimonio Histórico y la conferida por la normativa urbanística, las cuales deben ser necesariamente integradas. De ahí que, de acuerdo con el requisito típico de la «singular protección» del edificio, no sólo encajaran en el tipo aquellos que gozan de la protección especial que dispensan las legislaciones que regulan el Patrimonio Histórico, sino también aquellos edificios que son objeto de especiales medidas de protección por el Urbanismo, si bien con algunas matizaciones que se irán realizando conforme avancemos en el análisis.

a') Los «Bienes de Interés Cultural»

En el ámbito de la normativa, estatal o autonómica, reguladora del Patrimonio histórico, artístico o cultural, la declaración como **Bien de Interés Cultural** conforma la categoría máxima de la protección inmobiliaria, gozando de una «singular protección y tutela», como dice textualmente la Ley estatal[195].

A este respecto, creo oportuno dedicar unas líneas, a modo introductorio, al procedimiento formal de *declaración* como Bienes de Interés Cultural (en adelante BIC) y al importante cambio en relación a dicho procedimiento, a raíz de una sentencia del Tribunal Constitucional. Tal y como ya se apuntó, tendrán la consideración de los BIC, bienes así declarados por ministerio de ley —de acuerdo con el art. 40.2 y las Disposiciones Adicionales[196] 1ª y 2ª, de la LPHE— o mediante Real Decreto de forma individualizada[197].

La competencia para proceder a la declaración de BIC venía atribuida, de acuerdo con la Ley 16/1985, a la Administración del Estado. Concretamente, la Ley estatal establecía una competencia compartida entre el Estado y las Comunidades Autónomas[198], de forma que a éstas sólo les correspondía la *incoación y tramitación* de los procedimientos, mientras que las *resoluciones* concretas correspondían al Gobierno de la Nación.

Ahora bien, este sistema fue objeto de impugnación por diversas comunidades, en concreto las de Cataluña, País Vasco y Galicia, planteándose *recursos de inconstitucionalidad* contra la Ley, resueltos por la citada STC 17/1991, de 31 de enero, siendo de especial interés en este punto la parte que resuelve acerca de la constitucionalidad del art. 9, el cual constituye según el propio Tribunal «un nudo esencial en el régimen competencial debatido» (FJ 10°).

---

[195] Art. 9.1. LPHE: «Gozarán de singular protección y tutela los bienes integrantes del Patrimonio Histórico Español declarados de interés cultural por ministerio de esta Ley o mediante Real Decreto de forma individualizada».

[196] Art. 40.2: «*Quedan declarados Bienes de Interés Cultural por ministerio de esta Ley las cuevas, abrigos y lugares que contengan manifestaciones de arte rupestre*».
DISPOSICIONES ADICIONALES. Primera: «*Los bienes que con anterioridad hayan sido declarados histórico-artísticos o incluidos en el Inventario del Patrimonio Artístico y Arqueológico de España pasan a tener la consideración y a denominarse Bienes de Interés Cultural; los muebles que hayan sido declarados integrantes del Tesoro o incluidos en el Inventario del Patrimonio Histórico-Artístico tienen la condición de bienes inventariados conforme al art. 26 de esta Ley, sin perjuicio de su posible declaración expresa como Bienes de Interés Cultural. Todos ellos quedan sometidos al régimen jurídico que para esos bienes la presente Ley establece*». Segunda: «*Se consideran asimismo de Interés Cultural y quedan sometidos al régimen previsto en la presente Ley los bienes a que se contraen los decretos de 22 de abril de 1949, 571/1963 y 499/1973*».

[197] Cfr. art. 9.2 LPHE.

[198] Cuestión a la que ya nos referimos en el apartado dedicado a los elementos normativos y su posible infracción del principio de igualdad.

El Tribunal Constitucional va a reconocer la constitucionalidad de la Ley 16/85, si bien con algunos matices que afectaban básicamente a la competencia para la declaración de Bienes de Interés Cultural. Concretamente, el Alto Tribunal estima que, *con carácter general*, la declaración como **Bien de Interés Cultural** es de **competencia de las Comunidades Autónomas,** en cuanto tengan asumida dicha competencia estatutariamente[199]. Únicamente el Tribunal admite la constitucionalidad de la facultad del Estado para proceder a la declaración de BIC en los supuestos a que se refiere el art. 6 b) de la Ley, es decir, cuando se trate de bienes adscritos a servicios públicos gestionados por la Administración del Estado, o los que formen parte del Patrimonio Nacional.

De acuerdo con lo expuesto, cuando la competencia sea autonómica, la declaración como BIC se aprobará por Decreto del correspondiente Consejo de Gobierno a propuesta del Departamento competente, de acuerdo con su propia normativa[200]. Mientras que si la competencia es estatal, corresponderá al Consejo de Ministros aprobar el Decreto, a propuesta del Ministerio de Cultura[201].

Realizado este inciso, debemos significar que el artículo 321 del Código Penal restringe la tutela penal a aquellos edificios singularmente protegidos **«por su interés histórico, artístico, cultural o monumental».**

A este respecto, recordemos como el constituyente dirige un mandato al legislador penal para la defensa, conservación y acrecentamiento del patrimonio *histórico, cultural y artístico* de los pueblos de España. Dicha referencia constitucional al «patrimonio histórico, cultural y artístico», consideramos que no se realiza en un sentido técnico, dada su dificultad de precisión y exactitud jurídica, al tratarse de conceptos indeterminados que requieren la labor necesaria de interpretación por parte del juez penal.

En principio, los términos «histórico» y «artístico», como ya se expuso, han sido los ejes determinantes de la tutela jurídica, tanto en el siglo XIX como en buena parte del presente. Sin pretender precisar exhaustivamente el contenido de los concretos intereses protegidos —labor que nos remitiría forzosamente a otras materias no jurídicas— ya expusimos cómo el interés *Histórico* constitu-

---

[199] Vid. *in extenso* una valoración crítica de la STC 17/1991, de 31 de enero, en ALEGRE ÁVILA, J.M.: *Evolución y régimen jurídico del Patrimonio histórico,* ob. cit., p. 754 y ss.

[200] A modo de ejemplo, véase el art. 11.1 de la Ley de Patrimonio Cultural del País Vasco; art. 12.1 de la Ley de Patrimonio Cultural de Galicia.

[201] Art. 11.1, Real Decreto 11/1986: «...*corresponde al Ministerio de Cultura tramitar los expedientes para declarar de interés cultural los bienes integrantes del Patrimonio Histórico Español...*».

ye una de las manifestaciones del valor cultural[202], como referencia a la historia en un sentido estricto, aludiendo así a los hechos y sucesos públicos y políticos acaecidos en el transcurso de los tiempos. El valor cultural supone, a mi juicio, una referencia más amplia a las diversas manifestaciones del ser humano, ligadas a la idea de civilización; mientras que, el *interés* concreto supone una especificación del *valor*, entendido como la categorización de los diversos intereses, en el sentido aportado por la definición italiana de los «*beni culturali*»[203].

Por lo que se refiere al interés **Artístico,** sin olvidar la dificultad de su precisión debido al subjetivismo que impregna su determinación, constituye asimismo otra manifestación del valor cultural, desde el entendimiento de la obra de arte no meramente desde un mero punto de vista estético, sino como un componente del sistema cultural al que pertenece; las obras artísticas constituyen, pues, fuente de conocimiento de la sociedad en que surge, al expresar aquella las ideas y pensamientos de la sociedad imperante.

Pues bien, cuando la declaración como Bienes de Interés Cultural recae sobre bienes inmuebles, se hará necesariamente en una de las categorías expresamente definidas en la norma; concretamente, en la LPHE, éstas serán las contenidas en el nº 2 del art. 14: *Monumentos*, Jardines, Conjuntos y Sitios Históricos, así como Zonas Arqueológicas[204]. Ello nos conduce a entender que cuando el art. 321 del Código penal alude al «***interés monumental*** del edificio» que se derriba o altera gravemente, dicho interés deba ser interpretado de acuerdo con la definición de «monumento» contenida en el art. 15.1 de la LPHE, según la cual «son monumentos aquellos bienes inmuebles que constituyen *realizaciones arquitectónicas o de ingeniería y obras de escultura colosal*, siempre que tengan *interés histórico-artístico, científico o social*».

La amplitud de la definición expuesta —pretendiendo precisar con exactitud, por un lado, los *tipos de inmuebles* concretos de los que resulta predicable y, por otro, los *específicos intereses* que le hacen adquirir esa condición— resulta

---

[202]   De ahí que se prefiera hacer referencia a él como un «interés», como concreta manifestación del «valor cultural».

[203]   Vid. *supra* en el Capítulo de derecho comparado, así como en el epígrafe dedicado al objeto jurídico de protección en los delitos que venimos analizando.

[204]   La legislación sectorial autonómica reproduce los mismos instrumentos de protección y categorías de declaración, si bien en algunos casos crean algunas nuevas. Así, por ejemplo, la Ley de 11 de junio de 1998 de Patrimonio Cultural Valenciano, respecto a la protección de los inmuebles declarados BIC, reconoce, junto a las categorías tradicionales de la Ley estatal (Monumentos, Jardines, Conjuntos y Sitios Históricos y Zonas Arqueológicas), otras desconocidas a nivel estatal, como la de *Zona Paleontológica y Parque Cultural*.

acorde con los criterios seguidos por los documentos internacionales[205] de protección del patrimonio arquitectónico.

De un lado, respecto de las clases de inmuebles, podemos considerar que la referencia a las *«realizaciones arquitectónicas»*, de acuerdo con el concepto tradicional de arquitectura[206] va referida a cualquier clase de edificio, mientras que la dirigida a las «realizaciones de ingeniería» remitiría a todo tipo de construcciones, como por ejemplo puentes, determinadas fábricas o edificios pertenecientes a épocas precedentes, etc., realizadas mediante técnicas de carácter ingenieril. El objeto material del 321, se inserta pues, en la categoría de *monumento*, precisamente por su condición de «realización arquitectónica» y, en su caso, podrá recibir la consideración de bien de interés cultural[207].

De otro lado, respecto de los *intereses* presentes en el edificio que propician su singular protección, resulta loable, tanto que el legislador penal haya prescindido de remitirse a los concretos intereses protegidos en la definición de la categoría de monumento —los cuales, como ha señalado la doctrina, pecan tanto por exceso como por defecto[208]— como el hecho de que reproduzca la fórmula tripartita del art. 46 de la CE («histórico, artístico y cultural»).

Ahora bien, la alusión por parte del art. 321 al «interés monumental» del edificio, a mi juicio, no resulta en absoluto afortunada, por cuanto, en primer lugar, supone la adjetivación de una categoría legal, el Monumento, que, asimismo, es portadora de intereses dignos de protección; en segundo lugar,

---

[205]   La «Convención para la protección del Patrimonio Mundial, Cultural y Natural», aprobada por la Conferencia General de la UNESCO en 1972, define los **monumentos** como «obras de arquitectura, de escultura o de pintura monumentales, elementos o estructuras de carácter arqueológico, inscripciones, cavernas y grupos de elementos que tengan un valor universal excepcional desde el punto de vista de la historia, del arte o de la ciencia».

[206]   El vocablo «arquitectura» significa, según PANIAGUA, *«el arte y técnica de diseñar, emplazar y construir edificaciones utópicas, efímeras o perdurables, creando espacios adecuados en función de alguna de las dimensiones de la vida humana».* PANIAGUA: *Vocabulario básico de arquitectura,* 1996, p. 58.

[207]   El resto de inmuebles que integran la definición de monumento —las realizaciones de ingeniería, así como las «obras de escultura colosal», integradas estas últimas en el concepto clásico de escultura— podrán hallar su protección, en principio, en precepto diferente, concretamente, en el art. 323, si bien esta cuestión será tratada con detenimiento en el estudio del precepto señalado.

[208]   Vid. en este sentido, la crítica que realiza BARRERO RODRÍGUEZ respecto de los términos legales utilizados en la definición de monumento de la LPHE. BARRERO RODRÍGUEZ, C.: *La ordenación jurídica del Patrimonio histórico,* ob. cit., p. 212 y ss.

aunque, en una primera impresión pueda parecer, como afirma algún autor[209], una ampliación del ámbito de tutela penal, podemos observar más detenidamente como los únicos intereses ausentes en el tipo penal, y que sí aparecen en la definición de monumento, los intereses «científico o social», realmente encuentran ya su protección en los descritos en el tipo. Así, respecto del interés *científico*[210], se da cabida a aquellos bienes relevantes desde el punto de vista de la ciencia, si bien este criterio habrá de ponerse en conexión con el valor *cultural* de los bienes dignos de protección, de modo que quedarán excluidos aquellos bienes que nada aporten al conocimiento de la civilización humana. Respecto del interés *social*, reproduciendo lo ya expuesto, debe imponerse una interpretación restrictiva, de forma que se reconduzca a ser portador de valor cultural alguno, incluido en el tipo penal. En definitiva, el art. 321 debe restringirse a aquellos edificios revestidos de un valor o interés cultural (histórico, artístico, etc.) que haya sido expresamente así considerado.

En otro orden de cosas, ya apuntamos como la LPHE sólo autoriza en *casos excepcionales* determinadas actuaciones sobre el patrimonio inmobiliario, en aras a una superación del urbanismo expansionista y en favor de una política urbana orientada a la conservación, pretendiendo atajar el fenómeno grave de deterioro de los cascos históricos. En lo referente a los *Bienes de Interés Cultural*, el art. 36.2 de la Ley establece una limitación en términos genéricos, en cuanto a su utilización, subordinándola a que *no se pongan en peligro los valores que aconsejen su conservación*. El precepto se limita, pues, a establecer un deber de abstención, pero descrito en términos absolutamente genéricos[211]. En el caso de

---

[209] TAMARIT SUMALLA, J.M.: *Comentarios...*, ob. y loc. cit.

[210] Interés que ya encontró amparo en la Convención para la salvaguarda del patrimonio arquitectural de Europa, firmada en Granada el 3 de octubre de 1985. De acuerdo con el art. 1 de la Convención, se define a los monumentos como «todas las realizaciones especialmente relevantes por su interés histórico, arqueológico, artístico, *científico*, social o técnico, comprendidas las instalaciones o los elementos decorativos que constituyen parte integrante de estas realizaciones».

[211] A su vez, establece prohibiciones absolutas o relativas —es decir, sin o con posibilidad de remoción mediante una decisión administrativa— según la actividad que se realice; entre las sometidas a prohibición absoluta, encontramos la realización de construcciones que alteren el carácter de los Monumentos (19.3), y entre las de prohibición relativa, el cambio de uso o la realización de obra interior o exterior que afecte directamente a un Monumento, a sus partes integrantes o pertenencias y a su entorno (art. 19), así como la prohibición de demolición.

Sobre este particular, BESUNSAN MARTÍN acusa de «excepcional» la autorización de las obras y de que cuando se ordenan es para vincularlas a un deber de conservación a ultranza, en el que además falla la financiación. BENSUNSAN MARTÍN, M.P.: *La protección urbanística de los bienes inmuebles históricos*, Granada, 1996, p. 281 y ss.

actuaciones sobre estos inmuebles se encuentran asimismo regulados por ley los criterios de intervención, aunque referidos únicamente a reconstrucciones y restauraciones[212]. Ahora bien, debemos señalar que estos criterios son realmente directrices técnicas, cuyo incumplimiento no será sancionable en el ámbito penal si no se demuestran efectivamente los daños producidos con la actuación que se ha llevado a cabo.

Por último, pueden suscitarse dos cuestiones relevantes en torno a los BIC sobre las cuales considero corresponde pronunciarse: en *primer lugar,* si la protección penal conferida por el tipo previsto en el 321 puede o no extenderse a los «conjuntos históricos», una de las categorías legales con que pueden ser designados los inmuebles sobre los que recaiga la declaración de BIC, así como a los «entornos» de los monumentos. En *segundo lugar,* nos plantearemos si la protección que dispensa la legislación de Patrimonio Histórico a favor de los bienes *afectados por la incoación* de un expediente de declaración de BIC, se extiende al ámbito penal.

1.a) En primer término, cuando la acción típica prevista en el art. 321 recaiga sobre algún edificio incluido en un **Conjunto Histórico** se plantea la duda sobre si, en todo caso, resultaría amparado por la tutela penal prevista en aquel precepto, por cuanto no todos los inmuebles integrantes del Conjunto tienen el mismo grado de protección.

De acuerdo con una interpretación restrictiva del tipo penal, la protección no puede extenderse, *en general,* a los «Conjuntos Históricos»[213], por cuanto el Código habla únicamente de «edificios» entendidos singularmente.

---

[212] En el art. 39.2 de la LPHE se afirma que en el caso de los bienes inmuebles, las actuaciones sobre éstos irán encaminadas a su *«conservación, consolidación y rehabilitación y evitarán los intentos de reconstrucción, salvo cuando se utilicen partes originales de los mismos y pueda probarse su autenticidad. Si se añadiesen materiales o partes indispensables para su estabilidad o mantenimiento las adiciones deberán ser reconocibles y evitar las confusiones miméticas».* En el nº 3 del mismo precepto se establece que «las *restauraciones* de los bienes a que se refiere el presente artículo respetarán las aportaciones de todas las épocas existentes. *La eliminación de algunas de ellas sólo se autorizará con carácter excepcional y siempre que los elementos que traten de suprimirse supongan una evidente degradación del bien y su eliminación fuera necesaria para permitir una mejor interpretación histórica del mismo.* Las partes suprimidas quedarán debidamente documentadas» (la cursiva es nuestra). En la LPCV se enumeran los criterios de intervención en los Monumentos, a primera vista, prácticamente idénticos a los de la ley estatal, si bien respecto de la eliminación de alguna aportación de época anterior, únicamente señala que en caso de que se autoricen deben quedar suficientemente documentadas.

[213] La LPHE ha definido con carácter previo los Conjuntos Históricos (art. 15.3), haciendo referencia a dos ámbitos diferenciados: *por un lado,* a las agrupaciones de inmuebles que

Ahora bien, a mi juicio, en principio, deberá comprobarse el grado de protección concreto del edificio que hubiese sido objeto del derribo o alteración, puesto que aquél no es el mismo en todos los inmuebles que componen el Conjunto Histórico. En ese sentido, de acuerdo con el art. 21.1 LPHE, a los elementos singulares se les dispensará una protección integral, mientras que, para el resto de elementos se fijará, en cada caso, un nivel adecuado de protección[214].

Consecuentemente estimo que el ámbito de protección del art. 321 abarca los edificios protegidos que, considerados individualmente —estén o no incluidos en un Conjunto Histórico[215]— posean un interés histórico, artístico, cultural o monumental, toda vez que la declaración como Conjunto no presupone necesariamente que todos los edificios incluidos en él posean los intereses mentados, sin perjuicio de su sujeción al régimen propio de los Conjuntos Históricos.

Abundando en esta tesis, el Tribunal Supremo (3ª) afirma en sentencia de 20 de julio de 1995[216] que «el inmueble aquí cuestionado no ha sido objeto de declaración de valor histórico o artístico, sino que simplemente se trata de *una construcción situada dentro de la zona de Conjunto Histórico de Oviedo*, declara-

---

forman una unidad de asentamiento, continua o dispersa, condicionada por una estructura física representativa de la evolución de una comunidad humana por ser testimonio de su cultura o constituir un valor de uso y disfrute para la colectividad, y, *por otro lado*, a cualquier núcleo individualizado comprendido en una unidad superior de población, que reúna esas mismas características y pueda ser claramente delimitado, segundo ámbito donde se entienden incluidos lo que venimos denominando como **centros históricos o cascos antiguos** de las poblaciones.

[214] Art. 21.1 LPHE: «*En los instrumentos de planeamiento relativos a los Conjuntos Históricos se realizará la catalogación, según lo dispuesto en la legislación urbanística, de los elementos unitarios que conforman el Conjunto, tanto inmuebles edificados como espacios libres, exteriores o interiores, u otras estructuras significativas, así como de los componentes naturales que los acompañan, definiendo los tipos de intervención posible... A los elementos singulares se les dispensará una protección integral. Para el resto de elementos se fijará, en cada caso, un nivel adecuado de protección*».
En la normativa autonómica, la LPCV prevé cómo el Plan Especial determinará los criterios de protección de los elementos unitarios del Conjunto que sean declarados BIC, así como el de los Bienes de Relevancia Local (art. 39.2 h)).

[215] En este sentido, en la doctrina, MILANS DEL BOSCH y JORDANS DE URIES: ob. cit., p. 200 y ss. Por contra, BELTRÁN ABADÍA, CORVINOS BASECA y FRANCO HERNÁNDEZ consideran extendido el tipo del 321, no sólo a los monumentos, sino también a los «conjuntos históricos», considerándolos incluibles en la expresión «edificios singularmente protegidos». BELTRÁN ABADÍA, R., CORVINOS BASECA, P. y FRANCO HERNÁNDEZ, Y.: «Los nuevos delitos sobre ordenación del territorio y la disciplina urbanística», en *Revista de Derecho Urbanístico*, nº 51, enero-febrero 1997.

[216] RJ 1995/6179.

da Bien de Interés Cultural, por la resolución de la Dirección General de Bellas Artes de 25 de enero de 1974, *lo que en modo alguno presupone que el mentado edificio tenga por sí mismo valor histórico o artístico...*» (FJ 2º).

En definitiva, los edificios integrantes del Conjunto, que no ostenten una singularidad intrínseca por sus intereses históricos o artísticos, quizás podrían encontrar protección penal a través del art. 319, en el supuesto de realización de construcciones no autorizadas en «lugares que tengan legal o administrativamente reconocido su valor... artístico, histórico o cultural».

Asimismo, entiendo que queda excluida del ámbito del 321 la protección penal del *entorno* de los edificios, recibiendo tutela por la vía de la legislación administrativa[217]. A este respecto, aunque en la actualidad[218] tanto la LPHE[219] como, en su caso, la normativa autonómica sobre la materia, obligan a delimitar el entorno de los bienes culturales inmuebles y establecen un régimen de intervención administrativa, el régimen de las intervenciones públicas sobre los entornos difiere del de los propios bienes, los cuales tienen el valor cultural en sí mismos, mientras que en el caso del entorno, el interés público se encuentra en ser *medio de puesta en valor* del propio bien cultural.

1.b) En segundo lugar, debe plantearse la cuestión relativa a si se extiende la protección penal a los edificios sobre los que únicamente se ha **incoado el expediente** de su declaración como BIC[220], toda vez que la normativa de

---

[217] Para SALINERO ALONSO, el entorno recibe protección a través de los delitos urbanísticos cuando se tipifican las «construcciones no autorizadas en lugares que tengan legal o administrativamente reconocido su valor paisajístico, ecológico, artístico, histórico o cultural, o por los mismos motivos haya sido considerado de especial protección». SALINERO ALONSO, C.: ob. cit.

[218] Los entornos han sido habitualmente desatendidos en la normativa española protectora del Patrimonio Histórico, fundamentalmente por la imprecisión física de estos espacios y la dificultad en su delimitación, de forma que el régimen jurídico establecido se proyectaba exclusivamente sobre el Monumento. Sin embargo, si atendemos al *derecho comparado*, en la legislación francesa, tal y como ya se expuso, el objeto material sobre el que recae la acción tipificada en la ley de 1913 también debe tratarse de un bien especialmente protegido por decisión administrativa, si bien se extiende, además de a los bienes inmuebles, a los *sites*, incluso al entorno. Asimismo, la regulación italiana y alemana los considera dignos de protección en una interpretación amplia del objeto de los daños.

[219] Art. 11.2 LPHE: «*La resolución del expediente que declara un Bien de Interés Cultural deberá describirlo claramente. En el supuesto de inmuebles, delimitará el entorno afectado por la declaración y, en su caso, se definirán y enumerarán las partes integrantes, las pertenencias y los accesorios comprendidos en la declaración*».

[220] De acuerdo con ÁLVAREZ en estos momentos el Ministerio de Cultura tiene información de unos 80.000 inmuebles que, individualmente —pues algunos reciben protección al estar

protección del Patrimonio Histórico (art. 11 LPHE) establece la aplicación provisional del mismo régimen de protección previsto para los bienes ya declarados de interés cultural.

En sentido *favorable* a la admisión de estos supuestos en el ámbito de tutela penal, BOIX REIG considera que los edificios sobre los que se ha incoado el expediente están singularmente protegidos desde el momento en que se les aplica el mismo régimen de protección que a los BIC[221]. Por su parte, CARMONA SALGADO[222], si bien estima que también gozan de la protección especial del art. 321 los bienes incursos en expedientes de declaración, plantea el inconveniente referido al supuesto de que *finalmente se resolviera en sentido negativo el expediente,* esto es, que finalmente no fuera considerado como Bien de Interés Cultural[223]. En estos casos, la autora afirma que, si el derribo o alteración se produjo durante el proceso de incoación, sí podría incurrirse en el delito del 321, si bien estima que quizás la solución más adecuada hubiera sido la de suspender el proceso penal, a la espera de que aquella se produzca definitivamente. Finalmente, sostiene que, si de todos modos se considera que esta interpretación amplía excesivamente el contenido del tipo, la única solución posible sería aplicar el art. 323.

En contra de esta postura, SUÁREZ GONZÁLEZ mantiene que, desde un punto de vista teleológico existen razones que avalan la posición contraria. En primer lugar admite que, efectivamente, cabe la posibilidad de que finalmente se deniegue el interés cultural del edificio, y en segundo lugar, afirma que es la resolución del expediente la que contiene la descripción completa del bien sobre el que se reconoce el Interés Cultural[224]. Asimismo, DE LA CUESTA ARZAMENDI

---

integrados en Conjuntos históricos—podrían tener interés histórico o artístico, y podrían ser declarados en esas categorías. ÁLVAREZ ÁLVAREZ, ob. cit., p. 144 y, sobre todo, la 153.

[221] BOIX REIG, J.: *Derecho penal. Parte especial,* ob. y loc. cit. En el mismo sentido, CONDE-PUMPIDO TOURON, C.: *Código penal. Doctrina y jurisprudencia,* ob. cit., p. 3.212. PÉREZ ALONSO, E.J.: ob. cit., p. 630; GARCÍA CALDERÓN, J.M.: «La protección penal del Patrimonio Histórico», ob. cit., p. 418.

[222] CARMONA SALGADO, C.: *Curso de Derecho penal español,* ob. cit., p. 40.

[223] En este mismo sentido, TAMARIT SUMALLA sostiene que, si bien una interpretación literal induce a pensar que sí deberían incluirse estos supuestos, aquella tropieza con algunos inconvenientes, como es el supuesto mencionado en que finalmente no se dicte resolución declarando el interés especial. TAMARIT SUMALLA, J.M.: *Comentarios al Nuevo Código penal,* ob. y loc. cit.

[224] SUÁREZ GONZÁLEZ, C.: *Comentarios al Código Penal,* ob. cit., p. 920. En un sentido similar, DE VEGA RUIZ, ob. y loc. cit. Por su parte, SALINERO ALONSO se basa para adoptar esta postura en razones político-criminales y de seguridad. SALINERO ALONSO, C.: ob. y loc. cit.

considera al respecto que se trata de una previsión centrada en la protección administrativa y que no alcanza relevancia en el campo penal[225].

Pues bien, conforme se ha apuntado, efectivamente, la protección por parte de la legislación del Patrimonio Histórico se extiende incluso a bienes no declarados formalmente BIC. Concretamente se prevén ciertas reglas que tratan de impedir su derribo o demolición por intervenciones urbanísticas. A este respecto, la Administración puede suspender las correspondientes licencias municipales de demolición, parcelación o edificación en zonas afectadas por la *incoación* de un *expediente de declaración de interés cultural*[226]; incluso podrá impedir un derribo o suspender las intervenciones sobre aquellos bienes respecto de los cuales *puede recaer la incoación* de ese expediente[227], siempre que aprecie la concurrencia de algunos de los valores mencionados en el art. 1. Por su parte, aquellos bienes inmuebles de valor histórico artístico cuyo expediente para la declaración como Monumento fue incoado con anterioridad a la entrada en vigor de la actual Ley de Patrimonio, tampoco podrán derribarse[228] ni realizarse en él obra alguna, ni proseguir las empezadas[229].

Ahora bien, en el caso de bienes incursos en expedientes de declaración de su interés cultural, la Administración competente deberá, o proceder a la incoación de la declaración de BIC dentro de los 30 primeros días, u, ordenada la suspensión, resolver sobre la aprobación de un Plan especial o de otras medidas de protección previstas en la normativa urbanística, en un plazo de 6 meses desde la suspensión de las obras de demolición o cambio de uso de los inmuebles no declarados de Interés Cultural[230].

---

[225] DE LA CUESTA ARZAMENDI, J.L.: «Los delitos relativos a la ordenación del territorio y sobre el patrimonio histórico», ob. y loc. cit. De idéntica opinión, SERRANO GÓMEZ: ob. y loc. cit.

[226] Art. 16.1 LPHE.

[227] De acuerdo con el art. 37.2 LPHE.

[228] En ese sentido, el Tribunal Supremo afirmaba cómo «cuando se trata de la salvaguarda de un bien cultural, frente a actos que, como el derribo, tienen naturaleza irreversible, la interpretación finalista de las normas existentes se hace necesaria, no pudiendo aceptarse criterios que pueden llevar a esa destrucción por aplicación de normativas —como la relativa a la caducidad de los actos administrativos— que no fueron concebidas para llegar a ese resultado». STS (3ª) de 6 de abril de 1992 (RA 3001).

[229] La LPHE del 85 se remite expresamente en sus disposiciones transitorias (sexta, 1) a la subsistencia de la normativa que derogó respecto a «*la tramitación y efectos de los expedientes sobre la declaración de bienes inmuebles de valor histórico artístico incoados con anterioridad a la entrada en vigor de esta Ley*». En ese sentido, será de aplicación el art. 17 de la Ley de 1933 sobre defensa, conservación y acrecentamiento del Patrimonio Histórico y Artístico.

[230] Con base en lo previsto en el art. 25 LPHE.

Considero, pues, aceptable la postura de CARMONA SALGADO cuando afirma que, si el derribo o alteración se produjo durante el proceso de incoación, sí podría incurrirse en el delito del 321; generalmente, en estos supuestos, es como consecuencia del derribo o alteración del edificio cuando decae el expediente. Sin embargo, no coincido cuando sostiene que, de todos modos se podría aplicar el art. 323, interpretación que, a mi juicio, amplía excesivamente el contenido del tipo, pues iría en contra del principio de proporcionalidad el hecho de que edificios que, finalmente no se han considerado necesitados de una singular protección administrativa, sí que la reciban en el ámbito penal a través de un precepto que conmina con sanciones más graves.

De otro lado, si bien es cierto —tal y como afirma SUÁREZ GONZÁLEZ— que la resolución del expediente es la que contiene la descripción completa del bien sobre el que se reconoce el interés cultural, también lo es que el acto por el cual *se incoa* el expediente para declarar el interés cultural, exige también la descripción del bien objeto del mismo, en aras a su identificación[231].

A la vista de lo expuesto considero que, en principio, la actuación conducente al derribo o una alteración de edificio a partir de la incoación de su expediente para declararlo de Interés Cultural, podría subsumirse en el tipo penal contenido en el art. 321, fundamentalmente porque la protección conferida a estos bienes desde la LPHE parece fundarse en la tutela de los presuntos valores culturales de los que puede ser portador el bien, evitando para ello aquellas actuaciones que podrían hacerlos desaparecer.

Ahora bien, la propia Ley provoca efectos distorsionantes a lo largo de su articulado, asimilando los bienes que se encuentran con un expediente de declaración en trámite a los ya declarados como BIC; concretamente cuando, entre las infracciones administrativas previstas, el art. 76 se refiere al derribo de cualquier inmueble «*afectado*» *por un expediente de declaración de Bien de Interés Cultural;* dependerá, pues, de la interpretación del término «afectación» para

---

[231] Art. 12 del Real Decreto 111/1986, de 10 de enero (de desarrollo parcial de la Ley 16/1985, de 25 de junio, del Patrimonio Histórico Español):
«1. El acto por el que se incoa el expediente deberá describir para su identificación el bien objeto del mismo. En el caso de bienes inmuebles el acto de incoación deberá, además, delimitar la zona afectada...
2. La incoación se notificará a los interesados cuando se refiera a expedientes sobre bienes muebles, monumentos y jardines históricos, y en todo caso al Ayuntamiento del municipio en cuyo término éstos radiquen si se trata de inmuebles.
3. La incoación del expediente se efectuará de oficio o a solicitud de persona interesada y deerminará en relación al bien afectado la aplicación provisional del régimen de protección previsto para los bienes de interés cultural».

considerar incluidos o no los inmuebles con expediente incoado, como objeto de la infracción.

Obviamente, la posibilidad legal de *dejar sin efecto* la declaración de Interés Cultural del bien[232] supone la pérdida del interés por la protección de los valores culturales del edificio[233], y, consecuentemente, determinará la exclusión del tipo penal si es en ese momento cuando se produce el derribo. Mas, si el derribo o alteración grave del edificio se produjo con anterioridad a su descatalogación, el tipo se habrá realizado plenamente. No obstante, en el supuesto de la declaración de nulidad del acto administrativo por el que se acordó de forma contraria a derecho la catalogación o la concesión de una singular protección, parece que en principio, la conducta del derribo o la alteración grave no sería típica[234] de acuerdo con el 321.

Finalmente, se ha venido planteando qué ocurre en aquellos supuestos en el que *varía el régimen normativo del bien, desde* que se solicita la licencia de demolición del edificio en cuestión *hasta* su concesión. La sentencia del Tribunal Supremo (3ª) de 3 de noviembre de 1995[235] resume la doctrina de este Alto Tribunal en los siguientes términos:

«3ª. El problema planteado en este proceso es el referido al planeamiento que debe ser aplicado a la licencia de demolición que se cuestiona, a saber, el vigente cuando la licencia fue solicitada (que permitía la demolición del edificio) o el vigente cuando la Comisión Provincial de Urbanismo resolvió la petición (que no permite la demolición).

3ª. Este problema ha sido lo suficientemente debatido en los Tribunales, y sobre él existe una consolidada jurisprudencia, según la cual *la normativa aplicable es la vigente en el momento de resolver la petición de la licencia (si se resuelve en plazo) o la vigente en el momento de su solicitud (si se resuelve fuera*

---

[232] Art. 16 del Real Decreto 111/1986; asimismo, en la normativa autonómica, valga como ejemplo el art. 30 de la LPCV.

[233] Sin embargo, en algunos supuestos se procede a la eliminación de la condición de BIC como consecuencia de la necesidad de llevar a cabo alguna intervención urbanístico especulativa.

[234] En ese sentido, TAMARIT SUMALLA, J.M.: ob. cit., p. 1.502; asimismo, FARRE DÍAZ, E. considera que la nulidad del acto administrativo determinaría la atipicidad de la conducta del derribo o alteración grave. FARRE DÍEZ, E.: *Delitos relativos a la ordenación del territorio y protección del patrimonio Histórico, medio ambiente y contra la seguridad colectiva (delitos de riesgo catastrófico e incendios),* ob. cit., p. 89 y ss. CATALÁN SENDER añade que, si se ha interpuesto recurso contencioso-administrativo, el juez penal deberá paralizar su actuación a resultas de lo que resuelva el juez contencioso-administrativo sobre la validez o no de la declaración del interés cultural. CATALÁN SENDER, J.: *Los delitos cometidos por autoridades y funcionarios públicos,* 1999, p. 524 y ss.

[235] RJ 1995/8062.

de plazo) tal como se expresan las Sentencias de este Tribunal de 4 de marzo de 1992 (RJ 1992, 3217), 1 de diciembre de 1992 (RJ 1992, 9737), 2 de junio de 1993 (RJ 1993, 4512) y 29 de junio de 1993 (RJ 1993, 4896)... (la cursiva es añadida)».

De acuerdo con lo expuesto, en este caso resultó de aplicación la nueva normativa urbanística que había entrado en vigor cuando aún no había transcurrido el plazo que la Comisión Provincial de Urbanismo tenía para resolver la petición de licencia, normativa que otorgaba un nivel de protección máximo al edificio, impidiendo así su demolición[236].

b') Los Catálogos Urbanísticos

El segundo grupo de edificaciones que, a mi juicio, podrán conformar el objeto material del tipo previsto en el art. 321, está compuesto por aquellos edificios incluidos en *Catálogos Municipales*.

Ya apuntamos la necesaria interacción entre la tutela monumental conferida por la normativa específica de Patrimonio Histórico, y la otorgada por la *normativa urbanística*. En este sentido, la vigente Ley del Suelo de 1976 expone como la conservación y valoración del Patrimonio Histórico y Artístico de la Nación, en cuanto objeto de planeamiento especial, se referirá, entre otros aspectos, a los edificios de interés, a la composición y detalle de los edificios situados en emplazamientos que deban ser objeto de medidas especiales de protección, o al uso y destino de edificaciones antiguas y modernas[237].

A este respecto, en la sentencia del Tribunal Supremo de 14 de noviembre de 1976, se reconoce cómo la regulación urbanística constituye «norma sustantiva de ordenación que opera con independencia de lo que dispongan las normas sobre el patrimonio histórico-artístico, aun cuando engloben las mismas».

Asimismo, de acuerdo con la doctrina jurisprudencial sentada en resolución de 21 de septiembre de 1991, los Ayuntamientos son competentes para promover la inclusión en el Catálogo de edificios o construcciones de interés histórico, arqueológico o tradicional. En esta ocasión se trataba de un edificio que cabía ser estimado como antiguo, y que «aun no siendo excepcional, tiene un interés notable, ya que conserva un carácter propio y singular de testigo de la evolución

---

[236] Concretamente, se trataba de la Adaptación-Revisión del Plan General de Ordenación Urbana de Córdoba.

[237] Véase el art. 18 de la LS76 (recordemos que, tras la Sentencia del TC de 20 de marzo de 1997, el texto refundido de la LS de 1976 protagoniza el escenario urbanístico, junto con la legislación autonómica que, en su caso se haya dictado).

económica y social de los habitantes del municipio de Figueras... reflejo de la cultura indicativa de un período» (Ar. 7625).

El Urbanismo se encarga, pues, de la protección del Patrimonio Histórico que no haya recibido especial protección por la legislación específica. De ese modo, existen dos niveles diferenciados de protección respecto de los bienes culturales: el propio de los Bienes de Interés Cultural y el ordinario del orden urbanístico para los demás bienes culturales.

Concretamente, el esquema de tutela diseñado por la normativa urbanística, en orden a la protección de edificios, se basa en la previsión de la figura de los **Catálogos**[238] municipales, los cuales contendrán relaciones de los monumentos, jardines, parques naturales o paisajes que, por sus singulares valores o características hayan de ser objeto de una especial protección, proporcionando así adecuados instrumentos de salvaguarda y preservación de edificaciones de interés cultural, que no alcancen la consideración de BIC, pero cuya conservación se estime como necesaria.

En general, los Catálogos son documentos complementarios de las determinaciones de los Planes especiales, o —en su caso— de los Planes Generales[239], aprobándose al tiempo que éstos[240], constituyendo su misión fundamental, por

---

[238] Sobre estos documentos, puede verse al respecto: PARADA, R.: *Derecho administrativo III Bienes públicos. Derecho urbanístico*, 1997, p. 513; BENAVIDES SOLIS, J.: «Expedientes de catalogación, entornos y planeamiento urbanístico», en *Boletín del Instituto Andaluz de Patrimonio Histórico*, nº 16, 1996, p. 89 y ss.; GONZÁLEZ-VARAS IBÁÑEZ, S.: *La rehabilitación urbanística*, Pamplona, 1998, p. 85 y ss: RODRÍGUEZ-TOURON ESCUDERO, M. J.: «Los Catálogos de Planeamiento, una herramienta básica en la protección del patrimonio», en *Boletín del Instituto Andaluz de Patrimonio Histórico*, nº 16, 1996, p. 119 y ss.

[239] A este respecto, el Plan General de Valencia de 1988 establece que el Catálogo de patrimonio arquitectónico y monumental, contenido entre sus determinaciones, será susceptible de ser desarrollado mediante un Plan Especial, el cual contendrá la normativa precisa respecto a los bienes catalogados en su ámbito. Concretamente establece los niveles de protección y las actuaciones posibles en cada uno de ellos.

[240] En ese sentido, el art. 25 LS del 76 especifica «que la protección a la que los Planes especiales se refieren cuando se trata de conservar o mejorar monumentos jardines, parques naturales o paisajes, requerirá la inclusión de los mismos en Catálogos aprobados por el Ministerio de Obras Públicas y Urbanismo o la Comisión Provincial de Urbanismo».
Ahora bien, atendiendo a la legislación autonómica, cabría la posibilidad de elaborar catálogos aun cuando no haya plan urbanístico. En ese sentido, el art. 12 F de la Ley valenciana (LRAU) señala: «*Los Catálogos se podrán aprobar como Planes independientes o como simples documentos de los Planes antes referidos*». No obstante esta posible naturaleza independiente, los Catálogos forman parte necesaria del Plan General como documento complementario, pues el art. 17 de la citada ley determina que aquellos elementos del patrimonio histórico, arquitectónico o cultural comprendidos en los núcleos históricos

lo que respecta a los edificios, diseñar concretas políticas de intervención en los mismos.

El grado de protección del edificio se dispondrá concretamente en el Catálogo, atendiendo prioritariamente a los valores arquitectónicos que presentan los mismos, estableciendo distintas medidas de protección en función de las características del inmueble a proteger. A estos efectos, se prevé la obligatoriedad de inscribir los mencionados bienes en un Registro Público de carácter administrativo, dependiente de cada Comisión provincial de Urbanismo, la cual recogerá todos los bienes incluidos en los Catálogos de los Planes vigentes en la provincia.

Los Catálogos Urbanísticos pueden venir exigidos por la legislación de Patrimonio Histórico (art. 21.1 LPHE) —concretamente la LPHE preceptúa la obligación de catalogar los elementos integrantes de los Conjuntos Históricos— o por la propia legislación urbanística.

A este respecto, la **normativa urbanística autonómica** pretende fomentar la protección del patrimonio arquitectural desde *políticas conservacionistas*. A modo de ejemplo, en la Comunidad Valenciana, la Ley Reguladora de la Actividad Urbanística (en adelante LRAU) plantea de forma restrictiva la sustitución de elementos —permitida en los actuales Planes especiales, aun cuando la fachada permanezca como elemento a conservar— si bien como una medida de carácter excepcional y efectuada bajo condiciones especiales. Asimismo, la LRAU, en relación con los *edificios catalogados* o en trámite de catalogación, prescribe la adopción de medidas posibles en los supuestos mencionados de ruina, entre las que no se incluye la demolición del inmueble[241]. Dicha afirmación queda reforzada cuando se prescribe expresamente que las licencias de demolición sólo se otorgarán para edificios no catalogados[242].

Por su parte, en relación a las *intervenciones* en edificios catalogados, por ejemplo, el art. 91 de la citada LRAUCV se refiere a las obras «*expresamente autorizadas* en la licencia de intervención o dispuestas por orden de ejecución municipal», señalando en su nº 2 como las *licencias de intervención* contempla-

---

tradicionales delimitados por el Plan General, deben integrarse en el correspondiente Catálogo. De ese modo, la LRAU configura el Catálogo como un documento de necesaria existencia, complemento del Plan General y referido al núcleo o núcleos históricos regulados por aquél.

[241] Art. 90.5 LRAU. El precepto se acomoda a la reiterada jurisprudencia ya señalada que distinguía entre la declaración de ruina y la ejecutividad de dicha declaración.

[242] Edificios no catalogados, ante cuya declaración de ruina la Ley prevé la demolición o la rehabilitación, a elección del propietario (art. 90.4 LRAU).

rán tanto las actuaciones que hayan de realizarse en el inmueble como el resultado de las mismas. Dicha licencia controla «*la oportunidad técnica de las obras para la mejor preservación de las características culturales cuyo reconocimiento colectivo se expresa en la catalogación*». Sólo de forma excepcional podrá contemplarse la sustitución de la edificación, a ser posible parcial, y bajo condiciones especiales, en dos supuestos: cuando sea imposible la conservación de lo construido, o cuando la catalogación no obedezca a su valor intrínseco sino a su mera importancia ambiental.

Pese a lo expuesto, al igual que en el caso de los BIC, lo relevante para que se produzca la **intervención penal** será, en definitiva, que la alteración recaiga sobre los elementos portadores de los valores que aconsejaron la protección del edificio catalogado, esto es, los que representan el valor cultural del inmueble. Pensemos, por ejemplo, en la alteración de la fachada de elevado interés artístico de un edificio catalogado, o, en otro caso de su interior, por ejemplo, la alteración de su patio gótico, motivo de la catalogación del edificio.

Por su parte, el régimen jurídico de protección de los bienes catalogados se completa con la *legislación autonómica sobre Patrimonio Cultural* dictada al efecto. Así, por ejemplo, la Ley 9/1993 de Patrimonio Cultural Catalán prohíbe el derribo de los bienes integrantes del Patrimonio Cultural, incluyendo los bienes de interés nacional y los bienes catalogados (art. 25.2). Asimismo, en la Ley de Patrimonio Cultural Valenciano (art. 21) se prohíben, en todo caso, los derribos, totales o parciales, de inmuebles incluidos en el Inventario, salvo que quede sin efecto su inscripción en él, pudiendo otorgarse licencia de demolición, previa exclusión del Catálogo de Bienes y Espacios Protegidos.

De acuerdo con lo expuesto, podemos observar como estas determinaciones autonómicas muestran una mayor contundencia en la protección del patrimonio inmobiliario frente a los derribos, que la propia Ley 16/1985, de Patrimonio Histórico Español, dada la ausencia de reservas por parte de la normativa autonómica en las citadas actuaciones.

Ahora bien, reiteramos como el derribo de un edificio singularmente protegido por su interés histórico, artístico, cultural o monumental —previsto como infracción tanto por el ordenamiento jurídico-penal como por el Derecho Administrativo Sancionador—, en virtud del principio *ne bis in idem*, deberá ser sancionado de acuerdo con el Código Penal; se resuelven así los problemas derivados de la posibilidad de subsunción de los comportamientos infraccionables, en normas administrativas y penales, donde, dado el contenido de injusto de ambas infracciones, podíamos encontrar determinadas actuaciones enmarcables en ambos ámbitos de aplicación, cuestión que ya fue tratada en el Capítulo anterior de nuestro trabajo.

En definitiva, partimos de la necesidad de *catalogar* los edificios de relevante valor[243], con el fin de evitar posibles derribos de éstos así como de sus elementos externos, si bien lógicamente con las limitaciones establecidas en la ley. De forma que la catalogación en la ciudad histórica es necesaria, pero sin olvidar que no todo es protegible: el plan determinará, desde los edificios o grupos de edificaciones que deben protegerse totalmente, hasta los no catalogados, permitiéndose su derribo con ciertas condiciones y atendiendo a nuevas necesidades, en aras de políticas urbanísticas de revitalización de las ciudades.

c') Categorías y regímenes de protección autonómicos

Para finalizar con el cuadro de bienes que pueden considerarse objeto de protección del 321, no debemos olvidar como algunas Comunidades, además de, en el uso de su competencia, declarar bienes culturales y aplicarles su régimen de protección, crean **categorías y regímenes propios.** Concretamente, resulta frecuente en la normativa autonómica la creación de un segundo escalón o nivel de protección de los bienes inmuebles, posibilidad rechazada por el legislador estatal —aunque sí se preveía en el Anteproyecto de Ley— de forma que recibirán calificación y tutela individualizada un número importante de inmuebles por medio de este novedoso instrumento, intermedio entre la declaración como BIC y el Catálogo Urbanístico[244].

c) Supuestos excluidos del ámbito de protección del artículo 321 CP

Una vez expuestos qué edificios ostentan una singular protección, y señalados cuáles, a mi juicio, podrán ser objeto material del art. 321, voy a continua-

---

[243] A este respecto, el arquitecto BORRELL CALONGE agradece la exigencia de «gravedad» en las alteraciones típicas, pues en muchos casos, municipios con apenas patrimonio, catalogan edificios que por su escaso valor podrían ser demolidos fácilmente; sin embargo, otros realizan una protección integral ante la abundancia de su patrimonio. BORRELL CALONGE, A.: «Los nuevos delitos sobre la ordenación del territorio y sobre el Patrimonio Arquitectónico. Aspectos técnicos», en Seminario sobre *Protección del medio ambiente en el nuevo Código penal,* UIMP, Valencia, junio de 1996.

[244] Así, por ejemplo, en la Ley de 11 de junio de 1998 de Patrimonio Cultural Valenciano, aquellos *bienes no declarados BIC, pero incluidos en el* **Inventario general,** que merezcan una *protección especial,* atienden a la calificación de **Bienes de Relevancia Local,** incluyéndose con esta calificación en los *Catálogos de bienes y Espacios Protegidos* (si bien en dicho Catálogo debe distinguirse: por un lado, los inmuebles que por su *significativo* valor histórico, artístico, arqueológico, paleontológico o etnológico, tienen acceso al Inventario, y por otro, el patrimonio arquitectónico *simplemente catalogado* que no tiene acceso a dicho Inventario).

ción a reseñar algunos supuestos que, considero quedan fuera del ámbito de protección del precepto citado.

1. En primer lugar, debo referirme a lo denominados **edificios «de protección ambiental»,** esto es, ciertos edificios que gozan de un régimen de especial protección en la legislación y en la jurisprudencia, invocándose su «valor ambiental».

Tal y como afirma GONZÁLEZ-VARAS[245], muestra de la *vis expansiva* de la perspectiva proteccionista en el seno del Urbanismo es el disfrute de medidas de protección adoptadas por la Administración, cuando el régimen especial del edificio se desprende de la «ubicación del bien», por encontrarse dentro de una *zona de relevancia ambiental,* calificada en ese sentido por una normativa urbanística local.

Ciertamente, si bien podemos afirmar que con estos bienes se cierra el cuadro de aquellos que reciben protección singular por la Administración, dicha afirmación no se corresponde, a mi juicio, con el ámbito de tutela que otorga el legislador penal en el art. 321. Y es que, en efecto, el texto legal confiere protección a los «edificios singularmente protegidos **por su interés histórico, artístico, cultural o monumental».** Sin embargo, los edificios de protección ambiental se han definido como «aquellos que *no teniendo por sí mismos un valor destacado,* son bienes que *colaboran a la configuración de un espacio o ambiente urbano más o menos caracterizado»*[246], poniendo de relieve que la racionalidad del planeamiento debe evitar la destrucción «no sólo de aquellos elementos con excepcional valor histórico o artístico sino también de los que *configuran ambientalmente la trama, aun sin grandes valores individuales»*[247].

Se trata de edificios que pueden estar o no catalogados[248], pero que sí lo están, el dato determinante de su catalogación será su *emplazamiento,* o bien por la zona de su ubicación o por la proximidad a otros de notable interés histórico y arquitectónico[249]. Por tanto, hablamos de edificios protegidos únicamente por

---

[245]   GONZÁLEZ-VARAS IBÁÑEZ, S.: *La rehabilitación urbanística...,* ob. cit., p. 89 y ss.

[246]   STS de 23 de septiembre de 1987 (RA 7752).

[247]   STS de 12 de mayo de 1992 (RA 4146).

[248]   Así, la STS (3ª) de 8 de noviembre de 1985 sobre la improcedencia de unas obras en un edificio no catalogado pero objeto de protección ambiental.

[249]   Así, la mencionada STS (4ª) de 23 de septiembre de 1987. Concretamente se trataba de un edificio incluido en una zona *caracterizada, «esto es, de un ámbito urbano con elementos que lo distinguen de los demás»,* edificio catalogado en el nivel IV denominado de «Protección Ambiental» en el que se recogen, como ya se expuso, aquellos edificios que sin tener por ellos mismos un valor destacado, sin embargo colaboran a la configuración del ambiente urbano.

encontrarse en zonas o lugares de valor ambiental, por lo que estimo que, no es el ámbito del 321 el correcto donde deba insertarse su tutela, ante posibles agresiones, sino que éste será el *ordenamiento sancionador administrativo*.

2. En *segundo término*, de lo expuesto se deduce la exclusión del ámbito del art. 321 de aquellos edificios «**carentes de singular protección**», planteándose en la doctrina la posibilidad de incriminar por vía del art. 323, su derribo o alteración grave.

A mi juicio, tal y como ya expuse, ello no es posible desde una interpretación lógica y sistemática de ambos preceptos. Partiendo de que la pena privativa de libertad del 323 es de mayor gravedad que la prevista por el 321, llevaría a consecuencias irracionales o absurdas, pues el derribo de un edificio no protegido estaría sancionado más gravemente que el que gozara de la «singular protección».

Quizá estos supuestos, bastante frecuentes en la práctica, podrían incriminarse a través del art. 263, *delito de daños*. Así, el propio legislador manifiesta expresamente que dicho precepto resultará de aplicación en defecto de otros delitos de daños. Incluso, se podrá aplicar la modalidad agravada cuando el derribo o la alteración grave recaiga sobre «*bienes de dominio público o uso público o comunal*» (art. 264 n° 4 CP).

Frente a esta solución, cabría la posibilidad de plantearse si dichas actuaciones sobre edificios cuyo valor cultural no esté reconocido oficialmente, podrían ser sancionadas, no como delitos, sino como infracciones administrativas, conforme a lo dispuesto en la normativa estatal o autonómica, en su caso. Sin embargo, resulta difícil entender cómo se podrían desviar estos casos a la legislación administrativa sancionadora, cuando los daños causados a bienes comunes, si superan la cantidad de 50.000 ptas., ya constituyen delito, estando incluso prevista una falta de daños cuando, no superando la mencionada cantidad, recaigan sobre bienes de valor cultural, monumental, artístico o histórico. Asimismo, si bien la Ley de Patrimonio Histórico Español establece una protección genérica sobre todos aquellos bienes que, por su valor histórico, artístico, científico o técnico conforman una aportación a la cultura universal, si atendemos a la descripción de las infracciones previstas en el art. 76 de la LPHE, en principio, parece que sólo se tipifica el derribo de inmuebles «afectados por un expediente de declaración del Bien de Interés Cultural» (art. 76 g) LPHE).

3. Por último, me planteo la posibilidad de *excluir del ámbito de protección del 321* determinados edificios, los cuales podrían resultar amparados preferiblemente por vía del art. 323 entre los «*bienes de valor histórico, artístico, científico, cultural o monumental*».

Se me suscita esta duda toda vez que, no deja de causarme cierta prevención la amplitud de la escala de bienes sobre los cuales este delito puede cometerse[250]: esto es, en sede del art. 321 se sancionará desde el derribo de una catedral hasta el de un edificio catalogado en un municipio con nivel 2 (sobre los que existe una obligación sólo de conservar la fachada, pudiendo ser derruido el interior). La dificultad estriba en precisar, cuáles y con qué criterio, podrían quedar fuera del ámbito de protección de este precepto, en tanto de *lege data* no puede realizarse dicha exclusión.

Ya hemos comentado como en los edificios protegidos en el art. 321 pueden concurrir intereses culturales con otros distintos, de forma que en muchos casos resulta más rentable su transformación o su destrucción. Pues bien, este problema se da en mayor medida en los edificios monumentales cuyo único valor es el cultural; y además dicho valor es de tal grandeza e innegabilidad que trasciende al campo económico. Nos referimos a aquellos «auténticos bienes culturales» —pongamos como ejemplo catedrales o grandes monumentos— cuyo *valor es únicamente cultural,* de modo que, si tienen algún valor económico[251] viene dado únicamente por su valor cultural. En otros términos, el factor determinante de su valor económico, sea éste cual sea, es su valor cultural, de suerte que, su valor «económico» es computable a partir de su valor artístico. Consecuentemente, vale más el edificio tal como está que derribándolo; si lo destruimos o lo dejamos desaparecer, perdemos ese valor[252]. Son bienes que están sustraidos del mercado y no pueden valorarse por este procedimiento; en este sentido, ya señalamos cómo los economistas son conscientes de que existe un conjunto de bienes que comportan una carga de intangibles que los invisten

---

[250] A este respecto, traigo a colación las objeciones que planteaba PACHECO al art. 200 del Código de 1848, el cual incriminaba a los que «*destruyeren o deterioraren pinturas, estatuas u otro monumento público de utilidad u ornato*», estimando corta la prisión correccional —de siete meses a tres años— con que se sancionaba dicho delito, señalando al respecto que «*entre el hecho de degradar una estatua de cualquier escultor adocenado y el de destruir otra de Montañés, de Benvenuto Cellini, de Álvarez; entre desgarrar un lienzo de feria, o borrar un cuadro de Velázquez o de Murillo, no parece que hay mayor distancia que de los siete meses a los tres años, términos extremos de la prisión condicional*». PACHECO, H.: «El Código penal concordado y comentado», ob. y loc. cit. Ver *supra* el Capítulo relativo a la evolución histórica.

[251] Ya comentamos la doble naturaleza económico-cultural de los bienes culturales, así como también la dificultad de determinar o asignar un valor económico al bien cultural.

[252] De ahí que, por ejemplo, no tiene sentido o a nadie se le ocurre derribar una Catedral porque con esta acción desaparecerá todo su valor.

de un valor independiente a su valoración en dinero que en un momento pudiera serles adjudicada[253].

La diferenciación que acaba de ser expuesta entre los inmuebles protegidos podemos encontrarla en otros ámbitos, tanto en sede europea, como atendiendo al Derecho comparado.

Así, el Consejo de Europa —que, recordemos, ha prestado gran atención al patrimonio inmobiliario— distingue, entre el «patrimonio arquitectónico protegido» y el «patrimonio monumental» *(Coloquio de Messina de 1987)*.

Por su parte, la regulación legal del Patrimonio Cultural en el *Derecho inglés*, en materia de infracciones, puede aportar criterios interpretativos en torno a la cuestión discutida. Así, de entre leyes aprobadas por el Parlamento inglés para proteger lo que se denomina como *«historic built environment»*, tal y como ya se expuso[254], existe un diferente marco legislativo para los *«scheduled monuments»*[255] —cualquier monumento que aparezca en un listado confeccionado por el Secretario de Estado para el Patrimonio Nacional, reflejando, todos aquellos que fueron declarados como tales bajo la anterior legislación como «monumentos históricos» por razones históricas, arquitectónicas, tradicionales, artísticas o arqueológicas, así como cualquier otro que el Secretario de Estado considere de «importancia nacional»— y, por otro lado, a los *«listed buildings»*, edificios de especial interés histórico o arquitectural que aparecen en listados confeccionados por el Secretario de Estado.

En la doctrina científica española, si bien no se manifiesta expresamente sobre la cuestión que venimos tratando, parece seguir esta línea argumental TERRADILLOS BASOCO cuando afirma que parece lógico que, comparando las penas de los dos preceptos, se imponga pena menor (321) cuando se afecte a edificio singularmente protegido, y mayor (la del 323) *«cuando ese mismo edificio,* u otros bienes, *tengan un valor histórico, artístico, científico, cultural o monumental de tal entidad que no necesite ser declarado previamente por ley o decisión administrativa,* que son los bienes protegidos en el 323»[256]. Asimismo, ÁLVAREZ ÁLVAREZ considera que, en general, es preciso realizar una diferen-

---

[253] Recordemos el concepto de los *merit wants* definidos como un tipo de necesidades de las personas, merecedoras de una especial consideración por ser de un nivel superior a otras necesidades humanas, como sería el caso de la educación y la cultura.

[254] Vid. *supra* en el Capítulo Segundo su diferente ámbito de aplicación, lugar al que me remito.

[255] Regulados por la *Ancien Monuments and Archaelogical Areas Act 1979,* ley protectora de los monumentos históricos catalogados.

[256] TERRADILLOS BASOCO, J.: «Delitos relativos a la protección del Patrimonio Histórico...», ob. y loc. cit., p. 37.

ciación entre el «patrimonio monumental estricto» y el «patrimonio inmobilia-rio digno de ser conservado»[257], y tener ambos medios de financiación diferen-tes.

En suma, parece razonable que se imponga pena mayor, la del 323 (de uno a tres años de prisión) cuando el edificio posea un interés histórico, artístico, científico, cultural o monumental de tal entidad que no necesite su reconoci-miento previo por ley o decisión administrativa, lo que ocurre con los bienes protegidos en el 323. Pese a ello, no podemos obviar las dificultades de la propuesta realizada, a los efectos de efectuar con precisión el deslinde de los edificios que caerían bajo el ámbito de protección del artículo 321 o del 323, máxime si de *lege data* no puede efectuarse tal delimitación, con lo cual, la cuestión, a mi entender, queda abierta.

2.3. Sujeto activo

Según la propia dicción gramatical del precepto, puede cometer el delito cualquier persona que derribe o altere gravemente un edificio singularmente protegido por su interés histórico, artístico, cultural o monumental.

Sin embargo, ha sido defendida por algún autor la idea de que el derribo o alteración grave del 321 se refiere a conductas de orden urbanístico o con finalidades urbanísticas («*constructivas, de nueva edificación o remodelación de la ya existente o de conservación o protección*»[258]). De acuerdo con esta tesis podría pensarse, en una primera aproximación, que el nuevo tipo contenido en el art. 321 supone un intento de proteger el Patrimonio frente a nuevas formas de vandalismo más evolucionadas y más perfeccionadas[259], que, recordemos, venían denominándose por la doctrina científica francesa «*vandalisme restaurateur*»[260]. De ese modo, de acuerdo con la naturaleza de la acción

---

[257] ÁLVAREZ ÁLVAREZ, J.L.: *Estudios sobre el Patrimonio Histórico español*, ob. cit., p. 636. Por su parte, CHUECA GOITIA diferencia de los monumentos nacionales de primer orden, de otros monumentos menores, que, sin embargo, son reliquias importantes de la arquitectura, conventos e instituciones religiosas. CHUECA GOITIA, F.: *La destrucción del legado urbanís-tico español*, Madrid, 1977, p. 77 y ss.

[258] Con estos términos, MILANS DEL BOSCH y JORDANS DE URIES: *Derecho Penal Adminis-trativo*, ob. cit., p. 206.

[259] Cfr. *supra* p. 92 acerca de la evolución histórica en la protección legal del patrimonio cultural francés.

[260] Así, DAUVIZIS, A.: *La protection penale du patrimoine artistique contre le vandalisme*. These de doctorat, 1984, p. 13 y ss.

descrita, se restringiría su realización a un círculo limitado de personas, configurándose así como un delito especial en sentido estricto, por cuanto para la realización del injusto se requeriría la concurrencia de una cualidad personal.

Ahora bien, si atendemos a la letra de la ley, podemos afirmar que nos encontramos ante un **delito común,** pues únicamente se describe un resultado típico cuyo sujeto activo puede serlo cualquiera[261], no existiendo restricción alguna al respecto, que, sin embargo, sí realiza de forma expresa el Código Penal en otros preceptos, como es el caso del art. 319, reduciendo el círculo de los sujetos activos a los «promotores, constructores o técnicos directores».

Por ello, pese a que el art. 321 prevea, en todo caso, la pena de *inhabilitación*[262], ello no prejuzga las características del sujeto activo[263], como bien afirma TERRADILLOS BASOCO, pues la inhabilitación se impondrá respecto de la profesión u oficio relacionado con la actividad negativa para el bien jurídico, debiendo seleccionar la sentencia, de forma motivada, las actividades objeto de inhabilitación[264]. En esta dirección, el art. 45 del Código penal señala que *«La inhabilitación especial para profesión u oficio, industria o comercio o cualquier otro derecho, que ha de concretarse expresa y motivadamente en la sentencia…».*

En esta línea de pensamiento, VERCHER NOGUERA sostiene que, sujeto activo del art. 321 puede ser cualquier ser humano, sin necesidad de cualificación especial alguna. Incluso, en relación al tipo previsto en el art. 319, constitutivo de un delito sobre la ordenación del territorio, el citado autor no admite —a pesar de que el precepto incorpore una pena de inhabilitación— que el autor del delito tenga que ser necesariamente un profesional. Y es que, efectivamente, en la actualidad la doctrina mayoritaria ha sustituido la antigua

---

[261] En ese sentido, TERRADILLOS BASOCO, J.: «Delitos relativos a la protección del patrimonio histórico…», ob. y loc. cit.; VERCHER NOGUERA, A.: «Delitos contra el patrimonio histórico», ob. y loc. cit.

[262] De *«misteriosa»* es calificada dicha pena por GARCÍA CALDERÓN: ob. y loc. cit.

[263] La previsión de la inhabilitación conduce a pensar a BOIX REIG que, pese a que en principio sujeto activo puede ser cualquiera, el legislador estaba pensando en determinados profesionales, concretamente en los de la construcción. BOIX REIG, J.: *Derecho penal. Parte especial,* ob. y loc. cit. También en *Comentarios al Código penal,* ob. y loc. cit. En la misma dirección, CARMONA SALGADO, si bien esta autora, termina considerando que, en términos puramente teóricos, o sólo desde un punto de vista formal, cabría negar que se trate de un delito especial, pudiendo ser, en principio, cualquier persona autor de la infracción que nos ocupa. CARMONA SALGADO, C.: *Curso de Derecho penal español. Parte especial,* ob. y loc. cit., p. 37

[264] La sentencia del Tribunal Supremo (2ª) de 5 de diciembre de 1981 ilustra adecuadamente la afirmación realizada en el texto: *«no siendo lícito imponer la mentada pena (de inhabilitación especial) de modo genérico y sin especificación de su alcance y de los efectos concretos que deba producir».*

concepción estricta de profesión u oficio, como aquella en la que se exige título, permiso, licencia o autorización administrativa, por otra en sentido amplio[265].

Si atendemos a las escasas resoluciones dictadas en materia de Patrimonio Histórico, la Audiencia Provincial de Córdoba[266] condenó por un delito de hurto la sustracción de piedras procedentes de un puente en ruinas de la época califal[267], descartándose la existencia de un delito del art. 321[268], al argumentar el juzgador, respecto de la conducta de *alterar gravemente,* que «esa gravedad no aparece desde el momento en que la cara sur del puente no sufrió daños y un arco no se tocó, amén de no poder imputar sin prueba alguna a los tres acusados las múltiples agresiones que el puente ha sufrido desde el año 1993...», no haciéndose en ningún momento referencia a la insostenibilidad de la acusación por el art. 321 en razón de la cualificación o no de los sujetos activos, «particulares de un nivel cultural bajo», según relata la sentencia referida.

En definitiva, no se puede afirmar que nos encontremos ante un delito especial en sentido estricto, por cuanto el tipo legal no exige la presencia de determinadas condiciones específicas en el sujeto activo para la realización del injusto, sino que el 321 responde a la categoría de *delito común,* en cuanto sujeto activo puede ser cualquiera que realice el derribo o la alteración grave del edificio protegido.

Partiendo de dicha apreciación, desde la doctrina[269] se viene denunciando la inercia en la aplicación en los delitos comunes de las reglas especiales previstas en el artículo 31 del Código Penal, por el solo hecho de que la actividad lesiva se realice desde una empresa. Ciertamente, dicho precepto constituye un

---

[265] Sin embargo, la interpretación de los Tribunales respecto de quienes pueden ser sujetos activos del tipo del art. 319, ha sido diversa en las distintas resoluciones dictadas al respecto; desde las que opinan que en los promotores y constructores no es menester que concurra una especial cualificación profesional, de suerte que pueden ostentar tal condición los que habitual y profesionalmente se dedican a la promoción y construcción de viviendas y edificaciones, pero que no precisan por ello de cualidad distinta a la de cualquier otra persona (a este respecto, las sentencias de 14 de abril de 1998 (nº 33/1998) y de 13 de julio del mismo año (nº 63/1998) de la Audiencia Provincial de Palencia), hasta otras que sostienen que debe dárseles un contenido de profesionalidad, excluyendo a aquellas personas que realicen tales conductas *«sin estar incluidas en un matiz de profesionalidad»* (sentencia de 15 de junio de 1998 (nº 632/1998) de la Audiencia Provincial de Valladolid).

[266] A. P. Córdoba (Secc. 2ª), sentencia de 28 de octubre de 1998.

[267] Declarado BIC e incluido en el Conjunto Arqueológico Medina-al-Zahara.

[268] Evidentemente y en primer lugar, porque no nos encontramos ante un *edificio,* apreciación que incomprensiblemente no realiza la sentencia.

[269] Así, GÓMEZ RIVERO, M.C.: *El régimen de autorizaciones...,* ob. cit., p. 56.

mecanismo para colmar lagunas de punibilidad en delitos especiales propios[270]. De suerte que, a través de este precepto se permite hacer punible la actividad de una personas física que lesiona un bien jurídico penalmente relevante, poniendo a su cargo las circunstancias personales exigidas para ser autor del delito especial, las cuales sólo se dan en la persona jurídica que representa o administra[271]. Mas, el art. 31 se vincula indebidamente con el problema de la responsabilidad de las personas jurídicas, deduciendo erróneamente[272] la fórmula según la cual, de los delitos cometidos en el seno de una persona jurídica responde, en todo caso, el que actúe como administrador o como representantes de ésta.

Como es sabido, en nuestro ordenamiento los entes dotados de personalidad jurídica no pueden incurrir en responsabilidad criminal en virtud del principio *Societas delinquere non potest,* al faltarles la capacidad de acción, capacidad de culpabilidad y la capacidad de pena[273]. Sin embargo, en los casos en que la persona jurídica es utilizada para llevar a cabo el delito, nada impide que responda penalmente la persona que haya llevado a cabo la conducta legitimadora. Así, por ejemplo, responderá directamente quien ostente un cargo directivo en la entidad jurídica, si fue éste quien ordenó directamente el derribo de un edificio protegido.

Ahora bien, debe plantearse, como subraya TERRADILLOS BASOCO[274], hasta qué punto puede responder el titular de la empresa por los comportamien-

---

[270] En relación con el art. 15 bis del anterior Código Penal, ZUGADÍA ESPINAR, J.M.: «Capacidad de acción y capacidad de culpabilidad de las personas jurídicas», en *CPC,* 1994, p. 625 y ss.

[271] Así, por ejemplo, en el delito especial propio de alzamiento de bienes del art. 257, por vía del art. 31 se permite incriminar al representante de una Sociedad Anónima, pese a que las circunstancias exigibles para ser sujeto activo del mismo (ser deudor, la titularidad de los bienes…) no concurran en él, sino en la persona jurídica o entidad que represente.

[272] En este sentido, ZUGADÍA ESPINAR, J.M.: ob. y loc. cit.

[273] A nivel doctrinal se viene discutiendo acerca de la posibilidad de responsabilidad criminal de las personas jurídicas, pues, si bien desde un punto de vista dogmático la ausencia de conocimiento y ánimo de delinquir impiden la exigencia de responsabilidad penal, desde un punto de vista político-criminal la doctrina es favorable a la derogación del principio *Societas delinquere non potest.* A este respecto, existen dos líneas de pensamiento entre los autores que optan por una respuesta afirmativa. Una de esas líneas sostiene que los conceptos de acción y de culpabilidad elaborados para las personas físicas sirve también para las personas jurídicas, siendo el representante más significativo JAKOBS *(Strafrecht,* ob. cit.). La segunda línea de pensamiento se inclina por elaborar nuevos conceptos de acción y de culpabilidad válidos exclusivamente para las personas jurídicas. Así, se afirma, de un lado, la capacidad de acción de éstas aplicando las reglas generales de la coautoría y la autoría mediata, y, de otro lado, su capacidad de culpabilidad aplicando las de los delitos impropios de omisión (entre otros, TIEDEMANN: ob. y loc. cit.).

[274] TERRADILLOS BASOCO, J.: *Derecho penal de la empresa,* Madrid, 1995, p. 39 y ss.

tos de sus subordinados. Y es que, en efecto, en la práctica resulta frecuente la escisión que tiene lugar en entidades jerarquizadas entre los sujetos que llevan a cabo la ejecución material de la conducta delictiva, y los sujetos realmente responsables de la decisión criminal. Ante semejantes situaciones un cualificado sector doctrinal ha propuesto una vía de solución con el fin de poder atribuir el hecho delictivo a los verdaderos responsables que están situados en un nivel jerárquicamente superior al que ocupan los ejecutores materiales. Dicha vía consiste en acudir a la estructura de la *comisión por omisión*, atribuyendo así responsabilidad criminal a aquellos órganos directivos que no evitasen que el hecho delictivo se realizase por los subordinados, siempre que pudiera comprobarse que dichos órganos se hallaban en el ejercicio de una «competencia específica» que les obligaba a controlar y evitar las posibles situaciones de peligro, y, por ende, la realización de delitos por sus subordinados. Así, cuando el directivo tenga conocimiento de las irregularidades del funcionamiento de la empresa, podría responder como si fuese él quien realizase el derribo, si se aceptase su posición de garantía, al poder acreditarse que asumía la corrección en el funcionamiento de la empresa[275].

Pese a lo expuesto, en la doctrina se ha seguido discutiendo si la criminalidad en el ámbito de la empresa puede o no basarse únicamente en la atribución de responsabilidad penal a las personas físicas que actúan en su seno. Esta problemática, que se plantea también en el ámbito del Derecho comparado[276], recibe respuesta en nuestro ordenamiento a través de las denominadas **consecuencias accesorias**[277] que se enumeran en el art. 129 del Código Penal[278]. Sin

---

[275] Así, SCHÜNEMANN («Cuestiones básicas de dogmática jurídico-penal y de política criminal acerca de la criminalidad de la empresa», en *ADPCP*, 1988), a través de su «teoría del dominio», reduce las situaciones de garante de la teoría de la injerencia a aquellos supuestos en que pueda acreditarse un auténtico dominio del órgano directivo: tanto un dominio *material*, esto es, sobre los procedimientos peligrosos de la empresa, como un dominio *personal*, sobre el comportamiento de los subordinados. Por su parte la doctrina española ha comenzado a hacerse eco de esta construcción, pudiendo citar, entre otros, a TERRADILLOS BASOCO (ob. cit., p. 40 y ss). Para una visión general de los planteamientos que, a este respecto, ha formulado la más reciente doctrina española y alemana, puede verse MARTÍNEZ-BUJÁN PÉREZ, C.: *Derecho penal económico. Parte general*, ob. cit., p. 196 y ss. Asimismo, cfr. SILVA SÁNCHEZ, J.M.: *Responsabilidad penal de las empresas y sus órganos y responsabilidad por el producto*, Barcelona, 1996.

[276] La manifestación legislativa más reciente orientada a la exigencia de responsabilidad penal de las personas jurídicas la encontramos en el Código penal francés de 1994. V. *supra*, lo expuesto en relación a este punto en el apartado II, dedicado al Derecho comparado, del Capítulo Segundo del presente trabajo.

[277] La naturaleza jurídica de estas «consecuencias accesorias» constituye una de las cuestiones más controvertidas y enigmáticas a nivel doctrinal. Concretamente se ha venido afirmando

embargo, el sistema elegido por el legislador español no se halla exento de reparos, y, de hecho, buena parte de la doctrina[279] efectúa observaciones críticas a estas medidas, las cuales pueden reconducirse a las siguientes: de un lado, del catálogo de las consecuencias se echan en falta algunas que sí son previstas en otros países —como por ejemplo, la pérdida de beneficios fiscales— y que hubieran colaborado en la consecución de los fines de prevención especial que se pretenden (art. 129.3); de otro lado, el hecho de que las consecuencias accesorias se aplicaran sólo «en los supuestos previstos en este Código». Conforme a ello, en el caso en el que la conducta típica del art. 321 sea llevada a cabo en el seno de una persona jurídica, no se le podrá imponer ninguna de estas consecuencias, por no haber sido dispuesto por el legislador en el Capítulo II del Título XVI. A este respecto, considero hubiera resultado más adecuado que la posibilidad de su imposición se hubiera previsto en el Capítulo V, como disposición común aplicable a todo el Título XVI, en lugar de incluirlo únicamente en el art. 327 dentro del Capítulo III (delitos contra los recursos naturales y el medio ambiente).

---

que constituyen instituciones híbridas entre la prevención y la medida cautelar (así, PRATS CANUTS, J.M.: en *Comentarios...*, ob. cit., p. 629); otros las han calificado de medidas de seguridad (así, CONDE-PUMPIDO, C.: *Código penal...*, ob. cit., p. 1.564), mientras que, desde otro sector mayoritario, se considera merecen la calificación de penas (así, MARTÍNEZ-BUJÁN PÉREZ, C.: ob. y loc. cit.) o, más concretamente, de penas accesorias (en esta dirección, MAPELLI CAFFARENA, B./TERRADILLOS BASOCO, J.: *Las consecuencias jurídicas del delito*, Madrid, 1996). De conformidad con la última posición, no cabrá imponer a su vez una sanción administrativa a la empresa, en virtud del principio *ne bis in idem*.

[278] Art. 129.1: «El Juez o Tribunal, en los supuestos previstos en este Código, y previa audiencia de los titulares o de sus representantes legales, podrá imponer, motivadamente, las siguientes consecuencias:

a) Clausura de la empresa, sus locales o establecimientos, con carácter temporal o definitivo. La clausura temporal no podrá exceder de cinco años.

b) Disolución de la sociedad, asociación o fundación.

c) Suspensión de las actividades de la sociedad, empresa, fundación o asociación por un plazo que no podrá exceder de cinco años.

d) Prohibición de realizar en el futuro actividades, operaciones mercantiles o negocios de la clase de aquellos en cuyo ejercicio se halla cometido, favorecido o encubierto el delito. Esta prohibición podrá tener carácter temporal o definitivo. Si tuviere carácter temporal, el plazo de prohibición no podrá exceder de cinco años.

e) La intervención de la empresa para salvaguardar los derechos de los trabajadores o de los acreedores por el tiempo necesario y sin que exceda de un plazo máximo de cinco años».

[279] Así, entre otros, ZUGALDÍA ESPINAR, J.M.: «Las penas previstas en el artículo 129 del Código penal para las personas jurídicas», en *Poder Judicial*, 1997, p. 334 y ss.; ACALE SÁNCHEZ, M.: *Delitos urbanísticos*, ob. cit., p. 289 y ss.; MARTÍNEZ-BUJÁN PÉREZ, C.: *Derecho penal económico*, ob. cit., p. 236 y ss.

Por último, en otro orden de cosas, la doctrina española que se ha ocupado del tipo que venimos analizando, se encuentra dividida en cuanto a la admisibilidad del **propietario** del edificio como sujeto activo.

Un sector doctrinal considera que cuando el tipo contenido en el art. 321 es cometido por el *propietario* de edificio hay que remitirse al art. 289 (daños a cosa propia), postura defendida por SALINERO ALONSO, MUÑOZ CONDE o CARMONA SALGADO[280].

Desde otra perspectiva, se argumenta que también el propietario puede ser sujeto activo del art. 321, posición sustentada por TAMARIT SUMALLA, SUÁREZ GONZÁLEZ, MILANS DEL BOSCH, SERRANO GÓMEZ o VERCHER NOGUERA[281]. En esta dirección, ARREDONDO GUTIÉRREZ[282], tras señalar los tipos de demolición previstos por la legislación urbanística, trae a colación el precepto que venimos analizando, el 321 del CP, al referirse a la ilegalidad de los supuestos de demolición, cuando ésta es acometida voluntariamente por el propietario de la edificación si, obviamente, por la especial protección del edificio, se imposibilita dicha actividad por la normativa de Patrimonio Histórico.

Dejando para un momento posterior los problemas concursales que pudieran suscitarse, desde nuestra perspectiva, podría justificarse la elección de la última posición doctrinal expuesta, partiendo de la no exigencia legal de la ajenidad del bien. En el círculo de los posibles sujetos activos, a mi entender, nada impide que el **propietario** del edificio pueda ser sujeto activo del art. 321, por cuanto, reitero, no se exige la ajenidad del bien derribado, alterado o dañado, exigencia que sí aparecía prevista en el Código precedente en los subtipos agravados[283].

Pero además, conviene traer a colación una cuestión que se plantea habitualmente en los delitos de daños, cual es la referida a si resulta imprescindible o no

---

[280]   SALINERO ALONSO, C.: ob. y loc. cit.; MUÑOZ CONDE, F.: *Derecho penal. Parte especial*, ob. y loc. cit.; CARMONA SALGADO, C.: ob. cit., p. 46. De acuerdo con la última autora citada, si bien dicha solución es a su juicio técnicamente más correcta, admite los efectos distorsionantes respecto de las penas a aplicar.

[281]   TAMARIT SUMALLA, J.M.: *Comentarios al nuevo Código penal*, ob. y loc. cit.; SUÁREZ GONZÁLEZ, C.: *Comentarios al Código penal*, ob. cit., p. 919; MILANS DEL BOSCH y JORDANS DE URIES: *Derecho penal administrativo*, ob. y loc. cit.; SERRANO GÓMEZ, A.: *Derecho penal. Parte especial*, ob. y loc. cit.; VERCHER NOGUERA (ob. y loc. cit.) afirma que sujeto activo puede ser cualquier ser humano, sin realizar distinción alguna.

[282]   ARREDONDO GUTIÉRREZ, J.M.: *Demolición de edificaciones ilegales y protección de la legalidad urbanística*, Granada, 1996.

[283]   Art. 558, nos 5 y 6 y en el art. 561.

que el daño comporte un *perjuicio patrimonial* para el sujeto pasivo. La conclusión a la que llegaba la doctrina dominante era la innecesariedad de dicho perjuicio en los daños genéricos, e incluso se admitía la posibilidad de que generase un beneficio para el sujeto pasivo[284].

A mi juicio tampoco será necesaria la existencia de dicho perjuicio en los supuestos de destrucciones o alteraciones graves cometidas sobre los edificios singularmente protegidos, resultando en la práctica harto frecuente la realización de dichas modalidades de conducta por el mismo propietario del edificio que no puede asumir sus costes de conservación, o al objeto de reeditar obteniendo así un mayor aprovechamiento lucrativo del suelo[285]. Parece, pues, consecuente que se integre al propietario entre los posibles sujetos activos, habida cuenta de que, aunque el edificio protegido pertenezca a un particular a quien interese *derruirlo* como consecuencia, por ejemplo, de problemas arrendaticios o de otra clase, resulta indudable que en el edificio radica un valor de carácter colectivo que implica que la libertad de actuación no sea plena, toda vez que el deber de conservación que pesa sobre los propietarios de bienes culturales se hace especialmente intenso en los bienes inmuebles integrantes del PHE.

Muestra de la prevalencia del valor del edificio como bien común de la colectividad frente a toda «relación ius-privatística», la sentencia del Tribunal Supremo (4ª) de 30 de septiembre de 1980, respecto de un edificio enclavado en un conjunto histórico-artístico, señalaba cómo «es sólo en el momento del derribo de la casa cuando es necesario intervenir, a fin de evitarlo y conservar un bien en función de los intereses culturales de la comunidad...». Y es que, en efecto, los valores ligados al edificio que determinan su singular protección, desbordan el ámbito privado para pasar a pertenecer a la colectividad, como ya se expuso.

La admisibilidad del propietario como sujeto activo es otra de las razones que nos conducen a considerar positiva la exigencia de que el edificio derruido o alterado se halle protegido administrativamente, pues, de no estar reconocido públicamente el valor artístico, histórico o monumental del edificio, el propie-

---

[284] Recordemos como en Francia la *Cour de cassation* adopta una interpretación extensiva de la cualidad de «beneficiario», por lo que se refiere a las conductas atentatorias contra el patrimonio inmobiliario, incluyendo al propietario aunque no sea éste quien lo esté disfrutando directamente.

[285] Idea que puede ilustrarse con el citado ejemplo del derribo del palacete «La Dominica», en San Juan, por orden de su propietario, que no disponía de los preceptivos permisos para ello.

tario podría evitar así su incriminación por un delito contra el Patrimonio Cultural[286].

Una vez ofrecido el esquema conceptual de los que hipotéticamente pueden intervenir en la ejecución del hecho descrito en la figura legal, vamos a continuación a analizar los diferentes modos o formas posibles de intervención en dicha ejecución. Debe advertirse que este tratamiento sistemático no significa que desconozcamos que una cosa es la descripción genérica y abstracta del injusto típico, constituyendo la categoría dogmática de sujeto activo un elemento del hecho típico, y otra distinta son las diferentes formas por las cuales el injusto llega a realizarse en la realidad, las cuales son analizadas a través del concepto de *autor* y las distintas *formas de participación* en el delito.

No obstante lo cual, sin que identifiquemos los conceptos de sujeto activo y de autor, sí consideramos que se trata de categorías conceptuales que se hallan conectadas[287] o que son dependientes entre sí, de suerte que, sólo podrán ser autores quienes reúnen las condiciones especificadas en la descripción legal. Con base en lo expuesto, y con el fin de no romper problemáticas comunes que pueden suscitarse al respecto, justificamos el traspaso sistemático del análisis de la *autoría y la participación* en el precepto que nos ocupa.

2.4. Autoría y participación

No se plantean especiales problemas en cuanto a las distintas formas a través de las cuales se realiza el injusto típico, pues, tal y como se ha expuesto, no se exigen unas específicas características para ser sujeto activo del delito.

Partiendo de la distinción material entre autoría y participación[288], la **autoría,** como realización del hecho propio, no plantea dificultad alguna en cuanto a su consideración como *inmediata,* esto es, cuando se ejecuta el hecho de forma inmediata y por una sola persona.

También pueden darse perfectamente en el presente tipo penal, los supuestos de *autoría mediata,* cuando el autor, en la realización del tipo, se sirve de otra

---

[286] Precisamente, otro ejemplo reciente lo encontramos en el citado derribo del edificio «La Pagoda», al no encontrarse incluido entre las obras protegidas por el Plan General de 1997. Cfr. *Diario El País,* 21 de julio de 1999.

[287] En esta dirección, COBO DEL ROSAL y VIVES ANTÓN: *Derecho penal. Parte general,* ob. cit., p. 354.

[288] Esto es, aunque formalmente la ley decida castigarlos, en algunos supuestos, del mismo modo.

persona que utiliza como instrumento mediante órdenes o instrucciones que dan lugar a la producción del hecho, instrumentalización del subordinado que se realizará normalmente sobre la base del error. Valga también como ejemplo el supuesto de un particular que contrate a unos operarios con el objeto de demoler un edificio protegido, llevándose a cabo dicha demolición por aquellos, desconociendo la importancia histórica del edificio, aspecto del que era plenamente sabedor el primero.

No hay problemas de admisión de la *coautoría,* cuando el tipo de injusto se ejecuta conjuntamente por distintos agentes, existiendo un acuerdo de voluntades. Esto es, cuando varias personas concurren a la realización de un hecho, de forma que cada aportación forme un todo orgánico; mas, junto a este presupuesto objetivo debe unírsele otro de carácter subjetivo, de manera que esa realización conjunta no pueda darse sin un acuerdo de voluntades[289].

A diferencia de la autoría, la **participación** supone una contribución al hecho de otra persona, de modo que, de acuerdo con su carácter accesorio, no podrá ser castigada sino en la medida en que llegue a serlo el hecho principal, alcanzando, al menos, el grado de tentativa. Pensemos, por ejemplo, en el caso de que los ejecutores materiales del delito sean personas que ocupan una posición subordinada dentro de la organización de una empresa constructora. Si el delito es la consecuencia de un proyecto técnico, bien de intervención total en un edificio catalogado o que disponga de protección cultural, bien de intervención parcial que afecte a los elementos objeto de protección, cabrá recurrir a las formas de participación —trátese de inducción o de cooperación necesaria— en virtud de las cuales se podrá incriminar a los técnicos proyectistas con la misma pena que a los autores materiales[290]. Ello no obstante, entiendo con MARTÍNEZ-BUJÁN, que no deja de causar cierta perplejidad que se califique de simple partícipe a «quien domine de forma esencial el hecho típico»[291], bien porque ha trazado el proyecto de intervención en el edificio protegido, bien porque posea un pleno control sobre los medios e instrumentos a través de los cuales se despliega la ejecución material de la obra[292], de suerte

---

[289]   Normalmente el acuerdo será previo a la ejecución; sin embargo, también se admite que se produzca durante la ejecución. En este sentido, COBO/VIVES: ob. cit., p. 752. Vid. sobre la coautoría, PÉREZ ALONSO, E.: *La coautoría y la complicidad en el Derecho penal,* Granada, 1998.

[290]   Formalmente, el art. 28 del Código penal, les atribuye la consideración de autores, únicamente a efectos de penalidad.

[291]   MARTÍNEZ-BUJÁN PÉREZ, C.: *Derecho Penal Económico,* ob. cit., p. 199.

[292]   Cfr. Ley 38/1999, de 5 de noviembre, de ordenación de la edificación, la cual recoge la regulación de las obligaciones y responsabilidades de los agentes que intervienen en el proceso de edificación.

que, si se acepta su posición de garante, su comportamiento realmente reviste los caracteres de auténtica autoría[293].

En particular, podrán admitirse supuestos de *inducción* cuando se determine a otro, que carece de voluntad delictiva, a realizar el hecho típicamente antijurídico. A este respecto, puede considerarse como ejemplo de inducción la hipótesis en que un sujeto emita una orden de efectuar un derribo ilegal de un edificio catalogado, orden dirigida a alguien que no había pensado en llevar a cabo dicha demolición, que sin embargo, finalmente se ejecuta.

Asimismo, con respecto a la otra forma de participación, esto es, la *complicidad,* debemos partir de las dos clases que reconoce nuestro Código Penal, y a las que da distinta consideración. De un lado, reciben la consideración de autores (art. 28 b) y son castigados como tales[294] los denominados *cooperadores necesarios,* sin cuya colaboración el autor no hubiera efectuado el hecho; mientras que, la complicidad será *no necesaria* o *simple,* cuando el hecho se hubiera efectuado por el autor, aun sin la colaboración del cómplice, aplicándoseles una pena atenuada[295].

Pues bien, considero que, en principio, se pueden admitir, en el precepto que venimos analizando, supuestos de *cooperación necesaria.* A título ejemplificativo, podría considerarse, en su caso, un supuesto de cooperación necesaria la explicación del técnico acerca de la forma de activar los explosivos colocados por el autor en los cimientos o en las paredes del edificio protegido. También podría considerarse cooperador necesario al vigilante del edificio que, durante la noche, procede a abrir las puertas de entrada a los sujetos que van a acometer su derribo o alteración grave. Finalmente, serán frecuentes los supuestos de cooperación necesaria de la autoridad o funcionario público competente en la materia, emitiendo informes ilegales, a sabiendas de su injusticia o resolviendo la concesión o vota el proyecto ilegal de derribo o alteración del edificio, puesto de acuerdo con los sujetos que lo van a llevar a cabo[296].

---

[293]   Y es que, en efecto, de acuerdo con SCHÜNEMANN («Cuestiones básicas de dogmática jurídico-penal y de política criminal acerca de la criminalidad de la empresa», ob. cit., p. 533) la responsabilidad jurídico-penal de las bajas instancias de la empresa, resultante de la descripción del hecho típico, puede conllevar «consecuencias fatales para el efecto preventivo de las normas de Derecho penal y de Derecho administrativo sancionador, porque muy a menudo el órgano inmediato de ejecución se da cuenta sólo insuficientemente de las consecuencias de su propio modo de actuación...».

[294]   Arts. 61 y 62 del CP.

[295]   Art. 63 del CP.

[296]   Sobre estos supuestos nos detendremos *infra* en el análisis del tipo previsto en el art. 322.

Tampoco habrá inconveniente en admitir la posibilidad de que, dentro del injusto del art. 321, se admitan conductas auxiliares que coadyuven al derribo o a la alteración grave del edificio, por ejemplo, suministrando instrumentos a tal efecto.

2.5. La polémica sobre la presencia de un elemento subjetivo del tipo. Crítica

La mayoría de los autores manifestados sobre este punto considera que en el tipo recogido en el art. 321 basta la existencia de dolo, es decir, que el sujeto activo tenga intención de destruir o alterar gravemente el edificio protegido, con cualquier finalidad.

Sin embargo, tal y como ya se ha adelantado, alguna voz doctrinal mantiene que la conducta típica del derribo o alteración grave del art. 321 ha de tener finalidades urbanísticas[297].

A mi juicio, conforme a lo ya sostenido, no puede afirmarse que el precepto exija *elemento subjetivo* alguno, cual es el de actuar «con *finalidades urbanísticas o edificatorias*», pues, si bien puede actuarse con dicha finalidad, el injusto no precisa de dicha referencia psíquica, pudiendo el acontecimiento externo ser contrario a derecho, aun si no se realiza con las finalidades indicadas. Sólo será el derecho positivo el que nos indique cuándo debemos admitir los concretos elementos subjetivos del injusto[298], debido a que se haya estimado, de un lado, necesario para predicar la antijuricidad de la conducta, y, de otro, imprescindible para apreciar la tipicidad de la misma.

En el precepto que venimos analizando, la conducta típica no requiere una específica finalidad del autor. Esta es, además, la posición de la doctrina penal dominante respecto del delito de daños, bastando para su apreciación con la presencia del dolo. Y es que, de acuerdo con el tenor literal del precepto, no podemos afirmar que nos encontramos en el art. 321 ante un *delito de intención*, pues el acontecimiento externo es por sí solo contrario a Derecho, sin necesidad de que se realice para lograr una finalidad específica del agente.

---

[297] En este sentido, MILANS DEL BOSCH y JORDANS DE URIES, ob. y loc. cit., p. 206.

[298] No puede atenderse en la determinación del sentido del texto, a la interpretación subjetiva, esto es, buscando la voluntad del legislador, de acuerdo con la cual lo que se pretendía era castigar los derribos y alteraciones en el orden urbanístico, interpretación subjetiva del texto de la ley actualmente abandonada. En este sentido, acerca del abandono actual de la tesis sostenida en su día por la «escuela de la exégesis», v. COBO DEL ROSAL, M./VIVES ANTÓN, T.S.: *Derecho penal. Parte general*, ob. cit., p. 103 y ss.

Conviene recordar en este extremo la diferenciación que establece ORTS BERENGUER[299] entre la intención y el móvil, de forma que, el delito de daños está pensado para quien dirige su conducta a destruir, menoscabar o inutilizar un bien ajeno, o excepcionalmente uno de su propiedad, pese a que tal proceder no es incompatible con un *móvil* lucrativo. Imaginemos un edificio destinado al culto (capillas, ermitas, iglesias) donde puede existir el deseo de su destrucción o desaparición para hacer más negociable el solar en el que se asientan, muchas veces de gran valor y donde podría construirse un nuevo edificio. Existe intención de dañar, aunque el móvil que le impulse sea el de lucrarse.

A este respecto, JORGE BARREIRO señala que, en el caso de que exista una finalidad lucrativa en el delito de daños sólo podrá concurrir un «ánimo de lucro *indirecto*», que no está relacionado directamente con la utilización de la cosa — a diferencia del lucro directo en los delitos de robo y hurto— sino con su destrucción, deterioro o inutilización.

No ofrece dudas interpretativas la tutela de la materia en el Derecho inglés de los edificios declarados de interés histórico-artístico[300], al tipificarse expresamente como *criminal offences,* los *daños* en un edificio catalogado a través de «actuaciones distintas a aquellas realizadas para la ejecución de trabajos que necesiten autorización o permiso»[301], actuaciones que se sancionan en precepto independiente.

Ninguna especificación similar a la señalada en la regulación inglesa realiza el legislador español respecto de las agresiones contra los edificios protegidos, por lo que ateniéndonos a nuestro texto legal, deben incluirse ambas posibilidades; esto es, pueden integrarse en el tipo penal que venimos analizando, *tanto* los supuestos de ejecución de trabajos sobre el edificio protegido que conduzcan a su derribo o que repercutan negativa y gravemente en los elementos que propiciaron su protección[302], *como* asimismo se integrarán el seno del art. 321, los daños concebidos como tales[303], recayentes sobre los elementos artísticos,

---

[299]   ORTS BERENGUER, E.: *Derecho penal. Parte especial,* Valencia, 1990, p. 1.004.

[300]   Cfr. *supra* con la exposición del Derecho inglés en la materia que nos ocupa, en el Capítulo de Derecho comparado de este trabajo.

[301]   Secc. 9, 1990 Act.

[302]   Por ejemplo, la sustitución de una fachada de interés artístico de un edificio protegido en el Catálogo de Patrimonio Histórico con un nivel 2 donde se exige su conservación.

[303]   Ello resulta acorde con las causas que ya fueron analizadas de destrucción del Patrimonio: además de las destrucciones provenientes de las guerras, las más frecuentes son la incultura del pueblo que no aprecia o valora éste, el vandalismo, la especulación del suelo, así como la carga que supone para el propietario la conservación y mantenimiento del edificio por la falta de ayudas o apoyo.

históricos o monumentales del edificio protegido, fuera de los supuestos de intervenciones urbanísticas[304].

Esta interpretación responde al convencimiento de que, de acuerdo con el texto de la ley, no se exige la presencia de un elemento subjetivo del tipo para dotar de relevancia penal a la conducta. A mi juicio, el tipo del art. 321 está previsto para quien dirige su conducta a derribar o alterar gravemente un edificio protegido, con independencia de la actitud, los móviles o fines que lo han guiado. En suma, considero que el art. 321 del Código Penal no contiene ningún elemento subjetivo del tipo.

3. Justificación

La aplicación de causas de justificación presupone, necesariamente, la afirmación previa de todos los elementos integrantes del tipo. Sólo entonces será posible evaluar si, a pesar de ello, el hecho es conforme a Derecho porque concurre una causa de justificación. La apreciación de una causa de justificación significará que, en una valoración global, el hecho será jurídicamente correcto, esto es, que se tendrá derecho a actuar del modo en que se hizo.

Pasamos a continuación a analizar la operatividad de las causas de justificación en el ámbito del tipo penal que venimos estudiando, haciendo especial hincapié cn *el estado de necesidad justificante*. Por último nos rcfcrircmos a los problemas específicos que pueden surgir en relación al *cumplimiento de un deber* y al *ejercicio legítimo de un derecho*.

Como avanzaba, no resultan difíciles de imaginar hipótesis de **estado de necesidad,** entendido como una situación de conflicto entre bienes, en la cual el ordenamiento permite llevar a cabo las acciones idóneas para salvar el bien de entidad mayor, en detrimento del menor. Pensemos en supuestos donde, ante la declaración de la *ruina inminente* del edificio singularmente protegido, se lleve a cabo el derribo no autorizado de aquél. Ciertamente, en la práctica resulta harto frecuente la alegación del estado necesidad en orden a entender justificada la conducta del derribo. Sobre este particular, debemos reseñar como los

---

[304] En ese sentido, BOIX REIG, aun cuando entiende por *alteración* cualquier modificación operada sobre el edificio, la conducta resulta equiparable punitivamente al derribo ante la exigencia típica de la gravedad, cuando aborda el estudio del 323 considera que caerán en su ámbito de aplicación los *daños* a bienes muebles e inmuebles de interés cultural, *siempre que no se encuentren ya incluidos* en los artículos 319 ó 321 del Código penal. BOIX REIG, J.: *Derecho penal. Parte especial*, ob. cit., p. 636.

supuestos de *ruina inminente* implican «una situación de un edificio o construcción que ofrezca tal deterioro que haga *urgente su demolición* y exista *peligro para las personas* o los bienes con la demora que supondría la tramitación del expediente normal»[305]. Por tanto, sólo en el caso de ruina inminente, las consideraciones en juego más relevantes son las relativas a la seguridad de las personas[306], al existir una situación de deterioro físico del inmueble que genera un inmediato peligro real para éstas.

En esta dirección, SERRANO GÓMEZ considera que estaría justificada la demolición del edificio que «amenace ruina»[307] y exista «urgencia y peligro inminente»[308], al encontrarse amparado por un *estado de necesidad*. Obviamente, aunque este autor nada diga al respecto, se supone que no habrá obtenido la autorización necesaria en estos supuestos[309], pues, de otra forma, la conducta entraría dentro de la legalidad prevista en la ley, esto es, nos hallaríamos ante una forma de comportamiento que sería atípica[310].

Lo cierto es que la LPHE en su art. 24.3 declara que: «*Si existiera urgencia y peligro inminente, la entidad que hubiera incoado el expediente de ruina deberá ordenar las medidas necesarias para evitar los daños a las personas*». Sin embargo, a continuación, parece que el legislador varía el sentido del precepto, primando el deber de conservación sobre el edificio; a este respecto, se afirma que: «*Las obras que por razón de fuerza mayor hubieran de realizarse no darán lugar a actos de demolición que no sean los estrictamente necesarios para la*

---

[305]   SSTS de 2 de octubre de 1991 y de 24 de julio de 1991 (RJ 1991, 7716 y 6360). En contra, la STS de 20 de noviembre de 1991, en la cual se afirma que: «El conflicto entre la situación de peligro actual y cierto que justifica una declaración de ruina inminente y el interés público en salvaguardar el interés histórico o cultural del bien afectado, se resuelve siempre a favor de este último...» (FJ 3º).

[306]   En este sentido se manifiestan expresamente ALONSO IBÁÑEZ, M.R.: *El Patrimonio Histórico. Destino público y valor cultural*, ob. cit., p. 279; GARCÍA GARCÍA, M.J.: *El régimen jurídico de la rehabilitación urbana*, ob. cit., p. 152.

[307]   La LPHE se refiere exactamente a los supuestos en que se haya *incoado expediente de ruina* (art. 24.3).

[308]   En Derecho inglés, ya se indicó *supra* cómo en la *Planning (Listed Buildings and Conservation Areas) Act* de 1990, se prevén un número de *exenciones (defenses)* en las cuales el acusado deberá probar que los trabajos eran urgentemente necesarios en interés de la seguridad e higiene, o para la preservación del edificio.

[309]   Art. 16.1 LPHE: «*...Las obras que por razón de fuerza mayor hubieran de realizarse con carácter inaplazable en tales zonas, precisarán, en todo caso, autorización de los Organismos competentes para la ejecución de esta Ley*».

[310]   Recordemos cómo, de acuerdo con lo mantenido, los supuestos en que concurren las autorizaciones administrativas no constituyen causas de justificación, sino motivos de atipicidad.

conservación del inmueble» y requerirán, en todo caso, la autorización de los organismos competentes, debiéndose prever, en todo caso, la reposición de los elementos retirados[311].

En definitiva, en la ruina inminente se da una situación de deterioro físico del edificio que, por la inseguridad que conlleva determina la existencia de un peligro real para las personas, que es lo que realmente puede conducir a su demolición[312]. Consecuentemente, la idea de *necesidad* que justifica el derribo se deriva de la inminencia del peligro, el cual, en determinados casos sólo se podrá evitar mediante el sacrificio de los valores presentes en el edificio, pudiéndose apreciar en estos casos el estado de necesidad justificante.

Por su parte, en relación al *cumplimiento de un deber* como posible causa de justificación, debemos partir de la inadmisibilidad en nuestro ordenamiento de los «mandatos antijurídicos obligatorios», toda vez que supondría una contradicción el que el propio ordenamiento creara mandatos obligando a su contravención, tal y como ponen de manifiesto VIVES ANTÓN y CARBONELL MATEU[313]. Ahora bien, cuando la orden del superior no aparezca manifiestamente como antijurídica, y ante la duda, el inferior la cumpla, puede encontrarse una vía de justificación si acudimos al delito de desobediencia del art. 410. Imaginemos el supuesto de unas obras de restauración promovidas por la Administración Pública donde, el director de obras (funcionario facultativo) se encuentra en el proyecto de obras con una orden de derribo que, infringe la Ley de Patrimonio, pero no lo hace de manera clara y terminante.

Resulta difícil la admisión del *ejercicio legítimo de un derecho*, pues, precisamente, la exigencia de *legitimidad* en su ejercicio, resulta incompatible con las limitaciones legales en torno a la disponibilidad de los bienes culturales por parte de sus propietarios.

---

[311] A juicio de ALONSO IBÁÑEZ, partiendo de la esencia de la ruina inminente, ante la que se detienen necesariamente todo tipo de consideraciones que no sean las relativas a la seguridad de las personas, lo más acertado del art. 24.3 es la previsión de la reposición de los elementos retirados. ALONSO IBÁÑEZ, M.R.: ob. y loc. cit.

[312] En la normativa autonómica podemos encontrar algún supuesto en que se prevea expresamente la posibilidad de destrucción del edificio declarado de interés cultural; a este respecto, la normativa valenciana señala que, en supuestos de ruina, cuando por cualquier circunstancia fuere destruida una construcción o un edificio de interés cultural será de aplicación, en cuanto al régimen del terreno subyacente y del aprovechamiento subjetivo del propietario, lo dispuesto por la legislación urbanística en relación con la pérdida o destrucción de los elementos catalogados» (art. 40.3 LPCV).

[313] VIVES ANTÓN, T.S.: «Consideraciones político-criminales en torno a la obediencia debida», en *Estudios Penales y Criminológicos*, nº 5, 1981, p. 142; CARBONELL MATEU, J.C.: *La justificación penal*, Madrid, 1982, p. 158 y ss.

Finalmente, decir que el consentimiento del propietario del edificio para que un tercero derribe o altere gravemente dicho bien no tiene ninguna *eficacia justificante*[314], ya que, como es sabido, el consentimiento sólo puede desplegar sus efectos en el ámbito de los delitos contra los particulares. A este respecto, el consentimiento en la agresión es otra de las cuestiones relevantes en la distinción de bienes jurídicos, en función de su carácter individual o colectivo. El consentimiento del titular justifica sólo cuando el que consiente es el único lesionado, por lo que, en el ámbito del Patrimonio Histórico, en donde existe un bien jurídico de la sociedad, un bien jurídico colectivo, no podrá operar el consentimiento con efectos liberadores.

4. Culpabilidad

4.1. Dolo e imprudencia

El art. 321 se configura como un tipo de injusto **doloso,** sancionando el derribo o alteración grave de edificios singularmente protegidos, efectuados con *conocimiento* de las características externas de su conducta y de su significación antijurídica, y con *voluntariedad* de llevarla a cabo. Esto es, el sujeto debe ser plenamente sabedor del valor cultural del edificio, y, consecuentemente, del significado antijurídico de su derribo o alteración grave, y pese a ello decide llevar a cabo dicha conducta.

El dolo precisa, pues, en primer lugar, el conocimiento y conciencia de todos los elementos del tipo, así como el conocimiento de la significación antijurídica del hecho, siendo suficiente una valoración en la esfera de lo profano. En segundo lugar, el dolo requiere de un elemento volitivo, esto es, precisa la voluntad de realización del tipo.

En cuanto a su configuración, considero que cabe admitir el *dolo eventual* cuando el autor se represente como probables las consecuencias antijurídicas del derribo o alteración grave del edificio singularmente protegido, y, pese a ello, actúe asumiéndolas.

---

[314] La doctrina alemana es coincidente en este punto: así, STREE, W.: ob. y loc. cit.; LACKNER, K.: ob. y loc. cit.; WOLFF, ob. y loc. cit. En la doctrina española se manifiesta en este sentido, CATALÁN SENDER, J.: *Los delitos cometidos por autoridades y funcionarios públicos,* 1999, p. 519 y ss.

Ahora bien, debemos plantearnos si se puede sancionar la realización imprudente del tipo previsto en el art. 321, partiendo de la actual regulación de la **imprudencia** en nuestro Código Penal.

El texto punitivo de 1995, siguiendo un sistema de incriminación cerrada de los delitos imprudentes, soluciona, en principio, problemas interpretativos que generaban inseguridad jurídica en cuanto al conocimiento de qué conductas admitían la comisión imprudente. En efecto, partiendo del art. 12 CP, las acciones u omisiones imprudentes sólo se castigarán cuando expresamente lo disponga la Ley. Por consiguiente, en una primera aproximación parece que, ante la ausencia de una previsión legal expresa de la imprudencia referida a la conducta típica del art. 321, no se admitirá dicha forma de culpabilidad.

Ahora bien, en el Capítulo dedicado a los delitos que estamos analizando, el artículo 324 incrimina al que *por imprudencia grave cause daños* en cuantía superior a 50.000 pesetas, en un archivo, registro, museo, biblioteca, centro docente, gabinete científico, institución análoga o en *bienes de valor histórico, artístico, cultural, científico o monumental,* reproduciendo casi textualmente la conducta típica dolosa prevista en el art. 323. La doctrina científica se plantea, pues, si a través del precepto referido que incrimina los daños imprudentes (art. 324), cabría la posibilidad de incriminar el tipo previsto en el artículo 321 a título de imprudencia.

Las voces doctrinales manifestadas al respecto estiman de forma casi unánime, que las conductas descritas en el 321 realizadas imprudentemente podrán castigarse a través del art. 324, dada la amplitud de los términos descritos en éste. En este sentido se manifiestan PÉREZ ALONSO, BOIX REIG, TAMARIT SUMALLA, FARRE DÍAZ, así como CARMONA SALGADO[315].

Sin embargo, algún autor considera que no debe incriminarse la comisión imprudente del derribo o la alteración grave; dicha afirmación encuentra su fundamento, desde una interpretación *sistemática* de los preceptos que integran los delitos contra el Patrimonio Histórico, así como desde una interpretación lógica del precepto 321. Así, CONDE-PUMPIDO TOURON[316] afirma que los únicos comportamientos imprudentes penados en el art. 324 son los daños del art. 323 y no las conductas específicas incluidas en el precepto que venimos

[315] PÉREZ ALONSO, E.J.: «Los delitos contra el patrimonio histórico...», ob. cit., p. 630; BOIX REIG, J.: *Derecho penal. P. Especial,* ob. y loc. cit.; TAMARIT SUMALLA, J.M.: *Comentarios al nuevo Código penal...,* ob. cit., p. 858; FARRE DÍAZ, E.: «Los delitos relativos a la ordenación del territorio y el patrimonio histórico...», ob. cit., p. 132; CARMONA SALGADO, C.: *Curso de Derecho Penal,* ob. cit., p. 41.

[316] CONDE-PUMPIDO TOURON, C.: *Código penal. Doctrina y jurisprudencia,* ob. cit., p. 3.211.

analizando. En la doctrina francesa, DELMAS-MARTY sostiene que, cuando en la Ley de 1913 de monumentos históricos se tipifica la ejecución de trabajos no autorizados o no conformes con las prescripciones de la autorización administrativa, como no es la pretensión del legislador el castigar en este ámbito una simple falta material de inobservancia de un reglamento administrativo, se exige al sujeto activo el conocimiento de la decisión administrativa de protección *(classement ou inscription)* del bien de que se trate, distinguiéndose entre el propietario que debe haber «recibido personalmente» la notificación, y el «ocupante» que deberá sólo tener conciencia de la medida tomada.

Pues bien, **a mi juicio,** la cláusula genérica *«bienes de valor histórico, artístico, cultural, científica o monumental»* relativa al objeto material del tipo imprudente del art. 324 hace posible la incriminación de los supuestos de derribos o alteraciones del 321.

Téngase presente que, una vez excluida la existencia de un elemento subjetivo del injusto que pudiera obstaculizar la verificación imprudente del derribo o la alteración grave del edificio protegido, debemos afirmar la posibilidad de sancionar estos supuestos, atendiendo a una interpretación extensiva del art. 324.

Asimismo, pensemos en las consecuencias incongruentes a las que se llegaría si se estimara lo contrario, máxime si pensamos que la causación imprudente de daños a partir de 50.000 pesetas es ya punible. Resultaría, además, disparatado que se castigasen los daños imprudentes en bienes comunes (art. 267), mientras que el derribo imprudente de un edificio protegido por sus intereses históricos o artísticos quedara impune.

Ciertamente, el Código Penal establece una protección de unos bienes portadores de valores singulares, sancionando las actuaciones tanto dolosas como imprudentes, en cuanto su uso obliga a una diligente atención. Sin embargo, debe negarse la posibilidad del castigo de la imprudencia por la vía del delito de daños del art. 267 —siempre y cuando el edificio sea de propiedad ajena y los daños por imprudencia grave se valores en cuantía superior a los 10 millones de pesetas— entre otras razones porque, de admitirse esta interpretación dejaríamos sin castigo los supuestos en que la conducta típica se lleva a cabo con imprudencia grave por el propietario del edificio, provocando la desaparición o graves perjuicios en nuestro patrimonio colectivo.

4.2. Tratamiento del error

Según quedó expuesto, la presencia de términos normativos en el tipo del art. 321 plantea problemas a la hora de determinar si el error que pueda recaer sobre dichos términos es un error sobre un elemento integrante del hecho (14.1 CP) o es un error acerca de la ilicitud del hecho (14.3), ya que los referidos términos se remiten a valoraciones jurídicas para su integración o interpretación. A este respecto, como ya se adelantó, comparto la posición, defendida en nuestro país por MUÑOZ CONDE, partidaria de remitir al *error sobre el tipo* los supuestos de error que recaigan sobre los términos normativos, por las razones que se adujeron[317].

Recordemos cómo el art. 321, al configurarse como un tipo de injusto doloso, requiere tanto el conocimiento del valor cultural del edificio, como el de la significación antijurídica de la conducta consistente en derribar o alterar gravemente aquél, y que, pese a ello, tenga intención de llevarla a cabo. En este sentido, la singular protección del edificio por su interés histórico, artístico, cultural o monumental conformaba un término normativo esencial en el art. 321. Podemos imaginar, pues, un supuesto en que se pruebe que el sujeto activo tenía un conocimiento erróneo o equivocado sobre la naturaleza del objeto material; por ejemplo, sobre el interés monumental del edificio, pues creía equivocadamente que éste no ostentaba ningún valor.

Ahora bien, también puede ocurrir que el error recaiga sobre la existencia de *autorización* o su validez o eficacia en los supuestos de derribos o alteraciones de un edificio especialmente protegido por su interés artístico.

Así las cosas, en los párrafos que siguen se abordarán estos supuestos controvertidos que pueden presentarse en la práctica, mostrando algunas de las opiniones doctrinales que hasta el momento se han vertido en este punto, así como nuestra postura personal al respecto.

Pues bien, nos referiremos en *primer* término a los supuestos en que el sujeto activo tenga un conocimiento erróneo o equivocado sobre la naturaleza del objeto material.

Tal y como exponen algunos autores[318], los supuestos en que el error sobre el elemento normativo recae sobre el «sustrato fáctico del elemento» no plantean problemas, pues tienen las consecuencias del *error de tipo*. A este respecto, se mantiene que el conocimiento de los términos normativos del tipo no hace falta que sea exacto, sino que basta que sea proporcionado por una

---

[317] Vid. *supra* el epígrafe dedicado a los *términos normativos y el error*, en el Capítulo Tercero sobre el bien jurídico.

[318] Así, LUZON PEÑA, D.: *Derecho penal*, ob. y loc. cit.; DÍAZ Y GARCÍA CONLLEDO, M.: «Los elementos normativos del tipo penal...», ob. cit., p. 687.

valoración paralela en la esfera de lo profano[319]. De ese modo, el desconocimiento o ignorancia del término normativo, debido a una valoración paralela errónea excluirá el dolo; en el ejemplo anterior, si el sujeto derriba un edificio o lo altera gravemente creyendo que no tenía valor cultural alguno, en principio, estos supuestos deben ser tratados, en mi opinión, como *error sobre el tipo*[320]. Así, también podrá apreciarse un error sobre la concurrencia de los elementos típicos, motivada por la confianza que el inferior deposita en la legalidad de la orden.

Sentado lo anterior, en los supuestos en que sí se conoce el sentido del término normativo, más se produce una interpretación equivocada de éste, es decir, se da un error sobre el significado exacto del término, la doctrina se encuentra dividida en cuanto a su tratamiento correcto y a la clase de error. A este respecto, el posible error debido a una interpretación equivocada del significado del término legal, si el sujeto tiene una comprensión aproximada de las reglas o estándares que el juez utilizaba para definir el elemento normativo correspondiente, se calificaría como un error de subsunción, que como tal es irrelevante en el ámbito del tipo[321]. Para algunos autores, podrá apreciarse un error de prohibición[322] en aquellos supuestos en que la falta de representación supone una reducción del ámbito de la norma; para otro sector de la doctrina, si impide la comprensión del sentido material auténtico de la acción, esto es, si impide la comprensión de los presupuestos mismos de la prohibición, entonces sería calificado como un error de tipo[323].

No es este el lugar indicado para tratar de terciar en tan ardua polémica que, a la postre, gira sobre uno de los conceptos más debatidos de la dogmática penal. Es por ello que estimo preferible relacionar a continuación algunos supuestos problemáticos que pueden plantearse en el ámbito del precepto que venimos analizando, tratando de aportar criterios orientativos de solución a aquéllos.

---

[319] A pesar de las dudas que plantea el hecho de que el mismo criterio, el de la valoración paralela, se utiliza por la doctrina tanto en el campo del conocimiento de elementos normativos del tipo como en el conocimiento de la antijuridicidad. Cfr. MUÑOZ CONDE, F./GARCÍA ARÁN, M.: *Derecho penal. Parte general*, 1999.

[320] En esta dirección, SUÁREZ MONTÉS, C.: *Comentarios al Código penal...*, ob. cit., p. 920; SALINERO ALONSO, C.: ob. cit., p. 309. Por el contrario, consideran que son supuestos de error de prohibición, MILANS DEL BOSCH y JORDANS DE URIES: ob. cit., p. 216; FARRE DÍAZ, E.: *Los delitos relativos...*, ob. cit., p. 133.

[321] Así, por ejemplo, MIR PUIG (cfr. «La distinción entre error de tipo y error de prohibición», en *El error. El consentimiento*, 1993, CGPJ, p. 197 y ss.

[322] Defienden esta tesis en la doctrina alemana, WELZEL: ob. y loc. cit.; MEZGER: ob. y loc. cit. Con matices y precisiones al respecto, JAKOBS: ob. y loc. cit.; MAURACH/ZIPF: ob. y loc. cit.

[323] LUZON PEÑA: ob. y loc. cit.

Imaginemos aquella hipótesis en que el sujeto activo no se represente si el edificio en cuestión se halla protegido de forma singular por la Administración; ahora bien, si el sujeto tiene conocimiento del interés histórico del edificio y, pese a ello, decide derribarlo o alterarlo gravemente, resultará irrelevante el hecho de que desconozca si el edificio en cuestión goza de la protección dispensada por la Administración Cultural, y si se le ha insertado en una determinada categoría legal de protección, no dejando por ello, deja de cometer el tipo del art. 321, pues no desconoce el sentido material auténtico de su acción.

La mera pertenencia al Patrimonio Histórico por la presencia en el objeto de intereses artísticos, culturales, monumentales, en definitiva, culturales, hace surgir unos efectos concretados en el deber de conservación, mantenimiento y custodia (art. 36), lo que, *a sensu contrario,* impide toda actuación conducente a la desaparición de los citados intereses o valores. Con la declaración administrativa de Interés Cultural o la catalogación del edificio se intensifican, evidentemente, los efectos citados, tras el ingreso del bien en una específica categoría de protección, esto es, su incorporación a un régimen jurídico que trata de garantizar su conservación y fruición colectiva[324].

El error de subsunción, entendido como simple error de denominación o calificación, será, sin lugar a dudas, absolutamente irrelevante. De ese modo, considero que, respecto del «valor cultural» de un bien, resulta indiferente que el sujeto conozca el *grado exacto* de protección conferido por la Administración competente —esto es, si es BIC o está catalogado— cuando decide derribarlo o alterarlo gravemente. Sobre este particular, DÍAZ Y GARCÍA CONLLEDO afirma que «la idea de que haya de producirse una valoración paralela en la esfera de lo profano encierra el núcleo de verdad de que sólo hayan de conocerse *los extremos relevantes para la concurrencia del elemento* en todo su *sentido o significado material auténtico* y no otros extremos, como el nombre del elemento, su origen exacto o sus normas constitutivas…»[325].

---

[324] En la doctrina italiana surgió una polémica acerca del carácter constitutivo o declarativo de la decisión administrativa por la que se inserta un bien en una determinada categoría legal de protección. Desde un sector se sostenía el carácter meramente declarativo de la «notifica» (opinión defendida, entre otros, por GRISOLIA: «La tutella delle cose d'arte», ob. cit., p. 261 y ss.; GIANNINI: *Beni culturali nell'ordinamento italiano,* ob. cit.; PIVA: *Cose d'arte),* carácter que se ve reafirmado con ocasión de los trabajos de la Comisión Franceschini, manteniendo la independencia del carácter cultural del bien de la declaración administrativa. Desde otro sector de la doctrina, ALIBRANDI y FERRI *(Il diritto dei beni culturali,* ob. cit., p. 59) afirman la naturaleza constitutiva de la declaración aludiendo al surgimiento de relaciones jurídicas desde el vínculo impuesto sobre los bienes. Puede verse una visión general sobre la polémica referida en ALEGRE ÁVILA, J.M.: ob. cit., p. 537.

[325] (La cursiva es añadida.) DÍAZ Y GARCÍA CONLLEDO, M.: ob. cit., p. 690.

En segundo término, tal y como ya adelantamos, además de los supuestos en que el sujeto activo tenga un conocimiento erróneo o equivocado sobre la naturaleza del objeto material, el **error** puede versar sobre la existencia de **autorización** o su validez o eficacia. ¿Cómo se solucionarían, por ejemplo, los supuestos en que el sujeto altera un edificio especialmente protegido por su interés artístico o derriba un edificio de interés histórico declarado en ruina, ignorando que necesita autorización para ello?

Sostiene CATALÁN SENDER[326] que, si el sujeto activo no solicitara licencia de obras para su actuación, podría haber incurrido en error en su caso, si bien este autor no se manifiesta al respecto de la clase de error con que se resolverían estos supuestos; únicamente señala que éste siempre sería vencible por cuanto pudo solicitar la licencia y le hubiesen informado de ese modo de la ilegalidad que se pretende realizar.

En estos casos nos encontramos ante un error donde, en principio, también la distinción entre error de tipo y error de prohibición se torna harto dificultosa, pues la falta de autorización es un requisito del tipo de injusto —aunque implícito, tal y como ya se expuso[327]— al tiempo hace referencia a la antijuridicidad del comportamiento. Esto es, en el tipo recogido en el art. 321 se castiga lo descrito —el derribo o alteración grave del edificio singularmente protegido— a no ser que la Administración lo autorice[328]. De ese modo, la remisión interpretativa, aunque implícita, excluye del tipo de injusto aquello que la Administración autoriza. La falta de autorización forma parte, pues, de la tipicidad misma, con anterioridad a su relevancia de cara a la antijuridicidad. Consecuentemente considero que, en principio, cuando las actuaciones referidas se llevan a cabo sin la autorización preceptiva, por ignorancia de su necesidad, se podrán resolver como *errores de tipo*[329]. El principal problema

---

[326] CATALÁN SENDER, J.: *Los delitos cometidos por autoridades y funcionarios...*, ob. cit., p. 525.

[327] Véase *supra* el epígrafe dedicado a las *remisiones normativas* en el Capítulo Tercero sobre el bien jurídico protegido.

[328] Si bien debe matizarse que, evidentemente, la Administración podrá autorizar la alteración del edificio en determinados casos, mas nunca la alteración *grave* de éste.

[329] En esta dirección, si bien respecto de los supuestos de falta de autorización en los «delitos urbanísticos»: DE LA CUESTA ARZAMENDI, J.L.: «Delitos relativos a la ordenación del territorio en el nuevo Código penal de 1995», ob. cit., p. 320; asimismo, SALINERO ALONSO, C.: «Delitos contra la ordenación del territorio (y II)», en *La Ley*, nº 4355, agosto 1997, p. 2. Por contra, ACALE SÁNCHEZ, si bien en referencia a los delitos contra la ordenación del territorio, considera que en los casos en que el sujeto cree que para construir en suelo no urbanizable no necesita autorización administrativa, se apreciará un error de prohibición. ACALE SÁNCHEZ, M.: *Delitos urbanísticos*, ob. cit., p. 313 y ss.

con el que habrá de enfrentarse el Juez será la dificultad probatoria de dicho error.

Más allá de estos casos se plantean dudas interpretativas en torno al tratamiento de los supuestos en que la autorización incurre en vicio de nulidad de pleno derecho, de suerte que, como ya se expuso[330], su inexistencia en el orden administrativo convierte en típica la conducta realizada a su amparo. Ahora bien, en estos casos podría apreciarse un error de tipo en la actuación del beneficiario[331], pese a que, por el contrario, afirme algún autor que en estos supuestos en que el vicio determina la nulidad del acto, por su carácter manifiesto, resultará difícil afirmar que el beneficiario de la licencia actúe en situación de error[332].

Recapitulando, hasta el momento podemos concluir que, el error sobre los términos normativos del art. 321 se podrá castigar como un *error de tipo,* con las salvedades indicadas en algunos supuestos. Ahora bien, este error puede ser, según el art. 14.1 del CP, **vencible o invencible,** clasificación que, no es sólo una cuestión meramente teórica, sino que tiene importantes repercusiones prácticas.

Así, el error *vencible* es aquel que puede ser eliminado con un esfuerzo exigible al sujeto, mientras que el error *invencible* no puede ser eliminado con dicho esfuerzo. Si el error es vencible se castigará el hecho como imprudente, mientras que si es invencible determinará la exclusión del dolo y, por consiguiente, de la responsabilidad criminal. El art. 14 del Código Penal establece un criterio mixto de diferenciación entre el error vencible y el invencible, al igual que en el art. 6 bis a) del precedente CP: «*atendidas las circunstancias del hecho y las personales del autor*». Por tanto, la vencibilidad o invencibilidad del error no se determinará en abstracto sino atendiendo, tanto a las circunstancias *objetivas* concurrentes en el supuesto de hecho en cuestión, como a las circunstancias *subjetivas,* esto es, a las facultades personales del agente (su nivel de inteligencia, profesión, ámbito social, etc.).

En el ámbito que nos ocupa, pueden suscitarse en la práctica distintas situaciones en las cuales, dependiendo del conocimiento o no de su actuación ilegal, y de las circunstancias subjetivas y objetivas que puedan aparecer,

---

[330] V. *supra,* lo expuesto en relación a las autorizaciones ilícitas de derribo, en el análisis de la conducta típica.

[331] En este sentido, GÓMEZ RIVERO, M.C.: *El régimen de autorizaciones...,* ob. cit., p. 34.

[332] De esta opinión, PRATS CANUTS: «Análisis de algunos aspectos problemáticos de la protección penal del medio ambiente», en *La protección penal del medio ambiente,* Madrid, 1991.

analizaremos si puede apreciarse o no error, y, en su caso, el grado de vencibilidad de éste:

a) Así, pensemos que el derribo de un edificio singularmente protegido por su interés monumental lo lleva a cabo un arquitecto que, tiene conocimiento del valor cultural del edificio, así como del régimen a que dichas actuaciones están sometidas. En estos supuestos no podrá alegar error vencible o invencible sobre los términos normativos del tipo del art. 321, pues, por su profesión, debe conocer las obligaciones y limitaciones a las que está sujeto en estos supuestos, por lo que estaremos ante una conducta dolosa.

Sin embargo, en el supuesto del subordinado que realiza directamente el derribo, motivado en la confianza depositada en la legalidad de la orden, ya dijimos que podría apreciarse un error sobre la concurrencia de los elementos típicos. En estos casos, la vencibilidad del error daría lugar a su castigo por imprudencia.

b) El arquitecto o cualquier profesional de la construcción conoce el régimen a que están sometidas las actuaciones sobre los edificios catalogados por la Administración, si bien duda sobre algunos de los deberes que le obligan al respecto, y, pese a ello, lleva a cabo un derribo parcial del edificio en cuestión. En estos casos, si el profesional duda y no hace nada para salir de esa situación, su error será *vencible* porque pudo reducir la incerteza en que se encontraba, solicitando el asesoramiento o la información al respecto.

c) También puede ser un particular el que, pese a conocer el valor cultural del edificio, lo altere gravemente, al encontrarse en un estado ruinoso y desconocer el régimen al que están sometidas las intervenciones sobre dichos inmuebles, no acudiendo previamente a un especialista que le asesore al respecto.

En este caso el error podrá ser castigado como *vencible,* pues el agente no ha hecho todo lo posible para informarse del régimen jurídico aplicable a dichos supuestos. Recordemos que la declaración como BIC conlleva la inscripción en el Registro de Bienes Culturales[333] con un efecto básico que es la *publicidad,* es decir, la posibilidad de que, tanto por el público en general como por las autoridades, se conozca el carácter de BIC del inmueble y la existencia de un régimen específico y una serie de obligaciones o limitaciones respecto a aquél.

Ahora bien, imaginemos que la conducta típica sea llevada a cabo por el *propietario* del edificio, en las mismas condiciones que acabamos de exponer.

---

[333] Art. 21 y ss. del Real Decreto 111/1986.

En estos supuestos no podrá alegar error vencible o invencible sobre los términos normativos del tipo del art. 321, pues, como titular del inmueble protegido singularmente, debe conocer las obligaciones a las que está sujeto, tanto si él solicitó la incoación del expediente para su declaración como BIC, como si la inscripción sea realizada de oficio, pues ésta es *notificada al titular* del bien, por lo que estaremos ante una conducta dolosa.

d) Asimismo, podría darse algún supuesto de un particular que, por su escasa o nula formación cultural, desconociera el interés histórico, artístico o monumental del edificio sobre el que actúa, a lo que se uniera el hecho de que el edificio se encontrara en estado de ruina, con absoluta carencia de carteles o letreros indicativos de su relevancia.

En estos supuestos, a mi juicio, podría alegar error *invencible*, ya que en esas circunstancias y con unos conocimientos muy por debajo de la media, extremo comprobable en la vista oral, difícilmente podría salir de su error.

Sobre este particular, si bien en relación a una condena por hurto de piedras procedentes de un puente en ruinas de la época califal, la Audiencia Provincial de Córdoba inaplicó el tipo cualificado por desconocimiento por parte del sujeto activo de la importancia histórico-artística de los objetos sustraidos; concretamente, se afirma en la ya citada sentencia de 28 de octubre de 1998 que: «Para que se cometiera el delito antes descrito (art. 235.1), requisito estrictamente necesario es el conocimiento por el autor o autores del valor histórico, artístico, cultural o científico de las cosas sustraidas, circunstancias que no se daban en ninguno de los acusados por su escasa o nula formación cultural y por el hecho del estado en que se encontraba el puente».

Una vez expuestos los criterios para determinar cuando el error es vencible o no, podría surgir un problema, pues recordemos que el art. 14 del CP establece que el error de tipo *vencible* lleva aparejada la pena del delito imprudente, de manera que sólo sería punible si se admitiera la incriminación imprudente. En principio, parece que esta posibilidad está vetada en el ámbito del 321, toda vez que la conducta típica es eminentemente dolosa, por lo que dicho error conduciría a una impunidad. Pese a ello, ya nos manifestamos a favor de una interpretación extensiva del art. 324 —precepto que, si bien reproduce textualmente la conducta de daños genéricos del 323, se refiere a los bienes de valor artístico, histórico, cultural y científico— pudiendo admitirse entonces por la vía del 324 la incriminación de los derribos o alteraciones graves de edificios protegidos, realizados con imprudencia grave. A esta razón, unimos el hecho de que en la práctica puede resultar frecuente la posibilidad de errores sobre la autorización en supuestos de derribos de edificios declarados en ruina, de manera que, como bien afirma SALINERO ALONSO[334] optar por la no incrimi-nación imprudente, al menos por imprudencia grave no es una solución muy afortunada.

Por último, debemos referirnos a algunas situaciones que podrán reconducirse a supuestos de error sobre la ilicitud del hecho constitutivo de la infracción penal *(error de prohibición);* en particular, me estoy refiriendo a los supuestos de error de prohibición *indirecto,* cuando el autor conoce la desvalorización que el Derecho atribuye al hecho, pero cree erróneamente que se haya desvirtuada por la concurrencia de una causa de justificación.

Pensemos si, en el supuesto de un propietario de un edificio de interés histórico que cree erróneamente que, por el hecho de serlo, puede derribarlo sin permiso alguno, podría estimarse un *error de prohibición*[335], basado en la creencia errónea de estar en el *ejercicio legítimo de un derecho.* Y es, en efecto, errónea porque no puede afirmarse la existencia de esta causa de justificación por la carencia del requisito de la legitimidad.

Lo cierto es que, a mi juicio, podrá estimarse el error de prohibición, siempre que la duda fuera racional y fundada, así como basada en causas objetivas. De manera que, en este supuesto, considero que mal puede invocar error de prohibición quien utiliza vías de hecho que «todo el mundo sabe que están prohibidas en el derecho»[336]. En este sentido, la peculiar naturaleza de los componentes del Patrimonio Histórico, en tanto que objetos dotados de una utilidad cultural que coexiste con una utilidad patrimonial[337], conduce a que, no sólo hay que hacer lo necesario para conservar, sino que, como ya dijimos, queda proscrito el «no hacer», así como el «hacer negativo» consistente en destruir, menoscabar, en definitiva, hacer desmerecer o desaparecer los valores del edificio que propiciaron su singular protección.

También el sujeto puede *erróneamente* creer que se encuentra amparado por un *estado de necesidad justificante*[338], esto es, pueden darse situaciones de estado

---

[334] SALINERO ALONSO, C.: *La protección del Patrimonio Histórico...,* ob. y loc. cit.

[335] A este respecto, en la doctrina alemana, WOLFF: ob. y loc. cit., DREHER-TRÖNDLE: ob. y loc. cit., STREE: ob. y loc. cit.

[336] STS de 2 de julio de 1984, en la que se niega dicho error, en un supuesto en que los recurrentes, por entender que eran de propiedad vecinal, invadieron los terrenos que ocupaba la Urbanizadora B. M., causando destrozos en ellos.

[337] Véase a este respecto lo expuesto *supra,* en el Capítulo Tercero, III, 3.4. sobre las limitaciones del propietario de bienes culturales.

[338] Recordemos cómo el *estado de necesidad,* como causa de justificación, se dará en aquella situación en que, existe para un determinado bien, el peligro inminente de un quebranto

de necesidad *putativo*[339]. Imaginemos una situación en que un sujeto decide demoler un edificio histórico protegido, creyendo erróneamente que se encuentra en peligro la seguridad de las personas por el hecho de que el edificio se encuentra en situación de ruina, que él cree inminente, cuando en realidad se trata de un supuesto de ruina económica, esto es, ruina declarada porque el coste de las reparaciones supone más del 50% del valor del edificio. En esta hipótesis, el sujeto, a mi juicio, sí podría haber incurrido en un error de prohibición indirecto. Por último decir que cuando el error de prohibición sea un error invencible, conducirá a la exclusión de la responsabilidad criminal; si es vencible, será preceptiva la atenuación de la responsabilidad en uno o dos grados, de suerte que el legislador ha sido más benévolo en el tratamiento del error acerca del hecho que en el error sobre su significación antijurídica.

4.3. Exigibilidad

En la esfera de la culpabilidad, resta por examinar si será posible alegar alguna de las causas de inexigibilidad previstas en el art. 20 del CP, para poder excluir la responsabilidad del sujeto activo del tipo.

El Código Penal vigente contempla dos eximentes fundadas en la idea de no exibilidad de otra conducta: el estado de necesidad excusante (art. 20.5) y el miedo insuperable (art. 20.6).

De estas dos causas de inexigibilidad, la que quizás pudiera ser de aplicación en el delito que nos ocupa sería el *estado de necesidad excusante*. El estado de necesidad podrá ser alegado, pues, en el tipo que venimos analizando, en sus dos versiones, como causa de justificación y como causa de inexigibilidad. Al estado de necesidad justificante ya nos referimos en su lugar oportuno[340], si bien conviene recordar, en aras a su delimitación con el excusante, los supuestos en que podrá ser alegado. Esto es, para que pueda hablarse de estado de necesidad justificante se requiere que exista un conflicto de bienes en el que la acción de

---

grave que sólo puede ser evitado mediante el sacrificio de bienes jurídicos ajenos, a través de una acción objetivamente idónea para salvar el bien mayor.

[339] No obstante, sugiere CUERDA ARNAU cómo los casos de error sobre la existencia de un conflicto de bienes podrían tener entrada directamente en la eximente del miedo insuperable, si bien teniendo en cuenta el carácter vencible o invencible del error para decidir sobre la insuperabilidad del miedo. CUERDA ARNAU, M.L.: *El miedo insuperable. Su delimitación frente al estado de necesidad*, Valencia, 1997, p. 212 y ss.

[340] Vid. *supra* el epígrafe dedicado a las causas de justificación.

salvamento tienda a la preservación del bien mayor, y además ésta sea objetivamente adecuada para producirla.

Sin embargo, como causa de inexigibilidad (estado de necesidad excusante) podrá aplicarse en casos en que las acciones de salvamento vayan dirigidas a lograr la salvaguarda de un bien de igual valor, así como aquellas que intenten la supervivencia del bien mayor pero que carezcan de la aptitud necesaria para preservarlo[341].

Sobre este particular, ya pusimos de manifiesto como no resultara extraña la alegación de un *estado de necesidad* en supuestos de derribos, ante la declaración de la *ruina inminente* del edificio singularmente protegido, al existir una situación de deterioro físico del inmueble que genera un inmediato peligro real para las personas y las cosas. Ahora bien, producirán meros efectos *excusantes*, las acciones de salvamento dirigidas a lograr la salvaguarda del bien mayor, esto es la vida e integridad de las personas, cuando dicha salvación podría haberse obtenido por medios menos lesivos; pensemos en una hipótesis en que el trabajador de una empresa de construcción, ante la situación de urgencia y peligro inminente provocada por la situación de ruina de un edificio protegido, proceda sin más demora a su demolición, pudiendo haber esperado a ejecutar otro tipo de medidas, que necesariamente debe adoptar la entidad que incoara el expediente de ruina[342].

5. Penalidad y medidas de restauración del orden jurídico conculcado. Problemas concursales. Delito continuado

5.1. Penalidad y medidas de restauración del orden jurídico conculcado

Para finalizar el análisis del art. 321, debemos detenernos en el segundo apartado de este precepto, donde se prevé la posibilidad de que, además de las penas previstas en él —prisión de seis meses a tres años, multa de doce a veinticuatro meses, y, en todo caso, inhabilitación especial para profesión u

---

[341] V. COBO/VIVES: *Derecho Penal. P. General,* ob. cit., p. 696.

[342] La LPHE declara en su art. 24.3 que: «Si existiera urgencia y peligro inminente, la entidad que hubiera incoado el expediente de ruina deberá *ordenar las medidas necesarias para evitar los daños a las personas. Las obras que por fuerza mayor hubieran de realizarse no darán lugar a actos de demolición que no sean estrictamente necesarios, para la conservación del inmueble y requerirán en todo caso, la autorización prevista en el art. 16.1, debiendo prever además en su caso la reposición de los elementos retirados».*

oficio por tiempo de uno a cinco años— el órgano jurisdiccional sentenciador ordene medidas restauradoras del orden jurídico conculcado por la infracción, a cargo del responsable de los hechos.

Así, a tenor de lo dispuesto en el segundo inciso del precepto: *«En cualquier caso los Jueces o Tribunales, motivadamente, podrán ordenar, a cargo del autor del hecho, la reconstrucción o restauración de la obra, sin perjuicio de las indemnizaciones debidas a terceros de buena fe».*

En primer lugar, las medidas previstas en este apartado deben diferenciarse de las sanciones impuestas por razón de la infracción, toda vez se trata de medidas *accesorias* al fallo penal, encaminadas a restaurar el orden jurídico perturbado, y además de naturaleza *civil* por lo que, su concurrencia con las sanciones penales, como ya se adelantó[343], no produce vulneración del principio *ne bis in idem*[344]. Así, el legislador de 1995 diferencia delito y daño civil, y sus consiguientes responsabilidades[345]. Sólo cuando el hecho delictivo ocasione, además, un daño resarcible según el ordenamiento civil —daño civil— surgirá, junto a la responsabilidad penal, una obligación de aquella naturaleza. En otro

---

[343] Cfr. *supra*, el apartado 3.3 b) en el epígrafe IV del Capítulo Tercero, apartado dedicado a los supuestos excluidos e incluidos en el principio *ne bis in idem*.

[344] Si bien respecto de las infracciones urbanísticas, en el orden administrativo sancionador, el Tribunal Supremo, en sentencia 5/10/95 (RJ 7218) afirma como: «La vulneración del ordenamiento jurídico urbanístico puede provocar, normalmente, *dos tipos de consecuencias jurídicas,* tal como se especifica en el art. 225 TRLS y en el art. 51 RDU, a saber, la adopción de medidas para la restauración del ordenamiento jurídico infringido y de la realidad material alterada a consecuencia de la actuación ilegal, y también la imposición de sanciones, cuando la actuación enjuiciada, además de ilegal, se halla adecuadamente tipificada como infracción».

Asimismo, el TS en sentencia 15/7/91 (RJ 5749) afirmaba, a este respecto, que: «La doble sanción en forma alguna puede reputarse existente en las infracciones urbanísticas, ya que en las mismas la reacción comprende, al igual que de si una infracción penal se tratase, la imposición de sanciones pecuniarias, la restauración del orden jurídico conculcado y la indemnización de daños y perjuicios».

Puede verse acerca de tales medidas reintegradoras del orden jurídico conculcado, si bien en concreto respecto de la orden de «reconstrucción» (que en este caso es la prevista para el art. 319 CP), ARREDONDO GUTIÉRREZ, J.M.: *Demolición de edificaciones ilegales y protección de la legalidad urbanística,* ob. cit., p. 24.

[345] Esta separación se recoge en el artículo 109 («1. La ejecución de un hecho descrito por la ley como delito o falta obliga a reparar, en los términos previstos en las leyes, los daños y perjuicios por él causados. 2. El perjudicado podrá optar, en todo caso, por exigir la responsabilidad civil ante la Jurisdicción civil») y en el art. 116 («toda persona criminalmente responsable de un delito o falta lo es también civilmente si del hecho se derivaren daños o perjuicios...»).

caso, si el hecho calificado como delito por la legislación penal no produjere ningún daño privado sólo será exigible la responsabilidad punitiva.

Nos encontramos, pues, ante consecuencias del delito de carácter civil, esto es, integrantes de la responsabilidad civil derivada del delito, cuyas reglas generales son recogidas en el Capítulo I del Título V del Código Penal (arts. 109 a 115). En concreto, el apartado segundo del art. 321 debe ser puesto en relación con el art. 110.2 del Código, el cual declara que la responsabilidad comprende la *reparación* del daño, y con el art. 112, según el cual, dicha reparación «podrá consistir en *obligaciones* de dar, *de hacer* o de no hacer que el Juez o Tribunal establecerá atendiendo a la naturaleza de aquél, y a las condiciones personales o patrimoniales del culpable, determinando, si han de ser cumplidas por él mismo o pueden ser ejecutadas a su costa» (la cursiva es añadida)[346].

En suma, las medidas del apartado segundo del art. 321 son medidas de carácter civil, que forman parte del contenido de la *reparación*, prevista con carácter general en los arts. 110.2 y 112 mencionados. Precisamente por estar ya recogidas con carácter general en el Código Penal, alguna voz doctrinal considera que su previsión expresa en el art. 321 resulta innecesaria y redundante[347]. Sin embargo, a mi juicio, lo que el legislador ha pretendido es que, en relación con algunos delitos, dichas medidas se concreten, proporcionando pautas para su correcta adopción, atendiendo, como dice el texto legal, a la naturaleza del daño.

Como es sabido, todo el esquema de la responsabilidad civil tiende a la reparación del daño, ya sea *in natura*, o mediante una indemnización en dinero. Pues bien, si, con carácter general, debe darse preferencia a la reparación en especie, con mayor motivo dicha prevalencia debe manifestarse en los supuestos de daños al Patrimonio Histórico, pues, en estos casos, aparte de resarcir al perjudicado, se trata de proteger nuestro patrimonio colectivo, y, por ende, los valores culturales ínsitos en él[348]. Concretamente, las medidas contempladas en

---

[346] Como se desprende del precepto, el juzgador tendrá en cuenta los dos nuevos parámetros fijados por el legislador para concretar en qué consistirá la reparación del daño, y con base en ello, decretará su cumplimiento personal o la ejecución a su costa.

[347] FERNÁNDEZ APARICIO, J.M.: «Delitos contra el Patrimonio Histórico», en *Iuris, Actualidad y práctica del Derecho*, n° 31, septiembre de 1999, p. 51.

[348] Esa mayor necesidad de dar prevalencia a la restauración *in natura* se da también en los supuestos de daños al medio ambiente, de acuerdo con la posición adoptada por el Tribunal Supremo en materia de responsabilidad civil en relación con la protección del medio ambiente. Véanse algunos de estos pronunciamientos en DE MIGUEL PERALES, C.: *La responsabilidad civil por daños al medio ambiente*, 2ª ed. 1997, p. 227 y ss.

el art. 321 consistirán en la *reconstrucción* del edificio derribado, a cargo del autor, o en la *restauración* del edificio gravemente alterado, consistiendo esta última medida en la recuperación de los valores monumentales o artísticos del edificio, lo que nos confirma la adecuación de la interpretación que venimos realizando de lo que constituye «alteración grave» del edificio.

Obviamente, pese a que el Código se refiere al autor individual, el coste de la medida de reconstrucción o de restauración deberá repartirse, si existen distintos intervinientes en el hecho delictivo, de acuerdo con las reglas generales de la responsabilidad civil.

También en el ámbito administrativo, respecto de las demoliciones indebidas o sin autorización de edificios de valor histórico-artístico o incluidos en los catálogos urbanísticos, se prevé —de acuerdo con el art. 30.2 del Reglamento de Disciplina Urbanística[349]— la paralización de la actividad y la *reconstrucción*[350], en su caso, sometiéndose a las normas establecidas para su conservación, restauración y mejora[351]. Sin embargo, la escasa utilización de estas medidas por parte de la Administración, puede ser la razón que haya conducido al legislador penal a la previsión de aquellas para su imposición por la Administración de Justicia. Mas, lo cierto es que, en la práctica la imposición de tales medidas, respecto de los edificios singularmente protegidos, resulta francamente difícil, en tanto la LPHE[352] establece, como ya se ha expuesto, unos requisitos bastante estrictos para su correcta ejecución respecto de los Bienes de Interés Cultural, resultando asimismo dudosa, e incluso arriesgada, la posibilidad de rehabilitación por el que ha sido su previo agresor.

---

[349] Acerca de estas medidas en el derecho urbanístico, CATALÁN SENDER, J.: «El delito urbanístico ante las grandes líneas de la jurisprudencia urbanística. Los principios generales de derecho y las cuestiones previas. Hacia una interpretación sistemática del mismo», en *Cuadernos de Política Criminal*, 1988, n° 66, p. 600.

[350] Puede verse acerca de los criterios jurisprudenciales y doctrinales aplicables en la reconstrucción del patrimonio arquitectónico: BENÍTEZ DE LUGO Y GUILLÉN, F.: *El Patrimonio Cultural Español*, ob. cit., pp. 230-1; GONZÁLEZ-VARAS IBÁÑEZ: *La rehabilitación urbanística*, ob. cit., p. 128 y ss.

[351] Véase ROMERO SAURA, F./LORENTE TALLADA, J.L.: *El Régimen urbanístico de la Comunidad Valenciana*, 1996, p. 526.
La LRAU plantea, ante la posible pérdida de elementos catalogados —sin determinar tenga su origen en caso fortuito, imprudencia o dolosamente— el mantenimiento del régimen urbanístico de protección, es decir, el régimen propio de la catalogación, sigue vigente sobre el suelo, sobre el terreno subyacente, o sobre los restos.

[352] Concretamente los artículos 39.2 y 3; me remito asimismo a la normativa autonómica dictada al respecto.

Otro defecto comúnmente señalado es la imposibilidad de que el Juez ordene estas medidas en el tipo de los daños imprudentes del art. 324, ya que el Código elude cualquier pronunciamiento en este ámbito, cuando, como afirma algún autor[353], estas medidas de reparación quizás podrían ser más lógicas y eficientes en este ámbito.

En definitiva, si bien el precepto no especifica expresamente que tales medidas se llevarán a cabo siempre que resulte posible, la expresión «motivadamente» referida a la orden del órgano jurisdiccional, supone la exigencia de exponer las razones que motivaron tales medidas, toda vez que, en muchos casos, éstas no podrán ser adoptadas.

La ordenación, pues, de tales medidas es *facultativa* de los Tribunales, y supone la concreción, prevista asimismo respecto de otros delitos, del nuevo contenido expansivo de la reparación del daño, objeto de la responsabilidad civil derivada del delito[354].

Ahora bien, si la reparación se efectúa *voluntariamente* por el sujeto activo del delito, con anterioridad a la celebración del juicio oral, se impondrá la pena inferior en grado a la prevista, de acuerdo con lo dispuesto en el artículo 340, disposición común a las conductas tipificadas en el Título XVI. Esta fórmula, denominada por algún autor[355] como «arrepentimiento ambiental», supone una modalidad específica de la circunstancia atenuante quinta de reparación del daño ocasionado a la víctima, ofreciendo un trato más benigno a quien se disponga a reparar o disminuir los efectos del delito, sin que podamos precisar ahora más detalles de su configuración jurídica, a falta de aplicación jurisprudencial.

De todos modos, debe quedar claro que, en todo caso, partiendo de la dificultad en la práctica de la imposición de las medidas que venimos analizando, la *indemnización* de perjuicios se dará frecuentemente, traduciendo en

---

[353] GARCÍA CALDERÓN, J.M.: «Los daños por imprudencia al Patrimonio Histórico», ob. cit.

[354] De esta opinión, QUINTERO OLIVARES, G. y TAMARIT SUMALLA, J.M.: «De la responsabilidad civil y su extensión», en *Comentarios al Nuevo Código penal*, 1996, p. 551 y ss. Sobre esta cuestión puede verse LANDROVE DÍAZ, G.: *Las consecuencias jurídicas del delito*, 2ª ed.; GRACIA MARTÍN, L./BOLDOVA PASAMAR, M.A./ALASTUEY DOBON: *Las consecuencias jurídicas del delito en el nuevo Código penal español. El sistema de penas, medidas de seguridad, consecuencias accesorias y responsabilidad civil derivada del delito*, Valencia, 1996; MAPELLI CAFFARENA, B./TERRADILLOS BASOCO, J.: *Las consecuencias jurídicas del delito*, ob. cit.; BERDUGO GÓMEZ DE LA TORRE, I./FERRE OLIVE, J.C./SERRANO PIEDECASAS, J.R.: *Manual de Derecho penal III. Parte general. Consecuencias jurídicas del delito*.

[355] CASTRO-SIMANCAS, P.R.: «Los delitos sobre el Patrimonio Histórico», en el Código penal de 1995, en *Tapia*, marzo-abril 1998, p. 22.

dinero un menoscabo cuyos efectos dañosos no pueden retrotraerse[356]. Sobre este particular, se ha venido cuestionando si el art. 112 del CP abarca tan sólo las formas de reparación de carácter específico, excluyéndose la compensación económica, que estaría regulada en el artículo siguiente[357], o si, por el contrario, el término «reparación» debe emplearse en un sentido genérico, incluyendo, tanto la reintegración en forma específica, como la indemnización.

Lo cierto es que, pese a que desde el Código Penal de 1848 los sucesivos textos punitivos introducían la dualidad *reparación* de daños-*indemnización* de perjuicios, la falta de taxatividad en la delimitación de sus respectivos contenidos ha llevado a que numerosos autores[358] postularan la unificación de los dos institutos. El Código Penal de 1995 mantiene, en sede de responsabilidad civil, la tripartición característica de nuestros textos penales —restitución, reparación e indemnización— si bien otorga a la reparación una configuración distinta a la que tradicionalmente había tenido. Concretamente, de acuerdo con su art. 112 la reparación puede consistir en obligaciones de hacer, no hacer o de dar, de suerte que, podrá admitirse la reparación pecuniaria si, entre las obligaciones de dar, incluimos las consistentes en la entrega de una cantidad de dinero[359]. Así, se puede afirmar que la reparación, en sentido genérico, agrupa las distintas vías de restauración del daño, englobando todo tipo de prestaciones, tanto específicas como pecuniarias[360]. Ahora bien, el único inconveniente de la nueva

---

[356] Para algunos, la obligación de la reconstrucción o restauración de la obra se combinará, en la mayor parte de los casos, con la indemnización de daños morales o patrimoniales. En este sentido, ALASTUEY DOBON, M.C.: «La responsabilidad civil y las costas procesales», en *Las consecuencias jurídicas del delito*, ob. cit., p. 482.

[357] En esta dirección, ALASTUEY DOBON, M.: *Ibidem*.

[358] En contra de la fórmula consagrada en el Código Penal anterior al vigente, TAMARIT SUMALLA consideraba extraña la configuración de la reparación como subespecie de la responsabilidad civil, pareciéndole más correcto definir la reparación de los daños ocasionados por el delito como «el objeto de la responsabilidad *ex delicto* y no ya como una de sus formas». TAMARIT SUMALLA, J.M.: *La reparación a la víctima en el derecho penal. (Estudio y crítica de las nuevas tendencias político-criminales)*, Barcelona, 1994, p. 53 y ss. Ver sobre el debate existente al respecto, ROIG TORRES, M.: *La reparación del daño causado por el delito*, Valencia, 2000.

[359] En este sentido, MONTÉS PENADÉS, V.L.: en *Comentarios al Código penal de 1995 (coord. por Vives Anton)*, vol. I, p. 588.

[360] De esta opinión, QUINTERO OLIVARES, G.: *Curso de Derecho penal. Parte general*, ob. cit., p. 529. Asimismo, ROIG TORRES, M.: ob. cit., p. 390 y ss. A favor de esta tesis, la citada autora aduce, entre otras razones, que el art. 112 CP parece recoger las prestaciones que el Código Civil prevé como contenido genérico de las obligaciones civiles: «la obligación puede consistir en dar, hacer o no hacer alguna cosa o servicio (art. 1.088 del Código Civil), así como que, el Código penal se refiere en diversas ocasiones al «importe» o a la cuantía de la reparación (ver, por ejemplo, arts. 114 y 115 del CP).

regulación es que se origina una superposición parcial del contenido del art. 112 al del art. 113[361], precepto dedicado a la indemnización de perjuicios materiales o morales[362].

De acuerdo con las reglas generales de la indemnización civil prevista en el artículo 113, ésta comprenderá, no sólo los perjuicios que se hubiesen causado al agraviado, sino también a familiares y terceros[363]. El Código se refiere, pues, al *agraviado*, como sujeto pasivo del delito, esto es, al titular del bien jurídico protegido, junto a otros posibles *perjudicados,* como sujetos pasivos del daño civil indemnizable[364]. Aunque, con carácter general, lo normal es que coincidan agraviado y perjudicado, en el ámbito que nos ocupa, deben realizarse unas matizaciones al respecto. Concretamente resulta preciso diferenciar, entre el cúmulo de intereses que pueden resultar lesionados con el delito, cuales son los específicamente protegidos por el Derecho Penal, pues no todos ellos lo serán. Ello conduce a efectuar una distinción ulterior relativa a los sujetos que pueden resultar afectados por la acción delictiva, pues cuando además de la lesión del bien jurídico se produce el daño de otros intereses económicamente evaluables, aparece junto con el sujeto pasivo, el *perjudicado* por el delito[365].

Recordemos que nos encontramos ante un bien jurídico cuya titularidad corresponde a la sociedad en su conjunto, naciendo un derecho de la colectividad en relación a su conservación y disfrute. En este sentido, como bien jurídico de carácter macrosocial y colectivo, la relación titular concreta del bien deja

---

[361]   De esta opinión, QUINTERO OLIVARES, G./TAMARIT SUMALLA, J.M.: *Comentarios al nuevo Código penal,* ob. cit., p. 563.

[362]   A este respecto se afirma que, dicha dualidad, reparación-indemnización, que el CP sigue manteniendo en determinados preceptos, no es más que una reminiscencia de los Códigos anteriores, por lo que el legislador debería suprimirla. En este sentido, ROIG TORRES, M.: *La reparación del daño...,* ob. cit.

[363]   Sostiene ROIG que, a su juicio, estos sujetos no pueden excluirse de la reparación en forma específica, pese a que el art. 112 no lo prevea expresamente. ROIG TORRES, M.: ob. cit.

[364]   Como señala el Tribunal Supremo (Sala 2ª), en sentencia de 18 de enero de 1980 (RA 104): «agraviado o *sujeto pasivo del delito* es el ofendido que ha sufrido el daño criminal, mientras que el *perjudicado* es el sujeto pasivo del daño civilmente indemnizable o el titular del interés directa o inmediatamente lesionado por el acto ilícito civil generador de obligaciones que, además es delito, cualidades ambas que pueden coincidir o no» (la cursiva es añadida).

[365]   Por lo que se refiere a la legitimación para el ejercicio de la acción penal, al encontrarnos ante derechos sociales constitucionales, lo estarán no sólo las personas que hayan soportado directamente los efectos del daño, sino que su ejercicio debe ser reconocido a todos los ciudadanos, si bien, tal y como acertadamente señalan QUINTERO OLIVARES y TAMARIT SUMALLA («De la responsabilidad civil y su extensión», ob. cit.) estableciendo cautelas que sofocaran el peligro de un ejercicio abusivo, refiriéndose en concreto «al control que debe ejercer el Ministerio Público como responsable último de la puesta en marcha de procesos».

paso a la dimensión social de éste, de manera que en muchos casos no coincide el sujeto pasivo, como titular del bien jurídico, cuya lesión es indispensable para que exista delito, con el *perjudicado* por el delito, que puede coincidir con el propietario del inmueble protegido. Es en este momento cuando el valor económico del edificio derribado o alterado gravemente podrá ser considerado, pues, a efectos del cálculo de la responsabilidad civil. De ese modo, el perjuicio que pudiera provocarse a intereses privados, en el caso de un propietario particular del bien, podrá constituir causa de la indemnización civil que se determine. Así, por ejemplo, serán valorados pericialmente los gastos de construcción de un edificio con características similares a las originales del edificio derruido, o los gastos de reparación del edificio alterado gravemente.

Finalmente, el legislador establece en el último apartado del art. 321 que las medidas reparadoras se podrán ordenar «*sin perjuicio de las indemnizaciones debidas a terceros de buena fe*», previsión referida, a mi juicio, al derecho indemnizatorio a terceros de buena fe ya contemplado en el nº 1 del art. 111 *in fine* del Código Penal[366]. En el ámbito que nos ocupa, tal previsión parece ir dirigida a las *relaciones arrendador/arrendatario*, salvaguardando las acciones civiles que pudieran corresponder, por ejemplo, al arrendatario, como directamente perjudicado por el delito, cuando es el propietario del edificio el que lo derriba, o viceversa[367].

Por último, la previsión genérica para todo el Título XVI de la posibilidad de ordenar por el Juez la adopción de medidas de carácter cautelar[368], necesarias para la protección de los bienes tutelados (art. 339), a cargo del autor del hecho, tendrá que ser tenida en cuenta a la hora de determinar definitivamente la responsabilidad civil del delito, para evitar un doble gravamen al responsable[369].

---

[366] Art. 111: «...*La restitución tendrá lugar aunque el bien se halle en poder de tercero y éste lo halla adquirido legalmente y de buena fe, dejando a salvo su derecho de repetición contra quien corresponda y, en su caso, el de ser indemnizado por el responsable civil del delito o falta*».
A este respecto, si bien el ejercicio de la acción penal implica automáticamente el ejercicio de la acción civil, por los daños y perjuicios causados, se concede al perjudicado el derecho a ejercitarla ante la Jurisdicción civil.

[367] En esta dirección, CASTRO-SIMANCAS, P.R.: ob. y loc. cit., 8, p. 22.

[368] De acuerdo con CASTRO SIMANCAS, este supuesto se diferencia de las medidas que venimos analizando, pues el contenido en el art. 339 del CP constituye una medida cautelar, que, de acuerdo con el autor, podría adoptarse previamente al enjuiciamiento de los hechos. CASTRO SIMANCAS, P.R.: ob. y loc. cit.

[369] Sobre este particular, LÓPEZ-CERÓN, C.: «Delitos contra los recursos naturales, el medio ambiente, la flora y la fauna», en SERRANO BUTRAGUEÑO y otros, *El nuevo Código penal y su aplicación a empresas profesionales,* 1996, p. 589. Asimismo, CERES MONTÉS, J.F.: «La regulación en el nuevo Código penal de los delitos relativos a la protección de los recursos

5.2. Problemas concursales. Especial referencia al delito continuado

Nos resta por abordar algunos de los problemas concursales que pueden plantearse entre el tipo recogido en el art. 321 y otras figuras delictivas, bien constituyan concursos aparentes de normas penales, o bien concurso real o ideal de delitos. Existirá *concurso aparente*[370] *de normas penales* cuando un determinado supuesto de hecho sea subsumible en varios preceptos, uno de los cuales, sin embargo, desplaza a los restantes. En estos supuestos, la aplicación simultánea de ambos preceptos supondría que el mismo hecho resultaría penado dos veces, vulnerándose el principio *ne bis in idem*[371]. Por su parte, habrá *concurso de delitos* cuando se den cuatro requisitos fundamentales: pluralidad de infracciones, unidad o pluralidad del objeto valorado por ellas, unidad del sujeto al que se imputan, y unidad de enjuiciamiento. Si se dan varios hechos y varias infracciones, habrá concurso *real* de delitos, mientras que el concurso *ideal* supone una unidad de hecho[372], siendo necesaria la consideración combinatoria de varios tipos para contemplar el desvalor total del hecho unitario. La diferencia entre el concurso de normas y el concurso de delitos radica, pues, en que en el *concurso de normas* uno solo de los tipos en conflicto abarca totalmente el injusto de la conducta típica, mientras que en el *concurso de delitos*, para captar completamente dicho injusto, hay que tomar en consideración varios tipos[373].

---

naturales y del medio ambiente. Los delitos contra la flora y fauna, y los delitos relativos a la energía nuclear y a las radiaciones ionizantes», en *Actualidad penal*, nº 13, del 29 de marzo al 4 de abril de 1999, p. 253.

[370] Adoptamos pues la concepción dominante en España acerca del concurso de normas penales, de acuerdo con la cual, la «apariencia» se refiere a la posible aplicación de los diversos preceptos penales pues, en abstracto, todos podrían aplicarse. Me separo pues de las tesis de GIMBERNAT, cuando basa el fundamento de los concursos en que hay tipos que recíprocamente se excluyen, tesis que ha sido criticada por PEÑARANDA RAMOS (en *Concurso de leyes, error y participación en el delito*, Madrid, 1991).

[371] COBO DEL ROSAL, M./VIVES ANTÓN, T.S.: ob. cit., p. 172; GARCÍA ALBERO, R.: Non bis in idem *Material y Concurso de Leyes Penales*, ob. cit., p. 31.

[372] De acuerdo con la concepción mantenida por COBO DEL ROSAL y VIVES ANTÓN en la interpretación de la «identidad de hecho» (*Derecho penal. Parte general*, ob. cit., p. 765 y ss.), entendemos el término «hecho» referido a la totalidad del sustrato de la valoración típica, esto es, al momento ejecutivo, al causal y al efectual.

[373] COBO/VIVES: ob. cit., p. 710.

a) Concurso con delitos de daños en propiedad ajena (art. 263 y ss.)

En los supuestos en que el sujeto activo del tipo previsto en el art. 321 no es el propietario del edificio derribado o alterado gravemente, no resultará, sin embargo, posible apreciar concurso de delitos con el de **daños intencionados en propiedad ajena,** al impedirlo expresamente el propio art. 263, que tipifica la causación de daños «*no comprendidos en otros Títulos de este Código*». Dicha expresión permite deducir que la relación entre los preceptos es de subsidiariedad: la norma subsidiaria sólo se aplicará en defecto de la principal *(Lex primaria derogat legem subsidiariam)*. En este caso, pues, el *conflicto de leyes* que pueda surgir se resolverá, de acuerdo con el art. 8, nº 2[374], del Código Penal, con la aplicación preferente del tipo penal contenido en el art. 321, pues el legislador manifiesta explícitamente que el art. 263 se aplique solamente en defecto de otros delitos de daños *(subsidiariedad expresa)*.

Asimismo, cuando el derribo o la alteración grave recaiga sobre «*bienes de dominio público o uso público o comunal*» (art. 264, nº 4 CP) especialmente protegidos por sus intereses históricos, artísticos, culturales o monumentales, se resolverá el concurso de normas de acuerdo con lo establecido en el nº 2 del art. 8: esto es, en virtud del principio de subsidiariedad[375], será de preferente aplicación el art. 321, aplicándose sólo subsidiariamente el art. 264.4, de acuerdo con la manifestación expresa del legislador.

La regla de solución en este conflicto de leyes, esto es, la subsidiariedad, tiene un fundamento valorativo común al resto de reglas: la norma que se ajuste más exactamente al supuesto de hecho, es la que prevalece sobre la que lo contemple de manera más vaga o abstracta.

b) Relación concursal con el art. 323 del CP

Tal y como concluimos, el texto punitivo español ha querido establecer un tratamiento diferenciado para el derribo y alteraciones graves de edificios

---

[374] Art. 8, nº 2: «El precepto subsidiario se aplicará sólo en defecto del principal, ya se declare expresamente dicha subsidiariedad, ya sea ésta tácitamente deducible».

[375] En el mismo sentido, QUINTERO OLIVARES sostiene que la aplicación de los daños a bienes de dominio público se ve limitada por la preferente aplicación de otros preceptos, entre los que se encuentra «el importante delito descrito en el art. 321 CP, específicamente dedicado a los daños en el Patrimonio Histórico Inmobiliario». QUINTERO OLIVARES, G.: *Comentarios al Nuevo Código penal,* ob. cit., p. 1.204; FARRE DÍAZ, E.: *Delitos relativos a la ordenación del territorio y protección del Patrimonio Histórico...*», ob. cit., p. 131.

protegidos de forma singular, frente al previsto para la destrucción de otros bienes susceptibles de valoración cultural (art. 323).

Ahora bien, podrían plantearse cuestiones concursales entre ambos tipos penales en determinados supuestos. Imaginemos que se llevan a cabo unas obras no autorizadas en un edificio monumental incluido en el Catálogo municipal con protección integral y que las palas utilizadas en la intervención provocan vibraciones que descarnan por completo los cimientos de la torre principal y toda la fachada del edificio protegido. Y que, a lo anterior se añada el hecho de que las máquinas empleadas provoquen la ruptura de las tuberías de agua, causando daños en bienes muebles de gran valor histórico-artístico, contenidos en el referido inmueble[376].

La solución a esta hipótesis se resolverá, a mi juicio, estimando un *concurso real de delitos* entre el art. 321 y el art. 323. A este respecto considero que concurren los cuatro requisitos fundamentales: una pluralidad de infracciones, un objeto de valoración plural, unidad de sujeto al que se le imputan los diversos delitos, y unidad de enjuiciamiento.

En cuanto al objeto de valoración, a mi juicio, éste es plural, dando, pues, lugar a la forma de concurso *real o material,* frente a la forma ideal o formal de concurso de delitos, en la que el objeto de valoración ha de ser único. Y es que, en efecto, si entendemos el término «hecho» referido a la totalidad del sustrato de la valoración típica —esto es, al momento ejecutivo, al causal y al efectual— mientras que, el de «acción», en sentido estricto, apunta sólo a una parte del mismo, a la ejecución[377], al producirse dos resultados distintos podremos afirmar que no nos encontramos en presencia de «un hecho», sino de «dos hechos», tantos como resultados producidos. De suerte que, «unidad de hecho» no es igual a «unidad de acción», pues los tipos no describen sólo conductas, sino que también incorporan resultados.

---

[376] En la legislación británica, ya expusimos *supra* Cap. II cómo los bienes muebles de interés histórico o artístico no son protegidos sino como *pertenencias* del inmueble en el cual han sido encontrados.

[377] Por contra, SANZ MORÁN sostiene que, si se da una pluralidad de infracciones reconducible a una pluralidad de acciones, habrá concurso real de delitos. SANZ MORÁN, A.J.: *El concurso de delitos. Aspectos de política legislativa,* Valladolid, 1986, p. 159. También existen pronunciamientos jurisprudenciales de este orden.

De ahí que, a mi juicio, en los casos descritos pueda afirmarse la posibilidad de un concurso real de delitos[378] entre el art. 321 y el art. 323, comportando una mayor penalidad, de acuerdo con los arts. 73 y 76 del Código Penal[379].

c) Relación concursal entre el art. 321 y el art. 289 del CP

El art. 289 sanciona la *sustracción de cosa propia a su utilidad social o cultural*. Debemos, pues, analizar en qué supuestos puede entrar en concurso con el art. 321.

Como punto de partida considero conveniente realizar una serie de precisiones acerca del bien jurídico protegido en el tipo del art. 289, así como respecto de su conducta típica.

El *bien jurídico* tutelado en el tipo penal previsto en el art. 289 es de naturaleza colectiva, de acuerdo con la descripción típica —se ha sustituido la referencia a la economía nacional por el «interés de la comunidad»[380], interés referido a cualquier que reporte una «utilidad social o cultural»— pudiendo cifrarse el objeto directamente tutelado en la *utilidad social* del bien[381]. Pues bien, dicha utilidad encuentra su base constitucional en la función social de la

---

[378] Por el contrario, SERRANO GÓMEZ estima que los daños producidos a los bienes muebles integrantes del Patrimonio histórico que se encontraran en el edificio quedarían consumidos por el delito del art. 321, de acuerdo con el principio de consunción. SERRANO GÓMEZ: *Derecho penal. Parte especial*, II, ob. cit., p. 649.

[379] Dichos artículos regulan el modo de aplicación de las penas «al responsable de dos o más delitos o faltas», preceptuando que «se le impondrán todas las penas correspondientes a las diversas infracciones» *(acumulación material)*, sin que, no obstante, puedan rebasar el límite representado por el triple de la más grave, o por el tiempo máximo de veinte años *(acumulación jurídica)*, que, excepcionalmente, puede alcanzar los veinticinco o treinta años.

[380] Art. 289: «*El que por cualquier medio destruyere, inutilizare o dañare cosas propias de utilidad social o cultural, o de cualquier otro modo la sustrajere al cumplimiento de los deberes legales impuestos en interés de la comunidad, será castigado con la pena de arresto de siete a veinticuatro fines de semana o multa de cuatro a dieciocho meses*».

[381] En ese sentido, VIVES ANTÓN se refiere únicamente a la utilidad *social* del bien, de lo que podría deducirse la cercanía con la interpretación de PÉREZ ALONSO («Los delitos contra el patrimonio histórico en el Código penal de 1995», ob. y loc. cit.) el cual considera innecesaria la introducción del adjetivo «cultural» referido a la utilidad, por cuanto lo estima ya incluido en la referencia a la utilidad *social*. VIVES ANTÓN, T.S.: *Comentarios al Código penal*, ob. cit., p. 1.402. Sin embargo, ORTS BERENGUER considera como bien jurídico la utilidad social o cultural aneja al bien. ORTS BERENGUER, E.: *Derecho penal. Parte especial*, ob. cit., p. 539.

propiedad[382], y no en la propiedad misma, en cuanto se incrimina al propietario de la cosa, razón de más para la no inclusión del 289 entre los delitos, contra el patrimonio individual de las personas[383].

Respecto de la conducta típica del art. 289, se mantienen en el nuevo texto punitivo sus dos variantes o modalidades: *destruir, inutilizar o dañar* la cosa propia, modalidad que, de acuerdo con los verbos utilizados, podemos afirmar que se adapta a la calificación de daños, y *sustraerla de cualquier modo al cumplimiento de los deberes impuestos en interés de la comunidad,* modalidad típica que, de acuerdo con la mayoría doctrinal[384], no requiere o no presupone conducta dañosa alguna, lo que confirma lo inadecuado de su anterior encuadre sistemático[385], desvinculándola, pues, el legislador del 95 de los delitos de daños.

Considero pues que no se puede acoger una interpretación restrictiva, sino más bien lo contrario, una exégesis amplia de esta segunda modalidad, de acuerdo con el cambio sistemático mencionado de la figura delictiva, separada del ámbito de los daños, así como con el carácter del bien jurídico que se vulnera.

La expresión «o *de cualquier modo* la sustraiga al cumplimiento de los deberes impuestos en interés de la comunidad» permite admitir cualquier clase de comportamiento que «aparte, sustraiga o extraiga la cosa» del cumplimiento de los deberes impuestos con respecto a ella, de forma que se vulnere el bien jurídico tutelado. En esta dirección, ORTS BERENGUER afirma que, la

---

[382]   De idéntica opinión, MORENO CANOVES, A. y RUIZ MARCO, F.: *Delitos socioeconómicos. Comentarios a los arts. 262, 270 a 310 del nuevo Código penal (concordados y con jurisprudencia), 1996,* p. 231 y ss. MUÑOZ CONDE considera que es la propia función social de la propiedad el bien jurídico protegido en el art. 289; sin embargo, resulta paradójico que, tras realizar dicha afirmación, sostiene a continuación que «no deja de ser por eso un bien jurídico de carácter patrimonial individual». Ello explica que en el Índice de su obra ubique dicha figura delictiva entre los delitos contra la propiedad, excluyéndolo de los delitos contra el orden socioeconómico. MUÑOZ CONDE, F.: *Derecho penal. Parte especial,* ob. cit., p. 459 y ss.

[383]   En este sentido, MARTÍNEZ-BUJÁN PÉREZ, C.: *Derecho penal económico. Parte especial,* ob. cit., p. 55 y ss. Asimismo, MORENO CANOVES, A. y MARCO, F.: ob. y loc. cit.

[384]   Entre ellos, VIVES ANTÓN (*Comentarios...,* ob. y loc. cit.) afirma cómo el encuadramiento sistemático de este delito en el Código anterior era absolutamente inadecuado, pareciéndole más congruente, de acuerdo con su naturaleza, el que actualmente ocupe un Capítulo específico dentro del Título XIII (delitos contra el patrimonio y el orden socioeconómico); MARTÍNEZ-BUJÁN PÉREZ, C.: ob. y loc. cit.

[385]   En este contexto, TERRADILLOS BASOCO, invocando el principio de intervención mínima, sostenía que la sustracción al cumplimiento de los deberes debía realizarse mediante comportamientos dañosos. TERRADILLOS BASOCO («Sustracción de cosa propia a su utilidad social», en *Documentación Jurídica,* 1983, p. 811).

elasticidad de la expresión «hace que pase a primer plano la elusión de los referidos deberes»[386].

La expresión antecitada constituye, pues, a mi juicio, una cláusula abierta, de forma que el *medio* empleado para la sustracción al cumplimiento de los deberes pueda ser cualquiera[387]. La inclusión de esta cláusula no se dirige únicamente, como apunta SERRANO BUTRAGUEÑO[388], a posibilitar la apreciación de la comisión por omisión —que, por supuesto podrá admitirse, desde el momento en que el propietario adquiere la cualidad de garante respecto del bien propio, y, asimismo el comportamiento omisivo puede provocar el resultado típico de la figura delictiva— sino que supone la admisión de cualquier forma de sustracción del bien a los deberes legalmente impuestos.

Y es que en efecto, la utilidad social de determinados bienes —la cual constituye el objeto de tutela del art. 289— impone el cumplimiento de determinados deberes, limitativos de la propiedad privada, y en beneficio de la sociedad, en cuya elusión radica la esencia del injusto. Incluso, algunos autores[389] han llegado a considerar que entre los medios idóneos de sustraer la cosa al cumplimiento de su utilidad social, vale como ejemplo la negativa por los propietarios de los BIC a facilitar el acceso[390] a investigadores o al público en general, de acuerdo con la obligación impuesta, vía art. 13.2 LPHE.

---

[386]   ORTS BERENGUER, E.: *Derecho Penal. P. Especial*, ob. y loc. cit.

[387]   En ese sentido, MORENO CANOVES y RUIZ MARCO: ob. y loc. cit.

[388]   SERRANO BUTRAGUEÑO, *Los delitos de daños*, ob. cit., p. 296.

[389]   MORENO CANOVES, A./RUIZ MARCO, F.: ob. y loc. cit. Ya QUINTANO, en relación al Código penal de 1944, estimaba que, en relación a la sustracción de cosa propia a su utilidad social, debía tratarse de un delito de ocultación fraudulenta de bienes o una desobediencia cualificada. Cfr. QUINTANO RIPOLLÉS, J.L.: *Comentarios al Código penal*, ob. cit.

[390]   Sobre esta obligación, la titularidad no es limitación para impedir su conocimiento por parte del público en general, dada su relevancia como bien cultural.
Sin embargo, a la hora de regular ese acceso de todos a la cultura, deberán medirse cuáles son los intereses concurrentes, de forma que se permita la visita pero no corra riesgo su conservación. Así, por ejemplo, los edificios de uso restringido, bien sean de titularidad privada o pública, tienen más riesgos en su visita que en los edificios de uso público. Así, entre los primeros pensemos en una casona habitada por una familia, o por el desempeño de un uso oficial, o edificios de culto religioso, por ejemplo, un convento poco vigilado, donde dichas visitas pueden suponer un riesgo mayor para dichos bienes.
Es por ello que la LPHE prevé la posibilidad de que esa obligación de visita pública pueda ser dispensada, total o parcialmente, por la Administración competente cuando medie causa justificada. Sin embargo, la Ley no precisa cuándo nos encontramos ante causa que justifique la dispensa, si bien nos inclinamos a considerar que, por las razones antes mentadas de conservación o seguridad, podría ser concedida.

Ciertamente, la LPHE establece determinadas obligaciones dirigidas a los propietarios de bienes integrantes del Patrimonio Histórico; entre las obligaciones de hacer, la básica y primaria la constituye conservar[391] el bien cultural, toda vez que el propietario viene a ser considerado como un depositario del legado cultural. La referencia al «deber de cuidado» contenida en la LPHE (art. 36.1) significa a su vez la «negación del ejercicio de un presunto derecho a arruinar e inutilizar la presunta riqueza de un país»[392].

Por consiguiente, el art. 321 puede entrar en concurso con el art. 289 cuando el propietario de un edificio singularmente protegido, además de eludir el

---

[391] Con respecto al marco normativo en materia de *conservación del patrimonio inmobiliario,* el Tribunal Constitucional ha tenido ocasión de delimitar el ámbito de competencia legislativa del Estado y de las Comunidades Autónomas. Concretamente, en materia de urbanismo, la STC 61/1997, de 20 de marzo —la cual resuelve los recursos de inconstitucionalidad formulados contra la Ley 8/1990, de 25 de julio, sobre reforma del régimen urbanístico y valoraciones del suelo, y contra la Ley del Suelo de 1992— justifica en el art. 149.1 CE (regulación de las condiciones básicas que garantizan la igualdad de todos los españoles en el ejercicio de los derechos y deberes constitucionales) la competencia legislativa *estatal* sobre las manifestaciones más elementales de la función social de la propiedad urbana y sobre los *deberes básicos* del titular, para garantizar la igualdad mencionada. Pues bien, esta formulación se proyecta sobre el mencionado **deber de conservación,** al atribuirle el Alto Tribunal el carácter de deber básico de la propiedad urbana, así como el de manifestación de la función social de la propiedad.
Consecuencia de lo expuesto, corresponde al legislador estatal establecer los principios y reglas jurídicas —de acuerdo con la recomendación del propio Tribunal— que rigen aquel deber de conservación. En ese sentido, la LS de 1998, en su art. 19.1 establece que los propietarios de toda clase de terrenos y construcciones deberán destinarlos a usos que no resulten incompatibles con el planeamiento urbanístico; mantenerlos en condiciones de seguridad, salubridad y ornato público y que estén sujetos a las normas sobre protección del medio ambiente, del patrimonio histórico-artístico y arqueológico y de rehabilitación urbana. Esta remisión es, pues, de un lado, a la propia *legislación urbanística* que habilita al *planeamiento* para establecer medidas de protección del patrimonio inmobiliario, y, de otro lado, a la *legislación de patrimonio histórico.*
En el marco competencial expuesto, es a las Comunidades Autónomas a quienes compete profundizar en las líneas orientadas a establecer técnicas de control de la conservación del patrimonio colectivo. Valga como ejemplo, la Ley Valenciana Reguladora de la Actividad Urbanística, en cuyo art. 87.1 establece la obligación legal de los propietarios de edificaciones catalogadas, o de antigüedad superior a cincuenta años, de promover, al menos cada cinco años, una inspección a cargo de un técnico competente para supervisar el estado de conservación del edificio y evitar así la actuación de la Administración en situaciones límite. Sobre el mencionado deber de conservación en la legislación de protección del patrimonio cultural y en el planeamiento urbanístico protector, vid. SIBINA TOMÁS, D.: *La conservación de las fachadas en condiciones de seguridad,* Barcelona, 1998, ob. cit., p. 77.

[392] GARCÍA BELLIDO, J.: «Nuevos enfoques sobre el deber de conservación y la ruina urbanística», ob. y loc. cit.

cumplimiento de los deberes de conservación de aquél, derriba o altera gravemente el mencionado edificio.

La escasa doctrina manifestada al respecto resuelve este supuesto, a mi juicio acertadamente, apreciando que cuando la conducta típica del art. 289 recaiga sobre bienes culturales, se plantea un *concurso aparente de normas penales*[393] con el 321, el cual desplazará al delito contenido en aquel precepto.

Ahora bien, considero deben precisarse los supuestos en que se producirá tal concurso: así, a mi entender, el concurso de normas penales entre el art. 289 y el art. 321 sólo podrá apreciarse en supuestos de incumplimiento, por parte del propietario, de los deberes legales impuestos con respecto al edificio, cuando el medio empleado para la sustracción de dichos deberes sea un medio dañoso que conduzca a derribos o alteraciones graves del inmueble, concurso resuelto a favor de la aplicación del art. 321. Es decir, el único caso en que se podría aplicar la solución concursal prevista será aquel en que el propietario es responsable del derribo o alteración del edificio por incumplimiento del deber de conservación.

El art. 289 será, pues, de aplicación únicamente en los casos en que se lleve a cabo por parte del propietario un incumplimiento de los deberes legalmente impuestos respecto del edificio, en detrimento de su utilidad social o cultural, pero *sin* llegar a producir el derribo o alteración grave que menoscabe materialmente el edificio protegido. Esto es, el incumplimiento por parte del propietario de los deberes de conservación respecto del edificio, podría subsumirse en el delito del art. 289 en el caso de omitir intencionadamente el deber de cuidado[394], por ejemplo, provocando el propietario la ruina *económica* del edificio[395], sin que se produzca el *derribo o la alteración grave* de éste. En consecuencia, sólo en el supuesto anteriormente referido de incumplimiento de los deberes de conservación, que conduzca a derribos o alteraciones graves del edificio protegido, se podrá plantear el *concurso aparente de normas penales* que se resolverá desplazando al delito contenido en el art. 289.

---

[393] Así, SUÁREZ GONZÁLEZ, C.: *Comentarios al Código penal* (dir. por RODRÍGUEZ MOURULLO, G., y coord. por JORGE BARREIRO, A.), ob. cit., p. 832; ORTS BERENGUER, E.: *Derecho penal...*, ob. y loc. cit; MARTÍNEZ-BUJÁN PÉREZ, C.: *Derecho penal económico. Parte Especial*, ob. cit., p. 129.

[394] Recordemos la STS de 12 de mayo de 1969 (RA 2788) donde, pese a absolver por razones probatorias, entendió que la conducta de un propietario que conduce a la ruina, por acción u omisión, un edificio de su propiedad arrendada a un tercero era típica con arreglo al art. 562 (hoy 289) del Código penal precedente.

[395] Mientras que la ruina *técnica* se puede producir en algunas ocasiones aunque se mantenga una cuidadosa conducta de conservación del edificio. En este sentido, me remito *supra* a las clases de ruina, expuestas en el análisis de la conducta típica.

Llegados a este punto, debemos, pues, plantearnos en virtud de qué regla concursal en concreto, se llega a esta conclusión.

De entre las distintas reglas concursales previstas en el art. 8 del CP, para solucionar los concursos de normas, SUÁREZ GONZÁLEZ[396] considera que existe una relación de *especialidad* entre el art. 289 y el art. 321, precepto último que resultará de preferente aplicación por ser ley especial. A este respecto, tal y como afirma GARCÍA ALBERO, la relación de especialidad entre tipos de delitos constituye «el caso paradigmático e indubitado del concurso de leyes»[397], al reflejar, como ya dijimos, con gran claridad el fundamento valorativo de todas las reglas en que se desglosa: en caso de conflicto, la norma que se ajuste más exactamente al supuesto de hecho, es la que prevalece sobre la que lo contemple de manera más vaga o abstracta.

En este sentido —con las matizaciones efectuadas respecto a los casos en que podrán entrar en concurso el art. 321 y el art. 289— entiendo que ha de considerarse de preferente aplicación el artículo 321, como *lex specialis,* con tal de que concurran los demás elementos integrantes de la infracción.

En primer lugar, porque, como se ha visto, partimos de que el bien jurídico es parcialmente coincidente en ambos tipos. En el art. 289, el bien jurídico protegido es la utilidad social aneja al objeto material, concepto indeterminado que ha de entenderse referido a la satisfacción de necesidades básicas[398]. Sin embargo, dicha utilidad aparece delimitada en el art. 321 atendiendo a los intereses artísticos, históricos, o monumentales del objeto material, esto es, atendiendo al valor cultural ínsito en el edificio protegido. Y es que estos bienes, como ya se ha dicho, tienen una función de naturaleza social y cultural, cuya relevancia viene determinada por dicha función y por el interés que la colectividad manifiesta en su tutela[399].

Las diferencias que existen, pues, entre ambos preceptos, obedecen a la propia naturaleza de la relación de especialidad, pudiendo afirmarse que todo hecho susceptible de ser subsumido en el delito especial, esto es, en el art. 321, es a su vez subsumible en el general, sin que valga lo contrario. En el art. 321 el objeto material lo constituyen únicamente los edificios singularmente protegidos por su interés histórico, artístico, cultural o monumental —los cuales

---

[396]   SUÁREZ GONZÁLEZ, C.: ob. cit., p. 832.
[397]   GARCÍA ALBERO, R.: Non bis in idem *Material y Concurso de Leyes Penales,* ob. cit., p. 321 y ss.
[398]   En este sentido, VIVES ANTÓN, T.S.: *Comentarios al Código penal de 1995,* ob. cit., p. 1.402.
[399]   Me remito *supra* el Capítulo dedicado al bien jurídico protegido.

suponen, a mi juicio, una especie del género «cosa de utilidad social o cultural»— y solamente frente a las actuaciones consistentes en demoliciones o alteraciones graves de aquellos.

En todo caso, existiría otro camino para negar la aplicación del art. 289 en los supuestos de destrucción de bienes culturales por el propietario. Si castigásemos la demolición o la alteración grave de estos bienes llevados a cabo por aquél, por vía del art. 289, estaríamos creando un tipo privilegiado a favor del propietario: si atendemos a las penas de los respectivos preceptos[400], observamos cómo se castiga únicamente con pena de arresto de siete a veinticuatro fines de semana o multa de cuatro a dieciséis meses la conducta típica prevista en el art. 289, frente a la pena de prisión de seis a tres años, multa de doce a veinticuatro meses e inhabilitación especial, prevista en el tipo recogido en el art. 321.

De modo que, si no convenciera la regla de la especialidad para la resolución del concurso, podría acudirse al apartado cuarto del artículo 8, que consagra la regla de *subsidiariedad o consunción impropia,* según la cual la norma que contenga una pena mayor, prevalece y desplaza a la que prevea una penalidad más liviana.

d) Relación concursal entre el art. 321 y el art. 319.1 del CP

Cuando el derribo de un edificio singularmente protegido vaya seguido de la construcción de uno nuevo que lo reemplace[401], pueden plantearse problemas concursales entre el art. 321 y el tipo previsto en el **art. 319.1**, por cuanto en éste se incrimina la construcción no autorizada en «*lugares que tengan legal o administrativamente reconocido su valor paisajístico, ecológico, artístico, histórico o cultural, o por los mismos motivos haya sido considerado de especial protección*».

Obviamente, el concurso entre las infracciones referidas se dará siempre que el sujeto activo sea promotor, constructor o técnico director, requisito típico del 319, aunque como ya se expuso, la interpretación de los Tribunales respecto de

---

[400] CARMONA SALGADO admite la posible producción de estos efectos distorsionantes por las penas, si bien cree que técnicamente resulta más correcto el castigo por el 289. CARMONA SALGADO, C.: ob. y loc. cit.

[401] Véase acerca de estos supuestos, LASO MARTÍNEZ, J.L.: *Urbanismo y medio ambiente en el Código penal,* ob. y loc. cit.; MILANS DEL BOSCH y JORDANS DE URIES: *Derecho penal administrativo,* ob. y loc. cit.

quienes podían ser sujetos activos del 319 ha sido diversa, llegando a incluirse a aquellos que, sin dedicarse profesionalmente a ello, realizan una construcción de las descritas. Asimismo, huelga decir que, tanto el derribo como la subsiguiente construcción llevada a cabo deben ser no autorizadas, esto es, se deben realizar sin licencia o en contra o excediéndose de lo dispuesto en ella.

Por tanto, en un supuesto de construcción en un núcleo declarado Conjunto Histórico, previa demolición de un edificio protegido de manera singular, podrá apreciarse, a mi juicio, un concurso de delitos. Concretamente, considero que podría tratarse de una hipótesis de *concurso medial,* si una de las infracciones constituirá el medio necesario para cometer la otra[402]. A este respecto, recuérdese que el hecho de que el Código Penal no mencione expresamente las clases de concursos delictivos, conduce a una discusión doctrinal en torno a si estos supuestos constituyen supuestos de concurso real o de concurso ideal. Sobre este particular la doctrina mayoritaria considera que, el concurso medial requiere la presencia de dos objetividades jurídicas distintas, unidas por la relación medio necesario-fin, tratándose de una hipótesis de concurso real, cuyo tratamiento, sin embargo, se parifica al concurso ideal[403]. En favor de esta interpretación, se puede aducir que la dirección final de la voluntad —en un sentido único, y cuya realización pasa por el empleo de los medios necesarios para llevarla a cabo— da lugar a una consideración unitaria del actuar a efectos penológicos[404].

Ahora bien, ¿cómo se resolvería un supuesto en el que se produjera una alteración grave de un edificio singularmente protegido, como consecuencia de haberse añadido en dicho edificio una construcción ilegal? Pensemos que se lleve a cabo, sin autorización, una construcción en una patio singular o en el claustro de un edificio histórico.

A mi juicio podría apreciarse que el conflicto es de delitos, entre el art. 321 y el art. 319.1, y de carácter *ideal o formal*[405], por cuanto concurre un solo hecho

---

[402] En este sentido también, MILANS DEL BOSCH y JORDANS DE URIES: ob. y loc. cit.

[403] V. COBO DEL ROSAL/VIVES ANTÓN, T.S.: *Derecho penal. Parte general,* ob. cit., p. 771 y ss. Tesis que ya había sido puesta de manifiesto por VIVES ANTÓN en: *La estructura de la teoría del concurso de infracciones,* Valencia, 1981, p. 18.

[404] Por tanto, en tales supuestos, de acuerdo con los párrafos segundo y tercero del art. 77, se aplicará la pena de la infracción más grave en su mitad superior, sin que pueda exceder de la que correspondería aplicar si se penaran separadamente las infracciones.

[405] Así también MILANS DEL BOSCH y JORDANS DE URIES (ob. cit., p. 218), si bien matiza que, en todo caso, no cabe rechazarse la posibilidad de apreciar la absorción en el delito más grave.

que constituye dos infracciones. El objeto de la valoración, pues, será único, como afirman COBO DEL ROSAL y VIVES ANTÓN, toda vez que la identidad requerida por el art. 77 podrá apreciarse cuando los distintos delitos tengan el mismo sustrato material o cuando el de alguno de ellos sea parte del sustrato del otro. Ahora bien, podrá adoptarse esta solución siempre que consideremos que en la expresión «lugares que tengan legal o administrativamente reconocido su valor... histórico, artístico o cultural», objeto de tutela en el art. 319.1 se encuentran incluidos los edificios protegidos. A este respecto, LASO MARTÍNEZ sostiene que «no necesariamente están incluidos los edificios tan sólo en el art. 321 y, por tanto, excluidas del art. 319.1 la realización de obras sin autorización en ellos»[406].

e) Relaciones concursales con los delitos de incendios

La actual regulación de los incendios, como un delito contra la seguridad colectiva, evidencia que nos encontramos ante una serie de conductas caracterizadas porque el mal de la acción incriminada no se circunscribe a un ataque a la propiedad incendiada, sino por el riesgo que supone para bienes personalísimos.

Ya en el Proyecto de Código Penal de 1980, dentro de la regulación «de los incendios y otros estragos» (Capítulo I del Título VII del Libro II) se contemplaba (art. 301.2) la acción de incendiar o provocar «explosiones en teatro, iglesia u otro edificio destinado a reuniones públicas, cuando se hallare dentro una concurrencia numerosa». Ahora bien, en este precepto el bien jurídico protegido, no era la integridad histórico-artística de estos edificios y su contenido, sino la puesta en peligro de las personas que en los mismos se hallaren cuando se llevaran a cabo las acciones descritas. Y es que, en efecto, los Proyectos de Código Penal distinguían claramente las figuras de incendio y daños causados mediante el fuego, con base en la distinta naturaleza de ambas infracciones.

La doctrina científica y jurisprudencial expone a este respecto que, en los delitos de incendios se protegen intereses muy dispares, como la seguridad de las personas, el patrimonio público o privado, hasta intereses colectivos, como la conservación del medio natural, etc.[407], de suerte que los incendios vienen a constituir delitos pluriofensivos.

---

[406] LASO MARTÍNEZ, J.L.: *Urbanismo y medio ambiente en el Código penal*, ob. cit., p. 128.
[407] Vid., entre otros, PRATS CANUTS, J.M.: *Comentarios al nuevo Código penal*, ob. cit., p. 1.584.

Pues bien, cuando la destrucción o la alteración grave del edificio de valor cultural se realice mediante incendio provocado, por ejemplo, por la colocación de un artefacto explosivo dentro del edificio, poniéndose a su vez en peligro la vida y la integridad de las personas, entiendo deberán resolverse estos supuestos como *concurso de delitos* entre los incendios del art. 351 y el tipo legal recogido en el art. 321[408].

Lo cierto es que el incendio típico tiene, pues, una naturaleza híbrida entre un delito de lesión y un delito de peligro, en vista del bien jurídico protegido en estos supuestos, lo que justifica la gravedad de la pena[409] (prisión de diez a veinte años). A este respecto, a mi juicio, será necesaria la consideración combinatoria de ambos tipos, el de incendios y el contenido en el art. 321, para contemplar el desvalor total del hecho unitario, la lesión del valor cultural del edificio incendiado y la puesta en peligro de la vida e integridad de las personas.

En esta dirección, FARRE DÍAZ[410] considera que los bienes jurídicos son diferentes, de manera que estima que la concurrencia de los tipos penales se resolvería acudiendo a las reglas del concurso ideal de delitos del art. 77. Por su parte, afirma ORTS BERENGUER cómo los patrimonios públicos o privados que pueden conformar el objeto formal de protección de la figura prevista en el art. 351 pueden tener más dimensiones que las puramente materiales, en aquellos supuestos en que los bienes incendiados tengan un valor histórico, artístico, cultural[411].

Ahora bien, de acuerdo con lo expuesto, para que el tipo del art. 351 se halle completo es preciso que, como consecuencia del incendio, se derive un peligro para la vida y la integridad de las personas. Por consiguiente, ¿cómo se resolverán aquellos supuestos en que esté descartado cualquier riesgo de propagación o de peligro personal al estar el edificio, por ejemplo, deshabitado

---

[408]   En los casos en que el incendio se produce sobre bienes comunes, se ha afirmado que, la especialidad del modo comisivo utilizado otorgará preferencia al delito de incendios. Sobre este particular SERRANO GONZÁLEZ DE MURILLO, J.L. («Las modalidades típicas de incendios «comunes» en el Código penal español», en *CPC*, nº 54, 1995, p. 1.105) resuelve como un concurso de normas entre el delito de incendios y el de daños genéricos.

[409]   Recordemos cómo el *Code penal* francés, sanciona la destrucción de un bien de interés cultural con tres años de prisión y 300.000 F. de multa, penas que se elevan a diez años de prisión y multa de 10 millones de francos si el procedimiento utilizado es una sustancia explosiva, un incendio o *cualquier otro medio susceptible de causar un peligro para las personas*.

[410]   FARRE DÍAZ, E.: *Delitos relativos a la ordenación del territorio, patrimonio histórico…*, ob. cit., p. 323.

[411]   ORTS BERENGUER, E.: *Derecho penal. Parte especial*, ob. cit., p. 660.

y retirado del casco urbano? En tales circunstancias, considero que si el incendio provoca el derribo o la alteración grave del edificio, y el tipo subjetivo abarca la ausencia evidente de circunstancias determinantes del peligro a las personas, realmente la modalidad comisiva (el incendio) carece de relevancia en estos casos, realizándose, pues, en mi opinión, el tipo recogido en el art. 321.

f) Relaciones concursales con delitos patrimoniales

Pueden plantearse cuestiones concursales en aquellos casos en que se produzca una alteración grave de un edificio singularmente protegido, como consecuencia, o con la finalidad de llevar a cabo un delito contra el patrimonio. Así, no resultan difíciles de imaginar saqueos de edificios eclesiásticos en los que, ante el conocimiento de que albergan obras de gran valor artístico, se provocan destrozos de paredes o aperturas de huecos en el suelo, para efectuar el apoderamiento de los bienes muebles.

Un sector amplio de la doctrina española aprecia que los menoscabos o deterioros ocasionados en relación al apoderamiento serán, en la mayoría de los casos, consustanciales a la sustracción. De suerte que resuelven estos supuestos como concursos de leyes, donde el tipo de robo con fuerza en las cosas desplaza por *consunción* al delito de daños[412], el cual queda embebido en aquél. En esta dirección se manifiesta el Tribunal Supremo en sentencia de 2 de julio de 1992[413] declarando que el daño lógicamente debe acompañar al rompimiento o la fractura, de forma que los mismos no constituirán un delito independiente sino que serán absorbidos por el robo y generarán la oportuna responsabilidad civil derivada del delito.

En definitiva, tal y como afirma MATA Y MARTÍN, sólo mantienen relación con el tipo de robo con fuerza en las cosas[414] los daños que se efectúan en el caso de *fractura* sobre los medios de protección de las cosas.

---

[412] Así, DE VICENTE MARTÍNEZ, R.: *El delito de robo con fuerza en las cosas*, Valencia, 1999, p. 144; MUÑOZ CUESTA, J.: *El Hurto, el Robo y el Hurto y el Robo de Uso de Vehículos*, Pamplona, 1998, p. 103; MATA Y MARTÍN, R.M.: *El delito de robo con fuerza en las cosas*, Valencia, 1995, p. 371.

[413] RJ 1992/5928.

[414] Como es sabido, el robo con fuerza en las cosas puede cometerse por el empleo de cualquiera de las modalidades de fuerza previstas en el art. 238 del Código penal: 1º escalamiento; 2º *rompimiento de pared, techo o suelo, o fractura de puerta o ventana;* 3º fractura de armarios, arcas u otras clases de muebles u objetos sellados o cerrados...; 4º uso de llaves falsas; 5º inutilización de sistemas específicos de alarma o guarda.

Sin embargo, desde otra posición, se sostiene por algunos autores que, cuando los daños se realicen con la finalidad o como consecuencia de un delito contra el patrimonio, habrá de apreciarse *concurso de delitos*[415].

Pues bien, a mi juicio, si la fuerza empleada se halla dirigida al ingreso en el edificio donde se encuentran los objetos que se pretenden sustraer, constituirá fuerza en el sentido de los artículos 237 y 238 del Código Penal. Así pues, el delito de robo con fuerza en las cosas, y más concretamente, el subtipo agravado del robo con fuerza en las cosas por «perpetración en edificio o local abierto al público» (art. 241.1) absorberá el delito de daños. Y es que, en efecto, el concepto de fuerza en las cosas es normativo, no descriptivo, es decir, es delimitado por el legislador, delimitación no sólo resultante de la enumeración de las modalidades de fuerza, sino también de la exigencia de un requisito finalístico[416] consistente en que la fuerza ha de ir dirigida al ingreso en el lugar cerrado donde se encuentran las cosas que se pretenden sustraer. En suma, en los supuestos a los que nos venimos refiriendo se habla de «fractura inmobiliaria», pues la fuerza ha de permitir el acceso a un espacio cerrado.

Sin embargo, no constituirá fuerza en el sentido del 237 y 238 del Código Penal, por ejemplo, la fractura de la pared de un edificio protegido para sustraer una estatua o una imagen incrustada en ella. Asimismo, tampoco será constitutiva de fuerza la acción de romper o fracturar los elementos de valor cultural, para salir del lugar donde se hallaban los objetos apoderados[417].

Entiendo, pues, relevante concretar cuándo la fractura o rompimiento se produce *para* acceder al lugar donde se encuentran las cosas. De suerte que, si los daños no aparecen íntimamente vinculados al delito de sustracción, no resultarán absorbidos por éste, sino que daría lugar a un *concurso de delitos*[418]. Así, puede ocurrir que el sujeto activo, tras llevar a cabo el derribo ilegal de un edificio catalogado, proceda al apoderamiento de piezas o elementos de indudable valor cultural contenidos en aquél. En este caso, la solución a esta hipótesis pasaría por la apreciación de un concurso *real* entre el tipo del 321 y el 241.1, al llevar a cabo el autor varios delitos independientes, imponiéndosele, como ya se apuntó, las penas correspondientes a las diversas infracciones[419].

---

[415] De esta opinión, MUÑOZ CONDE, F.: *Derecho penal. Parte especial*, ob. cit., p. 498; SALINERO ALONSO, C.: ob. cit., 316.

[416] Cfr. VIVES ANTÓN, T.S./GONZÁLEZ CUSSAC, J.L.: *Comentarios al Código penal de 1995*, vol. II, p. 1.153.

[417] Así, MUÑOZ CUESTA, J.: ob. y loc. cit.

[418] En este sentido, DE VICENTE MARTÍNEZ, M.R.: ob. y loc. cit.

[419] En esta dirección, VIVEN ANTÓN, T.S./GONZÁLEZ CUSSAC, J.L.: *Derecho penal. Parte especial*, ob. cit., p. 344.

Asimismo, cuando los daños producidos en el inmueble protegido, para acceder a los bienes muebles, sean absolutamente innecesarios o desproporcionados, los mentados daños podrán penarse como un delito independiente en concurso real con el de el robo[420].

Por último, considero que, si el sujeto desiste voluntariamente de cometer el apoderamiento de los bienes, una vez consumados los daños sobre el edificio, se podrá castigar sólo por este último delito[421].

g) Relación concursal con el delito de falsedades documentales

Podrá darse un concurso con el delito de **falsedades documentales** si, para obtener la licencia de derribo del edificio protegido, el sujeto activo presentase documentos falsarios.

Imaginemos que el sujeto simula la existencia de la autorización de la Dirección General de Patrimonio para ejecutar el derribo, o que altere las manifestaciones en sentido denegatorio de la demolición, efectuadas desde dicha Administración. Estos supuestos, se resolverán, a mi juicio, si finalmente se lleva el derribo a través de esa licencia obtenida ilegalmente, esto es, a través de la falsedad documental, como un *concurso medial* entre el art. 321 y el art. 392, precepto que sanciona las falsedades cometidas por particular en, entre otros, documento oficial[422], en relación con las modalidades típicas del art. 390.1 en sus tres primeros números[423].

h) Concursos con delitos contra la Administración Pública y contra el orden público

Por último, examinaremos algunos de los supuestos más frecuentes de concursos entre el art. 321 y los delitos de prevaricación, cohecho y desobediencia.

---

[420] Así, MUÑOZ CUESTA, J.: ob. y loc. cit.
[421] En idéntico sentido, DE VICENTE REMESAL, M.R.: ob. cit., p. 145.
[422] El Tribunal Supremo ha venido considerando, por lo general, que los documentos provenientes de las Administraciones públicas son documentos *oficiales*.
[423] Art. 390.1:
1. Alterar un documento en alguno de sus elementos o requisitos de carácter esencial.
2. Simular un documento en todo o en parte, de manera que induzca a error sobre su autenticidad.
3. Suponer en un acto la intervención de personas que no la han tenido o, atribuyendo a las que han intervenido en él declaraciones o manifestaciones diferentes de las que hubieren hecho.

Ya dijimos que, en los casos donde el particular actúa en connivencia con el funcionario para obtener de forma ilegal la licencia de derribo, el carácter nulo de pleno derecho de dicha autorización convertía la conducta del beneficiario en típica[424]. En estos casos, el particular «extraneus» debería responder, en principio como autor del 321 y como partícipe en el delito del art. 322. Pese a ello, resulta paradójico castigar por un precepto, el art. 322, preterido en el castigo de los funcionarios. Y es que, en efecto, en relación al delito de *prevaricación*, únicamente nos limitaremos a adelantar[425] que, cuando se pueda afirmar que un funcionario o autoridad coactúa con el responsable de una infracción del art. 321, es decir, si determinando efectivamente el dolo del autor, se concluye que el funcionario es cooperador necesario de la conducta principal del derribo, se aplicará el 321 en *concurso ideal* con el 404, que regula la prevaricación genérica de autoridad o funcionario público. Esta es la solución a la que llega de forma mayoritaria la doctrina científica manifestada[426], solución que tiene una fundamental razón de ser. Y es que, una de las cuestiones más discutidas por la doctrina en el ámbito de las prevaricaciones específicas es la relativa a cómo, si la previsión expresa de estas conductas tiene claramente una finalidad agravatoria, en la práctica en muchos casos ocurre el efecto contrario; así, en el ámbito que nos ocupa, el art. 322 contempla como alternativas la prisión y la multa. Pues bien, para evitar que la creación de este tipo específico de prevaricación suponga un beneficio o efecto privilegiante, se llega a la conclusión de que, en estos supuestos se aplicará el 321 en concurso ideal con el 404, dejando el 322 para supuestos residuales[427], como más adelante precisaremos.

En cuanto a los delitos de *cohecho,* podrá apreciarse algún concurso delictivo con el tipo del art. 321. Pensemos en aquella situación en que un particular proceda a derribar un edificio histórico protegido de forma singular, encontrándose amparada su actuación en una licencia, obtenida tras corromper al funcionario municipal para que resuelva su concesión, a sabiendas de su injusticia. Así, el ofrecimiento por el particular de una cantidad de dinero al

---

[424] V. *supra* lo expuesto acerca de las autorizaciones en los derribos.

[425] Por cuanto esta cuestión será tratada con detenimiento al abordar el art. 322.

[426] TERRADILLOS BASOCO, J.: «Responsabilidad del funcionario público en delitos relativos a la ordenación del territorio...», ob. y loc. cit.; así como para BOIX REIG, J.: *Derecho penal. Parte especial...*, ob. cit., p. 591; CATALÁN SENDER, J.: *Los delitos cometidos por autoridades...*, ob. cit., p. 520.

[427] Para MUÑOZ CONDE en los supuestos en que no llegue a producirse el derribo o alteración o cuando su actuación no pueda reconducirse a la cooperación necesaria. MUÑOZ CONDE, F.: ob. y loc. cit.

funcionario para que ejecute la acción constitutiva de delito, conformará la conducta del tipo descrito en el art. 423 (cohecho activo), que entrará en concurso de delitos con el art. 321, si el derribo del edificio se lleva finalmente a cabo[428].

Por último, la concurrencia del delito del 321 y el de *desobediencia* del art. 556 podrá resolverse por las reglas del *concurso real* de delitos, en aquellos supuestos en que el sujeto, requerido para la paralización de las obras de derribo o de alteración del edificio protegido, desobedezca las órdenes o las resoluciones de las autoridades competentes en este sentido, continuando con las actividades mencionadas.

i) Delimitación con la falta del artículo 626

Hemos dejado en último lugar la delimitación del tipo del 321 con la falta del art. 626 aplicable, en términos generales, a supuestos de *«deslucimiento de inmuebles»*[429].

El posible fundamento de esta falta se localiza en la enmienda que presentó el Grupo Parlamentario Catalán (CIU) al Proyecto de Código penal, justificando la adición de un nuevo artículo para *«evitar y sancionar la proliferación de los actos de deslucimiento por garabatos y manchas que se observan en las paredes de los edificios y que perjudican ostensiblemente el ornato público, sin que puedan calificarse como daños materiales propiamente dichos»*[430].

La conducta típica de la citada falta viene pues principalmente referida a la realización de pintadas o *graffiti* sobre la fachada de los inmuebles[431]. Sin embargo, como es sabido, la *ratio legis* del precepto, si bien puede desempeñar algún papel en la interpretación del tipo, éste ha de ser forzosamente secunda-

---

[428] Surge la duda respecto a si el particular responderá asimismo como inductor del delito cometido por el funcionario. Sobre este particular, en la jurisprudencia encontramos resoluciones discrepantes entre sí; en la doctrina científica tampoco se llega a acuerdo. En sentido afirmativo, se manifiesta ORTS BERENGUER, E.: *Derecho penal*, ob. cit., p. 763.

[429] El precepto supone la traslación al nuevo Código del art. 579 CP 73.

[430] Enmienda nº 1.194 presentada por el Grupo Parlamentario Catalán (CIU) al Proyecto de Ley Orgánica del Código penal, a los efectos de adicionar un nuevo artículo 615 bis. La redacción propuesta era la siguiente: *«Los que grafiasen o de cualquier modo desluciesen bienes inmuebles de dominio público o privado, sin la debida autorización de la Administración o de su dueño, serán castigados con la pena de uno a seis fines de semana».*

[431] En ese sentido VALLDECABRES ORTIZ, I.: *Comentarios al Código penal de 1995*, ob. cit., p. 2.178; asimismo, VÁZQUEZ IRUZUBIETA, C.: ob. cit., p. 747.

rio[432], por lo que, de acuerdo con el tipo de injusto, cualquier otra modalidad de deslucimiento será típica, por ejemplo, pegar carteles sobre las fachadas de los edificios singularmente protegidos.

Lo esencial es que se trata de supuestos donde no existe perjuicio ni para la sustancia ni para la función del edificio, de ahí su delimitación con el tipo de daños[433]. La aplicación del art. 626 quedará, pues, restringida a aquellos supuestos donde no se produzca daño en sentido estricto, porque el aspecto del inmueble —por ejemplo, la fachada o las paredes— sea recuperable, sin llegar a producirse deterioro de aquél.

Con respecto a la modalidad de conducta de manchar o realizar pintadas, el criterio de la *reversibilidad* es el adoptado por la mayoría de autores, bien para diferenciar cuando dicha modalidad de conducta constituye falta y cuando delito[434], bien para delimitar la conducta de esta infracción de la falta de daños; en este sentido, VALLDECABRES ORTIZ lo concreta: «*cuando el objeto material no resulta deteriorado, destruido o inutilizado sino de forma superficial o reversi-*

---

[432]   En este sentido COBO/VIVES: *Derecho penal. Parte general*, ob. cit., p. 320. Por su parte, SEGRELLES DE ARENAZA sostiene, en relación a la falta del art. 326, cómo la *ratio legis* no es vinculante para la interpretación del tipo: *Curso de Derecho penal. Parte especial*, ob. cit., p. 1.014.

[433]   En **derecho alemán,** se manifiesta en este sentido SAMSON (1988) si bien refiriéndose al 303 StGB, tipo básico de daños. Sin embargo, otros autores consideraban estas conductas como delictivas mediante el criterio del *perjuicio de la función*, cuando el cartel se colocaba o la inscripción se realizaba sobre un objeto que cumpliera una función estética, y de esa manera resultaba desfigurado o afeado.
   Si bien haremos alusión a estas cuestiones cuando abordemos el tipo delictivo de daños contenido en el art. 323 del Código penal español, ya adelantamos que, a través de la jurisprudencia alemana, el tipo de daños previsto en el StGB sufrió una tendencia interpretativa extensiva, de forma que, en los casos en que se pegaban carteles o se realizaban pintadas, aun a pesar de que al objeto no se reconociera una configuración estética, resultaba aplicable el parágrafo 303, argumentándose que suponía una considerable modificación del aspecto externo del objeto y, por tanto, una desfiguración. Es a raíz de la sentencia BGH 29, 129 (Decisión del Tribunal Federal de 13-11-1979) cuando se detiene este proceso de ampliación del tipo de daños, señalando que la mera modificación de la forma externa no es, por regla general, un daño típico. Incluso el Tribunal regional de Frankfurt, en decisión de 11 de marzo de 1988, puntualiza que la modificación del estado (en este caso, colocación de carteles) que pueda ser eliminada sin menoscabo de la sustancia, no constituye un supuesto típico, aunque devolverla a su primitivo estado ocasione grandes molestias y costes considerables. Véase *in extenso* acerca de las teorías del daño típico en Alemania, en SUAY HERNÁNDEZ, C.: *Los elementos básicos de los delitos y faltas de daños*, ob. cit., pp. 74 y 110 y ss.

[434]   SEGRELLES en VV.AA.: *Manual de Derecho penal. Parte especial*, t. IV, 1994, p. 476, y POLAINO NAVARRETE, M.: ob. cit., p. 1.043.

ble...»[435]. Sin embargo, considero que en el caso de que no sean reversibles, hará que estar a la entidad del perjuicio, para su consideración como falta o delito.

Por tanto, aquellas actuaciones harto frecuentes de realizar pintadas sobre objetos culturales, ya sea pinturas, estatuas, objetos muebles, o, en nuestro caso, inmuebles y, en concreto, edificios, serán *delictivas* y castigadas con arreglo al art. 323 o al 321, si, en su caso, la inscripción no se puede eliminar sin alterar la sustancia del objeto, mientras que será considerada únicamente como *falta* si dicha pintada o *graffiti* puede retirarse fácilmente, recobrando el bien su cualidad cultural, similar criterio al utilizado por la *Chambre criminelle* francesa[436] con anterioridad al nuevo Código penal francés, y que considero preferible a la calificación actual como delito correccional de los daños leves causados a los bienes culturales por los *graffiti*.

La única objeción al precepto es que constituye requisito típico la ausencia de autorización del propietario, cuando, respecto de los bienes del Patrimonio Histórico, por mor de su titularidad colectiva, tal y como venimos afirmando durante todo el trabajo, dicha autorización no tiene relevancia alguna.

j) Especial referencia al delito continuado

En principio nada se opone a la posibilidad de apreciar un delito continuado[437] en el art. 321, siempre y cuando se cumplan los requisitos exigidos por el art. 74.1 del Código Penal, esto es: a) que se haya realizado una pluralidad de acciones u omisiones; b) que infrinjan el mismo o semejantes preceptos penales; c) que se haya actuado en ejecución de un plan preconcebido o aprovechando idéntica ocasión.

A este respecto, imaginemos un supuesto en que un operario de una empresa constructora recibe el encargo de derribar dos edificios monumentales por parte del propietario de éstos, para poder construir sobre el solar, sin solicitar licencia alguna al respecto. El empleado, desconociendo el interés histórico y artístico de los edificios, pues, si bien aparecían incluidos en el Catálogo municipal, no se encontraban en buen estado debido a su antigüedad y abandono, lleva a cabo la operación de derribo de ambos edificios en dos días consecutivos.

---

[435] VALLDECABRES ORTIZ, I.: *Comentarios al Código penal de 1995*, ob. y loc. cit.
[436] Crim. 23 juin 1953, D. 1953.556; 25 juin 1963. 721.
[437] Un estudio reciente sobre los requisitos del denominado del delito continuado puede verse en CHOCLAN MONTALVO, J.A.: *El delito continuado*, Madrid, 1997.

Pues bien, en este supuesto, a mi juicio, deberá responder el propietario por la realización de un delito de derribo continuado previsto en el art. 321, pues, en ejecución de un plan preconcebido, realiza varias acciones —si bien a través del instrumento— infringiendo el mismo precepto penal, lesionando el mismo bien jurídico.

Asimismo, pueden servir como ejemplo de delito continuado, situaciones que desgraciadamente vienen siendo frecuentes: pensemos el caso de un edificio conventual, declarado monumento, el cual haya sido víctima de numerosas agresiones por los mismos sujetos, los cuales, aprovechando el abandono y falta de vigilancia del edificio, en diferentes ocasiones desfiguran su portada neoclásica de gran valor artístico, dañan la torre del convento, llegando incluso a derribar el claustro del mismo, así como otros elementos constructivos y decorativos de gran valor cultural.

Cada una de esas alteraciones sobre el edificio conformaría una «alteración grave» típica del art. 321, si bien, al ser cometidas por los mismos sujetos, lesionando el mismo precepto penal y demostrando que existe una cierta homogeneidad en la ejecución (utilización de medios y ocasiones análogas) aprovechando idéntica ocasión, la pluralidad de acciones se sustrae a las reglas del concurso real de delitos, contemplándose jurídicamente como una unidad.

Así, la Audiencia Provincial de Córdoba[438] estudió recientemente la posibilidad de apreciar un delito de daños continuados en bienes de valor histórico o monumental, rechazada finalmente por falta de pruebas, declarando al respecto que «Se ha pretendido imputar a los mismos (los dos autores) las numerosas agresiones sufridas por el puente, cuando debemos limitarnos a lo probado y no establecer la presunción de que habían sustraido y triturado todas las dovelas que al puente le faltaban».

Asimismo, a mi entender, si no existieran pruebas de que las alteraciones se realizaran en distintos momentos, surgen aquí también dudas acerca de la aplicación del delito continuado. Sobre este particular, desde algunos pronunciamientos jurisprudenciales se requiere para su apreciación «dos o más acciones homogéneas realizadas en distintos momentos pero en análogas ocasiones que infrinjan el mismo tipo penal, cada una de las cuales es un delito, si bien la ley las contempla como una unidad»[439], requiriéndose, pues, que se hayan desenvuelto en el mismo o aproximado entorno espacial y dentro de un

---

[438]   AP Córdoba 28 de octubre de 1998 (Secc. 2ª).
[439]   STS de 18 de enero de 1994 (RJ 6482).

razonable marco temporal unificador que evidencia el ligamen exclusivo que las aglutine[440], sin un alejamiento temporal que las haga parecer ajenas y desatendidas las unas de las otras[441]. A este respecto si, imaginemos, las alteraciones se produjeron el mismo día, pueden haberse llevado a cabo en tal proximidad temporal que integren una mera acción que responda a un único propósito, constituyendo una única infracción[442]. Ahora bien, no basta con que se produzcan varias alteraciones en el edificio protegido, por el mismo sujeto, para que pueda apreciarse el delito continuado, sino que cada alteración ha de ser considerada de tal gravedad, que, de no concurrir el resto de requisitos del delito continuado, se podrían considerar como varias infracciones.

Finalmente en relación al delito continuado debe indicarse que, en temas de prescripción, los términos se computarán desde el día en que se realizó la última infracción; esto es, como los delitos menos graves prescriben a los tres años[443], de acuerdo con los arts. 131 y 132, en los casos de delito continuado, el cómputo se iniciará desde el día que se llevó a cabo el último derribo o alteración grave.

III. ARTÍCULO 322: RESPONSABILIDAD DE AUTORIDADES Y FUNCIONARIOS PÚBLICOS

1. Cuestiones previas

El art. 322 contiene un tipo paralelamente recogido, de forma similar que no idéntica, en el ámbito de los delitos contra la ordenación del territorio y los delitos contra el medio ambiente y los recursos naturales. Estos tipos conforman, de acuerdo con la doctrina mayoritaria, una suerte de *prevaricaciones específicas agravadas*, y a través de los cuales se da un tratamiento diferenciado

---

[440] STS de 20 de diciembre de 1985 (RJ 6356).

[441] SSTS de 21 de marzo de 1985 (RJ 2018), de 4 de julio de 1991 (RJ 5529), y 18 de noviembre de 1992 (RJ 10441), entre otras.

[442] En este sentido, la Audiencia Provincial de Tarragona (24-2-98, ARP 783) estima recurso de apelación interpuesto, sancionando únicamente por una falta de daños, sin concurrencia de continuidad. Sin embargo, en la doctrina científica se ha dado un carácter meramente secundario a la conexidad espacio-temporal. CASTIÑEIRA, M.T.: *El delito continuado*, Barcelona, 1997; COBO DEL ROSAL, M./VIVES ANTÓN, T.S.: *Derecho penal. Parte general*, ob. cit., p. 783.

[443] Recordemos que el delito previsto en el 321 es un delito menos grave puesto que la pena de prisión prevista va de seis meses a tres años.

a la responsabilidad penal en que puede incurrir el funcionario público en sectores de la actividad social sometidos a una elevada intervención y capacidad de actuación de la Administración.

Ya el Proyecto de Ley Orgánica de Código Penal de 1980 tipificaba como conducta delictiva la de los funcionarios facultativos que informaran favorablemente proyectos de edificación o concesión de licencias notoriamente contrarios a las normas urbanísticas vigentes y la de los miembros del organismo otorgante que hubieren votado su concesión a sabiendas de su ilegalidad[444]. Se pretendía pues asegurar el correcto funcionamiento de la actividad pública en sectores que, en la mayoría de los casos, escapan del ámbito de la prevaricación genérica.

Pues bien, si atendemos a la penalidad prevista en el artículo 322, además de remitirse a la pena del delito de prevaricación básica (art. 404) —inhabilitación especial para empleo o cargo público por tiempo de siete a diez años— se añade la pena de prisión de seis meses a dos años o multa de doce a veinticuatro meses. La especial relevancia punitiva del tipo que procedemos a analizar puede tratar de explicarse desde dos perspectivas: *primero*, debido a su carácter **pluriofensivo**[445], pues, de un lado, se tutela el interés público porque las resoluciones administrativas sean conformes a la ley y al Derecho, esto es, se tutela el correcto ejercicio de la función pública, y, de otro lado, se protege el valor cultural del Patrimonio Histórico, concretamente el valor ínsito en los edificios singularmente protegidos, ligado a la función de promoción cultural que desempeñan como insignes aportaciones a la cultura universal.

En *segundo* lugar, la gravedad de las penas se puede fundamentar en la especial trascendencia que, para la protección del bien jurídico, tienen las funciones encomendadas por la Ley a la Administración en los contextos arriba

---

[444] Art. 384 del Proyecto de Código penal de 1980. Los antecedentes en la normativa urbanística los podemos encontrar en el artículo 228.2 TRLS 76, el cual establece que «en las obras amparadas en una licencia cuyo contenido sea manifiestamente constitutivo de una infracción urbanística grave serán igualmente sancionados: el facultativo que hubiera informado favorablemente el proyecto, y los miembros de la Corporación que hubiesen votado a favor del otorgamiento de la licencia sin el informe técnico previo, o cuando éste fuera desfavorable en razón de aquella infracción o se hubiere hecho la advertencia de ilegalidad prevista en la legislación del Régimen Local».

[445] En este sentido, GONZÁLEZ CUSSAC, J.L.: *El delito de prevaricación de autoridades y funcionarios públicos,* Valencia, 1997, p. 150. También de esta opinión, SIERRA LÓPEZ, M.V.: «La prevaricación específica del funcionario público en el marco de los delitos recogidos en el título XVI: su relación con la prevaricación genérica del artículo 404 del Código Penal», en *Actualidad Penal,* nº 36, octubre 2000, p. 772.

mencionados. En el tipo que nos ocupa, la LPHE, así como la normativa que completa o desarrolla ésta, muestran la relevante y necesaria intervención de la Administración en materia de Patrimonio Histórico.

A este respecto, podemos afirmar cómo el funcionario adopta una posición de **garante**[446] en la tutela de los bienes integrantes del Patrimonio Histórico[447], obligación que viene expresamente recogida en el texto constitucional, en el art. 46: «Los **poderes públicos** *garantizarán la conservación y promoverán el enriquecimiento del patrimonio histórico, cultural y artístico de los pueblos de España y de los bienes...*». En este sentido, de acuerdo con algunas voces doctrinales, se trata, no tanto de agravar como de dar relevancia penal a la posición del funcionario, garante de la preservación de nuestro Patrimonio Histórico.

Llegados a este punto, si bien cabe plantearse por qué el legislador no ha creado prevaricaciones específicas en otros ámbitos o sectores de la Administración[448], se puede argumentar, a modo de clave explicativa, como el recurso al Derecho Penal se produce en un contexto de cierta desconfianza hacia la Administración en materias en las que ha imperado tradicionalmente la cesión ante la presión de los intereses especulativos existentes en el mercado inmobiliario[449].

2. Análisis del tipo

2.1. Conducta típica

A) *Apartado 1 del art. 322: prevaricación específica en caso de informes favorables a proyectos de derribo o alteración de edificios singularmente protegidos*

La conducta típica regulada en el apartado 1º del art. 322 consiste en **«informar** favorablemente de proyectos de derribo o alteración de edificios singularmente protegidos».

---

[446] En el mismo sentido, CARMONA SALGADO (ob. cit., p. 28), si bien respecto de la prevaricación específica del art. 320; SÁNCHEZ MARTÍNEZ, F.: «Alcance y límites a la cláusula agravatoria de la responsabilidad de los funcionarios en materia urbanística», en *CPC*, nº 65, 1998, p. 435 y ss.

[447] Vid., *in extenso* al respecto, VAQUER CABALLERÍA, M.: *Estado y Cultura: la función cultural de los poderes públicos en la Constitución española,* Madrid, 1998.

[448] Como por ejemplo el sanitario, donde el funcionario también ostenta una posición de garante, reconocida en la Constitución. CARMONA SALGADO, C.: ob. cit., p. 30.

[449] En esta línea, MORALES PRATS, F. y TAMARIT SUMALLA, J.M.: ob. y loc. cit.

La gran novedad del precepto que nos ocupa se encuentra precisamente en este apartado, pues supone un adelantamiento de la barrera punitiva, toda vez que, no sólo se castiga a quien tiene la facultad de *resolver*, sino también al funcionario que *«informa»*, en este caso proyectos de derribo o alteración de edificios singularmente protegidos.

Ello parece responder, en principio, al deseo del legislador de elevar conductas que, materialmente son de participación en la prevaricación —bien conductas de inducción o bien de participación— a la categoría de autoría[450]. Deseo que se plasma de forma expresa en el texto legal, únicamente en los ámbitos a los que se refieren los arts. 320, 322 y 329, por las razones ya expuestas, y no así en la prevaricación genérica.

Nos encontramos, pues, en principio, ante un delito de mera actividad y de lesión. «Informar favorablemente» supone haber emitido un informe por el órgano especializado y competente en la materia, tendente a proporcionar elementos de juicio necesarios al órgano competente para resolver el derribo o alteración grave del edificio en cuestión.

a) Alcance y naturaleza del informe

Respecto a la naturaleza del informe, entiendo que éste ha de ser *preceptivo* e *imprescindible*, según la legislación administrativa, circunscribiéndose la conducta típica a la emisión de informes que tiendan a autorizar aquello que no es autorizable. Consecuentemente, aunque de la dicción literal del precepto no se exige, el proyecto de derribo o alteración del edificio singularmente protegido ha de ser contrario a la normativa urbanística o la específica del Patrimonio Histórico.

En efecto, en aras de los objetivos constitucionalmente consagrados de conservación y acrecentamiento del Patrimonio Cultural, determinadas actuaciones sobre el patrimonio arquitectónico, se encuentran sujetas a *autorización*. Concretamente, tanto la legislación urbanística como la específica de Patrimonio Histórico, someten ciertas intervenciones sobre los edificios singularmente protegidos a una *doble autorización*.

Así, de acuerdo con el art. 1 del Reglamento de Disciplina Urbanística, en determinados supuestos, entre los que se encuentran los de «modificación o reforma que afecten a la estructura del edificio e instalaciones de todas clases»

---

[450] GONZÁLEZ CUSSAC, J.L.: *El delito de prevaricación...*, ob. cit., p. 155.

(art. n° 3), «modificación del aspecto exterior de los edificios» (n° 4), o en la «demolición de construcciones[451], salvo en los casos declarados de ruina inminente» (n° 14), se exige la concesión de previa *licencia municipal, «sin perjuicio de las autorizaciones que fueren procedentes con arreglo a la legislación específica aplicable»*.

La norma básica en este ámbito está recogida en el art. 23.1 de la Ley de Patrimonio Histórico-Español, según el cual: «*No podrán otorgarse licencias de obras que, conforme a lo previsto en la Ley, requieran cualquier autorización administrativa, hasta que ésta haya sido concedida*»; ciertamente, dicha norma consagra el sistema concurrencial, subordinando la *licencia municipal* a la *autorización proveniente de los órganos de la Administración de Patrimonio;* ahora bien, debe señalarse que, si bien la norma no vincula expresamente a los Municipios, lo cierto es que la concesión de la licencia sólo tendrá sentido en los casos en que la autorización sea favorable, pues la licencia no será título bastante, de acuerdo con la normativa referida.

Asimismo, la LPHE estable como todas las obras interiores o exteriores que afecten directamente a un inmueble declarado Monumento o a cualquiera de sus partes integrantes, no podrán realizarse «*sin autorización expresa de los Organismos competentes para la ejecución de esta Ley*»[452], entendiendo el vocablo «obra» en un sentido amplio, para abarcar todas aquellas operaciones que incidan sobre la estructura del edificio o sobre algunos de sus elementos integrantes.

Ahora bien, la propia doctrina administrativista denuncia la falta de respuesta legal expresa en lo relativo al cauce procedimental que ha de servir de soporte a la concesión de tales autorizaciones[453]. Y es que, en efecto, la ausencia de

---

[451] En este sentido, en la sentencia del Tribunal Supremo de 1 de febrero de 1994 (RA 1000) se reconoce que el derribo exige, en todo caso, licencia urbanística cuyo contenido vendrá determinado por la norma urbanística o de protección del patrimonio vincula por igual al Ayuntamiento y a la Comisión de patrimonio histórico-artístico.

[452] Art. 19.1 LPHE. En el supuesto de que el edificio singularmente protegido se halle dentro de un Conjunto Histórico, de acuerdo con el art. 20 de la Ley, hasta la aprobación de un Plan Especial de Protección del área, para el otorgamiento de licencias será necesaria *resolución favorable* de la Administración competente para la protección de los bienes afectados. Una vez aprobado el Plan, sólo será preceptiva la autorización de la Administración cuando las actuaciones recaigan sobre *Monumentos* y *Jardines Históricos,* siendo los Ayuntamientos competentes directamente para autorizar las obras que desarrollen el planeamiento aprobado, en el resto de los casos.

[453] En el debate parlamentario de la LPHE, se llegó a presentar una enmienda proponiendo que se estableciese expresamente el procedimiento de concesión de las autorizaciones y licencias

medidas de coordinación entre las técnicas típicas de la normativa específica de defensa del Patrimonio y el Urbanismo, ha sido una de las causantes de la inadecuada protección a que se ha visto sometida la riqueza monumental de este país[454].

Ante la falta de previsión expresa por parte de la LPHE acerca de cómo se va a determinar el procedimiento que lleve a la obtención de la referida autorización, hasta que no se dicten las disposiciones necesarias al respecto, se entenderán vigentes las de rango reglamentario que regulan el Patrimonio Histórico-Español, de conformidad con lo dispuesto en la Disposición Transitoria Primera de la Ley de 1985. En este sentido, entendemos junto a BARRERO RODRÍGUEZ que, de acuerdo con el art. 9 del Reglamento de Servicios Locales, y, en garantía de los principios de celeridad y eficacia en la actuación administrativa, la intervención de los organismos competentes en Patrimonio Histórico se sustanciará vía **informe,** quedando la licencia subordinada a lo que dictaminen los órganos de la Administración artística. La mencionada autora apuesta por la articulación de las competencias concurrentes en un único procedimiento tramitado ante la Administración municipal, en el que intervendrán por vía de informe preceptivo y vinculante, los órganos con competencia sobre el Patrimonio Histórico, en defensa de los valores de tal naturaleza[455]. Este es,

---

de obras en expediente único, tramitado por la Administración municipal. Sin embargo, tal enmienda no fue aceptada por la mayoría de la ponencia al considerar que el procedimiento en expediente único no tenía por qué ser establecido en la misma Ley (BOCG de 11 de febrero de 1985).

[454]   A este respecto, QUINTANA LÓPEZ, T.: *La conservación de las ciudades en el moderno urbanismo,* Oñati, 1989, p. 48 y ss.

[455]   BARRERO RODRÍGUEZ, C.: *La ordenación jurídica del Patrimonio Histórico,* ob. cit., p. 543. Asimismo, FARRE DÍAZ *(Delitos relativos a la ordenación del territorio y protección del Patrimonio histórico...,* ob. cit., p. 142) sostiene, en esta dirección, como este tipo de prevaricación cualificado sólo puede ser cometido por las autoridades y funcionarios integrantes de la Administración competente en materia de Patrimonio Histórico, únicos facultados para emitir un *informe previo* en relación a autorizar proyectos de derribo o alteración de edificios singularmente protegidos.
Así se manifiesta en esta misma dirección la sentencia del Tribunal Supremo de 11 de mayo de 1983 (RA 2478) al establecer que todos los proyectos de obras que puedan afectar a Monumentos «...han de ser sometidos previamente a la aprobación e informe técnico de la Dirección General de Bellas Artes...».
Desde otra perspectiva, se considera que no tiene carácter vinculante para los Municipios. Así, alguna resolución del Tribunal Supremo, como la de 21 de julio de 1986, planteaba la conformidad o no a derecho de la denegación municipal para la realización de cierta actuación en el conjunto histórico-artístico de Pontevedra, afirmando «...pues la potestad municipal para ordenar urbanísticamente el suelo comprendido en su término incluye la de proteger también, desde la órbita e intereses locales, las zonas, conjuntos urbanos, edificios

precisamente, el procedimiento expresamente previsto en alguna normativa autonómica de Patrimonio Cultural, cual es la muy reciente Ley de Patrimonio Histórico y Cultural de Extremadura[456]. A este respecto, el art. 34.2 de la citada Ley comienza estableciendo, al igual que la legislación estatal sobre la materia, que: «No podrán otorgarse licencias para la realización de obras que, con arreglo a la presente Ley, requieren cualquier autorización administrativa, hasta que ésta fuese concedida»; ahora bien, a continuación añade que «en todo caso, en el **procedimiento** de concesión de licencias por parte de la Administración municipal se insertará *el dictamen preceptivo y vinculante de la Consejería de Cultura y Patrimonio emitido previamente*» (la cursiva y negrilla es añadida).

Por tanto, de acuerdo con lo expuesto, la conducta típica del 322.1 se circunscribe, a mi juicio, no a cualquier clase de informe, sino a aquellos sin los cuales nunca podrá concederse la licencia preceptiva para llevar a cabo las conductas de derribo o alteración en los edificios singularmente protegidos. De forma que, si bien en la práctica se materializan a modo de informe, se trata realmente de actos decisorios, y por ende, distintos a otros actos que, si bien revisten la misma forma, no tienen tal carácter, y provienen de órganos consultivos. Esta es, a mi juicio, la razón fundamental por la que el legislador eleva la realización de estas conductas a la categoría de *autoría*.

En definitiva, tanto en la demolición como en la realización de cualquier obra sobre un edificio protegido concurre una doble competencia: de un lado, la de la *Administración cultural*, que proyecta su actividad por razones de conservación de los bienes culturales, pudiendo a este respecto impedir las actuaciones mencionadas, y de otro lado la competencia *municipal*.

Finalmente, algún autor subraya la ausencia de previsión por el legislador penal de la conducta del funcionario público que *informa favorablemente*, no ya los proyectos, sino *la concesión de licencias para demoler* edificios singularmente protegidos, máxime cuando en los otros dos supuestos de prevaricaciones específicas, las urbanísticas y las medioambientales, sí que se encuentran

---

y espacios naturales, según lo dispuesto en estos preceptos, **sin perjuicio del preceptivo informe de la Dirección competente del Estado, o de sus órganos de la Administración periférica,** para adverar la conformidad de un proyecto de edificación con los supuestos protegidos por la declaración estatal de inclusión y valoración de los conjuntos o edificios singulares de interés histórico-artístico...».

Véase asimismo la jurisprudencia sobre la ruina y el conflicto entre la declaración de ésta por el Ayuntamiento, y la denegación del derribo por la Administración Cultural, en BENÍTEZ DE LUGO Y GUILLÉN: *El Patrimonio Cultural Español*, ob. cit., p. 250 y ss.

[456] Ley 2/1999, de 29 de marzo, de Patrimonio Histórico y Cultural de Extremadura.

tipificada la conducta de «informar favorablemente la concesión de licencias ilegales».

A este respecto, en el ámbito autonómico véase cómo, por ejemplo, la Ley de Patrimonio Cultural Valenciano establece expresamente que «Declarado un inmueble como Bien de Interés Cultural, la Conselleria de Educación, Ciencia y Cultura, en el plazo de tres meses y con audiencia del Ayuntamiento correspondiente, emitirá *informe vinculante sobre las licencias, o sus efectos y las actuaciones urbanísticas suspendidas* como consecuencia de la incoación del expediente…» (art. 34.2). Asimismo, en la Ley 9/1993, de 30 de septiembre, del Patrimonio Cultural Catalán, se declara que, una vez producida la declaración de un inmueble como un bien cultural de interés nacional, el Departamento de Cultura debe emitir, escuchado el ayuntamiento correspondiente, un *informe vinculante sobre las licencias urbanísticas* suspendidas por la incoación del expediente (art. 31).

Reiterando la falta de respuesta expresa en la Ley estatal en lo concerniente al cauce procedimental en actuaciones sobre el patrimonio inmueble, entendemos el informe vinculante de Cultura como una suerte de *autorización de intervención* en los inmuebles protegidos, puesto que, pese a estar concedida la licencia urbanística, ésta se concedió antes de que el bien hubiese recibido la declaración como de interés cultural. Así las cosas, podría salvarse la impunidad de la conducta de *informar favorablemente la concesión de licencia de derribo*, contraviniendo la normativa administrativa, si la consideramos incluida en el art. 320.1 del CP[457] que castiga a la autoridad o funcionario que, informa la concesión de «licencias», especificando únicamente que sean contrarias a las de las normas urbanísticas vigentes. De suerte que, desde una interpretación extensiva del art. 320, se podrían incluir las licencias de derribo, pues, si bien el legislador adjetiva los «proyectos», las licencias deben ser simplemente, de acuerdo con el tenor literal del art. 320, «contrarias a la normativa urbanística»[458].

---

[457] Apuesta también por esta solución, ACALE SÁNCHEZ, M.: *Los delitos urbanísticos*, ob. cit., p. 350.

[458] Otra posibilidad sería castigar la conducta de informar favorablemente la concesión de licencia de derribo, a título de participación en el art. 404, como cooperación con la conducta del funcionario público que dictare resolución arbitraria en asunto administrativo, sin embargo, estimo preferible la solución apuntada *supra*, por cuanto se ajusta más al supuesto de hecho. Lo que no sería admisible, a mi juicio, es su castigo a través del apartado 2º del art. 322, relativo a la resolución o voto a favor de la concesión de «proyectos» de derribo o alteración, no de licencias.

Distinto es el caso de informes desfavorables a proyectos que sean acordes con la normativa, los cuales no pueden ser, a mi juicio, típicos, por cuanto no afectará al bien jurídico protegido, pudiendo castigarse, a lo sumo, como participación en la prevaricación[459].

b) La modalidad omisiva

Se plantean dudas en torno a si podría tener cabida la **omisión** en la figura delictiva prevista en el apartado primero del artículo 322.

Partimos de considerar que la omisión pura no es punible, a tenor de los términos del precepto («haya informado»); ahora bien, de acuerdo con alguna voz doctrinal[460], sí será punible la *comisión por omisión* (omisión impropia), habida cuenta de la obligación que tienen determinados sujetos de informar proyectos de derribos o de alteración de edificios singularmente protegidos, lo que atribuye una posición de garante al funcionario competente.

A mi juicio, sin embargo, resulta difícil que se admita[461] el castigo de la comisión por omisión en la conducta típica de la prevaricación específica consistente en «informar».

A esta conclusión llegamos atendiendo, en primer lugar, a consideraciones gramaticales y sistemáticas. Desde una interpretación *gramatical* el verbo «informar» equivale a «dictaminar un cuerpo consultivo, un funcionario o cualquier persona perita, en asunto de su respectiva competencia»[462], de suerte que entendemos se trata de una acción típica inequívocamente activa. A su vez, desde una exégesis *sistemática,* cuando se ha querido prever la modalidad omisiva en los delitos de funcionarios lo ha hecho siempre de forma expresa[463];

---

[459] En este sentido, TERRADILLOS BASOCO, J.: «Responsabilidad del funcionario público en delitos relativos a la ordenación del territorio y la protección penal del patrimonio histórico y del medio ambiente», en *Estudios penales y criminológicos,* XX, 1997, p. 323.

[460] CATALÁN SENDER, J.: *Los delitos cometidos por autoridades y funcionarios públicos en el nuevo Código penal (doctrina y jurisprudencia),* 1999, p. 509.

[461] Al igual que ocurre en el delito de prevaricación genérica. Así, la doctrina mayoritaria (entre otros, GONZÁLEZ CUSSAC, J.L.: ob. cit., p. 82 y ss.; ORTS BERENGUER, E.: *Comentarios…,* cit., p. 1.178; MORALES PRATS y RODRÍGUEZ PUERTAS: *Comentarios…,* pp. 1.135-37) y la jurisprudencia del Tribunal Supremo viene negando tal posibilidad. Entre otras muchas resoluciones, pueden citarse las SSTS de 25 de abril de 1988, 15 de octubre de 1994, 14 de julio de 1995 y 20 de noviembre del mismo año.

[462] Voz «informar» en su 5ª acepción de acuerdo con el DRAE.

[463] GONZÁLEZ CUSSAC, J.L.: *El delito de prevaricación…,* ob. cit., p. 84; MORALES PRATS, F.: ob. cit., p. 1.133.

concretamente, el legislador del CP 95, en el ámbito de la prevaricación específica en materia de medio ambiente y recursos naturales, castiga expresamente a la autoridad o funcionario público «…que con motivo de sus inspecciones hubiere silenciado la infracción de leyes o disposiciones normativas de carácter general que las regulen…» (art. 329)[464].

Pero además, junto a estas consideraciones, se hace difícil admitir la punición por la vía de la comisión por omisión, observando los requisitos exigidos en el art. 11 del Código Penal. En principio, podemos afirmar que sí se cumple la exigencia de que exista una específica obligación legal de actuar, derivada del texto constitucional. Sin embargo, no se puede afirmar lo mismo respecto de la exigencia de resultado prevista en el art. 11 —precepto aplicable exclusivamente a los «*delitos o faltas que consistan en la producción de un resultado*»— pues, el tipo específico de prevaricación que venimos analizando, lo consideramos, de acuerdo con su formulación, una infracción de mera actividad y lesión, y por ende, no concurre la *equivalencia material* exigida en el antecitado precepto.

Ahora bien, debe considerarse si cabría el castigo de la omisión por la vía del *silencio administrativo positivo*. Recordemos como, por lo que se refiere a la autorización de la Administración Cultural para realizar actuaciones sobre los edificios protegidos, el silencio opera, con carácter general, de manera diferente a como lo hace en materia de licencias municipales[465]. Tal y como se expuso, habida cuenta de que el silencio administrativo queda reducido a los supuestos expresamente previstos, ante la ausencia de previsión en tal sentido por parte de la LPHE, las autorizaciones provenientes de los órganos que tengan atribuida la competencia sobre los bienes históricos quedaban al margen del instituto del silencio. Sin embargo, la situación puede variar en aquellas Comunidades Autónomas que hayan asumido competencia en materia de Patrimonio Histórico. A este respecto, pusimos como ejemplo la situación en la Comunidad Valenciana donde, la autorización de la Consellería de Cultura, Educación y Ciencia, preceptiva para realizar cualquier intervención en un inmueble declarado de Interés Cultural, «…se entenderá concedida una vez hayan transcurrido tres meses desde que se solicitó sin que hubiera recaído resolución»[466].

---

[464] En el Código penal italiano, el art. 328 sanciona con la reclusión de hasta un año o con multa hasta 400.000 L. al funcionario público que indebidamente omita o retarde un acto de su oficio o servicio.

[465] De acuerdo con la LRJAP y AP el silencio en materia de licencias debía entenderse positivo, con la condición de que la acción pretendida sea conforme a la legislación vigente.

[466] Art. 35.1 de la Ley de Patrimonio Cultural Valenciano.

Pese a ello, a mi juicio, el silencio administrativo no puede integrar el tipo del art. 322 en su apartado primero, conclusión que me parece la más razonable a partir de la siguiente reflexión.

Partimos de que el instituto del silencio administrativo pertenece a la categoría de los *actos presuntos,* esto es, supone una ficción jurídica, en aras a evitar paralizaciones en la Administración, al posibilitar la continuación del procedimiento administrativo. De manera que en el acto presunto sólo existe una ficción de resolución y, por ende, no suple el acto expreso o tácito[467]. De ello se infiere la no equiparación entre un *acto presunto* —en el que sólo existe una ficción de resolución, y por tanto no se exonera a la Administración de resolver expresamente— y un *acto táctico*[468], el cual sí comporta una resolución.

Es por ello que, considerando que el silencio administrativo nunca llega a suplir el acto resolutorio de la Administración, podrían originarse controvertidos problemas en el ámbito del Derecho Penal[469]: imaginemos que, después de que se hubiese apreciado la existencia del delito por la vía del silencio, se evacuara un informe desde la Administración cultural, revocando los efectos que había producido aquél.

Parece, pues, inadmisible en el ordenamiento jurídico-penal, configurar un injusto penal sobre la base de una ficción; máxime si pensamos en lo dificultoso, por no decir imposible, que supone el apreciar la injusticia de una conducta que realmente nunca se ha llevado a cabo.

B) La responsabilidad de la autoridad y el funcionario público en el apartado 2 del art. 322. Supuestos controvertidos

En el apartado 2º del art. 322 la conducta típica estriba en «resolver», incriminándose a su vez al que, con abuso de su cargo, posibilita la resolución, «otorgando su voto a favor», por sí mismo o en un órgano colegiado.

CONDE-PUMPIDO TOURON[470] destaca en este segundo párrafo el mimetismo con respecto al art. 320, de forma que el 322.2 se refiere «a su concesión»

---

[467] De otra opinión RODRÍGUEZ-ARANA MUÑOZ para quien el silencio positivo «equivale a un verdadero acto de modo que, una vez producido, sólo cabe dictar una resolución confirmatoria del acto». RODRÍGUEZ-ARANA MUÑOZ, J.: «El silencio administrativo y los actos tácitos o presuntos», ob. cit., p. 314.

[468] Distinción en la que insiste GONZÁLEZ CUSSAC, J.L.: ob. cit., p. 89.

[469] En este sentido, GONZÁLEZ CUSSAC, J.L.: *Íbidem.*

[470] CONDE-PUMPIDO TOURON: *Código penal: Doctrina y jurisprudencia...,* ob. y loc. cit.

como si se tratase de licencias[471]; sin embargo, como la conducta típica del párrafo primero recae únicamente sobre «proyectos» de derribo o alteración, la del apartado segundo consistirá, pues, en «*resolver*» o «*votar*» a favor de un proyecto de derribo o alteración de edificios singularmente protegidos. A mi juicio hubiera resultado preferible que el legislador se hubiese referido a su «aprobación o autorización», pues, lo que realmente se somete a votación es la concesión de la licencia a la que acompaña el proyecto[472].

Partimos, pues, de un concepto amplio de resolución, considerando que ésta debe tener efectos decisorios, siendo la licencia municipal la autorización final. Una vez emitidos los informes por los funcionarios facultativos, se procede a la votación o resolución, cometido que corresponde a los miembros del pleno municipal, concejales y alcaldes, que son los que votan y resuelven la concesión o denegación de la licencia o autorización.

En suma, de acuerdo con lo hasta ahora expuesto, nos encontramos con competencias concurrentes, la del *Ayuntamiento,* que ha de conceder la licencia urbanística, en la pretensión de que las edificaciones se sometan a la legalidad urbanística, y la competencia de la *Administración Cultural,* estatal o autonómica, que persigue el ajuste de las actuaciones al interés cultural, histórico y artístico del edificio[473]. Ahora bien, la LPHE supedita la concesión de las licencias municipales a la previa autorización de los órganos competentes de la Administración Cultural. Se convierte, pues, dicha autorización en un requisito previo y necesario.

¿Ello significa que tendrá dicha autorización un carácter vinculante en todo caso? Para resolver la cuestión debemos diferenciar si el informe de la autoridad cultural es favorable o, por el contrario, es de carácter negativo. En el caso de que dicho informe sea favorable a la actuación, esta autorización por parte de la Administración Cultural no constriñe a los Ayuntamientos a la automática concesión de las licencias, pues ello equivaldría a la renuncia al ejercicio de su competencia propia[474]. Por el contrario, si el informe de la autoridad cultural hubiera sido negativo, la Administración Local sí se vería vinculada necesariamente por el mismo.

---

[471] En el párrafo primero del citado art. 320 sí se alude a la «*concesión de licencias contrarias a las normas urbanísticas*».

[472] También en este sentido, ACALE SÁNCHEZ, M.: ob. cit.

[473] De tal modo se pronuncia la STS de 23 de julio de 1992 (RA 6173) en su Fundamento 2º.

[474] En este sentido, BENÍTEZ DE LUGO Y GUILLÉN, F.: *El patrimonio cultural español,* ob. cit., p. 252.

Abundando en esta tesis, la sentencia de 29 de mayo de 1998 del TSJ de Cantabria (Sala de lo Contencioso-Administrativo) declara que, respecto de las autorizaciones necesarias en la realización de obras en los Bienes de Interés Cultural, «la autorización del órgano autonómico no tiene carácter vinculante para el municipio, salvo en el supuesto de ser negativo, constituyendo tan sólo un requisito imprescindible y sin el cual no puede considerarse válidamente otorgada la licencia, de modo que la concesión de la misma se sujetará exclusivamente a lo dispuesto en el orden urbanístico vigente, criterio éste sentado reiteradamente por la jurisprudencia del Tribunal Supremo, que en su sentencia de 21 de julio de 1986 (RJ 5533) señala que: «Pese al informe favorable de la Dirección General de Bellas Artes, el acuerdo municipal denegando la licencia es conforme a derecho...» (FJ 4º y 5º).

Con anterioridad el mismo Tribunal se había manifestado[475] en idéntico sentido, declarando que: «...las Corporaciones Locales han de *partir necesariamente del sentido de la resolución dictada por el órgano autonómico:* si ésta es *favorable a la licencia,* el Ayuntamiento deberá otorgarla, a menos que encuentre objeciones relativas al ordenamiento urbanístico... *Contrariamente una resolución negativa de la autoridad competente* vincula de modo pleno y absoluto, de manera que la licencia no podrá ser otorgada» (la cursiva es añadida) (FJ 7º).

En suma, los planteamientos expuestos vienen a constatar que la autorización de la Administración Cultural es un requisito previo y necesario para el otorgamiento de la licencia municipal, mas de naturaleza vinculante únicamente en los supuestos en que se deniegue finalmente la autorización[476].

Acerca de qué decisión debe prevalecer en caso de **conflicto**, la doctrina jurisprudencial es clara y reiterada al respecto, insistiendo en la prevalencia de los órganos a quienes está encomendada la preservación de los valores culturales[477]. En este orden de ideas debemos recordar cómo la *ausencia de autorización* de la Administración Cultural al solicitarse la licencia urbanística impedía la concesión de la misma, debiendo por tanto el Ayuntamiento notificar al solicitante la apertura de un plazo para que subsane la deficiencia, requiriendo y obteniendo la autorización previa.

A la vista de lo expuesto, a mi juicio será típica la conducta de la autoridad municipal cuando, o bien resuelve la concesión de la licencia sin la autorización

---

[475] Sentencia del TSJ de Cantabria de 5 de septiembre de 1997 (RJCA 1997/2457).
[476] En esta dirección, véase la STS de 21 de enero de 1992.
[477] Entre otras, las SSTS de 29 de octubre de 1984 (RA 4748), 3 de octubre de 1986 (RA 5287), 19 de noviembre de 1991.

preceptiva de la Administración Cultural, o bien cuando resuelve favorablemente, en contra del informe denegatorio de la susodicha Administración. En ese sentido, recordemos como el art. 23.1 de la LPHE declaraba que no podrán otorgarse licencias para la realización de obras que requieran cualquier clase de autorización administrativa hasta que ésta hubiera sido concedida.

Para finalizar, debe plantearse si cabría incriminar el otorgamiento de licencias de derribo o alteración por la vía del *silencio administrativo positivo*.

Según quedó expuesto, de acuerdo con la LRJAP y PAC[478], el silencio en materia de licencias debe entenderse positivo y se produce automáticamente si vence el plazo de resolución y el órgano no resuelve expresamente, *siempre que* la acción pretendida sea conforme a la legislación vigente. A este respecto, ya señalamos cómo el art. 246.6 del Texto Refundido de la Ley sobre Régimen del Suelo y Ordenación Urbana, aprobado por Real Decreto Legislativo 1/1992, de 26 de junio[479], dispone, con carácter de norma básica, que *«en ningún caso se entenderán adquiridas por silencio administrativo licencias en contra de la legislación o el planeamiento urbanístico».*

Al igual que se sostuvo en el apartado primero del art. 322 del CP, parece imposible, pues, que en el ordenamiento jurídico-penal se pueda construir un injusto sobre la base de una resolución presunta; máxime si pensamos en lo dificultoso y complejo que supondría apreciar la injusticia de una conducta que realmente nunca se ha llevado a cabo.

Ahora bien, la jurisprudencia sí que viene castigando como prevaricación aquellos supuestos en que se dicta una resolución expresa, pero omitiendo exigencias procedimentales preceptivas[480]; sobre esta base podemos afirmar que podrían sancionarse por el tipo de prevaricación específica del apartado segundo del 322, aquellas hipótesis en que se concediese licencia municipal de derribo o alteración de un edificio protegido, a sabiendas de la ausencia de la necesaria autorización de la Administración Cultural.

---

[478] Art. 43. Silencio administrativo en procedimiento iniciado a solicitud del interesado (de acuerdo con la redacción de la Ley 4/1999, de 13 de enero, modificadora de la Ley 30/92 (LRJAP y PAC). De acuerdo con el n° 2 de este precepto: «Los interesados podrán entender estimadas por silencio administrativo sus solicitudes en todos los casos, salvo que una norma con rango de ley o norma de Derecho comunitario establezca lo contrario…».

[479] Vigente de acuerdo con la disposición derogatoria de la Ley 6/1998, de 13 de abril, de régimen de suelo y valoraciones.

[480] Valga como ejemplo la STS de 28-2-95, en la que se castiga por prevaricación a un alcalde que otorga licencia para construir, conculcando normas urbanísticas; concretamente, concediendo licencia con el informe jurídico desfavorable del secretario; vid. asimismo, SSTS de 13-10-95 y 28-12-95, condenando por delitos de prevaricación.

Los casos de *abstención*[481] en la correspondiente votación —en los que, sin embargo, existe en muchos casos consciencia de la posibilidad de resolución favorable por el juego de mayoría[482]— quedarán excluidos del ámbito jurídico-penal.

Más controvertidos son los supuestos en que el acuerdo de un órgano colegiado se ha aprobado por *asentimiento*. Entienden MORALES PRATS y TAMARIT SUMALLA a este respecto, que la exigencia de votación requerida por el tipo, hace que estos casos queden fuera del alcance del tipo. Sin embargo, de acuerdo con TERRADILLOS BASOCO, puede mantenerse que el asentimiento es una forma de votación. En esta dirección, CATALÁN SENDER afirma que si el voto fue emitido por un mero asentimiento no se deja de estar ante un voto a favor de lo que se propone, lo cual viene ratificado, a su juicio, por la propia legislación vigente[483].

Por último, como ya se ha apuntado, a diferencia de la prevaricación específica en materia de medio ambiente, el legislador no ha previsto los supuestos donde el funcionario, con motivo de sus inspecciones *silencie* la ilegalidad del derribo o la alteración[484] grave, de manera que su actuación contraria a derecho sea posterior a la realización de la conducta típica.

C) *Consumación y tentativa*

Por lo que se refiere al apartado primero del art. 322, la doctrina científica se encuentra dividida a la hora de determinar en que momento se entiende *consumado* el delito.

Para un sector doctrinal, entre los que se encuentran GARCÍA PLANAS, CATALÁN SENDER y FARRE DÍAZ[485], basta con la mera emisión del informe

---

[481] De esta opinión, MORALES PRATS, F. y TAMARIT SUMALLA, J.M.: ob. cit., p. 1.497.

[482] Ausencia que, si bien respecto del 320, llama la atención a MUÑOZ CONDE, F.: *Derecho Penal...*, ob. cit., p. 492.

[483] Sobre este particular, en el art. 101 RD 2568/1986, aplicable a la Administración Local, cuando habla de «votaciones ordinarias» se dispone expresamente que las votaciones también pueden ser realizadas por «signos convencionales de asentimiento», por lo que a su juicio dicha conducta entra de lleno en el tipo delictivo. CATALÁN SENDER, J.: *Los delitos cometidos por autoridades y funcionarios públicos en el nuevo Código penal (doctrina y jurisprudencia)*, ob. cit., p. 506.

[484] CATALÁN SENDER, J.: *Ibidem.*

[485] GARCÍA PLANAS, G.: *El delito urbanístico (delitos relativos a la ordenación del territorio)*, Valencia, 1997, p. 100; CATALÁN SENDER, J.: *Los delitos cometidos por autoridades y*

contrario a las normas vigentes para que exista consumación, pues nos encontramos ante delitos de mera actividad, no precisando resultado alguno.

Desde otro posicionamiento, la solución que pretende aportar NARVAEZ RODRÍGUEZ[486] —aunque en relación a la prevaricación específica del art. 320— parte de considerar dos supuestos diferenciados: a) cuando, a pesar de la existencia de informes favorables a una decisión injusta, el órgano competente para resolver no adopta dicha resolución y tampoco llega a iniciarse la edificación o ejecución de obra sujeta a licencia. En estos supuestos, según el autor, la solución sería la impunidad, pues los informes no seguidos de resolución constituirían actos preparatorios, y, consecuentemente, no se castigarían; b) cuando, evacuado el informe, pese a no dictarse resolución injusta, se inicia la edificación o ejecución de la obra (en nuestro caso objeto de estudio, sería el derribo o alteración grave). En esta última hipótesis el autor considera que el delito estaría consumado.

Por su parte, GONZÁLEZ CUSSAC[487] afirma que, en la medida en que se trata de conductas que, materialmente, son de participación —si bien no formalmente— la simple contribución al hecho ajeno principal del autor sería suficiente para la consumación, pues el peligro para los bienes tutelados ya se habría ocasionado. De forma que con este criterio, para el citado autor sería correcta la solución que aporta NARVAEZ al segundo supuesto, pero no así la primera, considerando que constituiría como mínimo una tentativa.

Ahora bien, de acuerdo con esta tesis, la apreciación de la tentativa suscita alguna duda, si consideramos que no puede haber participación en un delito que no existe, es decir, sin haber resolución injusta, o sin haberse iniciado el derribo o la alteración grave, por cuanto la tentativa no sería posible.

Por tanto, pese a que materialmente son conductas de participación, bien en la prevaricación, bien en el tipo del 321, el legislador del 95 las ha elevado expresamente a la categoría de autorías, por lo que, en atención al principio de legalidad, para la consumación de la conducta del número 1 del 322, en principio, bastará únicamente con el informe injusto, sin necesidad de comprobar los posibles resultados, consecuencia de su actuación, puesto que se trata de un delito de mera actividad.

---

funcionarios públicos, ob. cit., p. 509; FARRE DÍAZ, L.: *Delitos relativos a la ordenación del territorio y protección del Patrimonio Histórico...*, ob. y loc. cit.

[486]   NARVAEZ RODRÍGUEZ, A.: «La responsabilidad de la Administración urbanística: el artículo 320 del Código penal», en *Actualidad Jurídica 270,* 21 de noviembre de 1996.

[487]   GONZÁLEZ CUSSAC, J.L.: *El delito de prevaricación de autoridades...*, ob. cit., p. 27 y ss.

No obstante, debemos plantearnos si con la mera emisión del informe, no seguida de resolución ni de inicio del derribo o alteración, se está atacando los bienes objeto de tutela, pues, si bien resulta clara la *lesión* para el buen funcionamiento de la función pública, con respecto a los valores culturales quizás podría afirmarse que éstos están únicamente puestos en *peligro*, al incumplir el deber de garantizar su conservación.

Lo cierto es que el legislador ha querido sancionar aquellas conductas consistentes en evacuar informes ilegales, en aquellos ámbitos en que dicha actuación resulta relevante para la protección del bien jurídico, por cuanto a los órganos encargados de emitir los informes les está encomendada la preservación de los valores culturales presentes en el inmueble.

En cualquier caso, con independencia de si se considera o no que materialmente son conductas de participación, en ambos casos podrá admitirse, en determinados supuestos, la tentativa inacabada o incompleta, si bien entiendo que no podrá admitirse la comisión en grado de tentativa acabada.

En el apartado *segundo* del art. 322, la consumación, de acuerdo con el tenor literal de la ley, se produce, en principio, en el momento de dictar la resolución injusta o de emitir el voto[488], encontrándonos ante un delito de lesión, aunque no de resultado[489]. Es decir, a mi juicio, la lesión de la función pública no implica la producción de un resultado en sentido estricto[490], esto es, de ningún cambio en el mundo externo, sino únicamente realizar una actividad: dictar una resolución injusta o emitir el voto favorable a ella. De acuerdo con esta dirección, coincidente con la prevaricación genérica, podrá admitirse la tentativa inacabada, obviamente dependiendo de los trámites necesarios hasta llegar

---

[488] De esta opinión, VERCHER NOGUERA, A.: «Delitos contra el Patrimonio Histórico…», ob. y loc. cit.; BARRIENTOS PACHO, J.M.: «El delito urbanístico en los Tribunales de Justicia» y DE VICENTE MARTÍNEZ, R.: «La responsabilidad penal de la Administración Urbanística», ambos en *Delitos contra el urbanismo y la ordenación del territorio*, Bilbao, 1998.

[489] En contra de lo que es el parecer mayoritario, OCTAVIO DE TOLEDO («El delito de prevaricación de los funcionarios públicos en el Código penal de 1995», ob. cit., p. 1.519) sostiene que el delito de prevaricación de los funcionarios públicos es de resultado y no de mera actividad.

[490] En este sentido, GONZÁLEZ CUSSAC *(El delito de prevaricación de autoridades…*, ob. cit., p. 27 y ss.), en relación al concepto de resultado sustentado por LAURENZO COPELLO *(El resultado en Derecho penal*, Valencia, 1992) —según la cual dicho concepto ha de obtenerse de la noción de lesión o puesta en peligro del bien jurídico protegido—, considera, a mi juicio, acertadamente, que la autora sitúa en el mismo plano dos categorías pertenecientes a planos distintos, resultado y la lesión del bien jurídico, el primero relativo al plano del objeto de la valoración y el segundo al de la valoración del objeto.

a ésta; mientras que será más difícil apreciar la acabada, ya que desde el momento en que se dicte la resolución, la infracción ya estará consumada[491].

Por contra, NARVAEZ RODRÍGUEZ[492] estima que si la obra no llegara a realizarse estaríamos ante actos preparatorios y, por tanto, impunes, mientras que si se realizase, el delito estaría consumado.

Pues bien, partimos de que nos encontramos ante un tipo de carácter pluriofensivo, y que, por tanto, para estimar su consumación se requiere el ataque de ambos bienes jurídicos. De un lado, el correcto ejercicio de la función pública, el cual sí se ve lesionado cuando se dicta la resolución o se emite el voto, y, de otro lado, el valor Patrimonio Histórico en términos generales, el cual podemos afirmar que únicamente es puesto en peligro, en el supuesto de que no llegue a producirse el derribo o la alteración grave.

Sobre este particular, llama la atención cómo en la legislación administrativa se considera infracción urbanística, de acuerdo con el art. 57.2, «*la realización de obras amparadas en una licencia…*», sancionándose a los miembros de la Corporación que hubiesen votado a favor de dicha licencia, pero, insisto, cuando se hayan realizado las obras.

De ese modo, algunos autores afirman que el legislador penal ha centrado su conducta en el acto administrativo en sí, apartándose de sus consecuencias materiales[493].

A la vista de lo expuesto y reconociendo la dificultad de ofrecer una solución correcta ante la ausencia de criterios jurisprudenciales interpretativos, en los supuestos en que la autoridad o funcionario público dicte la resolución injusta o emita el voto, sin llegar a producirse el derribo o la alteración grave, o bien se admite la posibilidad de la tentativa, o bien, al no producirse la lesión del Patrimonio Histórico se recurre a la prevaricación genérica[494], o bien, y ésta parece finalmente la solución más adecuada —adoptada, a su vez, por la

---

[491]   ORTS BERENGUER, E.: *Comentarios al Código penal*, ob. cit., p. 131; GONZÁLEZ CUSSAC, J.L.: *El delito de prevaricación*, ob. cit., p. 131.

[492]   Tal y como ya hemos apuntado, se refiere al tipo del 320 en los delitos contra la ordenación del territorio. NARVÁEZ RODRÍGUEZ, A.: «La responsabilidad de la Administración urbanística: el artículo 320 del Código penal», ob. y loc. cit.

[493]   BELTRÁN ABADÍA, R., CORVINOS BASECA, P., FRANCO HERNÁNDEZ, Y.: «Los nuevos delitos sobre ordenación del territorio y la disciplina urbanística», ob. y loc. cit.

[494]   Solución que aporta DE LA MATA BARRANCO, si bien respecto del delito del 320: «El art. 320.1: Prevaricación específica en caso de informes favorables a proyectos de edificación o concesión de licencias contrarias a normativa urbanística», en *Delitos contra el urbanismo y la ordenación del territorio*, ob. cit., p. 157.

mayoría de autores manifestados[495] sobre este punto— el delito se encontrará consumado. La opción por esta solución se justifica si consideramos que, si llega a producirse el derribo o alteración, en cooperación necesaria con el derribista, lo que en la práctica resultará frecuente, deberá aplicarse un concurso de delitos entre el art. 321 y el art. 404 (prevaricación básica).

En suma, el art. 322 devendrá aplicable únicamente en los supuestos en que no llegue a producirse el derribo o alteración, o cuando la actuación de la autoridad o funcionario público no pueda reconducirse a la cooperación necesaria[496]. De poder reconducirse a ésta se aplicaría, como veremos más adelante, el concurso entre la prevaricación del 404 y el tipo del 321. En este sentido, se comprendería la alternatividad de las penas en el art. 322, toda vez que el legislador, más que agravar la pena ha querido asegurar su incriminación.

De acuerdo con lo expuesto, podemos afirmar, pues, que constituirán supuestos residuales de aplicación del art. 322 los casos de resolución o emisión de voto, a sabiendas de su injusticia, pero sin que llegue a producirse efectivamente el derribo o alteración del edificio protegido, tal y como se reiterará en el siguiente subepígrafe. Recordemos como, de acuerdo con la postura que venimos manteniendo, el delito de prevaricación no exige ningún cambio en el mundo exterior, de suerte que los daños concretos que se deriven de su actividad abusiva no están contemplados en el desvalor del hecho.

En definitiva, la *consumación* del delito del 322 se producirá pues desde que se emite el informe favorable, o desde que se dicta la resolución, resultando muy difícil[497], por no decir imposible, admitir la tentativa acabada o completa, por

---

[495] TERRADILLOS BASOCO, J.: «Responsabilidad del funcionario público en delitos relativos…», ob. cit., p. 332; BOIX REIG, J./JAREÑO LEAL, A.: «De los delitos contra los recursos naturales y el medio ambiente», en *Comentarios al Código penal de 1995,* vol. II, ob. cit., p. 1.606; MUÑOZ CONDE, F.: *Derecho penal. Parte especial…,* ob. y loc. cit.

[496] En este sentido se manifiesta MUÑOZ CONDE, F.: ob. y loc. cit.

[497] De esta opinión, ORTS BERENGUER, E.: *Comentarios…,* t. II, ob. cit., p. 1.782; asimismo, GONZÁLEZ CUSSAC, J.L.: *El delito de prvaricación…,* ob. cit., p. 130. Sin embargo, para OCTAVIO DE TOLEDO sí puede darse la tentativa acabada, pues, como ya se dijo, entendía la prevaricación como un delito de resultado. En su argumentación citaba como ejemplo el supuesto de un Director General, cuya resolución injusta, de obligada aparición en el BOE, no aparecía, pues aun habiendo dado la orden, había sido ya cesado y el funcionario encargado de ello lo retenía hasta el nombramiento del sucesor. Sin embargo, el autor incurre en un doble contradicción, como ha puesto de manifiesto GONZÁLEZ CUSSAC: de un lado, porque si el resultado del delito es la resolución, ésta ya se ha producido, la resolución ya ha sido dictada; de otro lado, el ejemplo propuesto por OCTAVIO DE TOLEDO, también se entiende consumado, desde nuestro punto de vista, puesto que la lesión al bien jurídico, el

cuanto si se realizan todos los actos ejecutivos necesarios ya se consuma el delito, no pudiendo descartarse, sin embargo, hipótesis de tentativa inacabada o incompleta.

2.2. Sujeto activo

Al igual que en la figura básica de prevaricación, el sujeto activo del art. 322 ha de ser una **autoridad o funcionario público,** coincidiendo doctrina[498] y jurisprudencia[499] en su consideración como un *delito especial propio*, pues sólo podrán ser autores del mismo quienes, a los efectos del Código Penal[500], ostenten aquella condición.

A este respecto, el concepto de *funcionario público*[501] se delimita en atención a la concurrencia de dos notas: a) Incorporación a la actividad pública en virtud de los títulos enumerados en el art. 24, esto es, por disposición inmediata de ley, por elección, o bien por nombramiento de autoridad, si bien, de acuerdo con opinión mayoritaria, las tres vías son reconducibles a una: la atribución, por parte de la ley, de la condición de funcionario[502]; b) Participación en el ejercicio de *funciones públicas*. En orden a concretar qué debe entenderse por «función

---

buen funcionamiento de la función pública, ya se ha producido; de suerte que, pese a que cualquier resolución exija para sus efectos una complementación consistente en su publicación, cuestión distinta es su validez.

[498] Por todos, ORTS BERENGUER, E.: *Comentarios...*, ob. cit., t. II, p. 1.783; GONZÁLEZ CUSSAC, J.L.: ob. cit., 98; MUÑOZ CONDE: *Derecho penal*, ob. cit., 832.

[499] Entre otras, SSTS de 25 de abril de 1988, de 26 de marzo de 1992, de 27 de mayo de 1995, de 14 de julio de 1995.

[500] Definidos en el art. 24 del Código Penal, el cual reza así:
«1. *A los efectos penales se reputará autoridad al que por sí solo o como miembro de alguna corporación, tribunal u órgano colegiado tenga mando o ejerza jurisdicción propia. En todo caso, tendrán la consideración de autoridad los miembros del Congreso de los Diputados, del Senado, de las Asambleas Legislativas de las Comunidades Autónomas y del Parlamento Europeo. Se reputará también autoridad a los funcionarios del Ministerio Fiscal.*
2. *Se considerará funcionario público a todo el que por disposición inmediata de ley o por elección o por nombramiento de autoridad competente participe en el ejercicio de funciones públicas».*

[501] Concepto que no ha sufrido modificación con respecto al recogido en el art. 119 del anterior Código Penal.

[502] De esta opinión, MUÑOZ CONDE, F.: ob. cit., p. 830; así, también ORTS BERENGUER, E.: ob. cit., t. I, p. 274; DE VICENTE REMESAL, R.: *La responsabilidad penal del funcionario público*, ob. y loc. cit.

pública», VIVES ANTÓN[503] considera que son necesarios tres requisitos: un requisito *objetivo*, según el cual la función pública es la actividad realizada mediante actos sometidos al derecho público; un requisito *subjetivo*, de acuerdo con el cual, la función pública es toda aquella llevada a cabo por un ente público; y, finalmente un requisito *teleológico*, la persecución con la actividad de fines públicos.

Por lo que se refiere a la *autoridad* —incluida también en el concepto penal de funcionario público, de acuerdo con la interpretación doctrinal[504]— se requiere «tener mando o jurisdicción propia», esto es, tener la facultad de disponer e imponer a otros lo ordenado, en el ámbito público, así como tener potestad para resolver en asuntos jurisdiccionales o administrativos.

Ahora bien, conviene precisar que, en sede del art. 322, por mor de su naturaleza de prevaricación específica, los sujetos activos deben ser necesariamente autoridades o funcionarios públicos con competencias en el campo específico del Patrimonio Histórico, concretamente en la emisión de informes de derribo o alteración de edificios protegidos, o en la adopción de resoluciones o emisión de voto a favor de su concesión.

A) Interpretación del sujeto activo en el art. 322: autoridades y funcionarios públicos competentes en materia de derribos o alteraciones del Patrimonio Histórico

Hasta la definitiva aprobación del Código Penal de 1995, se consideraba sujeto activo del delito al *funcionario facultativo* que hubiera informado favorablemente proyectos de derribo o alteración, y a los miembros del organismo otorgante que hubieran votado su concesión, a sabiendas de su ilegalidad[505]. De esta forma, se restringía de forma directa el círculo de los sujetos activos, pues, del conjunto de funcionarios y autoridades se hacían responsables, respecto de la conducta de informar, sólo a los facultativos[506]. Precisamente por ello, recibió

---

[503] VIVES ANTÓN, T.S.: «Consideraciones político-criminales en torno a la obediencia debida», en *Estudios Penales y Criminológicos*, n° 5, Santiago, 1981, p. 133 y ss.

[504] A este respecto, GONZÁLEZ CUSSAC, J.L.: *El delito de prevaricación...*, ob. cit., p. 99 y ss.

[505] Art. 305 PCP de 1994.

[506] Redacción similar a la establecida por la normativa urbanística, tal y como ya se expuso, respecto de las obras amparadas en una licencia cuyo contenido sea manifiestamente constitutivo de una infracción urbanística grave, sancionándose a este respecto, al *«facultativo que hubiera informado favorablemente el proyecto, y los miembros de la Corporación que hubiesen votado a favor del otorgamiento de la licencia sin el informe técnico previo, o cuando*

crítica de parte de la doctrina, pues se excluía de responsabilidad penal al resto de funcionarios intervinientes en la actuación concreta.

En la línea de los Proyectos de Código Penal, CONDE-PUMPIDO TOURON[507] afirma que la autoría de los funcionarios es más específica en el párrafo primero, pues son los funcionarios técnicos (Arquitectos, Aparejadores) quienes generalmente «informan» de los proyectos de derribo[508], y la de las autoridades en el segundo párrafo, pues éstas normalmente no informan sino que resuelven. Pero además, el referido autor continúa señalando que si los funcionarios técnicos de las Corporaciones Locales (Técnicos, Aparejadores, Arquitectos) son los que informan los proyectos de derribo o alteración, aun cuando no sean funcionarios en sentido administrativo, están ejerciendo funciones públicas —al emitir informes preceptivos en un expediente administrativo—, por lo que, a su juicio, serán funcionarios a efectos penales.

Considero sin embargo que bajo ningún concepto pueden estimarse funcionarios públicos en sede penal a aquellos que únicamente ejerzan funciones públicas, mientras falte el primer requisito, relativo a la incorporación a la función pública por disposición, por ley o nombramiento por la autoridad.

De otro lado, el legislador penal del 95, de acuerdo con la realidad administrativa de nuestra materia, ha distinguido dos fases de actuación de los funcionarios, una primera de informe, y otra de votación y resolución, a la hora de determinar responsabilidades penales. Las dudas y las discrepancias comienzan a la hora de identificar, dentro del entramado de autoridades y funcionarios, quienes son los competentes para evacuar el informe relativo al proyecto de derribo o alteración del edificio singularmente protegido.

En este punto, debemos recordar la necesaria y debida coordinación entre Municipios y Comunidades Autónomas en materia de Patrimonio Histórico. Sobre este particular, el art. 7 de la LPHE y algunas normas autonómicas, llaman al Ayuntamiento a la cooperación con los organismos competentes en la conservación y custodia del Patrimonio Histórico Español comprendido en

---

éste fuera desfavorable en razón de aquella infracción o se hubiere hecho la advertencia de ilegalidad prevista en la legislación del Régimen Local» (art. 57.2 RDU), y sobre responsabilidad de los miembros de las Corporaciones Locales, véase el art. 78 de la Ley 7/1985, de 2 de abril.

[507] CONDE-PUMPIDO TOURON, C.: ob. y loc. cit.
[508] En este sentido, BELTRÁN ABADÍA, R., CORVINOS BASECA, P. y FRANCO HERNÁNDEZ, Y.: «Los nuevos delitos sobre ordenación del territorio y la disciplina urbanística», en *RDUrb*, nº 151, enero-febrero 1997, p. 15 y ss.

un término municipal, adoptando las medidas oportunas para evitar su deterioro, pérdida o destrucción.

Esta labor de integración en la tutela del Patrimonio, se enfatiza en el ámbito del patrimonio inmobiliario, por cuanto los Ayuntamientos son los responsables directos del planeamiento y gestión urbanística. A este respecto, tienen el deber de redactar un Plan de protección de las áreas declaradas Conjuntos Históricos, el cual ha de contar para su aprobación con «el informe favorable de la Administración competente para la protección de los bienes culturales afectados»[509]. Plan que tendrá repercusiones directas en la concesión de licencias en la zona, por cuanto, hasta el momento de su entrada en vigor, será insuficiente la licencia municipal de obras, exigiéndose de forma concurrente a ella, la autorización de la Administración artística. Y, aun después de su aprobación, seguirá siendo necesaria si las obras afectan a Monumentos y Jardines Históricos[510].

Debe, pues, reconocerse la importancia de la Administración al servicio del Patrimonio Histórico, en cuanto constituye el soporte de la actuación pública en la tutela de los bienes culturales. Sin embargo, debe admitirse que son pocos los trabajos dedicados al estudio de dicha organización administrativa, a pesar de su especial trascendencia[511]. Es quizá este motivo el causante de que exista cierta controversia en la determinación de los órganos competentes para evacuar los informes relativos a las actuaciones típicas sobre el Patrimonio Histórico.

Sobre este particular, debemos recordar que la conocida como «Administración artística» data de 1738, con la creación de la Academia de la Historia, más tarde denominada de Bellas Artes de San Fernando[512], a la que pronto se le atribuye de manera exclusiva y durante largo período de tiempo la tutela de los valores históricos y artísticos[513]. En la actualidad, y desde su consolidación a principios de siglo con la creación de la Dirección General de Bellas Artes, la

---

[509] Art. 20, nº 1 LPHE.

[510] Art. 20, nºs 3 y 4 LPHE.

[511] Destacamos por ello la interesante reflexión que realiza a este respecto BARRERO RODRÍGUEZ, C.: «La organización administrativa de las Bellas Artes. Unas reflexiones de futuro», en *Patrimonio Cultural y Derecho*, nº 1, 1997, p. 75 y ss.

[512] Vid. *supra*, el Capítulo relativo a la evolución histórica de la protección del Patrimonio Histórico.

[513] Ostentando actualmente el carácter de institución consultiva en la tutela del Patrimonio Histórico.

Administración Cultural está vertebrada sobre una disociación[514]: de un lado, lo que puede denominarse como Administración *activa*, con competencias decisorias en la materia, y polarizada en torno a la citada Dirección General de Bellas Artes; y una Administración *consultiva*, articulada sobre la base de una serie de organismos de naturaleza heterogénea y funciones dispares.

Ahora bien, con la aprobación de la Constitución Española de 1978, aparece una importante organización administrativa autonómica en materia de Patrimonio Histórico. Sin embargo, pese a su amplia potestad de autoorganización, la realidad es que en todas las comunidades se han impuesto un esquema organizativo basado también en el deslinde entre la Administración activa, cuyas competencias decisorias están también aglutinadas en torno a un núcleo con rango de Dirección General, y la Administración consultiva.

Estas breves consideraciones pretenden destacar el relevante papel que desempeña la Administración Cultural en la tutela y defensa de los bienes integrantes del Patrimonio Histórico, ostentando competencias decisorias en el ámbito de las actuaciones sobre el éstos, competencias concurrentes con las de la Administración municipal.

En suma, a la vista de lo expuesto, en el art. 322 se sanciona, en primer lugar, la emisión de *informes* ilegales de proyectos de derribo o alteración, a mi juicio evacuados desde la Administración Cultural[515] por los funcionarios públicos con competencias decisorias, y, en segundo lugar se incrimina, tanto a quienes resuelven directamente, como a quienes coadyuvan y posibilitan dicha resolución otorgando su voto a favor en un órgano colegiado.

Recordemos que es la Administración de Cultura la que debe pronunciarse autorizando o no aquellas actuaciones que afecten a los inmuebles protegidos, cuyos actos resolutorios deben ir revestidos de una motivación rigurosa y completa, en la que evidentemente intervendrán los facultativos con informes técnicos, además de otros cuerpos consultivos, expertos en materia de Patrimonio Histórico.

Consecuentemente, por mucho que la actuación del conjunto de órganos con competencias decisorias en la materia necesite del juicio técnico de una variada gama de especialistas, éstos únicamente ostentan una función consultiva, y no

---

[514] A la cual hace referencia BARRERO RODRÍGUEZ: ob. y loc. cit., p. 90.

[515] V. a este respecto, sobre las autoridades y funcionarios competentes, la STS de 7 de febrero de 1995 (RA 1060), la cual resuelve el recurso planteado contra licencia municipal, en este caso de construcción, otorgada por el Ayuntamiento de Burgos con el *informe favorable* de la Consejería de Cultura y Bienestar Social de Castilla y León.

decisoria, por cuanto de ellos no depende *directamente* la concesión de las licencias de derribo o alteración de los edificios protegidos. Es por ello que venimos sosteniendo cómo el legislador penal no se refiere a la evacuación de informes técnicos cuando describe el tipo recogido en el artículo 322 del Código Penal.

B) Supuestos polémicos

Dicho esto, surgen dificultades a la hora de delimitar la responsabilidad de determinados sujetos u organismos que pueden también intervenir, en diferentes momentos, en los procesos de demolición o alteración del patrimonio inmobiliario.

En primer lugar, se plantea la doctrina científica la naturaleza de la participación de los miembros de *Colegios profesionales,* por ejemplo los facultativos de los Colegios profesionales de arquitectos, encargados de realizar los **visados de proyectos técnicos** para la obtención de licencias[516].

En principio parece llegarse a la conclusión de que no incurrirían en la responsabilidad[517] prevista en el art. 322, en primer lugar por no extender excesivamente el ámbito de aplicación del art. 24, y, fundamentalmente, por el carácter meramente auxiliar del acto mencionado respecto de la disciplina urbanística, lo que no puede llevar a confundir las responsabilidades de la Administración corporativa con la de la Administración Pública[518].

Lo cierto es que, partiendo de esta última afirmación, la Ley 2/74 de 2 de febrero, de Colegios profesionales reconoce a éstos como «Corporaciones de derecho Público, amparadas por la Ley y reconocidas por el Estado, con personalidad jurídica propia y plena capacidad para el cumplimiento de sus fines». En este sentido, el Tribunal Supremo ha afirmado como los fines esenciales de los Colegios profesionales son «la ordenación del ejercicio de las

---

[516]   Véase a este respecto el art. 228.3 TRLS y los arts. 47-50 del RDU.

[517]   Así, BOIX REIG, J. y JUANATEY DORADO, C.: *Derecho penal...,* ob. cit., p. 569 y ss. NARVAEZ RODRÍGUEZ, A.: «Los delitos sobre ordenación de territorio: la responsabilidad penal de la Administración Urbanística», en *Actualidad Penal,* n° 16, abril 1997, p. 353 y ss.; CASTRO BOBILLO, J.C.: «Los delitos contra la ordenación del territorio», en *Actualidad Penal,* n° 18, 1997.

[518]   De esta opinión TERRADILLOS BASOCO, J.: «Responsabilidad del funcionario público en delitos relativos a la ordenación del territorio y la protección penal del patrimonio histórico y del medio ambiente», ob. cit., p. 313.

profesiones, la representación exclusiva de las mismas y la defensa de los intereses profesionales de los colegiados»[519], añadiendo a continuación que «*la configuración de estos colegios como Corporaciones de derecho público... implica que no son administraciones públicas en sentido estricto...*».

Por lo que respecta a la naturaleza del *visado* colegial, éste se configura como un instrumento auxiliar de la disciplina urbanística[520], y en modo alguno supone la supervisión definitiva. Así, no debe existir confusión entre informe y visado, lo que se advierte en tanto la denegación del visado por razones urbanísticas no impide al particular interesado presentar el proyecto ante la Administración municipal o el órgano urbanístico competente para otorgar la licencia, alegando cuanto estime procedente para justificar la inexistencia de la infracción que sirvió de base para la denegación del visado[521] y, solicitando a la vez, la licencia. Incluso, algunas legislaciones autonómicas han suprimido el visado como requisito de concesión de licencias[522].

Otro caso controvertido se suscita en los supuestos de ruina de un edificio protegido, toda vez que, de acuerdo con el art. 24.2 de la LPHE, la autorización de la Administración para proceder a la demolición o derribo del inmueble declarado en ruina, no se concedería sin un «*informe favorable de al menos dos de las instituciones consultivas a las que se refiere el art. 3*». Así, de acuerdo con el art. 3.2: «Sin perjuicio de las funciones atribuidas al Consejo de Patrimonio Histórico, son *instituciones consultivas* de la Administración del Estado, a los efectos previstos en la presente Ley, la *Junta de Calificación, Valoración y Exportación de Bienes del Patrimonio Histórico Español, las Reales Academias, las Universidades Españolas,* el *Consejo Superior de Investigaciones Científicas* y

---

[519] STS (3ª) de 8 de marzo de 1990 (RJ 1986).

[520] En este sentido, la STS (3ª), de 28 de mayo de 1981 (RJ 2179), señalaba que el visado constituye «un acto de control mediante el cual el Colegio comprueba y acredita la adecuación de un trabajo a la normativa general y corporativa que lo regula, y en especial, el cumplimiento de los requisitos subjetivos de su autor para suscribirlos...; mas, tal facultad no supone otra cosa que apoderar a los Colegios para que en el ámbito de sus competencias internas velen porque sus colegiados no incurran en algunas de las referidas infracciones, colaborando indirectamente al ejercicio de las competencias urbanísticas que la Ley otorga, en este caso, a los Ayuntamientos, sin poder ser interferidos por los Colegios que, por demás, carecen de facultades oponibles a terceros no colegiados o a la propia Administración, por lo que convertir lo que es trámite concreto y limitado en una competencia material urbanística constituye una indudable infracción legal...».

[521] Art. 49.1 RDU.

[522] Véase Asturias o Canarias, ap. 2º de la Ley 3/87, de 8 de abril, Reguladora de Disciplina Urbanística del Principado de Asturias o el art. 9, ap. 2º de la Ley 7/90, de 14 de mayo, de Disciplina Urbanística de la Comunidad de Canarias.

las *Juntas* Superiores que la Administración del Estado determine por vía reglamentaria, *y en lo que pueda afectar a una Comunidad Autónoma, las instituciones por ellas reconocidas...*» (la cursiva es añadida)[523].

Asimismo, debe tenerse presente que el legislador no prevé la responsabilidad de sujetos como asesores, técnicos contratados por la Administración, etc., los cuales, aun no teniendo la condición de autoridad o funcionario público, pueden intervenir de forma decisiva en la realización del informe favorable al proyecto de derribo. En este sentido, el art. 3 de la LPHE, al cual acabamos de referirnos, después de enumerar las diferentes instituciones consultivas, concluye: «*Todo ello con independencia del asesoramiento que, en su caso, pueda recabarse de otros organismos profesionales y entidades culturales*». Sobre este particular, en la normativa autonómica se determinan expresamente, junto a las instituciones consultivas, los órganos asesores de la Administración de las Comunidades Autónomas; así, por ejemplo la Ley Valenciana de Patrimonio Cultural establece expresamente como *órganos asesores* de la Conselleria de Cultura, Educación y Ciencia, además de la *Junta de Valoración de Bienes,* regulada expresamente en la Ley, las *comisiones técnicas* que se establezcan reglamentariamente para las distintas materias objeto de la Ley[524].

Ciertamente, la calificación del art. 322 como *delito especial propio*, condiciona, como ya hemos afirmado, el círculo de los posibles autores del delito, y presenta las dificultades propias de estos delitos en sede de participación. Es por ello que he considerado conveniente tratar estas cuestiones a continuación, aun conociendo que tradicionalmente son abordadas al estudiar las llamadas «formas de aparición del delito».

2.3. Autoría y participación

Partiendo de las teorías «objetivo-formales» en la delimitación de la autoría y la participación, son varias las cuestiones problemáticas que pasamos a abordar al respecto.

---

[523] El Proyecto de ley de 1981 exigía igualmente dicho informe, si bien éste debía emanar necesariamente de las Academias de Bellas Artes y de Historia (art. 17), resultando, pues, ahora ampliado el círculo de instituciones que puede emitir el informe exigido por el art. 24.2 de la Ley 16/85 de Patrimonio Histórico Español.

[524] Art. 7 y 8 de la LPCV. Véase asimismo, el art. 4.2 de la Ley 12/1999, de 29 de marzo, de Patrimonio Histórico y Cultural de Extremadura.

A) *Autoría*

a) Autoría única

Calificado el art. 322 como *delito especial propio*, únicamente pueden ser *autores en sentido estricto* (art. 28, apartado primero) la autoridad o el funcionario público con competencias decisorias en materia de Patrimonio Histórico, concretamente, en lo relativo a la ejecución de derribos o alteraciones de edificios singularmente protegidos. En este sentido, el círculo de posibles autores se delimitará realizando una interpretación sistemática de la norma penal y la normativa administrativa aplicable en la materia. No obstante lo cual, debe tenerse en cuenta que, ni la normativa urbanística ni la específica sobre Patrimonio Histórico son todo lo nítidas que debieran ser en aras a conocer cuales son los órganos competentes, y por ende, responsables de la infracción.

A este respecto, como ya comenté, se abre un nuevo período a partir de la aparición de la organización administrativa *autonómica* al servicio de la cultura, en aplicación de lo previsto en la Constitución y en sus correspondientes Estatutos de Autonomía. La realidad es que se viene imponiendo un modelo organizativo muy similar al estatal, donde las facultades decisorias suelen estar en manos de una Dirección General y unidades administrativas a ella dependientes.

Así, una vez emitidos los informes favorables al proyecto de derribo o alteración del edificio, es al alcalde —si bien de conformidad con el pleno de la Corporación municipal— a quien corresponde conceder licencias de obras en edificios singularmente protegidos. Sobre este particular, cabe recordar que jurisprudencialmente se ha reputado autoridad a los alcaldes, toda vez «es la única persona que ejerce de manera personal y directa una jurisdicción propia que le atribuye directamente la condición de autoridad (STS de 8 de octubre de 1990). Sin embargo, se cuestiona si los concejales tienen tal consideración, o únicamente la de funcionarios públicos, tesis mantenida en las SSTS de 8 de octubre de 1980 y 12 de mayo de 1992. No obstante, el Alto Tribunal también ha matizado en alguna ocasión que, salvo en el caso de actuaciones ilegítimas o notoriamente desproporcionadas, «al Concejal le viene atribuida la condición de autoridad por su pertenencia al Pleno de la Corporación» y, por ende, «tiene la potestad de mando y de gobierno que la ley atribuye a dicha Entidad Local en los asuntos que son de específica competencia en la misma» (SSTS 8 octubre 1990 y 21 de junio de 1989).

b) Autoría mediata

Decimos que existe autoría mediata cuando el autor, en la realización del tipo, se sirve de otra persona, que utiliza como instrumento. Es, por tanto, verdadera autoría, porque el autor mediato realiza el injusto típico como propio[525].

Ahora bien, al calificar la prevaricación como un *delito especial propio*, no podrá estimarse la autoría mediata de un *extraneus* (particular) sobre un funcionario, puesto que el particular nunca podrá ser autor de este delito, al carecer de competencia para emitir autorizaciones en sede de Patrimonio Histórico[526]. A su vez, tampoco podrá admitirse la autoría mediata de un funcionario sobre un «extraneus», toda vez que sólo los sujetos cualificados pueden realizar la conducta típica[527]. Es por ello, que sólo podría admitirse la autoría mediata de un funcionario público sobre otro funcionario[528], cuando ambos tengan vinculación directa con competencias específicas en el ámbito del Patrimonio Histórico.

c) Coautoría

Como ya se dijo, para que la concurrencia de varias personas a la realización del delito pueda considerarse coautoría es preciso que concurran dos requisitos: uno de carácter objetivo, que el tipo de injusto se realice conjuntamente por varias personas, cada una de las cuales se puede decir que ejecuta o realiza el hecho, y otro requisito de carácter subjetivo, que exista un acuerdo de voluntades. Ahora bien, al tratarse de un delito especial propio, únicamente existirá coautoría si además de los requisitos mencionados, todos los sujetos poseen la condición de autoridad o funcionario público.

En sede de Patrimonio Histórico resulta trascendental la intervención de órganos colegiados, cuya organización y funcionamiento regula el preámbulo del Real Decreto 111/1986, «*por resultar decisiva su intervención en la aplicación de las normas, así como en la planificación y coordinación de las actividades tendentes a la protección y enriquecimiento del Patrimonio histórico*».

---

[525] COBO DEL ROSAL/VIVES ANTÓN: *Derecho Penal. Parte General...*, ob. cit., p. 748.
[526] En estos casos, podría responder el particular por *inducción*. En este sentido, GONZÁLEZ CUSSAC, J.L.: *El delito de prevaricación...*, ob. cit., p. 131.
[527] De esta opinión, GONZÁLEZ CUSSAC, J.L.: ob. y loc. cit.
[528] ORTS BERENGUER, E.: *Comentarios al Código penal de 1995,* ob. cit., p. 1.783.

A este respecto, ya dijimos, en relación a la organización administrativa autonómica al servicio de la cultura, que las facultades decisorias suelen estar en manos de una Dirección General y unidades administrativas a ella dependientes. Nada se opone, pues, a la consideración como sujeto activo a las autoridades o funcionarios que, conjuntamente, autoricen el proyecto de derribo o alteración del edificio protegido, a sabiendas de su ilegalidad.

Tampoco habría problema en admitir la coautoría cuando, una vez emitidos los informes favorables al proyecto de derribo o alteración del edificio, los miembros del pleno municipal, concejales y alcaldes, procedan a votar a favor de la concesión de la licencia o autorización de derribo o alteración del edificio, a sabiendas de su injusticia.

B) *Participación*

A diferencia de la autoría, que es realización del hecho propio, la participación supone una contribución al hecho ajeno. De su carácter accesorio se deriva el hecho de que, si no existe autor principal, no puede condenarse la participación.

La problemática de la participación en los delitos especiales debe abordarse desde la opción a favor de una *accesoriedad limitada*. Tal y como se halla configurada en los arts. 28, 29 y 63, afirman COBO DEL ROSAL y VIVES ANTÓN que «la participación no se haya referida al delito completo (acción típicamente antijurídica y culpable) sino al hecho delictivo (acción típicamente antijurídica): se induce a ejecutar el hecho, se coopera en la ejecución del hecho. No se exige, pues, que el hecho que ejecuta el autor principal le sea reprochable»[529].

Será, pues, por la vía de la *inducción* o de la *cooperación necesaria*, como se resuelven muchas situaciones problemáticas que ya fueron apuntadas al abordar quienes podían ser sujetos activos del delito, básicamente referidas a la participación del *extraneus*. Recordemos que *inducir* constituye una forma de participación que supone hacer nacer en otro una voluntad delictiva de la que carecía, si bien se consideran autores a efectos de punición (art. 28 a) CP), mientras que en la *complicidad*, la otra forma de participación, debe diferenciarse la *complicidad o auxilio necesario* (art. 28 b)), esto es, la cooperación con un acto sin el cual no se habría efectuado el hecho delictivo, y que son considerados

---

[529]   COBO DEL ROSAL, M./VIVES ANTÓN, T.S.: ob. cit., p. 754 y ss.

autores, a efectos de punibilidad, y la *complicidad simple,* la de aquellos que cooperan con actos anteriores o simultáneos, aplicándoseles una penalidad atenuada (art. 29).

Pues bien, un supuesto controvertido venía constituido por la determinación de responsabilidad de aquellas *instituciones consultivas* con cuyo informe favorable debía contar la Administración para derribar edificios protegidos cuyo estado de ruina había sido declarado. El problema se sitúa, pues, en si el art. 322.1 del Código Penal admite la condena por **participación.**

A este respecto cabe dos posibilidades: de un lado, si consideramos que la conducta del 322.1 (*informar*) es materialmente una conducta de participación, la respuesta ha de ser negativa, toda vez que no cabe la participación en la participación[530]; ahora bien, si estimamos que la conducta del 322.1 es materialmente un comportamiento de autoría, sí cabrá estimar la participación, de manera que, partiendo de ello, si dichos informes son determinantes para la posterior decisión de las autoridades y funcionarios públicos, serán castigados como cooperadores necesarios, y si se entiende que no son vinculantes, serán castigados mediante el mecanismo de la complicidad[531].

---

[530] En este sentido, GONZÁLEZ CUSSAC, J.L.: ob. y loc. cit.

[531] Sobre este particular, de acuerdo con ALEGRE ÁVILA *(Evolución y régimen jurídico del PATRIMONIO HISTORICO,* II, ob. cit., p. 192 y ss.), el informe *favorable* no vincula necesariamente a la Administración a autorizar el derribo, esto es, si bien debe contar con dicho informe, no queda obligada por ello a autorizar necesariamente el derribo.

Ahora bien, si el informe no se emite en sentido favorable a la demolición, o bien si faltan dichos informes favorables, existen posiciones encontradas a este respecto. Para BENÍTEZ DE LUGO Y GUILLÉN *(El Patrimonio Cultural Español. Aspectos jurídicos, administrativos y fiscales,* ob. cit., p. 275 y ss.) ello no significa que deba negarse por ello la autorización del derribo, pues supondría «hacer predominar un simple informe de carácter técnico sobre la eficacia de una declaración firme del estado de ruina que se encuentra legitimida por la sentencia». A este respecto, el informe desfavorable de las instituciones consultadas sólo podría conducir, a su juicio, a que «la Administración acordase la expropiación del inmueble, pero en ningún caso a denegar autorización para su demolición». Sin embargo, para ALEGRE ÁVILA, cuando el informe no ha sido emitido en sentido favorable, se excluye la posibilidad de autorizar el derribo.

Pues bien, coincido con este último autor, por cuanto la Ley no exige únicamente un informe de las Instituciones consultivas citadas, sino la necesaria existencia de un informe de carácter «favorable» al derribo, no resultando sin embargo difícil en la práctica, de acuerdo con el citado autor, obtener dos informes favorables a la demolición, debido a la ampliación del número de instituciones consultivas (con respecto a lo contemplado en el Proyecto de Ley de 1981), la mayoría de ellas pertenecientes al propio organigrama administrativo. Por ello el informe es preceptivo pero no vinculante, pues la Administración puede finalmente no autorizar el derribo.

A mi juicio, los informes de dichas instituciones nunca podrán integrar el concepto de resolución, pues se trata de informes consultivos, de ahí que deba plantearse si, en todo caso, se admitiría el castigo de estas conductas como participación en la conducta del art. 322.1. Sobre este particular, recordemos como la jurisprudencia no ha dudado en castigar como partícipes en el delito de prevaricación, tanto al que se considera funcionario público en el ámbito penal, como al *extraneus* (un particular u otro funcionario no competente)[532].

Asimismo, en segundo lugar ya expusimos cómo también podían intervenir de forma decisiva en la emisión del informe favorable al proyecto de derribo sujetos como asesores, técnicos contratados por la Administración, etc., aun no teniendo la condición de autoridad o funcionario público, y a los que se refería el art. 3 *in fine* de la LPHE. Pensemos en los informes técnicos y jurídicos que deberán constar en todo expediente de licencia (art. 4 RDU).

A mi entender en estos supuestos cabe la posibilidad de su incriminación por la vía de la **inducción** o de la **cooperación necesaria**[533] en el tipo del art. 322, posibilidad que ha sido admitida en algún caso por el Tribunal Supremo[534], si bien respecto del delito de prevaricación genérica.

En estos supuestos donde los *extranei* pueden participar en los delitos especiales propios, la pena de inhabilitación especial para empleo o cargo público sólo desplegará el efecto de imposibilitar su acceso a la función pública, puesto que, al no tener la condición de funcionario, no se le puede privar de tal condición.

Finalmente, según quedó expuesto[535], una de las cuestiones más discutidas por la doctrina en el ámbito de las prevaricaciones específicas era la relativa a como, si la previsión expresa de estas conductas tiene claramente una finalidad

---

[532]   En esta dirección, se manifiestan las SSTS de 16 de julio de 1985, de 15 de octubre de 1990; de 24 de junio de 1994, entre otras.

[533]   En este sentido, MILANS DEL BOSCH y JORDANS DE URIES: ob. cit., p. 329.

[534]   Al respecto, resulta significativa la STS de 24 de junio de 1994 (RJ 5031), en la cual se afirma lo siguiente: «...Si la participación de un extraño consiste en inducir o cooperar con actos necesarios, entonces no es imprescindible que quienes así actúen sean funcionarios públicos. Por ello, y ese es el caso que se somete ahora a consideración, aquél o aquellos que, conociendo la condición o carácter de autoridad o, en general de funcionario público del sujeto llamado a decidir en un expediente administrativo, le inclinan decisivamente a dictar una resolución injusta, inducen a prevaricar y son autores, en consecuencia, por el número 2 del art. 14 del Código penal del correspondiente delito, lo mismo que el que presta su indispensable colaboración a la realización del delito, también lo comete por la vía del número 3 del mismo artículo...».

[535]   Cfr. *supra*, los problemas concursales en relación con el art. 321.

agravatoria, en la práctica en muchos casos ocurre el efecto contrario. Así, cuando la conducta del autor, determinando efectivamente el dolo concurrente en éste, pudiera reconducirse a la cooperación necesaria respecto de la conducta del art. 321 (el derribo o la alteración grave del edificio) esto es, en los supuestos en que fuera decisivo el informe favorable, o resolviendo se autorice directamente el derribo o la alteración, pues ya se cuenta con la autorización de Patrimonio la aplicación del art. 322 supondría un trato privilegiado. Y es que, en efecto, este precepto contempla como alternativas la prisión de seis meses a dos años y la multa de doce a veinticuatro meses, mientras que su castigo como cooperador necesario del art. 321, supondría que la pena de prisión podría elevarse a los tres años, además de la previsión de idéntica pena de multa.

Consecuentemente, la doctrina manifestada al respecto[536], tal y como ya se expuso, delimita el ámbito de aplicación del art. 322, para evitar estos injustificados resultados. Así, se sostiene que cuando determinado efectivamente el dolo del autor, se concluye que el funcionario o autoridad es cooperador necesario de la conducta principal —en nuestro caso del art. 321—, como ocurrirá frecuentemente, en aras a evitar que la creación de este tipo específico de prevaricación suponga un beneficio o efecto privilegiante[537], se aplicará el 321 en concurso ideal con el concreto tipo relativo a los funcionarios públicos que haya podido cometer, dejando la aplicación del art. 322 para supuestos residuales[538]. Las mismas consideraciones se realizan asimismo en relación a las prevaricaciones específicas en el ámbito de los delitos contra la ordenación del territorio.

3. Justificación

Tal y como afirma GONZÁLEZ CUSSAC, la presencia del término «injusticia» en el delito de prevaricación, resulta clave para operar en el terreno de las

---

[536] V. TERRADILLOS BASOCO, J.: «Responsabilidad del funcionario público en delitos relativos a la ordenación del territorio...», ob. y loc. cit.; así como para BOIX REIG, J.: *Derecho penal. Parte especial*, ob. cit., p. 591. CATALÁN SENDER, J.: *Los delitos cometidos por autoridades...*, ob. cit., p. 520.

[537] Este fue el motivo de la enmienda de supresión al artículo 306 del Proyecto de CP 1994 (actual art. 322 CP 95) presentada por el Grupo parlamentario Izquierda Unida/Iniciativa per Catalunya, de acuerdo con la cual, «La aparente criminalización de la conducta esconde un trato de favor, ya que de acuerdo con las reglas generales deberá ser castigado como cooperador necesario o como cómplice con pena superior».

[538] Para MUÑOZ CONDE, concretamente en los supuestos en que no llegue a producirse el derribo o alteración o cuando su actuación no pueda reconducirse a la cooperación necesaria. MUÑOZ CONDE, F.: *Derecho Penal...*, ob. y loc. cit.

causas de justificación. A este respecto, considerando dicho término como elemento normativo del tipo, su presencia no agota la antijuridicidad del hecho, pudiendo aún jugar las causas de justificación[539]. Veamos, pues, si pueden apreciarse éstas en el tipo previsto en el art. 322. Debe recordarse previamente que me sitúo con la doctrina que entiende que las autorizaciones administrativas no constituyen causas de justificación sino motivos de atipicidad[540]. Esto es, si se cumplen las reglas por las que se rige la institución del derribo en situaciones de ruina, nos encontraremos ante una forma de comportamiento que será atípica. Ejemplos de ellos serían los supuestos en que, declarada la ruina de un edificio, se concede licencia de derribo, al contar con la autorización preceptiva de Patrimonio.

Dicho lo cual, debemos interrogarnos sobre la justificación en el delito que nos ocupa.

Podría admitirse el *estado de necesidad justificante,* en principio, en supuestos donde, ante el deterioro físico del inmueble exista un peligro actual y real para las personas, que conduzca a la autoridad municipal a dictar una orden de derribo, sin esperar a la obtención de la autorización por parte de los organismos competentes en Patrimonio. Así lo señalaba el Tribunal Supremo en sentencia de 8 de mayo de 1987, respaldando la actuación del alcalde de Sevilla: «…al ordenar la demolición del edificio a la vista de los informes técnicos y jurídicos que se emitieron, con urgencia, bajo la responsabilidad de la autoridad que lo ordenó y *sin que en tal caso,* frente a la situación de grave daño del inmueble con la premura de tiempo en la demolición *para evitar daños mayores, exigiesen de ninguna otra medida, ni por tanto la autorización de los organismos del Patrimonio histórico,* a los que se dio cuenta de la situación de *ruina inminente…* lo que, como así lo entendió la sentencia, impide el que pueda considerarse como demolición clandestina»[541].

Por lo que respecta al *cumplimiento de un deber,* ya expusimos cómo, si acudíamos al delito de desobediencia, podíamos encontrar vías de justificación en aquellos supuestos en que las órdenes del superior no aparezcan como

---

[539]   Véanse a este respecto, las diferentes consecuencias derivadas de mantener que los términos «arbitrariedad» e «injusticia» son elementos del tipo o, por el contrario, se refieren a la antijuridicidad, imposibilitando en este caso el juego de las causas de justificación. Cfr. GONZÁLEZ CUSSAC, J.L.: *El delito de prevaricación…,* ob. cit., p. 105 y ss.

[540]   Asimismo, de esta opinión también respecto de los delitos de funcionarios, SÁNCHEZ-VERA GÓMEZ-TRELLES, J.: «Delitos de funcionarios: aproximación a su parte general», en *Revista Canaria de Ciencias Penales,* nº 3, julio 1999. Véase *supra* lo expuesto acerca de los derribos autorizados, cuando el 321 fue objeto de nuestro análisis.

[541]   (RA 3564).

manifiestamente ilegales, y, ante la duda, la autoridad o funcionario público la ejecute finalmente. Ahora bien, como la injusticia requerida en la prevaricación ha de ser flagrante y notoria, resultará sumamente difícil poder apreciar el juego de la justificación.

Dificultades existen, asimismo, a la hora de admitir la operatividad del *ejercicio legítimo de un cargo* como vía de justificación, por cuanto parece incompatible ejercitar el cargo dentro del Derecho y resolver en contra de éste[542].

Por último, por lo que se refiere al *consentimiento* de la víctima, no resulta fácil imaginar la justificación por esta vía, por cuanto, como es sabido, el consentimiento justifica sólo cuando el que consiente es el único lesionado, cosa que no ocurre en los delitos que venimos analizando, en los que se protege bienes jurídico-penales colectivos. Así, el consentimiento del propietario para efectuar el derribo de un edificio protegido, no justificaría la autorización ilegal del funcionario.

4. Culpabilidad

4.1. La forma dolosa. La despenalización de la forma imprudente

En el tipo que venimos analizando son única y exclusivamente punibles las conductas que se lleven a cabo con **dolo;** esto es, tanto la autoridad o el funcionario público que informa proyectos de derribo o alteración, como la autoridad o funcionario público que resuelve o vota a favor de su concesión, han de actuar «a sabiendas de su injusticia». Es precisamente la locución «a sabiendas» la que no deja lugar a dudas sobre la exigencia del dolo y la exclusión de la modalidad imprudente.

A este respecto resulta paradigmática la STS de 27 de noviembre de 1992, la cual castiga como autor de un delito de prevaricación a un Alcalde en un asunto urbanístico en los siguientes términos: «el Alcalde era funcionario público por elección popular, requisito subjetivo innegable; la resolución que adoptó pertenecía a su competencia ordinaria... está inequívocamente adoptada en asunto administrativo; además, se adoptó en contra del parecer expreso del Secretario de la Corporación y del funcionario técnico competente en la materia. La existencia de esos informes contrarios y la obstinación en prescindir

---

542 En este sentido GONZÁLEZ CUSSAC, J.L.: ob. cit., p. 108.

de los requisitos legales señalados es lo que justifica la aplicación de la norma penal…».

Ahora bien, en este punto resulta objeto de controversia la posibilidad de admitir el *dolo eventual*, debate suscitado asimismo en la prevaricación genérica, dividiéndose los autores entre los que niegan tal posibilidad basándose en la expresión «a sabiendas» y los que sí la aceptan[543]. Pues bien, si en una primera aproximación provisional podría parecer consecuente admitir únicamente el dolo directo de acuerdo con cierto sector doctrinal[544], sin embargo comparto la opinión de quienes consideran el dolo eventual como dolo y, consecuentemente, entiendo comprendido en la exigencia del tipo penal de actuar «a sabiendas» todas las clases de dolo, partiendo de idéntico grado de conocimiento. La razón principal de esta postura[545] se entiende desde la adscripción a las teorías positivas del consentimiento[546], considerando que la locución «a sabiendas» se identifica con el elemento intelectual del dolo (el conocimiento del hecho) el cual es igual tanto para el dolo directo como para el dolo eventual, situando la diferencia en el contenido de la voluntad del sujeto. A este respecto, en palabras de ORTS BERENGUER: «cuando un funcionario público dicta una resolución, teniendo serias dudas sobre si está aplicando correctamente la legalidad pertinente —sea por ignorancia, sea porque no la ha estudiado de manera suficiente, sea porque lo hace con precipitación—, *sabe* que muy probablemente aquélla será arbitraria y, *pese a saberlo, la dicta*. Parece que esta actuación merece la reprobación penal y cabe en el tipo»[547].

Desde el ámbito de las teorías de la probabilidad existe discrepancia en cuanto a considerar si la «probabilidad de estar cometiendo una injusticia» puede abarcarse en la locución «a sabiendas». Parece existir actualmente acuerdo en admitir que, para afirmar la existencia de dolo eventual, se requiere, de un lado, «no descartar» o «contar con» la posibilidad del delito, así como un cierto momento volitivo consistente en «resignarse» o «conformarse»[548] con la probabilidad, en nuestro caso, de dictar una resolución injusta.

---

[543] En sentido favorable a su admisión, GONZÁLEZ CUSSAC, J.L.: *El delito de prevaricación…*, ob. cit., p. 112 y ss.; ORTS BERENGUER, E.: *Comentarios al Código penal*, ob. cit., p. 1.781; OCTAVIO DE TOLEDO y UBIETO: ob. cit., p. 1.523 y ss.

[544] Entre otros, CARMONA SALGADO, C.: ob. y loc. cit.; ACALE SÁNCHEZ, M.: ob. cit., p. 368.

[545] Me remito además a las distintas consideraciones históricas, gramaticales y sistemáticas efectuadas por GONZÁLEZ CUSSAC (ob. cit., p. 114 y ss.) en pro de este posicionamiento.

[546] Cfr. COBO DEL ROSAL, M. y VIVES ANTÓN, T.S.: *Derecho penal. Parte general*, ob. cit., p. 557 y ss.

[547] ORTS BERENGUER, E.: *Comentarios…*, ob. cit., t. II, p. 1.781.

[548] MIR PUIG, S.: *Derecho penal. Parte general*. Barcelona, 1996.

Y si además el elemento volitivo del dolo se concibe, no naturalísticamente como un proceso psicológico, sino como un *compromiso de actuar*[549], no parece existir duda alguna en admitir el dolo eventual. Quien asume la probabilidad de dictar una resolución ilegal, puede decirse que se compromete con su acción, y en ese sentido decimos que se ha querido lo que ha sido asumido.

Sobre este particular, la jurisprudencia viene castigando, a título de dolo, conductas que respondían a supuestos de dolo eventual, como por ejemplo supuestos en que se dictan resoluciones arbitrarias, sin acudir a los informes técnicos o jurídicos preceptivos, o respondiendo en contra de ellos[550].

Por lo que se refiere a la interpretación de la voz «**injusticia**» en el art. 322, en principio podemos afirmar que materialmente no presenta ninguna diferencia con el art. 404, esto es, con la prevaricación básica. La «injusticia» a que se refiere el precepto, tal y como viene afirmando el Tribunal Supremo, ha de ser «*clara y manifiesta*»[551], «*evidente, flagrante y clamorosa, de tal manera que se encuentre en insoportable contradicción con los mínimos esenciales de funcionamiento de los órganos administrativos…*»[552].

Ahora bien, para LÓPEZ GARRIDO y GARCÍA ARÁN la apreciación de la «injusticia», si bien debe llevarse a cabo de acuerdo con los criterios operativos en el delito de prevaricación genérica, éstos contienen, en el caso del art. 322 CP, un plus de ilegalidad «*dada la dependencia de la función administrativa de conceptos más difusos que los aplicables a la función judicial*»[553].

Nuestra opinión acerca de lo que debe entenderse por «injusticia» parte de la tesis dominante en España, la «tesis objetiva», según la cual será injusta toda resolución contraria a Derecho, lo que conduce a plantearse la equivalencia entre injusticia e ilegalidad. El intérprete se encuentra, pues, vinculado al derecho positivo, si bien, en la aplicación del Derecho debe partirse de la combinación de las exigencias formales junto con una interpretación material

---

[549] Cfr., VIVES ANTÓN, T.S.: *Fundamentos del sistema penal.* Valencia, 1996, p. 241.

[550] Así, por ejemplo, en STS de 22/6/95 (RJ 4842) se sanciona al Alcalde que adjudica obras irregularmente, a pesar de existir informe contrario a ello emitido desde la secretaría interina; asimismo, en STS de 28 de febrero de 1995, se castiga al Alcalde que otorga licencia para construir conculcando normas urbanísticas, aun existiendo el informe del secretario del Ayuntamiento que decía literalmente: «se emite en sentido desfavorable a la concesión de la precedente licencia de obras».

[551] STS de 22 de noviembre de 1990.

[552] STS de 25 de marzo de 1995 (RJ 1995, 2236).

[553] LÓPEZ GARRIDO, D. y GARCÍA ARÁN, M.: *El Código Penal de 1995 y la voluntad del legislador...*, ob. cit., p. 161.

del mismo, toda vez que, como ya puso de manifiesto VIVES ANTÓN, la ley positiva surge de unos valores previos remitiendo a una realidad metapositiva, y, *«en consecuencia, no cabe efectuar una separación tajante entre el derecho positivo y el derecho ideal al que éste remite como fundamento legitimador»*[554].

Por consiguiente, como afirma GONZÁLEZ CUSSAC respecto de la prevaricación genérica, *«el baremo de medición de la «injusticia» es sólo el Derecho positivo»*, pues cuestión distinta es que éste remita a una serie de valores que fundamentan su existencia; consecuentemente, en el supuesto de la prevaricación específica, pese a su carácter pluriofensivo, el elemento normativo de la «injusticia» debe medirse con idénticos parámetros que en la prevaricación genérica, exclusivamente extraídos del Derecho positivo.

Por lo que respecta a la referencia del legislador al «proyecto de alteración» omitiendo el término grave, según GARCÍA CALDERÓN[555] se debe a un error generado por la precipitación y el olvido del legislador, mas, a mi entender, la cláusula «a sabiendas de su injusticia» ya explícita que se trata de proyectos contrarios a la normativa, y, por tanto, de un proyecto de alteración cuando menos grave.

Conforme a lo expuesto, el rechazo de la posibilidad de comisión **imprudente** del delito del art. 322, deducida del requisito de «actuar a sabiendas», proporciona, tal y como han puesto de manifiesto MORALES PRATS y RODRÍGUEZ PUERTAS[556], un criterio seguro y cierto para delimitar el ilícito penal y el administrativo, de modo que las actuaciones imprudentes en principio sean sancionables de acuerdo con lo dispuesto en la normativa administrativa. Recordemos como el carácter subsidiario del Derecho Penal hacía aconsejable abandonar al Derecho administrativo sancionador y, en nuestro caso, a la responsabilidad disciplinaria, por razones de gravedad[557], las conductas imprudentes.

---

[554] VIVES ANTÓN, T.S.: «Dos problemas del positivismo jurídico», ob. cit., pp. 346-352; del mismo: *Fundamentos del sistema penal*, ob. cit., p. 339 y ss.

[555] GARCÍA CALDERÓN, J.M.: ob. y loc. cit.

[556] Como afirman los citados autores: «la despenalización parcial de las conductas de prevaricación no deja al ciudadano inerme frente a ilegalidades debidas a conductas imprudentes del funcionario, puesto que extramuros del Derecho penal quedan expéditas otras vías para obtener la revocación del acto administrativo, la indemnización de los posibles perjuicios causados o incluso la sanción disciplinaria al funcionario», en *Comentarios*, ob. cit., p. 1.131.

[557] V. *supra* Capítulo Tercero, IV, en relación a los criterios de diferenciación de los ilícitos penales y los administrativos.

Concretamente el art. 76 c) de la Ley de Patrimonio Histórico Español castiga «*salvo que sean constitutivos de delito*» el «*otorgamiento de licencias para la realización de obras que no cumplan lo dispuesto en el art. 23*», artículo que prohíbe el otorgamiento de licencias para realizar obras hasta que no se conceda la autorización administrativa preceptiva. Por tanto, si se otorgó la licencia dolosamente la conducta se ubicará en el tipo penal, mientras que, si se actuó imprudentemente nos remitiremos al precepto transcrito, o, en su caso, a la normativa autonómica al respecto.

Plantea TAMARIT SUMALLA la posibilidad de que, por la vía del tipo imprudente del art. 324, incurra el funcionario en responsabilidad penal a título de culpa, normalmente por omisión y con las condiciones previstas en el art. 11, si de la infracción de los deberes de su cargo, en supuestos, por ejemplo, de falta de diligencia en la concesión de las autorizaciones para efectuar un derribo, se derivan daños de los que contempla el referido tipo. Obviamente advierte que no se tratará en ningún caso de una hipótesis de prevaricación, dada la destipificación de la comisión culposa de este delito[558]. En este sentido, valga como ejemplo, aunque no omisivo, aquellos de falta de diligencia en la concesión de los permisos.

4.2. Tratamiento del error. Supuestos de error de prohibición. Criterios y desarrollo

Los supuestos de error sobre los términos normativos —tal y como ya se puso de manifiesto[559]— deben ser, a mi juicio, castigados como *errores de tipo* vencibles, tanto por las razones dogmáticas ya expuestas, como por otras de carácter político-criminal. Acerca de estas últimas razones, afirma acertadamente MUÑOZ CONDE, cómo la laguna de punibilidad que determina la impunidad de la comisión imprudente, puede ser obviada en los delitos donde los sujetos activos son autoridades y funcionarios públicos, personas obligadas por su cargo a comprobar cuidadosamente los límites de su deber, de modo que «*la excusa de negligencia o descuido se vuelve contra ellos y aumenta más la sospecha de una actuación dolosa, por lo menos con dolo eventual*»[560], con lo que, concluye afirmando que no hay ningún problema en aceptar que el error sobre

---

[558] TAMARIT SUMALLA, J.M.: ob. cit., p. 1.503. En el mismo sentido, GONZÁLEZ CUSSAC, J.L.: ob. y loc. cit.

[559] Vid. *supra* Capítulo Tercero relativo al bien jurídico.

[560] MUÑOZ CONDE, F.: *El error en el Derecho penal*, ob. cit., p. 65.

los elementos del tipo referentes a la antijuridicidad deben ser tratados como errores de tipo.

Otra situación que puede suscitarse en el ámbito de los delitos de funcionarios son los supuestos de *errores inversos*. En estos casos, como la «injusticia» no depende de la convicción del sujeto, la creencia errónea de estar llevando a cabo una ilegalidad, cuando realmente su actuación es conforme a derecho, dará lugar a la impunidad del sujeto.

Por lo que se refiere al *error de prohibición*, resulta discutible si nos encontramos ante esta clase de error en aquellos supuestos de desconocimiento, por parte de la autoridad o funcionario, sobre la validez de una norma. Pues bien, podría entenderse con GONZÁLEZ CUSSAC que estos casos reflejan una ignorancia sobre la ilicitud global de la conducta[561] que parece agotar toda la antijuridicidad de la acción. Además, con la desaparición del castigo explícito de la imprudencia en la regulación anterior, se elimina la excusa de carácter formal que evitaba valorarlo como error de licitud. Ahora bien, en caso de poder apreciarse un error de prohibición, éste casi siempre habrá de ser evitable.

Como supuestos de error de prohibición indirectos podrían estimarse quizás aquellos de error sobre el estado de necesidad, así como errores acerca del ejercicio legítimo de un cargo, aplicándose las reglas del párrafo tercero del art. 14 del Código Penal.

Finalmente añadir que la jurisprudencia excluye la apreciación del error en aquellos supuestos en que la autoridad o funcionario resuelva en contra del sentido manifestado en los informes de carácter técnico[562], por mor del carácter no vinculante de dichos informes.

4.3. Exigibilidad

Para finalizar las cuestiones relativas a la culpabilidad, veamos si resultaría posible la alegación de alguna causa de inexigibilidad que excluya la responsabilidad de la autoridad o funcionario público.

De las dos causas de inexigibilidad previstas en el art. 20 del CP, me resulta difícil de imaginar la operatividad del miedo insuperable en supuestos de

---

[561] GONZÁLEZ CUSSAC, J.L.: *El delito de prevaricación...*, ob. cit., p. 126 y ss.
[562] En STS de 27 de mayo de 1994, respecto de la resolución de un alcalde en contra del dictamen emitido por el Secretario de la Corporación.

prevaricación en el ámbito de las actuaciones sobre el Patrimonio Histórico, si bien no cabe cerrar la posibilidad de su admisión.

Menos problemas plantea, a mi juicio, la alegación del estado de necesidad como causa de inexigibilidad[563] en los casos en que, ante la existencia de un conflicto de bienes, la acción de salvamento se dirija a lograr la salvaguarda de un bien de igual entidad, así como aquellas que tiendan a la salvaguarda del bien mayor pero que carezcan de la aptitud necesaria para preservarlos. Pensemos en la concesión o voto a favor de la licencia municipal de derribo de un edificio protegido en estado de ruina inminente, sin contar con los informes técnicos y jurídicos que podían haberse obtenido con urgencia, y, por supuesto, sin solicitar la autorización de los organismos competentes, preceptiva en supuestos de obras que por razón de fuerza mayor hubieran de realizarse[564].

5. Cuestiones concursales. Especial referencia al delito continuado

Para concluir el examen del tipo recogido en el art. 332, pasamos a abordar algunos de los problemas concursales que pueden plantearse en relación a este delito.

a) Relaciones concursales derivadas de la responsabilidad del funcionario como partícipe en el delito que posibilite

Tal y como ya se expuso, una de las cuestiones más debatidas por la doctrina en el ámbito de las prevaricaciones específicas era la relativa a cómo debían solucionarse aquellos supuestos en que la conducta del funcionario posibilita o condiciona los delitos de los arts. 319, 321 y 325 del CP[565]. Pues bien, como ya sostuve, considero que la solución debe ser la de dar prioridad a la responsabilidad del funcionario por su contribución, a título de autoría o participación, en el delito que corresponda, que, en el ámbito que nos ocupa, sería el art. 321. La aplicación en estos casos del art. 322 supondría dar al funcionario un trato

---

[563]   Recordemos que ya fue admitida como causa de justificación.
[564]   Art. 16 LPHE.
[565]   Preceptos que, como se dijo, recogen las prevaricaciones específicas en el ámbito de la ordenación del territorio, patrimonio histórico y medio ambiente, respectivamente.

privilegiado[566] que, evidentemente, no pretendía el legislador cuando introdujo tipos que contemplan la responsabilidad de determinados funcionarios de forma expresa.

Calificado el funcionario como partícipe en el delito que posibilita, generalmente como cooperador necesario, resultará posible castigarle, en régimen de *concurso ideal,* con el tipo relativo a los funcionarios que, en su caso, haya podido cometerse. Así, cuando el funcionario resuelva favorablemente la concesión de una autorización, a sabiendas de su injusticia, dicha actuación será también subsumible en el art. 404 (prevaricación genérica); mientras que, si la conducta del funcionario consiste en informar favorablemente un proyecto de derribo o alteración de un edificio, a sabiendas de su ilegalidad, se le podrá calificar como partícipe del delito de prevaricación del art. 404, en concurso con el delito de derribo que posibilita su actuación.

Admitido lo anterior, el ámbito de aplicación del art. 322 —y, por ende, de los arts. 320 y 325— resulta muy limitado: sólo cuando las conductas de informar favorablemente o resolver ilícitamente no determinen o conduzcan a una lesión al bien jurídico colectivo protegido, esto es, no den lugar a la aplicación del art. 321, estará justificada la aplicación del art. 322.

b) Relaciones concursales con el art. 404

La doctrina mayoritaria manifestada al respecto, considera que la conducta descrita en el art. 322 es una modalidad de prevaricación específica agravada[567]. Sin embargo, TERRADILLOS BASOCO plantea objeciones a la consideración de este tipo como *ley especial*[568] frente al art. 404, por cuanto, a su juicio, los *informes* no tienen el carácter decisorio de la conducta del 404, así como por las consecuencias penales que ello conlleva. De forma que, considera que la

---

[566]   Véase lo expuesto a este respecto en el epígrafe dedicado a la participación en este delito. GÓMEZ RIVERO también se refiere al absurdo efecto privilegiante si se aplicaran preferentemente las específicas reglas de responsabilidad en estos supuestos. Es por ello que, admitida la solución del concurso de normas entre el art. 320 y la responsabilidad del funcionario por su contribución al comportamiento que posibilita, lo resuelve conforme al apartado 4º del art. 8 del CP. GÓMEZ RIVERO, M.C.: *El régimen de autorizaciones en los delitos relativos a la protección del medio ambiente y ordenación del territorio,* ob. cit., p. 101.

[567]   En este sentido, BOIX REIG, J.: ob. y loc. cit.; MORALES PRATS, F./TAMARIT SUMALLA, J.M.: *Comentarios al Nuevo Código penal,* ob. cit., p. 1.496. Para GÓMEZ RIVERO se trata de «delitos especiales en los que se recogen formas específicas de prevaricación cometidas por funcionario». GÓMEZ RIVERO, M.C.: *El régimen de autorizaciones...,* ob. cit., p. 69.

[568]   Asimismo, SUÁREZ MONTÉS, C.: ob. cit., p. 916.

remisión al art. 404 es únicamente a efectos de pena[569], estimando que la relación del art. 322 con respecto al 404 es de subsidiariedad, siendo aquél preferente. Por su parte, LÓPEZ GARRIDO y GARCÍA ARÁN estiman que se pretende sancionar conductas torcidas en el ejercicio de la función administrativa, que constituirán casos *especiales* de prevaricación cuando se resuelva un asunto administrativo, o únicamente *próximos* a ella cuando baste un informe[570].

Pues bien, una vez delimitado en el apartado anterior el ámbito en el que resultará de aplicación el art. 322, podemos apreciar la existencia de un *concurso de normas* entre dicho precepto y el art. 404, concurso resuelto a favor del art. 322 del Código Penal[571], a mi juicio atendiendo al principio de *especialidad,* toda vez que los elementos típicos suponen concreciones de elementos presentes en el tipo genérico[572]: podrá ser sujeto activo del art. 322 no toda autoridad o funcionario público sino sólo aquellos con competencias en el ámbito del Patrimonio Histórico, y, concretamente respecto de actuaciones conducentes a autorizar derribos o alteraciones de edificios protegidos. Relación de especialidad que se dará, a mi juicio, tanto en los supuestos en que se resuelve o se vota a favor de la concesión del proyecto de derribo o alteración, así como en los que se informe favorablemente dichos proyectos, si consideramos que dicho informe tiene una naturaleza autorizatoria preceptiva, de igual valor, o incluso superior, en caso de conflicto, a la resolución municipal[573].

---

[569] En el mismo sentido, DE VICENTE MARTÍNEZ, R.: «La responsabilidad penal del funcionario…», ob. y loc. cit.; GÓMEZ RIVERO, M.C.: «Algunos aspectos de la responsabilidad de los funcionarios en materia ambiental», *La Ley,* 10 de julio de 1996, p. 2.

[570] LÓPEZ GARRIDO, D. y GARCÍA ARÁN, M.: *El Código penal de 1995 y la voluntad del legislador,* ob. cit., p. 160.

[571] En este sentido, GONZÁLEZ CUSSAC, J.L.: *El delito de prevaricación,* ob. cit., p. 140; ORTS BERENGUER, E.: *Comentarios al Código penal,* ob. y loc. cit. Algún autor sostiene que los delitos recogidos en los arts. 320, 322 y 329 no son sino «subtipos agravados de la prevaricación funcionarial en razón del objeto de la acción». De esta opinión, SÁNCHEZ-VERA GÓMEZ-TRELLES, J.: «Delitos de funcionarios: aproximación a su parte general», ob. y loc. cit.

[572] Véase GARCÍA ALBERO, R.: «*Non bis in idem* y concurso…», ob. cit., p. 322.

[573] Quizás podía plantearse si podríamos afirmar que, a su vez, el precepto general que no se ha aplicado es, no obstante, subsidiario del principal, esto es, que la norma general es subsidiaria respecto de la norma especial, pues de no aplicarse el precepto especial por no darse los elementos de concreción se aplicaría la norma general; sin embargo, esta posibilidad generaría una indeseable confusión que no facilitaría en absoluto la clasificación de los diferentes supuestos.

c) Relaciones concursales con delitos contra la Administración Pública

A continuación examinaremos algunos de los supuestos más frecuentes de concursos entre el art. 322 y delitos contra la Administración Pública.

Cabrá apreciar un concurso entre la prevaricación y el *cohecho* cuando, tras el acuerdo entre funcionario y particular, se emite la resolución injusta por parte del funcionario, o cuando menos, se procede a su ejecución. Así, la realización de una acción constitutiva del delito de prevaricación no resulta absorbida por el delito de cohecho debiendo apreciarse, a mi juicio, un *concurso real* de infracciones[574] entre el art. 322 y el art. 419 del CP. Esta solución parece derivarse del propio tenor literal del artículo 419, el cual sanciona al funcionario que, en provecho propio o tercero, solicitare o recibiere dádiva o presente o aceptare ofrecimiento para realizar en el ejercicio de su cargo una acción u omisión constitutiva de delito, «*sin perjuicio de la pena correspondiente al delito cometido en razón de la dádiva o promesa*».

Con respecto a la delimitación con el *tráfico de influencias* (art. 428 a 431), la doctrina se encuentra dividida entre aquel sector que aprecia un *concurso de normas*[575], resuelto a favor del tráfico de influencias por el principio de especialidad, y los que apuestan, a mi juicio acertadamente, por un *concurso medial de delitos*[576], por representar una relación de medio a fin, esto es, se influye para obtener una resolución arbitraria que le pueda repercutir un beneficio económico. Ahora bien, el supuesto más problemático será aquel en que un *extraneus* (particular o funcionario que actúa fuera de sus competencias) influya sobre un funcionario con competencias en la materia, para que dicte una resolución arbitraria, pudiendo castigarse este supuesto como inducción a la prevaricación. Esta solución sería fácilmente rechazable si nos halláramos ante

---

[574] En este sentido, MILANS DEL BOSCH y JORDANS DE URIES: ob. cit., p. 225. Concurso real o medial, dependiendo de la dinámica comisiva, para MORALES PRATS y RODRÍGUEZ PUERTA: en *Comentarios al nuevo Código Penal...*, ob. cit., p. 1.849. GONZÁLEZ CUSSAC sostiene que, fuera del supuesto del 419, la pena se impone en función directa de si el hecho se ha ejecutado o no; si no se ha ejecutado, no podrá haber existido prevaricación, y si se ejecuta finalmente, la pena de cohecho aumenta, con lo que parece absorber ese mayor contenido de injusto. De ese modo se resuelve el conflicto por la vía del concurso de leyes, aplicándose la regla de la subsidiariedad expresa. GONZÁLEZ CUSSAC, J.L.: *El delito de prevaricación...*, ob. cit., p. 137 y ss.

[575] LÓPEZ GARRIDO, D. y GARCÍA ARÁN, M.: «El Código penal...», ob. cit., p. 183; MORALES PRATS, F.: ob. cit., p. 1.883.

[576] ORTS BERENGUER, E. y VALEIGE ÁLVAREZ: *Comentarios...*, ob. cit., p. 1846. MUÑOZ CONDE: *Derecho penal...*, ob. cit., p. 884.

un delito de prevaricación básica, pues supondría privilegiar al *extraneus* que sólo se le castigaría con una pena de inhabilitación. Sin embargo, ello no ocurre en el caso de la prevaricación del 322, al encontrarnos ante un delito pluriofensivo, de suerte que, a la inhabilitación se le añade la de prisión hasta dos años o la pena de multa. Por esta razón debe descartarse, a mi entender, la opción consistente en apreciar un concurso de normas, resultando desplazado el delito de prevaricación a favor del delito de tráfico de influencias. GONZÁLEZ CUSSAC[577] opta por esta solución con base en dos razones: en primer lugar, porque este delito absorbe todo el desvalor del hecho y, en segundo lugar, porque atribuye una mayor penalidad, en consonancia con ese mayor plus. Lo que ocurre es que, si, en efecto, estas afirmaciones son válidas para la prevaricación básica, al menos la segunda no lo es con respecto al delito del 322.

d) Relaciones concursales con los delitos de falsedades

Resulta asimismo significativa la posibilidad de apreciar concurso ideal de delitos entre las falsedades documentales y el delito del 322, en aquellos casos en que la falsedad se contenga, bien en el documento en que se plasme el informe favorable al proyecto de derribo o alteración del edificio protegido, bien en la resolución injusta[578] a favor de la concesión del proyecto referido, aplicando, pues, lo previsto en el art. 77 del CP.

---

[577] GONZÁLEZ CUSSAC, J.L.: ob. y loc. cit.

[578] Sobre este particular, merece la pena destacar la STS de 3 de febrero de 1997, la cual señala que: «En el caso de expedientes administrativos complejos, como el de autos, relativo a la concesión de licencia de obras por el Ayuntamiento, en los que intervienen funcionarios de distinta clase hasta la resolución final, cada escrito que emite cada uno de tales funcionarios, puede constituir objeto material del delito que nos ocupa, siempre que incorpore «datos, hechos o narraciones, con eficacia probatoria o cualquier otro tipo de relevancia jurídica», como dice el art. 26...». «El escrito que ahora nos ocupa, la propuesta de concesión de licencia para la construcción de un edificio, que constituye el trámite inmediatamente anterior a la resolución del expediente..., incorpora una serie de datos que han de ser veraces, porque la alteración de la verdad puede inducir a confusión al órgano que compete resolver...».
A este respecto, concluye el Tribunal afirmando que: «...Importa que hubo una actividad engañosa, no sólo verbal, sino también expresada por escrito en un documento oficial, que motivó que los miembros del Consejo de la Gerencia tuviesen un conocimiento apartado de la realidad de los hechos en el momento de adoptar su resolución: en definitiva, hubo una *falsedad documental* relevante».

e) Breve referencia al delito continuado

Por último, resulta posible la admisión de un *delito continuado* de prevaricación del art. 322, en tanto se den los requisitos del art. 74.1 del CP[579]. Será necesario, pues, que un mismo funcionario público, por ejemplo, evacue varios informes arbitrarios en relación a proyectos de derribo o alteración de edificios protegidos singularmente en un Conjunto Histórico, o dicte varias resoluciones arbitrarias conducentes al mismo fin. Como así ha reconocido la jurisprudencia[580], debe tratarse de un comportamiento que obedezca a un único designio delictivo y se desarrolle en actuaciones diferentes, dentro de un razonable marco temporal unificador. A este respecto, no ostentan autonomía como tipos penales independientes, las actuaciones ilegales que se hayan sucedido a la acción delictiva única del delito de prevaricación, pues no son sino «meras secuencias de la fase de agotamiento del tipo de prevaricación»[581].

IV. ARTÍCULO 323: DAÑOS CONTRA EL PATRIMONIO CULTURAL

El art. 323 del Código Penal castiga con una pena de prisión de uno a tres años y multa de doce a veinticuatro meses al que cause *daños en un archivo, registro, museo, biblioteca, centro docente, gabinete científico, institución análoga o en bienes de valor histórico, artístico, científico, cultural o monumental, así como en yacimientos arqueológicos.*

1. Cuestiones previas en torno al concepto de daños

En la anterior regulación jurídico-penal, los daños a bienes de valor histórico, artístico o cultural se regulaban dentro del Título dedicado a los delitos contra la propiedad, en el capítulo relativo a los daños en sentido general, de suerte que se reducía el alcance de la defensa del Patrimonio Cultural a un nivel secundario y deudor del concepto de propiedad privada[582].

---

[579] Ya expuestos al abordar la posibilidad del delito continuado en el delito del 321.
[580] STS de 24 de febrero de 1995 (RJ 1326).
[581] STS de 27 de febrero de 1995 (RJ 1425).
[582] Desde un posicionamiento distinto, PÉREZ ALONSO propugna la ubicación de estos delitos en su lugar originario, pues considera que realmente continúan siendo tipos agravados de

Resulta, pues, tradicional en nuestra doctrina científica tratar de dilucidar el concepto de daños, labor no exenta de dificultades debido, tanto a la tradicional ausencia de una definición[583] legal del mismo, así como por el carácter *multívoco* del término. Conforme a ello, se realizará un breve análisis de estas dos cuestiones.

1.1. Ausencia de una definición legal de daños

Efectivamente, nuestro texto punitivo vigente incrimina en el art. 323 al que «cause daños» en una serie de bienes culturales, cuya relación expondremos más adelante, pero tampoco define en qué deben consistir los daños referidos. Asimismo, si nos remitimos a los daños genéricos penados en el art. 263 CP, únicamente se aporta un concepto negativo, excluyente o residual, al incriminarse «los daños en propiedad ajena *no comprendidos en otros Títulos de este Código»*, reproduciendo prácticamente lo ya dispuesto en el Código precedente[584].

Si nos remontamos a la historia de la **codificación española,** tal y como ya se expuso[585], es el Código Penal de 1928 el que aporta —frente a la ausencia conceptual seguida tradicionalmente en la codificación— una definición legal de lo que debe entenderse por «*daños penalmente relevantes»,* si bien la fórmula empleada resulta excesivamente amplia. Concretamente, el art. 750 de dicho Código establecía que «son responsables criminalmente por *daños* los que, sin estar comprendidos en otros capítulos de este libro o del siguiente y sin ánimo de obtener para sí o para otros un lucro inmediato, *destruyan, deterioren o causen cualquier perjuicio* a otro en sus propiedades rústicas o urbanas, animales u objetos que le pertenezcan». Sin embargo, el Código Penal de 1932 vuelve a la fórmula anterior, omitiendo cualquier definición de los daños, técnica que permanece inalterable hasta nuestros días.

---

daños por la relevancia cultural del objeto material. PÉREZ ALONSO, E.J.: «Los delitos contra el patrimonio histórico...», ob. cit., p. 631 y ss.

583 Me remito a la distinción efectuada entre los términos «concepto», como idea o modo de ver las cosas, y «definición», como las fórmulas para expresar el concepto, planteamientos recogidos en *The Encyclopepy of Philosophy,* t. 1, Nueva York, 1967, p. 315 y ss.

584 Art. 557 CP 73: «*Son reos de daños y están sujetos a las penas de este capítulo los que en la propiedad ajena causaren alguno que no se halle comprendido en el anterior».* ORTS BERENGUER considera que en todo caso puede darse un concepto negativo o por elimina-ción, constituyendo daños lo que no es incendio ni estrago. ORTS BERENGUER, E.: *Derecho penal. Parte especial,* Valencia, 1990, p. 1.001.

585 Cfr. *supra* el Capítulo Primero de este trabajo.

Si acudimos al **Derecho comparado,** recordemos como, por ejemplo, en el **ordenamiento francés,** el legislador penal de 1994[586] no crea un tipo especial de daños a los bienes culturales, pero sí considera como circunstancia agravante la cualidad arqueológica, histórica o artística del bien destruido o deteriorado. Las modalidades de la conducta típica definidas en el artículo 322.1 del *Code penal* consisten, tanto en la «destrucción, degradación o deterioración» del bien, como en el hecho de trazar inscripciones, signos o dibujos, si bien tendrán que recaer en alguno de los bienes mencionados en los n°s 3° y 4° del siguiente artículo (322.2).

Por su parte, en el **Código penal italiano** la conducta típica prevista en su art. 733 *(«danneaggiamento al patrimonio archeologico, storico o artistico nazionale»)* consiste en «destruir, deteriorar o de cualquier otra forma dañar», si bien se refiere a cosa propia. De la lectura del precepto se desprende que, la acción de «dañar» tiene un significado más amplio que las otras acciones descritas, comprendiendo cualquier conducta que disminuya la utilidad o el valor de la cosa. Basándose en ello ROTILI realizaba una interpretación extensiva de la conducta típica, considerando que debe abarcar tanto los daños *directos,* es decir, cuando se destruye, deteriora o de cualquier otra forma se daña el bien en su materialidad, como también los daños *indirectos,* esto es, cuando sin haber contacto inmediato el bien sufre igualmente un daño[587]. De suerte que, la noción de *«danneggiamento»* asume en el derecho italiano un significado más extenso del habitual. Recordemos como también del tenor literal se desprendía que la conducta puede ser tanto *activa* como *omisiva*[588].

---

[586] Loi n° 92-683 du 22 juillet 1992, modificada por L. 93-913 du 19 juillet 1993.

[587] Por ejemplo, pensemos en la construcción de un edificio de grandes dimensiones en inmediata cercanía de un importante monumento, al ser en muchos casos tan relevante el bien en sí como el ambiente o *entorno* que le rodea. No obstante, en el ámbito de la Ley n° 1.089, tal y como ya se expuso *supra,* la tutela penal del ambiente se subordina a una serie de presupuestos: a) que el bien de interés histórico o artístico sea de propiedad de entes públicos o si pertenece a privados esté declarado como tal oficialmente *(vincolato);* b) que el ministro haya emitido una orden de conservación imponiendo una zona de respeto (art. 21).

[588] ROTILI, B.: *La tutela penale delle cose di interesse artistico e storico,* ob. cit.; por su parte, NUVOLONE entiende la conducta del art. 733 puede llevarse a cabo *«omitiendo voluntariamente los cuidados o reparaciones necesarios para el mantenimiento de la cosa...».* ROTILI va más allá y amplia excesivamente su aplicación a los supuestos de omisión negligente de las labores de mantenimiento del bien, lo que resulta incongruente con el elemento subjetivo. NUVOLONE: «Linea fondamentali della tutela penale dei beni culurali mobili», in *L'Indice penale,* 1977, p. 1.193.

En el ámbito del **Derecho alemán**, la acción típica en el delito de «daños contra bienes especialmente protegidos» previsto en el *§ 304 StGB*, conforme se expuso, consiste en **dañar** *(beschädigen)* o **destruir** *(zerstören)*[589], términos que han constituido la base de la teorización alemana acerca de la conducta típica de daños, formulándose teorías al respecto, a las que acudiremos más adelante.

Finalmente, por lo que respecta al derecho anglosajón, concretamente el **derecho inglés,** el tipo delictivo básico de la *Ancien Monuments and Archaelogical Areas Act* de 1979, se configura como un delito de ***daños a monumentos protegidos***[590], cuyas modalidades de conducta consiste en *destruir o dañar* un monumento protegido. Por su parte, en **los Estados Unidos,** tal y como ya se expuso, la *Archaelogical Resources Protection Act* de 1979 —promulgada tras el reconocimiento por el Congreso de las amenazas a las que se encontraba sometido el Patrimonio Cultural[591], así como de la inadecuada legislación en la materia— sancionaba plenamente en su § 470ee a cualquier persona que *intencionadamente* violare alguna de las prohibiciones establecidas en la misma sección de esta Ley. De acuerdo con dicha prohibiciones nacen diversos tipos legales: en el primero de ellos la conducta típica puede consistir en llevar a cabo *excavaciones, trasladar, dañar o de otro modo alterar o desfigurar cualquier recurso arqueológico* situado en suelo público o indiano.

En suma, en este breve recordatorio de los regímenes jurídicos de los delitos de daños en el Derecho comparado[592], podemos observar cómo, en general, se describen las conductas típicas con fórmulas amplias y, en ausencia de una definición legal, se refieren al resultado ocasionado: *destruir, degradar, dañar,* etc.

---

[589] Desde la doctrina ya citamos algunos autores (vid. *supra* art. 321) que tratan de delimitar los *daños* de las *destrucciones;* en este sentido, recordamos cómo para TRÖNDLE la destrucción es una subespecie del daño, al constituir un daño tan grave que supone la anulación completa de su capacidad de uso; en la misma línea WOLFF entiende que la destrucción supone convertir el objeto en absolutamente inutilizable para su concreto destino. DREHER-TRÖNDLE, *Komm. Strafgesetzbuch und Nebengesetze,* 1997; WOLFF, ver *Leipziger Kommentar,* 1997.

[590] De acuerdo con el tenor previsto en la Secc. 28 de la 1979 Act., será delictiva la destrucción o daño de un monumento protegido, sin excusa lícita, y, sabiendo *(«knowing»)* que es un monumento que se encuentra protegido, o con la intención *(«intending»)* de destruirlo o dañarlo, o actuando a través de culpa consciente *(«being recklessness»).*

[591] Ya hicimos referencia a los saqueos arqueológicos y cómo su posterior comercio constituía un lucrativo y floreciente negocio, correlativamente con un creciente mercado internacional de objeto pertenecientes a los americanos nativos.

[592] Véase *in extenso* el Capítulo segundo de la tesis.

1.2. Carácter multívoco del término «daños»

A) Consideraciones genéricas

Atendiendo a una interpretación gramatical, el Diccionario de la Real Academia Española entiende por daño el *detrimento o destrucción* de bienes[593].

Por su parte, la teorización española acerca del significado del vocablo «daños» se encuentra con dificultades, tanto en el lenguaje vulgar como en el ámbito jurídico-penal, constituyendo la determinación de su concepto uno de los principales problemas que plantea el tipo recogido en el art. 323, al igual que ocurre en las demás figuras de daños, dado que, como ya se ha indicado, nuestro Código Penal no ofrece ninguna definición al respecto.

En el ámbito jurídico-penal español, las elaboraciones teóricas de definiciones de daños se refieren fundamentalmente a los que podemos denominar como *daños simples*[594], centrándose la discusión doctrinal en tres aspectos básicos que paso a continuación a enunciar, y que serán objeto de especial atención según se vayan suscitando en el análisis del tipo penal objeto de estudio.

Los aspectos discutidos pueden resumirse en los siguientes: a) si la conducta típica ha de consistir únicamente en una destrucción o deterioro del objeto material, o si también realiza el tipo el perjudicar su capacidad o valor de uso; b) si se exige la irrogación de un perjuicio patrimonial al sujeto pasivo; y por último, c) la exigencia o no de un elemento subjetivo distinto del dolo.

Con respecto a la primera cuestión suscitada, de acuerdo con la opinión doctrinal española dominante, el resultado típico del delito de daños ha de consistir en la destrucción, deterioro, menoscabo o inutilización de las cosas sobre la que recae la acción, lo cual puede llevarse a cabo por cualquier medio capaz de producir los daños.

Pues bien, en el ámbito de la *doctrina alemana* se han venido elaborando dos *clases de concepto de daños:* un concepto de daño **naturalístico** —según el cual se requiere una actividad que suponga *una alteración de la sustancia de la cosa,*

---

[593] Diccionario de la Lengua Española. Real Academia Española, vigesimaprimera edición, 1992.

[594] Sobre las distintas definiciones que se han aportado por la doctrina, y para una visión genérica del delito de daños, puede consultarse, entre una abundante bibliografía, QUINTANO RIPOLLÉS, A.: *Comentarios al Código penal,* 1966, p. 1.049 y ss.; JORGE BARREIRO, A.: «El delito de daños en el Código penal español», en *Anuario de Derecho Penal y Ciencias Penales,* enero-abril, 1983, p. 505 y ss.; SERRANO BUTRAGUEÑO, I.: *Los delitos de daños,* Pamplona, 1990.

en el sentido de una modificación en su corporeidad— y unos conceptos **normativos** de daño, conceptos que denotan efectos no constatables en la corporeidad de la cosa. Pues bien, estos conceptos se integran en **teorías** acerca de la conducta típica de *daños,* las cuales aportan criterios para decidir si un evento debe ser considerado como dañoso.

Ante la ya mentada ausencia en nuestro Código Penal de un concepto de daños típicos, he considerado oportuno exponer brevemente las principales teorías elaboradas por la doctrina alemana[595], únicamente con un carácter instrumental, como punto de partida o referencia para determinar los comportamientos punibles conforme al art. 323 del Código Penal español. Ahora bien, antes de proseguir debe realizarse una advertencia básica. Estas teorías se encuentran formuladas en el ámbito del delito previsto en el art. 303 del texto punitivo alemán —tipo semejante al art. 263 del Código Penal español— el cual tipifica los daños en cosas ajenas. Por ello, y aunque las teorías se formulan sobre tipos en los que se prevén resultados dañosos, los bienes jurídicos que se tratan de proteger son distintos. De forma que, aun siendo los mismos los términos empleados en la descripción de la conducta típica, la interpretación gramatical de éstos deberá ceder ante una interpretación teleológica, que se reflejarán en las consiguientes peculiaridades de la conducta típica, conducentes a diferenciar los daños referidos a las relaciones microsociales y las macrosociales.

B) *Breve referencia a las teorías alemanas acerca de la conducta típica de daños*

Según se anticipó, en el ámbito de los daños, el verbo *beschädigen* (dañar) ha sido interpretado por la doctrina y la jurisprudencia, atendiendo a diversos criterios:

En primer lugar, se le da el significado de ***lesión en la sustancia,*** definición coincidente con un concepto naturalístico de daños; en este sentido, el Tribunal imperial definía los daños como toda influencia o injerencia sobre la cosa, que altere su sustancia o menoscabe su integridad[596]. Sin embargo, este criterio se mostró insuficiente o limitado para ser aplicado en determinados supuestos que

---

[595]   Teorías recogidas y analizadas *in extenso* por SUAY HERNÁNDEZ, C.: *Los elementos básicos de los delitos y faltas de daños,* ob. cit., p. 57 y ss., trabajo que ha constituido la base referencial de la exposición

[596]   RG 37, 411.

consideraban debían estimarse como constitutivos de daños. A este respecto, se sostenía cómo, en ciertos casos, pese a no alterarse la sustancia de la cosa, se producía otra clase de efectos relacionados con la *disminución de la capacidad del uso* al que estaba destinado el bien; de forma que, comienza a considerarse como daño toda aquella influencia que perjudicara la capacidad de la cosa para ser usada. Este criterio fue acogido por el Tribunal imperial, fijándose el concepto *normativo*[597] de daño, al que ya hemos hecho referencia.

La jurisprudencia alemana comienza, pues, a operar con la **teoría del doble criterio** —el naturalístico y el normativo— según el cual, el tipo de daños presupone una intervención que suponga una *lesión en la sustancia* del objeto o una modificación de su estructura material, que *perjudique su capacidad para ser usada* de acuerdo con su destinación[598].

Sin embargo, las teorizaciones acerca de los daños penalmente relevantes continúan, comenzando a dejar sentir su influencia las **teorías de la *perturbación de la función,*** de acuerdo con las cuales, el elemento básico de la acción típica de los daños lo constituye únicamente el perjuicio para la función que el bien desempeña. Influencia que alcanza a la jurisprudencia, si bien, su aceptación no alcanza niveles extremos, por cuanto únicamente tienen en cuenta para determinar el perjuicio causado la *función objetiva* del bien[599], que generalmente se lleva a cabo mediante una injerencia en la sustancia, con lo cual continúa en la práctica la aplicabilidad del doble criterio.

Durante el período de 1975 a 1979 se abre una segunda línea jurisprudencial en la que empieza a ser considerada también como constitutiva de daños la *modificación del estado* o de la buena apariencia de la cosa. Ciertamente, a mediados de los años setenta, comienza a discutirse en doctrina y jurisprudencia la posibilidad de incluir en el concepto de daños los supuestos de afeamiento o desfiguración de la cosa *(Verustalgung)*, constituidos en su mayoría por los casos en que se pegan carteles o se escribe sobre muros, fachadas de edificios o sobre otros objetos de la vía pública. A este respecto, podían calificarse como comportamientos típicos de daños los supuestos mencionados, únicamente cuando suponían un perjuicio para la sustancia del objeto, bien directamente

---

[597] Entre los conceptos normativos de daños se encuentran los que se han denominado objetivo-económico, axiológico, personalista, económico-funcionalista y del estado. Vid. sobre cada uno de ellos en SUAY HERNÁNDEZ, C.: ob. cit., p. 54 y ss.

[598] En este sentido, VON LISZT define los daños siguiendo este doble criterio, de forma que el daño consiste para este autor en el perjuicio para su ordinaria utilidad o en la lesión de la sustancia. LISZT VON, F.: *Lehrbuch des Deutschen Strafrechts,* Berlín, 1927.

[599] Es decir, el perjuicio para la capacidad de utilización de la cosa.

o bien derivado de las medidas de limpieza que hubieran debido realizarse para borrar la inscripción o eliminar el cartel. Asimismo, cuando la inscripción o el cartel recaía sobre objetos que cumplieran una función estética, también podían ser calificados estos últimos supuestos como constitutivos de daños, mediante el criterio del perjuicio para la función.

Ahora bien, aquellos casos en los que se modificaba el aspecto exterior del bien, sin lesión de la sustancia ni perjuicio para la función, por ejemplo, realizar pintadas sobre un objeto sin connotaciones estéticas, no podían calificarse como conducta típica de daños.

Estas circunstancias propiciaron la formulación de una nueva teoría que ampliara el tipo de daños, para así incluir los supuestos mencionados. Pues bien, la denominada *teoría de la modificación del estado,* obra de SCHROEDER[600], recibe una buena acogida por parte de la doctrina alemana[601], así como por parte de la jurisprudencia. Respecto de ésta última, si bien en un principio comenzó a asumir casi sistemáticamente este criterio, el proceso de extensión del tipo de daños se detiene a raíz de la decisión BGH 29, 129[602], la cual precisa el ámbito de aplicación de este tipo, excluyendo la aplicación del criterio señalado como regla general, al considerar que los supuestos de modificación de la forma externa sólo son constitutivos del tipo de daños cuando se lesiona la sustancia de forma significativa, o se perjudica su utilidad[603].

Para concluir esta visión genérica de las teorías seguidas en la doctrina y jurisprudencia alemanas respecto de los daños, únicamente añadiremos que estas teorías son completadas con una serie de *criterios* para efectuar *limitaciones* de los eventos típicos, si bien nos referiremos a dichos criterios más adelante, en el análisis del tipo recogido en el art. 323 del Código Penal español, objeto de nuestro estudio.

---

[600] Este autor la propone en un comentario a una sentencia del Tribunal regional de Karlsruhe y otra del Tribunal regional de Hamburg. Cfr. BEHM, U.: *Sacbeschädigung und Verunstaltung. Zur Notwendigkeit einer Abgrenzung bei der Auslegung des Paragraphes 303,* ob. cit.

[601] De acuerdo con esta nueva formulación, SCHMIDHÄUSER considera una cosa dañada cuando se lesiona su sustancia, se frustra su función o se modifica su estado. Por su parte, DREHER-TRÖNDLE sólo acepta como daños ciertas modificaciones del estado de la cosa, aquellas que supongan una variación de su aspecto externo. *Lomm. Strafgesetzbuch und Nebengesetze,* 1997, ob. cit.

[602] Decisión del Tribunal federal de 13 de noviembre de 1979.

[603] Esta importante resolución generó una polémica doctrinal entre aquellos autores que realizaban una interpretación extensiva del concepto de daños, y aquellos otros próximos al criterio indicado en la sentencia del Tribunal Supremo federal.

2. Los daños tipificados en el art. 323. Análisis del tipo legal

2.1. Conducta típica

La conducta típica del art. 323 del Código Penal consiste en «**causar daños**». Se regula, pues, un *tipo específico de daños* por la índole del objeto material, y no por la acción, que es la misma que la tipificada en el art. 263 CP.

A) Posición doctrinal

De acuerdo con la doctrina española dominante, a falta de una definición en el Código Penal, en los **daños contra intereses colectivos,** junto con la *destrucción o deterioro en la esencia o sustancia* del objeto, debe incluirse la alteración o *perjuicio en su valor de uso o destino,* en la utilidad que dichos bienes proporcionan a la colectividad[604]. Para GARCÍA CALDERÓN el daño no tiene por qué ser estrictamente físico o material que suponga una merma de su sustancia, pudiendo irrogarse un daño social impidiendo que el bien afectado pueda ser visionado o disfrutado por la colectividad, sufriendo por tanto una *merma en su función*[605].

La conducta típica consiste, pues, en *destruir, deteriorar o inutilizar* la cosa, siendo necesario además causar un perjuicio en la específica finalidad o aplicación de la misma, dicho en otros términos, *frustrar su utilidad o privar de su uso* al objeto material. Es decir, que además de destruir o deteriorar el bien, se frustre su utilidad cultural.

En esta dirección, y acercándose al criterio adoptado por la doctrina alemana mayoritaria, SUAY HERNÁNDEZ, refiriéndose a los daños macrosociales en general, considera que el menoscabo material del bien no es condición necesaria ni suficiente, por cuanto no consuma el tipo en tanto el mencionado menoscabo no conlleve *perjuicio para la función,* el cual evidencia la lesión del bien jurídico[606].

---

[604] En este sentido se ha pronunciado PÉREZ ALONSO, E.J.: «Los delitos contra el patrimonio histórico en el Código penal de 1995», en *Actualidad Penal,* nº 33, 14-20 septiembre de 1998, p. 633.

[605] GARCÍA CALDERÓN, J.M.: ob. cit., p. 424.

[606] SUAY HERNÁNDEZ, C.: *Los elementos básicos de los delitos y faltas de daños...,* ob. cit., pp. 144-5.

Y es que, en efecto, la doctrina alemana dominante, respecto de la conducta típica en los *daños en objetos especialmente protegidos,* coincide en afirmar que, si bien la acción típica del 304 coincide con la del tipo básico de daños del § 303 (dañar o destruir) en el primero resulta necesario que sea perjudicada la «especial finalidad» del objeto[607]. Así, una conducta de daños puede recaer sobre un objeto susceptible de ser objeto material del § 304 y, sin embargo, si no se perjudica la especial finalidad de dicho objeto, realizará el tipo penal del § 303 y no el del § 304.

B) *Toma de posición*

Tal y como venimos reiterando, la Constitución Española reconoce la trascendencia del patrimonio histórico, cultural e artístico para la sociedad en su conjunto. Precisamente por este motivo impone la tutela efectiva de un bien jurídico injustamente considerado a lo largo de la tradición histórica jurídico-penal, recibiendo únicamente protección desde un punto de vista residual, esto es, atendiendo únicamente a su componente patrimonial, acorde con la visión liberal del momento. Sin embargo, la mayor tendencia a la intervención estatal en los procesos sociales y económicos, propia del Estado social y democrático de Derecho, conlleva la ampliación de los límites de los ilícitos penales, *reconociéndose,* junto a los valores individuales tradicionales propios del Estado liberal, otra serie de *valores de carácter colectivo y social* que conforman *auténticos* bienes jurídicos dignos de protección y tutela. Es por ello que, recordemos, desde un sector amplio de la doctrina se utiliza indistintamente los términos *colectivo, social, difuso, público, difundido o macrosocial* para referirse a esos valores de naturaleza «supraindividual», realizándose una distinción entre los bienes jurídicos tradicionales de corte individual y los bienes jurídicos *colectivos o difusos.*

A tenor de lo expuesto, a pesar de que la actividad típica prevista en el art. 323 del Código Penal se describe con el mismo verbo que la contenida en el art. 263, tipo básico de daños, ello no justifica su tratamiento unitario si tienen objetos de protección distintos, como efectivamente ocurre. El primero conforma un bien jurídico de carácter colectivo[608], frente al objeto de protección del tipo previsto en el 263, un bien jurídico personalista y patrimonial, tutelándose el aspecto de libertad del derecho de propiedad.

---

[607] WOLFF: ob. y loc. cit., DREHER-TRÖNDLE: ob. y loc. cit., LACKNER: ob. y loc. cit.

[608] Cfr. *supra* el epígrafe III del Capítulo Tercero, dedicado a los bienes jurídicos colectivos.

Por consiguiente, no debemos ceñirnos únicamente a la interpretación gramatical del término «daños» sino que debemos atenernos asimismo, a una *interpretación teleológica,* en razón del bien jurídico protegido en el tipo recogido en el art. 323 CP.

En este sentido, SUAY HERNÁNDEZ realiza una serie de objeciones a la ampliación del tipo de daños que supone la teoría de la función, con respecto al texto legal del artículo 303 del Código alemán que se refiere expresamente a «dañar o destruir», cuyo significado común va referido a efectos perjudiciales sobre la sustancia de las cosas, los cuales no son tenidos en cuenta en la teoría mencionada. Sin embargo, en el delito del art. 304 considera correcta una diferente interpretación, por cuanto estima que, en atención al bien jurídico protegido —«los intereses generales en la conservación de las cosas de interés público o cultural»— el criterio con el que se evalúa la conducta típica es eminentemente funcional, de modo que ésta se dará cuando se haya perjudicado la específica finalidad para la que sirve el objeto material.

Esta postura es acorde con el ya referido concepto *normativo* de daño típico aportado por la doctrina alemana, entendido como aquel perjuicio de la capacidad para ser usado de acuerdo con su finalidad, y asimilable, por tanto, al «perjuicio en la función o en la finalidad» del objeto[609], necesario para integrar los daños típicos del § 304.

Ahora bien, si en el supuesto de *daños a bienes especialmente protegidos,* parece correcto que la doctrina alemana aprecie principalmente el valor funcional para conformar el tipo, de forma que si hay daño material pero no funcional, no aplican el art. 304 sino el 303, ello se explica atendiendo al bien jurídico protegido en estos delitos, «los intereses generales en la conservación de cosas de interés público o cultural».

Sin embargo, en el art. 323 del texto punitivo español, el objeto de protección lo conforma el *valor cultural* de los bienes dañados, de suerte que el bien jurídico se ve lesionado desde el momento en que se produce el perjuicio material, pues con ello *se* frustra el acceso de los ciudadanos a la cultura, función que desempeña el objeto material agredido. El bien jurídico, centrado en lo funcional o promocional, se identifica pues con el valor inmaterial de la cultura.

Consecuentemente, en el objeto material del tipo previsto en el art. 323 se incluyen lo que podríamos denominar *bienes culturales por naturaleza,* es decir,

---

[609]   Así, recordemos cómo, de acuerdo con LACKNER, sólo se consideraba daño la modificación de la forma externa en los monumentos u obras de arte, donde la *función* tiene relación con la *modificación del aspecto exterior.* LACKNER, ob. y loc. cit.

aquellos que tengan primordialmente un destino o utilidad cultural, los bienes que estrictamente tengan un valor cultural[610]. Son instrumentos de promoción cultural, de suerte que, con las agresiones se les priva del cumplimiento normal de aquello que constituye el propio fin del bien.

En suma, tanto aquellos supuestos en que se produzca un *menoscabo de la sustancia,* como aquellos otros donde, sin alterar ésta, se lleve a cabo una *modificación del aspecto externo* del bien, producirán necesariamente la pérdida o la frustración de la utilidad del bien cultural. Obviamente, no toda modificación del aspecto externo menoscabará su utilidad, y realizará, por ende, el tipo de daños del art. 323, sino sólo aquellas modificaciones que sean «relevantes», es decir, que menoscaben la funcionalidad[611] cultural del bien. Así, por ejemplo, embadurnar de pintura una escultura colosal puede no menoscabar la sustancia del objeto, pero sí frustra la utilidad del bien, su función cultural y la posibilidad de acceso a ésta por los ciudadanos. De suerte que, podrá aceptarse el criterio de la *modificación del aspecto externo* para configurar el tipo de daños del 323, siempre que vaya unido al de la *perturbación de la función.*

Concluyendo, el menoscabo material en los bienes culturales va tan ligado a la pérdida de su funcionalidad exclusivamente cultural, que no se dará uno sin la otra. Por consiguiente, las acciones que provoquen la *inutilización* o perturbación de la función de los bienes que conforman el objeto material del 323, podrán subsumirse en este delito de daños, aunque se omita de forma expresa la referencia a la mentada inutilización, por cuanto en estos supuestos se lesiona el bien jurídico protegido. Obviamente en estos casos considero que la inutilización debe conllevar al menos una mínima afectación a la sustancia.

De ahí que, en el tipo analizado en primer lugar, el recogido en el art. 321, la conducta no se describa como daños genéricos, sino como modalidades de éste, concretamente supuestos donde se *destruya su sustancia o se alteren gravemente* los elementos culturales ínsitos en el edificio, de forma que se equipare a su destrucción. Y es que, en efecto, en este supuesto no se puede afirmar, con carácter general, que la «inutilización «del edificio protegido comporte el tipo legal, de acuerdo con la afirmada versatilidad de su uso (funcional-cultural), por lo que resulta preferible especificar las modalidades de la conducta típica.

---

[610]   Como ya se adelantó *supra,* cuando abordamos el tipo recogido en el art. 321 del Código Penal.

[611]   Coincidimos con SCHROEDER al afirmar cómo, en un sentido amplio, son sinónimos el *perjuicio para la capacidad de utilización* y la *perturbación de la función* del bien. SCHROEDER: ob. y loc. cit.

Una cuestión a subrayar y que se plantea habitualmente en los delitos de daños, es la referida a si resulta imprescindible o no que el daño comporte un *perjuicio patrimonial* para el sujeto pasivo. A este respecto me sitúo con la doctrina dominante, afirmando la innecesariedad de dicho perjuicio en los daños genéricos, y admitiéndose incluso la posibilidad de que se pudiese generar un beneficio para el sujeto pasivo[612]. Por tanto, el perjuicio no es un elemento integrante del tipo; en todo caso, el perjuicio se tendrá en cuenta a efectos de determinar la responsabilidad civil dimanante del delito, cuestión en la que nos detendremos más adelante.

C) El límite del daño penalmente relevante

Una vez establecidos los criterios doctrinales de delimitación del daño, veamos si existen algunas limitaciones en el tipo legal que resulten del tenor literal del precepto.

Pues bien, a diferencia del delito genérico de daños, la limitación del ámbito de lo punible no viene impuesta por la redacción del tipo. Sin embargo, tanto en el tipo de daños imprudente (art. 324) como en el ámbito de las faltas (art. 625), sí se impone una cuantía en la valoración de los daños típicos, lo que pone de manifiesto la falta de concordancia entre los preceptos, tónica habitual en la nieva regulación. Concretamente, en el ámbito de las faltas, el art. 625.2 contiene una agravación de los daños *«cuyo importe no exceda de las 50.000 pesetas»*, cuando recaen en bienes de valor histórico, artístico, cultural o monumental. Ello conduce a plantearnos si podrían excluirse del ámbito típico del 323 los daños inferiores a dicha cantidad en los bienes mencionados, aun a sabiendas de que se contradice de ese modo el criterio de valoración de la conducta típica, atendiendo únicamente al valor cultural del bien, al fundamentarse en el exclusivo perjuicio patrimonial.

Precisamente por este motivo, cierto sector doctrinal[613] concluye en que, no existiendo exigencia alguna del tipo de cuantía, no hay razón para sujetarse a ella.

---

[612]   En este sentido, en la doctrina alemana, BINDING (1902) define el daño como una *disminución del valor* jurídico de una cosa, de acuerdo con un concepto axiológico de daño, puntualizando que sin embargo no requiere un perjuicio patrimonial, pues, incluso puede llegar a un acrecimiento. Asimismo, DREHER-TRÖNDLE *(Komm. Strafgesetzbuch und Nebengesetze*, ob. cit.) admite excepcionalmente la posibilidad de que el daño acreciente el patrimonio. WOLFF, *Leipziger Kommentar*, ob. cit.

[613]   TAMARIT SUMALLA, J.M.: *Comentarios...*, ob. cit., p. 860; CONDE-PUMPIDO TOURON, C.: *Código penal...*, ob. cit., p. 3.210. SERRANO BUTRAGUEÑO *(Los delitos de daños...)*, por su parte, rechaza el papel de la cuantía en los tipos de daños dolosos: ob. cit., p. 154.

Frente a esta opinión doctrinal se contrapone otra mayoritaria que sí restringe la aplicación del 323 a los daños en cuantía superior a las 50.000 pesetas. En ese sentido, se manifiestan PÉREZ ALONSO, GARCÍA CALDERÓN, CARMONA SALGADO, SERRANO GÓMEZ y SUÁREZ GONZÁLEZ[614]. Concretamente CARMONA aduce a favor de esta tesis dos razones: en primer lugar, porque, de lo contrario, no existiría criterio legal alguno para delimitar la falta del 625.2 del delito contenido en el art. 323, quedando absorbida la falta en la conducta delictiva, lo cual no resulta muy acorde con el principio de legalidad; y, segundo, porque en la comisión imprudente de los hechos, prevista en el art. 324, si se hace referencia a esa cantidad. Es por ello que esta autora atribuye a un olvido del legislador la omisión de la citada cuantía.

Por su parte, considera SERRANO GÓMEZ que, si bien el valor de estos bienes se encuentra por encima de cualquier cuantificación económica, para una interpretación coherente con la falta del 625.2, dicha cuantificación ha de calcularse, no como eventual valor de mercado, sino atendiendo a la posibilidad de reparación del bien en cuestión.

Por último, SUÁREZ GONZÁLEZ, partiendo de reconocer que el valor cultural del bien no tiene por qué verse correspondido de un valor económico elevado, sostiene que, de no entender que los daños a que se refiere el art. 323 son, por exclusión, superiores a 50.000 pesetas, se llegaría al absurdo de que los daños en cuantía inferior a la mencionada causados en «bienes con valor artístico, histórico, cultural o monumental» se castigarían con una pena desproporcionada en relación con los mismos daños causados en bienes de *valor científico*, supuesto no incluido en el art. 625.2.

De acuerdo con lo expuesto, me sitúo en la línea de aquellos que consideran que atender a la cuantía del perjuicio patrimonial en el art. 323 contradice el criterio de valoración de la conducta típica, de acuerdo con el cual debe estimarse únicamente al valor cultural del objeto. Ahora bien, también es cierto que, de acuerdo con el texto legal, atendiendo a razones sistemáticas, es el único criterio que nos permite diferenciar la conducta delictiva de la falta prevista en el art. 625.2. La utilización de las cuantías es habitual en el derecho positivo en aras a plasmar el principio de intervención mínima penal. En este sentido, de acuerdo con QUINTERO OLIVARES, por debajo de las cuantías mínimas, el

---

[614] PÉREZ ALONSO, E.J.: «Los delitos contra el patrimonio histórico en el Código penal de 1995», ob. cit., p. 633; GARCÍA CALDERÓN, J.: «La protección penal del Patrimonio Histórico», ob. y loc. cit; CARMONA SALGADO, C.: *Curso de Derecho Penal,* ob. cit., p. 43 y ss.; SERRANO GÓMEZ, A.: *Derecho penal. Parte especial,* ob. cit., p. 653; SUÁREZ GONZÁLEZ, C.: *Comentarios al Código…,* ob. cit., p. 922.

ataque no se encuentra ausente de antijuridicidad sino que no se da la necesidad de intervención penal por razones político-criminales[615].

Sin embargo, el que, de acuerdo con el texto legal, sea el único criterio que nos permite diferenciar la conducta delictiva a la falta prevista en el art. 625.2, no significa que estemos de acuerdo con la formulación legal establecida por el legislador penal. Partimos ya de que el art. 625 se ubica dentro de las faltas contra el patrimonio, truncándose de ese modo la sistemática adoptada por el legislador penal de 1995, dotando de autonomía a los atentados contra el Patrimonio Cultural. La única explicación que podemos encontrar es que sea por una simple cuestión de «economía legislativa», evitando crear otro título para una sola falta[616].

Perfectamente podía el legislador haber utilizado otro criterio de distinción entre el delito y la falta más acorde con la *ratio* que, en principio, se supone inspiró la regulación autónoma de los atentados contra el Patrimonio Cultural. Nociones como la **reversibilidad** de los daños, o como el principio de **relevancia**[617], podrían haber sido debidamente concretados para acotar el tipo penal. A este respecto, la *irreversibilidad,* si bien habitualmente entendida como lo naturalmente irrecuperable, o que requiere una costosísima acción y a largo plazo, tal y como argumentó el Tribunal Supremo en sentencia de 30 de noviembre de 1990[618] —de acuerdo con una interpretación estricta[619], vendría identificada como la imposibilidad, ya por la acción de los agentes naturales, ya por la acción correcta del hombre, de devolver la cosa a su estado de partida.

D) *La modalidad omisiva*

En principio, considero que no habrá obstáculo alguno para poder admitir la **comisión por omisión,** siempre que concurran las condiciones fijadas en el art. 11 del Código Penal para su apreciación, requiriéndose un especial deber jurídico del autor que lo coloca en una posición de *garantía.* De suerte que, los

---

[615]　QUINTERO OLIVARES, G.: *Comentarios al Código penal,* ob. cit., p. 1.208.

[616]　En cambio, ¿podemos atribuir a un olvido del legislador la ausencia de referencia al valor científico en la falta?

[617]　La doctrina y la jurisprudencia alemana limitan el evento de los daños típicos a través del criterio de la relevancia *(Erheblichkeit),* evaluable de acuerdo con las inversiones en tiempo, molestias y gastos que requieren devolver la cosa al estado en el que estaba.

[618]　Caso de la central térmica de Cercs. En su FJ° decimoséptimo.

[619]　En la doctrina española. TERRADILLOS BASOCO se ha pronunciado a favor del criterio de la reversibilidad: «Delitos relativos a la protección del patrimonio»..., ob. cit., p. 51.

daños al bien cultural podrán verificarse, no sólo con un comportamiento activo sino también omitiendo voluntariamente los cuidados o reparaciones necesarios para el mantenimiento de aquél.

En todo caso, la existencia de un especial deber jurídico obligará, en aquellos supuestos en que exista un peligro potencial de *expolio*, a realizar una serie de medidas urgentes de tutela, entendiendo por expoliación, conforme al art. 4 de la LPHE «*toda acción u omisión que ponga en peligro de pérdida o destrucción todos o algunos de los valores de los bienes que integran el Patrimonio Histórico Español, o perturbe el cumplimiento de su función social*». A este respecto, el Real Decreto 111/1986 establece las medidas que deben ser adoptadas por la Administración de Patrimonio Histórico, desde que tiene información suficiente para entender que el bien se está expoliando o está en peligro de serlo[620]; en estos casos, la omisión de tales medidas por parte de los órganos competentes, los cuales se encuentran en *posición de garante*, nos conduciría a afirmar su responsabilidad en «comisión por omisión».

E) Consumación y tentativa

Teniendo en cuenta lo hasta aquí expuesto, la consumación del tipo recogido en el art. 321 tendrá lugar en el mismo instante en que el bien objeto de protección sufra el *daño*, esto es, en el momento en que se produce la destrucción, deterioración o inutilización del bien en cuestión. Asimismo, en los supuestos en que un sujeto pretenda la destrucción de un bien cultural, y únicamente consiga deteriorarlo, el hecho no será constitutivo de tentativa de daños, sino que estaremos ante un delito *consumado*.

Dado que estamos ante un delito de resultado material, existe unanimidad doctrinal en considerar que no existe, en principio, inconveniente alguno para admitir los supuestos de **tentativa.** No supone, pues, obstáculo alguno el criterio de la cuantía de los daños, pues, si bien algunos autores afirman, respecto de los daños simples, que quizás podrían plantear ciertas dificultades, reconocen que es perfectamente admisible la apreciación de las formas imperfectas de ejecución[621].

---

[620] Art. 57 bis del citado Real Decreto.
[621] SERRANO BUTRAGUEÑO, I.: ob. cit., p. 116 y ss.; ANDRÉS DOMÍNGUEZ, A.C.: *El delito de daños: consideraciones jurídico-políticas y dogmáticas,* Burgos, 1999, p. 156 y ss. Esta última autora

Por consiguiente, debe admitirse la posibilidad de estimar la forma imperfecta de ejecución de los daños, esto es, la tentativa, tanto acabada como inacabada.

Habrá, pues, *tentativa inacabada* en el delito de daños del 323 cuando el sujeto se dirija a iniciar la destrucción, menoscabo o inutilización de los bienes que constituyen su objeto material, realizando parte de los actos necesarios para producir el resultado, que, por si mismos, no bastan para que se produzca finalmente, pese a que se haya creado un peligro directo para el bien jurídico protegido. Supongamos que una persona es descubierta por un vigilante de un museo en el momento en que, navaja en ristre, está a punto de rasgar un lienzo de gran valor artístico.

Por su parte, en la *tentativa acabada,* la acción típica ha de llevarse a cabo completamente y, sin embargo, no llega a producirse el resultado, por causas ajenas a la voluntad del actor. Por ejemplo, si un sujeto deja caer al suelo una estatuilla de bronce, expuesta en una galería de arte, sin conseguir romperla o deteriorarla.

2.2. El objeto material

Sostiene SUAY HERNÁNDEZ como los tipos macrosociales de daños requieren una «específica delimitación del conjunto de los objetos materiales»[622], la cual suele realizarse, bien mediante una enunciación casuística, o bien mediante elementos normativos que remiten a normas extrapenales.

En este sentido, el artículo **323** de nuestro Código Penal se refiere a la causación de daños en una lista de bienes amplia y abierta, sin exigirse en la descripción del tipo, a diferencia del art. 321, el requisito de la «singular protección» de dichos bienes. Así, el art. 323 incrimina los daños causados en un «*archivo, registro, museo, biblioteca, centro docente, gabinete científico, institución análoga, o bienes de valor histórico, artístico, científico, cultural o monumental, así como en yacimientos arqueológicos*».

Pues bien, pese a la exhaustiva enumeración de bienes que realiza el legislador penal, considero debe tratar de localizarse el elemento común a todos ellos.

---

[622] SUAY HERNÁNDEZ, C.: *Los elementos básicos de los delitos y faltas de daños,* ob. cit., p. 145 y ss.

En la **doctrina científica,** PÉREZ ALONSO[623] apuesta por una interpretación *teleológica* de los términos utilizados en la ley para delimitar el contenido del objeto material. Según este autor, con los objetos mencionados en el texto legal se cubren *necesidades públicas y sociales* básicas, que tienen por destinatarios a la colectividad en su conjunto y como fin último el bienestar social. Sin embargo, como bien señala PÉREZ ALONSO, esta afirmación resulta excesivamente amplia requiriendo cierta concreción o matización, pues, si bien no existe limitación legal, debido a la ampliación experimentada en la descripción del objeto material, se impone una interpretación restrictiva del mismo, de acuerdo con la cual, se incluyan sólo aquellos bienes muebles e inmuebles que tengan una *utilidad o destino cultural*. Yo matizaría que *exclusiva* o, al menos, primordialmente, tengan esa utilidad cultural. De modo que, el amplio elenco de bienes sobre los que se materializa la protección penal se identifica por la **función** que desempeñan, función cultural acorde con la concepción con que opera nuestra Constitución, alejada de un mero conservacionismo, y consistente en ser instrumentos de promoción cultural al servicio de los ciudadanos, en atención a los valores de los que son portadores[624].

Vamos, pues, a detenernos en los bienes que conforman el objeto material del tipo previsto en el art. 323 del Código Penal, en orden a analizar y ordenar la problemática que pueda suscitarse en relación a dichos bienes.

A) *Daños en un archivo, registro, museo, biblioteca, centro docente, gabinete científico o institución análoga*

El antecedente más remoto de la protección de este grupo de bienes lo encontramos en el Código Penal de 1848, si bien limitaba la agravación de los daños a los cometidos en un «archivo o registro»[625]. No es hasta el Decreto de 28 de marzo de 1963 cuando se introducen ciertas modificaciones en la

---

[623] PÉREZ ALONSO, J.: «Los delitos contra el patrimonio histórico en el Código penal de 1995», ob. cit., p. 611 y ss.

[624] Sobre el valor cultural, como elemento de conexión conceptual interna, vid. *in extenso*, ALONSO IBÁÑEZ, M.R.: *El Patrimonio histórico. Destino público y valor cultural*, ob. cit.

[625] No obstante, ya GROIZARD apuntaba que, por la índole de objetos que contienen y el fin al que están destinados, debía considerarse ampliada a las Bibliotecas públicas, museos, colecciones científicas o artísticas expuestas al público, la protección concedida a los archivos o registros. GROIZARD: *Código Penal de 1870*, vol. VIII, p. 254. V. *supra* el epígrafe del Capítulo primero de este trabajo dedicado a la evolución histórica en la codificación española.

regulación, ampliándose las cualificaciones de los daños, concretamente la contenida en el nº 5 del 558, añadiéndose a los daños en archivo o registros los ocasionados en *«Museo, Biblioteca, Gabinete científico, Institución análoga o en el Patrimonio Histórico-Artístico Nacional»*.

Pues bien, dada la amplitud de las expresiones utilizadas por el legislador, surgen dudas interpretativas. A este respecto, considero deben plantearse dos cuestiones básicas: a) la primera es la relativa a si la protección penal se extiende a los *edificios* o lugares destinados a archivo, registro, biblioteca, etc., o si los daños deben entenderse causados en los bienes u objetos *muebles* que albergan dichas instituciones; b) la segunda cuestión va referida al carácter público o privado de los bienes.

a) Posiciones en torno a la **determinación de los bienes** que integran los *«archivos, registros, museos, registros, gabinetes científicos, centros docentes o institución análoga»*, objeto material del art. 323.

La normativa específica del Patrimonio Histórico se refiere expresamente a los *Archivos, Bibliotecas y Museos*, definiéndolos de una forma amplia, mientras que, por su parte, el Diccionario de la Real Academia Española los define tanto por su contenido como por su continente.

Así, el término **Archivo**, a los efectos de la LPHE[626], tiene una doble acepción en cuanto a su contenido y continente, pues son «los conjuntos orgánicos» o «reunión» de documentos, así como las «instituciones culturales» que cumplen las finalidades señaladas en dicha Ley.

Asimismo, de acuerdo con su significado gramatical, también posee una doble acepción: como *«conjunto orgánico de documentos que una persona, sociedad, institución, etc., produce en el ejercicio de sus funciones o actividades»*, así como *«el lugar donde se custodia un archivo o varios»*[627].

Las **Bibliotecas**, por su parte, se definen en la LPHE, a diferencia de los archivos, únicamente como *«instituciones culturales»*, si bien de acuerdo con el DRAE tienen dicha consideración tanto el *«local donde se tiene considerable número de libros ordenados para la lectura»*, como la *«colección de libros o tratados análogos o semejantes entre sí, ya por las materias que tratan, ya por la época o nación o autores a que pertenecen»*.

Asimismo, los **Museos** son definidos por la LPHE como *«las Instituciones de carácter permanente que adquieren, conservan, investigan, comunican y exhiben*

---

[626] Cfr. artículo 56 LPHE.
[627] Voz «archivo», DRAE.

para fines de estudio, investigación y contemplación de conjuntos y colecciones de valor histórico, artístico, científico y técnico de cualquier otra naturaleza cultural».

Dada la amplitud de contenido de algunas de las expresiones del objeto material sobre el que recae la acción, veamos cuál es la **postura doctrinal** acerca de si los daños tipificados son los producidos a los inmuebles destinados a cada clase de institución, o la protección sólo abarca los muebles ínsitos en ellos:

Un sector doctrinal considera que, partiendo de las definiciones referidas, el objeto material incluye ambos[628], tanto los bienes muebles como el inmueble donde estén ubicados.

Por su parte, FARRE DÍAZ[629], distingue, de un lado, los archivos, bibliotecas y museos, y, de otro, los registros, centros docentes y gabinetes científicos; respecto del primer grupo estima que se encuentran protegidos por el tipo tanto los bienes muebles como los inmuebles que los albergan, mientras que respecto del segundo grupo, «parece deducirse que el objeto material de la conducta típica estará constituido por los bienes que los integran en cuanto tengan una singular relevancia cultural».

Por el contrario, CASTRO SIMANCAS y SERRANO BUTRAGUEÑO[630] afirman que, de acuerdo con una interpretación *lógica* del precepto[631], y en concreto del sintagma «institución análoga», el legislador no busca la identidad con los edificios destinados a archivos, registros, museos, bibliotecas… sino con el *contenido* de cada uno de esos edificios, de acuerdo con un concepto funcional de daño.

En lo que sí coinciden la mayoría de los autores, respecto de la previsión de los daños en *registros, centros docentes, gabinetes científicos o instituciones análogas* es en considerar que, en todo caso, debe optarse por una interpretación *restrictiva*[632] del tipo penal, exigiéndose una *afectación cultural* o histórica de los

---

[628] Así, CONDE-PUMPIDO TOURON, C.: *Código penal: Doctrina y jurisprudencia*, ob. cit., p. 3.216; MILANS DEL BOSCH y JORDANS DE URIES: *Derecho penal Administrativo*, ob. y loc. cit.

[629] FARRE DÍAZ, E.: *Delitos relativos a la ordenación del territorio y protección del patrimonio Histórico, medio ambiente y contra la seguridad colectiva*, ob. cit., p. 152 y ss.

[630] CASTRO SIMANCAS, P.R.: «Los delitos sobre el Patrimonio Histórico»..., ob. cit., p. 27; SERRANO BUTRAGUEÑO, I.: *Los delitos de daños*, ob. cit., p. 191 y ss.

[631] Si bien se refiere al art. 558.5 del Código precedente, la interpretación que realiza es igualmente válida para la regulación actual.

[632] Vid., entre otros, CARMONA SALGADO, C.: ob. cit., p. 44 y ss.; FARRE DÍAZ, E.: ob. cit., p. 154 y ss.

bienes dañados. Es decir, como señala TERRADILLOS BASOCO[633], deben concurrir en ellos elementos de valor cultural que justifiquen el recurso al art. 323, de forma que se protejan, exclusivamente, los que tengan el valor cultural, *lato sensu,* que el Código pretende proteger; interpretación que, de acuerdo con el autor, no debe restringir el mandato del constituyente, pues se trata de un objeto material protegido por los valores que encierra, no precisándose su previa declaración legal o administrativa.

Acerca de la novedosa consideración de los *centros docentes,* MILANS DEL BOSCH y JORDANS DE URIES[634] entiende que sólo es predicable el delito de daños por el tipo del 323 cuando aquéllos revistan valor histórico, artístico o cultural, si bien, tanto en su inmueble como en su mobiliario. Por su parte, VERCHER NOGUERA considera al respecto de dichos centros que, dentro del contexto del art. 323, deben de preponderar en éstos los criterios de interés social y utilidad pública[635], añadiendo que cualquier docencia puede tener perspectivas históricas a las que referirse.

Una vez expuestas las principales posiciones doctrinales acerca de los bienes que deben considerarse objeto de protección, a continuación paso a desarrollar cuál es la **postura personal** sobre esta cuestión.

A mi juicio, son varios los argumentos que nos conducen a afirmar que, en la alusión concreta del art. 323 a los daños en archivos, registros, bibliotecas, museos, etc., éstos deben entenderse causados *«en» los bienes u objetos que albergan las instituciones referidas.*

En **primer término,** si nos remontamos a la codificación española, el art. 347 del CP de 1822 contenía un tipo penal cuya conducta típica podía consistir en derribar, destruir, mutilar o inutilizar voluntariamente cualquier monumento público de utilidad u ornato y decoración de los pueblos, realizando a continuación una ejemplificación de éstos, haciendo referencia a «estatuas, pinturas, columnas, láminas, lápidas, inscripciones u otras piezas de las bellas artes, o algún libro manuscrito, diseño, plano u otro *documento custodiado en biblioteca o archivo público,* o alguna máquina, instrumento, alhaja u otra *cosa depositada en gabinete público, científico o literario»* (la cursiva es añadida).

Posteriormente, el CP de 1928 amplía considerablemente el objeto material del tipo, refiriéndose a la destrucción o deterioro de *«objetos pertenecientes a*

---

[633]   TERRADILLOS BASOCO, J.: «Derecho penal del medio ambiente», ob. cit., p. 39.
[634]   MILANS DEL BOSCH y JORDANS DE URIES: ob. y loc. cit.
[635]   VERCHER NOGUERA, *Código penal de 1995 (comentarios y jurisprudencia),* ob. cit., p. 1.480 y ss. En este sentido, CARMONA SALGADO, C.: ob. cit., p. 44.

museos o colecciones oficiales artísticas o históricas, o edificios declarados monumentos nacionales o amparados a causa de su mérito por alguna disposición legal, o cualquier otro objeto ajeno o propio de relevante interés para el Arte, la Historia o la Cultura».

Podemos observar cómo se tipificaban expresamente los daños en bienes muebles situados en museos o integrantes de colecciones, mientras que la protección se extiende a los edificios únicamente cuando resultan amparados por alguna disposición legal «a causa de su mérito».

En **segundo lugar,** si atendemos al Derecho comparado, recordemos cómo en Francia se tipifican expresamente los daños en todo objeto *conservado o depositado en museos, bibliotecas o archivos* pertenecientes a persona pública, encargada de un servicio público o reconocido de utilidad pública, protección que se extiende a «todos los *bienes, cualquiera que sea su propietario, que se presenten en una exposición de carácter histórico, cultural o artístico,* organizada por una institución pública, encargada de un servicio público o reconocida de utilidad pública»[636].

Por su parte, el Código penal alemán, en el § 304, prevé un tipo de daños contra los intereses colectivos, de acuerdo con el cual se castiga con pena privativa de libertad de hasta tres años o multa penal a quienes *dañen* o *destruyan* una serie de objetos culturales y de utilidad pública como monumentos funerarios, monumentos públicos, monumentos naturales, *objetos de interés artístico, científico o industrial que sean expuestos en colecciones o mostrados al público, u* otros objetos que sean de *utilidad pública u ornato.*

En **tercer lugar,** de acuerdo con el tenor literal del precepto, se sancionan los daños «en» un archivo, registro, museo, etc., es decir, ejecutados en dichos lugares, lo que conduce a afirmar que el objeto material lo constituyen, a mi juicio los bienes **muebles** depositados o ubicados *en* dichos lugares, como portadores, en todo caso, del valor Cultural, pues, de otro modo, esto es, si se hubiera pretendido incluir a los edificios, el legislador podría haber sancionado expresamente los «daños *a* un archivo, museo…».

Estos bienes, en su acepción de instituciones culturales, se constituyen como edificios o lugares que, de poseer interés histórico o cultural, podrían encontrarse ya amparados en el art. 321 o en el art. 319 del Código Penal. A este respecto, la legislación sobre Patrimonio Histórico (art. 60 LPHE), somete a los *inmuebles* destinados a la instalación de Archivos, Bibliotecas o Museos al régimen establecido por la Ley para los Bienes de Interés Cultural. Podemos afirmar,

---

[636] Art. 322.2, nº 4, del Código penal francés.

pues, que reciben la protección de una manera sobrevenida, por su carácter instrumental, más que por poseer un valor cultural intrínseco, sin perjuicio de los casos en que puedan tenerlo efectivamente. Consecuentemente me inclino a pensar, con exclusión de posteriores interpretaciones jurisprudenciales, que, de recibir protección, sería a través del art. 321, pero no por el 323, pues la sujeción al régimen jurídico no significa la consideración de estos inmuebles como Bienes de Interés Cultural[637], a no ser que el inmueble tuviera un innegable valor en sí mismo que le haga merecedor de esta declaración, independientemente de los fondos que albergase.

Es momento, pues, de determinar, de acuerdo con la tesis adoptada, qué bienes *integran* los «archivos, registros, bibliotecas, museos, registros, gabinetes científicos, centros docentes o institución análoga», objeto de la conducta dañosa tipo del art. 323.

Por lo que se refiere a los daños en *archivos,* podemos remitirnos al concepto de «archivo» recogido en el art. 59 de la Ley de Patrimonio Histórico Español, cuyo tenor es el siguiente: «*Son Archivos los conjuntos orgánicos de documentos o la reunión de varios de ellos, reunidos por las personas jurídicas, públicas o privadas, en el ejercicio de sus actividades, al servicio de su utilización para la investigación, la cultural, la información y la gestión administrativa*».

En primer lugar ha de resaltarse como, absurdamente, quedan excluidos de la definición los archivos de personas físicas[638], sin perjuicio de que, en aras a

---

[637] También de esta opinión, ALEGRE ÁVILA, J.M.: *Evolución y régimen jurídico del patrimonio histórico,* ob. cit., p. 392.

[638] *Normas autonómicas* sobre la materia sí recogen expresamente la protección de los archivos de personas físicas; así, la Ley 6/1985, de 26 de abril, de archivos, modificada por la Ley 8/1989, de 5 de junio, de la Comunidad Autónoma de Cataluña, distingue entre archivos públicos y privados, pertenecientes éstos últimos a personas *físicas o jurídicas;* distinción que también realiza el Decreto 307/1989, de 23 de noviembre, por el que se regula el sistema de archivos y el patrimonio documental de Galicia, así como la Ley 6/1986, de 28 de noviembre, de Archivos de Aragón; de igual manera, la Ley 3/1984, de 9 de enero, de Archivos de la Comunidad Autónoma Andaluza, estima que ambos forman parte del Patrimonio Documental Andaluz; asimismo, la Ley 4/1994, de 24 de mayo, por la que se regulan los archivos y patrimonio documental de La Rioja entiende por archivo «el conjunto orgánico de documentos o la agrupación de varios de ellos, reunidos en un proceso natural por cualquier institución privada o pública, persona física o jurídica en el ejercicio de sus actividades...», idéntica definición a la contenida en la Ley 6/1990, de 11 de abril, de Archivos y Patrimonio Documental de la Región de Murcia; asimismo, la Ley 3/1990, de 22 de febrero, de Patrimonio Documental y Archivos de Canarias entiende por archivo «el conjunto orgánico de documentos o la reunión de varios de ellos, completos o fraccionados, producidos, recibidos o reunidos por las personas físicas o jurídicas, públicas o privadas...»; idéntica definición

su protección jurídico-penal frente a posibles agresiones, estos documentos reciben protección si los mismos tienen «valor histórico, artístico, cultural, científico o monumental».

Corresponde ahora tratar de precisar el concepto de *documento*, subrayando como el art. 26 del Código Penal contiene una definición de aquél, declarando que: «*A los efectos de este Código se considera documento todo soporte material que exprese o incorpore datos, hechos o narraciones con eficacia probatoria o cualquier otro tipo de relevancia jurídica*».

Por su parte, el art. 49 de la LPHE, también contiene una definición de documento, similar a la prevista en la normativa penal, si bien incluye expresamente los soportes informáticos en el concepto de documento: «*Se entiende por documento, a los efectos de la presente Ley, toda expresión en lenguaje natural o convencional y cualquier otra expresión gráfica, sonora o en imagen, recogidas en cualquier tipo de soporte material, incluso los soportes informáticos. Se excluyen los ejemplares no originales de ediciones*».

En esta dirección, el nuevo Código Penal ha tipificado expresamente los daños sobre documentos informáticos[639], cumpliendo así con lo dispuesto en la Directiva 91/250/CEE, de 14 de mayo, sobre protección jurídica de programas de ordenador. En consecuencia, a la vista de lo expuesto, considero que los archivos informáticos, también podrán conformar el objeto material de los daños[640] previstos en el art. 323, siempre que, tal y como ya se ha expuesto, dichos archivos estén al servicio de fines culturales y de investigación.

---

recogida en la Ley 6/1991, de 19 de abril, de Archivos y del Patrimonio Documental de Castilla y León, así como en la Ley 4/1993, de 21 de abril, de Archivos y Patrimonio Documental de la Comunidad de Madrid, si bien referida al *Fondo de Archivo* para distinguirlo del Centro de Archivo, lugar donde se custodian los documentos.

[639] Art. 264.2: «*La misma pena se impondrá al que por cualquier medio destruya, altere, inutilice o de cualquier otro modo dañe los datos, programas o documentos electrónicos ajenos contenidos en redes, soportes o sistemas informáticos*».

Por su parte, el Código penal alemán tipifica los daños informáticos en dos preceptos específicos, el parágrafo 303 a) concerniente a la alteración de datos informatizados *(Datervernderung)* y el parágrafo 303 b) relativo a la destrucción o inutilización de dichos datos *(Computersabotage)*.

[640] Recordemos que, actualmente es mayoritaria la opinión en la doctrina que estima que pueden ser objeto material de los daños las unidades funcionales que, como tal, no constituyen un objeto físico.

El patrimonio documental que no esté integrado en un *archivo* —posibilidad ésta prevista en la LPHE[641]— podrá recibir protección penal, por la vía del art. 323, ante posibles atentados perpetrados sobre ellos, si se aprecia en los documentos la exigencia legal de que posean «valor histórico, artístico, científico o cultural».

En lo que concierne a los daños en **bibliotecas,** resulta, a mi juicio, criticable el hecho de que la definición de éstas prevista en la Ley estatal de Patrimonio, sólo se refiera a las *instituciones* donde se custodian conjuntos o colecciones de libros u otro material bibliográfico. No obstante, parece que lo que se pretende es superar la idea originaria de biblioteca como mera colección de libros, y otorgarle un sentido funcional, de institución para la consulta y el estudio[642]. En este sentido, la finalidad del Real Decreto 582/1989, de 19 de mayo, por el que se aprueba el Reglamento de Bibliotecas Públicas del Estado y del Sistema Español de Bibliotecas[643] es promover el acceso a la cultura en condiciones de igualdad para todos los ciudadanos a través de la lectura, así como mediante el conocimiento de los bienes de nuestro patrimonio bibliográfico en ellas custodiado.

En todo caso, podremos considerar que los daños a las bibliotecas, en el sentido del art. 323 del Código Penal, serán los que se realicen sobre colecciones de libros, manuscritos u otros materiales bibliográficos orgánicamente constituidos y dotados de funcionalidad.

A este respecto, estimo preferibles algunas de las definiciones aportadas por la normativa autonómica, como por ejemplo la contenida en la Ley 10/1989, de 5 de octubre, de Bibliotecas de la Comunidad de Madrid, que se refiere a ellas como «*toda colección organizada de libros... y otros materiales bibliográficos*», si bien añadiendo que su finalidad sea *facilitar su uso con fines de información, investigación*[644].

---

[641] El art. 48 de la LPHE prevé que: »*A los efectos de la presente Ley, forman parte del Patrimonio Histórico el Patrimonio Documental y Bibliográfico, compuesto por cuantos bienes, reunidos o no en Archivos o Bibliotecas, se declaren integrantes del mismo en este Capítulo*».

[642] Exégesis adoptada en Italia por ALIBRANDI y FERRI: *Il diritto dei beni culturali*, ob. cit., p. 34.

[643] BOE de 31 de mayo de 1989.

[644] Art. 2: «*Se entiende por biblioteca toda colección organizada de libros, publicaciones periódicas, registros sonoros y audiovisuales, documentación gráfica y otros materiales bibliográficos impresos o manuscritos o reproducidos por cualquier medio, cuya finalidad sea facilitar, a través de los medios técnicos y personales adecuados, el uso de los documentos ya sean propios o en su caso ajenos con fines de información, investigación, educación o recreo*».

Por último, debe subrayarse cómo en la *legislación administrativa* se tipifica como infracción[645] la *«exclusión o eliminación de bienes integrantes del Patrimonio Documental y Bibliográfico»*, sin la preceptiva solicitud de autorización de la Administración competente, mientras que, por lo que respecta en concreto a los *documentos, «en ningún caso podrán destruirse en tanto subsista un valor probatorio de derechos y obligaciones de las personas»*. En virtud del principio *ne bis in idem*, y apelando a la gravedad de las conductas —las cuales suponen la desaparición de bienes que forman parte de uno de los denominados patrimonios especiales regulados en la LPHE— prevalecerá la tipificación penal de las conductas dañosas que supongan la destrucción de los bienes en cuanto éstos se encuentren integrados en archivos o bibliotecas, conducta prevista en el art. 323 del Código Penal.

Corresponde ahora detenernos en el concepto de **museo**[646], de acuerdo con el cual los museos conforman instituciones cuya finalidad es el acceso a la cultura *por medio* de un complejo de bienes debidamente ordenado y puesto a disposición del público en general. De ello puede inferirse que el edificio del museo posee un carácter *instrumental* con respecto a las obras que alberga[647], en el sentido de recogida, de conservación de determinados objetos con un valor especial. De suerte que, los daños en los museos, tipificados en el art. 323 serán, a mi entender, los producidos a los *fondos museísticos* que en ellos se alberga y custodian, ya sean colecciones de pinturas, en el caso de las pinacotecas, o cualquier otra clase de bienes de valor artístico, histórico, científico, etc.[648].

En consecuencia, considero que no se incluyen en el tipo los daños causados a los *edificios* donde se encuentran ubicados los Museos. A este respecto, se puede suscitar la duda sobre si se hallarían protegidos por el art. 321 en los casos de destrucción o alteración grave. Pues bien, con carácter general, los inmuebles

---

[645]   Art. 76 j): «La exclusión o eliminación de bienes del Patrimonio Documental o Bibliográfico que contravenga lo dispuesto en el art. 55».

[646]   Cuya definición es recogida por el *Reglamento de los museos de titularidad estatal y del sistema español de museos* (BOE de 13 de mayo de 1987) en su art. 1º.

[647]   En este sentido, en declaraciones del ex director general de Patrimonio y actual profesor de Historia de Arte de la UNED, Jesús Viñuales, en un discurso sobre «Los continentes de los Museos: la rehabilitación de los espacios arquitectónicos para Museos», lanzaba airadas críticas sobre los museos donde destaca sobremanera el edificio, afirmando que los edificios de los museos, construidos para «iluminar» las colecciones, no se pueden creer más importantes que las obras que albergan, porque además no puede serlo, debiendo cumplir un equilibrio con su interior.

[648]   Fijémonos en el hecho de que cada vez son más frecuentes los museos al aire libre. Valga como ejemplo el nuevo museo de escultura al aire libre en Vejer de la Frontera (Cádiz), el Museo de Arte Contemporáneo de Montenmedio.

destinados a la instalación de Museos, *«quedan sometidos al régimen de los BIC»*, de acuerdo con el art. 60 de la LPHE, lo cual no se traduce en que ostenten una singular protección por sus valores históricos, artísticos o culturales. Ahora bien, en el caso de que sí que la reciban directamente, por ser portadores de los valores mencionados, podrían integrar, a mi juicio, el objeto material del 321; o incluso de poseer un valor cultural innegable, podrían integrarse en el concepto genérico de bienes de valor histórico, artístico, cultural, científico o monumental, previsto en el art. 323.

En el supuesto de daños causados a las piezas depositadas o ubicadas en un museo podemos afirmar como la exigencia legal de la declaración oficial del valor de éstas[649], resulta a todas luces *innecesaria*, si consideramos los lugares donde se encuentran, los cuales hacen patente el valor cultural que ostentan y la tutela que se les otorga. Es precisamente su *exposición pública* lo que evidencia los intereses colectivos dignos de conservarse, independientemente de que efectivamente reciban protección singularizada.

Atendiendo a los antecedentes jurisprudenciales, la sentencia del Tribunal Supremo, de 6 de junio de 1988, aunque referida a un delito de robo sobre cosas de valor histórico, artístico o cultural, ilustra adecuadamente esta tesis, considerando que los objetos sustraídos, los cuales se hallaban colocados en las vitrinas de un museo «no llegaron al lugar en el que se encontraban por azar o por mero capricho, sino que *acontece con todos los objetos que se exhiben en un museo*, después de haber sido examinados y clasificados por los expertos o peritos en la materia y reputados *dignos de ser conservados y expuestos al público por su valor histórico y cultural*» (la cursiva es añadida).

Por último, por lo que respecta a los daños en **registros**[650], **centros docentes**[651] y **gabinetes científicos**[652] resulta acertada la tesis que considera una

---

[649] Al igual que en el caso de los Archivos y las Bibliotecas, la Ley 16/1985, de Patrimonio Histórico Español, establece, tanto para los inmuebles destinados a la instalación de Museos de titularidad estatal como para los bienes muebles integrantes del Patrimonio Histórico Español el mismo régimen que para los Bienes de Interés Cultural.

[650] La LPHE no da una definición de «registro», término que ha venido siendo utilizado indistintamente por el resto de cuerpos legales con el de archivo; así, en el CP, en su art. 197, cuando tipifica el delito de descubrimiento y revelación de secretos, refiriéndose al «archivo o registro público» como objeto material del delito; la propia CE se refiere a *archivos y registros administrativos* al garantizar el acceso de todos los ciudadanos a los mismos (art. 105 b)). Realmente la mayoría de autores de la doctrina llegan a la conclusión de que etimológicamente las diferencias entre ambos son escasas, definiéndose, tanto como conjunto de documentos como el lugar o la oficina donde se custodian los documentos. Si el *archivo* se define como «conjunto orgánico de documentos que una persona, sociedad, institución,

redundancia legal[653] la referencia expresa a estos bienes, por cuanto, si lo que se pretende proteger son los bienes muebles de valor histórico o cultural que puedan encontrarse en estos lugares, dichos bienes ya encontrarían protección a través de la expresa mención del tipo penal a los archivos, bibliotecas, etc., o bien a través de la cláusula genérica *«bienes de valor histórico, cultural, científico, etc.»*.

En cualquier caso, manteniendo una exégesis restrictiva —de modo que se exija la *afección cultural* de los bienes dañados— sólo se protegerán a través del art. 323 los daños en dichos lugares cuando concurran en ellos elementos de valor histórico, artístico, científico… y éstos resulten dañados. En caso de que no concurran y los daños se realicen sobre elementos carentes de todo valor cultural, recurriremos obviamente al delito de daños genéricos[654].

Asimismo, en el supuesto de que los daños se efectuaran sobre las instituciones culturales, esto es, sobre los inmuebles en sí, resultaría cuando menos sorprendente que dicha conducta fuera constitutiva de un delito sobre el Patrimonio Histórico en el caso de que dichos inmuebles carecieran, en sí mismos, de todo valor histórico o cultural; en estos casos, el art. 264.4 establece como agravante específica de los daños comunes los realizados sobre *bienes de*

---

etc., produce en el ejercicio de sus funciones o actividades», así como «*el lugar donde se custodia un archivo o varios*» (definiciones del DRALE) el *registro* se define como «el lugar donde se puede registrar o ver algo» en el sentido de las oficinas o unidades administrativas donde se hacen constar ciertos acontecimientos, bien relacionados con el estado civil de las personas, bien con sus bienes, o bien con actos realizados que tienen interés público, también se entienden como un conjunto de libros donde se asientan una serie de datos, dependiendo del tipo de registro de que se trate. Vid. arts. 38 de la LRJAP y PA (modificada por Ley 4/1999) sobre los Registros que establezcan las Administraciones Públicas.

[651] Por «centro docente» habrá de entenderse aquel que cumpla los requisitos que recoge la Ley reguladora del Derecho a la Educación (LODE), que clasifica los centros en públicos y privados, así como para los centros universitarios tener en cuenta la Ley 11/1983, de reforma universitaria.

[652] Se define «gabinete», de acuerdo con el DRAE, como «el local en que se exhibe una colección de objetos curiosos o destinados al estudio de una *ciencia* o arte», así como «el conjunto de objetos muebles para un gabinete». De acuerdo con MILANS DEL BOSCH, es el lugar donde se desarrolla la investigación científica y técnica, tras el oportuno reconocimiento administrativo, por estar destinado a los objetivos marcados por el Plan Nacional de Investigación Científica y Desarrollo Tecnológico a que se refiere la Ley 13/1986, de Fomento y Coordinación General de la Investigación Científica y Técnica.

[653] Así, BOIX REIG, J.: *Derecho penal. Parte especial*, ob. cit., p. 581; asimismo, SUÁREZ GONZÁLEZ, C.: ob. cit., p. 293.

[654] Resultaría absurdo que se sancionara a través de este precepto los daños en cualquier elemento de dichos centros, como por ejemplo los daños en una fotocopiadora.

dominio o uso público, sancionados con la misma pena que los daños del art. 323. Ahora bien, si estos centros fueran de carácter privado, como por ejemplo una academia particular, considero que, en principio, no quedará otra solución que remitirnos a los daños comunes. No obstante, si el edificio en sí se encontrara singularmente protegido por su relevancia artística o monumental, estaría ya amparado por el artículo 321 del CP.

Finalmente, el legislador pone de manifiesto el carácter no exhaustivo de la enumeración de bienes que componen el objeto material del delito, cuando se refiere a una «**institución análoga**». Sin embargo, no queda tan claro si la analogía ha de referirse a todas las instituciones mencionadas anteriormente o sólo respecto del gabinete científico.

En principio nada impide que la analogía se refiera a todas las instituciones citadas previamente. Ahora bien, defiendo una interpretación lógica del sintagma «institución análoga», de acuerdo con la cual la analogía debe ir referida concretamente al contenido de las instituciones referidas, de acuerdo con el criterio que venimos manteniendo.

Así, por ejemplo, en el caso de una sala de exposiciones o de una galería de arte, entrarán en el ámbito de protección del art. 323 los daños causados en las piezas que se encuentren expuestas para su disfrute público. No obstante, en este caso particular, surgen dudas al respecto, por cuanto en muchos casos son los propietarios de las obras de arte los que financian la exposición de éstas; de suerte que, a diferencia de los museos, centros de depósito cultural, en las salas o galerías de arte deberá atenderse a la efectiva relevancia cultural del patrimonio contenido en ellas.

b) La segunda cuestión en la que avanzamos que íbamos a detenernos, ligada a la anterior, es la relativa a si debe atenderse al **carácter público o privado de los bienes** previstos en el art. 323.

Esta cuestión ya se suscitó respecto del art. 561 del texto punitivo español, pues, de su redacción no quedaba claro si los centros de depósito debían ser únicamente públicos o se incluían también los privados, encontrándose la doctrina dividida al respecto. De un lado, DÍAZ VALCARCER[655] entendía la referencia en el texto legal a los archivos y registros tanto a los públicos como a los privados, «*mediante un prudente empleo de la interpretación analógica autorizada por el precepto*». Para ello ponía como ejemplo los supuestos de pinacotecas particulares, archivos históricos familiares, que pueden tener un notable valor artístico o cultural, de modo que, al igual que sus titulares

---

[655] DÍAZ VALCARCER, al comentar «La Revisión del Código Penal», en desarrollo de la Ley de Bases de 23 de diciembre de 1961 (RCL 1961, 1850), pp. 297-8.

soportan determinadas cargas, también deben recibir adecuada protección penal. Por contra, RODRÍGUEZ DEVESA[656], amparándose en el término «institución»[657] consideraba que una biblioteca privada no podía ser considerada como integrante del objeto material del tipo legal.

A partir de esta división doctrinal, CASTRO SIMANCAS pone de manifiesto las dudas que le plantea el supuesto de un *archivo privado no abierto al público y cuyos fondos no estén catalogados en algún registro público,* si bien finalmente estima que solamente su inclusión en el «Censo de los bienes integrantes del patrimonio documental» a que se refiere el art. 51 de la LPHE podría proporcionar un criterio válido y seguro a la hora de determinar el «valor» penalmente relevante[658].

Sobre este particular recordemos la criticada restricción de la protección conferida por el Código francés, vinculando el necesario carácter público del propietario del objeto, así como de la institución organizadora de la exposición; de suerte que, si bien entran en el campo de aplicación del precepto[659] por ejemplo, los bienes prestados por un propietario privado a una exposición temporal pública, este mismo bien ya no recibiría protección si se encuentra en el domicilio de su propietario o de un particular. Asimismo, se resaltaba por la doctrina lo lamentable que resultaba el hecho de que el actual texto punitivo francés omitiera precisar que la protección legal se aplicara incluso si los objetos no se encontraban, en el momento en que se realice el atentado contra ellos, en el lugar donde habitualmente están situados; tal precisión permitiría castigar, por ejemplo, los atentados cometidos en el transcurso de un transporte, en el taller de un restaurador o incluso en un laboratorio encargado de precisar su autenticidad o su datación.

Actualmente, en el ordenamiento jurídico-penal español, a mi juicio la polémica debe encontrarse superada, por cuanto el art. 46 de nuestra Carta Magna extiende la obligación de garantizar la conservación y promover el enriquecimiento del patrimonio histórico, cultural y artístico *«cualquiera que sea su régimen jurídico o su titularidad».* De forma que, independientemente de la titularidad pública o privada de los bienes, compartimos la opinión de quienes, como ORTS BERENGUER o SERRANO BUTRAGUEÑO[660], sostienen

---

[656] RODRÍGUEZ DEVESA, *Derecho penal. Parte especial,* 1991, ob. y loc. cit.
[657] Al referirse el precepto a «institución análoga».
[658] CASTRO SIMANCAS, P.R.: «Los delitos sobre el Patrimonio Histórico»..., ob. cit., p. 27.
[659] Art. 322-2 del Código penal francés.
[660] ORTS BERENGUER, E.: *Derecho penal. Parte especial,* Valencia, 1993, p. 1.017; SERRANO BUTRAGUEÑO, A.: ob. y loc. cit.

que lo importante es que cumplan una función social, de forma que la protección pueda extenderse a los que, siendo *privados*, estén *abiertos al público*.

En consecuencia, lo importante es que, ya sean públicos o privados, presten un servicio público. Obviamente, por ejemplo, en los archivos destinados *exclusivamente al uso de los propietarios*[661], queda impedida la consulta y el acceso de los ciudadanos a dichos fondos; de modo que, la protección penal de estos bienes frente a conductas de daños, no podrá justificarse por su pertenencia al Patrimonio documental, incluido o no en Archivo, pues en ambos casos se requiere la prestación de un servicio público[662] que no se da, si bien quizá podrá fundarse por causa del «valor histórico, artístico, científico o técnico» de la creación, pero no por su pertenencia al Patrimonio Documental.

En particular, por lo que respecta a las **bibliotecas**, la LPHE, en su definición, no realiza mención alguna a la titularidad de éstas, de suerte que tendrán esta consideración todas aquellas que cumplan los requisitos reseñados, independientemente de su titularidad. En este sentido, cabe traer a colación la ya citada Ley 10/1989, de 5 de octubre, de Bibliotecas de la Comunidad de Madrid, de acuerdo con la cual entran en el ámbito de esta Ley únicamente las bibliotecas públicas o «de interés público», comprendiendo aquellas pertenecientes a personas físicas o jurídicas privadas, que prestan un servicio público (art. 3). Insistimos, pues, en su necesaria finalidad, orientada al «*servicio de la educación, la investigación, la cultura y la información*». De manera que, respecto de aquellas bibliotecas privadas no abiertas al público cabe reproducir lo expuesto respecto de los archivos en los mismos supuestos.

Por lo que se refiere a los **museos**, en su concepto se engloban, tanto los de titularidad *pública*, como los privados[663]. Los museos de titularidad estatal

---

[661] En este sentido, la citada Ley de Bibliotecas de la Comunidad de Madrid expone que entran en el ámbito de esta Ley únicamente las bibliotecas públicas o de interés público, comprendiendo en éstas aquellas creadas por personas físicas o jurídicas privadas, que prestan servicio público.

[662] Ahora bien, los particulares podrán excusar el cumplimiento de la obligación de permitir su estudio por los investigadores, en el caso de que suponga una intromisión en su derecho a la intimidad personal y familiar y a la propia imagen, en los términos establecidos en el art. 52 de la LPHE.

[663] Art. 26 del Título II (del Sistema Español de Museos) del Reglamento de Museos: «Integran el Sistema Español de Museos:
a) Los Museos de titularidad estatal adscritos al Ministerio de Cultura.
b) Los Museos Nacionales no incluidos en el apartado anterior.
c) Los Museos que tengan especial relevancia por la importancia de sus colecciones y que se incorporen mediante convenio con el Ministerio de Cultura, oída la Comunidad Autónoma.

admitirán, además de los bienes asignados que pasan a conformar su colección estable —extendiéndose la protección penal a los supuestos en que se encuentre depositada en otros museos— el depósito de diversas categorías de bienes[664], entre los que se pueden encontrar piezas pertenecientes a terceros recibidos mediante el contrato mencionado de depósito.

En el texto punitivo español resulta subsanada la referida laguna legal del ordenamiento jurídico francés si consideramos que los objetos de valor histórico-artístico, independientemente del lugar donde se encuentren, entrarían, a mi juicio, en el ámbito de protección del art. 323; de suerte que, el ejemplo apuntado de la valiosa pintura que el propietario tiene en su casa y de vez en cuando presta para una determinada exposición, resultará protegida en todo caso, tanto si se encuentra en un museo o institución análoga como si se encuentra en el domicilio del propietario, a través de la cláusula del precepto referida a los «bienes de valor histórico, artístico, científico, cultural o monumental».

Puede surgir la duda de si la protección respecto de los archivos o bibliotecas exige que los bienes se hallen incluidos en el Censo de los bienes integrantes del patrimonio documental o en el Catálogo colectivo de los bienes del patrimonio bibliográfico.

Me inclino a pensar que los indicados Censos y Catálogos, en cuanto mera relación de los bienes que integran el patrimonio documental y el bibliográfico, determinan el contenido concreto de dichos Patrimonios especiales, mas no suponen una variación en el estatuto jurídico de este tipo de bienes[665], de modo que, pese a que normalmente estarán incluidos, la protección penal no precisa ninguna exigencia en relación a que estén «censados o catalogados»[666].

B) Daños en yacimientos arqueológicos

El texto legal, junto a la referencia a los daños en archivos, registros, museos, bibliotecas…, hace alusión concreta a los daños en yacimientos arqueológicos.

En un intento de determinar las razones que han conducido a nuestro legislador a conceder esta previsión de forma aislada, hemos de partir necesa-

---

[664] Art. 9 del Reglamento de Museos.
[665] En esta línea, ALEGRE ÁVILA, J.M.: *Evolución y régimen jurídico del Patrimonio Histórico…*, ob. cit., p. 509.
[666] Se inclina asimismo por la tesis negativa. MILANS DEL BOSCH y JORDANS DE URIES: ob. cit., p. 239.

riamente de la situación actual del patrimonio arqueológico español. Ciertamente, a pesar de la riqueza arqueológica de nuestro país, los riesgos de su destrucción aumentan día a día debido a las frecuentes y crecientes agresiones que viene sufriendo nuestro rico legado arqueológico. Junto a las causas de su destrucción de carácter *directo,* también *indirectamente* pueden llegar a producirse los mismos efectos, pues, a pesar de los evidentes avances, se hace patente cierta ausencia de capacidad de gestión de un patrimonio tan rico por parte de la Administración[667].

En general, las **causas de destrucción** directa del patrimonio arqueológico pueden sintetizarse en dos:

La primera es la relativa a la destrucción de zonas cada vez más amplias, consecuencia **del desarrollo urbano,** de las grandes **obras públicas** y de la organización del territorio[668], en beneficio de la especulación del suelo, atentando así contra yacimientos de primer orden que resultan sepultados bajo los cimientos de modernas construcciones.

Mientras que en los años 60 las excavaciones clandestinas constituían la mayor amenaza para el patrimonio arqueológico, en los años 80 la constituyen los grandes proyectos de construcción, desde grandes obras (autovías, metros, trenes de alta velocidad, intervenciones en centros históricos urbanos...) hasta operaciones en el ámbito natural, adoptándose por todo ello en el seno del Consejo de Europa una serie de «Recomendaciones» las cuales preconizan una serie de medidas protectoras, previa consulta de informes de expertos y distintas instituciones.

Asimismo, los aludidos cambios en los problemas que acechan al patrimonio arqueológico propician la revisión de la Convención europea para la protección

---

[667] En este sentido, PASTOR y PACHÓN ROMERO afirman cómo, tanto la falta de dotación económica para ultimar los estudios de los datos obtenidos en campañas de excavaciones, como el no facilitar medios necesarios para que se conozcan públicamente los resultados, parciales o totales, de las investigaciones ultimadas o en vías de realización, constituyen «una segunda forma de destrucción del Patrimonio». PASTOR, M. y PACHÓN ROMERO, J.A.: «¿Quién protege nuestro Patrimonio Arqueológico?», en *Revista de Arqueología,* n° 111, 1990, p. 6.

[668] Para ALMAGRO GORBEA éste constituye actualmente el mayor peligro en nuestro patrimonio arqueológico, así como el problema más grave que presenta su protección. ALMAGRO GORBEA, M.: «El Patrimonio Arqueológico español: riesgos y medidas de protección», en *Congreso Eredità contestata? Nuove prospettive per la tutela del patrimonio archeologico e del territorio»,* 1992.

del patrimonio arqueológico de 1969[669], insertando disposiciones que completan alguna de las lagunas puestas en evidencia durante los veintidós años de experiencia, dando así al texto mayor amplitud y coherencia[670]. Tal y como ya se expuso, el Preámbulo de dicha Convención subraya los problemas a los cuales se enfrenta actualmente el patrimonio arqueológico en zonas geográficas expuestas a grandes proyectos urbanísticos, por ello, ya en su articulado, la Convención señala la necesidad de que los Estados instituyan un sistema jurídico de protección de su patrimonio arqueológico[671].

En segundo lugar, continúan siendo harto frecuentes las prácticas ilegales directamente dirigidas contra vestigios de nuestro pasado, entre las que cabe señalar como más graves **el saqueo de yacimientos** o las prospecciones clandestinas por parte de aficionados o amateurs. Dichas actividades se encuentran relacionadas con las expoliaciones producidas en el campo de la arqueología submarina[672], así como con el empleo de determinadas técnicas, como el **uso fraudulento de detectores de objetos metálicos**[673], toda vez que el uso de dichos elementos, en manos de excavadores ilegales resulta altamente peligroso, provocando actuaciones dañinas en los yacimientos, que, a más de dar lugar a todo un mercado clandestino, afectan a la destrucción de aquéllos.

Y es que, en efecto, los saqueos sistemáticos de algunos yacimientos provocan daños *irreversibles,* debido a la consiguiente pérdida de toda referencia al contexto histórico, de forma que la extracción de un objeto de su entorno, supone la privación de los datos sobre la actividad humana[674], tomados tanto del

---

[669] Convenio europeo para la salvaguarda del patrimonio arqueológico, firmado en Londres el 6 de mayo de 1969. Vid. *supra* Capítulo Segundo, I, 3, sobre el papel del Consejo de Europa en la protección del Patrimonio.

[670] Convención revisada y abierta a la firma de los Estados miembros en La Valeta en 1992.

[671] En cuanto a los problemas conceptuales derivados del patrimonio arqueológico, en TROTT, L.: *The definition of the archaelogical heritage. Conference on Archaelogical Property: Current Trends in its Legal Protection,* Athens, 1992.

[672] Vid. al respecto, «Dossier sobre Arqueología Subacuática», en *Boletín del Instituto Andaluz de Patrimonio Histórico,* nº 26, abril 1999.

[673] Los detectores de metal son aparatos eléctricos que señalan la presencia de metales enterrados sin necesidad de mover la tierra, llegando a dar información sobre la profundidad y el tipo de metal. Los detectores en manos de profesionales, que lógicamente se someten al código de su profesión, pueden ser un elemento auxiliar importante para recoger elementos metálicos de pequeño volumen que quizás podrían pasar desapercibidos en la excavación, si bien también se piensa que la ayuda que representa en una excavación bien llevada es más bien escasa. Véase al respecto, CABALLERO ZOREDA, L.: «Los detectores de metales», en *Revista de Arqueología,* n1 17, 1982, p. 28 y ss.

[674] Cabe citar a modo de ejemplo el supuesto de expolio continuado en el Yacimiento ibérico de Plaza de Armas en el paraje de Puente Tablas, a unos 4 kilómetros de la ciudad de Jaén,

contexto del objeto como del propio objeto[675]. De igual manera, el saqueo de yacimientos con detectores de metal afecta muy especialmente al patrimonio numismático, de suerte que, la información que nos aportaría sobre un momento cronológico preciso al hallarse, por ejemplo, una relevante colección de monedas en el proceso de la excavación dentro de su contexto arqueológico, una vez extraídas mediante el uso de detector de metales, además de provocar la rotura de otro tipo de piezas, pierden todo su valor como indicio cronológico.

En definitiva, estas razones conducen, a mi juicio, a la tipificación expresa en el Código Penal de los daños «**en yacimientos arqueológicos**» —definidos por el DRAE en su 2ª acepción como el *«lugar donde se hallan restos arqueológicos»*— no utilizando, pues, el término «Patrimonio Arqueológico» al que se refiere la Ley de Patrimonio Histórico Español, como aquel «conjunto de bienes muebles e inmuebles de carácter histórico, susceptibles de ser estudiados con metodología arqueológica, hayan sido o no extraídos y tanto si se encuentran en la superficie o en el subsuelo, en el mar territorial o en la plataforma continental» (art. 40).

En esta dirección, en la doctrina italiana, ROTILI sostiene que debe ser considerado a efectos penales, no sólo el objeto aislado descubierto en el transcurso de las excavaciones sino también la zona arqueológica en la cual, sobre la base de trazados visibles (por ejemplo, arcillas aflorantes) o de una búsqueda científica aparecerán con toda probabilidad elementos o datos útiles para el conocimiento histórico de una época o un pueblo.

Parece, pues, consecuente que, los daños típicos no se reduzcan a los producidos como consecuencia de excavaciones en ejecución o ya ejecutadas, sino que abarquen también la protección de lo todavía oculto. En este sentido, la modificación del Código penal francés de 3 de agosto de 1995 extiende la protección de los daños a los terrenos que contengan vestigios arqueológicos, de suerte que la protección se amplía, no sólo a los lugares con una excavación en curso o ya excavados, sino también a los terrenos todavía no explotados, pero cuya riqueza es conocida por sondeos, fotografías aéreas, prospecciones magnéticas u otros procedimientos científicos.

---

considerado un yacimiento de especial importancia no sólo por sus fortificaciones sino también por su magnífica secuencia que permite datar la vida del poblado desde una fase del Bronce Final hasta épocas posteriores al momento del Ibérico Pleno. Vid. «El Yacimiento ibérico de Plaza de Armas. Un caso de expolio continuado», en *Revista de Arqueología*, nº 40, 1980.

[675] En este sentido, los informes previos a las referidas Recomendaciones del Consejo de Europa, ponen en evidencia cómo los detectores de metales hacen peligrar lo más específico de la Arqueología.

Ahora bien, para DE LA CUESTA ARZAMENDI[676] resulta criticable la restricción del ámbito típico únicamente a los yacimientos arqueológicos, dejando fuera otros tipos de yacimientos, como por ejemplo los paleontológicos, que, a su juicio, merecerían el mismo grado de protección penal. Sin embargo, parece asistir la razón a ROMA VALDÉS cuando sostiene que, en la previsión de los yacimientos arqueológicos, se encuentran ya incluidos los paleontológicos, pues se parte de considerar que *arqueología* y *paleontología*, si bien son dos ciencias que estudian diferentes partes de la historia con métodos parcialmente comunes, la primera sería el género, en la medida en que etimológicamente se refiere al estudio de lo antiguo en general[677], y la paleontología sería la especie, como ciencia que se centra en concreto en el estudio de los seres orgánicos cuyos restos o vestigios se encuentran en fósiles.

A tenor de lo expuesto, la LPHE considera como infracciones administrativas, *salvo que tales hechos constituyan delito*, «la realización de excavaciones arqueológicas u otras obras ilícitas a que se refiere el art. 42.3», a cuyo tenor, serán ilícitas «las excavaciones o prospecciones arqueológicas[678] realizadas sin la autorización correspondientes, o las que se hubieran llevado a cabo con incumplimiento de los términos en que fueran autorizadas, así como las obras de remoción de tierra, de demolición o cualesquiera otras realizadas con posterioridad en el lugar donde se halla producido un hallazgo casual de objetos arqueológicos que no hubiera sido comunicado inmediatamente a la Administración competente».

A este respecto, los supuestos en que la Administración podrá autorizar u ordenar la ejecución de excavaciones o prospecciones arqueológicas en cualquier terreno público o privado del territorio español serán «aquellos en que se presuma la existencia de yacimientos o restos arqueológicos, paleontológicos o de componentes geológicos con ellos relacionados…» (art. 43 de la LPHE).

Ahora bien, cuando las actuaciones referidas a excavaciones o prospecciones arqueológicas conduzcan a un resultado dañoso en los yacimientos arqueológicos, serán constitutivas del tipo previsto en el art. 323 del Código Penal

---

[676] DE LA CUESTA ARZAMENDI, J.L.: ob. cit., p. 21.
[677] Sin embargo, actualmente el adjetivo «arqueológico» no debe limitarse únicamente a su interpretación gramatical a lo que concierne a las civilizaciones antiguas, ya que la noción de «arqueología» ha evolucionado hasta la consideración de una *arqueología industrial*.
[678] Consideradas como tales, a los efectos de la LPHE, las exploraciones superficiales o subacuáticas, sin remoción de terreno, dirigidas al estudio, investigación o examen de datos sobre toda clase de restos históricos o paleontológicos, así como los componentes geológicos con ellos relacionados.

Pese a ello, tal y como afirma nuestro **Tribunal Supremo,** son pocos los delitos de daños que han propiciado la intervención casacional de este Tribunal, y menos aún los que con referencia al patrimonio histórico y artístico se han enjuiciado[679]. Sin embargo, en sentencias recientes, concretamente las **SSTS de 3 de junio de 1995** y de **29 de enero de 1997**[680], se han conocido dos supuestos penales de parecidas características, relativos a daños en restos arqueológicos, si bien fueron objeto de enjuiciamiento de acuerdo con el Código precedente.

Por lo que se refiere a la última sentencia citada, los hechos objeto de enjuiciamiento pueden resumirse, muy sucintamente, en que los dos acusados, constructor y trabajador autónomo como propietario de una máquina excavadora, efectuaron el vaciado de un solar destinado a la construcción, pese a haber sido requeridos para que no lo hiciesen, a la vista de los importantes restos arqueológicos que en el mismo se estaban investigando. Como consecuencia de lo cual fueron condenados por la Audiencia Provincial de Palencia a la pena de catorce meses de prisión menor por un delito de daños en bienes del Patrimonio Histórico-Artístico Nacional, declarando el Tribunal Supremo no haber lugar al recurso de casación.

Sobre este particular, debe hacerse mención del proyecto de 1980 de Código Penal, por cuanto, entre las enmiendas presentadas a su articulado, los *Socialistes de Catalunya* solicitaron la incriminación expresa de los supuestos en que «*iniciada la obra se descubrieren vestigios históricos y sin dar conocimiento de ellos ni preservarlos se prosiguieran los trabajos sin autorización*» (enmienda 196).

Ahora bien, las reflexiones que analizaremos a continuación traen causa de la **STS de 3 de junio de 1995** por cuanto, además de pronunciarse sobre aspectos esenciales del delito como el dolo exigible —al cual nos referiremos en su lugar oportuno— fue recurrida en amparo ante el Tribunal Constitucional. A este respecto, la Sentencia de la Sala Primera del Tribunal Constitucional 181/

---

[679] Como antecedentes de la escasa jurisprudencia dictada hasta el momento y, que a continuación pasaré a reseñar, cabe citar las primeras sentencias condenatorias para los responsables de excavaciones clandestinas en el yacimiento de Segóbriga, así como en Fosos de Bayona (Villas Viejas), por sendos juicios de faltas celebrados, en apelación en el Juzgado de Tarancón, siendo condenados como autores de una falta de hurto del art. 587.1.º del anterior Código penal. Véase «Primeras sentencias condenatorias sobre excavaciones ilegales», en *Revista de Arqueología,* nº 40, 1984, p. 53.

[680] RJ 1995/4535 y RJ 1997/111, respectivamente.

1998, de 17 de septiembre, conforma un hito en la delimitación jurisprudencial del concepto de Patrimonio Histórico y su extensión en el ámbito penal[681].

Pues bien, estimo convenir exponer, si bien sucintamente, los antecedentes de hecho de la referida sentencia de 3 de junio de 1995 del Tribunal Supremo, de acuerdo con los cuales se hace constar cómo los acusados, teniendo intención de construir un bloque de viviendas en la ciudad de Ibiza, adquirieron el solar denominado «C'an Partit», y encargaron la redacción del proyecto de obras, en el que ya consta la conveniencia de que su desarrollo quedara limitado a una primera fase, por si las circunstancias de la excavación aconsejaran la modificación en la disposición de la estructura del edificio, dado que la obra a realizar se halla enclavada «en zona de posibles yacimientos arqueológicos». Asimismo, solicitaron la pertinente licencia municipal para el derribo de la edificación existente en el solar —antigua casa payesa— y posterior construcción de edificio destinado a viviendas, locales, aparcamientos y espacios comunes, licencia concedida mediante Decreto de la alcaldía en el que textualmente se indica: «…Si bien en cuanto a la nueva edificación, se estará a resultas de la prospección arqueológica a realizar por los Servicios del Museo Arqueológico de Ibiza».

Se dan inicio a las excavaciones de urgencia en el citado solar, tras cuya finalización se adjuntó informe «haciendo patente la necesidad y urgencia de adoptar una decisión sobre el futuro del yacimiento y del solar propiamente dichos ante la colisión evidente de intereses», lo que determinó la visita del Inspector de Patrimonio para percatarse in situ de la problemática suscitada y viabilizar una solución, conocedor como era de la importancia del yacimiento y del proyecto de obra de la propiedad. De ese modo, «constató la necesidad de conservar en su totalidad el yacimiento», lo que implicaba prescindir de las proyectadas plantas sótano y baja, amén de que las altas deberían, en su caso, desarrollarse a base de una estructura que careciera de pilares convencionales en la planta baja, «cuyo montaje difícilmente podría llevarse a cabo sin causar **daños al yacimiento**». La imposibilidad de cohonestar ambos intereses, determinó ordenar verbalmente la paralización de las obras, en tanto los órganos pertinentes de la Consellería se pronunciaran sobre la solución más idónea, como así se hizo constar en el informe dirigido a aquélla.

Viendo peligrar las expectativas puestas en la construcción del solar, uno de los condenados dirigió escrito al Conseller de Cultura, comunicando que se reiniciaba la construcción del edificio proyectado, dada la finalización del plazo

---

[681] Véase a este respecto: YAÑEZ, A.: «Los bienes integrantes del «Patrimonio Histórico Español». A propósito de la sentencia 181/1998 del Tribunal Constitucional», ob. y loc. cit.

de los trabajos de excavación; así, el 11 de mayo de 1986, «*una pala mecánica contratada por los propietarios acusados, penetró en el solar tras romper la valla y parte del cercado, procediendo a la destrucción de los restos arqueológicos más evidentes…*».

Finalmente la sentencia concluye afirmando que, la aportación más sustancial de las excavaciones realizadas fue la de permitir confirmar científicamente el origen fenicio de los primeros fundadores de la colonia ebusitana, siendo tasado el yacimiento derruido en 350.000.000 pesetas.

Así, el Tribunal Supremo da lugar al recurso de casación interpuesto contra sentencia dictada por la Audiencia Provincial de Mallorca que les condenó por delito de daños al Patrimonio Histórico, y dicta segunda sentencia en la que condena a los acusados por el mismo delito por el que habían sido condenados, pero imponiéndoles «una individualización punitiva de signo más benigno que la tomada en cuenta por el tribunal sentenciador provincial o de instancia, al valorarse la personalidad de los acusados y la existencia no de un específico propósito de dañar sino, como se dijo, de un simple dolo de consecuencias necesarias…». Atendiendo a ello se sustituyó la pena de cuatro años de prisión menor por la de un año de prisión menor, con la accesoria de suspensión de cargo público y derecho de sufragio durante dicho tiempo.

Pues bien, el **Tribunal Constitucional,** en sentencia **181/1998,** resuelve el recurso de amparo interpuesto contra la referida Sentencia del Tribunal Supremo, incidiendo en una cuestión que, como ya dijimos, no resulta habitual en sus pronunciamientos, cual es la determinación de la extensión del concepto de Patrimonio Histórico.

La cuestión fundamental planteada a este respecto en el recurso de amparo es la de si los bienes que integran el Patrimonio Histórico-Artístico Nacional, al que se refiere el art. 558 del anterior Código Penal, precisan de su previa calificación formal como tales —en cuyo caso, tanto la Audiencia Provincial de Palma de Mallorca como el Tribunal Supremo habrían infringido el principio de legalidad, pues ni el yacimiento ni los restos arqueológicos habían sido declarados como Bienes de Interés Cultural, esto es, como «Zonas Arqueológicas», sino después del atentado objeto de enjuiciamiento— o si, por el contrario, dichos bienes están integrados en el concepto de Patrimonio Histórico aunque no haya procedido una declaración formal de que ostentan dicha condición.

La interpretación que aboga por la exclusiva protección de los bienes declarados formalmente, dejaría sin condena penal los graves atentados contra vestigios arqueológicos, como los derivados del asunto del que trae causa la resolución del TC a la que nos venimos refiriendo. A este respecto, nuestro más

Alto Tribunal, tras determinar que el Patrimonio Histórico-Artístico Nacional es un concepto normativo que es necesario integrar con la LPHE de 1985, deduce que el ámbito de aplicación de esta norma incluye todos los bienes que poseen algunos de los valores mencionados en su n° 1, y que, por ende, el yacimiento destruido de «C'an Partit», forma parte del Patrimonio Histórico y, por ello es objeto de protección penal.

En este orden de ideas, los «yacimientos arqueológicos» no aparecen definidos en la LPHE, sino únicamente mencionados, como integrantes del Patrimonio Histórico Español, junto a las «Zonas Arqueológicas», en el art. 1.2, precepto al que ya nos hemos referido y que contiene una descripción de los bienes que forman parte de aquél. Al hilo de lo expuesto, debemos señalar cómo, desde hace más de una década se ha venido planteando un modelo de gestión basado en el establecimiento de *Zonas Arqueológicas Protegidas,* categoría a través de la cual se puede recibir la declaración de interés cultural por la Administración, y definidas como «el lugar o paraje natural donde existen bienes muebles o inmuebles susceptibles de ser estudiados con metodología arquitectónica, hayan sido o no extraídos y tanto se encuentren en la superficie, en el subsuelo o bajo las aguas territoriales españolas» (art. 15.1 LPHE).

Ciertamente, el art. 323 del Código Penal se refiere a «yacimientos arqueológicos» en general, en lugar de hacerlo a «Zonas Arqueológicas», lo cual supone, de un lado, admitir la posibilidad de considerar dentro del tipo los daños causados en yacimientos arqueológicos que se hallen en zona urbana[682], lo cual resulta harto frecuente y, de otro lado, supone fundamentalmente, de acuerdo con el carácter «no formalista» del tipo que venimos analizando, la no necesariedad del reconocimiento administrativo del valor del bien.

A este respecto, los bienes arqueológicos, en general, aunque no hayan sido declarados de Interés Cultural, poseen un régimen jurídico propio, tendente a su protección, en los arts. 40 a 44 de la LPHE. En este sentido, puede destacarse que, como dijimos, forman parte del Patrimonio Histórico los muebles e inmuebles susceptibles de ser estudiados con metodología arqueológica «hayan sido o no extraídos y tanto si se encuentran en la superficie o en el subsuelo»; además, toda excavación o prospección arqueológica deberá ser expresamente autorizada por la Administración competente.

---

[682] En contra, MILANS DEL BOSCH y JORDANS DE URIES, considerando que si los yacimientos se hallan en zona urbana, puesto que en la misma no es posible la declaración administrativa de Zona Arqueológica, la protección especial —que el precepto no exige— debe venir por la declaración de los objetos hallados como «Monumentos» o «Conjuntos Históricos». MILANS DEL BOSCH y JORDANS DE URIES: ob. y loc. cit.

Precisamente, el problema principal de buena parte de los yacimientos arqueológicos —tal y como indican MALDONADO RAMOS Y VELA COSSIO[683]— es su detección y el conocimiento cierto de su existencia, ya no en los antiguos yacimientos arqueológicos excavados y estudiados, sino en aquella red de yacimientos arqueológicos relevantes que no hayan sido inventariados y, consecuentemente, no estudiados. Es por ello que, desde hace más de una década, de manera previa a cualquier intervención deben realizarse trabajos de prospección intensiva o de excavación preventiva[684].

Por último, debemos subrayar la ausencia de referencia al patrimonio arqueológico en el hurto[685], lo cual resulta criticable habida cuenta de la consideración de los hallazgos arqueológicos como bienes de dominio público[686], si bien estimamos que dicha conducta podrá incluirse en la referencia al «valor artístico, histórico, cultural o científico» de la cosa hurtada, de acuerdo con el 235.1 CP, o bien, en la consideración de «cosa destinada al servicio público», de acuerdo con el nº 2 del mismo precepto[687], pues dichos objetos no son propiedad del fondo en que se hallen, ni de su descubridor, sino del Estado, en virtud del citado artículo 44.1. LPHE.

---

[683] MALDONADO RAMOS, L./VELA COSSIO, F.: *De arquitectura y arqueología*, Madrid, 1998, p. 81 y ss.

[684] Antes del desarrollo de los actuales modelos de gestión del Patrimonio Arqueológico resultaba frecuente que durante la ejecución de obras públicas o de edificación, o en trabajos de restauración de monumentos, apareciesen trabajos arqueológicos de interés, de modo que se paralizaban las obras y se procedía a las denominadas *Excavaciones Arqueológicas de Urgencia*, de cuya ejecución se derivaban —tal y como indican MALDONADO y VELA— una serie de *perjuicios*, de carácter *económico* por la paralización de los trabajos, de carácter *social* por el retraso en la ejecución de infraestructuras fundamentales, así como perjuicios *científicos* al ser posible la destrucción de algunos de los restos antes de proceder a su estudio, incluso en algunos casos se llegaba a ocultar el hallazgo para evitar problemas con la Administración y se destruía sistemáticamente el yacimiento. *Ibidem*.

[685] Ausencia ya criticada por GONZÁLEZ GONZÁLEZ (ob. cit., p. 516) respecto del tratamiento del Patrimonio histórico en el Anteproyecto de Código Penal.

[686] Art. 44.1 LPHE: «Son bienes de dominio público todos los objetos y restos materiales que posean los valores que son propios del Patrimonio Histórico Español y sean descubiertos como consecuencia de excavaciones, remociones de tierra u obras de cualquier índole o por azar...».

[687] V. acerca de esta cuestión, SALINERO ALONSO, C.: *La protección del Patrimonio Históri-co...*, ob. cit., p. 271 y ss.

C) Previsión genérica de daños en «bienes de valor histórico, artístico, científico, cultural o monumental»

Actualmente siguen manteniéndose posturas encontradas respecto a si debe entenderse el «valor histórico, artístico, científico, cultural o monumental» de los bienes dañados como un elemento pendiente de valoración en el ámbito penal o si se identifican únicamente con los así declarados administrativamente. Polémica doctrinal surgida en la anterior legislación en torno al objeto material sobre el que recaía la conducta de daños, de forma que frente a una concepción objetiva de los bienes culturales que descansaba sobre criterios extrajurídicos, se enfrentaba la concepción formal que exigía la declaración administrativa del valor del bien.

A favor de un criterio formalista, podemos citar a BOIX REIG, partidario de una interpretación sistemática con el art. 321, así como a VÁZQUEZ IRUZUBIETA[688], o a BAJO FERNÁNDEZ, considerando que se trata de un elemento normativo ya valorado en las disposiciones pertinentes. Sin embargo, la *doctrina mayoritaria*[689], a favor de la discrecionalidad judicial, entienden, a mi juicio, con buen criterio, que se trata de un elemento normativo pendiente de valoración.

Pues bien, tal y como ya expuse, considero que, si de lo que se trata es de dispensar una protección real e integral a los bienes culturales, la norma penal no puede ser interpretada exclusivamente con base en criterios administrativistas, pues ello podría conducir a una protección parcial y sectorial del Patrimonio Cultural, quedando fuera del ámbito penal todos aquellos bienes que, siendo poseedores de alguno de los valores dignos de protección, no han sido objeto de un acto declarativo en este sentido[690].

---

[688] BOIX REIG, J., junto a JUANATEY DORADO, C.: *Derecho penal. Parte especial,* ob. y loc. cit.; VÁZQUEZ IRUZUBIETA, C.: ob. cit., p. 480.

[689] A favor de la discrecionalidad judicial, MUÑOZ CONDE, *Derecho penal. Parte especial,* ob. cit., p. 496; TAMARIT SUMALLA, J.M.: *Comentarios al Nuevo Código penal,* ob. y loc. cit.; VERCHER NOGUERA: *Delitos contra el Patrimonio histórico,* ob. cit., p. 1.475; SUÁREZ GONZÁLEZ, C.: en *Comentarios al Código penal,* ob. cit., p. 919; CARMONA SALGADO, C.: en *Curso de Derecho penal. Parte* especial (II) (dir. por COBO DEL ROSAL), ob. cit., p. 45; SALINERO ALONSO, C.: *La protección del patrimonio histórico,* ob. cit., p. 315 y ss.; TERRADILLOS BASOCO, J.: *Derecho penal del medio ambiente,* ob. cit., p. 38.

[690] Recordemos cómo ORTS BERENGUER reconoce la necesidad de una constante actualización y ampliación de los inventarios y catálogos, dejándose fuera en muchos casos manifestaciones de indudable interés. ORTS BERENGUER, E.: «Exportación sin autorización de obras u objetos de interés histórico o artístico», en *Comentarios a la legislación penal,* tomo III (Delitos e infracciones de Contrabando), Madrid, 1984, p. 87 y ss.

La posición más aceptable es, pues, como dije, la partidaria de entender la locución «bienes de valor histórico, artístico, científico, cultural o monumental» como un elemento normativo pendiente de valoración, habida cuenta de las siguientes razones:

En *primer lugar*, de acuerdo con la dicción literal del precepto, no se exige la declaración legal o administrativa del interés cultural del bien, exigencia que sí se especifica respecto de los edificios en el art. 321, declarando que éstos gocen de una «singular protección» en aras a recibir tutela penal a través de este precepto. De forma que, sistemáticamente, el legislador establece dos tipos diferenciados, no exigiendo ninguna particularidad de carácter formal en el artículo 323 respecto de los objetos de protección. Conforme a ello, son considerados como *elementos pendientes de valoración* judicial, por lo que, con base en el mandato constitucional, tendrán cabida en el precepto todos aquellos bienes que, según la interpretación judicial, posean dicho valor «con independencia de su régimen jurídico».

En este sentido ya hicimos alusión a los argumentos esgrimidos por VIVES ANTÓN, de acuerdo con los cuales, sin perjuicio de que las normas que regulan el Patrimonio Histórico Español puedan contribuir al esclarecimiento de la ley penal, no parece que ésta pueda ser interpretada únicamente en base a las mismas, ya que *«el interés colectivo ni aumenta ni disminuye por el hecho de que el bien de que se trate se halle o no inventariado»*[691].

Lo cierto es que, como se ha dicho expresamente en el Preámbulo de la LPHE, se afirma cómo el valor del Patrimonio histórico lo proporciona «la estima que, como elemento de identidad cultural, merece a la sensibilidad de los ciudadanos. Porque los bienes que lo integran se han convertido en patrimoniales debido exclusivamente a la acción social que cumplen, directamente derivada del aprecio con que los mismos ciudadanos lo han ido revalorizando».

En *segundo lugar*, la jurisprudencia del **Tribunal Supremo,** en pronunciamientos sobre la materia, aunque referidos al Código precedente[692], entiende que se trata de un elemento normativo pendiente de valoración. Así, la **STS de 6 de junio de 1988** plantea el tema señalando que «no obstante la exactitud con que la Ley sobre el Patrimonio Artístico, trata de determinar los bienes que deben ser considerados como tales, es lo cierto, que tanto su Exposición de Motivos como su articulado, por un lado, son de una generalidad en muchos

---

[691]   VIVES ANTÓN, T.S. en *Derecho penal. Parte especial,* Valencia, 1993, p. 806.
[692]   Así, entre otras, la STS de 6 de junio de 1988; STS de 12 de noviembre de 1991; STS de 3 de junio de 1995.

casos difícilmente conciliable con la precisión exigible en los tipos penales y, por otro, dejan fuera de su ámbito bienes que sin duda deben ser dotados de la correspondiente y especial protección penal atendiendo al espíritu del precepto constitucional»; finalmente llega a la conclusión de que «deben entenderse que queda al *arbitrio judicial* la determinación, en cada caso concreto objeto de enjuiciamiento, de si los bienes u objetos ostentan o no el valor justificativo del tipo agravado, sin que, como es obvio, ello signifique o impugne, como dice el recurrente, dejar a los gustos, preferencias, tal determinación ya que ello no supondría arbitrio sino arbitrariedad o la posibilidad de que se incurriese en ella, sino que como en todos los casos en que la apreciación de algo se deja legalmente al arbitrio judicial, los Tribunales deberán atenerse con la mayor prudencia y cautela a aquellos *criterios que aparezcan como más objetivos, según el común sentir de la colectividad,* y, a ser posible, como *manifiestamente notorios e indiscutibles* y siempre inspirándose en el espíritu del conjunto normativo regulador de la materia de que se trate» (la cursiva es añadida)[693].

La **STS de 12 de noviembre de** 1991[694] mantiene idéntica postura que la anterior basándose en que «el precepto constitucional no exige la previa declaración administrativa y permite que se actúe la protección penal cualquiera que sea el régimen jurídico de los bienes y su titularidad». Asimismo, la ya referida STS de **3 de junio de 1995**[695] que condenó por un delito de daños al Patrimonio Histórico Español, señalaba que la ausencia de declaración previa por el órgano administrativo correspondiente de integración en el Patrimonio Histórico no impide que se aplique la normativa penal protectora al respecto.

Por su parte, el **Tribunal Constitucional** en la ya citada sentencia de 17 de septiembre de 1998 (Sala primera)[696], afirma como, según la interpretación respaldada por la línea jurisprudencial de la Sala Penal del Tribunal Supremo en la aplicación de la circunstancia de afectar a bienes históricos, artísticos, culturales, etc., no constituye requisito integrante del tipo penal el que proceda la declaración del interés cultural de los bienes dañados, bastando con atender a las circunstancias y valor intrínseco de las cosas o bienes, puestas de relieve por las actuaciones. En suma, el Alto Tribunal declara que «...*la protección penal se dispensa respecto de los que, con calificación formal o sin ella, integran el ámbito*

---

693   Pte. Sr. García de Miguel.
694   Pte. Sr. García Palos.
695   Pte. Sr. Montero Fernández Cid.
696   Recurso de amparo n° 3022/1995 contra Sentencia de la Sala Segunda del Tribunal Supremo, de 3 de junio de 1995. Ponente don Pablo García Manzano (BOE de 20 de octubre de 1998).

objetivo del Patrimonio Histórico Español, conforme éste es configurado por la citada Ley 16/1985».

A este respecto, el ámbito de protección de la Ley 16/1985, de 25 de junio, de Patrimonio Histórico Español está integrado, no sólo por los bienes que hayan recibido una especial declaración formal como tales, sino por todos aquellos que poseen algunos de los valores mencionados en su art. 1°, apartado 2[697].

Por último, tal y como ya se afirmó, una de las razones de mayor peso para argumentar la tesis de la libre valoración nos la da el propio **artículo 46** de nuestra Norma Fundamental, ya que no sólo no exige la previa declaración administrativa para que la ley penal sancione dichos atentados, sino que expresamente matiza *«no importa cual sea su régimen jurídico y su titularidad».*

Tomando pues como referencia el criterio adoptado, pasemos a abordar el concepto genérico de **«bienes de valor histórico, artístico, científico, cultural o monumental»** a que se refiere el art. 323 del Código Penal:

No viene a solucionar el problema de integración de estos términos la definición genérica de la materia que se contiene en la LPHE, puesto que, ni concreta lo que ha de entenderse por Patrimonio Histórico, tan sólo enumera los bienes que lo integran, ni tampoco define en qué consisten en particular los intereses o valores dignos de protección[698]. Nos encontramos, pues, ante un pluralismo categorial que viene a recoger nuestro Código Penal, si bien, como se ha podido observar, la terminología barajada no llega a ser coincidente con la prevista en la normativa administrativa.

Sin pretender pormenorizar el contenido de los concretos intereses protegidos —labor que nos remitiría forzosamente a otras materias no jurídicas— reitero lo expuesto en relación a los intereses presentes en el objeto de protección del tipo penal recogido en el art. 321. A este respecto, el valor *histórico* constituye una referencia a la historia en un sentido estricto, aludiendo así a los hechos y sucesos públicos y políticos acaecidos en el transcurso de los tiempos, conformando una de las manifestaciones del valor *cultural,* el cual supone una alusión más amplia a las diversas manifestaciones del ser humano, ligadas a la idea de civilización.

---

[697] Su artículo 1.2 dispone que: *«integran el Patrimonio Histórico Español los inmuebles y objetos muebles de interés histórico, artístico, paleontológico, arqueológico, etnográfico, científico o técnico. También forman parte del mismo el patrimonio documental y bibliográfico, los yacimientos y zonas arqueológicas, así como los sitios naturales, jardines y parques, que tengan valor artístico, histórico o antropológico».*

[698] V. *supra* nota a pie anterior.

Por su parte, el valor *artístico* constituye, asimismo, otra manifestación del valor cultural, desde el entendimiento de la obra de arte no desde un mero punto de vista estético, sino como un componente del sistema cultural al que pertenece, evidenciándose las preocupaciones del momento; las obras artísticas constituyen, pues, fuente de conocimiento de la sociedad en que surge, al expresar aquélla las ideas y pensamientos de la sociedad imperante.

En relación a los bienes de valor *científico* se da cabida a aquellos bienes relevantes desde el punto de vista de la ciencia[699], si bien lógicamente este criterio habrá de ponerse en conexión con el valor *cultural* de los bienes dignos de protección, de modo que quedarán excluidos aquellos bienes que nada aporten al conocimiento de la civilización humana.

Hemos dejado en último término al valor *monumental,* para cuya interpretación recordemos tomábamos como punto de referencia la definición de «monumento» contenida en el art. 15.1 de la LPHE, según la cual «son monumentos aquellos bienes inmuebles que constituyen realizaciones arquitectónicas o de ingeniería y obras de escultura colosal, siempre que tengan interés histórico-artístico, científico o social».

Por consiguiente, si ya afirmamos que el «edificio singularmente protegido», objeto material del art. 321 CP, se insertaba en la categoría de monumento por su condición de «realización arquitectónica», respecto de la clase de bienes de valor monumental que integrarán el objeto material del 323, se incluirán el resto de inmuebles que integran la definición de monumento, tanto las «*realizaciones de ingeniería*», esto es, todo tipo de construcciones, como por ejemplo puentes, cuevas, acueductos, determinadas fábricas muestras del patrimonio o ingeniería industrial, etc., realizadas mediante técnicas de carácter ingenieril[700], así

---

[699] Valor que ya recibió amparo en la Convención para la salvaguarda del patrimonio arquitectural de Europa, firmada en Granada el 3 de octubre de 1985.

[700] En este sentido, las realizaciones de ingeniería fueron introducidas en el proyecto de ley como objeto de posible declaración como monumento, a consecuencia de la aceptación de una enmienda presentada por el Grupo Popular, justificada del siguiente modo por su portavoz: «La única razón consistente es que entendemos que, además de las **obras de arquitectura,** existen también otras que se realizan mediante técnicas de carácter ingenieril, sin entrar ahora en discusiones acerca de la naturaleza y la distinción de competencias entre una y otra profesión, pero que en algunos casos pueden tener trascendencia, como por ejemplo puentes, determinadas fábricas o edificios de cuando empezó la época industrial, que pueden también tener ese concepto de carácter monumental y ser clasificados como monumentos y, en su caso, bienes de interés cultural, y objeto, por tanto, de la especial protección que le otorga a esta categoría de bienes la Ley de Patrimonio Histórico» (v. BOCG de 24 de febrero de 1985).

como las «*obras de escultura colosal*», siempre que, en ambos casos, ostenten un interés histórico-artístico, científico o social.

En suma, serán bienes de interés monumental de acuerdo con el art. 323 CP, toda clase de construcciones, excepto los edificios singularmente protegidos, cuya protección se integrará en el art. 321, de acuerdo con el texto legal.

Ahora bien, recordemos la posibilidad meramente apuntada de excluir del ámbito de protección del artículo 321 determinados edificios, los cuales podrían encontrar preferiblemente su protección en sede del artículo 323, concretamente entre los «bienes de valor histórico, artístico, científico, cultural o monumental». Nos referimos en estos casos a aquellos edificios monumentales cuyo único valor es el cultural y, además, dicho valor es de tal grandeza e innegabilidad que trasciende al campo económico. Esto es, «auténticos bienes culturales» —catedrales o grandes monumentos— cuyo *valor sea únicamente cultural* y de tener valor económico, éste venga aportado únicamente por su valor cultural; en otros términos, el factor determinante de su valor económico, sea éste cual sea, es su valor cultural, su valor «económico» es computable a partir de su valor artístico.

No obstante lo expuesto y, aunque esta delimitación dentro del ámbito del patrimonio arquitectónico resulta frecuente, tal y como se expuso en el ordenamiento internacional[701], no pueden obviarse las dificultades de precisión de dicha delimitación, por un respeto riguroso al principio de legalidad, en tanto de *lege data* no puede realizarse dicha exclusión.

Por último, y a tenor de lo expuesto, entendemos que el art. 323 no permite incriminar el derribo de edificios «no sujetos a singular protección», puesto que —junto al argumento comparativo de las penas del 321 y del 323 que como vimos lo hace ilógico— debe existir un nivel de **consenso** en la apreciación del **valor cultural** de los bienes objeto de protección del 323 y una unánime aceptación y valoración colectiva, criterios ya apuntados en la sentencia del Tribunal Supremo de 6 de junio de 1988.

Recapitulando, será el *valor cultural* de los bienes el elemento unificador que otorgue el amparo por el ordenamiento, constituyendo los intereses *histórico, artístico, científico o monumental*[702] manifestaciones de aquél —quizá por ello el legislador se refiera a ellos como *valores*, mientras que en el tipo contenido en el art. 321 se refería a los *intereses* del edificio. Se incluyen pues en el ámbito de protección del art. 323 un *conjunto de bienes* dotados de un **valor cultural**

---

[701]   Vid. *supra* el Capítulo relativo a la protección internacional de los bienes culturales.
[702]   De ahí que prefiera hacer referencia a los diversos *intereses*, como concreta manifestación del «valor cultural».

objetivo, elemento determinante de la protección exigida por el constituyente[703].

De acuerdo con lo expuesto, puede justificarse el *tratamiento diferenciado* en la tutela de los edificios singularmente protegidos en los artículos 321 y 322, frente al previsto para los daños de otros bienes de valor cultural en el art. 323. Dicho tratamiento diferenciado no es arbitrario, pudiendo encontrar su *razón de ser* en los siguientes motivos:

Atendiendo a los antecedentes jurisprudenciales —en relación a los arts. 558.5° y 563 del Código anterior— el **valor cultural** de los bienes objeto de protección del 323 debe ser **incuestionable y de unánime aceptación social,** de ahí la «no exigencia de la declaración administrativa de la singular protección», bastando la existencia de un consenso social de dicho valor cultural.

Esta postura resulta coherente con el principio de *mínima intervención penal,* de acuerdo con el cual el Derecho Penal sólo intervendrá frente a los ataques más graves *sobre los bienes más relevantes* y de innegable valor cultural, valor no estrictamente dependiente de la declaración administrativa.

Los bienes objeto de protección del art. 323 son, como ya dijimos con anterioridad, aquellos bienes culturales por antonomasia, cuyo único valor es el *cultural.* Valor cultural que trasciende incluso al campo económico, tal y como ya se afirmó, y, si tienen valor económico, éste viene dado por su valor cultural. Su utilización es sólo social o cultural, pero pueden producir un beneficio que les haga interesantes también desde el punto de vista económico. Tal como señala ÁLVAREZ ÁLVAREZ[704] el beneficio no está en la posibilidad de conversión en dinero por la venta del bien, que se puede producir también, aun con muchas dificultades, sino en el hecho de que «tienen la renta implícita, no por su conversión en dinero sino por la capacidad de esos bienes de aumentar su valor real, no sólo de precio normativo sino por un supervalor que el tiempo y el mercado les atribuye», amén de la posibilidad de creación de rendimientos indirectos que pueden originar.

A este respecto, los bienes muebles de valor histórico o artístico de propiedad particular, son adquiridos en muchas ocasiones, además de por el placer de su

---

[703] Si bien es cierto que la utilización yuxtapuesta de éstos en el art. 46 CE no es la más idónea, al no determinarse con claridad las relaciones que los unen, cuestión que, desde la doctrina se viene criticando también. Así, PRIETO DE PEDRO, P.: *Cultura, Culturas y Constitución,* Madrid, 1995; BARRERO RODRÍGUEZ, C.: *La ordenación jurídica del Patrimonio Histórico,* ob. cit., p. 175.

[704] ÁLVAREZ ÁLVAREZ, J.L.: ob. y loc. cit.

contemplación o posesión, por pura inversión, por su revalorización en el mercado del arte, de acuerdo con la experiencia de su evolución a lo largo de este siglo. Son bienes cuyo valor cultural es innegable, no siendo pues supuestos polémicos, por ello no se exige como requisito típico la declaración administrativa de su valor, si bien lo normal es que exista. Sería muy extraño el supuesto donde, ante la evidencia de la relevancia cultural del bien (sobre todo los inmuebles), la Administración se negara a su declaración o fuera en contra de ella.

Ahora bien, sí podría entrar en el ámbito de tutela del 323, en su caso, algún supuesto donde, por olvido o descuido o por desconocimiento, el bien, pese a su valor, no tenga esa declaración formal, por ejemplo un retablo de gran valor cultural escondido en una Iglesia. En estos casos, los problemas surgirán en la prueba de dichos valores. Pensemos, incluso, un supuesto en el que, como consecuencia de las obras de reforma de un edificio, se derribe una capilla conservada en él, decorada con unos frescos atribuidos a un prestigioso pintor, frescos que, al igual que el edificio, sin embargo no se encontraban catalogados por la Administración. A mi juicio, esta hipótesis podría ser incriminada, si concurren los demás requisitos típicos, por vía del 323, si se demuestra que, pese a la ausencia de declaración formal, las pinturas al fresco pertenecían al artista y, por ende, se prueba la calidad y valor artístico y cultural de las mismas.

De acuerdo con las consideraciones efectuadas, los valores o intereses presentes en los bienes, objeto de protección penal en el art. 323, habrán de ser estimados por el órgano judicial, con base en los dictámenes periciales pertinentes, sin olvidar las pautas hermenéuticas aportadas por la normativa administrativa.

Ahora bien, no podemos obviar que optar por este criterio sigue siendo complejo y controvertido, toda vez que raya el grave problema de la inseguridad jurídica, dejando la valoración del carácter cultural en manos de Tribunales. El casuismo del precepto es abrumador, de ahí que, sin duda, surjan dudas y polémica.

Sin embargo, el criterio adoptado no supone el dejar totalmente a un lado la normativa administrativa, no todos los bienes estarán pendientes de dicha valoración judicial: los que estén correctamente catalogados, inventariados o declarados de interés cultural serán directamente objeto material del delito. En el resto de los casos, el Tribunal será quien decida acudiendo a criterios objetivos, teniendo presente la normativa administrativa para que nos proporcione criterios indicativos y esclarecedores, sin que por ello deje de prevalecer el estudio por parte del órgano judicial del caso concreto de que se trate y las circunstancias específicas que lo rodeen.

En suma y, para finalizar, en un intento recopilador de los bienes que podrán integrar la cláusula referida a los daños en **bienes de «valor histórico, artístico, científico, cultural o monumental»,** podemos afirmar que caerán bajo el ámbito de aplicación del art. 323 los siguientes bienes:

Por lo que respecta a los daños en **inmuebles,** se integrarán aquellos monumentos con relevancia cultural para la colectividad, *exceptuandose* los edificios singularmente protegidos en el art. 321, así como los bienes incluidos en el art. 319, bienes cuya protección viene dispensada en los delitos sobre la ordenación del territorio (*«lugares que tengan legal o administrativamente reconocido su valor paisajístico, ecológico, artístico histórico o cultural, o por los mismos motivos hayan sido considerados de especial protección»*). Estos lugares considerados de «especial protección» serán, de acuerdo con la protección conferida por la LPHE, los *Conjuntos Históricos, Jardines y Sitios Históricos y Zona Arqueológica,* los cuales caerán bajo el ámbito de protección del art. 319, cuando sobre ellos se lleve a cabo una construcción no autorizada, concurriendo los demás requisitos típicos. En consecuencia, y de acuerdo con el criterio de la libre valoración judicial adoptado respecto de los bienes protegidos en el 323, los daños en estos lugares sólo podrían resultar abarcados por este precepto cuando la acción dañina recayera, en concreto, sobre bienes que posean por sí mismos, y no por su pertenencia a dichos lugares, un valor cultural innegable, y nunca en términos generales sobre lo que la LPHE considera como bienes inmuebles de Interés Cultural[705].

En segundo lugar, resultarán asimismo protegidos por la vía de los valores «históricos, artísticos, científicos, culturales o monumentales», aquellos **bienes muebles** con valor histórico, artístico o cultural innegable, incluyendo el patrimonio documental o bibliográfico no integrado en Archivos o Bibliotecas, así como los objetos muebles o inmuebles que formen parte del Patrimonio Arqueológico, no hallados en un Yacimiento Arqueológico, y los muebles no depositados en Museo o institución análoga. Obviamente los bienes excluidos reciben protección, a través de las restantes cláusulas establecidas en el precepto, y a las que ya hemos hecho referencia.

En el supuesto de daños a bienes o restos arqueológicos, cuando su descubrimiento no provenga de un yacimiento arqueológico, pero sí «como consecuencia de excavaciones, remociones de tierra y obras de cualquier índole o por

---

[705] Por ejemplo, si los daños recaen sobre estatuas de un innegable valor en el recinto de un Jardín Histórico, la protección puede venir otorgada por el 323, mas no si se destroza un pino común en este lugar.

azar», al tener la consideración como «bienes de dominio público» —de acuerdo con el art. 44 de la LPHE— algún autor[706] sostiene que los daños a los mismos integrarán la conducta típica del delito de daños comunes en su modalidad agravada (264.4º). Pues bien, si tal consideración no es descartable, considero debe aplicarse preferentemente el art. 323 en virtud del principio de especialidad, pues los mencionados bienes, además de ser de dominio público, poseen un «valor cultural, histórico, artístico o científico».

Finalmente, de acuerdo con la protección legal conferida, «las cuevas, abrigos y lugares que contengan manifestaciones de arte rupestre», como Bienes de Interés Cultural del patrimonio arqueológico, se subsumirán en el ámbito de protección del 323 frente a conductas materialmente dañosas.

Con base en las consideraciones efectuadas se explica que, respecto de los bienes culturales recogidos en el art. 323, *no exista un tipo análogo a la prevaricación específica y agravada* contemplada en el 322, pues su exclusivo valor cultural y la indiscutibilidad de éste convierten en absurda la mera hipótesis de una conducta administrativa autorizante o que conduzca a dañarlos.

Por tanto, a pesar de que la técnica legislativa empleada por el legislador en este precepto esté exenta de la claridad deseada, podemos afirmar que el *bien jurídico* categorial de los delitos contra el Patrimonio Histórico lo conforma el «valor cultural» de los bienes que lo integran sólo que, dependiendo del objeto material concreto de cada tipo penal, *o bien* dicho valor cultural ha de manifestarse a través de medidas administrativas que lo determinen —lo que ocurre en el caso de los edificios, por su compatibilidad con un valor funcional o de uso alternativo— *o bien,* en el caso de los bienes culturales del 323, resultan innecesarias o superfluas dichas medidas para determinar su relevancia cultural, pues este valor ha de ser notorio e indiscutible.

2.3. Sujetos activo y pasivo

El **sujeto activo** del tipo previsto en el art. 323 no requiere cualificación especial, por lo que nos encontramos ante un delito *común* que puede ser realizado por cualquiera.

---

[706] MILANS DEL BOSCH y JORDANS DE URIES: *Derecho penal Administrativo...*, ob. cit., p. 254.

A este respecto, los daños a nuestro patrimonio colectivo pueden ser fruto del *vandalismo*[707], ajeno a cualquier sensibilidad hacia la cultura, una desgraciada constante a lo largo de nuestra historia. Asimismo, los daños responden en multitud de ocasiones a actos de sujetos *perturbados;* recordemos el reciente suceso del enajenado que acuchilló un «picasso» en Amsterdam, las «repetidas» decapitaciones de la escultura de la Sirenita de Copenhague[708], así como el caso del conocido como «el destructor de obras de arte», un maníaco alemán que a lo largo de su vida ha destrozado hasta 57 obras de arte con ácido sulfúrico, en definitiva, *manías* destructivas producto de iconoclastas, un fenómeno desgraciadamente particular de este fin de siglo.

Pero también, como ya se expuso, los daños en muchas ocasiones son fruto de la desidia y falta de atención por parte de nuestros poderes públicos, faltando al deber constitucionalmente impuesto, y originando de este modo el deterioro y pérdida de gran parte de nuestro patrimonio común.

Nada impide tampoco que el **propietario** pueda ser sujeto activo del delito[709], pues, al igual que en el tipo previsto en el art. 321, no se exige la ajenidad en los bienes dañados. Además, partimos de la posibilidad de un *beneficio* de carácter económico derivado de los daños, pensemos, por ejemplo, en la destrucción de una obra de arte por su propietario en aras a percibir el elevadísimo seguro indemnizatorio. O aquella otra hipótesis en que el propietario de una finca en la que se localizase un yacimiento y que, otorgado el permiso para efectuar una excavación arqueológica, destrozara los vestigios, por temor a una posible expropiación por la Administración.

Si retomamos el Derecho comparado, en el Código penal francés, recordemos cómo, precisamente para proteger más eficazmente el Patrimonio Cultural, que «pertenece a todos», la Ley de 3 de agosto de 1995 añadió al artículo 322.2 del texto punitivo una línea, previendo expresamente en su número 3º la

---

[707] Sobre el término «vandalismo» véase la obra de CHOAY: *«L'allegorie du patrimoine»*, ob. y loc. cit., SCAPARRO: «Social and psychological aspects of delinquent behaviour», así como HUGES: «Theft. Burglary, and vandalism», ambos trabajos en el Coloquio del Consejo de Europa celebrado en Bélgica en 1992 bajo el tema *«The protection of historic buildings and their artistic contents against crimes and wilful damage».*

[708] Atribuyéndose el atentado de 1964 el artista y escritor danés Joergen Nash en memorias recientemente aparecidas.

[709] En el mismo sentido, SUAY HERNÁNDEZ respecto del 304 alemán y de los daños macrosociales en general, ob. cit., pp. 128 y 144. En la doctrina española se manifiesta expresamente en la admisibilidad del propietario, FARRE DÍAZ, E.: ob. y loc. cit.

posibilidad de perseguir al *propietario* del bien cultural que lo haya destruido, degradado o deteriorado[710].

Sobre la posibilidad de incriminación al propietario del bien también se pronuncia algún autor italiano[711], afirmando que, en el supuesto de un sujeto que utilice un terreno de valor arqueológico de su propiedad, o del que tenga de todos modos disponibilidad, con la intención de erigirse una edificación, será de aplicación el 733 (daños al patrimonio arqueológico, histórico o artístico nacional) del Código penal italiano en el caso de que sea acertado el «relevante valor» de tal suelo.

A este respecto, en la doctrina española, CONDE-PUMPIDO TOURON considera que la sanción de «los daños en yacimiento arqueológico» va dirigida de manera especial a los profesionales y técnicos de la construcción «que son quienes pueden verse más involucrados, con ocasión de la dirección o realización de sus obras, en la producción de daños en dichos yacimientos»[712], de forma que, entiende dicho autor que, así como el art. 322 «afectaba de un modo directo a los Arquitectos y Aparejadores que trabajaban para la Administración, éste también afecta a los que trabajan para entidades privadas».

Sin embargo, si atendemos a la mínima jurisprudencia dictada acerca de los daños a restos arqueológicos, podemos observar que se acepta como sujeto activo a cualquier persona. En la citada sentencia del Tribunal Supremo de 3 de junio de 1995, los acusados por daños al Patrimonio Histórico Español eran, el primero, un profesor de EGB, el segundo un conductor y el tercero, un constructor, los cuales tenían la intención de construir un bloque de viviendas en Ibiza.

Tampoco puede apreciarse la exigencia en el tipo de una cualidad personal, si atendemos al tenor literal de la ley, pues, cuando el legislador ha querido incriminar expresamente a determinados sujetos así lo ha hecho constar, como es el caso del art. 319, y, en última instancia, tampoco existe previsión alguna de la pena de inhabilitación especial para estos supuestos, aunque, como ya se afirmó, ello no prejuzga las características del sujeto activo.

---

[710] (L. n° 95-877 du 3 août 1995): «*Dans le cas prévu par la 3° du présent article, l'infraction est egalement constituée si son auteur est le propiétaire du bien détruit, dégradé ou détérioré*». Incomprensiblemente, no se benefician de esta protección reforzada los objetos descritos en el n° 4 del artículo 322.2: aquellos presentados en exposiciones de carácter histórico, cultural o científico organizadas por persona pública, encargada de un servicio público.

[711] ROTILI, B.: *La tutela penale delle cose di interesse artistico e storico*, ob. cit., p. 96 y ss.

[712] CONDE-PUMPIDO TOURON, C.: *Código penal: Doctrina y jurisprudencia...*, ob. cit., p. 3.216.

En los casos en que se lleva a cabo el delito a través de una persona jurídica, en principio, podrá responder penalmente la persona que haya llevado a cabo la conducta legitimadora[713].

Por lo que se refiere al **sujeto pasivo,** como el bien jurídico protegido en estos delitos es de carácter macrosocial y colectivo, la relación titular concreta del bien deja paso a su dimensión social, de manera que en muchos casos no coincide el sujeto pasivo, como titular del bien jurídico cuya lesión es indispensable para que exista delito, con el perjudicado por el delito, que puede coincidir con el propietario titular del objeto integrante del Patrimonio Histórico. Y es que, en efecto, nos encontramos ante unos bienes de titularidad colectiva, cualquiera sea la relación que una al bien en cuestión con una persona determinada.

2.4. Autoría y participación

Ante la no exigencia de cualificación alguna para poder ser sujeto activo del delito, no existen problemas específicos en torno a las diferentes formas a través de las cuales se puede realizar el injusto típico.

Por lo que respecta a la **autoría**, como realización de un hecho propio, será calificado de *autor único inmediato* cualquier persona que intencionadamente hubiera destruido, deteriorado o inutilizado un bien cultural, y los daños causados superen las 50.000 pesetas, lo cual no resulta difícil en la mayoría de los casos.

Podrán estimarse supuestos de *coautoría,* cuando el tipo de injusto se ejecuta conjuntamente por distintos agentes, existiendo un acuerdo de voluntades. Esto es, cuando varias personas concurren a la realización de un hecho, de forma que cada aportación forme un todo orgánico (presupuesto objetivo), no pudiendo darse esa realización conjunta sin un acuerdo de voluntades (presupuesto subjetivo). Pensemos, por ejemplo, en los actos vandálicos que viene sufriendo nuestro patrimonio eclesiástico de manos de grupos que actúan reiteradamente en este sentido, en actuaciones conjuntas y concertadas[714].

---

[713] Me remito a lo expuesto en sede del artículo 321 en relación al problema de la responsabilidad de las personas jurídicas.

[714] En un ámbito distinto, recientemente un grupo de sujetos dañaron gravemente en Valencia el monumento dedicado al diestro Montoliu, obra del artista Manolo Rodríguez, sujetos curiosamente agrupados bajo el nombre de «Acción Cultural».

Tampoco la *autoría mediata* presenta graves problemas en el presente tipo penal, por cuanto, en general, en los delitos de resultado que no exigen medios o formas específicas de producirlo, y en los que no se requieren características especiales en el sujeto activo, se puede considerar que el autor mediato realiza la conducta típica utilizando, como instrumento, al autor inmediato. La instrumentalización podrá llevarse a cabo de diversas formas: sobre la base del «error», cuando el autor mediato se vale, para cometer el delito, de un sujeto al que engaña, actuando el autor inmediato por error. Puede ejemplificar lo expuesto un supuesto en el que, el propietario de un solar que alberga restos de valor histórico, contrate los servicios de una constructora para que lleven a cabo una excavación arqueológica en dicho solar, informándoles de que dicha actuación está expresamente autorizada por la Administración, cuando realmente nunca fue concedida. Desconociendo, pues, la ilicitud de su actuación, las máquinas excavadoras, propiedad de la constructora, extraen grandes cantidades de tierra, produciéndose, pues, la pérdida de relevantes vestigios romanos.

Además de este supuesto, podrá apreciarse autoría mediata cuando un sujeto ejerza «miedo insuperable» sobre el autor inmediato, obligándole a cometer el delito. Supongamos que un sujeto es gravemente amenazado por un grupo terrorista para que coloque artefactos explosivos en el Museo Reina Sofía de Madrid, con la pretensión de atentar contra una institución representativa de la cultura española. Si por causa de esas amenazas, el primero llega a cometer los daños, podrá estimarse la autoría mediata del grupo terrorista que ejerció el «miedo insuperable» sobre el autor inmediato.

También podrán estimarse supuestos de autoría mediata cuando el autor mediato utiliza a un inimputable para que lleve a cabo la conducta típica. Pensemos en el propietario de una relevante obra pictórica, el cual, ante una sobrevenida situación de estrechez económica, y, en aras a cobrar el coste de los daños, cubiertos por la compañía aseguradora, se sirve de un disminuido psíquico para que, aprovechando la exposición temporal de la obra en una pinacoteca, arremeta contra ella.

Finalmente, la instrumentalización también podrá llevarse a cabo sobre la base del empleo de violencia física o moral, la cual sea de tal naturaleza que conviertan al que actúa bajo su influjo en un instrumento. Ahora bien, me sitúo con aquellos autores que consideran que el instrumento ha de actuar: si no realiza acción alguna —esto es, aun apareciendo el movimiento corporal humano como origen del hecho, se halla ausente de toda manifestación volitiva— como en las hipótesis de «vis absoluta», entonces la autoría del «hombre de atrás no es mediata sino inmediata»[715].

Por lo que se refiere a la **participación,** entendida como contribución al hecho ajeno, podrán estimarse supuestos de *inducción,* cuando se determine a otro, que carece de voluntad delictiva, a realizar el hecho típico y antijurídico, esto es, los daños a un bien cultural, los cuales se lleven finalmente a cabo.

Asimismo, con respecto a la otra forma de participación, esto es, la *complicidad,* en principio, podrán admitirse supuestos de *cooperación necesaria,* consistentes tanto en un «hacer» como en un «no hacer», sin cuya colaboración el autor no hubiese efectuado el delito[716]. Pues bien, entre las conductas de cooperación necesaria consistentes en un «hacer», valgan, a título ejemplificativo: la vigilancia eficaz; la colaboración del técnico para eliminar que se disparen las alarmas de seguridad de un museo, de forma que, mientras el museo permanece cerrado, otro dañe una valiosa obra de arte expuesta en él; la elaboración de un plano o croquis para acceder al lugar de los hechos; incluso, pensemos en destrozos de vestigios arqueológicos llevados a cabo por particulares, consensuados con las autoridades municipales, guiados por motivaciones especulativas.

En relación con el «no hacer», cabe citar como ejemplo de cooperación necesaria en los daños, el supuesto en que un vigilante, de acuerdo con los dañadores, finge, durante la noche, estar dormido o no haber visto a los autores de los daños cometidos en documentos o papeles de inestimable valor, en el archivo donde aquél trabaje En estos casos es otro el que materialmente comete el hecho antijurídico, convirtiéndose el encargado de la vigilancia en cooperador necesario por omisión[717].

Por último, no habrá inconveniente en admitir la posibilidad de admitir conductas auxiliares, de *cooperación no necesaria* a los daños efectuados por el autor. Supuestos, por ejemplo, en que se acompaña al autor de los daños, sin intención de intervenir, sólo para reforzar el ánimo; o se lleva al autor al lugar de los hechos, cuando éste podía haberlo hecho por otros medios; o se suministren instrumentos o materiales para efectuar los daños.

---

[715] En este sentido, COBO DEL ROSAL, M./VIVES ANTÓN, T.S.: ob. cit., p. 749. Por el contrario, para SERRANO BUTRAGUEÑO (ob. cit., p. 127), recogiendo un ejemplo citado por GIMBERNAT, considera los supuestos de «fuerza irresistible» como de autoría mediata.

[716] Sin olvidar que para sancionar la cooperación necesaria se requiere: concierto de voluntades, conciencia de la ilicitud y el denominado «*animus adjuvandi*».

[717] En esta dirección, MIR PUIG, S.: *Derecho penal. Parte general,* ob. cit.

También pueden estimarse conductas de cooperación no necesaria, por ejemplo, la de aquél que aparta la tapa de una alcantarilla para que otro arroje una valiosa obra de arte que quieren hacer desaparecer, denunciando así un robo falso y poder cobrar el seguro indemnizatorio.

3. Justificación

A mi juicio, resulta difícil de imaginar el posible juego de las causas de justificación en el tipo que venimos estudiando.

Por lo que se refiere al *cumplimiento de un deber,* partimos de la inadmisibilidad en nuestro ordenamiento de los «mandatos antijurídicos obligatorios»[718]. Ahora bien, de acuerdo con lo expuesto en los anteriores tipos penales, cuando la orden del superior no aparezca manifiestamente como antijurídica, y ante la duda, el inferior la cumpla, puede encontrarse una vía de justificación si acudimos al delito de desobediencia del art. 410. Pensemos el caso de un empleado de una empresa constructora que se encuentre con una orden de su superior de excavación de un solar, orden que infringe la ley —pues existen restos arqueológicos y una orden municipal de paralización de las obras hasta que se estudien los vestigios— pero no lo hace de manera clara y terminante.

Tampoco resultan fáciles de imaginar, a mi juicio, supuestos de *legítima defensa* en el ámbito que nos ocupa, si bien puede traerse a colación un ejemplo que recoge SERRANO BUTRAGUEÑO[719], pese a que se refiere a los daños dolosos simples. Así, excluye la antijuridicidad de la conducta del sirviente que rompe un valioso y exclusivo jarrón de porcelana en la cabeza del ladrón, al que sorprende robando en el interior del domicilio, y que se avalanza sobre él.

Finalmente, mayores problemas plantea la admisión del *ejercicio legítimo de un derecho,* pues, precisamente, la exigencia legal de la *legitimidad* en su ejercicio, resulta incompatible con las limitaciones legales en torno a la disponibilidad de los bienes culturales por parte de sus propietarios, al tratarse de un bien jurídico de naturaleza colectiva.

Asimismo, como ya expusimos, en materia de justificación, los delitos contra bienes jurídicos colectivos presentan una singularidad con respecto al consen-

---

[718] Reiterando lo ya expuesto, *supra* al abordar la justificación en el art. 321 CP.
[719] SERRANO BUTRAGUEÑO: ob. cit., p. 95.

timiento de su titular. De manera que, no tendrá ninguna *eficacia justificante*[720] el consentimiento del propietario de un bien cultural para que un tercero lo destruya, deteriore o inutilice ya que, como es sabido, el consentimiento sólo puede desplegar sus efectos en el ámbito de los delitos contra los particulares. A este respecto, el consentimiento en la agresión es otra de las cuestiones relevantes en la distinción de bienes jurídicos, en función de su carácter individual o colectivo. El consentimiento del titular justifica sólo cuando el que consiente es el único lesionado, por lo que, en el ámbito del Patrimonio histórico, en donde existe un bien jurídico de la sociedad, un bien jurídico colectivo, no podrá operar el consentimiento con efectos justificantes.

4. Culpabilidad

4.1. Dolo e imprudencia

Tal y como ya se expuso, la doctrina mayoritaria española estima que, en el delito de daños es suficiente el **dolo,** esto es, la conciencia y voluntad de destruir, deteriorar e inutilizar algo, sin ser precisa la existencia de un propósito ulterior del agente, ni un ánimo de perjudicar[721].

Por su parte, el Tribunal Supremo, respecto de la clase de dolo exigible en el delito de daños, en la sentencia ya citada de 29 de enero de 1997, vino a establecer la necesidad de un «*dolo genérico* constituido por la realización de una conducta querida, aun a sabiendas de que estaba prohibida por los perjuicios históricos-artísticos que podrían originarse en su caso». Asimismo, en el relato fáctico de la resolución de 3 de junio de 1995 se declara la existencia del conocimiento por parte de los acusados de la relevancia de los restos arqueológicos, de acuerdo con los resultados emitidos por la Inspección del Patrimonio, así como de la intencionada destrucción de los mismos. La sentencia reseñada viene a establecer, pues, que no es necesario un propósito específico de dañar, bastando un dolo de consecuencias necesarias.

---

[720]   En esta dirección se manifiesta, si bien, respecto de la regulación del Código penal anterior, en el tipo agravado de daños, PÉREZ ALONSO, E.: *La tutela civil y penal del Patrimonio histórico, cultural o artístico,* ob. cit., p. 233.

[721]   Entre otros, JORGE BARREIRO, A.: «El delito de daños en el Código penal español», ob. cit., p. 517; QUINTANO RIPOLLÉS, A.: *Comentarios...*, ob. y loc. cit.; ORTS BERENGUER, E.: *Derecho penal. Parte especial,* ob. cit., p. 539; ANDRÉS DOMÍNGUEZ, A.C.: *El delito de daños...*, ob. cit., p. 169 y ss.

Y es que, en efecto, por lo que se refiere a los daños en yacimientos arqueológicos, tal y como ya se expuso, el problema principal de buena parte de éstos es su detección y el conocimiento cierto de su existencia, pues puede existir un importante patrimonio no conocido por formar parte de esa red de yacimientos arqueológicos relevantes que no han sido inventariados, y consecuentemente, no estudiados. Consecuentemente, desde hace más de una década, de manera previa a cualquier intervención deben realizarse trabajos de prospección intensiva o de excavación preventiva. Al hilo de lo expuesto, en las excavaciones sobre los que dictaminó el Tribunal Supremo, los acusados fueron advertidos del valor arqueológico del terreno, por lo que se afirma la actuación dolosa de aquellos[722].

En cuanto a si el tipo de daños requiere **elemento subjetivo** distinto del dolo, con la doctrina dominante hay que entender que en los delitos de daños no reside elemento subjetivo del injusto alguno, siendo ésta la opinión generalizada en la jurisprudencia; en esta dirección, en las resoluciones reseñadas se estima que no era preciso el elemento subjetivo de injusto, pues bastaba con la existencia de un *dolo de consecuencias necesarias*.

La razón, pues, por la que doctrina y jurisprudencia se refieren en alguna ocasión al *animus damnandi / nocendi*, residía fundamentalmente en el deseo de encontrar un criterio de delimitación entre los delitos de daños y los de apoderamiento, localizándose, pues, en el plano subjetivo. En este sentido, comienza a hablarse de un *animus damnandi o nocendi* en el delito de daños, y de un *animus lucrandi* en los delitos de robo y hurto.

Finalmente, damos por reproducido lo expuesto en el análisis del art. 321, respecto de la diferencia con el «ánimo de lucro indirecto», sirviendo como ejemplo el supuesto del artesano que daña una cosa de su cliente con el fin de ser llamado para su reparación[723]. Existe intención de dañar, aunque el móvil que le impulse sea el de lucrarse. Es preciso no confundir, pues, como ya se dijo, la intención y el móvil, de forma que el delito de daños está pensado para quien dirige su conducta a destruir, menoscabar o inutilizar un bien ajeno, o excepcionalmente uno de su propiedad, pero tal proceder no es incompatible con un

---

[722] A este respecto, ROMA VALDÉS afirma cómo el elemento subjetivo en los daños (pienso, quería referirse al tipo subjetivo en los daños) en yacimientos arqueológicos estará en el conocimiento de la configuración arqueológica del terreno, y no así en las características determinadas o antigüedad del mismo. ROMA VALDÉS, A.: «Las excavaciones ilegales y la protección penal del patrimonio histórico», en *Revista de Derecho Ambiental*, nº 17, p. 59 y ss.

[723] V. JORGE BARREIRO, A.: ob. cit.

móvil lucrativo. Asimismo, puede existir una voluntad de dañar, y a la vez, de perjudicar los intereses de otro.

Ahora bien, ello no supone que se deba configurar la intención de perjudicar como un elemento esencial de la figura de daños. Sin embargo, la existencia de estos supuestos, da lugar a que, en algunos casos, se efectúe una sutil diferencia entre los términos *animus damnandi* y *animus nocendi.* A este respecto, se reserva la expresión *animus damnandi* para expresar la voluntad de dañar, mientras que el *animus nocendi* se identifica con una específica intención de perjudicar a otro[724].

En definitiva, en lo que hay acuerdo unánime, es en que el tipo de injusto doloso de daños requiere únicamente el *dolo genérico:* conocimiento y voluntad de dañar cualquiera de los bienes que conforman el objeto material del tipo de daños. En general, los términos *animus damnandi / nocendi* no se identifican con un especial elemento subjetivo, sino con una voluntad de dañar la cosa que constituya el objeto material, esto es, con el dolo de dañar, pudiendo afirmarse, pues, que en los delitos de daños no reside elemento subjetivo del injusto alguno.

Por lo que se refiere al elemento volitivo del dolo, recordemos que, frente a la concepción tradicional, VIVES ANTÓN parte de la base de que el dolo sólo puede concurrir si en la acción realizada se ha puesto de manifiesto un *compromiso de actuar* del actor, compromiso que no puede fundamentarse en un proceso naturalístico sino desde un plano normativo. A este respecto, el citado autor afirma como sólo podemos analizar manifestaciones externas, a través de las cuales «podemos averiguar el bagaje de conocimientos del autor (las técnicas que dominaba, lo que podía y lo que no podía prever o calcular) y entender, así, al menos parcialmente, sus intenciones expresadas en la acción»[725].

Por último, debe advertirse que la comisión **imprudente** de los daños sobre bienes culturales resulta posible, al estar expresamente contemplada en el art. 324, siempre y cuando se trate de imprudencia grave, si bien esta cuestión será tratada en el análisis que se realizará sobre este precepto.

---

[724] En este sentido, SERRANO BUTRAGUEÑO *(Los delitos de daños...,* ob. cit., p. 85) afirma como «si bien hay que reconocerlas aproximadas (las expresiones referidas) no son en absoluto equiparables; ya que la primera (el *animus damnandi),* a nuestro parecer, sí es asimilable al dolo del delito de daños simples dolosos, habiendo de existir siempre para que pueda hablarse de la comisión de tal delito, mientras que el ánimo de perjudicar *(animus nocendi)* puede darse o no darse, aun existiendo el delito de daños simples».

[725] VIVES ANTÓN, T.S.: *Fundamentos del sistema penal,* ob. cit., p. 237.

4.2. Tratamiento del error

Como venimos reiterando, la presencia de términos normativos en los delitos contra el Patrimonio Cultural plantea problemas a la hora de determinar si el error que pueda recaer sobre dichos términos es de tipo o de prohibición, ya que los referidos términos se remiten a valoraciones jurídicas para su integración o interpretación. A este respecto, ya se dijo que comparto la posición defendida en nuestro país por MUÑOZ CONDE, partidaria de castigar como *error sobre el tipo* los supuestos de error que recaigan sobre los términos normativos, por las razones que ya se expusieron en su momento[726].

Por tanto, si el sujeto activo desconoce la especial relevancia cultural del bien dañado no podrá responder criminalmente a título doloso, toda vez que falta el elemento intelectivo indispensable para el dolo. En ese caso, pues, actuaría con un *error de tipo*[727], el cual podrá ser, según el art. 14.1 del CP, vencible o invencible.

Recordemos cómo el error *vencible* es aquel que puede ser eliminado con un esfuerzo exigible al sujeto, mientras que el error *invencible* no puede ser eliminado con dicho esfuerzo. Vencibilidad o invencibilidad del error que, como ya se dijo, no se determinará en abstracto sino atendiendo, tanto a las circunstancias *objetivas* concurrentes en el supuesto de hecho, como a las circunstancias *subjetivas*[728], esto es, a las facultades personales del agente (su nivel de inteligencia, profesión, ámbito social, etc.).

Atendiendo a estas circunstancias, imaginemos el supuesto de un particular que dañe un bien de interés cultural, pues, por su escasa o nula formación desconozca el relevante valor del bien sobre el que actúa, ello unido al hecho de la ausencia en el lugar de carteles que indicaran la importancia cultural del bien. En estos casos, a mi juicio, quizá se podría alegar un error *invencible* ya que en esas circunstancias y con unos conocimientos muy por debajo de la media, extremo comprobable en la vista oral, difícilmente el sujeto podría salir de su error. Ya trajimos a colación una sentencia condenatoria por hurto de piedras procedentes de un puente en ruinas de la época califal, en la que la Audiencia

---

[726] Cfr. *supra* el epígrafe dedicado a los términos normativos y el error, en el Capítulo Tercero.

[727] En esta dirección, SUÁREZ MONTÉS, C.: *Comentarios al Código penal...*, ob. cit., p. 920; SALINERO ALONSO, C.: ob. cit., p. 309; PÉREZ ALONSO, E. (*La tutela civil y penal...*, ob. cit., p. 231 y ss.) si bien, respecto del tipo agravado del Código anterior. Por el contrario, consideran que son supuestos de error de prohibición, MILANS DEL BOSCH y JORDANS DE URIES: ob. cit., p. 216; DOMÍNGUEZ, J.A., HERNÁNDEZ, J. y otros: ob. cit., p. 133.

[728] V. *supra* artículo 14 del CP, al que ya nos referimos al abordar el error en el tipo del 321.

Provincial de Córdoba[729] inaplicó el tipo cualificado por desconocimiento de su importancia histórico-artística, afirmando que: «Para que se cometiera el delito antes descrito (art. 235.1), requisito estrictamente necesario es el *conocimiento por el autor o autores del valor histórico, artístico, cultural o científico* de las cosas sustraidas, *circunstancias que no se daban en ninguno de los acusados por su escasa o nula formación cultural y por el hecho del estado en que se encontraba el puente*» (la cursiva es añadida).

Por el contrario, la misma Audiencia Provincial, en sentencia de 28 de noviembre de 1978, confirmada por el Tribunal Supremo[730], no reconoció error alguno, al declarar probado el conocimiento que tenía el procesado de la importancia artística de los bienes destruidos por el fuego, «por haber actuado de monaguillo varios años en la Iglesia de la Merced», y «ser objeto de visita por los turistas». Con ello no quiere decirse que el delincuente deba ser un «perito» en materia artística, sino que es suficiente el conocimiento del relevante interés cultural del objeto en cuestión, que tendría un profano en la materia.

De apreciarse la existencia de un *error vencible,* si el sujeto pudo haber salido de su error acerca del valor del objeto —por ejemplo, consultando a la Administración o a expertos acerca del valor de los restos o vestigios aparecidos en un solar de su propiedad— y, sin embargo, no lo hace, y ejecuta los daños, habrá de castigarse por el art. 324, que sanciona los daños imprudentes sobre los mismos bienes objeto de protección del art. 323.

Por último, debemos plantearnos si algunas situaciones podrán reconducirse a supuestos *de error de prohibición* («error sobre la ilicitud del hecho constitutivo de la infracción penal»); en particular, me estoy refiriendo a los supuestos de error de prohibición *indirecto,* cuando el autor conoce la desvalorización que el Derecho atribuye al hecho, pero cree erróneamente que se haya desvirtuada por la concurrencia de una causa de justificación.

Así, por ejemplo, si el propietario de un solar, a pesar de conocer que éste contiene vestigios históricos, cree erróneamente que, por el hecho de ostentar su titularidad, puede llevar a cabo el vaciado del solar, destinado a la construcción, lo que provoca la pérdida de los vestigios, ¿podría alegar que actuó con un *error de prohibición*[731], basado en la creencia errónea de obrar en el *ejercicio legítimo de un derecho?*

---

[729]   Sentencia de 28 de octubre de 1998.
[730]   STS de 18 de junio de 1979 (RA 2677)
[731]   Vid., en la doctrina alemana, WOLFF: ob. y loc. cit., DREHER-TRÖNDLE: ob. y loc. cit., STREE: *Strafgesetzbuch. Kommentar 25* ob. y loc. cit.

En efecto, la creencia del agente debe calificarse de errónea, puesto que no puede afirmarse la existencia del ejercicio de un derecho como vía de justificación, por la carencia del requisito de la legitimidad. Pero es que, además, tampoco tiene derecho a efectuar su conducta, pues, como es sabido, aunque un edificio de relevante valor o un terreno protegido pertenezca a un particular a quien interese derruir para levantar otra o transformar una finca, resulta indudable que allí radica un valor no económico en el que él no participa como individuo y que tiene que respetar como ciudadano. Conviene traer a colación la STC de 23 de junio de 1982, la cual afirmaba que, en orden a la conservación y protección del Patrimonio Histórico-Artístico se establecen una serie de *limitaciones al derecho absoluto de propiedad* «...que simplemente lo limita en sus términos absolutos por razones de un interés público y superior al individual y en función de estimar que constituye lo que es objeto de tal derecho un legado, una parte del acervo espiritual materializado en inmuebles o muebles de interés artístico, arqueológico, paleontológico o histórico...».

Lo cierto es que, a mi juicio, podrá estimarse el error de prohibición, siempre que la duda fuera racional y fundada, así como basada en causas objetivas. De manera que, en el referido supuesto, considero que —como ya expusimos respecto del art. 321— difícilmente podrá invocarse un error de prohibición en supuestos en que se utilizan vías de hecho que «todo el mundo sabe que están prohibidas en el derecho»[732].

En este sentido, la peculiar naturaleza de los bienes integrantes del Patrimonio Histórico —en tanto que objetos dotados de una utilidad cultural que coexiste con una utilidad patrimonial[733]— conduce a que, no sólo hay que hacer lo necesario para conservar, sino que queda proscrito el «no hacer», así como el «hacer negativo» consistente en destruir, deteriorar o inutilizar, en definitiva, hacer desmerecer o desaparecer los bienes de relevante valor cultural.

Por su parte, en la doctrina científica alemana, señala STREE[734] que, si el autor del delito piensa que desmontar un objeto en sus partes individuales no es un daño porque no ha habido lesión de la sustancia, estaría ante un error de subsunción que podría conducir, según las circunstancias, a un error de prohibición.

---

[732]   STS de 2 de julio de 1984, en la que se niega dicho error, en un supuesto en que los recurrentes, por entender que eran de propiedad vecinal, invadieron los terrenos que ocupaba la Urbanizadora B. M., causando destrozos en ellos.
[733]   Vid. lo expuesto *supra* sobre las limitaciones del propietario de bienes culturales.
[734]   Cfr. STREE: ob. y loc. cit. Ver *supra* Capítulo de derecho comparado.

Finalmente, es posible que se den situaciones de *error inverso* cuando el sujeto se represente la concurrencia de un elemento del delito, inexistente en la realidad. Imaginemos una persona que entra en un museo con la intención de dañar un cuadro de gran valor artístico, arremetiendo finalmente contra una copia de éste, creyendo que era el original, el cual estaba en proceso de restauración. Partiendo de una concepción objetiva de la antijuridicidad, como lesión o puesta en peligro de un bien jurídico, la solución de este supuesto pasará por la inaplicabilidad del tipo contenido en el art. 323, puesto que el bien jurídico protegido no ha sido puesto ni siquiera en peligro. De modo que, en principio, en el ejemplo señalado consistiría en aplicar el tipo de daños básico del art. 263 del CP[735].

4.3. Exigibilidad

Por último, resta por examinar si es posible alegar alguna de las causas de inexigibilidad previstas en el art. 20 del CP, que pueda excluir la responsabilidad del sujeto activo del tipo recogido en el art. 323.

Recordemos cómo nuestro Código Penal regula dos eximentes fundadas en la idea de no exigibilidad de otra conducta: el estado de necesidad excusante (art. 20.5) y el miedo insuperable (art. 20.6). De estas dos causas de inexigibilidad, si bien ambas serán, a mi juicio, bastante improbables en la práctica, quizás pudiera ser de aplicación el *miedo insuperable,* resultando difíciles de imaginar supuestos en que se dañe un bien de carácter cultural en virtud de un estado de necesidad[736].

Supongamos que un sujeto está gravemente amenazado por una banda terrorista para que cometa ciertos daños sobre bienes de relevante valor cultural. Pues bien, si por causa del miedo a que acaezca el mal, el sujeto llega a cometer los daños, como cualquier hombre medio en su situación, el hecho no se le podrá reprochar jurídicamente a su autor, aunque haya de conceptuarse como desvalorizado. En consecuencia, en el caso de estimarse el *miedo insuperable,* se le eximirá de pena al sujeto, si bien podrá reclamársele la responsabi-

---

[735] Con independencia de que, si se trata de una copia de la época y es una obra que, realizada con tanta perfección incluso puede llegar a confundir a expertos, la obra pueda seguir teniendo un valor cultural. De esta opinión, LÓPEZ BELTRÁN DE HEREDIA, C.: *La Ley Valenciana de Patrimonio Cultural,* Valencia, 1999, p. 80.

[736] Salvo los casos ya expuestos de ruina inminente de un edificio protegido, ya expuestos en sede del art. 321.

lidad civil, aunque subsidiariamente, pues responderán principalmente los que hubieran causado el miedo, conforme señala el art. 118, n° 4, del CP.

No obstante lo cual, debe advertirse que, en algunas ocasiones, puede resultar complejo discernir si debe aplicarse el miedo insuperable o el estado de necesidad excusante. Sin embargo, me sitúo a favor de la tesis defendida por COBO DEL ROSAL y VIVES ANTÓN[737] en la delimitación de ambas figuras, de acuerdo con la cual, lo que diferencia al miedo insuperable del estado de necesidad es la *ausencia de una auténtica situación necesaria* en el primero, lo que ocurrirá, tanto si el mal carece de realidad, como si proviene de una *amenaza*. En este sentido, CUERDA ARNAU, siguiendo a los autores citados, sostiene que la función más genuina del miedo insuperable es la de dar solución a supuestos que no tienen cabida en el estado de necesidad. De suerte que el art. 20, n° 6, viene a suplir aquellos supuestos en que no tiene cabida el estado de necesidad por faltar «un auténtico conflicto objetivo e inevitable». Ello sucederá, tanto cuando el mal carezca por completo de realidad, como «*cuando la efectiva materialización de aquél depende de la voluntad de un tercero y no de un proceso ineluctable*»[738]. Esta segunda posibilidad es la que acontece, a mi juicio, en la hipótesis que hemos puesto como ejemplo, por cuanto el tercero de quien provenga la amenaza puede decidir no hacer efectivo su propósito, de forma que la actuación del miedo será «innecesaria», ya en abstracto.

5. *Penalidad y medidas de restauración del orden jurídico conculcado. Problemas concursales. Delito continuado*

5.1. Penalidad y medidas de restauración del orden jurídico conculcado

Para finalizar el análisis del art. 323, debe subrayarse como, de forma similar a la previsión del art. 321, se establece la posibilidad de que, además de las penas con las que se sanciona aquel delito —prisión de uno a tres años y multa de doce a veinticuatro meses— el órgano jurisdiccional sentenciador ordene medidas restauradoras del orden jurídico conculcado, a cargo del responsable de los hechos.

---

[737] COBO DEL ROSAL, M./VIVES ANTÓN, T.S.: ob. cit., p. 696.
[738] CUERDA ARNAU, M.L.: *El miedo insuperable. Su delimitación frente al estado de necesidad*, ob. cit., p. 212 y ss.

Así, el párrafo segundo del art. 323 dispone que: «*En este caso, los Jueces o Tribunales podrán ordenar a cargo del autor del daño, la adopción de medidas encaminadas a restaurar, en lo posible, el bien dañado*».

Del texto actual del párrafo transcrito fue suprimida la previsión expresa de la posibilidad de adoptar medidas *cautelares* para la protección de los bienes dañados. La objeción más importante obedecía a que, siendo una norma de carácter procesal[739] se pretendía situar en un texto de naturaleza netamente material, como es el Código Penal. De suerte que, resultaba preferible que dichas medidas cautelares se enmarcaran dentro de la Ley de Enjuiciamiento Criminal o en la Ley 16/1985 de Patrimonio Histórico Español.

Pues bien, por lo que se refiere a las medidas restauradoras del orden jurídico conculcado recordemos que son medidas de carácter civil, que forman parte del contenido de la *reparación*, prevista con carácter general en los arts. 110.2 y 112 del CP. Las medidas contempladas en el art. 323 consistirán, concretamente, en la *restauración* del bien dañado, dirigida a la recuperación de los valores históricos, artísticos, científicos, culturales o monumentales del bien en cuestión. No obstante, debe señalarse que, en la práctica, resulta sumamente difícil, incluso, en determinados casos imposible, la total restauración de los bienes dañados[740]. Es por ello que quizás el legislador introduce una matización, al ordenar «la adopción de medidas, encaminadas a restaurar, *en lo posible,* el bien dañado», a diferencia del art. 321, en el cual se preveía el que, *en cualquier caso,* los Jueces o Tribunales podían ordenar, a cargo del autor del hecho, la reconstrucción o restauración de la obra.

De todos modos, como ya se dijo, en todo caso, partiendo de la dificultad en la práctica de la eficacia de tales medidas, la *indemnización* de perjuicios se dará frecuentemente en la práctica, traduciendo en dinero un menoscabo cuyos efectos dañosos no pueden retrotraerse.

Finalmente, me interesa subrayar que, en particular, respecto de las «obras de relevante interés artístico, histórico, paleontológico, arqueológico, etnográfico, científico o técnico que se cedan, temporal o definitivamente, a Museos, Bibliotecas o Archivos para su contemplación pública», debe tenerse en cuenta

---

[739] En términos de SERRANO BUTRAGUEÑO, I.: *Los delitos de daños,* ob. cit., p. 388.

[740] Recientemente, cinco importantes obras expuestas en el museo de Bellas Artes de Gand, al norte de Bélgica, fueron severamente dañadas por un desconocido con un objeto punzocortante. Pues bien, no siendo todavía oficialmente evaluados los daños, los desperfectos causados parecían de tal gravedad, que se advirtió difícil su total restauración. *Diario El País,* 25 de febrero de 1997.

lo dispuesto por el Real Decreto 1680/1991, de 15 de noviembre[741], de acuerdo con el cual, el Estado podrá comprometerse a indemnizar por la destrucción, pérdida, sustracción o daño de aquellas obras.

La cuantía de las indemnizaciones se determinará, en estos casos, atendiendo a las siguientes reglas: 1º Por pérdida, sustracción o **destrucción** de la obra, el Ministerio de Cultura abonará al cedente de ésta una cantidad igual al valor de la obra declarado en la solicitud y reconocido en la Orden de otorgamiento de la garantía del Estado.

2º Por **daño** de la obra, la indemnización comprenderá: a) el costo razonable de la restauración de la obra establecido de mutuo acuerdo entre el cedente y el Ministerio de Cultura o, de no llegar a tal acuerdo, determinado por un perito mutuamente aceptado por ambas partes, y b) una cantidad igual a la depreciación en el valor de mercado de la obra, después de la restauración, estableciéndose dicha cantidad de mutuo acuerdo, y si no hay tal, será el perito aceptado por ambas partes el que lo determine. La cuantía de esta indemnización no podrá exceder, al igual que en el caso anterior, del valor de la obra declarado en la solicitud y reconocido en la orden de otorgamiento de la garantía del Estado (art. 8.1).

En los supuestos referidos, la Administración podrá, una vez abonada la indemnización, «ejercitar los derechos y las acciones que por razón del siniestro correspondieran a la institución cesionaria y al cedente de la obra frente a cualquier persona distinta de éstos que sea responsable del mismo y hasta el límite de la indemnización» (art. 8 b) del Real Decreto 1680/91).

5.2. Problemas concursales. Especial referencia al delito continuado

No podemos finalizar sin abordar algunos de los problemas concursales que pueden plantearse en relación con el tipo previsto en el art. 323, bien constituyan concursos aparentes de leyes penales, o bien concurso real o ideal de delitos. Como sabemos, la diferencia entre el *concurso de leyes* y el concurso de delitos radica en que, en el primero, uno solo de los tipos en conflicto abarca totalmente el injusto de la conducta típica, mientras que en el *concurso de delitos*, para

---

[741] Por el que se desarrolla la Disposición Adicional novena de la Ley de Patrimonio Histórico Español, sobre garantía del Estado para obras de interés cultural.

captar completamente el injusto, hay que tomar en consideración varios tipos penales[742].

a) Relación concursal con los daños básicos en propiedad ajena (arts. 263 y ss.)

Asiste la razón a TERRADILLOS BASOCO cuando afirma que, si bien en el art. 323 se castigan delitos de daños cualificados con respecto al 263, por la índole del objeto material, no obstante, no media entre dicho precepto y el art. 323 una relación de especialidad, sino de *subsidiariedad*, «ya que en éste la relevancia del bien jurídico determina que sean punibles incluso los daños en cosa propia no generadores de daño económico cuantificable»[743].

Y es que, en efecto, recordemos que la imposibilidad de apreciar un concurso de delitos proviene del mismo texto punitivo, toda vez que el art. 263 tipifica la causación de daños «*no comprendidos en otros Títulos de este Código*». Dicha expresión permite deducir que la relación entre los preceptos es de subsidiariedad: la norma subsidiaria sólo se aplicará en defecto de la principal. De suerte que, el *conflicto de leyes* que pueda surgir se resolverá, de acuerdo con el art. 8 del CP, con la aplicación preferente del tipo penal contenido en el art. 323, toda vez que el legislador manifiesta explícitamente que el art. 263 se aplique únicamente en defecto de otros delitos de daños (subsidiariedad expresa).

Asimismo, cuando los daños recaigan sobre «*bienes de dominio público o uso público o comunal*» (art. 264, nº 4, del CP) de valor histórico, artístico, científico, cultural o monumental, el tipo contenido en el art. 323 será de aplicación preferente frente a la *cualificación del delito de daños*.

b) Relación concursal con el artículo 321

Un sector de la doctrina manifestada sobre este punto sostiene que, entre los daños del art. 323 (el género) y el art. 321 (la especie) existe una relación de especialidad[744], estimando que se aplicará este último, por cuanto, aunque en

---

[742]   COBO/VIVES: ob. cit., p. 710.

[743]   TERRADILLOS BASOCO, J.: «Delitos relativos a la protección del patrimonio histórico y el medio ambiente», ob. cit., p. 38.

[744]   Vid. PÉREZ ALONSO, E.J.: «Los delitos contra el patrimonio histórico en el Código penal de 1995», ob. cit., p. 634; SERRANO GÓMEZ, A.: *Derecho penal. Parte especial*, II, ob. cit., p. 649; asimismo, VÁZQUEZ IRUZUBIETA considera que el 321, sustancialmente se trata de

este tipo resulta también inherente la producción de un daño, limita la forma de éstos los daños y reduce el objeto material a los edificios singularmente protegidos. También los hay que no comparten esta solución, como por ejemplo, POLAINO NAVARRETE[745], quien considera que la conducta típica de daños es «conceptualmente subsidiaria» de la de alteración grave y de la de derribo.

Tal y como se ha venido afirmando, a mi juicio, en el texto punitivo se ha establecido un tratamiento diferenciado para el derribo de edificios singularmente protegidos frente al resto de conductas dañosas en otros bienes de valor cultural, dando por reproducidos los argumentos esgrimidos en su momento, a tal efecto[746]. Por tanto, pese a que la delimitación en ciertos casos se presenta harto dificultosa, a mi entender, nos encontramos ante tipos penales con ámbitos de aplicación diferenciados, en virtud del objeto material protegido.

Ahora bien, como ya se expuso en el examen del art. 321, pueden plantearse en ciertos casos problemas concursales con respecto al art. 323. Pensemos en aquellos supuestos en que un sujeto lleve a cabo el derribo de un edificio protegido por su interés histórico, provocándose a su vez daños en bienes muebles de gran valor histórico, artístico, cultural, etc., albergados en el edificio[747], la solución a esta hipótesis se resolverá, a mi juicio, acudiendo al *concurso real de delitos* entre el art. 321 y el art. 323. A este respecto, como ya se dijo, considero que concurren los cuatro requisitos fundamentales (pluralidad de infracciones, un objeto de valoración plural —al producirse dos resultados distintos nos encontramos en presencia de dos hechos, tantos como resultados producidos[748]— unidad de sujeto al que se le imputan los diversos delitos, y unidad de enjuiciamiento) para que pueda afirmarse la presencia de un

---

una especialidad del delito de daños, con el que genera un conflicto que se resuelve por la regla citada, VÁZQUEZ IRUZUBIETA, C.: *Nuevo Código penal comentado*, p. 478.

[745] A este respecto, POLAINO NAVARRETE («Delitos contra el Patrimonio Histórico», ob. cit., p. 600), así como PÉREZ ALONSO (ob. y loc. cit.) proponen de *lege ferenda* una nueva estructura en la configuración de los daños sobre el Patrimonio colectivo.

[746] Vid. *supra* el análisis del objeto material del art. 321.

[747] En la legislación británica ya expusimos, *supra* Capítulo II, cómo los bienes muebles de interés histórico o artístico no son protegidos sino como *pertenencias* del inmueble en el cual han sido encontrados.

[748] Entendiendo el término «hecho» referido a la totalidad del sustrato de la valoración típica, esto es, al momento ejecutivo, causal y efectual (COBO DEL ROSAL, M./VIVES ANTÓN, T.S.: ob. cit., p. 765).

concurso real de delitos[749] entre el art. 321 y el art. 323, sancionado de acuerdo con los arts. 73 y 76 del Código Penal[750].

c) Relación concursal con el artículo 289

A continuación debemos abordar en qué supuestos puede entrar el art. 323 en concurso con el art. 289, el cual, recordemos, sanciona la *sustracción de cosa propia a su utilidad social o cultural.*

En opinión de MUÑOZ CONDE, el daño sobre un objeto del patrimonio histórico, artístico, cultural o monumental, «también si lo comete el propietario puede constituir delito autónomo tipificado en el Capítulo II del Título XVI»; sin embargo, más adelante parece incurrir en una cierta contradicción cuando afirma que entraría en el art. 289 la conducta consistente en «romper un cuadro de Goya por parte de su propietario para impedir que se lo lleven a un museo»[751]. Por su parte, MARTÍNEZ-BUJÁN PÉREZ[752] si bien en principio estima correcta la solución aportada por autores como ORTS BERENGUER[753] o SUÁREZ GONZÁLEZ[754], partidaria de apreciar un concurso aparente de normas penales, matiza que, a su juicio, tendrá lugar únicamente en casos de conductas materialmente constitutivas de daños, donde sólo entraría en juego los artículos 321 o 323. Para realizar esta afirmación se base en que la regulación autónoma del art. 289 en el nuevo Código Penal lo desvincula del delito de daños; en consecuencia, estima que en los supuestos donde además de la conducta de daños contra los bienes del 323 se produce una sustracción al cumplimiento de deberes impuestos al propietario, lo adecuado sería, a su juicio, apreciar un concurso real de delitos.

---

[749] Incomprensiblemente, SERRANO GÓMEZ estima que los daños producidos a los bienes muebles integrantes del Patrimonio histórico que se encontraran en el edificio quedarían consumidos por el delito del art. 321, de acuerdo con el principio de consunción. SERRANO GÓMEZ: *Derecho penal. Parte especial*, II, ob. cit., p. 649.

[750] Dichos artículos regulan el modo de aplicación de las penas «al responsable de dos o más delitos o faltas», preceptuando que «se le impondrán todas las penas correspondientes a las diversas infracciones» *(acumulación material)*, sin que, no obstante, puedan rebasar el límite representado por el triple de la más grave, o por el tiempo máximo de veinte años *(acumulación jurídica)*, que, excepcionalmente, puede alcanzar los veinticinco o treinta años.

[751] MUÑOZ CONDE, F.: ob. cit., p. 460.

[752] MARTÍNEZ-BUJÁN PÉREZ, C.: *Derecho penal económico. Parte especial*, ob. cit., p. 169.

[753] Así ORTS BERENGUER, E.: *Derecho penal. Parte especial*, ob. cit., p. 539.

[754] SUÁREZ GONZÁLEZ, C.: *Comentarios al Código penal*, ob. y loc. cit.

Ciertamente, parece asistir la razón al último autor citado en su interpretación extensiva del art. 289, toda vez que el legislador del 95 ha apartado este precepto de la regulación de los daños. Ahora bien, me adhiero a la posición de quienes estiman procedente apreciar un concurso de normas penales, y no de delitos, con los relativos al Patrimonio Histórico. Como ya se justificó con respecto al art. 321, podrá apreciarse un *concurso aparente de leyes penales,* entre el art. 289 y el art. 323, en aquellos supuestos de incumplimiento, por parte del propietario del bien cultural, de los deberes legales impuestos con respecto a dicho bien, cuando el medio empleado para la sustracción de dichos deberes sea un medio dañoso, concurso resuelto a favor de la aplicación del art. 323. Este sería el único caso en que tendría sentido aplicar la solución concursal prevista.

Mientras que el artículo 289 no quedará desplazado en las hipótesis en que el propietario sustraiga el bien al cumplimiento de los deberes legalmente impuestos, en detrimento de su utilidad social o cultural, *sin* producir daños que menoscaben el objeto material del art. 323. Cuestión distinta es que pueda plantearse si efectivamente hubiera resultado más oportuno dejar estos supuestos de sustracción del bien al cumplimiento de sus deberes comunitarios en manos de otros mecanismos sancionadores de que dispone el ordenamiento jurídico.

Llegados a este punto en que admitimos la posibilidad del concurso de normas entre los referidos preceptos, debemos, pues, considerar, en virtud de qué concreta regla concursal se llega a esta conclusión. Así, de entre las distintas reglas previstas en el art. 8 del CP, para solucionar los concursos de normas penales considero que existe una relación de *especialidad* entre el art. 289 y el art. 323, de suerte que el último precepto citado resultará de preferente aplicación por ser ley especial[755].

En primer lugar, porque, como ya se vio, el bien jurídico es parcialmente coincidente en ambos tipos. En el art. 289 el bien jurídico protegido es la *utilidad social* aneja al objeto material, concepto indeterminado que ha de entenderse referido a la satisfacción de necesidades básicas[756]. Dicha utilidad aparece delimitada en el art. 323 atendiendo a los valores artísticos, históricos, científicos, culturales o monumentales del objeto material, esto es, atendiendo al valor cultural ínsito en el bien dañado. Y es que estos bienes, como ya se ha dicho, tienen una función de naturaleza social y cultural, cuya relevancia viene

---

[755]   En este sentido, SUÁREZ GONZÁLEZ (ob. y loc. cit.) en relación al artículo 21 del CP.
[756]   En el mismo sentido, VIVES ANTÓN, T.S.: *Comentarios al Código penal de 1995,* ob. cit., p. 1.402.

determinada precisamente por dicha función y por el interés que la colectividad manifiesta en su tutela[757].

Las diferencias que existen, pues, entre ambos preceptos obedecen a la propia naturaleza de la relación de especialidad, pudiendo afirmarse que todo hecho susceptible de ser subsumido en el delito especial, esto es, en el art. 323, es a su vez subsumible en el general, sin que valga lo contrario.

En el tipo previsto en el art. 323, el objeto material lo constituyen, en términos generales, los bienes de valor histórico, artístico, científico, cultural o monumental —los cuales suponen, a mi juicio, una especie del género «cosa de utilidad social o cultural»— y solamente frente a las actuaciones consistentes en daños acometidos sobre ellos.

En todo caso, existiría otra vía para negar la aplicación del art. 289 en los supuestos de destrucción de bienes culturales por el propietario, pues, como ya se dijo, si castigásemos dicha conducta por vía del art. 289, estaríamos creando un tipo privilegiado a favor del propietario. Así, si atendemos a las penas de los respectivos preceptos[758], observamos cómo la conducta típica prevista en el art. 289 se castiga únicamente con pena de arresto de siete a veinticuatro fines de semana o multa de cuatro a dieciséis meses, frente a la pena de prisión de uno a tres años y multa de doce a veinticuatro meses prevista en el artículo 323.

d) Relaciones concursales con delitos contra el patrimonio y con el contrabando

De la escasa doctrina científica manifestada acerca de estas relaciones concursales, debe significarse como ORTS BERENGUER sostiene, si bien en relación a los daños genéricos, que éstos podrán entrar en concurso de infracciones con otros delitos contra el patrimonio, cuando el daño sea el medio comisivo de éstos. CARMONA SALGADO, por su parte, afirma que «en los casos en que los daños se realicen con la finalidad de cometer un hurto, un robo, una estafa, una apropiación indebida o una malversación o contrabando de bienes pertenecientes al patrimonio histórico, procede apreciar el correspondiente *concurso de delitos*, si bien dicha posibilidad no debe quedar restringida a los supuestos en que los daños se cometan con dicha intención, sino que debe

---

[757] Me remito *supra* al Capítulo dedicado al bien jurídico protegido.
[758] CARMONA SALGADO admite la posible producción de estos efectos distorsionantes por las penas, si bien cree que técnicamente resulta más correcto el castigo por el 289. CARMONA SALGADO, C.: ob. y loc. cit.

extenderse también a la realización de cualquier menoscabo que se produzca con ocasión de la ejecución de algunas de esas conductas, ya sea a título de dolo (art. 323), ya a título de imprudencia del art. 324»[759]. En esta dirección SALINERO ALONSO sostiene que, a su juicio, ningún problema se plantea en admitir un concurso ideal cuando los daños sean consecuencia o se deriven de un delito contra el Patrimonio o de un delito de malversación[760].

Pues bien, como ya se expuso en relación al artículo 321, en general, los menoscabos o deterioros ocasionados sobre los bienes no se toman en cuenta si han sido producidos en función del apoderamiento de las cosas muebles[761]. De suerte que, el tipo de *robo con fuerza en las cosas* desplaza por consunción al de daños que, en principio, aparece como concurrente.

No obstante, pueden producirse daños sobre bienes de valor cultural, objeto material de una sustracción posterior. En estos casos, cuando la violencia se ejerza sobre los objetos, buscando únicamente causar desperfectos, dicha violencia no puede ser considerada como fractura a los efectos del robo. Tales actuaciones pueden constituir un delito de daños del art. 323 en concurso con un delito de *hurto* (art. 235.1), si finalmente se produce tal apoderamiento[762].

Ahora bien, en los supuestos en que el sujeto, por ejemplo, rompa la ventana de un edificio para apoderarse de los objetos que hay en el mismo y, tras acceder al local cometa destrozos diversos innecesarios, como suele ocurrir con frecuencia con ocasión de expolios de iglesias, ermitas y yacimientos arqueológicos, podrá apreciarse un *concurso real de delitos* entre el *robo con fuerza* en las cosas y el de *daños*.

Asimismo, si el sujeto desiste voluntariamente de realizar el apoderamiento, una vez se han consumado los daños, se podrá sancionar sólo por este último delito.

---

[759] CARMONA SALGADO, C.: ob. y loc. cit. Por su parte CASTELLO NICAS, si bien en relación al robo sostiene que en el caso del sujeto que roba y destruye posteriormente el objeto apoderado, «la posición del ladrón no puede equipararse a la del propietario de pleno derecho, quien aún tiene la expectativa de recuperar el objeto del que ha sido desposeído, por lo que *hasta el momento de la destrucción del mismo, sólo habría sido sujeto pasivo de un delito de robo*, pero no de uno de daños también» (la cursiva es añadida). CASTELLO NICAS, N.: *El concurso de normas penales*, Granada, 2000, p. 54 y ss.

[760] SALINERO ALONSO, C.: *La protección del Patrimonio Histórico...*, ob. cit., p. 316.

[761] Cfr. *supra* las cuestiones concursales que plantea el artículo 321 en relación con los delitos patrimoniales.

[762] Así, MATA Y MARTÍN, R.M.: *El delito de robo con fuerza en las cosas*, ob. cit., p. 283.

Por su parte, considero que podrá apreciarse un *concurso de delitos*, en aquellos casos en que se produzcan daños en bienes de valor cultural, cuando dichos bienes hayan sido objeto de un delito de *estafa* (art. 250.5) o de *apropiación indebida* (art. 252 en relación al 250.5). Recordemos que el Código Penal de 1995 incorpora un subtipo agravado para los casos en que la *estafa* recae en bienes que integren el patrimonio artístico, histórico, cultural o científico, de forma independiente a la agravación contenida en el nº 1 del art. 250 sobre bienes de reconocida utilidad social. A su vez, el art. 252 regula la *apropiación indebida,* manteniendo la remisión a la estafa y a sus subtipos agravados en cuanto a la pena. En relación a este último delito, cabrá aplicar, pues, la agravación cuando, por ejemplo, el sujeto activo, tras recibir un bien cultural en depósito, comisión o administración o por cualquier otro título que genere la obligación de devolverlo, se apropie de éste o niegue haberlo recibido, pudiendo, a mi entender, entrar en concurso con el delito del 321 cuando, a su vez, dañe gravemente el bien de valor cultural. Tal y como señala MUÑOZ CONDE, el delito de apropiación indebida, en relación con objetos pertenecientes al patrimonio artístico, cultural o histórico, podrá ser cometido por administradores o marchantes, propietarios de galerías de exposiciones, restauradores, transportistas, depositarios...[763]. Así, pensemos en un galerista que se apropia de un cuadro cedido por su autor, pensando en destruirlo si no consigue venderlo, destrucción que finalmente lleva a cabo, al no conseguir la finalidad pretendida. Este supuesto, a mi juicio, debiera sancionarse como un concurso de delitos entre el de apropiación indebida (art. 252 en relación con el 250, nº 5) y el de daños del 323, pues, aun admitiendo que en ambos se produjera la vulneración del mismo bien jurídico[764], el desvalor de delito de apropiación no comprende el total desvalor del hecho.

En el Código Penal se describe, asimismo, un subtipo agravado para los casos de *apropiación de cosa perdida o de dueño desconocido* (art. 253), cuando la cosa apropiada sea de valor artístico, histórico, cultural o científico, sancionándose autónomamente con la pena de prisión de seis meses a dos años. Ahora bien, al

---

[763] MUÑOZ CONDE, F.: «El tráfico ilegal de obras de arte», ob. cit., p. 409. Sin embargo, en el caso de los meros tenedores, sin poder posesorio alguno sobre el bien, por ejemplo el vigilante o la limpiadora del museo, si se apoderen del bien cometerán, tal y como señala acertadamente el autor citado, únicamente el delito de hurto, con la distinta trascendencia punitiva que conlleva.

[764] Lo cual parece cuestionable toda vez que hemos venido manteniendo cómo, en los subtipos agravados, el Patrimonio Cultural y su valor como instrumento de acceso a la cultura, no conforma un bien jurídico autónomo, siendo deudor y dependiente del bien jurídico protegido en el injusto al que se adhieren.

igual que en el delito de estafa y apropiación indebida, el valor de lo apropiado debe superar las 50.000 pesetas para que se aplique el citado art. 253.

Podrán suscitarse asimismo problemas concursales si como consecuencia, o con la finalidad de llevar a cabo un *delito de contrabando*, acaecen daños sobre el bien cultural, objeto de exportación. Y es que, desgraciadamente, el tráfico ilícito de bienes culturales ocasiona con frecuencia graves daños físicos en los objetos sobre los que recaen, pudiendo llegar incluso a su destrucción.

El delito de contrabando, como es sabido, continúa regulándose a través de una ley penal especial, la Ley Orgánica 12/1995, de 12 de diciembre, de Represión del Contrabando, en la cual se prevé, expresamente en el apartado 1. e) del art. 2, la figura delictiva consistente en «sacar del territorio español bienes que integren el Patrimonio histórico español, sin la autorización de la Administración del Estado cuando ésta sea necesaria», siempre que el valor sea igual o superior a los tres millones de pesetas, pues, en caso contrario constituiría una infracción administrativa.

Prioritariamente deberá fijarse, pues, cuál es el bien jurídico que está tutelándose en esta figura. Así, partiendo de la opinión doctrinal dominante, favorable a considerar que es imposible hallar un único bien jurídico común en todas las infracciones de contrabando, entiendo con ORTS BERENGUER[765] que, en la exportación sin autorización prevista en el apartado e) se pretende salvaguardar el Patrimonio Histórico, en cuanto *acervo cultural* de nuestro país, al suponer el desmembramiento y la dispersión de las obras de arte[766].

Pues bien, la doctrina científica únicamente se ha venido manifestando acerca de las relaciones concursales entre este delito y los delitos patrimoniales. Así, MARTÍNEZ-BUJÁN PÉREZ[767] sostiene que si el tipo de contrabando

---

[765] ORTS BERENGUER, E.: «Exportación sin autorización de obras u objetos de interés histórico o artístico», ob. cit., p. 88. En esta dirección, AZZALI («Profili in tema di esportazione di opere de arte», ob. y loc. cit.) afirma que *«il oggetto giuridico consiste in un interesse statuale di natura non finanziaria ma tipicamente culturale...»*.

[766] Incluso existen redes de contrabando electrónico de piezas del patrimonio arqueológico expoliadas de yacimientos, las cuales salen a la venta a través de Internet desde páginas *web* creadas al efecto. Recientemente se ha desmantelado una red de subastas arqueológicas en una operación desarrollada en las provincias de Huelva y Sevilla, que permitió incautar más de 9.000 piezas de patrimonio arqueológico de diversas culturas, así como distintos objetos de diversos yacimientos. Los detenidos, acusados de delitos contra el patrimonio histórico y contrabando, pensaban subastarlas a través de Internet, en una red que funcionaba desde 1997, habiéndose efectuado subastas de monedas, que eran remitidas a los compradores, mayoritariamente norteamericanos, a través de correo certificado.

[767] MARTÍNEZ-BUJÁN PÉREZ, C.: *Derecho Penal Económico. Parte especial*, ob. cit., p. 562 y ss.

comporta al propio tiempo la ejecución de alguno de los delitos patrimoniales o de funcionarios destinados también a proteger el patrimonio histórico español (hurto, robo, estafa, apropiación indebida o malversación) surgirá un concurso aparente de normas penales, dada la identidad del bien jurídico, con apreciación del precepto más gravemente penado conforme al criterio de la alternatividad. Por el contrario, BAJO FERNÁNDEZ[768] sostienen la aplicación de un concurso de delitos con el correspondiente delito patrimonial (hurto, robo, estafa...) si se hubiere producido, «ya que sólo aplicando ambos preceptos puede apreciarse en toda su amplitud el desvalor de acción del comportamiento».

En relación al delito de contrabando y el tráfico de drogas, recordemos, como ya se comentó, que la solución del concurso de normas es la adoptada recientemente por el Tribunal Supremo[769] estimando que, ante la identidad de bienes jurídicos, la dualidad de sanciones supone un *bis in idem*. A este respecto el TS considera que entre ambos delitos se da una relación de consunción, entendiendo que el hecho del contrabando está comprendido en el tipo del delito contra la salud pública, puesto que éste es de mayor alcance. De suerte que, a partir de este reciente cambio jurisprudencial, la Ley de Contrabando se vacía prácticamente de contenido, a favor de los delitos de tráfico de drogas tóxicas, estupefacientes y sustancias psicotrópicas.

Volviendo al ámbito que nos ocupa, debemos plantearnos cómo deberán castigarse los supuestos en que, tras sacar ilícitamente del territorio español un bien perteneciente a nuestro Patrimonio Cultural, se produce un daño efectivo contra la integridad de dicho bien. En relación a ello, la Convención de la UNESCO aprobada en 1970 sobre tráfico ilícito[770] declaraba, en su art. 2, que: «la importación, la *exportación* y la transferencia de propiedad ilícita de los bienes culturales constituyen una de las principales causas de empobrecimiento del Patrimonio Cultural de los países de origen de dichos bienes y que una colaboración internacional constituye uno de los medios más eficaces para proteger sus bienes culturales respectivos *contra todos los peligros que entrañan aquellos actos*» (la cursiva es añadida).

En efecto, lo que parece fuera de toda duda es que, tal y como afirma MUÑOZ CONDE, «*suele ocurrir que*, tanto el apoderamiento constitutivo de robo, como

---

[768] BAJO FERNÁNDEZ, M.: *Manual de Derecho penal (parte especial). Delitos patrimoniales y económicos*, ob. cit., p. 470.

[769] El cambio relevante en la doctrina jurisprudencial se introduce a partir de la ya citada STS de 1 de diciembre de 1997 (RJ 1997, 8761).

[770] Cfr. *supra* Capítulo Segundo, I, 2.2.

en el ocultamiento, como en *el transporte para la exportación clandestina*, el objeto histórico, cultural o artístico sufra *daños irreversibles*, sucede esto frecuentemente en las obras pictóricas y escultóricas y, en general, con todos los objetos relacionados con el patrimonio documental, libros, etc. Sólo ya el corte del lienzo, su enrollamiento en lugares poco acondicionados, su transporte en condiciones inadecuadas, lo dañan irreversiblemente. Pero también la manipulación del mismo para que no pueda ser identificado, su división en varias partes, etc. Todos estos hechos están incluidos obviamente dentro del delito de daños»[771].

A tenor de lo expuesto, admitiendo la dificultad de dar una respuesta exacta a estos problemas concursales, y significando la falta de referencia jurisprudencial y doctrinal en estos supuestos, considero que podría apreciarse un *concurso de delitos* si, además de exportar ilegalmente el bien cultural, se producen daños efectivos contra la integridad del bien, de suerte que, aplicando ambos delitos se abarca totalmente el injusto de la conducta típica. En principio, el concurso podría ser medial o real, dependiendo de la modalidad comisiva; sin embargo, la primera opción presenta ciertos inconvenientes derivados de la exigencia de la relación medio necesario-fin, de suerte que, aunque en la práctica resulte frecuente que el bien sufra daños cuando se pretende acometer su exportación ilegal, nunca serán el «medio *necesario*» para acometer ésta.

No obstante, de acuerdo con el carácter residual de los daños frente a los delitos contra la propiedad, hasta el momento, en la práctica jurisprudencial el daño en los bienes culturales queda sin ser castigado[772].

e) Relación concursal con el tipo previsto en el artículo 319

El delito de construcción y edificación ilegal (art. 319 del CP) podrá entrar en concurso con el delito de daños del art. 323, por ejemplo, en aquellos supuestos en que, con ocasión de la realización de las labores no autorizadas de

---

[771] MUÑOZ CONDE, F.: «El tráfico ilícito de obras de arte», ob. cit., p. 417.

[772] A este respecto, en sentencia de 30 de junio de 1978, el Tribunal Supremo no apreció un delito de daños del art. 561 del Código derogado, en la actuación de un sujeto que, con ocasión de la sustracción, rompe una esquina de una talla policromada de un retablo.
Asimismo, suscitó mi atención el hecho de que en la condena por la sustracción del Códice del Béato de Liébana, la Audiencia Provincial de Lérida condenó por robo con violencia, resultando absolutamente obviada en dicha sentencia resolutoria la rotura de tres páginas del Códice.

construcción o edificación, se lleven a cabo excavaciones que produzcan daños en yacimientos arqueológicos.

Pensemos una construcción ilegal en zona rústica, a la postre llevada a cabo en un enclave que en su día fue un fortín romano, y donde las operaciones de construcción motiven que los restos de la muralla de aquél sea destruida en algunos tramos. A mi juicio, se producen resultados distintos y, por ende, la resolución del concurso ha de venir por las reglas del concurso *real* de delitos.

f) Relación concursal con el delito de incendios

Como ya se dijo, no todas las destrucciones dolosas castigadas por el Código Penal están previstas en el Capítulo IX del Título XIII (art. 263 y ss.) y en el Capítulo II del Título XVI, ambos del Libro II del Código Penal. Así, en el texto punitivo resultan claramente diferenciados los delitos de daños y los de incendio, poniéndose el acento en el peligro para la seguridad de las personas, toda vez éste es el elemento que permite distinguir ambas figuras delictivas.

La actual regulación de los delitos de incendios, en el Código Penal español, como un delito contra la seguridad colectiva, evidencia que nos encontramos ante una serie de conductas caracterizadas porque el mal de la acción incriminada no se circunscribe a un ataque a la propiedad incendiada, sino que, como ya se expuso[773], se caracterizan por el riesgo que suponen para bienes personalísimos. Recordemos cómo doctrina científica y jurisprudencial exponen a este respecto que, en los delitos de incendios se protegen intereses muy dispares como, la seguridad de las personas, el patrimonio público o privado, hasta intereses colectivos como la conservación del medio natural, etc.[774]. Se trata, pues, de un delito pluriofensivo.

De modo que, pensemos en un supuesto de incendio de bienes culturales que, a su vez, atente contra la seguridad colectiva, pues, como consecuencia de la combustión, una o varias personas hayan visto puesta en peligro su vida o integridad física. Con base en lo expuesto, podrán resolverse estos supuestos como un *concurso de delitos* entre el delito de incendios y el de daños. Idéntica solución apreciaremos en los casos en que el incendio se lleva a cabo en bienes propios (art. 357 CP). En consecuencia, en la hipótesis referida será necesaria

---

[773] Ver *supra* las relaciones concursales del delito de incendios con el previsto en el art. 321.
[774] V. PRATS CANUTS, J.M.: *Comentarios al nuevo Código penal*, ob. cit., p. 1.584.

la consideración combinatoria de ambos tipos, el de incendios y el contenido en el art. 323, para contemplar el desvalor total del hecho unitario[775].

Sin embargo, el resto de incendios sin peligro para las personas, considero quedarán relegados a las correspondientes figuras de daños[776], en nuestro caso, al art. 323. Por ejemplo, los casos de quema de un valioso cuadro, o de papeles o documentos de interés histórico o cultural, sin que exista riesgo de propagación.

Ahora bien, cabe admitir supuestos de tentativa del art. 351, si al incendiar el bien cultural, el sujeto se representa los presupuestos fácticos de la situación de riesgo personal, aunque objetivamente no llegue a producirse peligro concreto personal, pues ninguna persona se encuentra inmersa en el círculo del riesgo creado. A mi juicio, deberá responder por tentativa del delito de incendio del art. 351, en concurso con el delito de daños.

g) Especial referencia al delito continuado

En principio, nada se opone a la posibilidad de apreciar un delito continuado en el art. 323, siempre y cuando se cumplan los requisitos ya mencionados en relación a los anteriores tipos legales, requisitos recogidos en el art. 74.1 del CP, esto es: a) que se haya realizado una pluralidad de acciones u omisiones, b) que infrinjan el mismo o semejantes preceptos penales, c) que se haya actuado en ejecución de un plan preconcebido o aprovechando idéntica ocasión.

A este respecto, a mi juicio, podría apreciarse un supuesto de daños continuados en aquellos efectuados, por ejemplo, por obra de un enfermo mental que decide apuñalar varias pinturas de gran valor, expuestas al público en un museo. O también, cuando, en virtud de un plan premeditado de golpear los símbolos más representativos de la cultura de un país, un grupo de sujetos se decida a colocar artefactos explosivos en catedrales, apedrear monumentos, etc.

Ahora bien, comparto los reparos que suscita dicha institución en algunos autores de la doctrina, reparos basados fundamentalmente, de un lado, en que

---

[775] En esta dirección, HERVAS HERCHER y HERREROS VENTOSA *(Delitos relativos a la ordenación del territorio, patrimonio histórico...*, ob. cit., p. 323), al considerar que los bienes jurídicos son diferentes, estiman que la concurrencia de los tipos penales se resolvería acudiendo a las reglas del concurso ideal de delitos del art. 77.

[776] En este sentido, SERRANO GONZÁLEZ DE MURILLO, J.L.: «Los delitos de incendio en el nuevo Código penal», en *Actualidad penal*, nº 42, noviembre 1996, p. 829 y ss.

las razones político-criminales que condujeron a su nacimiento hoy en día no subsisten, toda vez que la punición del concurso resulta más moderada; y, de otro lado, en que los factores de incertidumbre que rodean la aplicación de dicho instituto posibilitan que en muchos casos queda maltrecha la necesaria proporcionalidad entre delito y pena[777].

V. ARTÍCULO 324: DAÑOS POR IMPRUDENCIA GRAVE

Como es sabido, una de las principales novedades del Código Penal de 1995 ha sido la desaparición del castigo genérico de la imprudencia, estableciéndose un sistema de incriminación cerrada, en la línea marcada por el art. 12 del Código, de forma que únicamente serán castigadas las acciones u omisiones imprudentes expresamente previstas en la ley.

Nos encontramos, pues, ante uno de estos supuestos que el legislador ha querido tipificar como delito imprudente. A este respecto, el art. 324 incrimina con la pena de multa de tres a dieciocho meses al que «*por **imprudencia grave** cause **daños** en **cuantía superior a 50.000 pesetas,** en un archivo, registro, museo, biblioteca, centro docente, gabinete científico, institución análoga o en bienes de valor histórico, artístico, cultural, científico o monumental, así como en yacimientos arqueológicos*».

Los elementos objetivos del tipo previsto en el art. 324, son idénticos a los del tipo previsto en el art. 323, por lo que en principio, parece ir destinado a incriminar únicamente los daños previstos en este precepto cuando se causen imprudentemente; sin embargo, tal y como ya se apuntó, la cláusula genérica prevista en el art. 324 respecto del objeto material (*«bienes de valor histórico, artístico, cultural, científico o monumental»*) permite también, y así lo entiende la mayoría doctrinal[778], incriminar los atentados imprudentes respecto de los edificios singularmente protegidos por su interés histórico, artístico, cultural o monumental.

---

[777] De esta opinión, COBO DEL ROSAL/VIVES ANTÓN, T.S.: *Derecho penal. Parte general,* ob. cit., p. 788 y ss. Asimismo, se han manifestado de forma crítica con esta figura: SANZ MORÁN, A.: *El concurso de delitos. Aspectos de política legislativa,* ob. cit., p. 208 y ss.; GONZÁLEZ CUSSAC, J.L.: *Comentarios,* ob. cit., pp. 420, 421 y 426.
[778] Me remito *supra* a los autores ya citados, cuando se abordó el art. 321.

En lo que atañe, pues, a los elementos de naturaleza objetiva que conforman el tipo de injusto me remito a lo ya expuesto en los artículos 321 y 323[779]. Vamos, pues, a referirnos a continuación a la vertiente subjetiva del tipo previsto en el artículo 324, para finalizar recordando el límite cuantitativo de los daños previsto en el precepto referido.

1. Requisitos y criterios de distinción de la «imprudencia grave»

Incurre en *imprudencia* quien realiza un hecho típicamente antijurídico, no intencionadamente, sino a causa de haber infringido el deber de cuidado que le era personalmente exigible[780]. Se trata, pues, de la infracción del deber exigible a todo ciudadano ante una situación de riesgo para el bien jurídico protegido, al no adoptar las medidas adecuadas para evitar que el riesgo cristalice en el resultado dañoso.

---

[779]   Únicamente considero que deben realizarse unas consideraciones genéricas acerca de la *autoría* y la *participación* en la imprudencia. Concretamente, irán dirigidas a determinar, muy sucintamente, de un lado, si en el delito imprudente caben las mismas clases de autoría que en el dolo, y, de otro lado, si es punible en nuestro Derecho la participación imprudente. Pues bien, la *autoría* en el delito imprudente se fundamenta en la creación de un riesgo jurídicamente desaprobado, de forma que, si el resultado lesivo es imputable objetivamente a la acción entonces quien la realiza es autor. En este sentido, CHOCLAN MONTALVO, J.A.: *Deber de cuidado y delito imprudente*, Barcelona, 1998, ob. cit., p. 128 y ss.
Ahora bien, si dos sujetos intervienen en común en la fase ejecutiva, creando un riesgo no permitido que se materializa en el resultado lesivo, estos supuestos podrán concebirse como de *coautoría imprudente*.
Tampoco cabe negar la posibilidad de la *autoría mediata* en el delito de daños imprudente, pues resulta perfectamente concebible realizar el tipo de daños imprudentemente a través de la instrumentalización de un sujeto. En este sentido, COBO DEL ROSAL, M./VIVES ANTÓN, T.S.: ob. cit., p. 750; asimismo, CHOCLAN MONTALVO: ob. y loc. cit.
En cuanto a la *participación* recordemos que, como elemento subjetivo, requiere que la voluntad del partícipe se dirija a contribuir a la realización del hecho principal. En consecuencia, como la contribución prestada al autor ha de ser *querida*, ello impide el castigo de la participación imprudente (a no ser en el caso del error vencible sobre la significación antijurídica), si bien no excluye la posibilidad de *participación en los delitos imprudentes*.

[780]   Cfr. COBO DEL ROSAL, M./VIVES ANTÓN, T.S.: *Derecho penal. Parte general*, ob. cit., p. 634. Recientemente VIVES ANTÓN (*Fundamentos...*, cit. p. 244), tras definir el dolo como compromiso con la acción antinormativa, ha puntualizado que «la *imprudencia* queda delimitada por una doble ausencia de compromiso: por la ausencia de ese «compromiso con el resultado típico», en que el dolo consiste, y por la ausencia de un compromiso normativamente exigido con la evitación de la lesión (la infracción del deber de cuidado)».

Atendiendo al sistema de la imprudencia que establece nuestro Código Penal, el castigo de la imprudencia se limita, en términos generales, a los supuestos de *imprudencia grave,* con la excepción de la imprudencia leve tipificada en el art. 621, que únicamente puede dar lugar a una falta. En consecuencia cabrá afirmar la impunidad de los daños por imprudencia leve, sea cual sea su cuantía. En estos supuestos, el castigo deberá llevarse a cabo, en su caso, a través de las infracciones administrativas[781] previstas en el Título IX de la Ley de Patrimonio Histórico Español, o en la normativa autonómica[782] dictada al efecto.

La denominada imprudencia **«grave»,** sustituye a la antigua imprudencia «temeraria», no pareciendo que deba tener mayor trascendencia el cambio de denominación, pues, la equiparación entre ambos términos ha sido una constante en nuestra doctrina científica, acogiéndose expresamente, por ejemplo, en el 18.3 del Proyecto alemán de 1962, el cual disponía que obra temerariamente quien actúa de modo gravemente imprudente[783].

Siguiendo la concepción mayoritaria en jurisprudencia y doctrina, se describe la gravedad o temeridad de la imprudencia como la no observación de las más elementales reglas de cuidado[784] o como la omisión de la diligencia más

---

[781] En el sentido del texto, GARCÍA CALDERÓN (ob. y loc. cit.), si bien este autor añade que, además, el castigo de la imprudencia deberá llevarse a cabo a través del concepto de expoliación contenido en el art. 4 de dicha Ley, de acuerdo con el cual se entiende por expoliación *«toda acción u omisión que ponga en peligro de pérdida o destrucción todos o algunos de los valores de los bienes que integran el Patrimonio Histórico Español o perturbe el cumplimiento de su función social. En tales casos, la Administración del Estado, con independencia de las competencias que correspondan a las Comunidades Autónomas, en cualquier momento, podrá interesar del Departamento competente del Consejo de Gobierno de la Comunidad Autónoma correspondiente la adopción de urgencia de las medidas conducentes a evitar la expoliación».*

[782] Si bien, en la extensa enumeración de las infracciones administrativas prevista en el art. 76 de la LPHE no se realiza una alusión específica a los supuestos negligentes. Por su parte, en la normativa autonómica dictada en la materia, se prevé que debe atenderse al «grado de malicia» (art. 99.3 de la Ley de Patrimonio Cultural Valenciano) o al «grado de intencionalidad del interviniente» (Ley de Patrimonio Cultural de Extremadura), entre otras circunstancias, para la graduación de las sanciones.

[783] JAKOBS, G.: *Derecho penal. Parte general. Fundamentos y teoría de la imputación,* trad. de la 2ª ed. Alemana (1991) por Cuello Contreras y Serrano González de Murillo, Madrid, 1995.

[784] Entre otras resoluciones, valgan como ejemplo las SSTS de 22 de abril de 1988 *(«infringiéndose, de modo total, el deber objetivo de cuidado»),* de 15 de junio de 1990 *(«olvido total y absoluto de las más elementales normas de previsión y cuidado»)* y de 17 de julio de 1995.

elemental[785]. De ese modo serán constitutivas de este delito aquellas infracciones en las que mediare una *dejación* de los más elementales *deberes de cuidado*[786] en relación a los bienes culturales, y como consecuencia, se produzca el resultado típico.

El Tribunal Supremo, en sentencia de 16 de mayo de 1991 (2ª) reconoce los términos de diferenciación entre las diversas clases de culpa, afirmando en concreto que: «...las diversas especies de culpas, articuladas en varios tipos, representan una escala jerárquica en cuya cúspide estructural, como la más grave de las infracciones, figura la *imprudencia temeraria*, suponiendo la misma la eliminación de los cuidados más elementales o rudimentarios exigidos por la vida de relación, suficientes para impedir o contener el desencadenamiento de **resultados dañosos previsibles...**; en tanto que en la *imprudencia simple* se acusa la omisión de la atención normal o debida en relación con los factores circunstanciales de todo orden que definen y contornean el supuesto concreto, representando la infracción de un deber de cuidado de pequeño alcance, aproximándose, sin alcanzarla, a la cota exigida habitualmente en la vida social...».

Ahora bien, a la hora de valorar la gravedad de la imprudencia jugará un papel relevante la trascendencia de los bienes jurídicos puestos en peligro o lesionados por la acción imprudente y, por ende, la infracción del deber cometido, debiendo reservarse para las infracciones de mayor gravedad[787]. En nuestro caso particular, el deber de cuidado respecto del Patrimonio Histórico, se establece expresamente, tanto desde el texto constitucional, como en la normativa específica. En este sentido, de acuerdo con el art. 36 de la LPHE: «Los bienes integrantes del Patrimonio Histórico Español deberán ser conservados, mantenidos y custodiados por sus propietarios, o en su caso, por los titulares de derechos reales o por los poseedores de tales bienes», poniendo de manifiesto en su apartado 2º que: «La utilización de los bienes declarados de interés

---

[785] COBO DEL ROSAL, M./VIVES ANTÓN, T.S.: *Derecho penal. Parte general*, ob. cit., p. 637. Sin embargo, CHOCLAN MONTALVO, desde otra posición propone que, constituyendo la imprudencia un supuesto de error evitable, el grado de la misma dependerá del grado de evitabilidad del error; en otras palabras, para el citado autor, lo relevante será la facilidad en el caso concreto de acomodar el autor su conducta a lo prescrito por la norma, esto es, de vencer el error con que actuó CHOCLAN MONTALVO, J.A.: *Deber de cuidado y delito imprudente*, ob. cit., p. 84. Por su parte, JAKOBS propone atender a con qué facilidad era evitable la realización del resultado, o sea, para evitar habría bastado ya con un interés mínimo o no. JAKOBS, G.: ob. y loc. cit.

[786] Véase acerca del deber de cuidado en el sistema dogmático del delito culposo, CHOCLAN MONTALVO, J.A.: *Deber de cuidado y delito imprudente*, ob. cit.

[787] En este sentido, COBO DEL ROSAL, M./VIVES ANTÓN, T.S.: ob. cit., p. 637.

cultural, así como de los bienes muebles incluidos en el Inventario general quedará subordinada a que no se pongan en peligro los valores que aconsejan su conservación».

Ilustra adecuadamente la cuestión la sentencia del Tribunal Supremo (2ª) de 23 de mayo de 1996, al afirmar que: *«...Es de destacar que la gravedad del incumplimiento de las normas de cuidado es tanto mayor cuanto mayor es el rango de los bienes jurídicos que aquellas pretendan proteger...».* Por su parte, la STS de 23 de abril de 1992, indica que la imprudencia es temeraria cuando la relación entre la utilidad social del fin perseguido por el autor y el peligro de lesión de bienes jurídicos existe una notoria desproporción.

La inconcreción del término «grave» en relación a la imprudencia determinará, pues, que será finalmente la jurisprudencia quien emita un juicio valorativo en cada caso particular. Así lo refleja la Sentencia de 16 de mayo de 1991 (Sala 2ª) del Tribunal Supremo, la cual expone: «Debiendo proceder el órgano jurisdiccional, en delicada labor valorativa *ex post facto*, al cuidadoso análisis de los básicos elementos constitutivos de la culpa penal, a la mayor o menor gravedad del fallo psicológico padecido, a la cualidad e intensidad de la desatención, en función del riesgo desencadenado con la torpe actuación; asimismo a la entidad del deber objetivo de cuidado omitido, medida determinada en atención a las generales circunstancias cognoscibles por el ciudadano medio y por el infractor en concreto y a las reglas experenciales o reglamentadas que marcan la pauta de procedencia en el obrar del sujeto, saberes cuya referencia es precisa para el adecuado juicio de culpabilidad».

Finalmente, debe subrayarse la estrecha relación de la imprudencia grave con la denominada *culpa consciente* o *con representación*, en la que el autor tiene presente la posibilidad de que el resultado se produzca, pero confía en evitarlo, a diferencia de la inconsciente o sin representación, en la que el autor no llega a tomar en consideración la posibilidad de que se produzca el resultado, pese a que podía y debía haberlo hecho[788].

---

[788]   Cfr. COBO DEL ROSAL/VIVES ANTÓN, T.S.: *Derecho penal. Parte general,* ob. cit., p. 635. Sobre esta distinción —la cual se remonta a FEUERBACH— JESCHECK afirma que, en la culpa inconsciente *(negligentia)* el autor no piensa, a causa de la vulneración del deber de cuidado, en la posibilidad de que pueda realizar el tipo legal, mientras que en la culpa consciente *(luxuria),* aunque advierte la concurrencia del peligro concreto para el objeto de acción protegido, confía, por una infravaloración del grado de aquél o por una excesiva valoración de sus propias fuerzas, o, simplemente confiando indebidamente en su suerte, en que el tipo legal no va a realizarse. JESCHECK: *Tratado de derecho penal* (traducción de Manzanares Samaniego, J.L.), 4ª ed., Granada, 1993, p. 516.

Adscribiéndonos a la teoría positiva del consentimiento, recordemos que, en el ámbito de los delitos contra el Patrimonio Histórico, el dolo eventual se encuentra abarcado en los tipos analizados con anterioridad. En virtud de la teoría citada, en orden a la diferenciación entre dolo eventual y culpa consciente, debe tratar de determinarse el *sentido real del querer de su autor,* para cuya determinación «sólo la conjugación de uno y otro momento (del conocimiento y de la actitud emocional expresados en el auto externo), permitirá determinar si, en el caso concreto, se ha asumido o no la producción del resultado y, por ende, si puede decirse que ha habido un *compromiso con la lesión del bien jurídico* y, en consecuencia, que ésta ha sido «querida»[789].

En consecuencia, de acuerdo con la opción por las teorías positivas del consentimiento, deberá estarse al comportamiento del caso particular enjuiciado[790], atendiendo al momento volitivo, para determinar el punto de ruptura entre el dolo eventual y la culpa consciente[791], en otras palabras, para decidir su calificación como delito doloso o imprudente.

Así, en aquellos supuestos donde, existiendo un peligro de expolio de bienes culturales y una necesidad de adoptar medidas protectoras, podrá derivarse responsabilidad penal por parte de quienes teniendo la obligación de actuar con diligencia y prontitud no lo hicieron, siendo discutible si estos supuestos se englobarán como supuestos de daños dolosos en comisión por omisión, o como supuestos omisivos imprudentes, de acuerdo con el art. 324. Sin embargo, para ROMA VALDÉS los supuestos de imprudencia en los daños en yacimientos arqueológicos son difíciles de imaginar[792].

Asimismo, otro ámbito donde podrían producirse daños imprudentes al Patrimonio Histórico es en el de «temerarios» traslados de obras de arte[793], en

---

[789] COBO DEL ROSAL/VIVES ANTÓN, T.S.: ob. cit., p. 566. Cfr. con VIVES ANTÓN, T.S.: *Fundamentos del Derecho penal,* ob. cit., pp. 240-241.

[790] Así, a este respecto, consideremos un supuesto recogido por CHOCLAN MONTALVO *(Deber de cuidado y delito imprudente,* ob. cit., p. 78): un empleado de limpieza manipula una valiosísima vajilla perteneciente al siglo pasado expuesta en una vitrina de un museo, y juega a lanzarla hacia aquélla a cierta distancia para colocarla, conoce el riesgo, y espera con un optimismo exacerbado evitar el resultado dañoso. Pues bien, para el citado autor resulta indiferente, para el tipo doloso de daños, que el sujeto no desee o confíe en que la vajilla no se rompa. A nuestro juicio, de acuerdo con lo expuesto, deberá comprobarse si asume o no la producción del resultado y, en consecuencia, determinar si éste ha sido o no querido.

[791] En este sentido, GONZÁLEZ CUSSAC, J.L.: *El delito de prevaricación...,* ob. cit., p. 118 y ss.

[792] ROMA VALDÉS, A.: «Las excavaciones ilegales y la protección penal del patrimonio histórico», p. 59 y ss.

[793] Sobre este punto, GARCÍA CALDERÓN, J.M.: *Los daños por imprudencia al Patrimonio Histórico...,* ob. y loc. cit.

contra del dictamen de expertos y con riesgos para su integridad, así como en los supuestos de falta de diligencia en la concesión de permisos de exportación de bienes históricos, siempre y cuando la concesión de tales permisos no entrañe otros comportamientos delictivos dolosos.

2. El resultado y su imputación

En cualquier caso, la imprudencia grave debe contemplar la *previsibilidad* de causar un daño precisamente a un bien de los que constituyen el objeto material, esto es, *un bien de naturaleza cultural*[794]. La evidencia del valor cultural exigido en el objeto material del 323 permite la incriminación del comportamiento imprudente de aquel sujeto que *podía* y *debía prever y evitar* el resultado típicamente antijurídico[795].

Así, pensemos en aquel sujeto que, conduciendo un vehículo de motor, pierde por una imprudencia grave el control de su vehículo y causa daños valorados en 100.000 pesetas en un edificio singularmente protegido contra el que se estrella. Si la posibilidad de dañar un bien de esta naturaleza, un bien de valor cultural, no era en absoluto previsible, compartimos la opinión de CONDE-PUMPIDO TOURON al afirmar que no será responsable por el delito que nos ocupa[796]. La solución podría venir de su incriminación por un delito de daños genéricos, si bien estimo que dicha posibilidad resultaría difícil en la práctica, pues el Código Penal sólo prevé el castigo de los daños causados por imprudencia grave en cuantía superior a 10 millones de pesetas (art. 267).

Lo cierto es que, hasta el momento actual, sólo se conoce la persecución de dos delitos de daños al Patrimonio Histórico causados por imprudencia grave.

---

[794] A este respecto, CASTRO-SIMANCAS pone como ejemplo el caso en que, un empleado de un Archivo, como consecuencia de dejar encendido, por descuido, un cigarro, provoque un incendio que produce la destrucción del Archivo. Pues bien, el citado autor sostiene que, en la hipótesis descrita, nos encontramos ante bienes donde a nadie sorprende, es decir, a los ciudadanos en general, que resulten prohibidas las conductas que puedan dañarlos, o, que se evite su deterioro, pudiendo y debiendo prever el daño a un bien de valor cultural. CASTRO-SIMANCAS, R.: «Los delitos sobre el patrimonio histórico en el Código penal de 1995», en *Tapia*, ob. y loc. cit.

[795] Sobre este particular, VIVES ANTÓN puntualiza que «el tema de la imprudencia no es —no puede ser, como no puede ser el del dolo— el de si hubo o no representación —algo que no podemos saber—: sino, más bien, el de determinar la gravedad de la infracción del deber de cuidado cometida por el autor, para lo que resultará decisivo determinar sus competencias teóricas y prácticas y sus capacidades de autodirección y autocontrol». VIVES ANTÓN, T.S.: *Fundamentos...*, ob. y loc. cit.

[796] CONDE-PUMPIDO TOURON, C.: ob. cit., p. 3.218.

El primero, al cual ya hicimos referencia, tuvo lugar en Santiago de Compostela, cuando una turista italiana escaló por la fachada de la iglesia de San Martin Pinario, sujetándose a una imagen de San Pedro, que no resistió el peso de la acusada y se precipitó contra el suelo, rompiéndose en trozos. La citada escultura, de extraordinario valor histórico y cultural, según relata la sentencia, quedó prácticamente inservible, siendo presupuestados los desperfectos en la cantidad de 1.960.168 pesetas. El Juzgado de lo Penal nº 1 de Santiago de Compostela, con fecha de 18 de septiembre de 1996, dictó sentencia de conformidad con una condena de multa de tres meses, a razón de 500 pesetas el día, además de una indemnización civil por la cantidad antecitada de 1.960.168 pesetas.

En segundo término, el Juzgado de lo Penal nº 1 de Pontevedra condenó a Manuel C.P., director de una empresa constructora, como autor responsable de un delito contra el Patrimonio Histórico del art. 324 a la pena de seis meses de multa con cuota diaria de 200 pesetas, si bien, interpuesto recurso de apelación, la Sección 2ª de la Audiencia Provincial de Pontevedra, en sentencia de 11 de febrero de 1999, declaró la absolución del acusado.

Muy sucintamente, los hechos probados pueden resumirse en los siguientes: Se concede licencia de obras por el Ayuntamiento de Pontevedra para construir un edificio en un solar, el cual debía respetar, sin proceder a su derrumbe, la fachada del edificio primitivo que daba a la calle Isabel II, y conservar un contrafuerte allí existente, adherido a la pared posterior de la casa colindante, ... elementos y casa todos ellos afectados por la normativa reguladora de la Zona Histórica y, como tal, protegida por la Ley 16/1985 de Patrimonio Histórico Español, y por la Ley 8/1995 de Patrimonio Cultural de Galicia. En los meses de julio y agosto de 1996 dieron comienzo las obras consistentes en el vaciado y excavado del solar, en cuyo transcurso, se desplomó la fachada de la calle Isabel II, a cuya conservación sin derribo obligaba la licencia de obras. El desplome tuvo por causa el movimiento de tierras llevado a cabo por las operaciones de excavación, el propio peso de los elementos de la fachada y la ausencia de apuntalamiento de ésta, que ni previó la dirección técnica de la obra, ni realizó el acusado, provocando con ello daños que notoriamente superan la cantidad de 50.000 pesetas.

En la sentencia la *negligencia grave* del acusado se basa fundamentalmente en que el apuntalamiento de la fachada del edificio era una necesidad de sentido común y no sólo de técnica constructiva, dada la experiencia de ocho o diez años del mismo como constructor, no pudiéndolo desconocer, pues lo revelaba la excavación del terreno, la deficiente cimentación de la fachada. De acuerdo con el juzgador, el acusado pudo y debió apuntalar el edificio por su propia iniciativa, y al no hacerlo omitió la más elemental de las cautelas dada la situación precaria de la fachada.

Pues bien, contra la anterior resolución, el condenado interpuso recurso de apelación, que la Sección 2ª de la Audiencia Provincial de Pontevedra estimó en sentencia de 11 de febrero de 1999, declarando la absolución. A este respecto, se consideró que no podía sostenerse la existencia de una imprudencia grave en el acusado, tal como requiere el art. 324 del CP, pues, a tenor de las declaraciones de los peritos en el plenario —perito judicial y perito aparejador— el desplome de la fachada del edificio no sólo se debió a una falta de apuntalamiento de la misma sino también a no haberse tomado otras medidas precautorias de carácter técnico, aunque, en todo caso, el apuntalamiento de la fachada era una medida que hubiera correspondido adoptar a la Dirección técnica de la obra.

3. Limitación cuantitativa de los daños típicos

La graduación de la pena prevista en el art. 324, multa de tres a dieciocho meses, se realizará, de acuerdo con el tenor literal del precepto, **«atendiendo a la importancia de los mismos».** Este último inciso del precepto, moderador de la sanción a imponer, alberga serias dudas acerca de si debe atender al valor de los daños, o bien, si la locución podría venir referida al valor de los bienes dañados.

A mi juicio, el precepto legal se refiere a la imposición de la pena atendiendo a los daños causados, pues, lo cierto es que la valoración de los daños necesariamente irá ligada a la naturaleza de los bienes dañados, y al deber de cuidado exigible en el bien en cuestión.

En cualquier caso, debe reconocerse la habitualidad de la utilización de cuantías en el derecho positivo y buscarse su fundamento, como ya se adujo, en *razones político-criminales.* En este sentido, de acuerdo con PUIG PEÑA, superada la concepción del daño criminal como daño doloso y del daño civil como daño culposo, el daño imprudente punible se fundamenta en la especial cuantía o en el valor de los objetos afectados[797].

Por tanto, si los daños causados imprudentemente son valorados en cuantía inferior a las 50.000 pesetas no habría delito, pero tampoco falta, debido a que los daños por imprudencia sólo están previstos como delito y no como falta, por

---

[797] PUIG PEÑA: «Culpa extracontractual o daños por imprudencia», en *RGLJ,* 1943, citado por CHOCLAN MONTALVO: ob. cit., p. 18.

lo que quizás existiría una infracción administrativa[798], a pesar de que no existe ninguna alusión específica a supuestos de negligencia en las infracciones previstas por la LPHE.

Finalmente, en lo referente a las consecuencias jurídicas derivadas del delito, coincide la doctrina en llamar la atención acerca de la falta de previsión expresa, respecto a este tipo imprudente, de la posibilidad de adopción de medidas a cargo del *autor*[799] **«para restaurar los bienes dañados»,** cuando tanto el art. 321 como el art. 323 del CP prevén dicha posibilidad. Considero que, en su caso, será posible recurrir al régimen general de la responsabilidad civil, concretamente a la vía del art. 112 CP, respecto a la restauración de los bienes dañados[800], si bien, reitero las dudas acerca de la efectividad de tales medidas en los delitos que nos ocupan.

También es muy probable que algunos de los bienes que constituyen el objeto material se encuentren asegurados contra los daños, de suerte que las compañías aseguradoras puedan acometer o encargar de inmediato la restauración de los bienes dañados.

---

[798]   En ese sentido, CASTRO-SIMANCAS, R.: ob. y loc. cit.

[799]   DE LA CUESTA ARZAMENDI, J.L.: «Los delitos sobre la ordenación del territorio y el patrimonio histórico», ob. cit., p. 2; asimismo, GARCÍA CALDERÓN, J.M.: ob. y loc. cit.; VERCHER NOGUERA, A.: ob. cit., p. 1.481.

[800]   Véase como ejemplo, la citada sentencia de conformidad dictada por el Juzgado de lo penal de Santiago de Compostela.

Conclusiones

Por razones expositivas, las conclusiones a las que he llegado en la realización de este trabajo de investigación, van a ser puestas de manifiesto en cuatro secciones, coincidentes con los Capítulos en que se ha estructurado dicho estudio.

I

1ª Las características más relevantes de la evolución normativa en la protección del Patrimonio Histórico Español podrían sintetizarse en dos: la *dispersión normativa* y el carácter *fragmentario* de dicha regulación, toda vez se va promulgando sucesivamente a tenor de impulsos coyunturales cuando el deterioro de dicho Patrimonio es cada vez más evidente y notorio. Notas ligadas, sin lugar a duda, a la *ineficacia* de dichas normas, tal como lo revela el grado de deterioro mencionado en que se encontraba nuestro patrimonio colectivo a la entrada en vigor de la Constitución Española de 1978.

2ª En el Derecho histórico anterior a la codificación, no es hasta el XVIII, a partir de la Ilustración, cuando encontramos una normativa que asuma de manera específica y directamente la tutela de los valores histórico-artísticos, pues, hasta ese momento, la escasa normativa es dictada realmente con finalidades distintas a dicha tutela.

La necesidad de amparo del Patrimonio histórico-artístico se ve acrecentada por el entorno de la época, el cual no acompañaba precisamente a su conservación. Las causas pueden ser sintetizadas, de un lado, en el vandalismo revolucionario sufrido durante la invasión napoleónica, repercutiendo en las edificaciones y tesoros de arte y, de otro lado, en la desamortización eclesiástica. Todo ello unido a la falta de sensibilización y conciencia hacia el relevante valor de nuestro Patrimonio Cultural.

3ª La escasa atención que muestra el ordenamiento-jurídico penal con respecto a nuestro legado histórico-artístico es fruto de la ideología liberal que inspira la codificación del siglo XIX, de suerte que, nunca se contempló como objeto de protección una propiedad «comunitaria o colectiva».

De la tutela dispensada por los sucesivos sistemas punitivos, debe destacarse la casi exclusiva atención a los actos de *destrucción y menoscabo* del Patrimonio histórico-artístico, en la línea de protección, pues, que seguirá el legislador penal de 1995, al configurar los delitos contra el Patrimonio Cultural sobre los tipos de daños. Sin embargo, la tutela conferida a lo largo de la codificación penal española se delimitará, a este respecto, incorporando figuras agravadas de daños.

Así, el Código Penal de 1822 contiene un tipo legal que marcará la pauta con respecto a los siguientes textos codificadores, sancionándose la conducta consistente en *derribar, destruir, mutilar o inutilizar* voluntariamente cualquier *monumento público de utilidad u ornato y decoración* de los pueblos, realizando a continuación una enumeración ejemplificativa de aquellos, citándose a tal efecto «*estatuas, pinturas, columnas, láminas, lápidas, inscripciones u otras piezas de las bellas* artes, o algún libro manuscrito, diseño, plano *u otro documento custodiado en biblioteca o archivo público*, o alguna máquina, instrumento, alhaja u *otra cosa depositada en gabinete público, científico o literario*».

Sin embargo es el Código Penal de 1848, el que destaca por su trascendencia posterior, por cuanto su tipificación de las conductas atentatorias contra bienes culturales prácticamente perdura hasta el Código anterior al actual. Así, se incriminaba a los que «*destruyeren o deterioraren pinturas, estatuas u otro monumento público de utilidad u ornato*», así como, dentro del Capítulo relativo a los *daños* se tipifican los cometidos en un «*archivo o registro*».

Entre las innovaciones relevantes en la materia, debemos mencionar el CP de 1928, toda vez que por vez primera se hace referencia expresa a las «*cosas de valor histórico, cultural o artístico*, sancionando con la pena de seis meses a tres años de prisión y multa al que a sabiendas, *destruyere* o *deteriorare* objetos pertenecientes a museos o colecciones oficiales artísticas o históricas, o edificios declarados monumentos nacionales o amparados a causa de su mérito por alguna disposición legal, o cualquier otro objeto ajeno o propio de relevante interés para el Arte, la Historia o la Cultura.

Finalmente, la revisión del Código en 1963 introduce ciertas modificaciones con respecto a las cualificaciones de los daños, ampliándose la contenida en el nº 5 del art. 558 —la cual desde 1848 se circunscribía a los *daños en Archivo o Registro*— al añadirse la tipificación de los daños en *Museo, Biblioteca, Gabinete científico, Institución análoga* o en el *Patrimonio Histórico-Artístico Nacional*.

4ª La exigencia de la preservación del Patrimonio Cultural es de aparición tardía en el constitucionalismo español. El único precedente lo encontramos en la Constitución republicana de 1931, en cuyo texto se reconocen como derechos constitucionales los relativos a la cultura, asignándole por vez primera un concepto autónomo. Sin embargo, es la **Constitución de 1978** la que marca un momento fundamental en la tutela de nuestro Patrimonio Cultural e inaugura un proceso de reforma que afectará a todos los sectores del ordenamiento jurídico. Concretamente, se consagra entre los «principios rectores de la política social y económica» la conservación, el enriquecimiento y la defensa del Patrimonio histórico, cultural y artístico, y en particular, en el segundo inciso del art. 46, la previsión de su tutela penal. Asimismo, el nuevo texto constitucional plantea un tema de gran trascendencia, cual es el del reparto de competencias entre el Estado y las Comunidades Autónomas en materia de Patrimonio Histórico.

Pese a ello, si bien la legislación administrativa cumplió las previsiones constitucionales con la aprobación de la Ley 16/1985, de 25 de junio, sobre Patrimonio Histórico Español, no ocurría lo mismo con el ordenamiento jurídico-penal, si atendemos a lo ineficaz y heterogéneo del texto vigente al promulgarse la Constitución. La necesidad de su reforma se convierte en algo innegable e indiscutible. A partir de los distintos intentos de reforma, los propósitos del legislador se dirigen a plasmar los valores proclamados en el texto constitucional. Los sucesivos proyectos de Código Penal contienen, como novedad más significativa, por lo que a la materia objeto de estudio se refiere, la inclusión de los denominados «delitos contra la ordenación urbanística», dentro de los cuales se sanciona el derribo o alteración de edificios singularmente protegidos, si bien manteniéndose las cualificaciones de los daños recayentes en bienes de interés histórico, artístico o cultural.

Con la aprobación del nuevo **Código Penal de 1995** se incorpora por vez primera en la historia de la codificación penal, un Capítulo independiente, bajo la rúbrica *«De los delitos sobre el Patrimonio Histórico»*, configurándose, en principio, un sistema de tutela penal directa, desde la consideración del Patrimonio cultural, como objeto de protección autónomo. Sin embargo, nuestro legislador realmente ha previsto un sistema ecléctico, pues, pese a la creación de los citados delitos, de un lado configura, en razón del carácter cultural del objeto material, subtipos agravados ya existentes en el Código precedente, contenidos fundamentalmente en el marco de los delitos contra la propiedad, y, de otro lado, fuera del Código Penal, completa la protección penal del Patrimonio Cultural con la Ley Orgánica 12/1995, de 12 de diciembre, de Represión del Contrabando.

II

1ª La necesidad de tutela de los bienes culturales resulta innegable no sólo a nivel nacional, sino que también constituye una realidad y una preocupación en el ámbito de la **comunidad internacional**. De ahí que pueda afirmarse la *reciprocidad y complementariedad* entre la protección nacional y la internacional de los bienes culturales. De hecho, las diferentes Convenciones y Recomendaciones emanadas de las distintas organizaciones internacionales, constituyen una fuente de inspiración de las legislaciones nacionales, estableciendo principios y normas que deben respetar los Estados Miembros.

Entre los instrumentos adoptados bajo los auspicios de la **UNESCO** en el ámbito del Patrimonio Cultural, merece destacarse la *Convención de la Haya de 14 de mayo de 1954 para la protección de los bienes culturales en caso de conflicto armado* por diversos motivos. En primer lugar, por cuanto se introduce por vez primera en el ámbito internacional el término «bienes culturales» («*cultural property*»). Pero la razón fundamental se centra en la previsión de que los Estados se comprometan a castigar con sanciones penales y disciplinarias, en sus respectivos derechos internos, las infracciones de la Convención relativas a la comisión de cualquier acto de robo, pillaje, apropiación de bienes culturales, así como todos los actos de vandalismo respecto de dichos bienes.

Por su parte, merece plácemes la actuación del **Consejo de Europa** en el ámbito que nos ocupa, por cuanto toma la iniciativa de promover una cooperación europea intergubernamental para la salvaguarda del patrimonio cultural inmobiliario. Dicha iniciativa desemboca en la *Convención para la salvaguarda del patrimonio arquitectural de Europa,* firmada en Granada el 3 de octubre de 1985, la cual marca la consagración jurídica en el plano internacional de 20 años de cooperación europea en materia de patrimonio arquitectural. En ella los Estados se comprometen a poner en marcha un régimen legal de protección de dicho patrimonio, regido por el principio de «*no desfiguración, degradación o demolición de los bienes protegidos*«, en el cual, las medidas susceptibles de ser adoptadas, en caso de incumplimiento de lo expuesto, señalan al Derecho Penal o al Derecho Administrativo.

Por lo que respecta al patrimonio arqueológico, debe subrayarse la *Convención europea de 1992 para la protección del patrimonio arqueológico,* la cual expone los problemas a los cuales se enfrenta actualmente dicho patrimonio en zonas geográficas con grandes proyectos urbanísticos, de suerte que, ya en su articulado, la Convención señala la necesidad de que los Estados instituyan un sistema jurídico de protección de su patrimonio arqueológico.

2ª El recurso a la **legislación comparada** ha podido mostrarnos las diferentes posibilidades de disciplinar la tutela de los bienes culturales.

La diferencia básica entre la normativa española de protección del Patrimonio Cultural y la normativa *francesa* e *italiana* sobre dicha materia estriba en la técnica legislativa empleada. A este respecto, dichos sistemas regulan funda-

mentalmente la materia cultural en *leyes especiales*, las cuales contienen preceptos penales, lo que provoca problemas de coordinación con la regulación
prevista en los respectivos Códigos punitivos.

A esta complejidad normativa se une el hecho de que, en lo que atañe a la Ley
francesa de 31 de diciembre de 1913 sobre monumentos históricos —Ley que,
tras diversas modificaciones posteriores, constituye la protección esencial de la
materia cultural— se sancionan conductas que, si bien suponen un perjuicio
para el Patrimonio Cultural francés, realmente constituyen actos de mera
desobediencia administrativa, lo que conduce a plantear la necesariedad de que
la mayoría de estos supuestos pasaran a constituir ilícitos administrativos. Por
su parte, la tutela penal conferida por el nuevo Código penal francés de 1994**,**
prescindiendo de la oportunidad de crear un delito autónomo en relación a los
daños a bienes culturales, se estructura en un sistema de protección indirecta,
considerando como circunstancia agravante la cualidad arqueológica, histórica
o artística del bien destruido o deteriorado.

Por lo que se refiere al **Patrimonio Cultural italiano,** pese a que se trata de
un bien constitucionalmente garantizado —recordemos que la Constitución de
la República italiana de 1947 impone al Estado la obligación de tutelar «*il
patrimonio storico e artistico della Nazione*»— la doctrina italiana opina que la
previsión constitucional de la protección del Patrimonio Artístico nacional no
ha tenido su adecuado desarrollo. Y es que, en efecto, en una visión de conjunto,
podemos afirmar que, en el ámbito de estas disposiciones se realiza u opera una
anticipación de la tutela penal hasta tomar la forma de *peligro presunto.* A este
respecto, según se expuso, en la Ley nº 1089 de 1 de junio de 1939, se preven una
serie de tipos penales con una función meramente *preventiva*, donde, incluso,
en algunos casos la transgresión de las normas no supone necesariamente un
daño para la cosa de arte.

En el ordenamiento jurídico **alemán**, ya puse de relieve como concurre la
tutela conferida a los bienes culturales por el Código penal alemán (*StGB*) —a
través de la previsión de un tipo de daños contra intereses colectivos— con unas
leyes especiales de protección de monumentos históricos (*Denkmalschutzgesetze*),
dictadas en cada uno de los *Länder,* de acuerdo con su competencia en materia
de cultura conferida por la Ley Fundamental de Bonn de 1949.

Por último, respecto de los sistemas jurídicos del área del ***Common Law***, en
los ***Estados Unidos*** de América se aprueban, si bien tardíamente, una serie de
leyes, tanto a nivel federal como estatal, fruto de la concienciación de los
peligros a los que los tesoros culturales se hallaban expuestos. A este respecto,
importantes decisiones jurisprudenciales marcan el escenario para la aprobación de la *Archeological Resources Protection Act.* Concretamente éstas tenían su

base en la indefinición del objeto material protegido en la legislación anterior en la materia, de suerte que la vaguedad de ciertos términos jurídicos hacía peligrar el principio de seguridad jurídica. En aras a resolver dicha cuestión, se introduce en la nueva Ley el criterio de la «antigüedad». Sin embargo, la intención de evitar los problemas que derivan de la vaguedad terminológica conduce en la práctica a la exclusión de objetos, que son efectivamente restos materiales de gran interés arqueológico y que por tener un tiempo de vida de menor duración a los cien años no recibirán la protección necesaria.

Por su parte, dentro del **marco legislativo inglés** previsto para la protección de lo que se denomina como «*historic built environment*», creo oportuno recordar la diferenciación que se realiza, dentro de las «*criminal offenses*», al sancionar, de un lado, el ejecutar o permitir que sean ejecutados, sin la autorización necesaria, trabajos que afecten a los «*scheduled monuments*» así como a los edificios catalogados, constituyendo una causa de exención (*defense*) probar que los trabajos eran urgentemente necesarios en interés de la seguridad e higiene, o para la preservación del edificio. De otro lado, se incrimina el realizar o permitir que se realice cualquier actuación que provoque *daños* en un edificio, pero distintas a aquellas realizadas en ejecución de actuaciones para las cuales se haya concedido autorización o permiso, excluyéndose por tanto las actuaciones de ejecución, demoliciones o alteraciones. Sólo pueden ser, pues, cometidos por alguien autorizado para llevar a cabo esa actuación, generalmente el propietario o inquilino del suelo.

III

1ª A la hora de determinar el **bien jurídico protegido**, el legislador penal está sometido a los *límites* marcados por la Constitución así como por el modelo de Estado en ella previsto.

La vinculación entre *Estado* y *Derecho Penal* se realizará, pues, a través de la Constitución, de modo que la estrecha relación entre la Norma Fundamental y la ley penal provocará que los cambios constitucionales suelan ir acompañados —tal y como se ha ido observando en el repaso a nuestra codificación penal— de una reforma correlativa en el Código Penal. Partiendo de tales premisas, una Constitución *democráticamente* elaborada asegura la correspondencia entre los *valores jurídicamente protegidos y los socialmente vigentes*, ofreciendo un marco consensuado donde la participación ciudadana asegura un sistema en evolución. En este sentido, el *Estado social y democrático de Derecho*, proclamado en el art. 1 de nuestra Constitución, regirá la formación del concepto *material* de bien jurídico, realizando una selección adecuada de los valores dignos, susceptibles y necesitados de tutela penal.

Consecuentemente, el mandato previsto en el artículo 46 de la Carta Magna de tutelar penalmente el patrimonio histórico, cultural y artístico, no podía resultar indiferente al legislador democrático.

2ª Ahora bien, partimos de que el articulo 46 se halla ubicado sistemáticamente en el Capítulo III («De los *principios rectores de la política social y económica*») del Título I de la carta Magna, de suerte que la aplicabilidad y eficacia del precepto dependerá, en primera instancia, del valor que se atribuya a los referidos principios.

Desde una perspectiva *formal*, estimo que, dada su ubicación, tanto el artículo 46 como el resto de principios rectores no han obtenido el rango de *derechos fundamentales* en nuestra Constitución, expresión reservada para los derechos ubicados en el capítulo II.

Pese a ello, tanto en sede doctrinal como jurisprudencial se viene afirmando el carácter *normativo* de los preceptos que recogen los principios rectores de la política social y económica. A este respecto, considero que son vinculantes para los poderes públicos, encargados de velar por su cumplimiento y de hacerlos operativos. Ello no es óbice para que debamos admitir que, sin embargo, dichos principios contienen unas *peculiaridades estructurales* que los diferencian del resto de normas. Sobre este particular, y de acuerdo con la doctrina constitucional, resulta improbable que una norma legal cualquiera pueda ser considerada inconstitucional por omisión, esto es, por no atender el mandato dirigido a los poderes públicos y en especial al legislador, en el que cada uno de los principios, por lo general, se concreta. Ahora bien, ello no imposibilita el hecho de que el principio rector sea utilizado como criterio para resolver sobre la constitucionalidad de una acción positiva del legislador, si ésta se plasma en una norma de notable incidencia negativa sobre la entidad constitucionalmente protegida.

A la vista de lo expuesto, y, partiendo de la heterogeneidad en el conjunto de los principios rectores, considero que el *primer inciso* del **artículo 46** podría incardinarse en las denominadas normas de *programación final*, si bien no en el sentido conferido tradicionalmente de meras declaraciones de intereses, sino como aquellas normas que prescriben fines que precisan de la intervención estatal, y de las cuales puede afirmarse su condición jurídica, sin olvidar que, de acuerdo con lo dispuesto expresamente en el art. 53.3, no generan derechos susceptibles de ser aducidos ante los tribunales, en tanto una ley no lo disponga expresamente. Sin embargo, la previsión penalizadora del último inciso del precepto citado nos conduce a considerarlo como un *mandato* dirigido al legislador, basándome en la especial intensidad de la vinculación, ya que no se alude simplemente a la defensa abierta de un bien, sino que se concreta lo que se debe legislar y como se debe legislar, y cuya eficacia para engendrar derechos correlativos a esas obligaciones, dependerá de que el legislador dicte esas leyes.

En suma, deberá realizarse una interpretación global del art. 46, partiendo de la indisoluble relación de sus dos primeros incisos, de suerte que, junto al derecho reconocido en la norma, se añade un mandato de actuación dirigido al poder legislativo. Ahora bien, teniendo presente que, pese a la existencia del mandato de tutela, no puede obviarse la valoración de la necesidad de la tutela penal, dejando a criterio del legislador la determinación de los atentados frente a los cuales actuará la ley penal.

3ª La función limitadora del «*ius puniendi*» que se atribuye al bien jurídico, no tiene sólo un carácter negativo, prohibiendo la actuación penal en ausencia de lesión o puesta en peligro de un bien jurídico-penal, sino que, a su vez, asegura la *movilidad del catálogo punitivo*, obligando al legislador, no sólo a descriminalizar determinadas conductas que dejan de necesitar la intervención penal, sino también a ampliar el elenco de bienes jurídicos, cuando las circunstancias o transformaciones sociales así lo exigen.

Ciertamente, tal y como ya observamos, los sucesivos *cambios de modelo de Estado* conllevan avances en las normas jurídicas y, con ellos, modificaciones en los intereses protegidos por ellas. A este respecto, si bien el *Estado liberal* giraba en torno a los bienes jurídicos individuales, descuidando en gran parte los intereses de carácter colectivo, esa situación se transforma con el *Estado social y democrático de Derecho*. La mayor tendencia a la intervención estatal en los procesos sociales y económicos, propia de dicho Estado, conlleva la ampliación de los límites de los ilícitos penales, *reconociéndose* junto a los valores individuales tradicionales propios del Estado liberal, otra serie de **valores de carácter colectivo y social** que conforman *auténticos* bienes jurídicos dignos, merecidos y necesitados de tutela. Los intereses colectivos o difusos surgen, pues, como alternativa a la tradicional e insuficiente categoría de derecho subjetivo.

Ahora bien, pese a que la mayoría de la doctrina científica y la jurisprudencia emplea indistintamente ambos términos, refiriéndose a los intereses *colectivos o difusos* como equivalentes, algunos *autores* sí encuentran diferencias entre los mencionados intereses, basadas en determinados matices, si bien bastante ambiguos, lo que origina posiciones divergentes en la doctrina científica.

A mi juicio, no debe forzarse la distinción entre los denominados intereses colectivos y difusos, toda vez que, como habrá podido apreciarse, la imprecisión en la determinación de los conceptos es grande. Ahora bien, si se pretende encontrar diferencias conceptuales entre ambos, considero que la diferencia es básicamente de carácter formal, de tutela jurídica. A este respecto, el *interés difuso*, de acuerdo con su proceso de formación —emergente como una aspiración de masa y de manera informal, debido a la necesidad de la colectividad— desde el momento en que recibe su reconocimiento jurídico, pasa a convertirse en un «interés colectivo». A mi entender, el interés difuso no se transforma en colectivo cuando se hace de él portador un organismo asociativo, tal y como afirmaban algunos autores italianos, sino cuando es reconocido por el Derecho, gozando así de una estabilidad y coherencia en su tutela material y procesal. Ello no obsta a que, pese a que el interés colectivo es siempre inherente a una pluralidad de sujetos, puedan hacerse portadores de él un grupo determinado de sujetos, con una base organizada y directamente reconocible, en aras de la defensa y acceso a la justicia del referido interés, tal y como reconoce en su art. 7.3 la Ley Orgánica 6/1985 de 1 de julio, del Poder Judicial.

Consecuentemente con las consideraciones realizadas, el modelo de Estado imperante en cada momento ha influido poderosamente en la protección del Patrimonio Histórico Español y su tratamiento jurídico. De ese modo, con el Estado intervencionista y su papel activo en el seno de la vida social, se viene llevando a cabo una acción prestacional en materia de cultura, de acuerdo con el art. 9.2 del texto constitucional, adoptándose un papel activo en la regulación jurídica del Patrimonio Cultural.

Lo cierto es que su protección penal se adscribe en la tendencia generalizada de incorporar a la vida penal intereses supraindividuales o colectivos frente a los tradicionalmente personalistas. Independientemente del término con el que se les quiera designar, su particularidad reside en que nos encontramos ante unos **bienes de titularidad colectiva**. Los bienes del Patrimonio histórico, cultural y artístico se imputan, de acuerdo con el texto constitucional, a *«los pueblos de España»*, esto es, a todos los ciudadanos que integran la comunidad nacional. Y es que, en efecto, ya desde el Preámbulo de nuestra Carta Magna, se reconoce el fenómeno del *pluralismo cultural*, toda vez que España está integrada por una pluralidad de pueblos y de culturas, y a este respecto fue expuesta la idea de que la cultura constituye una competencia concurrente entre el Estado y las Comunidades Autónomas. Por otra parte, obviamente, la nación española tiene una identidad cultural, de modo que, cuando el art. 46 se refiere al patrimonio histórico, artístico o cultural de los pueblos de España, parece afirmar de un modo implícito que, pese al pluralismo cultural en la organización territorial del Estado, existe un Patrimonio Cultural común, si bien de conformación plural. Precisamente la descentralización cultural se legitima a partir del principio democrático, de suerte que el carácter *democrático* de nuestro Estado hace partícipes a todos los ciudadanos de los valores de la cultura.

Ahora bien, partiendo de los aspectos diferenciales presentes en la categoría de los bienes jurídicos colectivos, y, con base en las características definitorias de la clasificación efectuada en el texto, resaltaremos el hecho de que, en el caso del Patrimonio Cultural nos encontramos ante intereses de reciente aparición en el sistema punitivo, pudiendo identificarlo, en este sentido, como un *bien de* «**nueva generación**», a diferencia de aquellos bienes con larga tradición jurídico-penal. Así, participan de las notas configuradoras de dichos bienes jurídicos *modernos*, si bien con ciertas matizaciones: en primer término, mas que «carecer» de tradición normativa, resulta preferible afirmar que su regulación era descuidada de forma innegable, recibiendo su tutela jurídico-penal de forma subsidiaria, que no originaria. Ligado a lo anterior, podemos afirmar que existe una carencia de entronque *directo* con los bienes jurídicos tradicionales personalistas, pues, como venimos afirmando, nos encontramos ante un bien jurídico autónomo, independiente de los individuales, y que, por ende, requiere una protección eficaz y singularizada. Finalmente, se cumple la última exigencia de los bienes de nuevo cuño, con la existencia del *mandato constitucional de protección* del Patrimonio histórico, cultural y artístico.

Por último, como bien jurídico de carácter macrosocial y colectivo, resulta consecuente que la relación titular concreta deje paso a su dimensión social, de manera que en muchos casos no coincide el sujeto pasivo, como titular del bien jurídico cuya lesión es indispensable para que exista delito, con el perjudicado por el delito, que puede coincidir con el propietario titular del objeto integrante del patrimonio histórico. Por consiguiente, el carácter social del Patrimonio Cultural supone un *límite a la disponibilidad* de los bienes que lo integran, por parte del sujeto que, en el caso concreto, sea su titular. La justificación de la inmisión en los derechos del propietario del bien cultural la encontramos en nuestro derecho en el propio concepto de *propiedad constitucional*, concepto que tiene su epicentro en la *función social*, reconocida en el artículo 33 de la CE, legitimándose así la intervención pública en estos bienes, y garantizándose, de ese modo, el disfrute compartido de los bienes a favor de la titularidad.

4ª La incorporación a la tutela penal de los denominados «*interessi diffusi*» suscita el debate sobre la necesidad de articular disciplinas extrapenales con una tutela punitiva. Con la entrada en vigor del Código Penal de 1995, se incorporan nuevos valores al catálogo de bienes protegidos penalmente, tipificándose determinadas conductas contra dichos bienes, las cuales hasta ese momento eran básicamente castigadas por el Derecho Administrativo Sancionador.

Ciertamente, ninguna de las teorías que pretendían una diferenciación cualitativa entre **ilícito criminal** e **ilícito administrativo** logró imponerse, puesto que, si partiéramos de la consideración de los ilícitos administrativos como meros ilícitos formales, de un lado, se estaría elevando al rango de infracción penal supuestos donde el interés abstracto resultaría vulnerado con la mera infracción de la prohibición. Esto es, estaríamos ante tipos carentes de todo injusto material, al residir dicho contenido de injusto en la mera voluntad rebelde a los mandatos jurídicos, lo cual resultaría insostenible.

A su vez, resultaría también inadmisible que sólo el ámbito de protección incluido en el Código Penal respondiera a la necesidad de preservación del bien jurídico subyacente, mientras que el resto de conductas sancionadas por el ordenamiento administrativo no respondieran a la tutela de valor alguno. De acuerdo con ello, sólo desde que se introduce la protección del Patrimonio Histórico en el Código Penal se le identificaría como bien como bien jurídico necesitado de tutela, lo cual contradice lo que hemos venido afirmando durante el presente trabajo, pues entendemos que en el ordenamiento administrativo sancionador hay un bien o valor en juego *de las mismas características* que el protegido a través del ordenamiento penal, toda vez que su protección constituye una obligación para todos los poderes públicos.

De acuerdo con lo expuesto, la línea de demarcación entre el delito y la infracción administrativa implica la necesaria referencia al *bien jurídico protegido* y su colocación en una escala ideal jerárquica donde se aprecie el contenido de injusto, el grado de lesividad del bien, atendiendo a su vez a los criterios de imputación de ese injusto, de forma que la sanción esté en una relación ponderada con la gravedad del ilícito, de acuerdo con el principio de *proporcionalidad* en sentido estricto. A partir de estas diferencias de orden cuantitativo, dicha línea de demarcación entre el ilícito penal y el ilícito administrativo, es delimitada positivamente por el legislador, si bien, dicha decisión en un momento concreto debe tomarse lógicamente no de forma caprichosa, sino atendiendo a la *gravedad* de la infracción.

Aceptando que las diferencias entre ilícitos penales y administrativos sean meramente *cuantitativas*, así como la posibilidad de identidad del bien jurídico tutelado en los diferentes órdenes normativos, resulta lógica la negación de la doble sanción por un mismo comportamiento, en aplicación del **principio «ne bis in idem»**, principio rector de la relación de interferencia entre ambos ilícitos y, avalado firmemente por el *Tribunal Constitucional* desde sus primeras resoluciones. De suerte que, de acuerdo con este principio, en su vertiente **material**, no podrá imponerse doble sanción cuando exista *identidad de hecho, sujeto y fundamento*. A este respecto, para resolver si apreciamos la identidad de fundamento debemos referirnos a los bienes jurídicos protegidos, así como a los respectivos contenidos de injusto. De ese modo, pese a que el bien jurídico categorial puede ser el mismo en los delitos y las infracciones administrativas, su tutela se realizará en dos planos, en atención a la mayor o menor relevancia de la infracción; si entre esos dos planos hay una relación de progresión, en ese caso el fundamento será idéntico, mientras que si se produce una relación de complementariedad, pese a la identidad del bien jurídico categorial, no podrá afirmarse que el fundamento sea exactamente el mismo. Por tanto, sólo si los respectivos bienes jurídicos específicos *coinciden* o se hallan en una relación de progresión, será de aplicación el principio «*non bis in idem*», imponiéndose únicamente la sanción penal.

La vertiente material del principio se encuentra integrada con efectos de carácter **procesal**, *impidiendo el doble enjuiciamiento por los mismos hechos*, e inclinándose, ante la tipificación de un comportamiento tanto por el Derecho Penal como por el Derecho Administrativo Sancionador, por la prevalencia de la tipificación penal, quedando la actuación sancionadora de la Administración subordinada a la jurisdicción penal.

A este respecto, la determinación del Constituyente de declarar la íntima relación entre el principio *ne bis in idem* y el de legalidad conduce a localizar la conexión entre ambos a partir de la idea de *seguridad jurídica*. Siempre que se infrinja el principio *ne bis in idem* se estará produciendo asimismo una ruptura del *principio de proporcionalidad* o prohibición del exceso por la respuesta jurídica dada al ilícito, pero no necesariamente al contrario.

Ahora bien, si las medidas sancionadoras responden a *distinta naturaleza*, su concurrencia no lesionará el principio «*ne bis in idem*», pues no se fundamentan en lo mismo. De ese modo, no plantean problemas de compatibilidad, ni las denominadas *multas coercitivas,* ni las órdenes de *restauración del ordenamiento jurídico conculcado*, previstas en los arts. 321 y 323 del Código Penal.

Al hilo de lo expuesto, la apertura del Derecho Penal hacia ámbitos tradicionalmente pertenecientes al Derecho Administrativo, provoca una cierta «desnaturalización» del ordenamiento jurídico-penal, no sólo por la complejidad de la materia, sino también en cuanto a la **técnica legislativa empleada** por el legislador penal en su regulación. A este respecto, recordemos como, desde la doctrina científica se plantean serias objeciones a la técnica legislativa seguida en el Título XVI del Código, previendo idénticas consecuencias negativas, tanto del uso o utilización de *elementos normativos,* como de *normas penales en blanco,* cuando, a mi juicio, se trata de técnicas de remisión distintas, no susceptibles de equiparación, y donde la opción por una u otra comporta consecuencias jurídico-penales diversas.

Lo cierto es que, no podemos obviar un cierto grado de indeterminación en la formulación de los tipos penales, toda vez que la certeza y concreción absoluta conllevaría necesariamente al exclusivo empleo de términos descriptivos y al uso de un excesivo casuísmo. Precisamente, una de las principales consecuencias que se derivan de la vigencia del principio de legalidad consiste en que, si bien resulta indudable el necesario cumplimiento por parte del legislador del mandato de taxatividad implícito en el de legalidad, simultáneamente debe reconocerse la imposibilidad de alcanzar un rigor absoluto en la formulación de los tipos penales. Asimismo, debe tenerse presente la existencia de limitaciones del lenguaje de la ley en el sistema jurídico positivo, toda vez que la ley positiva surge de la elección de una serie de valores e intereses presentes en la sociedad, lo que implica de por sí una referencia a realidades extralegales. Todo ello conduce al legislador a la dificultosa tarea de compatibilizar las exigencias de taxatividad con la generalidad y abstracción que debe caracterizar a cada norma.

Cuestión ligada a ésta es la relativa a las posibles situaciones de desigualdad que podían originarse en la aplicación de determinados términos normativos, de acuerdo con el origen o fuente de la remisión. Planteándonos en que condiciones pueden estar justificadas estas diferencias de tratamiento, en aras al respeto del **principio de igualdad**, considero que no existirá vulneración de dicho principio, si la discordancia en el ámbito de lo punible estuviera basada en circunstancias existentes y propias en cada Comunidad Autónoma. De suerte que, una misma conducta puede tener una trascendencia muy distinta, dependiendo de las circunstancias peculiares —sociales, históricas, culturales, económicas, etc…— del territorio en que se lleve a cabo.

Para finalizar con las cuestiones que se suscitan en torno a los términos normativos, no debemos pasar por alto la relativa a si el **error** sobre éstos debe castigarse como un error de tipo o un error de prohibición. A este respecto, me inclino por su consideración como *error de tipo*, fundamentalmente desde consideraciones dogmáticas: atendiendo al carácter secuencial en el análisis del delito, sólo constatada la tipicidad, podemos pasar a determinar si la conducta debe ser considerada definitivamente como antijurídica, de suerte que, si el término es necesario para afirmar la tipicidad, debe ser, pues, analizado en esta categoría, no teniendo por qué relegarse su análisis a un momento posterior.

Por último, la intervención directa del legislador penal en materias tradicionalmente reguladas por el Derecho Administrativo, puede dar lugar, asimismo, a cierta problemática de carácter procesal, como son las denominadas **cuestiones de prejudicialidad**. Partimos de que la *regla general* que disciplina esta materia consiste en la «no devolutividad» de las cuestiones prejudiciales (art. 3 LECrim), la cual tiene una *excepción* (art. 4 LECrim), de forma que si la cuestión prejudicial fuese determinante de la culpabilidad o de la inocencia, el Tribunal de lo criminal suspenderá el procedimiento hasta la resolución de aquella por quien corresponda.

A mi juicio, la aludida preferencia en el orden penal, impide el recurso a la vía jurisdiccional administrativa, salvo los casos excepcionales. Es más, en la práctica resulta difícil o incluso *inoperante*, pues, una vez transcurrido el breve plazo establecido sin que el interesado acredite haberlo utilizado, el Tribunal de lo criminal alzará la suspensión y continuará el procedimiento hasta la sentencia.

En cualquier caso, si se generalizase el recurso a las cuestiones prejudiciales devolutivas en los procesos penales se producirían básicamente dos *efectos de carácter negativo*: en primer lugar, se invertiría la propia regla general impuesta por el legislador, pero además, en segundo lugar, se produciría en la práctica excesivas paralizaciones de ambos procesos.

Consecuentemente, me sitúo en la línea de quienes afirman la falta de operatividad de las cuestiones prejudiciales devolutivas en los denominados delitos sobre el patrimonio histórico.

Recapitulando, de la dimensión *social* y colectiva del bien jurídico se deriva principalmente una consecuencia: la relevancia del *valor cultural* de los bienes integrantes del Patrimonio histórico, cultural y artístico frente a su valor económico. A este respecto, a pesar de que algunos de estos bienes puedan valorarse económicamente, su relevancia se sitúa básicamente en un valor independiente del que en un momento dado pueda adjudicarle el mercado, pues su prestigio pertenece a él mismo y no a un valor adquirido.

En consecuencia, a tenor de las consideraciones efectuadas, parece consecuente que el **bien jurídico protegido** en los delitos objeto de nuestro trabajo se identifique con el **valor cultural inmaterial** de los bienes que forman parte del *Patrimonio Cultural*, locución que, a mi juicio resulta preferible, por cuanto permite aglutinar todos los intereses concurrentes en dicho Patrimonio. Los bienes u objetos que lo integran reciben una tutela jurídico-penal precisamente por el *valor que representan y por ser instrumentos de acceso a la cultura*, compenetrándose el valor ideal con el elemento material.

IV

A continuación expondré las conclusiones más relevantes obtenidas del análisis de los distintos tipos que configuran los denominados «delitos sobre el patrimonio histórico»:

A) *Artículo 321*

1ª Respecto de la primera modalidad de la conducta típica, el **derribo**, la cuestión que suscita mayor controversia es la relativa al significado dogmático de la autorización administrativa en la construcción del tipo penal. A mi juicio, en estos supuestos la *tipicidad* se verá excluida, toda vez que el hecho debe contener una lesividad que considero está ausente en el caso de que sea concedida la autorización de derribo en situaciones de ruina del edificio, al quedar excluida la dimensión lógico-valorativa del tipo de injusto.

En punto a la segunda modalidad delictiva, para que la *alteración* del edificio singularmente protegido sea típica, debe ser considerada como «**grave**», término normativo *abiertamente indeterminado* que origina las consiguientes dificultades en cuanto a las exigencias de taxatividad, inherentes al principio de legalidad, por tratarse de expresión no definida en la legislación de la materia, quedando la valoración de la entidad cuantitativa del acto de la alteración en manos de los Jueces o Tribunales. A falta de integración judicial que aporte criterios unificadores, y, partiendo de que la mencionada conducta punitivamente se equipara al *derribo*, entiendo que el espíritu finalístico del precepto respecto de las «**alteraciones** *graves*» pretende englobar todas aquellas actuaciones operadas en los edificios, *que afecten negativamente* y de forma *relevante a los elementos que determinaron* su *especial protección*, como portadores del *valor cultural* que ha propiciado la singular protección del edificio, por lo que la gravedad se medirá atendiendo el grado de afectación del bien jurídico protegido.

Considero que asimismo no habrá obstáculo para poder admitir la **comisión por omisión**, siempre que concurran las condiciones del art. 11 del Código Penal para su apreciación.

Descrita la esencia de la conducta típica se plantea el problema del momento consumativo. A este respecto, la configuración del tipo legal como de resultado material conduce a la admisión de la **tentativa** como forma imperfecta de ejecución del delito, tanto en su forma acabada como inacabada.

2ª El **objeto material** sobre el que recae la conducta es, de acuerdo con la descripción típica, un «*edificio singularmente protegido por su interés histórico, artístico, cultural o monumental*». Respecto de las dos cuestiones básicas sobre las que se pronuncia la doctrina científica española, concluimos del siguiente modo:

Con respecto a la primera, la determinación del término «*edificio*» y su delimitación con el resto de bienes inmuebles, coincido con aquellos que sostienen que el vocablo «edificio» tiene un sentido más restringido que el de «construcción», pudiendo establecerse una relación en el que aquel sería la especie, mientras que la construcción se consideraría el género. El edificio iría más referido al concepto tradicional de arquitectura, mientras que la construcción comprendería las obras de ingeniería, tales como puentes, fábricas pertenecientes a épocas precedentes, acueductos, etc...

La voluntad legislativa de restringir el ámbito de aplicación de este precepto es clara. Y es que, a mi juicio, el art. 321 tiene precisamente su fundamento en el objeto material específicamente protegido en él, esto es, considero que la diversidad de trato es intencionada y tiene su fundamento o razón de ser en virtud del objeto material sobre el que recae la conducta típica. Nos encontramos ante una clase de bienes inmuebles, los edificios de interés histórico, artístico o cultural, que poseen una naturaleza especial, pues, de un lado, son susceptibles de una *valoración cultural*, de poseer intereses culturales que determinan su especial protección, pero, a su vez, como espacios habitables, son susceptibles de un *uso espacial alternativo*, se caracterizan pues por la versatilidad de su uso. Precisamente por este motivo, por su funcionalidad, por ser susceptibles de uso espacial alternativo, son posibles y harto frecuentes las intervenciones agresivas sobre ellos. En estos bienes se plantea la coexistencia de un interés cultural y otro económico, donde, mientras el primero abona por su mantenimiento original, el segundo hace más rentable su *transformación o destrucción*.

En segundo término, conforme a lo expuesto, de la coexistencia de valores de uso en el edificio, junto con posibles valores culturales, resulta necesaria una declaración formal de la protección, en orden a poder asegurar la conservación de los valores culturales de los edificios, evitando de ese modo su derribo. A este respecto, la *valoración cultural* del edificio ha de manifestarse formalmente, a través de medidas administrativas que concreten cuales han de ser conservados, por ser, como hemos mencionado, espacios habitables y susceptibles de usos diversos. De suerte que, a mi juicio, el elemento de la **«singular protección»** del edificio se dota de contenido a partir de disposiciones legales o administrativas. Consecuentemente, nos encontramos ante un ***término normativo valorado,*** invocándose de ese modo el contenido de las decisiones de otros órdenes normativos; en nuestro caso concretamente, la singular protección vendrá determinada, bien por Ley, bien por la Administración competente en la materia, mediante Real Decreto. Por consiguiente, en el requisito típico de la «singular protección», no sólo encajaran aquellos edificios comprendidos dentro de la protección especial que dispensan las legislaciones que regulan el Patrimonio histórico, artístico o cultural —los denominados *Bienes de Interés Cultural*— sino también aquellos edificios objeto de especiales medidas de protección por el Urbanismo, esto es, los incluidos en *Catálogos* municipales.

3ª Por lo que respecta al sujeto activo, si atendemos a la letra de la ley, resulta obvio que nos encontramos ante un ***delito común***, pues únicamente se describe un resultado típico cuyo sujeto activo puede serlo cualquiera, no existiendo restricción alguna al respecto. En el círculo de los posible sujetos activos, a mi entender, nada impide que incluso el *propietario* del edificio pueda ser sujeto activo del art. 321, por cuanto no se exige la ajenidad del bien derribado, alterado o dañado, exigencia que si aparecía prevista en el Código precedente en los subtipos agravados.

4ª A mi juicio, no puede afirmarse que el precepto exija ***elemento subjetivo*** alguno, cual es el de actuar «con *finalidades urbanísticas o edificatorias*» pues, si bien puede actuarse con dicha finalidad, el injusto no precisa de dicha referencia psíquica, pudiendo el acontecimiento externo ser contrario a derecho, aun si no se realiza con las finalidades indicadas. De acuerdo con el tenor literal del precepto no nos encontramos ante un *delito de intención*, pues el acontecimiento externo es por sí sólo contrario a Derecho, sin necesidad de que se realice para lograr una finalidad específica del agente.

5ª Por lo que se refiere al posible juego de las causas de **justificación**, no resultan difíciles de imaginar hipótesis de *estado de necesidad*, entendido como una situación de conflicto entre bienes, en la cual el ordenamiento permite llevar a cabo las acciones idóneas para salvar el bien de entidad mayor, en detrimento del menor. Pensamos en supuestos de *ruina inminente* de un edificio singularmente protegido donde, al generarse un inmediato peligro real para las personas por la situación de deterioro físico del inmueble, se lleve a cabo el derribo no autorizado de éste.

Por contra, el consentimiento del propietario del edificio para que un tercero derribe o altere gravemente dicho bien no tiene ninguna *eficacia justificante*, toda vez que, el consentimiento sólo puede desplegar sus efectos en el ámbito de los delitos contra los particulares.

6ª En el ámbito de la culpabilidad, el art. 321 se configura como un tipo **doloso**, sancionando el derribo o alteración grave de edificios singularmente protegidos, cuando dicha conducta se lleva a cabo con *conocimiento* de sus características externas y de su significación antijurídica, y con *voluntariedad* de llevarla a cabo. Esto es, el sujeto debe ser plenamente sabedor del valor cultural del edificio, y, consecuentemente del significado antijurídico de su derribo o alteración grave, y pese a ello decide llevar a cabo dicha conducta.

Con respecto al tratamiento del **error**, según quedó expuesto, la presencia de términos normativos en el tipo del art. 321 plantea problemas a la hora de determinar si el error que pueda recaer sobre dichos términos debe ser castigado como error de tipo o de prohibición, ya que los referidos términos se remiten a valoraciones jurídicas para su integración o interpretación.

Sobre este particular, comparto la posición partidaria de remitir al *error sobre el tipo* los supuestos de error que recaigan sobre los términos normativos, por las razones que ya se expusieron. Constituyen, pues, ejemplos de esta clase de error aquellos casos en que el sujeto activo tenga un conocimiento erróneo o equivocado sobre la naturaleza del objeto material, esto es, sobre el carácter cultural del edificio, pues crea equivocadamente que éste no ostenta ningún valor.

Pero, además de los referidos supuestos, el error puede versar sobre la existencia de **autorización** o su validez o eficacia. Aquí también la distinción entre error de tipo y error de prohibición se torna harto dificultosa, pues, la falta de autorización es un requisito del tipo de injusto, y al tiempo hace referencia a la antijuridicidad del comportamiento. Pues bien, según quedó expuesto, se castigará lo descrito en el tipo (el derribo o alteración grave del edificio singularmente protegido) a no ser que la Administración lo autorice. De ese modo, la remisión interpretativa, aunque implícita, excluye del tipo de injusto aquello que la Administración autoriza. La falta de autorización forma parte, pues, de la tipicidad misma, con anterioridad a su relevancia de cara a la antijuridicidad. Consecuentemente considero que, en principio, cuando las actuaciones referidas se llevan a cabo sin la autorización preceptiva, por ignorancia de su necesidad, se podrán resolver como errores de tipo.

Por último, algunas situaciones podrán reconducirse a supuestos *de error de prohibición;* en particular, me estoy refiriendo a los supuestos de error de prohibición *indirecto,* cuando el autor conoce la desvalorización que el Derecho atribuye al hecho, pero cree erróneamente que se haya desvirtuada por la concurrencia de una causa de justificación. A este respecto, por ejemplo, el sujeto puede erróneamente creer que se encuentra amparado por un estado de necesidad justificante.

7ª Para finalizar el repaso a los aspectos, a mi juicio, más relevantes del art. 321, debe subrayarse la posibilidad de que, además de las penas previstas en él, el órgano jurisdiccional sentenciador ordene **medidas restauradoras del orden jurídico conculcado, a cargo del responsable de los hechos.** Se trata de medidas de carácter civil, que forman parte del contenido de la *reparación,* prevista con carácter general en los arts. 110.2 y 112 del Código Penal. De todos modos, partiendo de la dificultad en la práctica de la imposición de tales medidas, la indemnización de perjuicios, prevista con carácter general en el art. 113 CP, se dará frecuentemente, traduciendo en dinero un menoscabo cuyos efectos dañosos no pueden retrotraerse.

B) Artículo 322

1ª El artículo 322 contiene un tipo paralelamente recogido, de forma similar que no idéntica, en el ámbito de los delitos contra la ordenación del territorio y los delitos contra el medio ambiente y los recursos naturales. En estos tipos se da un tratamiento diferenciado a la responsabilidad penal en que puede incurrir el funcionario público en sectores de la actividad social sometidos a una elevada intervención y capacidad de actuación de la Administración, de ahí que se denominen, de acuerdo con la doctrina mayoritaria, *prevaricaciones específicas agravadas.*

La especial relevancia punitiva del tipo previsto en el artículo 322 se explica, a mi juicio, desde dos perspectivas: *en primer lugar,* debido a su carácter **pluriofensivo**, pues, de un lado, se tutela el interés público en que las resoluciones administrativas sean conformes a la ley y al Derecho, esto es, se tutela el correcto ejercicio de la función pública, y de otro lado, se protege el Patrimonio Cultural, concretamente el valor ínsito en los edificios singularmente protegidos, ligado a la función de promoción cultural que desempeñan como insignes aportaciones a la cultura universal; en *segundo* lugar, la gravedad de las penas se puede fundamentar en la especial trascendencia que, para la protección del bien jurídico, tienen las funciones encomendadas por la ley a la Administración. A este respecto, podemos afirmar como el funcionario adopta una posición de **garante** en la tutela de los bienes integrantes del Patrimonio Histórico, obligación que viene expresamente recogida en el texto constitucional en el art. 46 de la Constitución Española.

2ª Por lo que se refiere a la **conducta típica**, la gran novedad del precepto que nos ocupa se encuentra en su primer apartado, al suponer un adelantamiento de la barrera punitiva, toda vez que, no sólo se castiga a quien tiene la facultad de *resolver,* sino también al funcionario que «*informa*» proyectos de derribo o alteración de edificios singularmente protegidos.

«Informar favorablemente» supone haber emitido un informe por el órgano competente y especializado en la materia, tendente a proporcionar elementos de juicio necesarios al órgano competente para resolver el derribo o alteración grave del edificio en cuestión. Aunque de la dicción literal del precepto no se exige, el proyecto de derribo o alteración del edificio singularmente protegido sobre el que se informa ha de ser contrario a la normativa urbanística o a la específica del Patrimonio Histórico.

La conducta típica se circunscribe, a mi juicio, no a cualquier clase de informe, sino a los informes sin los cuales nunca podrá concederse la licencia preceptiva para llevar a cabo las conductas de derribo o alteración en los edificios susodichos.

Sobre este particular y, de acuerdo con la norma básica en este ámbito, no podrán otorgarse licencias para la realización de obras que afecten a un inmueble declarado monumento o a sus partes integrantes hasta que no haya sido concedida la autorización administrativa exigida por la ley. De ello se infiere, pues, un sistema concurrencial, subordinando la *licencia municipal* a la *autorización proveniente de los órganos de la Administración Artística*. De forma que, si bien en la práctica dicha autorización se materializa a modo de informe, se trata realmente de un acto decisorio, y por ende, distinto a otros actos que, si bien revisten la misma forma, no tienen la misma naturaleza, y provienen de órganos consultivos. Esta es, a mi juicio, la razón fundamental por la que el legislador eleva la realización de estas conductas a la categoría de *autoría*.

En el apartado 2° del art. 322 la conducta típica estriba en «**resolver**», incriminándose a su vez al que, con abuso de su cargo, posibilita la resolución, «**otorgando su voto a favor**», por sí mismo o en un órgano colegiado. A este respecto, considero que hubiera resultado preferible que el legislador se hubiese referido a su «aprobación o autorización» pues, realmente lo que se somete a votación no son los proyectos sino la concesión de la licencia a la que acompaña el proyecto.

A mi juicio será típica la conducta de la autoridad municipal cuando, o bien resuelve la concesión de la licencia sin la autorización preceptiva de la Administración Cultural, o bien cuando resuelve favorablemente, en contra del informe denegatorio de la susodicha Administración.

Con respecto a la *consumación y la tentativa*, el legislador ha querido sancionar, en el *apartado primero* del art. 322, aquellas conductas consistentes en evacuar informes ilegales, en aquellos ámbitos en que dicha actuación resulta relevante para la protección del bien jurídico, por cuanto a los órganos encargados de emitir los informes les está encomendado la preservación de los valores culturales presentes en el edificio. Para la consumación de la conducta bastará pues con la emisión del informe injusto, pudiendo admitirse, en determinados supuestos, la *tentativa inacabada* o incompleta, si bien considero que será difícil la comisión en grado de *tentativa acabada*.

En el apartado *segundo* del art. 322, la consumación, de acuerdo con el tenor literal de la ley, se produce en el momento de dictar la resolución injusta o de emitir el voto, pudiendo admitirse, al igual que en la prevaricación genérica, la *tentativa inacabada*, obviamente dependiendo de los trámites necesarios hasta llegar a ésta; mientras que será más difícil apreciar la *acabada* ya que desde el momento en que se dicte la resolución, la infracción ya estará consumada.

3ª El sujeto activo del art. 322 sólo puede serlo la **autoridad o funcionario público**, definidos en el art. 24 del Código Penal, configurándose pues como *delito especial propio*, si bien, de acuerdo con la naturaleza de prevaricación específica del precepto antecitado, los sujetos activos deban ser necesariamente autoridades o funcionarios públicos *con competencias* en la materia, esto es, *en el ámbito del Patrimonio Histórico*, concretamente respecto de la emisión de informes sobre proyectos de derribo o alteración de edificios protegidos, o en la adopción de resoluciones o emisión de voto a favor de su concesión.

4ª Partiendo de las teorías «objetivo-formales» en la delimitación de la **autoría y la participación**, las conclusiones más relevantes obtenidas a este respecto son las siguientes:

a) Por lo que se refiere a la autoría, al calificar la prevaricación como un *delito especial propio*, no cabrá la autoría mediata de un *extraneus* (particular) sobre un funcionario, puesto que el particular nunca podrá ser autor de este delito, al carecer de competencia para emitir autorizaciones en el ámbito del Patrimonio Histórico. A su vez, tampoco podrá admitirse la autoría mediata de un funcionario sobre el particular. Es por ello, que sólo podría admitirse la autoría mediata de un funcionario público sobre otro funcionario cuando ambos tengan vinculación directa con competencias específicas en sede de Patrimonio Histórico.

b) Con respecto a la *participación*, en los supuestos de sujetos como asesores, técnicos contratados por la Administración, etc... los cuales, aun no teniendo la condición de autoridad o funcionario público, intervienen de forma decisiva en la emisión del informe favorable al proyecto de derribo, podrá admitirse la posibilidad de su incriminación por la vía de la **inducción** o de la **cooperación necesaria**.

Finalmente, una de las cuestiones más discutidas por la doctrina en el ámbito de las prevaricaciones específicas era la relativa a como, si la previsión expresa de estas conductas tiene claramente una finalidad agravatoria, en la práctica en muchos casos ocurre el efecto contrario. Así, cuando la conducta del autor, determinando efectivamente el dolo concurrente en éste, pudiera reconducirse a la cooperación necesaria respecto de la conducta del art. 321, el derribo o la alteración grave del edificio, se concluye que el funcionario o autoridad es cooperador necesario de la conducta principal, aplicándose a tal efecto, el 321 en concurso ideal con el 404, que regula la prevaricación genérica de autoridad o funcionario público. De suerte que, el 322 se aplicará en supuestos residuales, en que no llegue a producirse el derribo o alteración del edificio protegido o cuando su actuación no pueda reconducirse a la cooperación necesaria·

5ª La presencia del término «injusticia» en el delito de prevaricación, resulta clave para operar en el terreno de las **causas de justificación**. A este respecto, considero el término citado como un término normativo del tipo y, por ende, su presencia no agota la antijuridicidad del hecho, pudiendo aún jugar las causas de justificación.

6ª En el ámbito de la culpabilidad, debemos afirmar que se trata de un tipo eminentemente **doloso,** donde tanto la autoridad o funcionario público que informa proyectos de derribo o alteración, como la autoridad o funcionario público que resuelve o vota a favor de su concesión, ha de actuar «a sabiendas de su injusticia». Es precisamente la locución « a sabiendas» la que no deja lugar a dudas sobre la exigencia del dolo, considerando asimismo que debe admitirse la posibilidad de incluir el dolo eventual.

La exclusión de la modalidad *imprudente*, deducida del requisito de «actuar a sabiendas», proporciona un criterio de delimitación entre el ilícito penal y el administrativo, de modo que las actuaciones imprudentes en principio sean sancionables de acuerdo con lo dispuesto en la normativa administrativa.

C) Artículo 323

1ª La conducta típica del art. 323 consiste en **«causar daños»**. Ante la ausencia de una definición legal de los daños, entiendo con la mayoría doctrinal española que el resultado típico del delito de daños ha de consistir en la destrucción, deterioro, menoscabo o inutilización de las cosas sobre la que recae la acción, lo cual puede llevarse a cabo por cualquier medio capaz de producir los daños.

Sin embargo, a pesar de que la actividad típica contenida en el art. 323 de nuestro Código se describe con el mismo verbo que la contenida en el art. 263, ello no justifica su tratamiento unitario si tienen objetos de protección distintos, como efectivamente ocurre. El primero conforma un bien jurídico de carácter colectivo, frente al objeto de protección del tipo previsto en el 263, un bien jurídico personalista y patrimonial, tutelándose el aspecto de libertad del derecho de propiedad.

Una cuestión a subrayar y que se plantea habitualmente en los delitos de daños, es la referida a si resulta imprescindible o no que el daño comporte un *perjuicio patrimonial* para el sujeto pasivo. A este respecto, considero que el perjuicio no es un elemento integrante del tipo, y que, en todo caso, se tendrá en cuenta a efectos de determinar la responsabilidad civil dimanante del delito.

Habida cuenta de que estamos ante un delito de *resultado material,* resulta perfectamente admisible la posibilidad de la *comisión por omisión,* siempre que concurran las exigencias del art. 11 del Código Penal para su admisión.

Asimismo, no habrán problemas en admitirse, tanto la *tentativa* acabada como la inacabada.

2ª Con respecto a si existe alguna limitación en el ámbito de lo punible, me sitúo en la línea de aquellos que consideran que atender a la cuantía del daño en el art. 323 contradice el criterio de valoración de la conducta típica, de acuerdo con el cual debe atenderse únicamente al valor «cultural» del bien. Ahora bien, también es cierto que, atendiendo a razones sistemáticas, es el único criterio que nos permite diferenciar la conducta delictiva de la falta prevista en el art. 625.2. La utilización de las cuantías es habitual en el derecho positivo —tal y como hemos podido observar en la codificación penal española— en aras a plasmar el principio de intervención mínima penal. Sin embargo, el que admitamos que es el único criterio de distinción con las faltas, no nos impide reconocer que, perfectamente podía el legislador haber utilizado otro criterio de distinción entre el delito y la falta más acorde con la *ratio* que, en principio, se supone inspiró la regulación autónoma de los atentados contra el Patrimonio Cultural. Nociones como la *reversibilidad o irreversibilidad* de los daños, o como la *relevancia* de éstos, podrían haber sido debidamente concretados para acotar el tipo penal.

3ª Por lo que se refiere al **objeto material**, se incriminan, en *primer término*, los daños en un **archivo, registro, museo, biblioteca, centro docente, gabinete científico o institución análoga.** A este respecto considero que, de un lado, los daños deben entenderse causados *en los bienes u objetos que albergan* las instituciones referidas, y de otro lado, que lo relevante es que, ya sean públicos o privados, presten un *servicio público*.

En *segundo lugar*, se sancionan los daños en **yacimientos arqueológicos**, lo cual supone, a mi juicio, de un lado, admitir la posibilidad de considerar dentro del tipo los daños causados en yacimientos que se hallen en zona urbana, lo cual resulta harto frecuente, y de otro lado, supone fundamentalmente, de acuerdo con el carácter «no formalista» del tipo legal que venimos analizando, la no necesariedad del reconocimiento administrativo del valor del bien.

Finalmente, se suscita la cuestión de concretar el contenido del sintagma **«bienes de valor histórico, artístico, científico, cultural o monumental»**.

Sobre este particular, la doctrina científica ha seguido dos vías distintas de interpretación. Un sector minoritario considera que se trata de un concepto normativamente descrito en las disposiciones pertinentes, reduciendo su ámbito a los bienes declarados de interés cultural. Sin embargo, la doctrina mayoritaria y la jurisprudencia —en pronunciamientos sobre esta materia, aunque referidos al Código precedente— viene entendiendo que se trata de un elemento normativo, no determinado legalmente, pendiente de valoración judicial. Recientemente, el Tribunal Constitucional ha abierto una tercera vía interpretativa al declarar en sentencia de 17 de septiembre de 1998 que «...la protección penal se dispensa respecto de los que, con calificación formal o sin ella, integran el ámbito objetivo del Patrimonio Histórico Español, conforme éste es configurado por la citada Ley 16/1985». Se trata, a mi juicio, de una vía intermedia o ecléctica, pues, si bien entiende que el contenido del concepto de bien histórico, artístico, cultural o científico se integra con lo dispuesto en la LPHE, sin embargo no lo reduce a aquellos bienes inventariados o declarados de interés cultural.

Ciertamente, el ámbito de protección de la LPHE está integrado, no sólo por los bienes que hayan recibido una especial declaración como tales, sino por todos aquellos que poseen algunos de los valores mencionados en su art. 1° ap. 2. Sin embargo, la Ley no define en que consisten en concreto los intereses o valores dignos de protección. Será, pues, a mi juicio, el Tribunal quien decida cuando concurren dichos intereses, estimándose conveniente acudir a la normativa administrativa para que nos proporcione criterios indicativos y esclarecedores, sin dejar de prevalecer el estudio por parte del órgano judicial del caso concreto de que se trate y las circunstancias específicas que lo rodeen.

Tal y como ya expuse, si de lo que se trata es de dispensar una protección real e integral a los bienes culturales, la norma penal no puede ser interpretada exclusivamente con base en criterios administrativistas, pues ello podría conducir a una protección parcial y sectorial del Patrimonio Cultural, quedando fuera del ámbito penal todos aquellos bienes que, siendo poseedores de alguno de los valores dignos de protección no han sido objeto de un acto declarativo en este sentido. Tal y como ya se afirmó, una de las razones de mayor peso para argumentar la tesis de la libre valoración nos la da el propio **artículo 46** de nuestra Norma Fundamental, ya que no sólo no exige la previa declaración administrativa para que la ley penal sancione dichos atentados, sino que expresamente matiza «*no importa cual sea su régimen jurídico y su titularidad*».

Además, de acuerdo con la dicción literal del 323 del CP, no se exige la declaración legal o administrativa del interés cultural del bien, exigencia que sí se especifica respecto de los edificios en el art. 321, declarando que éstos gocen de una «singular protección» en aras a recibir tutela penal a través de este precepto. A este respecto, considero que, será el *valor cultural* de los bienes el elemento unificador que otorgue el amparo, constituyendo los intereses *histórico y artístico, científico o monumental,* manifestaciones de aquel.

5ª El sujeto activo del delito no requiere cualificación alguna, por lo que nos encontramos ante un delito común, no suscitándose problemas específicos en torno a la autoría y la participación.

6ª En cuanto a si el tipo de daños requiere elemento subjetivo distinto del dolo, con la doctrina dominante hay que entender que en los delitos de daños no reside elemento subjetivo del injusto alguno, siendo ésta la opinión generalizada en la jurisprudencia, bastando, pues, con la existencia de un **dolo de consecuencias necesarias**.

Asimismo, según quedó expuesto, soy partidaria de solucionar los supuestos de error sobre los términos normativos como *errores de tipo*, tanto desde consideraciones dogmáticas como sistemáticas.

7ª Para finalizar el repaso a las conclusiones más relevantes que se derivan del análisis del art. 323, debemos señalar como, en su segundo apartado, se establece la posibilidad, de forma similar a la previsión del art. 321, de que, además de las penas previstas en él, el órgano jurisdiccional sentenciador ordene medidas *restauradoras* del orden jurídico conculcado, a cargo del responsable de los hechos.

8ª Por último, resaltaré que, en general, todos los preceptos que conforman los delitos objeto de nuestro trabajo, plantean *problemas concursales*, concretamente con el tipo básico de daños del art. 263, con el art. 289 (sustracción de cosa propia a su utilidad social o cultural), con el art. 319, con delitos patrimoniales, y con delitos de incendios, entre otros. A este respecto, estos problemas se resolverán acudiendo al concurso de normas cuando uno sólo de los tipos en conflicto abarque totalmente el injusto de la conducta típica. En caso contrario se acudirá al concurso de delitos.

Asimismo, nada se opone a la posibilidad de apreciar *delitos continuados*, siempre y cuando se cumplan los requisitos exigidos por el art. 74,1 del CP.

D) Artículo 324

Finalmente, el legislador penal ha tipificado expresamente los daños al Patrimonio Cultural causados por **imprudencia grave.** Si bien, en una primera aproximación, parece ir destinado a incriminar únicamente los daños previstos en el art. 323, pues los elementos objetivos del tipo imprudente son idénticos a los del precepto citado, sin embargo, la cláusula genérica prevista en el art. 324 respecto del objeto material (*«bienes de valor histórico, artístico, cultural, científico o monumental»*) permite incriminar los atentados imprudentes contemplados en el art. 321, esto es, respecto de edificios singularmente protegidos por su interés histórico, artístico, cultural o monumental.

De suerte que, serán constitutivas de este delito aquellas infracciones en las que mediare una *dejación* de los más elementales *deberes de cuidado* para con dichos bienes, y como consecuencia se produjera el resultado típico. En cualquier caso, la imprudencia grave debe contemplar la *previsibilidad* de causar un daño precisamente a un bien de los que constituyen el objeto material, esto es, *un bien de naturaleza cultural.*

Ahora bien, si los daños causados imprudentemente son valorados en cuantía inferior a las 50.000 pesetas no habría delito, pero tampoco falta, debido a que los daños por imprudencia sólo están previstos como delito y no como falta.

CONCLUSIÓN FINAL

La regulación autónoma de los atentados contra el Patrimonio Cultural debe ser acogida favorablemente, por cuanto se formula un nuevo bien jurídico, no desde una perspectiva puramente patrimonialista, sino atendiendo al valor cultural como elemento determinante de la protección.

Ello no es óbice para que su materialización concreta sea objeto de determinadas críticas u objeciones. La objeción más importante, a mi juicio, es de carácter *sistemático* y se basa en la decisión del legislador de 1995 de no reconducir al interior del Capítulo creado al efecto todos los atentados contra el Patrimonio Cultural, lo que hubiera supuesto una acentuación del bien jurídico protegido. A este respecto, los citados delitos conviven con los habituales subtipos agravados, contenidos mayoritariamente en el marco de los delitos contra la propiedad individual, sancionando más gravemente cuando la acción delictiva recae sobre bienes de valor histórico, artístico o cultural. A lo anterior cabría añadir la falta de previsión de algunas tipologías como podría ser la receptación de obras de arte u objetos de valor cultural, habida cuenta de las conocidas mafias organizadas que provocan la desaparición de numerosas piezas de arte.

En suma, si bien resulta afortunada la inclusión en el «Código Penal de la democracia» de un capítulo autónomo en torno a los delitos contra los bienes culturales, somos conscientes de que el Derecho Penal no es ni podrá ser la *panacea* a las infracciones contra nuestro Patrimonio Cultural. Sólo podrá conseguirse una eficaz prevención de las conductas agresivas contra éste, si existe una conciencia colectiva del perjuicio común que suponen dichas conductas, unido a otra serie de medidas de carácter económico y fiscal que fomenten el respeto a nuestro legado cultural.

Índice Normativo

- RO de 23 de junio de 1851 (reduce las intervenciones, con respecto a los edificios de propiedad particular, si bien únicamente a los que estuviesen abiertos al público).

- Real Decreto de 1 marzo de 1912 (prohibía el deterioro intencionado de las antigüedades, imponiéndose las sanciones que se establecían en relación con el Código Penal de 1870).

- R.D. de 9 de enero de 1923 (prohibía la enajenación sin autorización del Ministerio de Justicia de obras históricas, artísticas y arqueológicas pertenecientes a entidades religiosas, y donde la sanción se establecía sin perjuicio de las canónicas en que sus infractores incurran y, en su caso, de las penales de orden común aplicables a cada infracción).

- Ley 2/1974 de 2 de febrero, de Colegios Profesionales.

- Texto Refundido de la Ley sobre Régimen del Suelo y Ordenación Urbana de 1976.

- Reglamento de Disciplina Urbanística, aprobado por Real Decreto 2.187/1978, de 23 de junio.

- Ley 7/1982, de 13 de julio, en materia de contrabando.

- Ley 3/1984, de 9 de enero, de Archivos de la Comunidad Autónoma Andaluza.

- Ley 7/1985, de 2 de abril, Básica de Régimen Local.

- Ley 6/1985, de 26 de abril, de Archivos, modificada por la Ley 8/1989, de 5 de junio, de la Comunidad Autónoma de Cataluña.

- Ley 16/1985, de 25 de junio, del Patrimonio Histórico Español.

- Real Decreto 111/1986, de 10 de enero, de desarrollo parcial de la LPHE.

- Ley 6/1986, de 28 de noviembre, de Archivos de Aragón.

- Ley 3/1987, de 8 de abril, Reguladora de Disciplina Urbanística del Principado de Asturias.

- RD 582/1989, de 19 de mayo, por el que se aprueba el Reglamento de Bibliotecas Públicas del Estado y del Sistema Español de Bibliotecas.

- Ley 10/1989, de 5 de octubre, de Bibliotecas de la Comunidad de Madrid.

- RD 307/1989, de 23 de noviembre, por el que se regula el sistema de Archivos y el Patrimonio Documental de Galicia.

- Ley 3/1990, de 22 de febrero, de Patrimonio Documental y Archivos de Canarias.

Indice II
Reglamentación internacional y derecho comparado

A) Derecho internacional y derecho europeo

UNESCO:

aprobada por la Conferencia General en 1964. Ratificada por España el 13 de diciembre de 1985.

– Recomendación sobre la conservación de los bienes culturales que la ejecución de obras públicas o privadas pueda poner en peligro, aprobada por la Conferencia General de la UNESCO en París el 19 de noviembre de 1968.

– Convención sobre la Protección del Patrimonio Mundial, Cultural y Natural, aprobada en la Conferencia General de la UNESCO en París el 23 de noviembre de 1972, ratificada por España el 18 de marzo de 1982.

CONSEJO DE EUROPA:

– Carta Europea de Patrimonio Arquitectónico, adoptada por el Comité de Ministros, en septiembre de 1975.

– Recomendación nº 848 del Consejo de Europa adoptada el 4 de Octubre de 1978, relativa al patrimonio cultural subacuático.

– Recomendación 880 (1979) de la Asamblea Parlamentaria del Consejo de Europa, relativa a la conservación del patrimonio arquitectónico europeo.

– Convención Europea sobre infracciones en materia de bienes culturales firmada en Delfos el 23 de junio de 1985.

– Convención para la salvaguarda del patrimonio arquitectural de Europa, firmada en Granada el 3 de octubre de 1985, ratificada por España el 27 de abril de 1989.

– Convención europea para la protección del patrimonio arqueológico, firmada en La Valeta en 1992, la cual reemplaza la Convención inicial de 1969 para la salvaguarda del patrimonio arqueológico.

– Recomendación del Comité de Ministros a los Estados miembros relativa a la protección del Patrimonio Cultural contra los actos ilícitos, adoptada por el Comité de Ministro el 19 de junio de 1996.

COMUNIDAD EUROPEA:

– Resolución del Parlamento Europeo de 13 de mayo de 1974 para la salvaguarda del Patrimonio Cultural Europeo.

– Reglamento (CEE) nº 3911/92 del Consejo de 9 de diciembre de 1992 sobre exportación de bienes culturales (Diario Oficial de las Comunidades Europeas, de 31 de diciembre de 1992, nº L395), en vigor el 30 de marzo de 1993, el cual establece que la exportación de bienes culturales fuera del territorio aduanero de la Comunidad, estará sometida a una autorización concedida por el Estado donde se encuentre el bien en cuestión después del 1 de enero de 1993.

– Directiva 93/7/CEE del Consejo de 15 de marzo de 1993 relativa a la restitución de bienes culturales que hayan salido ilícitamente del territorio de un Estado miembro (Diario Oficial de las Comunidades Europeas, nº L74, de 27 de marzo de 1993).

B) Derecho comparado

FRANCIA:

– Ley de sacrilegio, promulgada el 20 de abril de 1825 y derogada el 11 de octubre de 1830.

– Ley de 1887 (hoy en día derogada, supuso la primera intervención del legislador impidiendo la destrucción o la alteración de bienes culturales).

– Ley de 9 de diciembre de 1906 (prohibía el transporte fuera de Francia de objetos culturales clasificados y preveía una serie de sanciones penales en relación con los trabajos de restauración, reparación o mantenimiento de inmuebles u objetos muebles clasificados, cuando no hubieran sido autorizados por la administración, o se hubieran realizado en contra de la autorización otorgada).

– Ley de 31 de diciembre de 1913, sobre monumentos históricos, modificada y complementada en lo referente al régimen sancionatorio, por la ley de 25 de febrero de 1943 (constituye la protección esencial, hasta la actualidad, de la materia cultural).

– Ley de 2 de mayo de 1930, de protección de los conjuntos naturales y los emplazamientos de carácter artístico, histórico, científico, legendario o pintoresco («sites»).

– Ley de 27 de septiembre de 1941 reguladora de las excavaciones arqueológicas.

– Ley 61-1262, de 24 de noviembre de 1961, referente a los restos arqueológicos marítimos.

– Ley nº 85-532 de 15 julio 1980 relativa a la protección de colecciones publicas contra los actos de daños y destrucción.

- Ley 20 junio 1909, n° 364, en ella se encuentran ya algunos de los enunciados fundamentales que conforman la normativa actualmente vigente.

- Ley de 1 de junio 1939, n° 1089 sobre tutela de cosas de interés artístico o histórico, integrada y modificada por Ley de 21 de diciembre de 1961 n° 1552, Ley de 14 de marzo de 1968 n° 292, y por Ley de 1 de marzo de 1975 n° 44 (conforma, junto con la regulación prevista en el *Codice penale*, la legislación fundamental en la materia).

- Ley de 29 de junio de 1939 n° 1497, integrada por la Ley de 28 de febrero de 1985 n° 47 y de 8 de agosto de 1985 n° 431 por lo que se refiere a las bellezas naturales.

- Ley de 20 de noviembre de 1971 n° 1.072, introduce el delito de falsificación de obras de arte.

ALEMANIA:

- Ley de 1902, concerniente a la protección de monumentos históricos en Hesse (se considera la primera ley moderna en la materia en Alemania).

- Ley sobre protección de monumentos en el Land de Baja Sajonia (*Niedersachen) Niedersächsiisches Denkmalschutzgesetz, vom 30. Mai 1978 (GVBI. S. 517), zuletzt geändert 28. Mai 1996 (GVBI. S. 242).*

- Ley de protección de los monumentos culturales en el Land de Sajonia (*Sachsen*) Vom 3. März 1993 (GVBI, S. 229), geändert 4. Juli 1994 (GVBI, S.1261).

- Ley protectora de monumentos en el Land de Sajonia-Anhalt *(Sachsen-Anhalt):* Vom 21. Oktober 1991 (GVBI. S. 368, 1992, S. 310), zuletzt geändert durch Gesetz vom 13. April 1995 (GVBI. S. 508).

DERECHO NORTEAMERICANO:

- Antiquities Act of 1906 (Ch. 3060, 34 Stat. 225 (codificada en el 16 U.S Code §§ 431-433m) (1988) (ley aprobada en respuesta a los actos vandálicos contra las ruinas de la Casa Grande en Arizona, así como para la preservación de Mount Vernon en Virginia, constituyendo la primera protección de los bienes arqueológicos).

- Historic Sites, Buildings and Antiquities Act (1935).

- National Historic Preservation Act (1966).

- Archaelogical Resources Protection Act of 1979 (Pub. L. n° 96-95, § 2, 93 Stat.721 1979, codificada en el U.S. Code 16 U.S.C. §§ 470aa-70mm (1988).

- National Stolen Act of 1983 (18 US Code).

- Convention on Cultural Property Implemention Act of 1983. (pub. L. n° 97-446, § 302, 96 Stat. 2351 (1983) (codificada en el 19 U.S. Code §§ 2061-13) (1988).

- Abandoned Shipwreck Act of 1987 (pub. L. n° 100-298, § 2, 102 Stat. 432 (1988) (codificada en el 43 U.S.Code §§ 2101-06 (1988)).

- Native American Graves Protection and Repatriation Act of 1991 (pub. L. n° 101-601, § 2, 104 Stat. 3048 (1990), codificada en el 25 U.S.Code §§ 3001-13 (Supp. III 1991).

DERECHO INGLES:

- Act for the Better Protection of Ancien Monuments en 1882 (sus objetivos de la tutela eran los valores artísticos e históricos).

- Ancien Monuments Protection Act de 1900.

- Ancien Monuments Protection Act de 1910.

- Ancien Monuments Protection Act de 1931.

- Ancien Monuments Protection Act de 1953.

- Town and Country Planning Act de 1971 (en relación a la protección de edificios catalogados y situados en áreas preservadas).

- Ancien Monuments and Archaelogical Areas Act 1979 (en la actualidad encarna las leyes relativas a los monumentos; su ámbito de aplicación se circunscribe a Gran Bretaña (Inglaterra, Gales y Escocia).

- Protection of Wrecks Act 1973 (protege los vestigios provenientes de naufragios; su ámbito de aplicación es el Reino Unido (Inglaterra, Gales, Escocia e Irlanda del Norte).

- Planning (Listed Buildings and Conservation Areas) Act 1990 (sustituye a la anterior citada, en relación a los edificios declarados de interés histórico-artístico (catalogados) y los situados en zonas preservadas; ley aplicable únicamente en Inglaterra y Gales).

Índice Jurisprudencial

Este apéndice contiene la jurisprudencia utilizada en el presente trabajo, si bien debe advertirse que la relación que se expone a continuación se ha realizado con un carácter selectivo, recogiendo las sentencias más significativas.

Los criterios de sistematización seguidos se corresponden, no sólo con un orden cronológico, sino también con los ámbitos de investigación desarrollados en el presente trabajo. Así, en primer lugar, se efectuará una exposición de la jurisprudencia ordinaria y la emanada del Tribunal Constitucional, tanto en relación al principio «*ne bis in idem*» en el marco constitucional, como en relación a las cuestiones sobre preservación y tutela del Patrimonio Cultural. Por último, se procederá a efectuar una breve exposición de las sentencias citadas en el ámbito del derecho comparado.

Índice I
Jurisprudencia ordinaria y jurisprudencia constitucional

A) Bien jurídico y principio «ne bis in idem» en el marco constitucional

ÍNDICE SENTENCIAS DEL TRIBUNAL CONSTITUCIONAL:

- STC 40/1979, de 14 de julio (principio de igualdad y remisiones normativas).
- STC 2/1981, de 30 de enero (declara la íntima relación entre el principio «ne bis in idem» y los principios de legalidad y tipicidad).
- STC 4/1981, de 2 febrero (afirma el valor normativo de la Carta Magna en su conjunto).
- STC 11/1981, de 8 de abril (los principios del orden penal son aplicables al procedimiento administrativo sancionador).

ÍNDICE SENTENCIAS DEL TRIBUNAL SUPREMO:

– STS de 7 de abril de 1999 (Cont-Administrativo, Secc. 3ª) (RA 3067) (imposibilidad de sancionar en vía administrativa al ya condenado criminalmente por los mismos hechos).

B) Preservación del Patrimonio Cultural

SENTENCIAS DEL TRIBUNAL CONSTITUCIONAL:

– STC 61/1997 de 20 de marzo sobre el ordenamiento urbanístico (resuelve los recursos de inconstitucionalidad formulados contra la Ley 8/1990, de 25 de julio, sobre reforma del régimen urbanístico y valoraciones del suelo, y contra la Ley del Suelo de 1992; supone el retorno a la LS76 como normativa de carácter supletorio en cada territorio autonómico e implícitamente de forma complementaria al Reglamento de Disciplina Urbanística, aprobado por Real Decreto 2.187/1978, de 23 de junio).

– STC 181/1998, de 17 de septiembre (conforma un hito en la delimitación jurisprudencial del concepto de Patrimonio Histórico y su extensión en el ámbito penal).

SENTENCIAS DEL TRIBUNAL SUPREMO:

– STS de 12 de mayo de 1969 (RA 2788) (pese a absolver por razones probatorias, entendió que la conducta de un propietario que conduce a la ruina, por acción u omisión, un edificio de su propiedad arrendada a un tercero era típica con arreglo al art. 562 (hoy 289) del Código Penal precedente).

– STS de 14 de noviembre de 1976 (subraya la regulación urbanística como norma sustantiva de tutela monumental, junto a la específica de Patrimonio Histórico).

– STS de 12 de mayo de 1978 (posibilidad de compatibilizar la ruina firme con la conservación del edificio).

– STS de 30 de junio de 1978 (RA 2766) (Sala de lo penal) (condena únicamente por un delito de robo, pese a que, con ocasión de éste se causaron daños en una tabla policromada de un retablo).

– STS de 18 de junio de 1979 (RA 2677) (confirma una resolución de la AP de Córdoba admitiendo la agravante en el incendio del retablo de la Iglesia de la Merced de Córdoba).

artística que corresponda en el momento de pretender el derribo, de suerte que éste puede ser impedido).

- STS de 8 de mayo de 1987 (RA 3564) (rechaza la consideración de demolición clandestina, respaldando la actuación del alcalde que ordenó la demolición del edificio a la vista de los informes técnicos y jurídicos que se emitieron, con urgencia, y sin que en tal caso, frente a la situación de grave daño del inmueble con la premura de tiempo en la demolición para evitar daños mayores, exigiesen la autorización de los organismos del Patrimonio Histórico, a los que se dio cuenta de la situación de ruina inminente).

- STS de 23 de septiembre de 1987 (RA 7752) (edificios de protección ambiental).

- STS de 22 de abril de 1988 (Penal) (RA 2847) (describe la gravedad o temeridad de la imprudencia).

- STS de 25 de abril de 1988 (Penal) (RA 2864) (inadmisión del castigo de la comisión por omisión en la prevaricación genérica; prevaricación como delito especial propio).

- STS de 6 de junio de 1988 (Penal) (RA 4478) (el arbitrio judicial deberá atenerse a aquellos criterios que aparezcan como más objetivos, según el común sentir de la colectividad, y, a ser posible, como manifiestamente notorios e indiscutibles).

- STS de 12 de julio de 1988 (Penal) (RA 6558) (hurto de cosas de valor histórico con abuso de confianza).

- STS de 21 de junio de 1989 (Penal) (RA 5186) (al Concejal le viene atribuida la condición de autoridad por su pertenencia al Pleno de la Corporación y, por ende, tiene la potestad de mando y de gobierno que la ley atribuye a dicha Entidad Local en los asuntos que son de específica competencia en la misma).

- STS de 8 de marzo de 1990 (RA 1986) (los fines esenciales de los Colegios profesionales son la ordenación del ejercicio de las profesiones, la representación exclusiva de las mismas y la defensa de los intereses profesionales de los colegiados).

- STS de 29 de junio de 1990 (Penal) (RA 6189) (describe la gravedad de la imprudencia como el olvido total y absoluto de las más elementales normas de previsión y cuidado).

- STS (3ª) de 22 de junio de 1990 (RA 5405) (irreversibilidad del acto de demolición de edificio de interés histórico-artístico).

- STS de 8 de octubre de 1990 (Penal) (RA 7916) (se reputa autoridad tanto a los Alcaldes, toda vez es la única persona que ejerce de manera personal y directa una jurisdicción propia, como al Concejal, por su pertenencia al Pleno de la Corporación así como por tener la potestad de mando y de gobierno que la ley atribuye a dicha Entidad Local en los asuntos que son de específica competencia en la misma).

- STS de 22 de noviembre de 1990 (Penal) (RA 9081) (concepto amplio de funcionario público en el sentido del art. 119 del CP).

- STS de 22 de noviembre de 1990 (Penal) (RA 9081) (la injusticia de la prevaricación ha de ser clara y manifiesta).

- STS de 16 de mayo de 1991 (2ª) (RA 3677) (diferencia entre la imprudencia «grave» y la simple).

- STS de 17 de junio de 1991 (RA 5248) (si resulta procedente la demolición del edificio se extingue, por incompatibilidad, el deber de conservación).

- STS de 4 de julio de 1991 (RA 5529) (el delito continuado requiere que no exista un alejamiento temporal de las acciones que las haga parecer ajenas y desatendidas las unas de las otras).

- STS de 15 de julio de 1991 (RA 5749) (la reacción legal en las infracciones urbanísticas comprende la imposición de sanciones pecuniarias, la restauración del orden jurídico conculcado y la indemnización de daños y perjuicios).

- STS de 24 de julio de 1991 (RA 6360) (la ruina inminente implica una situación de deterioro del edificio y de peligro para las personas o los bienes que hace urgente su demolición).

- STS de 21 de septiembre de 1991 (RA 7625) (competencia de los Ayuntamientos para promover la inclusión de edificios en el catálogo monumental).

- STS de 2 de octubre de 1991 (RA 7716) (la ruina inminente implica una situación de deterioro del edificio y de peligro para las personas o los bienes que hace urgente su demolición).

- STS de 12 de noviembre de 1991 (RA 8049) (condena por robo de objetos de valor histórico).

- STS de 19 de noviembre de 1991 (Contencioso-Administrativo) (RA 8898) (patrimonio histórico-artístico; licencias concurrentes: municipal y de Bellas Artes).

- STS de 20 de noviembre de 1991 (Contencioso-Administrativo) (RA 9154) (Bienes de Interés Cultural; ruina inminente: improcedencia de la demolición por falta de autorización de la Administración competente).

- STS de 22 de enero de 1992 (Contencioso-Administrativo (RA 758) (la ausencia de autorización de la Administración Cultural al solicitarse la licencia urbanística impide la concesión de la misma).

- STS de 21 de febrero de 1992 (Contencioso-Administrativo (RA 1997) (la situación de ruina no priva al inmueble de la posibilidad de alcanzar la cualidad de «Bien de Interés Cultural»).

- STS de 4 de marzo de 1992 (Contencioso-Administrativo (RA 3217) (normativa aplicable a la licencia de demolición).

- STS de 12 de marzo de 1992 (Contencioso-Administrativo) (RA 1826) (Patrimonio histórico-artístico: competencias concurrentes de la Administración municipal y autonómica: prevalencia de la defensa del Patrimonio).

- STS de 26 de marzo de 1992 (Penal) (RA 2475) (el delito de prevaricación es una infracción penal de carácter especial).

- STS de 6 de abril de 1992 (RA 3001) (obligación de interpretar la legislación de Patrimonio en el sentido más favorable a la conservación del mismo; irreversibilidad del acto de demolición).

- STS de 12 de mayo de 1992 (3ª) (RA 4146) (edificios de protección ambiental).

- STS de 12 de mayo de 1992 (Penal) (RA 3868) (los concejales no tienen carácter de autoridad).

- STS de 9 de junio de 1992 (Penal) (RA 4893) (hurto de especial gravedad atendiendo al valor de los efectos sustraídos: cosas de valor histórico artístico).

- STS de 2 de julio de 1992 (RA 5928) (el daño que lógicamente debe acompañar al rompimiento o la fractura no constituirá un delito independiente sino que será absorbido por el robo y generará la oportuna responsabilidad civil derivada del delito).

- STS de 23 de julio de 1992 (RA 6173) (competencias concurrentes del Ayuntamiento, que concede la licencia urbanística, y de la Administración Cultural que persigue el ajuste de las actuaciones al interés cultural, histórico o artístico del edificio).

- STS de 18 de noviembre de 1992 (RA 10441) (el delito continuado requiere que no exista un alejamiento temporal de las acciones que las haga parecer ajenas y desatendidas las unas de las otras).

- STS de 27 de noviembre de 1992 (Penal) (RA 9537) (castiga como autor de un delito de prevaricación a un alcalde que concede licencias de obras sin estar aprobado el Plan Urbanístico).

- STS (3ª) de 23 de octubre de 1995 (Contencioso-Administrativo) (RA 7766) (el interés histórico o artístico de un edificio afectará a la ejecutividad de la declaración del estado ruinoso, pero no a su declaración).

- STS de 3 de noviembre de 1995 (Cont-Administrativo, Secc 5ª) (RA 8062) (normativa aplicable a la licencia de demolición).

- STS de 20 de noviembre de 1995 (Penal) (RA 8313) (inadmisión del castigo de la comisión por omisión en la prevaricación genérica).

- STS de 28 de diciembre de 1995 (Penal) (RA 8313) (castiga como prevaricación aquel supuesto en que se dicta una resolución expresa, omitiendo exigencias procedimentales preceptivas).

- STS de 6 de junio de 1996 (RA 478) (se autoriza el derribo de un edificio integrado en Conjunto Histórico-Artístico, declarado en estado de ruina, pero ordenando la conservación de la fachada).

- STS (3ª) de 18 de noviembre de 1996 (Cont-Administrativo, Secc 3ª) (RA 8649) (compatibilidad de la declaración de ruina de un edificio y su declaración como monumento de interés cultural).

- STS de 29 de enero de 1997 (Sala de lo Penal) (RA 111) (condena por un delito de daños en bienes del Patrimonio Histórico-Artístico Nacional).

- STS de 3 de febrero de 1997 (Cont-Administrativo, Secc. 3ª) (RA 1466) (el retardo de la administración municipal en el otorgamiento de la licencia de demolición no supone autorización por silencio positivo).

- STS de 9 de diciembre de 1997 (Sala 3ª) (RA 9516) (supuesto de reconstrucción de un edificio protegido, calificado de infracción administrativa, atendiendo a la *escasa trascendencia del daño,* al estimar la Sala que el perjuicio causado al Patrimonio Artístico Cultural es de escasa importancia «conservando las peculiaridades del mismo, mejorando el aspecto anterior).

- STS de 20 de julio de 1998 (Contencioso) (RA 6907) (denegación de autorización de demolición de edificio enclavado en conjunto histórico-artístico y en estado de ruina).

SENTENCIAS DE LOS TRIBUNALES SUPERIORES DE JUSTICIA, JUZGADO DE LO PENAL Y AUDIENCIAS PROVINCIALES:

- STSJ de Cataluña, de 17 de febrero de 1995, nº 122.

- STSJ de Cantabria de 5 de septiembre de 1997, nº 2457 (las Corporaciones Locales han de partir necesariamente del sentido de la resolución dictada por el órgano autonómico en relación al otorgamiento de la licencia).

descartándose la concurrencia del delito del art. 321 CP) (en Actualidad Penal. Audiencias nº 1, enero 1999).

– SAP de Pontevedra, sentencia de 11 de febrero de 1999 (declaró la absolución del acusado por un delito contra el Patrimonio Histórico del art. 324, por el que había sido condenado por el Juzgado de lo Penal nº 1 de Pontevedra).

Índice II
Relación de sentencias citadas en el ámbito del derecho comparado

ALEMANIA:

– Sentencia BGH 29, 129 (Tribunal Supremo Federal de 13-11-1979) (señala que la mera modificación de la forma externa no es, por regla general, un daño típico).

– Sentencia BGH 20, 286 (daños graves en objetos consagrados al culto divino).

– Sentencia BGH 10, 285 (daños graves en colecciones accesibles para la colectividad).

– Sentencia RG (Tribunal Supremo Imperial) GA Bd.51, 49 (daños graves en un monumento megalítico).

– Sentencia RG 5, 319; 31, 146 (daños en objetos que sirven de forma indirecta a la utilidad pública).

– Decisión del Tribunal regional de Frankfurt, de 11 de marzo de 1988 (puntualiza que la modificación del estado —en este caso, colocación de carteles— que pueda ser eliminada sin menoscabo de la sustancia, no constituye un supuesto típico).

FRANCIA:

– Cour Cassation Criminell 8 mars 1883, D.P. 1884, 1 (las personas jurídicas no incurrían mas que en una responsabilidad civil y en ciertos casos disciplinaria o administrativa, no pudiendo ser declaradas penalmente responsables de una infracción).

– Cass. Crim.9 août 1993 (sanciona un supuesto de degradación de sitio clasificado).

– Cass. Crim. R, 13 avr.1994 (destrucción de un yacimiento arqueológico).

– Tribunel Correccionel de Roanne, 19 janvier 1923, Gaz. Palais, 1923-1-452 (analiza con precisión los elementos de delito del art. 257 del Código penal francés precedente).

– Tribunal de alta instancia de Digne de 19 de noviembre de 1987 (los jueces constataron que la extracción de fósiles había sido hecha sobre un terreno clasificado como reserva natural, aplicándose el art. 22 de la ley de 1930, que reprimía con penas del 257 del Código Penal a quien intencionadamente degradara un lugar clasificado).

– Trib. Correcionel de Digne, 3 mars 1994 (se condena por excavación clandestina).

ITALIA:

– Sentenza Corte Costituzionale 18 maggio 1978, n° 378, (intereses colectivos) in *Foro it,* 1980, III, 54.

– Sent Corte Costituzionale 27 giugno 1986, n° 151.

– Cassazione Penale 18 novembre 1959 (la confiscación de la cosa objeto de exportación fraudulenta no procede cuando el objeto pertenezca a persona extraña al delito).

– Cass. Penale 6 maggio 1969, Spagnuolo, ivi, 1970, II, 582.(el apoderamiento de un objeto de arte o una antigüedad hallados por un descubridor ocasional o por aquellos que fueron autorizados a realizar una investigación u obra entra en las previsiones del art.67 de la ley de 1939 y no en la hipótesis prevista en los art.624 y 625 del *Codice penale,* el cual sólo debe ser reclamado a efectos de la aplicación de la pena).

– Cass. Penale 12 giugno 1969 (considera la norma del 733 del Codice penale derogada tácitamente por la Ley 1089, norma actual y vigente de tutela del Patrimonio Cultural).

– Cass. Penale, 17 febbraio 1971, Russo, in Giust. Pen, 1972, II, 425 (vuelve a confirmar una jurisprudencia distante en el tiempo según la cual el apoderamiento de antigüedades y objetos de arte realizado en las condiciones mencionadas entra en las previsiones del art.67 de la ley de 1939 y no en la hipótesis del 624, sólo reclamado a efectos de pena).

– Cass. Penale 30 settembre 1985 (para configurar el ilícito penal de *impossessamento di cose d'antichità e d'arte* del art.67, estima innecesario que la cosa haya sido descubierta por el autor del apoderamiento, puesto que el ilícito subsiste también si el descubrimiento aparece por obra de un tercero).

– Cass. Penale (Sez. II) 17 febbraio 1987 (considera que sólo podrá ser sujeto activo el propietario del bien, reconduciendo la responsabilidad de cualquier otra persona al delito de daños genéricos).

– Cass. Penale (V Sezione) 15 febbraio 1992 (vuelve a confirmar una jurisprudencia distante en el tiempo según la cual el apoderamiento de antigüedades y objetos de arte realizado en las condiciones mencionadas entra en las previsiones del art.67 de la Ley de 1939 y no en la hipótesis del 624, sólo reclamado a efectos de pena).

– Cass. Penale 24 noviembre de 1992 (en Il Foro Italiano (II), 1993, p. 93) resuelve sobre el caso de la plaza de la Signoria en Florencia, rechazando la admisión de la responsabilidad del representante de persona jurídica propietaria del bien.

– Cass. penale, III Sezione, 4 febbraio 1993 (reitera que se presume de proveniencia delictuosa la posesión de bienes de interés artístico, histórico o arqueológico proveniente de excavaciones posteriores a la entrada en vigor de la Ley de 1939, cuando el detentor no demuestra haberla adquirido legítimamente, debiendo así la posesión de la misma acompañarse del debido documento).

– Sentenza del Tribunal de Turín, 26 de noviembre de 1976 (sanciona una hipótesis contravencional del art. 58 de la ley 1089, reducida a ilícito administrativo por Ley de 24 de diciembre de 1975 nº 706).

– Sentenza Tribunal de Pavía 29 de marzo de 1979, en relación al art. 11 (prohibición de demoler, trasladar, modificar o restaurar sin la debida autorización los bienes que se enumeran en el precepto) de la Ley 1089 de 1939.

– G. I. Tribunal de Firenze, 29 gennaio 1972 (la *esportazione abusiva* es un delito de naturaleza duanal que ofende, además del interes artístico-cultural, también el interés tributario del Estado.

UNITED STATES:

– United States v. Díaz (499 F.2d 113 (9th Cir. 1974) (el Tribunal Federal de Distrito condena bajo la Antiquities Act por apropiarse de objetos de antigüedad del territorio del gobierno).

- United States v. McClain (593 F.2d, 671 (5th Cir, 1977) (los acusados fueron condenados, bajo la National Stolen Property Act por recibir y vender objetos pre-Colombianos robados, exportados ilegalmente de México).

- United States v. Smyer (596 F.2d 939 (10 th. Cir.), 444 U.S. 843 (1979) (el Tribunal Federal de Apelación sostuvo una condena por violación de la Antiquities Act por realizar el acusado excavaciones en una ruina prehistórica).

- Autocephalus Greek. Orthodox Church v. Goldberg & Feldman Fine Arts, Inc., 917 F.2d 278, 297 (7th Cir. 1990) (subraya como los Estados Unidos han tenido *a short cultural memory*).

- Solomon R. Guggebheim Found, 569 N.E. 3d at 430-431 (el Tribunal Superior de Nueva York (New York Court of Appeals) recientemente reconoció que los tesoros internacionales eran parte de su Patrimonio Cultural y por ello merecían ser adecuadamente protegidos).

DERECHO INGLÉS:

- R v Brightman (1991) 1 PLR 25 (fue multada una empresa por llevar a cabo un derribo inautorizado de un árbol en un área protegida, siendo a su vez el director de la compañía, condenado a pagar idéntica suma).

- R v JO Sims Ltd (1993) 96 Cr App R 125 (los apelantes, dueños de un almacén en Winchester Palace en Southwark, llevaron a cabo «trabajos de ampliación» que resultaron en la destrucción de un número importante de restos arqueológicos valiosos, siendo multados con £ 75.000).

Bibliografía

ABAD LICERAS, J. M.: «La distribución de competencias entre el Estado y las Comunidades Autónomas en materia de patrimonio cultural histórico-artístico: soluciones doctrinales» en *Revista Española de Derecho Constitucional,* n° 55, enero-abril 1999, p. 133.

ABAD LICERAS, J. M.: *Urbanismo y patrimonio histórico.* Cuadernos de Urbanismo. Madrid, 2000

ACALE SÁNCHEZ, M.: *Delitos Urbanísticos.* Barcelona, 1997.

ACALE SÁNCHEZ, M.: «Primeros pronunciamientos jurisprudenciales en torno a los delitos sobre la ordenación del territorio: Comentarios a la Sentencia del Juzgado de lo Penal número 3 de Jeréz de la Frontera, de 7 de mayo de 1998» en *Actualidad Penal,* n° 1, 4 al 10 de enero de 1999.

ADES, S.: «The Archaelogical Resources Protection Act: a new application in the private property context», en *Catholic University Law Review,* vol. 44, 1995, p. 600.

AGUADO CORREA, T.: *El principio de proporcionalidad en Derecho penal,* Madrid, 1999.

AGULLÓ AGÜERO, A.: «Non bis in idem», contrabando y tráfico de drogas», en *Problemática jurídica y psicosocial de las drogas,* Valencia 1987, p. 14 y ss.

ALBAMONTE: *Il condono edilizio.* Roma, 1985.

ALEGRE ÁVILA, J.M.: *Evolución y régimen jurídico del Patrimonio Histórico.* T. I, y II. Madrid, 1994.

ALIBRANDI, T./FERRI, P.: *Il diritto dei beni culturali. La protezione del patrimonio storico-artistico.* 5ª ed. Milano, 1997.

ALMAGRO GORBEA, M.: «El Patrimonio Arqueológico español: riesgos y medidas de protección», en Congreso *«Eredità contestata? Nuove prospettive per la tutela del patrimonio archeologico e del territorio»,* 1992.

ALMAGRO NOSETE, J.: «Tutela procesal ordinaria y privilegiada (jurisdicción constitucional) de los intereses difusos» en *Revista de Derecho Político* n° 16, 1982-3, p. 93.

ALONSO IBAÑEZ, M.R.: *El Patrimonio Histórico. Destino público y valor cultural.* Madrid, 1991.

ALONSO IBAÑEZ, M.R.: *Los espacios culturales en la ordenación urbanística.* Madrid, 1994.

ÁLVAREZ ÁLVAREZ, J.L.: *Estudios sobre el Patrimonio Histórico Español y la Ley de 25 de junio de 1985,* Madrid, 1989.

ÁLVAREZ ÁLVAREZ, J.L.: «El Patrimonio Cultural. De dónde venimos, dónde estamos y a dónde vamos» en *Patrimonio Cultural y Derecho* n° 1, p. 25.

ÁLVAREZ ÁLVAREZ, J.L.: *Sociedad, Estado y Patrimonio Cultural*. Madrid, 1992.

ÁLVAREZ GARCÍA, F. J.: «Bien jurídico y Constitución», en *CPC 1991*.

ANDRES DOMÍNGUEZ, A. C.: *El delito de daños: consideraciones jurídico-políticas y dogmáticas*. Burgos, 1999.

ANTOLISEI, F.: *L'Offesa e il danno nel reato*, 1930.

ANTOLISEI, F.: *Manuale di Diritto Penale*. Milán, 1991.

ANTOLISEI, F.: *Manuale di Diritto penale. Parte Generale*. Milano, 1994.

ANTÓN ONECA, J.: «Historia del Código penal de 1822», en *ADPCP*, 1965, p. 263.

ANTÓN ONECA, J.: «El Código penal de 1870», en *ADPCP*, 1970, p. 229 y ss.

ARCE Y FLOREZ-VALDÉS, J.: *Los principios generales del Derecho y su formulación constitucional*. Madrid, 1990.

ARCO TORRES, M. A. del, y PONS GONZÁLEZ, M.: *Derecho de la Construcción (Aspectos administrativos, civiles y penales)*. Granada, 1997.

ARREDONDO GUTIÉRREZ, J.M.: *Demolición de edificaciones ilegales y protección de la legalidad urbanística*. Granada, 1996.

ARROYO ZAPATERO, L.: «Principio de legalidad y reserva de ley en materia penal», en *Revista Española de Derecho Constitucional* mayo-agosto 1983, p. 9 y ss.

ARROYO ZAPATERO, L.: «Fundamento y función del sistema penal de la Constitución», en *Revista Jurídica de Castilla- la Mancha* 1987, p. 100 y ss.

AZZALI, G.: «Profili in tema di esportazione di opere d'arte», en *Indice Pénal*, 1977; p. 27 y ss.

BABELON, J.P. y CHASTEL, A.: *La notion du patrimoine*, 1994.

BAJNO, R.: «Disapplicazione dell'atto amministrativo o disapplicazione della norma penale?», en *La tutela penale del patrimonio artistico. Atti del sesto simposio di studi di diritto e procedura penali*. Milano, 1977.

BAJO FERNÁNDEZ, M.: «Estafa de cosas de primera necesidad», en *Comentarios a la legislación penal*, T. IV, Vol. 2 (*La reforma del Código penal de 1983*), 1985, p. 1220.

BAJO FERNÁNDEZ, M.: *Manual de Derecho Penal (Parte Especial) (Delitos patrimoniales y económicos)*, 2ª ed., Madrid 1993.

BALLART, J.: *El patrimonio histórico y arqueológico: valor y uso*. Barcelona, 1997.

BARBUTO, M.: «Comentario a la Sentencia del Tribunal de Pavía de 29 de marzo de 1979», en *Giurisprudenza italiana*, 1980, II, p. 133 y ss.

BARESI, M.: «Impossessamento di cose d'antichità e d'arte», en *La tutela penale del patrimonio artistico. Atti del sesto simposio di studi di diritto e procedura penali*. Milano, 1977, p. 185.

BARNES VÁZQUEZ, J.: *La propiedad constitucional. El estatuto jurídico del suelo agrario*. Madrid, 1988.

BARRERO RODRÍGUEZ, C.: *La ordenación jurídica del Patrimonio Histórico*. Madrid, 1990.

BARRERO RODRÍGUEZ, C.: «La organización administrativa de las Bellas Artes. Unas reflexiones de futuro», en *Patrimonio Cultural y Derecho,* nº 1, 1997, p. 75 y ss.

BARRIENTOS PACHO, J. M.: «Delitos relativos a la ordenación del territorio», en *La Ley,* de 22 de noviembre de 1996.

BARRIENTOS PACHO, J. M.: «El delito urbanístico en los Tribunales de Justicia», en *Delitos contra el urbanismo y la ordenación del territorio.* Bilbao, 1998.

BARRIOS ROZUA, J. M.: *Reforma urbana y destrucción del Patrimonio histórico en Granada. Ciudad y desamortización.* Granada, 1998.

BEHM, U.: *Sachbeschädigung und Verunstaltung. Zur Notwendigkeit einer Abgrenzung bei der Auslegung des Paragraphes 303. I Stgb.* Berlin, 1986.

BELADÍEZ ROJO, M. *Los principios jurídicos.* Madrid, 1997.

BELADÍEZ ROJO, M.: «Régimen especial de protección de los inmuebles del Patrimonio Histórico Español» en *Tratado de Derecho Municipal* Tomo II (dir. por MUÑOZ MACHADO), Madrid, 1988, p. 2059.

BELTRÁN AGUIRRE, J. L.: «El medio ambiente en la jurisprudencia del Tribunal Supremo» en *Revista de la Administración Pública* nº 134, mayo-agosto 1994, p. 284

BENAVIDES SOLIS, J.: «Expedientes de catalogación, entornos y planeamiento urbanístico» en *Boletín del Instituto Andaluz de Patrimonio Histórico,* nº 16, 1996, p. 89 y ss.

BENITEZ DE LUGO Y GUILLÉN, F.: *El Patrimonio Cultural Español.* Granada, 1995.

BENLLOCH PETIT, G.: «El principio de non bis in idem en las relaciones entre el Derecho penal y el Derecho disciplinario», en *Poder Judicial,* nº 51, p. 303.

BENSUNSAN MARTÍN, M. P.: *La protección urbanística de los bienes inmuebles históricos.* Granada, 1996.

BELTRÁN, ABADIA, R., CORVINOS BASECA, P. y FRANCO HERNÁNDEZ, Y.: «Los nuevos delitos sobre ordenación del territorio y la disciplina urbanística» en *Revista de Derecho Urbanístico,* nº 151. en-feb. 1997.

BETTIOL, G.: «L'odierno problema del bene giuridico», en *Rivista di Diritto e Procedure Penale,* 1959, p. 716.

BLEI, H.: «Die Regelbeispieletechnik der schweren Fälle und §§243, 244 StGB», en *Fetschrift für Ernst Heinitz.* Berlín 1972.

BOIX REIG, J.: «De nuevo sobre el principio de legalidad», en *Revista General del Derecho,* nº 512, mayo 1987, p. 2289 y ss.

BOIX REIG, J. junto a JUANATEY DORADO, C.: *Comentarios al Código penal de 1995.* (Coord. por T. S. VIVES ANTÓN). T. II. Valencia, 1996, p. 1583 y ss.

BOIX REIG, J. con VIVES ANTÓN, T. S., ORTS BERENGUER, E., CARBONELL MATEU, J.C. y GONZÁLEZ CUSSAC: *Derecho penal. Parte especial.* 3ª ed. Valencia, 1999, p. 656 y ss.

BORODKIN, L.: «The economics of antiquities lloting and a proposed legal alternative», en *Columbia Law Review,* vol. 95, 1995, p. 377 y ss.

BORRAJO INIESTA, I., DÍEZ-PICAZO GIMÉNEZ, I., FERNÁNDEZ FARRES, G.: *El derecho a la tutela judicial y el recurso de amparo. Una reflexión sobre la jurisprudencia constitucional.* Madrid, 1995.

BORRELL CALONGE, A.: «Los nuevos delitos sobre la ordenación del territorio y sobre el Patrimonio Arquitectónico. Aspectos técnicos», en *Seminario sobre «Protección del medio ambiente en el nuevo Código penal»,* UIMP, Valencia, 1996.

BOULOC, B.: «Noveau code pénal», en *Revue Science Criminel,* juill-sept, 1993; p. 491.

BOYLAN, P.J.: *Review of the Convention for the Protection of Cultural Property in the Event of Armed Conflict (The Hague Convention of 1954)* 1993.

BRANDI, C.: *Teoría de la restauración.* Madrid, 1989.

BRICHET, R.: *Le regime des monuments historiques en France.* Librairies Techniques-Libraire de la Cour de Cassation. Paris, 1952.

BRICOLA, F.: «Teoría general de reato», en *Novissimo Digesto Italiano,* volumen XIX, Milán, 1973.

BRICOLA, F.: «Partecipazione e giusticia penale. Le azioni a tutela degli interessi collettivi», *QC* 1976.

BROENNER, W.: «Deutsche Denkmalschutzgesetze». *Schriftenreihe des Deutschen Nationalkomitées fuer Denkmalschutz. 18.*Bonn 1982.

BUSTOS RAMÍREZ, J.: «Bienes jurídicos colectivos», en *RFDUCM* 1986, nº 11.

BUSTOS RAMÍREZ, J.: *Derecho penal y control social,* Barcelona, 1987.

BUSTOS RAMÍREZ, J.: *Manual de Derecho Penal. Parte General.* Barcelona, 1994.

BUSTOS RAMÍREZ, J. y HORMAZABAL MALAREE, H.,: «Significación social y tipicidad», en *Libro Homenaje Antón Oneca,* 1982, p. 138.

CABALLERO ZOREDA, L.: «Los detectores de metales», en *Revista de Arqueología,* nº 17, 1982, p. 28 y ss.

CANO MATA, A.: «Ruina y demolición de edificios declarados monumentos histórico-artísticos», en *Revista de Administración Pública,* nº 87, 1978, p. 339.

CANTUCCI, M.: *Le cose di interesse artistico e storico nella giurisprudenza e nella dottrina,* Napoli, 1968.

CANTUCCI, M.: «Beni culturali e ambientali», in *Nss.D.I., Appendice,* 1980, p. 722 y ss.

CARBONELL MATEU, J. C.: *La justificación penal.* Madrid, 1982.

CARBONELL MATEU, J.C.: «Breve reflexión sobre la tutela de los llamados intereses difusos» en *Cuadernos de Derecho Judicial* 1994, vol. 36, p. 15.

CARBONELL MATEU, J. C.: *Derecho penal: concepto y principios constitucionales.* Valencia, 1996.

CARMONA CUENCA, E.: «Las normas constitucionales de contenido social: delimitación y problemática de su eficacia jurídica», en *Revista de Estudios Políticos* nº 76 1992, p. 103.

CARMONA SALGADO, C.: «Delitos sobre la ordenación del territorio y la protección del patrimonio histórico», en *Curso de Derecho Penal. Parte Especial* (II) (dir. por COBO DEL ROSAL) Madrid, 1997.

CARRASCO PERERA, A., CORDERO LOBATO, E., GONZÁLEZ CARRASCO, C.: *Derecho de la construcción y la vivienda*. Madrid, 1997.

CARRETERO PÉREZ, A., CARRETERO SÁNCHEZ, A.: *Derecho Administrativo sancionador*, Madrid, 1992.

CASABO RUIZ, J.R.: *El Proyecto de Código criminal de 1830*. Murcia, 1978.

CASABO RUIZ, J.R.: *El Proyecto de Código criminal de 1831*. Murcia, 1978.

CASABO RUIZ, J.R.: *El Proyecto de Código criminal de 1834*. Murcia, 1978.

CASABO RUIZ, J.R.: *El Anteproyecto de Código penal de 1938 de F.E.T. y de las J.O.N.S.* Murcia, 1978.

CASABO RUIZ, J.R: *El Proyecto de Código penal de 1939*, Murcia, 1978.

CASTÁN TOBEÑAS, J.: «Derechos subjetivos», *Nueva Enciclopedia Jurídica Seix*, Barcelona, 1980, t. VII, p. 110.

CASTELLO NICAS, N.: *El concurso de normas penales*. Granada 2000.

CASTIÑEIRA, M.T.: *El delito continuado*, Barcelona, 1977.

CASTRO SIMANCAS, P.R.: «Los delitos sobre el Patrimonio Histórico» en el Código penal de 1995, *en Tapia*, marzo-abril 1998, p. 22.

CATALÁN SENDER, J.: «El delito urbanístico ante las grandes líneas de la jurisprudencia urbanística. Los principios generales de derecho y las cuestiones previas. Hacia una interpretación sistemática del mismo», en *Cuadernos de Política Criminal*, 1988, n° 66, p. 600.

CATALÁN SENDER, J.: *Los delitos cometidos por autoridades y funcionarios públicos,*1999.

CAVEDA: *Memorias para la historia de la Real Academia de San Fernando y de las Bellas Artes de España*. Madrid, 1867.

CERES MONTÉS, J. F.: «La regulación en el nuevo Código penal de los delitos relativos a la protección de los recursos naturales y del medio ambiente. Los delitos contra la flora y fauna, y los delitos relativos a la energía nuclear y a las radiaciones ionizantes», en *Actualidad penal*, n° 13, 29 de marzo al 4 de abril de 1999, p. 253.

CEREZO MIR, J.: «Límites entre el Derecho penal y el Derecho administrativo», en *ADPCP* enero-abril 1975, p. 160.

CERULLI IRELLI, V.: «Beni culturali, diritti colettivi e propietà pubblica», *Scritti in onore di Massimo Severo Giannini*, vol. III, p. 137 y ss.

CHERIF BASSIOUNI, M.: «Reflections on criminal jurisdiction in international protection of cultural property», in *Syracuse Jnl. of Int.Law and Commerce, vol. 10, n° 2*, p. 218-322.

CHOAY, F.: *L'allegorie du patrimoine*, Paris, 1992.

CHOCLAN MONTALVO, J.A.: *El delito continuado*, Madrid, 1997.

CHOCLAN MONTALVO, J. A.: *Deber de cuidado y delito imprudente*. Barcelona 1998.

CHUECA GOITIA, F: *La destrucción del legado urbanístico español*, Madrid 1977.

CLAVERIA GOSALVEZ: «Las pertenencias en el Derecho privado español», en *Anuario de Derecho civil, 1976*, p. 4 y ss.

CLEMMENT, E.: «Le reexamen de la Convention de la Haye de 1954 pour la protection des biens culturels en cas de conflit arme», en *International Legal Issues Arising under the Nations Decade of International Law*, 1995, pp. 133-150.

COBO DEL ROSAL, M.: «Consideraciones generales sobre el denominado tráfico ilegal de droga», en *Delitos contra la salud pública. Tráfico de dogas tóxicas o estupefacientes*. Valencia, 1971, p. 161.

COBO DEL ROSAL, M./BOIX REIG, J.: «Garantías constitucionales del derecho sancionador», en *Comentarios a la legislación penal* 1982, p. 203.

COBO DEL ROSAL, M.: «Estructura de las conductas típicas con especial referencia a los fraudes alimentarios», en *Cuadernos de Derecho Judicial*, «Intereses difusos y Derecho penal», CCGPJ, Madrid 1994, p. 10 y ss.

COBO DEL ROSAL, M./VIVES ANTÓN, T. S.: *Derecho penal. Parte general*, 5ª ed, Valencia, 1999.

COBREROS MENDOZA, E.: «Reflexión general sobre la eficacia normativa de los principios constitucionales rectores de la política social y económica del Estado» en *Revista Vasca de Administración Pública* nº 19, dic. 1987, p. 27 y ss.

COMISIÓN FRANCESCHINI: «Relazione della Commissione d'indagine per la tutela e la valorizzacione del patrimonio storico, archeologico, artistico e del paesaggio», en *Rivista Trimestrale di Diritto Pubblico*, 1966.

CONDE-PUMPIDO TOURON, C.: *Código penal: Doctrina y jurisprudencia*. Tomo II (arts. 138-385). (Dirigidos por CONDE-PUMPIDO FERREIRO), Madrid, 1997.

CONSEJO DE EUROPA: *Protection du patrimoine archéologique. Rapport explicatif de la Convention révisée ouverte à la signature le 16 janvier 1992*. Ed.1993.

CONSEJO DE EUROPA: *La sauvegarde du patrimoine architectural de l'Europe. Rapport explicatif de la Convention nº 121 ouverte à la signature le 3 octobre 1985*. Ed. 1994.

CORCOY BIDASOLO, M.: *Delitos de peligro y protección de bienes jurídico-penales supraindividuales*, Valencia 1999.

CORRAL SALVADOR, C.: «Incidencia de la legislación internacional en la Ley de Patrimonio Histórico Español», en *Revista General de Legislación y Jurisprudencia, nº 5*, nov.1985, p. 795.

CORTES DOMÍNGUEZ, V.,GIMENO SENDRA, V., MORENO CATENA, V.: *Derecho procesal penal*. Madrid, 1997.

CRESPI-STELLA-ZUCCALA: *Comentario breve al codice penale*. Padua, 1992.

CRESTI, M.: *Contributo allo studio della tutela degli interessi diffusi*, Milán, 1992.

CUELLO CONTRERAS, J.: «Presupuestos para una teoría del bien jurídico protegido en Derecho penal» en *ADPCP* T. XXXIV, Madrid, 1981.

CUERDA ARNAU, M. L: «Aproximación al principio de proporcionalidad en Derecho Penal», en *Estudios Jurídicos en memoria del profesor Dr. D. José Ramón Casabó Ruiz*. Primer Volumen. Valencia, 1997.

CUERDA ARNAU, M. L: *El miedo insuperable. Su delimitación frente al estado de necesidad*. Valencia, 1997.

CURY, E.: *La ley penal en blanco.* Bogotá, 1988.

DAUVIZIS, A.: *La protection penale du patrimoine artistique contre le vandalisme.* These de doctorat. 1984.

DE CASTRO CID, B.: *Los derechos económicos, sociales y culturales. Análisis a la luz de la teoría general de los derechos humanos.* León, 1993.

DE CASTRO OROZCO, J. y ORTIZ DE ZUÑIGA, M.: *Código penal explicado para la común inteligencia y fácil aplicación de sus disposiciones.* Tomo I. Granada, 1848.

DE LA CUESTA ARZAMENDI, J. L.: «Los delitos relativos a la ordenación del territorio y sobre el patrimonio histórico en el nuevo Código penal de 1995», en *Actas de las Jornadas sobre la protección del medio ambiente en el nuevo Código penal,* UIMP, Valencia, junio de 1996, p. 19.

DE LA CUESTA ARZAMENDI, J. L.: «Delitos relativos a la ordenación del territorio en el nuevo Código penal de 1995» en *Actualidad penal,* n° 15, 13-19 abril 1998, p. 309 y ss.

DE LA MATA BARRANCO, N.: *Protección Penal del Ambiente y Accesoriedad Administrativa. Tratamiento penal de comportamientos perjudiciales para el ambiente amparados en una autorización administrativa ilícita.* Barcelona, 1996.

DE LEÓN VILLALBA, F. J.: *Acumulación de sanciones penales y administrativas. Sentido y alcance del principio «ne bis in idem».* Barcelona, 1998.

DE MEO, A.:»More effective protection for Native American Cultural Property trough regulation of export», en *American Indian Law Review,* Vol.19, 1994, p. 39.

DE MIGUEL PERALES, C.: *La responsabilidad civil por daños al medio ambiente,* 2ª ed. 1997.

DE OTTO, I.: *Derecho Constitucional. Sistema de fuentes.* Barcelona, 1987.

DE VICENTE MARTÍNEZ, R.: *El delito de robo con fuerza en las cosas,* Valencia, 1999.

DE VICENTE MARTÍNEZ; R.: «La responsabilidad penal de la Administración Urbanística», en *Delitos contra el urbanismo y la ordenación del territorio,* Bilbao, 1998.

DE VITTA, A.: «Tutela giuridica di interessi diffusi, con particolare riguardo alla protezione dei consumatori. Aspetti privatistici» en *La tutela degli interessi diffusi nel diritto comparato,* Milano, 1976.

DE VIZMANOS, T. M. y ÁLVAREZ MARTÍNEZ, C.: *Comentarios al Código penal.* Tomo I. Madrid, 1848.

DEL PIANO, A. J.: «The Fine Art of Forguery, Theft, and Fraud», en *Criminal Justice,* 1993.

DEL REY GUANTER, S.: *Potestad Sancionadora de la Administración y Jurisdicción Penal en el Orden Social,* Madrid, 1990.

DELGADO-IRRIBAREN: *Ley Orgánica del Código penal. Trabajos parlamentarios.* Madrid, 1996.

DELMAS-MARTY: «Construction et protection de l'esthétique: problemes de droit pénal», en *Droit et Ville,* n° 2, 1976.

DEROUT, A.: *La protection des biens culturels en droit communautaire*, 1993.

DESPORTES, F./LE GUNEHEC, F.: *Le nouveau droit pénal, T. 1 Droit pénal général*. 2ª ed. 1996.

DESPORTES, F./LE GUNEHEC, F.: *Le noveau droit pénal. T. 1. Droit pénal géneral*. Paris, 1996.

D'HAUTEVILLE, A.: *Réflexions sur le nouveau Code pénal*. Paris, 1995.

DI AMATO, A.: *Diritto penale dell'impresa*, Milano, 1992.

DI GIOVINE, G.: «Appunti sulla tutela degli immobili di interesse artistico o storico», nota a sentenza del Pretore di Montichiari del 12 giugno 1969, in *Riv. giur. edil.* 1971, 1, p. 697 y ss.

DÍAZ VALCARCER, L.: *La Revisión del Código penal y otras Leyes Penales. Decretos de 24 de enero y 28 de marzo de 1963*. Barcelona, 1974.

DÍAZ Y GARCÍA CONLLEDO, M.: «Los elementos normativos del tipo penal y la teoría del error», en *Estudios Jurídicos en honor del prof. Dr. J.R: Casabó Ruiz*. Valencia, 1997.

DÍEZ DE VELASCO VALLEJO, M.: *Instituciones de Derecho Internacional Público*, Madrid, 1994.

DÍEZ DE VELASCO VALLEJO, M.: *Las Organizaciones Internacionales*. Madrid, 1995.

DÍEZ PICAZO, L.: «Los bienes inmuebles en el Código civil», en *Revista Crítica de Derecho Inmobiliario*, 1997, p. 937 y ss.

DÍEZ PICAZO, L./GULLON, A.: *Sistema de Derecho Civil*, vol. 1, 1984.

DISTACH, D.: «Le juge pénal et les actes administratifs d'urbanisme» en *L'actualité juridique - Droit administratif*, 20 octobre 1995.

DOMÍNGUEZ LUIS, J.A./FARRE DÍAZ, E.: *Los delitos relativos a la ordenación del territorio*. Valencia, 1998.

DOVAL PAIS, A.: «Estructura de las conductas típicas con especial referencia a los fraudes alimentarios», en *Cuadernos de Derecho Judicial*, «Intereses difusos y Derecho penal», CCGPJ, Madrid 1994, p. 10 y ss.

DOVAL PAIS, A.: *Delitos de Fraude Alimentario. Análisis de sus elementos esenciales*. Pamplona, 1996.

DOVAL PAIS, A.: *Posibilidades y límites para la formulación de las normas penales. El caso de las leyes en blanco*. Valencia, 1999.

DREHER-TRÖNDLE: *Komm.Strafgesetzbuch und Nebengesetze*, 1997.

DRIESSEN, K.: «Systematischer Vergleich der Denkmalschutzgesetze in der Bundesrepublik», en *Deutsche Kunst und Denkmalpflege*. 1974.

EBERL, W.: «Die Denkmalschutzgesetze der Laender» en *Der Landkreis*, 1975.

ENGISCH, K.: *Introducción al pensamiento jurídico*. Madrid, 1967.

ENTRENA CUESTA, R.: «Artículo 46» en *Comentarios a la Constitución* (GARRIDO FALLA) Madrid, 1985.

ESCOBAR ROCA, G.: *La ordenación constitucional del medio ambiente*. Madrid, 1995.

ESCOBAR ROCA, G.: «Los derechos constitucionales dispersos, como derechos subjetivos: el ejemplo del medio ambiente», en *Estudios de Derecho Público (Vol. I),* Derecho Público (I) Madrid, 1997.

ESCRIVA GREGORI, J, M.: «Algunas consideraciones sobre Derecho penal y Constitución» en *Papers: Revista de Sociología,* 1980, n° 13.

ESPÍN, E.: en LÓPEZ GUERRA, ESPÍN, E., GARCÍA MORILLO, J., PÉREZ TREMPS, P., SATRUSTEGUI, M.: *Derecho Constitucional* vol. I, 3ª de. 1997, p. 41.

ESTEVEZ GOYTRE, R.: «Límites entre el Derecho penal y el Derecho administrativo sancionador: especial referencia a los delitos sobre la ordenación del territorio en relación con las infracciones urbanísticas», en *Actualidad Administrativa,* n° 30, 1996.

FARIÑA TOJO, J.: «La protección de nuestras ciudades históricas. Un análisis de su evolución», en *Revista de Derecho Urbanístico y Medio Ambiente,* julio-agosto 1997, p. 79 y ss.

FARRE DÍAZ, E. (junto a DOMÍNGUEZ LUIS, J.A., HERNÁNDEZ GARCÍA, J., GRINDA GONZÁLEZ, J., HERVAS VERCHER, J.V., SOSPEDRA NAVAS, F.J., HERREROS VENTOSA, M.J.): *Delitos relativos a la ordenación del territorio y protección del patrimonio Histórico, medio ambiente y contra la seguridad colectiva (delitos de riesgo catastrófico e incendios).* Barcelona, 1999.

FERNÁNDEZ APARICIO, J. M.: «Delitos contra el Patrimonio Histórico», en *Iuris, Actualidad y práctica del Derecho,* n° 31, septiembre 1999.

FERRAJOLI, L.: *Derecho y razón. Teoría del garantismo penal.* 1995.

FERRANDO CORELL, J.V.: *Edificios ruinosos. Supuestos de declaración y procedimiento.* Madrid, 1998.

FERRE OLIVE, J.C.: *El delito contable.* Barcelona, 1988.

FERNÁNDEZ RODRÍGUEZ, T. R.: «Los derechos fundamentales y la acción de los poderes públicos» en *Revista de Derecho Político* n° 15 1982.

FIANDANCA/MUSCO: *Diritto Penale. Parte generale,* 5ª ed, Bologna, 1992.

FLETCHER, G. P.: *Rethinking Criminal Law.* Boston, Toronto, 1978.

FLORA, G.: La tutela penale preventiva del patrimonio artistico nella Lege 1° giugno 1939, n.1089, en *La tutela penale del patrimonio artistico. Atti del sesto simposio di studi di diritto e procedura penali.* Milano, 1977 p. 197 y ss.

FONTANAUD, D., «La question du tag en droit pénal» en *Droit pénal* 1992.

FRANCHINA, «Considerazioni sulle configurazioni delittuose previste nell'art.67 della legge 1° giugno 1939, n. 1089, con particolare riguardo alla configurabilità del tentativo», in *Giur, sic, 1963, 535.*

FRAOUA, R.: *Convention concernant les mesures à prendre pour interdire et empêcher l'importation, l'exportation et le transfert de propriété illicites des biens culturels. (Paris, 1970). Commentaire et aperçu de quelques mesures nationales d'exécution.* Ed. UNESCO, 1986.

FUENTES CAMACHO, V.: *El tráfico ilícito internacional de bienes culturales.* Madrid, 1993.

GAILLARD DE SEMAINVILLE, H./GOSSELIN, C.: «Détecteur de métaux. Le patrimoine archéologique en péril», *Archéologia* 7 fév.1984 p. 28 et suiv.

GAMBARA, L.: *Derecho penal en la antigüedad y en la Edad Media*. Barcelona, sin fecha.

GAMBARO, A. (junto a SCAPARONE, AJNO, SGUBBI): *La tutela degli interessi diffusi nel diritto comparato*, 1976.

GARBERÍ LLOBREGAT, J.: «Principio «non bis in idem y cuestiones de prejudicialidad», en *Las fronteras del Código penal y el Derecho Administrativo Sancionador*». Cuadernos de Derecho Judicial. 1997, p. 81 y ss.

GARCÍA ALBERO, R.: *Non bis in idem» Material y Concurso de Leyes Penales*. Barcelona, 1995.

GARCÍA ARÁN, M.: «Remisiones normativas, leyes penales en blanco y estructura de la norma penal», en *Estudios Penales y Criminológicos*, XVI, 1993.

GARCÍA BELLIDO, J.: «Nuevos enfoques sobre el deber de conservación y la ruina urbanística», *RDUrb*. nº 89, 1984, p. 53 y ss.

GARCÍA CALDERÓN, J. M.: «La protección penal del Patrimonio Histórico», en *Estudios Jurídicos. Ministerio Fiscal IV. Delitos de nueva planta en el Código penal*. Madrid, 1997, p. 403 y ss.

GARCÍA CALDERÓN. J. M.: *El problema sistemático de los delitos sobre el Patrimonio Histórico y la utilización de los conceptos contenidos en la Ley de Patrimonio Histórico Español. Propuestas de reforma legislativa*. Fiscalía General del Estado 1997 (publicada en 1998).

GARCÍA CALDERÓN, J. M.: «Los daños por imprudencia al Patrimonio Histórico», en *Centro de Estudios Jurídicos* (en imprenta).

GARCÍA DE ENTERRÍA, E.: «El problema jurídico de las sanciones administrativas» en *Revista Española de Derecho Constitucional*, nº 10, 1976, p. 399 y ss.

GARCÍA DE ENTERRÍA, E.: «La incidencia de la Constitución sobre la potestad sancionadora de la Administración: dos importantes sentencias del Tribunal Constitucional», en *Revista Española de derecho Administrativo*, nº 29, abril-junio 1981.

GARCÍA DE ENTERRÍA, E.: «Consideraciones sobre una legislación sobre el patrimonio histórico» en *Revista española de Derecho Administrativo* nº 30, oct-dic. 1983, p. 580.

GARCÍA DE ENTERRÍA, E.: *La Constitución como norma y el Tribunal Constitucional*. Madrid, 1985.

GARCÍA DE ENTERRÍA, E.: «La nulidad de los actos administrativos que sean constitutivos de delito ante la doctrina del Tribunal Constitucional sobre cuestiones prejudiciales administrativas apreciadas por los jueces penales. En particular, el caso de la prevaricación», en *REDA*, nº 98, abril-junio 98.

GARCÍA DE ENTERRÍA, E./FERNÁNDEZ RODRÍGUEZ T. R.: *Curso de Derecho Administrativo II*, 1993.

GARCÍA ESCUDERO, P. Y PENDAS GARCÍA, B.: *El Nuevo Régimen Jurídico del Patrimonio Histórico Español*. Madrid, 1986.

GARCÍA FERNÁNDEZ: «Presupuestos jurídico-constitucionales de la legislación sobre Patrimonio Histórico», en *Revista de Derecho Político 27-8,* 1988.

GARCÍA FERNÁNDEZ, J. «La protección jurídica del Patrimonio Cultural. Nuevas cuestiones y nuevos sujetos a los diez años de la Ley del Patrimonio Histórico Español» en *Patrimonio Cultural y Derecho,* n° 1. 1997, p. 81 y ss.

GARCÍA GARCÍA, M. J.: *El régimen jurídico de la rehabilitación urbana.* Valencia, 1999.

GARCÍA GOYENA, F.: *Código criminal español según las leyes y prácticas vigentes, comentado y comparado con el Código penal de 1822, el francés y el inglés.* Tomo I. Madrid, 1843.

GARCÍA HERRERA, M. A.: «Intereses difusos, intereses colectivos y función mediadora», en *Jueces para la democracia* 1/1991.

GARCÍA-PABLOS: «La eliminación del requisito de la cuantía en determinados supuestos delictivos», en *Comentarios a la legislación penal,* n° 3, Delitos e infracciones de contrabando, 1984, p. 259.

GARCÍA PLANAS, G.: «Consecuencias del principio «non bis in idem» en Derecho penal» en *ADPCP* n° 42, 1989.

GARCÍA TREVIJANO GARNICA, E.: «Consideraciones sobre la acción pública y el medio ambiente» en *Revista de Derecho Urbanístico y Medio Ambiente,* n° 145, p. 149.

GARRIDO FALLA, F.: «Las fuentes del derecho en la Constitución española» en *La Constitución española y las fuentes del Derecho,* III, Madrid, 1979.

GEBESSLER, A./EBERL, W.: *Schutz und Pflege von Baudenkmäelern in der Bundesrepublik Deutschland. Ein Handbuch.* Stuttgart, 1980, pp. 237-256.

GEERDS: *Sachbeschädigungen,* 1983.

GERSTENBLITH, P.:» Identity and Cultural Property: The Protection of Cultural Property in the United States», en *Boston University Law Review, vol. 75, n° 3, may 1995.*

GIANNINI, M.S.: «I beni culturali», in *Riv.trim.dir.pubbl.* 1976, I, 31.

GIANNINI, M.S.: «La tutela degli interessi collettivi nei procedimenti amministrativi» en *Le azioni a tutela di interessi colletivi.* Padova, 1976, p. 23.

GIANNINI, M. S.: *Beni culturali nell'ordinamento italiano,* 1976.

GIANNITI, F.: *L'oggeto materiale del reato.* Milan, 1966.

GOLDSCHMIDT, J.: *Das Verwaltungsrecht. Eine Untersuchung der Grenzgebiete zwischen Strafrecht und Verwaltungsrecht sc auf rechtsgeschicchtlicher und rechtsvergleichender Grundlage.* Berlin, 1902.

GOMES CANOTILHO, J. J.: *Constituçao dirigente e vinculaçao do legislador.* Coimbra, 1982

GÓMEZ BENITEZ, J. M: «Sobre la teoría del bien jurídico», *en RFDUCM* n° 69, 1983.

GÓMEZ RIVERO, M. C.: «Algunos aspectos de la responsabilidad de los funcionarios en materia ambiental», *La Ley,* 10 de julio de 1996, p. 2.

GÓMEZ RIVERO, M.C.: *El régimen de autorizaciones en los delitos relativos a la protección del medio ambiente y ordenación del territorio.* Valencia, 2000.

GONZÁLEZ CUSSAC, J. L.: «Principio de ofensividad, aplicación del derecho y reforma penal», en *Poder Judicial n° 28*, 1992, p. 7 y ss.

GONZÁLEZ CUSSAC, J. L.: «Derecho penal y teoría de la democracia», en *Cuadernos Jurídicos*, mayo 1995, p. 10 y ss.

GONZÁLEZ CUSSAC, J. L.: «Un Código penal en democracia», en *Tapia* (Especial monográfico. Reflexiones en torno al Código penal) octubre, 1997, p. 25 y ss.

GONZÁLEZ CUSSAC, J. L.: «Los delitos relacionados con la emisión de informes y la tramitación de expedientes», en *Revista Aragonesa de Administración Pública*, n° 11, 1997.

GONZÁLEZ CUSSAC, J. L.: *El delito de prevaricación de autoridades y funcionarios públicos*. 2ª ed. Valencia, 1997.

GONZÁLEZ GONZÁLEZ, J.: «Protección penal del Patrimonio Histórico Español: Aproximación a la situación actual y proyecto de reforma», en *Cuadernos de Política Criminal*, mayo-agosto, 1994, p. 485 y ss.

GONZÁLEZ RUS, J.J: *Los intereses económicos de los consumidores. Protección penal.* Madrid, 1976.

GONZÁLEZ RUS, J. J.: *Bien jurídico y Constitución.* Madrid, 1983.

GONZÁLEZ RUS, J. J.: *Manual de Derecho Penal. Parte Especial. II. Delitos contra la propiedad (Dir. por Cobo del Rosal).* Madrid, 1992.

GONZÁLEZ RUS, J. J.: «Puntos de partida de la protección penal del patrimonio histórico, cultural y artístico» en *ADPCP* enero-abril, 1995, p. 37 y ss.

GONZÁLEZ-VARAS IBAÑEZ, S.: *La rehabilitación urbanística.* Pamplona, 1998.

GORDILLO CAÑAS, A.: *Ley, principios generales y Constitución: Apuntes para una relectura desde la Constitución, de la teoría de las fuentes del Derecho.* Madrid, 1990.

GORRIZ ROYO, E.: «El principio «ne bis in idem» y la regla de preferencia del orden jurisdiccional penal a la luz de la STC 177/1999, de 11 de octubre», en *Revista de Ciencias Penales*, (en prensa).

GOSSELIN-RIGAMBERT, C.: *Le régime juridique de l'archéologie française.* Thése doctorel. Paris, 1993.

GRACIA MARTÍN, L./BOLDOVA PASAMAR, M.A./ALASTUEY DOBON, M.C.: *Las consecuencias jurídicas del delito en el nuevo Código penal español. El sistema de penas, medidas de seguridad, consecuencias accesorias y responsabilidad civil derivada del delito.* Valencia, 1996.

GREFFE, X.: *Le valeur économique du patrimoine. La demande et l'offre des monuments.* Paris, 1990.

GRISOLIA, M.: *La tutela delle cose d'arte.* Roma, 1952.

GRISPIGNI: *Diritto penale italiano.* Milano, 1952, vol. II.

GROIZARD Y GÓMEZ DE LA SERNA, A.: *El Código penal de 1870, concordado y comentado.* Burgos, 1874.

GROIZARD Y GÓMEZ DE LA SERNA, A: *Código penal de 1870, VIII.* Salamanca, 1899.

GUILLÉN CARAMES, J.: «Los proyectos de obra de urbanización menor a ejecutar sobre bienes inmuebles incluidos en conjuntos históricos. (*A propósito de la Sentencia del Tribunal Superior de Justicia de Cataluña, Secc. 2ª de la Sala de lo Contencioso-Administrativo, nº 122, de 17 de febrero de 1995)*», en *REDA* nº 89, marzo 1996.

GUILLÉN PÉREZ, M. E.: *El silencio administrativo. El control judicial de la inactividad administrativa.* Madrid, 1996.

GUTIÉRREZ CAMACHO, M.E.: «Voz: derribo» en *Diccionario técnico-jurídico de la construcción».* Granada, 1997.

GUTIÉRREZ FRANCES, M. L.: *Fraude informático y estafa.* Ministerio de Justicia, 1991.

HÄBERLE, P.: «La protección constitucional y universal de los bienes culturales: un análisis comparativo», en *Revista Española de Derecho Constitucional,* nº 54, sept.-dic. 1998, p. 11 y ss.

HASSEMER, W.: Il bene giuridico nel rapporto di tensione tra Constituzione e Diritto naturale, *Dei Delitti e Delle Pene,* 1984 (1).

HASSEMER, W.: «Lineamientos de una teoría personal del bien jurídico», en *Doctrina penal 46/47.* 1989, p. 275 y ss.

HASSEMER, W./MUÑOZ CONDE, F.: *Introducción a la Criminología y al Derecho Penal,* 1989.

HASSEMER, W./MUÑOZ CONDE, F.: *La responsabilidad por el producto en derecho penal.* Valencia, 1995.

HEINES, G.: «Accesoriedad administrativa en el Derecho Penal del Medio Ambiente» (traducción por de la Cuesta Aguado), en *ADPCP,* 1993, p. 303 y ss.

HENDLER, E.: *Derecho penal y procesal de los Estados Unidos.* Argentina, 1996.

HORMAZABAL MALAREE, H.: *Bien jurídico y Estado Social y Democrático de Derecho.* Barcelona, 1991.

HUERTA TOCILDO, S.: *La protección penal del patrimonio inmobiliario.* Madrid, 1980.

HUERTA TOCILDO, S.: «Los delitos patrimoniales en el PCP de 1980», en *CPC, nº 13* de 1981, p. 483 y 484.

Informe del Consejo General de la Abogacía Española sobre el Anteproyecto de Código penal de 1992, en *Cuadernos de Política Criminal,* nº 49, 1993, p. 9 y ss.

HUGES, H.: «Theft. Burglary, and vandalism» en *The protection of historic buildings and their artistic contents against crimes and wilful damage.* Bélgica, 1992.

HUGO, V. «Guerre aux démolisseurs», en *Revue du Paris,* 1929.

ITURRALDE SESMA, V.: *El precedente en el Common Law.* Madrid, 1995.

JAKOBS, G.: *Strafrecht, Allgemeiner Teil.* Berlin, 1991.

JAKOBS, G.: *Derecho Penal. Parte General. Fundamentos y teoría de la imputación* (Trad. Cuello Contreras, J., Serrano González de Murillo, J.L.). Madrid, 1995.

JEGOUZO, Y. y otros: *Urbanisme.* Dalloz, 1995.

JESCHECK, H.H.: *Leipziger Kommentar* 13, 1988.

JESCHECK, H.H.: *Tratado de Derecho Penal. Parte General* (Traducción de Manzanares Samaniego, J.L.), 4ª ed. Granada, 1993.

JEWKES, P.: «Protecting the historic built environment, en *Journal of Planning & Environmental Law*», 1993, p. 417 y ss.

JEWKES, P.: «Protecting the historic built environment», en *Jnl of Planning & Environment Law*, 1993.

JORGE BARREIRO, A.: «El delito de daños en el Código penal español», en *Anuario de Derecho Penal y Ciencias Penales*, enero-abril, 1983, p. 507 y ss.

JOWITT, E. y WALSH, C.: Voz «*Precedent*», en *Jowitt´s Dictionary of English Law*, 2ª ed.Sweet and Maxwell, London, 1977, p. 1405 y 1406

KELLER: *Der strafrechtliche Schutz von Baudenkmälern unter Bërucksichtigunng der Bu(geldtatbestände in den Landesdenkmalgesetzen*, Diss. Würzburg 1987.

KINDHÄUSER: en *Nomos Kommentar zum Strafgesetzbuch. Band 2. Besonderer Teil.* 1995.

KOWALSKY, W.: «The situation in Central and Eastern Europe», en *The protection of historic buildings and their artistic contents against crime and wilfull damage* (Colloquy organised jointly by the Council of Europe and the Directore of Monuments and Landscapes of the Ministry of the Flemish Community, Belgium, 1992).

LACKNER, K.: *Strafgesetzbuch mit Erfaulerungen Kommentar. 22 Aufl.* München, 1997.

LAMARCA PÉREZ, C.: «Legalidad penal y reserva de ley en la Constitución española», *REDC*, mayo-agosto 1997.

LASO MARTÍNEZ, J.L.: *Urbanismo y medio ambiente en el Código penal*, Madrid, 1997.

LEVI, E. H.: *Introducción al razonamiento jurídico*, Buenos Aires, 1964.

LISZT F, F., VON: *Lehrbuch des Deutschen Strafrechts*, 1927, Berlín-Leipzig.

LÓPEZ BARJA DE QUIROGA, J., RODRÍGUEZ RAMOS, L., RUIZ DE GORDEJUELA LÓPEZ, L.: *Códigos penales españoles. Recopilación y concordancias*; Madrid, 1988.

LÓPEZ BELTRÁN DE HEREDIA, C.: *La Ley Valenciana de Patrimonio Cultural.* Valencia, 1999.

LÓPEZ GARRIDO, D./GARCÍA ARÁN, M.: *El Código Penal de 1995 y la voluntad del legislador.* Madrid, 1996.

LÓPEZ GUERRA, L.: junto a ESPÍN, E., GARCÍA MORILLO, J., PÉREZ TREMPS, P., SATRUSTEGUI, M.: *Derecho Constitucional* vol. I, 3ª ed. 1997.

LÓPEZ RAMÓN, «Aspectos administrativos de los delitos urbanísticos» en *Revista de Derecho Urbanístico*, nº 151, 1997, p. 54 y ss.

LOZANO CUTANDA, B.: «La tensión entre eficacia y garantías en la represión administrativa: aplicación de los principios constitucionales del orden penal en el derecho administrativo sancionador con especial referencia al principio de legalidad», en *Las fronteras del Código penal y el Derecho Administrativo Sancionador*». *Cuadernos de Derecho Judicial.* 1997, p. 43 y ss.

LOZANO-HIGUERO PINTO, H.: «El Patrimonio histórico-artístico y su protección mediante la técnica de los intereses difusos», en *Actualidad Administrativa*, 1996.

LUCAS VERDÚ, P.: «Comentario al artículo 46» en *Constitución Española. Edición comentada*. Madrid, 1979, p. 120.

LUZÓN PEÑA, D.: *Derecho Penal, Parte General*. Madrid, 1996.

MADRID CONESA, F.: *La legalidad del delito*. Madrid, 1983.

MAGAN PERALES, J. M. A.: «Orientaciones de la Ley de Patrimonio Histórico Español en materia de conservación y restauración de bienes culturales», en *Actas del Congreso de Conservación y Restauración de Bienes Culturales*, octubre 1998, p. 115 y ss.

MALDONADO RAMOS, L./VELA COSSIO, F:: *De arquitectura y arqueología*. Madrid, 1998.

MANNHEIM-AYACHE, A.: "La protection pénale du patrimoine archéologique sous-marin", en *Revue juridique de l'environment*. 1990, p. 355.

MANSI, A: *La tutela dei beni culturali*, 1993.

MANTOVANI, F.: «La disciplina penale», en *La tutela penale del patrimonio artistico. Atti del sesto simposio di studi di Diritto e Procedura penali*, Milano, 1977. Trabajo publicado asimismo bajo el título: «Linamenti della tutela penale del patrimonio artistico», en *Rivista italiana di Diritto e Procedura Penale*. Milano, 1976.

MANTOVANI, F.: *Diritto Penale*. Padua, 1988.

MANTOVANI, F.: *Diritto penale*. 1992.

MANZINI, V.: *Tratado di Diritto Penale italiano*. Milan, 1964.

MAPELLI CAFFARENA, B./TERRADILLOS BASOCO, J.: *Las consecuencias jurídicas del delito*. 3ª ed. Madrid, 1996.

MARCONI, G.: La tutela degli interessi collettivi in ambito penale, en *Rivista italiana di Diritto e procedure penale*, 1979, p. 1063 y ss.

MARÍN CASTÁN, MºL.: «Consideraciones sobre el Derecho inglés como prototipo del sistema de Common Law y sus diferencias respecto de los sistemas romano-germánicos», en *Revista General de Legislación y Jurisprudencia*, 1984.

MARQUES I BANQUE, M.: «La aplicación del Derecho comunitario en la interpretación de los tipos penales. Especial referencia al delito ecológico», en *Revista de Ciencias Penales*, vol. 1, nº 2, 1998.

MARTÍNEZ-BUJÁN PÉREZ, C.: *Derecho penal económico. Parte general*. Valencia, 1998.

MARTÍNEZ-BUJÁN PÉREZ, C.: *Derecho penal económico. Parte especial*. Valencia, 1999.

MARTÍN, J.: *Strafbarkeit grënzuberschreitender Umweltbeeinträchtigungen. Zugleich ein Beitrag zur gefährdungsdogmatik und zum Umweltöölkerrecht*. Freiburg, 1989.

MARTÍNEZ PÉREZ, C.: «La inflación del Derecho penal y del Derecho Administrativo», en *Estudios Penales y Criminológicos VI*.

MATA Y MARTÍN, R.M.: *El delito de robo con fuerza en las cosas*. Valencia, 1995.

MATA Y MARTÍN, R.M.: *Bienes jurídicos intermedios y delitos de peligro*. Granada, 1997.

MATEOS RODRÍGUEZ-ARIAS, A.: *Derecho penal y protección del medio ambiente*. Madrid, 1992.

MATEOS RODRÍGUEZ-ARIAS, A.: «El medio ambiente como ejemplo de interés difuso protegido por el Derecho penal», en *Intereses difusos y Derecho penal*, CGPJ, 1995.

MATTES, H.: *Problemas de Derecho Penal Administrativo. Historia y Derecho Comparado* (trad. y notas por: Rodriguez Devesa, J.M.) 1977.

MAURACH, R. y SCHRÖDER, F. C.: *Strafrecht Besonderer Teil*, t. 2, 7ª ed. Heildelberg, 1991, § 50 I.

MAURACH, R./ZIPZ; H.: *Derecho penal. Parte general. 1. Teoría general del derecho penal y estructura del hecho punible* (trad. por Bofill Genzsch y Aimone Gibson). Buenos Aires, 1994, p. 19 y ss.

MAYER, H.: *Das Strafrecht des Deutschen Volkes*, 1936.

MAZZA: «Opere d'arte», en *Enciclopedia del Diritto XXX*, 1980.

Memoria de la sección de medio ambiente y consumo de la Fiscalía de Valencia. Patrimonio Histórico. (Coord. de la Sección: ALMELA VICH, C.). Año 1997 y 1998.

MENDIZABAL ALLENDE: «Tesoro Artístico y Patrimonio Histórico», en *Actualidad Administrativa 22*, 1986, p. 1241 y ss.

MERLE, R./VITU, A.: *Traité de droit criminel. Droit pénal spécial.* Paris, 1992.

MERRYMAN, J.: «Two ways of thinking about cultural property», in *American Journal of International Law*, Vol. 80, 1986.

MESTRE DELGADO, E.: «Límites constitucionales de las remisiones normativas en materia penal», en *ADPCCPP* 1988 (XLI-II).

MICHAUD, J.: *La protection des biens culturels*. Travaux de l'Association Henri Capitant. Tome XL. Paris, 1989.

MILANS DEL BOSCH y JORDAN DE URRIES, S., LESMES SERRANO, C., ROMAN GARCÍA, F., ORTEGA MARÍN, E.: *Derecho penal Administrativo. (Ordenación del Territorio, Patrimonio Histórico y Medio Ambiente).* Granada, 1997.

MIR PUIG, S.: *Función de la pena y teoría del delito en el Estado social y democrático de Derecho.* Barcelona, 1972.

MIR PUIG, S.: «Sobre el principio de intervención mínima del Derecho penal en la Reforma penal», en *Revista de la Facultad de la Universidad de Granada*, 1987.

MIR PUIG, S.: «Bien jurídico y bien jurídico-penal como límites al Ius Puniendi», en *Estudios Penales y Criminológicos XIV*, 1991.

MIR PUIG, S.: *Derecho penal. Parte general.* Barcelona, 1996.

MIRA BENAVENT, J.: «Función del Derecho penal y forma de Estado», en *Estudios Jurídicos en memoria del profesor Casabó Ruiz*, 2º vol. , Valencia, 1997, p. 393 y ss

MOCCIA, S.: «Riflessioni sulla tutela penale de beni culturali», en *Rivista italiana di Diritto e Procedura Penale*, fas. 4 ottobre-dicembre, 1993.

MOLKETIN/WEI ENBORN BÄUME-taugliche Objekte einer gemeinschädlichen Sachbeschädigung im Sinne von § 304 Abs. 1 StGB? UPR (= Umwelt und Planungsrecht) 1988, 426.

MOMSEN, T.: *Derecho penal romano.* Bogotá-Colombia, 1991.

MONTÉS PENADÉS, V. L.: *La propiedad privada en el sistema del derecho civil contemporáneo (Un estudio evolutivo desde el Código Civil hasta la Constitución de 1978)*. Madrid, 1980.

MONTÉS PENADÉS, V. L.: en *Comentarios al Código penal de 1995*. (Coord. por VIVES ANTÓN),T. I. Valencia, 1996, p. 588.

MORALES PRATS, F.: «Técnicas de tutela de los intereses difusos», en *Cuadernos de Derecho Judicial* (*Intereses difusos y Derecho penal*), 1994, p. 75.

MORALES PRATS, F.: «La estructura del delito de contaminación ambiental. Dos cuestiones básicas: Ley penal en blanco y concepto de peligro», en *La protección jurídica del medio ambiente,* (coord. Valle Muñiz), 1997.

MORENO BARREDA, F.: «La dimensión económica del Patrimonio Arquitectónico: Punto de partida para soluciones nuevas» en *Patrimonio Cultural y Derecho*, nº 1, 1997, p. 213 y ss.

MORENO CANOVES, A./RUIZ MARCO, F.: *Delitos socioeconómicos. Comentarios a los arts. 262, 270 a 310 del nuevo Código penal (concordados y con jurisprudencia)*, 1996.

MOREU CARBONELL, «Relaciones entre el Derecho Administrativo y el Derecho penal en la protección del medio ambiente» en *REDA* nº 87, julio-septiembre 1995.

MORITZ PICKSHAUS, P.: *Kunstzerstörer*, 1980.

MUÑOZ CONDE, F.: *Introducción al Derecho penal*. Barcelona, 1975.

MUÑOZ CONDE, F.: «La reforma de los delitos contra el patrimonio», en *Documentación Jurídica 37/40* (Monográfico dedicado a la Propuesta de Anteproyecto de Nuevo Código penal), vol. I. Madrid, 1983.

MUNOZ CONDE, F.: *El error en Derecho penal*. Valencia, 1989.

MUÑOZ CONDE, F.: «El tráfico ilícito de obras de arte», en *Estudios Penales y Criminológicos XVI*. Santiago de Compostela, 1993.

MUÑOZ CONDE, F./GARCÍA ARÁN, M.: *Derecho penal, Parte general*. Valencia, 1999.

MUÑOZ CONDE, F.: *Derecho penal. Parte Especial.*Valencia, 1999.

MUÑOZ CUESTA, J.: *El Hurto, el Robo y el Hurto y el Robo de Uso de Vehículos*. Pamplona, 1998.

MUÑOZ QUIROGA, A.: «El principio *non bis in idem (Comentario a la Sentencia del Tribunal Constitucional de 3 de octubre de 1983, en recurso de amparo)*, en *Revista Española de Derecho Administrativo*, nº 45, 1985.

MURGA GENER, J.L.: *Protección a la estética en la legislación urbanística del Alto Imperio*. Sevilla, 1976.

MURILLO DE LA CUEVA, P. L.: «El amparo judicial de los derechos fundamentales», en *La aplicación jurisdiccional de la constitución* (ed. a cargo de RUIZ-RICO RUIZ, G.) Valencia, 1995, p. 110 y ss.

MYNORS: *Listed Buildings and Conservation Areas*, 2º ed.

NAFZIGUER, J.A.R.: «International Penal Aspects of Protecting cultural Property», en *The International Lawyer*, vol. 19, 1985.

NAHLIK, S.E.: «On some deficiencies of the Hague Convention of 1954 on the protection of cultual property in the event of armed conflict», en *Annuaire de L'A A A*, nº 100.

NARVAEZ RODRÍGUEZ, A.: «La responsabilidad de la Administración urbanística: el artículo 320 del Código penal», en *Actualidad Jurídica 270*, 21 noviembre 1996.

NARVAEZ RODRÍGUEZ, A.: «La prejudicialidad administrativa en las normas penales en blanco», en *Derecho Administrativo y Derecho Penal. Estudios Jurídicos. Ministerio Fiscal. I.* Madrid, 1998.

NEGRI,V.: *Protection pénale du patrimoine archéologique*, 1992.

NIETO GARCÍA, A.: *Derecho Administrativo Sancionador.* Madrid, 1993.

NOREÑA SALTO, J. R.: «El principio «non bis in idem», en *Derecho Administrativo y Derecho Penal. Estudios Jurídicos. Ministerio Fiscal. I.* Madrid, 1998.

NORTHEY, L.: «The Archaelogical Resources Protection Act of 1979: Protecting Prehistory For The Future», en *Harvard Environmental Law Review*, Vol. 6, 1982.

NUÑEZ BARBERO, R.: *La reforma penal de 1870.* Salamanca, 1969.

NUVOLONE, P.: «Introduzione» en *La tutela penale del patrimonio artistico. Atti del sesto simposio di studi di diritto e procedura penali.* Milano, 1977.

NUVOLONE, P.: «Linea fondamentali della tutela penale dei beni culturali mobili», in *L'Indice Penale*, 1977.

OCTAVIO DE TOLEDO Y UBIETO, E.: «Función y límites del principio de exclusiva protección de bienes jurídicos», en *ADP*, T. XLII, fasc. I, p. 5 y ss. Madrid, 1990.

OCTAVIO DE TOLEDO Y UBIETO, E.: «El delito de prevaricación de los funcionarios públicos en el Código penal», en *La Ley VI*, 1996, p. 1516.

ORTS BERENGUER, E.: «Exportación sin autorización de obras u objetos de interés histórico o artístico», en *Comentarios a la legislación penal*, T. III *(Delitos e infracciones de contrabando)*, 1984.

ORTS BERENGUER, E. junto a COBO DEL ROSAL, M., VIVES ANTÓN, T. S., BOIX REIG, J, CARBONELL MATEU, J.C.: *Derecho penal. Parte Especial.* Valencia, 1990, p. 1009 y ss.

ORTS BERENGUER, E.: *Comentarios al Código penal de 1995* (Coord. por VIVES ANTÓN). T. II. Valencia, 1996, p. 1777 y ss.

ORTS BERENGUER, E. junto a VIVES ANTÓN, T. S., BOIX REIG, J, CARBONELL MATEU, J.C. y GONZÁLEZ CUSSAC, J. L.: *Derecho penal. Parte Especial.* 3ª ed. Valencia, 1999, p. 782 y ss.

PACHECO, H.: *El Código penal concordado y comentado*, 4ª ed., tomo II. Madrid, 1870.

PADOVANI., T.: «La problematica del bene giuridico e la scelta delle sanzioni», en *Dei delitti e delle pene*, nº 1, 1984.

PADOVANI, T.: «Tutela di beni e tutela de di funzioni nella scelta fra delitto, contravvenzione e illecito amministrativo», en *Cassazione penale*, 1987.

PADOVANI, T.: *Diritto penale.* Milano, 1995.

PALAZZO, F.C.: «La nozione di cosa d'arte in rapporto al principio di determinatezza della fattispecie penale», en *La tutela penale del patrimonio artistico. Atti del sesto simposio di studi di Diritto e Procedura penali*. Milano, 1977.

PALIERO, C. E.: «Il "diritto penale-amministrativo": profili comparatistici» en *Rivista Trimestrale di Diritto pubblico*, 1980.

PALLESA, R., «Brevi appunti sulla legge del 20 novembre 1971 n.1062 contenente norme penali sulla contraffazione o alterazione di opere d'arte», in *La tutela penale del patrimonio artistico, Atti del sesto simposio di studi di Diritto e Procedura penali*. Milano, 1977.

PALMA, *Beni di interesse pubblico e contenuto della proprieta*. Napoli, 1971.

PALMER, N.: «Treasure Trove and Title to Discovered Antiquities», en *2 Int. Journal of Cultural Property*, 275, 278-9 (1993).

PANIAGUA SOTO, J. R.: *Vocabulario básico de Arquitectura*. Madrid, 1996.

PARADA VÁZQUEZ, J. R.: «El poder sancionador de la Administración y la crisis: el sistema judicial penal», en *Revista de la Administración Pública* 1972, nº 67.

PARADA VÁZQUEZ, J. R.: *Derecho administrativo III. Bienes públicos. Derecho urbanístico*, 1997.

PAREJO ALFONSO, L.: «La nueva regulación del llamado silencio administrativo», en *Documentación Administrativa* nº 254-255 (mayo-diciembre 1999), p. 111.

PASTOR, M. y PACHÓN ROMERO, J. A.: «¿Quién protege nuestro Patrimonio Arqueológico?, en *Revista de Arqueología*, nº 111, 1990.

PEDRAZZI, C.: «El bien jurídico en los delitos socio-económicos», en *La Reforma penal de los delitos socio-económicos*. Madrid, 1985, p. 281 y ss.

PEÑARANDA RAMOS, E.: *Concurso de leyes, error y participación en el delito*. Madrid, 1991.

PÉREZ ALONSO, E.J.: *Teoría general de las circunstancias: especial consideración de las agravantes «indeterminadas» en los delitos contra la propiedad y el patrimonio*. Madrid, 1995.

PÉREZ ALONSO, E. J. junto a OROZCO PARCO, G.: *La tutela civil y penal del Patrimonio histórico, cultural o artístico*. Madrid, 1995.

PÉREZ ALONSO, E. J.: «Los delitos contra el patrimonio histórico en el Código penal de 1995», en *Actualidad penal*, nº 33, 14-20 de septiembre de 1998.

PÉREZ ÁLVAREZ, F.: *Protección penal del consumidor. Salud pública y alimentación*. Barcelona, 1991.

PÉREZ DE ARMIÑÁN Y DE LA SERNA, A.: «Una década de aplicación de la Ley del Patrimonio Histórico Español», en *Patrimonio Cultural y Derecho*, nº 1. 1977, p. 33 y ss.

PÉREZ DE ARMIÑÁN Y DE LA SERNA, A.: *Las competencias del Estado sobre el Patrimonio Histórico Español en la Constitución de 1978*. Madrid, 1997.

PÉREZ DE ARMIÑÁN Y DE LA SERNA, A.: *Las competencias del estado sobre el Patrimonio Histórico Español en la Constitución española de 1978*. Madrid, 1997.

PÉREZ LUÑO, A. E.: «Las generaciones de derechos fundamentales», en *Revista del Centro de Estudios Constitucionales* n° 10 sept-dic. 1991, p. 203 y ss.

PÉREZ LUÑO, A.E.: *Derechos humanos, Estado de Derecho y Constitución.* 1995.

PÉREZ LUÑO, A. E.: «Artículo 46» en *Comentarios a las leyes políticas. Constitución española de 1978* (dirigidos por ÓSCAR ALZAGA VILLAAMIL), Tomo IV.

PÉREZ LUÑO, A.: «Patrimonio histórico, artístico y cultural», en *Comentarios a las leyes políticas. Constitución española de 1978* (dirigidos por ÓSCAR ALZAGA VILLAAMIL), Tomo IV.

PÉREZ MORENO, A.: «El postulado constitucional de la promoción y conservación del Patrimonio Histórico-Artístico» en *Estudios sobre la Constitución española Homenaje al profesor García de Enterría II,* Madrid 1991. Publicado también en *RDUrb.* n° 119 1990.

PHELAN, M.:»Synopsis of the Laws Protecting Our Cultural Heritage», *in New England Law Review,* vol. 28, 1993.

PIOLETTI: «Patrimonio artistico e storico nazionale» en *Enciclopedia del Diritto XXIII,* 1982.

POCAR, F: *La tutela degli interessi diffusi nel diritto comparato.* Milano, 1976.

POLAINO NAVARRETE, M.: *Bien jurídico en Derecho penal.* Sevilla, 1974.

POLAINO NAVARRETE, M.: «Derecho penal criminal y Derecho administrativo sancionador» en *Revista Jurídica de Castilla-La Mancha,* n° 7, 1989.

POLAINO NAVARRETE, M.: «Delitos contra el Patrimonio Histórico» en *Estudios Jurídicos (en memoria del profesor Dr. D. José Ramón Casabó Ruiz.* Valencia 1997.

PORTILLA CONTRERAS, G.: «Principio de intervención mínima y derechos colectivos», en *Cuadernos de Política Criminal,* n° 14, 1989, p. 736 y ss.

POULANGEON, P.: *Le delit de degradation de monuments d'après la jurisprudence.* Thèse, Lyon, 1936.

PRATS CANUTS, J. M.: «Análisis de algunos aspectos problemáticos de la protección penal del medio ambiente», en *La protección penal del medio ambiente.* Madrid, 1991.

PRIETO DE PEDRO, J.: «Concepto y otros aspectos del patrimonio cultural en la Constitución», en *Estudio sobre la Constitución Española. Homenaje al profesor Eduardo García de Enterría, II.,* p. 1551 y ss.

PRIETO DE PEDRO, J.: *Cultura, Culturas y Constitución.* Madrid 1995.

PRIETO SANCHIS, L.: *Sobre principios y normas. Problemas de razonamiento jurídico,* Cuadernos y Debates, n° 49. Madrid, 1992.

PROTT, L.: *The definition of the archaelogical heritage. Conference on Archaelogical Property: Current Trends in its Legal Protection.* Athens, 1992.

PUGH-SMITH and SAMUELS: *Archaelogy in law,* 1ª ed., 1996.

PULIDO QUECEDO, M.: *La Constitución española. Con la jurisprudencia del Tribunal Constitucional.* 1996.

PULITANO: «Obblighi constituzionali di tutela penale», en *Rivista Italiana di Diritto e procedure Penale, 1983.*

QUINTANA LÓPEZ, T.: «El principio «non bis in idem» y la responsabilidad administrativa de los funcionarios», en *Revista Española de Derecho Administrativo* n° 52, octubre-diciembre 1986.

QUINTANA LÓPEZ, T.: *La conservación de las ciudades en el moderno urbanismo.* Oñati, 1989.

QUINTANA LÓPEZ, T.: *Declaración de ruina y protección del patrimonio histórico inmobiliario.* Madrid, 1991.

QUINTANO RIPOLLÉS, A.: *Comentarios al Código penal.* Madrid, 1966.

QUINTANO RIPOLLÉS, A.: *Tratado de la Parte Especial del Derecho Penal. Tomo III-Daños.* Madrid, 1977.

QUINTERO OLIVARES, G.: *La política penal para la propiedad y el orden económico ante el futuro Código español* en *Estudios penales y criminológicos* III. Santiago de Compostela, 1979, p. 187 y ss.

QUINTERO OLIVARES, G.: «Delitos contra los intereses generales o derechos sociales», en *RFDUCM,* n° 6, 1983, p. 571 y ss.

QUINTERO OLIVARES, G.: «El Hurto», en *Comentarios a la legislación penal,* tomoV, v.2. Madrid, 1985, p. 1152-53.

QUINTERO OLIVARES, G.: «La autotutela, los límites al poder sancionador de la Administración Pública y los principios inspiradores del Derecho penal», en *Revista de Administración Pública,* n° 126, sept-dic. 1991.

QUINTERO OLIVARES, G./MORALES PRATS, F./PRATS CANUT, M.: *Curso de Derecho penal. Parte general.* Barcelona, 1996.

QUINTERO OLIVARES, G.: *Manual de Derecho penal. Parte general.* Barcelona, 1996.

QUINTERO OLIVARES, G. Y TAMARIT SUMALLA, J.M.: «De la responsabilidad civil y su extensión», en *Comentarios al Nuevo Código penal,* 1996, p. 551 y ss.

QUIRÓS ROLDÁN, A., ESTELLA LÓPEZ, J.M., ARENAS SALVATIERRA, S.: *Estudio-Comentario jurisprudencial sobre las licencias urbanísticas.* Granada, 1997.

RADBRUCH, G.: *Filosofía del Derecho.* Madrid, 1959.

RASSAT, M.L: *Les infractions contre les biens et les personnes dans le noveau Code pénal.* Paris, 1995.

REAU, L.: *Histoire du vandalisme. Les Monuments détruits de l'art français.* Paris, 1959.

RECCHIA, G.: «Considerazioni sulla tutela degli interessi diffusi nella costituzione» en *La tutela degli interessi diffusi nel diritto comparato.* Milano, 1976, p. 28 y ss.

RICCCIO, L. A.: «La Convenzione Europea sulla tutela del patrimonio culturale», en *Rivista italiana di diritto e procedura penale,* F. 1, 1987.

ROBERT, J.H.: «Sites et paysages» en *Revue science criminel,* 1993.

ROCA ROCA, E.: *El patrimonio artístico cultural.* Madrid, 1976.

RODRÍGUEZ-ARANA MUÑOZ, J.: «El silencio administrativo y los actos tácitos o presuntos», en *Poder Judicial*, nº 53, 1999, p. 309.

RODRÍGUEZ DEVESA, J.: *Derecho penal español. Parte Especial*. Madrid, 1983.

RODRÍGUEZ MONTAÑÉS, T.: *Delitos de peligro, dolo e imprudencia*, 1994.

RODRÍGUEZ MOURULLO, G.: «Principio de legalidad», en *Nueva Enciclopedia Jurídica*, T. XIV, 1971.

RODRÍGUEZ RAMOS, L.: «Reserva de ley orgánica para las normas penales», *Comentarios a la legislación penal* I, 1982, p. 306.

RODRÍGUEZ RAMOS, L.: *Compendio de Derecho penal. Parte especial*. Madrid, 1987.

RODRÍGUEZ RAMOS, L.: «¿Hacia un Derecho penal privado y secundario? (Las nuevas cuestiones prejudiciales suspensivas)» en *Actualidad Jurídica Aranzadi*, nº 251, junio 1996.

RODRÍGUEZ RAMOS, L.: «Cuestión prejudicial devolutiva, conflicto de competencia y derecho al juez predeterminado por la ley» en *Actualidad Jurídica Aranzadi*, nº 285, 13 de marzo de 1997.

RODRÍGUEZ-TOURON ESCUDERO, M. J.: «Los Catálogos de Planeamiento, una herramienta básica en la protección del patrimonio», en *Boletín del Instituto Andaluz de Patrimonio Histórico*, nº 16, 1996, p. 119 y ss.

ROIG TORRES, M.: *La reparación del daño causado por el delito (aspectos civiles y penales)*. Valencia, 2000.

ROLLA, G.: «Beni culturali e funcione sociale» en *La Regione* nº 1-2 1987.

ROLLA, G.: «Bienes culturales y Constitución», en *Revista del Centro de Estudios Constitucionales, 2*, enero-abril 1989, p. 168 y ss

ROMA VALDÉS, A.: «Las excavaciones ilegales y la protección penal del patrimonio histórico» en *Revista de Derecho Ambiental*, nº 17, p. 59 y ss.

ROMERO SAURA, F./LORENTE TALLADA, J. L.: *El Régimen urbanístico de la Comunidad Valenciana*, 1996.

ROTILI, B.: *La tutela penale delle cose di interesse artistico e storico*. Napoli, 1978.

ROUJOU DE BOUBEE, G.: *Le droit pénal de la construction et de l'urbanisme*. 1988.

ROXIN, C.: *Problemas básicos de Derecho penal*. Trad. Luzón Peña. Barcelona 1976.

ROXIN, C.: *Strafrecht Allgemeiner Teil*. Munchen, 1994.

RUB, W.: *Leipziger Kommentar*. Fünfter Band, Berlin-New York, 1989 p. 80 y ss.

RUBIO LLORENTE, F.: «La Constitución como fuente del Derecho» en *La Constitución española y las fuentes del Derecho*, III. Madrid, 1979, p. 71.

RUIZ-GIMÉNEZ, J.: *La propiedad. Sus problemas y su función social. Vol. I.* Salamanca, 1961.

RUIZ VADILLO, E.: «La punición de los delitos de robo con fuerza en las cosas, hurto y estafa en la reforma parcial del Código penal de 25 de junio de 1983. Las circunstancias de agravación específicas», en *Estudios Penales y Criminológicos, nº 7*. Universidad de Santiago de Compostela, 1984.

SABATINI, G.: *Le contravvenzione nel codice penale vigente.* Milano, 1961.

SALEWSKI: *Zur Soziologie und Strafwürdigkeit der Sachbeschädigung,* 1935 (StrAbk. Heft 360).

SALINERO ALONSO, C.: «Delitos contra la ordenación del territorio» (I y II) en *La Ley,* 4, 1997, p. 1332.

SALINERO ALONSO, C.: *La Protección del Patrimonio Histórico en el Código penal de 1995.* Barcelona 1997.

SAMSON, E. en RUDOLPH, H.H./SAMSON, E./HORN, E./GÜNTER, H.L., *Systematischer Kommentar zum Strafgesetzbuch. Band II. Besonderer Teil (§§ 80-358),* 1997.

SÁNCHEZ MARTÍNEZ, F.: «Alcance y límites a la cláusula agravatoria de la responsabilidad de los funcionarios en materia urbanística», en *CPC,* nº 65, 1998, p. 435 y ss.

SÁNCHEZ-VERA GÓMEZ-TRELLES, J.: «Delitos de funcionarios: aproximación a su parte general», en *Revista Canaria de Ciencias Penales,* nº 3, julio 1999.

SANTANA VEGA, D. M.: *La protección penal de los bienes jurídicos colectivos.* Madrid, 2000.

SANTANIELLO, G./MARUOTTI, L.: *Manuale di Diritto penale. Parte Generale.* Milano, 1990.

SANZ MORAN, A. J.: *El concurso de delitos. Aspectos de política legislativa.* Valladolid, 1986.

SANZ-PASTOR Y PALOMEQUE, C.J.: «Reflexiones sobre la protección del Patrimonio Cultural Inmobiliario mediante planes de Urbanismo», *RDUrb* mayo-junio 1984, p. 445 y ss.

SARMIENTO ACOSTA, M. J.: «Las virtualidades del derecho constitucional al medio ambiente» en *Actualidad Administrativa,* nº 39, octubre 1996.

SAUJOT, C.: "L'article 322-2 du Code pénal: une protection renforcée du patrimoine culturel?" en *Juris-Classeur, Droit Pénal.* Avril 1996.

SCAPARRO, F.: «Social and psychological aspects of delinquent behaviour» en *The protection of historic buildings and their artistic contents against crimes and wilful damage.* Bélgica, 1992.

SCHLERETH, T. J.: *Material Culture Studies in America.* 1982.

SCHÜNEMANN, B.: «Cuestiones básicas de dogmática jurídico-penal y de política criminal acerca de la criminalidad de la empresa», en *ADPCP,* 1988.

SCHÜNEMANN, B.: «¿Ofrece la reforma del Derecho penal económico alemán un modelo o un escarmiento? (traducc. Rodriguez Montañés)», *Cuadernos del CGPJ,* nº 8, 1991.

SEAGO, P.: *Criminal Law.* Leeds, 1994.

SERRAN PAGAN, F.: *Cultura española y Autonomías.* Madrid, 1980.

SERRANO BUTRAGUEÑO, I.: «La responsabilidad civil derivada del delito», en *El Nuevo Código Penal aplicado a Empresas y Profesionales. Manual teórico práctico (IV).* Madrid, 1996, p. 639.

SERRANO GÓMEZ, A.: *Derecho penal. Parte especial*. II. 1997.

SERRANO GONZÁLEZ DE MURILLO, J.L.: «Las modalidades típicas de incendios «comunes» en el Código penal español», en *CPC*, nº 54, 1995, p. 1105.

SERRANO GONZÁLEZ DE MURILLO, J.L.: «Los delitos de incendio en el nuevo Código penal», en *Actualidad penal*, nº 42, noviembre 1996.

SERRANO MORENO, J. L.: «Algunas hipótesis sobre los principios rectores de la política social y económica», en *Revista de Estudios Políticos*, nº 56, abril-junio 1987, p. 95

SGUBBI, F.: «Tutela penale di «interessi difussi», en *La Questione criminale, 1975.*

SGUBBI, F.: *El delito como riesgo social. Investigación sobre las opciones en la asignación de la ilegalidad penal* (trad. por Virgolini). Buenos Aires, 1998.

SHARMAN, F.: «The New Law of Ancien Monuments», en *Journal of Planning and Environment Law*, 1981.

SIBINA TOMAS, D.: *La conservación de las fachadas en condiciones de seguridad*. Barcelona, 1998.

SIERRA LÓPEZ, M.V.: «La prevaricación específica del funcionario público en el marco de los delitos recogidos en el título XVI: su relación con la prevaricación genérica del artículo 404 del Código Penal», en *Actualidad Penal*, nº 36, octubre 2000.

SILVA SÁNCHEZ, J.M.: *Aproximación al Derecho penal contemporáneo*. Barcelona 1992.

SILVA SÁNCHEZ, J.M.: «Legislación penal socio-económica y retroactividad de disposiciones favorables: El caso de las «Leyes en Blanco», en *Estudios Penales y Criminológicos*, XVI, 1993.

SILVA SÁNCHEZ, J.M.: «¿Competencia «indirecta» de las Comunidades Autónomas en materia de Derecho penal?, en *La Ley* 1, 1993.

SILVA SÁNCHEZ, J.M.: «¿Protección penal del medio ambiente? Texto y contexto del artículo 325» en *La Ley*, año XVIII, número 4285-4286. 1997.

SILVA SÁNCHEZ, J.M.: «Introducción. Necesidad y legitimación de la intervención penal en la tutela de la ordenación del territorio», en *Delitos contra el urbanismo y la ordenación del territorio*. Bilbao, 1998.

SILVA SÁNCHEZ, J.M.: «¿Política criminal «moderna»?. Consideraciones a partir del ejemplo de los delitos urbanísticos en el nuevo Código Penal español», en *Actualidad Penal*, nº 23, 1998.

SILVA SÁNCHEZ, J.M.: «Las «normas de complemento» de las leyes penales en blanco pueden emanar de las Comunidades Autónomas (Consideraciones a propósito de la STC (2ª) 120/1998, de 15 de junio», en *Poder Judicial*, nº 52.

SILVA SÁNCHEZ, J.M.: *La expansión del Derecho penal. Aspectos de la política criminal en las sociedades postindustriales*. Madrid, 1999.

SILVA SÁNCHEZ, J.M.: *Delitos contra el medio ambiente*. Valencia, 1999.

SCHMIDHÄUSER: *Strafrecht*. Allgemeiner Teil. Lehrbuch, Tubinga 1970.

SCHÜNEMANN: «Cuestiones básicas de dogmática jurídico-penal y de política criminal acerca de la criminalidad de la empresa», en *ADPCP*, 1988.

SMITH & HOGAN: *Criminal Law*. London, Dublin y Edinburgh, 1992.

SORIANO SORIANO, J.R.: *Las agravantes específicas comunes al robo y al hurto*. Valencia, 1993.

SPERONI, M.: *La tutela dei beni culturali negli Stati italiani preunitari, I. L'età delle riforme*. Milano, 1988.

STEFANI, G. et LEVASSEUR, G.: *Droit pénal général*. Paris, 1978.

STREE, W: en SCHÖNKE- SCHRÖDER, H.: *Strafgesetzbuch. Kommentar 25 Auflage*. München, 1997.

SUÁREZ GONZÁLEZ, C.: *Comentarios al Código penal* (dir. por RODRÍGUEZ MOURULLO; coord. por JORGE BARREIRO). Madrid, 1997.

SUAY HERNÁNDEZ, C.: *Los elementos básicos de los delitos y faltas de daños*. Barcelona, 1991.

SUAY HERNÁNDEZ, C.: «Los delitos contra la salubridad y seguridad del consumo en el marco de las relaciones entre el Derecho penal y el Derecho administrativo sancionador», en *Las fronteras del Código penal y el Derecho Administrativo Sancionador*». Cuadernos de Derecho Judicial. 1997.

SUAY RINCON, J.: *Sanciones administrativas*. Bolonia, 1989.

SUDDARDS, R.W./HICKEN, D./HARDMAN, P.: *Listed Buildings: The Law and Practice of Historic Buildings, Ancient Monuments, and Conservation Areas*. London, 1988.

TAMARIT SUMALLA, J. M: *La reparación a la víctima en el derecho penal. (Estudio y crítica de las nuevas tendencias político-criminales)*. Barcelona, 1994.

TAMARIT SUMALLA, J. M.: *Comentarios al nuevo Código penal* (dir. por OLIVARES y coord. por VALLE MUÑIZ). Pamplona, 1996.

TERRADILLOS BASOCO, J.: «La satisfacción de necesidades como criterio de determinación del objeto de tutela penal», en *RFDUCM*, nº 63, 1981.

TERRADILLOS BASOCO, J.: «Sustracción de cosa propia a su utilidad social», en *Documentación Jurídica*, 1983.

TERRADILLOS BASOCO, J.: «El ilícito ecológico: sanción penal-sanción administrativa», en *El delito ecológico*, 1992.

TERRADILLOS BASOCO, J.: *Derecho penal de la empresa*. Madrid, 1995.

TERRADILLOS BASOCO, J.: «Protección penal del medio ambiente en el nuevo Código penal español. Luces y sombras», en *Estudios penales y criminológicos* XIX, 1996.

TERRADILLOS BASOCO, J.: «Delitos relativos a la protección del patrimonio histórico y el medio ambiente» en *Derecho penal del medio ambiente*. Madrid, 1997.

TERRADILLOS BASOCO, J.: «Responsabilidad del funcionario público en delitos relativos a la ordenación del territorio y la protección penal del patrimonio histórico y del medio ambiente», en *Estudios penales y criminológicos* XX, 1997.

TERRADILLOS BASOCO, J.: «La protección penal de los bienes inmuebles integrantes del patrimonio histórico», en *Sanción penal y sanción administrativa en materia de ordenación del territorio*. Cádiz, 1998.

TERRADILLOS BASOCO, J.: «Política y Derecho Penal en Europa», en *Revista Penal*, nº 3, 1999.

TESTORI, A.: «Esportazione abusiva di cose di interesse storico e artistico», en *Giurisprudenza italiana*, 1981, II, p. 13 y ss.

TIEDEMANN, K.: «Blankettstrafgesetz», en *Handwörterbuch des Wirstchafts-und Steuerstrafrechts*, 1990.

TIEDEMANN, K.: *Lecciones de Derecho penal económico (comunitario, español, alemán)*. Barcelona, 1993.

TOMAS Y VALIENTE, F: *El Derecho penal de la monarquía absoluta (siglos XVI-XVII-XVIII)*. Madrid, 1992.

TORIO LÓPEZ, A: «Injusto penal e injusto administrativo (presupuestos para la reforma del sistema de sanciones)» en *Homenaje a E. García de Enterría* 1991, vol. III, p. 2529 y ss.

TORIO LÓPEZ, A.: «Reflexión sobre la protección penal de los consumidores» en *Derecho del consumo*, 1994, p. 140.

TRAYTER JIMÉNEZ, J.M.: «Sanción penal-sanción administrativa: el principio «non bis in idem» en la jurisprudencia», en *Poder Judicial*, nº 22.

TRÖNDLE, H.: *Kom. Strafgesetzbuch und Nebengesetze*. München, 1997.

U.N.E.S.C.O.: *Informaciones sobre la aplicación de la Convención para la protección de los bienes culturales en caso de conflicto armado*, 1995.

VAELLO ESQUERDO, E.: *«La defensa del patrimonio histórico-artístico y el Derecho penal,»* en *Derecho y Proceso*. Murcia, 1980.

VALLDECABRES ORTIZ, I.: *Comentarios al Código penal de 1995*, (Coord. por VIVES ANTÓN),T. II. Valencia, 1996, p. 2178.

VAQUER CABALLERÍA, M.: *Estado y cultura: la función cultural de los poderes públicos en la Constitución española*, 1998.

VÁZQUEZ IRUZUBIETA, C: *Nuevo Código penal comentado*, 1997.

VERCHER NOGUER, A.: «Delitos contra la ordenación del territorio, patrimonio histórico y medio ambiente», en *Estudio y aplicación práctica del Código penal de 1995*, Tomo II. Parte Especial, p. 379 y ss.

VERCHER NOGUERA, A.: «Delitos contra el Patrimonio Histórico», en *El nuevo Código penal y su aplicación a empresas y profesionales*. Madrid, 1996, p. 559 y ss.

VERCHER NOGUERA, A.: «Constructores, promotores y técnicos directores en los delitos contra la ordenación del territorio a la luz de la reciente jurisprudencia penal», en *Actualidad Penal*, nº 357, septiembre 1998, p. 1 y ss.

VERCHER NOGUERA, A.: *Código penal de 1995. Comentarios y jurisprudencia*. (Coord. por SERRANO BUTRAGUEÑO). Granada 1998.

VIADA Y VILASECA, S.: *Código penal reformado de 1870. Concordado y comentado*. Barcelona, 1874, p. 913.

VICENTE DOMINGO, J.: «Consideraciones críticas sobre la política protectora de los conjuntos históricos», en *Revista de Derecho Urbanístico*, nº 122, marzo-abril 1991.

VIOLLET-LE-DUC, E.: *Entretiens sur l'architecture*. Paris, 1863-72, reed. 1997.

VITU, A.: «Destructions, degradations et deteriorations ne presentant pas de danger pour les personnes: art.322-1 a 322-4», *Juris-Classeur* 1993.

VIVES ANTÓN, T. S.: *Libertad de prensa y responsabilidad criminal (La regulación de la autoría en los delitos cometidos por medio de la imprenta)*. Colección de Estudios de Criminología y Derecho Penal. Valencia, 1977.

VIVES ANTÓN, T. S.: «Reforma política y Derecho Penal», en *CPC*, nº 1 1977.

VIVES ANTÓN, T. S.: «Dos problemas del positivismo jurídico», en la *Colección de Estudios*, Instituto de Criminología y Departamento de Derecho Penal, Universidad de Valencia, 1979.

VIVES ANTÓN, T. S.: «Consideraciones político-criminales en torno a la obediencia debida», en *Estudios Penales y Criminológicos*, nº 5, Santiago, 1981, p. 133 y ss.

VIVES ANTÓN, T. S.: *La estructura de la teoría del concurso de infracciones*. Valencia, 1981.

VIVES ANTÓN, T. S.: «Estado de Derecho y Derecho Penal», *Comentarios a la legislación penal*, T. I. Madrid 1982.

VIVES ANTÓN, T. S.: «La responsabilidad de los jueces en el Proyecto de Ley Orgánica del Poder Judicial» en *Estudios Penales y Criminológicos*, IX, Santiago de Compostela, 1986, p. 259 y ss.

VIVES ANTÓN, T. S.: «Presupuestos constitucionales de la prevención y represión del tráfico de drogas tóxicas y estupefacientes», en *Problemática jurídica y psicosocial de las drogas*. Valencia, 1987.

VIVES ANTÓN, T. S.: «*Ne bis in idem*» procesal», en *Cuadernos de Derecho Judicial*, nº 5, 1992.

VIVES ANTÓN, T. S. (junto a BOIX REIG, J, ORTS BERENGUER, CARBONELL MATEU, J.C., GONZÁLEZ CUSSAC, J. L.): *Derecho penal. Parte Especial*. Valencia, 1993.

VIVES ANTÓN, T. S.: *La libertad como pretexto*. Valencia, 1995.

VIVES ANTÓN, T. S.: *Comentarios al Código penal de 1995*. (Coord. por VIVES ANTÓN), T. II. Valencia, 1996, p. 1402.

VIVES ANTÓN, T. S.: *Fundamentos del sistema penal*. Valencia, 1996.

VIVES ANTÓN, T. S.: «Principios penales y dogmática penal», en *Estudios sobre el Código penal de 1995 (Parte General)* 2, Escuela Judicial. CGPJ, 1996, p. 37-71.

VOGEL, J.J./BENDA, MAIHOFER-HESSE-HEYDE en *Manual de Derecho Constitucional* (trad. de LÓPEZ PINA, A.). Madrid, 1996.

VOLTA, R.: «Brevi note in tema di interessi diffussi alla luce della riforma del codice di procedura penale» en *Rivista penale*, 1990, p. 23 y ss.

WEBER: *Zum Verhältnis von Bundes —und Landesrecht auf dem Gebiet des Straf— und bu(geldrechtlichen Denkmalschutzes*, TRÖNDLE-Festschrift S. 337.

WELZEL: *Der Verbotsirrtum im Nebenstrafrecht*, JZ, 1956.

WERR, C.: *Illegaler Erwerb, Besitz und Handel von Kunstwerken (Eine kriminologisch-kriminalistische Studie über den Kunstdiebstahl i.w. S und Konsequenzen für die Strafrechtsplege)*, Verlag Max Schmidt-Römhild, Lúbeck, 1978.

WOLFF: *Leipziger Kommentar,* Siebenter *Band.* Berlin-New York, 1988.

WOLFF: *Leipziger Kommentar,* 1997.

WÖRNER, H.J.: *Monuments historiques, nº 166,* 1989.

WÜTENBERG, T.: *Kunstfälschung und Kunstdiebtahl,* Universitas, 1967.

YAÑEZ, A.: «Los bienes integrantes del «Patrimonio Histórico Español». A propósito de la sentencia 181/1998 del Tribunal Constitucional», en *Revista Española de Derecho Administrativo,* nº 103, julio-septiembre, 1999.

ZUGALDIA ESPINAR, J.M: «Capacidad de acción y capacidad de culpabilidad de las personas jurídicas», en *CPC,* 1994, p. 613.

ZUGALDIA ESPINAR, J.M.: «Las penas previstas en el artículo 129 del Código Penal para las personas jurídicas», en *Poder Judicial,* nº 46, 1997, p. 327.